이제마의 사상의학은 비과학적(非科學的)이지만, 과학적(科學的)이다.

즉, 이제마의 사상의학은 최첨단 현대의학의 기반인 고전물리학(古典物理學)으로 풀게 되면 안 풀리게 되므로 비과학적(非科學的)이 되지만, 한의학의 기반인 양자역학(量子力學)으로 풀게 되면 제대로 잘 풀리게 되면서 과학적(科學的)이 된다.

즉, 눈에 보이지 않는 에너지 현상을 전문으로 다루는 양자역학(量子力學)을 겨우 눈에 보이는 현상을 다루는 고전물리학(古典物理學)으로 풀게 되면, 양자역학(量子力學)은 자동으로 비과학적(非科學的)인 미신(迷信)이 되고 만다는 뜻이다.

즉, 최첨단 현대의학으로 이제마의 사상의학(四象醫學)을 풀면 자동으로 사상의학은 비과학적(非科學的)인 미신(迷信)이 되고 만다는 뜻이다.

체질의학의 고전

동의수세보원(東醫壽世保元)

사상의학(四象醫學)
사상 체액 생리학
인문의학(人文醫學)

(이제마에게 양자역학 노벨상을 수여하라)

D.J.O 東洋醫哲學研究所

목 차

제1권(卷之一)

성명론(性命論) 15

사단론(四端論) 71

확충론(擴充論) 99

장부론(臟腑論) 133

제2권(卷之二)

의원론(醫源論) 159

소음인 신수열 표열병론(少陰人 腎受熱 表熱病論) 175

소음인 위수한 이한병론(少陰人 胃受寒 裡寒病論) 231

(소음인) 범론 ((少陰人) 泛論) 289

장중경 상한론중 소음인병 경험설방 이십삼방

(張仲景 傷寒論中 少陰人病 經驗設方 二十三方) 321

송원명 삼대의가 저술중 소음인병 경험행용요약 십삼방 파두약 육방

(宋元明 三代醫家 著述中 少陰人病 經驗行用要藥 十三方 巴豆藥 六方) 335

신정 소음인병 응용요방 이십사방(新定 少陰人病 應用要藥 二十四方) 353

제3권(卷之三)

소양인 비수한 표한병론(少陽人 脾受寒 表寒病論) 375

소양인 위수열 이열병론(少陽人 胃受熱 裡熱病論) 429

(소양인) 범론((少陽人) 泛論)　459

장중경 상한론중 소양인병 경험설방 십방

(張仲景 傷寒論中 少陽人病 經驗設方 十方)　479

원명 이대의가 저술중 소양인병 경험행용요약 구방

(元明 二代醫家 著述中 少陽人病 經驗行用要藥 九方)　487

신정 소양인병 응용요약 십칠방

(新定 少陽人病 應用要藥 十七方)　503

제4권(卷之四)

태음인 위완수한 표한병론(太陰人 胃脘受寒 表寒病論)　521

태음인 간수열 이열병론(太陰人 肝受熱 裡熱病論)　543

(태음인) 범론((太陰人) 泛論)　563

장중경 상한론중 태음인병 경험설방약 사방

(張仲景 傷寒論中 太陰人病 經驗設方藥 四方)　573

당송명 삼대의가 저술중 태음인병 경험행용요약 구방

(唐宋明 三代醫家 著述中 太陰人病 經驗行用要藥 九方)　577

신정 태음인병 응용요약 이십사방

(新定 太陰人病 應用要藥 二十四方)　587

태양인 외감 요척병론(太陽人 外感 腰脊病論)　607

태양인 내촉 소장병론(太陽人 內觸 小腸病論)　615

본초소재 태양인병 경험요약 단방십종급이천

공신 경험요약 단방이종

(本草所載 太陽人病 經驗要藥 單方十種 及

李梴 龔信 經驗要藥 單方二種)　635

신정 태양인병 응용설방약 이방

(新定 太陽人病 應用設方藥 二方)   639

광제설(廣濟說)   645

사상인 변증론(四象人 辨證論)   665

처방 색인   687

들어가면서....

이제마의 동의수세보원은 사상 체질을 논한 책으로 유명하다. 그러나 이 책을 고전물리학을 기반으로 하고 있는 최첨단 현대의학으로 풀면서, 이 책은 엉망진창이 되고 말았다. 그 이유는 이제마의 동의수세보원은 고전물리학보다 수준이 엄청나게 높은 양자역학을 기반으로 하고 있기 때문이다. 이는 고전물리학으로 양자역학을 증명하는 꼴이어서 한 편의 코미디 쇼를 펼치게 된다. 이런 이유로 이제마의 동의수세보원을 양자역학과 체액 생리학을 이용해서 풀게 되면, 이 책은 명확하고 명료하게 풀리면서, 의료 현장에서 꽤 쓸모있는 과학적인 책으로 변모하게 된다. 그리고 이 책은 이제마의 역작이다. 본문을 보면 알겠지만, 이제마는 양자역학의 개념을 완벽하게 알고 있었고, 더불어 체액 생리학의 대가(大家)였다. 그래서 내빙외탄(內氷外炭)이라는 표현이나, 내탄외빙(內炭外氷)이라는 표현은 양자역학과 체액 생리학을 완벽하게 알고 있지 않으면, 도저히 구사할 수가 없는 표현이다. 어떻게 안에 있는 차가운 얼음이 밖으로 나오면 뜨거운 숯이 될 수가 있고(內氷外炭), 안에 있는 뜨거운 숯이 밖으로 나오게 되면 차가운 얼음이 될 수 있다(內炭外氷)는 말인가 말이다. 이 두 표현은 거의 예술에 가까운 표현이다. 이에 대한 자세한 내용은 본문을 보면 되는데, 이를 본 독자들은 찬탄(贊嘆)이 나올 것이다. 또 다른 예술적 표현은 수승화강(水升火降)이다. 보통 물은 아래로 내려가고 불길은 위로 올라가는데, 이는 물이 위로 올라가고 불이 아래로 내려온다(水升火降). 이 내용도 본문을 보면 알겠지만, 거의 예술에 가까운 표현이다. 이 표현은 양자역학과 체액 생리학을 완벽하게 알고 있지 않으면, 구사할 수가 없는 극도로 수준이 높은 표현이다. 이제마는 참으로 대단한 사람이다. 이제마는 서기 1900년에 사망했다. 그리고 서양에서 양자역학이라는 말을 처음 만든 사람은 과학자인 막스 보른(Max Born, 1882~1970)이었다. 그런데, 이제마는 이미 이때 양자역학 이론을 정확하게 꿰뚫고 있었다. 우리는 우리가 미개인이라고 부르는 우리 조상이 만든 최첨단 문명을 복원해가고 있는 것일까? 판단은 독자 여러분의 몫이다. 아무튼, 수준이 엄청나게 높은 이제마가 자기만의 독자 이론을 만들었다는 사실은 동의수세보원이라는 책이 그리 만만한 책이 아니라는 사실을 말해주기도 한다. 그래서 이 책을 완벽하게 이해하기 위해서는 동양의학 전반 그리고 서양의학 전반을 꿰뚫고 있어야만 한다. 그래서 이 책은 아무나 해석할 수 있는 책이 아니다. 동의수세보원은 일단 황제내경 소문, 영추를 기본 베이스로 깔고, 추가로 난경, 맥경, 상한론을 완벽하게 이해하기를 요구하고 있다. 게다가 최첨단 현대의학이 말하지 않고 있는 체액 생리학을 거의 완벽에 가까울 정도로 알고 있어야만 한다. 그러고도 추가로 응용(應用)을 요구한다. 즉, 동의수세보원은 의학서를 넘어서서 종합과학 도서이다. 여기서 이제마의 또 다른 천재적인 측면도 보인다. 즉, 이제마는 인문의학(人文醫學)의 개념을 이미 완벽하게 알고 있었다는 사실이다. 사실, 의학의 마지막 완성은 인문의학이다. 그래서 이제마는 인문의학에 많은 분량을 할애하고 있다. 이 부분은 인문의학의 개념을 모르게 되면, 이는 그냥 철학(哲學)으로 취급된다. 그래서 많은 해석자는 동의수세보원이 기술한 인문의학의 부분을 철학으로 본다. 그리고 에너지로 몸을 파악하는 사상의학의 완성은 사주명리(四柱命理)를 다루는 명리론(命理論)과 관상(觀相)을 보는 상법(相法)을 통달하기를 요구하고 있다. 명리론은 DNA가 보유한 에너지를 파악하는 일이고, 상법은 골상학으로 설명되는 에너지가 만든 골격과 살을 보는 일이다. 여기에 추가로 식료본초(食療本草)를 알아야 일상에서 사상의학이 제대로 힘을 발휘하게 된다. 일단 이들을 제쳐두고 먼저 이제마의 사상의학을 알기 위해서는 동의수세보원의 해석이 우선이 되는데, 이는 전자생리학을 최소로 요구하고 있다. 좀 더 완벽하게 동의수세보원을 풀려면, 황제내경뿐만이 아니라 맥경과 상한잡병론까지 요구한다. 일단 지금은 동의수세보원이 먼저이므로, 이 책을 볼 때는 반드시 전자생리학을 먼저 읽기를 바란다. 아니면, 이 책에서 말하는 명제를 그대로 인정하고서 이 책을 읽어나가면 되지만, 이해가 시원스럽게 되지는 않을 것이다. Good Luck!

From D. J. O.　20240301.

　　　　들어가면서....

저자와 독자의 소통 공간

E-Mail : energymedicine@naver.com

네이버 카페 : D.J.O. 동양의철학 연구소

(계속해서 업데이트되는 새로 출판된 책들의

개요를 만나 볼 수 있는 소통 공간이다)

(https://cafe.naver.com/djoorientalmedicine)

D.J.O. 동양의철학 연구소 네이버 카페 QRCode

제1권(卷之一)

성명론(性命論)

성명론(性命論)

天機有四　一曰 地方　二曰 人倫　三曰 世會　四曰 天時

　이 문장에서 핵심은 천기(天機)이고, 천기에서 핵심은 기(機)이다. 그리고 천기에서 천(天)은 하늘로 해석하면 안 되고, 하늘이 공급하는 에너지(energy)로 해석해야만 한다. 그러면 자동으로 이 문장은 에너지(energy) 문제로 전환된다. 동의수세보원은 에너지(energy) 덩어리인 인체를 분석한 책이라는 사실을 상기해보자. 그리고 천기에서 기(機)는 에너지를 담고 다니는 담체(擔體:carrier)를 말한다. 그러면 자동으로 천기(天機)는 에너지 담체(擔體:carrier)가 된다. 이를 기반으로, 이 문장을 해석해보자. 하늘이 주는 에너지를 싣고 다니는 담체는 4가지가 있다(天機有四). 첫째는 지방이다(一曰 地方). 둘째는 인륜이다(二曰 人倫). 셋째는 세회이다(三曰 世會). 넷째는 천시이다(四曰 天時). 이를 다시 풀어보면, 사방(方)에서 하늘이 주는 에너지를 품고 있는 땅(地), 윤리(倫)와 도덕을 지키면서 살아가고 에너지를 품고 있는 사람(人) 그리고 인간계와 더불어 에너지를 품고 있는 다른 생물들과 무생물들이 만나는(會) 세계(世) 그리고 사계절이라는 하늘(天)이 공급한 에너지를 품고 있는 계절(時)이라고 말하는 천시(天時)이다. 이는 당연히 양자역학과 전자생리학을 요구한다. 그리고 이는 음과 양으로 구별된다. 즉, 에너지를 보유한 양(陽), 보유하지 않은 음(陰) 추가로 음양을 구별하는 전자(Electron)인 신(神)이다. 그런데, 이제마는 성명론(性命論)에 관해서 주해(註解)를 달았다. 그리고 이제마가 제시한 이론의 핵심은 인체를 음양으로 나누는 것이다. 그러면, 이 이론은 당연히 음양 이론과 인체를 결부시킬 것이다. 여기서 음양의 문제는 당연히 하늘이 공급한 에너지 문제로 귀결한다. 이 문제를 풀기 위해서는 음양의 문제를 잘 알아야만 한다. 그러나 지금까지 음양의 문제는 실체가 있는 문제가 아니라 실체가 없는 관념적인 문제로 이해되어왔다. 이 덕분에 음양이 핵심인 한의학의 이론은 엉망진창이 되었고, 이를 기반으로 한 동의수세보원의 해석도 더불어 엉망진창이 되고 말았다. 이 문제는 어쭙잖은 서구 문명이 과학을 주도하면서 더욱더 심하게 되었고, 급기야 한의학은 미신으로 전락하고 만다. 이 문제는 당연히 정확한 음양 이론의 정의가 요구된다. 그리고 그 원조는 황제내경이다. 즉, 이제마의 성명론 주해를 풀려면, 황제내경의 도움이 필요하다는 뜻이다. 아래 내용은 본 연구소가 발행한 황제내경 제5편 음양응상대론(陰陽應象大論) 제4장 3절을 인용한 것이다.

제3절

天不足西北, 故西北方陰也, 而人右耳目不如左明也, 地不滿東南. 故東南方陽也, 而人左手足不如右强也.

　하늘에서 서쪽과 북쪽은 각각 금성과 수성이 자리하고 있으면서 가을과 겨울을 나타내기 때문에 당연히 지구에 보내주는 에너지가 적고 부족하다(天不足西北). 그래서 이 두 방향은 음이 된다(故西北方陰也). 그런데 음양 구별에서 우측(右)은 양(陽)이고 좌측(左)은 음이기 때문에, 가을과 겨울처럼 음(陰)이 지배하는 계절에는 좌측(陰)에 자리하고 있는 눈과 귀가 더 총명하다(而人右耳目不如左明也). 여기서 눈과 귀를 예로 든 이유는 추운 날씨에는 신장이 관여하고, 신장은 뇌척수액을 담당하기 때문에 특히 눈과 귀에 영향을 많이 주기 때문이다. 그런데 여기에는 재미있는 과학이 숨어있다. 귀가 듣는 소리나 눈이 감지하는 빛은 공기 밀도와 밀접하게 관계하고 있다. 즉, 이는 공기라는 매질이 아주 중요하다는 뜻이다. 이 공기라는 매질은 가을과 겨울처럼 날씨고 맑고 추우면, 공기의 밀도가 높아져서 소리 전달이나 빛의 전달이 잘 된다. 반대로 봄과 여름은 공기 밀도가 낮아서 소리 전달도 잘 안 되고 빛도 잘 투과하지 못하게 된다. 너무 긴 이야기라서 여기서 줄인다. 하늘에서 동쪽과 남쪽은 목성과 화성이 자리하고 있으면서, 봄과 여름을 나타내기 때문에, 당연히 지구에 많은 에너지를 보내주게 되고, 이때는 당연히 양이 된다(故東南方陽也). 그러나 지구는 이 두 행성이 주는 에너지를 모두 담지(滿)를 못하고 일부는 수증기로 증발이 된다(地不滿東南). 이렇게 양이 주도하는 계절에

　　　　　　　　성명론(性命論)

는 양인 우측이 강하게 된다(而人左手足不如右強也). 그런데 우연의 일치일까? 이 양(陽)이 주도하는 계절에는 일조량 때문에 간질 체액의 정체가 문제가 된다. 그런데 인체의 체액이 폐로 최종적으로 모이면서 두 경로를 거치게 되는데, 바로 흉관을 거치는 왼쪽 경로와 머리 쪽에서 내려오는 오른쪽 경로인데, 무더위 때는 왼쪽 경로의 체액 정체가 훨씬 더 심해지면서 인체의 왼쪽이 더 문제가 된다. 너무 긴 이야기라서 여기서 마친다.

帝曰, 何以然, 岐伯曰, 東方陽也, 陽者其精幷於上, 幷於上, 則上明而下虛. 故使耳目聰明, 而手足不便也. 西方陰也, 陰者其精幷於下, 幷於下, 則下盛而上虛. 故其耳目不聰明, 而手足便也. 故俱感於邪, 其在上則右甚, 在下則左甚. 此天地陰陽所不能全也, 故邪居之.

　황제가 이유를 묻는다(帝曰, 何以然). 기백이 대답해준다(岐伯曰). 동쪽은 양이다(東方陽也). 동쪽은 목성이 지배하면서 봄의 에너지(陽)를 공급한다. 봄은 따뜻한 봄날을 제공하면서도 아직은 쌀쌀하다. 그래서 봄에는 일조량이 증가하게 되고, 간질로 호르몬이 쏟아지면서 간질을 산성으로 만드는데, 여전히 춥기 때문에 간질은 수축해있다. 그래서 이때 산성 간질액은 간질에 정체되고, 이 정체된 과잉 산을 간질에 뿌리를 둔 구심성 신경이 해결한다. 즉, 뇌(上)로 전자를 올려보내는 것이다. 그러면 이 전자인 산(酸)은 뇌(上)에서 알칼리(精)인 타우린과 반응(幷)해서 중화되고(陽者其精幷於上), 이는 담즙에 붙어서 최종적으로 간에서 처리된다. 이렇게 뇌(上)에 있는 산을 담즙으로 중화(幷)를 시키면(幷於上), 뇌는 맑아지면서 뇌의 영향을 받는 눈(上)은 밝아지게 되나(明), 산성인 담즙을 처리하는 간(下)은 알칼리를 소모(虛)하게 된다(則上明而下虛). 이런 과정이 귀와 눈을 총명하게 만든다(故使耳目聰明). 그러나 이 덕분에 간으로 체액을 보내는 수족은 당연히 불편이 따른다(而手足不便也). 서쪽은 음이다(西方陰也). 가을이 되면 서쪽 하늘에서 금성이 건조하고 쌀쌀한 기운을 지구에 보낸다. 이 가을의 쌀쌀한 기운은 과잉 산을 염(鹽)으로 처리해서 신장(下)으로 보낸다. 즉, 가을에는 과잉 산이 신장(下)에서 알칼리(精)와 반응(幷)을 해서 염으로 중화가 된다(陰者其精幷於下). 이렇게 신장(下)에서 과잉 산이 중화(幷)가 되면(幷於下), 아래쪽은 왕성하게 산이 중화 되면서 건실해 지지만, 위쪽은 약하게 된다(則下盛而上虛). 즉, 신장은 뇌척수액을 책임지고 있으므로, 뇌(上)하고도 밀접한 관계를 갖는다. 그러나 지금 신장은 염을 처리하느라 정신이 없어서 뇌척수액을 돌볼 시간이 없다. 결국 뇌(上) 쪽은 과잉 산을 중화시키지 못해서 약(虛)해진다. 그래서 뇌척수액과 밀접하게 관계하고 있 는 귀와 눈은 총명하지 못하게 된다(故其耳目不聰明). 대신 반대로 아래쪽은 신 장 덕분에 편해진다(而手足便也). 그래서 위아래 모두(俱)가 사기에 감응(感)이 될 수 있는데(故俱感於邪), 사기가 위(上)에서 감응하면, 우측의 병이 심해진다 (其在上則右甚). 인체에서 체액 순환의 핵심은 림프이다. 그런데 인체의 산성 림 프액은 두 갈래로 처리된다. 즉, 아래에서 올라오는 산성 림프액은 흉관을 거쳐서 좌측으로 들어와서 최종 종착지인 폐로 들어가고, 머리 쪽에서 내려오는 산성 림 프액은 우측을 거쳐서 폐로 들어간다. 그래서 위쪽에서 체액 순환의 문제가 생기 면 우측에서 병이 심해진다(其在上則右甚). 반대로 아래쪽에서 체액 순환의 문제 가 생기면 좌측에서 병이 심해진다(在下則左甚). 즉, 천지 음양이 상하 양쪽 모두 (全)를 다스리는 것은 불가능하다(此天地陰陽所不能全也)는 것을 말하고 있다. 그래서 상하 양쪽 어디엔가는 사기(邪)가 있을(居) 수밖에 없다(故邪居之). 즉, 한 꺼번에 인체 전체를 다스릴 수가 없고, 일부만 다스릴 수밖에 없으므로, 인체 일 부에는 사기가 항상 거주(居)하는 것이다. 이 부분은 해부생리학과 체액 이론을 잘 알아야 풀 수 있는 대목이다.

故天有精, 地有形, 天有八紀, 地有五里. 故能爲萬物之父母. 淸陽上天, 濁陰歸地. 是 故天地之動靜, 神明爲之綱紀. 故能以生長收藏, 終而復始. 惟賢人上配天以養頭, 下 象地以養足, 中傍人事以養五藏. 天氣通於肺, 地氣通於嗌, 風氣通於肝, 雷氣通於心, 谷氣通於脾, 雨氣通於腎. 六經爲川, 腸胃爲海, 九竅爲水注之氣. 以天地爲之陰陽, 陽 之汗, 以天地之雨名之, 陽之氣, 以天地之疾風名之. 暴氣象雷, 逆氣象陽. 故治不法天 之紀, 不用地之理, 則災害至矣.

　그래서 하늘은 태양계에서 만물이 만들어지는 원기(元氣:精)인 전자(神)를 가지고 있고(故天有精), 땅은 만물의 형체(形)를 만들어낼 수 있는 음(陰)인 알칼리를 가지고 있다(地有形). 그래서 하늘은 전자(精)를 가지고 사계절과 일조량과 밤낮(八紀)을 만들어내고(天有八紀), 땅은 알칼리를 이용해서 형체(形)를 만들어내는데, 오성(五星)이 만들어주는 오행(五)의 원리(里)를 따른다(地有五里). 그래서 하늘과 땅은 전자와 알칼리를 이용해서 만물을 만들고 키워내는 부모의 역할을 능히 잘할 수 있다(故能爲萬物之父母). 음에 귀속되지 않은 에너지인 청양은 하늘로 올라가고(淸陽上天), 알칼리인 탁음은 땅에 귀속된다(濁陰歸地). 이런 이유로(是故), 에너지가 모이는 하늘은 움직이고(動), 에너지가 없는 땅은 조용(靜)한 천지동정이 일어난다(是故天地之動靜). 이것이 전자(神)와 빛(明)이 만들어내는 강기이다(神明爲之綱紀). 즉, 다스림(綱紀)이다. 그래서 능히 사계절을 통해서 생장수장(生長收藏)을 다스릴 수가 있다(故能以生長收藏). 생장수장의 사계절은 끝나면 다시(復) 시작되는(終而復始) 순환을 이어간다. 그래서 현인은 위(上)로는 양을 다루는 하늘과 견주어서(配) 양을 다루는 머리를 보양했고(惟賢人上配天以養頭), 아래(下)로는 음을 다루는 땅을 본받아서(象) 음을 다루는 발을 보양했고(下象地以養足), 음양의 도로인 대기(中)가 사람의 일을 도와주는 것을 본떠서(傍) 인체를 도와주는 오장을 보양했다(中傍人事以養五藏). 산소를 공급하는 하늘의 기운은 폐에서 소통하고(天氣通於肺), 알칼리 영양소를 인체에 공급하는 땅의 기운은 음식물로 목구멍을 통해서 소통하며(地氣通於嗌), 소화관에서 올라오는 에너지(風氣)인 영양성분은 간문맥을 통해서 소통이 되며(風氣通於肝), 뢰기는 심장에서 소통한다(雷氣通於心). 뢰기(雷氣)는 대기 중의 방전(discharge:放電) 현상이다. 즉, 뢰기는 전기(電氣:electricity)가 흐르는 현상이다. 그래서 뢰기(雷氣)는 전기(電氣)이다. 전기(電氣)라는 것은 전자(電子)가 흐르는 것이다. 지금은 심장에서 전기가 흐른다는 사실은 누구나 잘 안다. 그런데 몇천 년 전에 어떻게 이런 엄청난 사실을 알았을까? 참으로 너무나 대단하다. 심장은 동방결절(sinoauricular node:洞房結節)에서 전자를 흡수하는데, 이 동방결절은 대정맥에 자리하고 있다. 그래서 대정맥혈이 산성으로 변하면 심장은 당연히 힘들어한다. 즉, 대정맥혈이 더 많은 전자를 공급해서 심장의 박동을 더 세게 만들기 때문이다. 즉, 압전기 (piezoelectricity:壓電氣) 효과에 의해서 심장 박동이 빨라지는 것이다. 곡기는 비장에서 소통한다(谷氣通於脾). 곡기(谷氣)는 계곡(谿谷)의 기운이니까 뼈 사이 구멍에서 나오는 척수액인 림프를 말한다. 이 척수액은 림프액이기 때문에 당연히 비상에서 소통하게 된다(谷氣通於脾). 우기는 신장을 통해서 소통이 된다(雨氣通於腎). 우기(雨氣)는 수분(水)을 말하는데, 신장은 삼투압 물질인 염(鹽)을 처리하기 때문에 당연히 수분 통제에 관여한다. 그래서 우기는 신장에서 소통될 수밖에 없다. 육경은 하천이라면(六經爲川), 장위는 바다이다(腸胃爲海). 여기서 천(川)은 흘러가는 경로(經路)를 의미하고, 해(海)는 용량이 큰 기물(器物)을 의미한다. 그리고 경(經)은 큰 체액 통로를 의미한다. 그래서 육경(六經)은 삼양경과 삼음경뿐만 아니라 모든 큰 체액 통로라고 생각하면 된다. 이 체액의 출발점은 바로 소화관(腸胃)이다. 소화관에서는 소화 과정을 통해서 엄청나게 많은 양의 체액을 생성시킨다. 즉, 소화관은 체액 재료를 담고 있는 용량이 큰 기물(器物)인 것이다. 소화관에서 흡수된 체액은 인체의 여러 체액관(川)을 통해서 전신으로 퍼진다. 인체를 보양하는 핵심이 되는 영양성분은 이 체액을 통해서 소통된다. 그래서 체액이 막히면 소화는 정지되고 영양분의 공급도 끊기게 된다. 구규(九竅)는 인체의 모든 배출구(排出口)를 의미한다. 이 배출구에는 외분비선(外分泌腺:exocrine gland)이 포함되어있다. 이 외분비선은 인체 밖으로 간질액(水)을 주입(注)한다. 즉, 외분비선은 간질액(水)을 인체 밖으로 배출(注)하는 것이다(九竅爲水注之氣). 즉, 이 문장은 눈물이 나오고 콧물이 나오고 소화 효소가 나오는 등의 상태를 묘사하고 있다. 천지를 만드는 것은 음양이다(以天地爲之陰陽). 즉, 음양은 전자가 결정하기 때문에 결국 천지를 가지고 노는 것은 전자라는 뜻이다. 태양계 우주는 전자의 놀이터라는 뜻이다. 그래서 양이 땀을 흘리면(陽之汗) 즉, 전자를 가지고 있는 양이 산소를 만나서 전자 중화를 통해서 물을 만들어내면, 이 때문에, 천지는 비(雨)라는 현상(名)을 만들어낸다(以天地之雨名之). 양의 기운(陽之氣)은 천지에 질풍이라는 현상(名)을 만들어낸다(以天地之疾風名之). 풍(風)은 산(酸)이고, 산은 전자를 보유하고 있으므로, 풍(風)은 에너지(Energy)이다. 그래서 바람(風)이라는 것은

성명론(性命論)

에너지의 변화를 말한다. 즉, 바람(風)은 기류(氣流) 즉, 에너지(氣)의 흐름(流)이다. 그래서 당연히 에너지인 전자를 가진 양의 기운(陽之氣)은 질풍이라는 현상(名)을 만들어낼 수 있는 것이다(以天地之疾風名之). 그래서 폭기(暴氣) 때는 즉, 에너지가 폭발할 때는 뢰기(雷氣) 현상(象) 즉, 방전 현상을 관찰할 수가 있고(暴氣象雷), 산(氣)이 과잉(逆)일 때는 전자를 가진 양(陽)을 관찰할 수가 있다(逆氣象陽). 참 대단하다. 전기라는 실체를 구체적으로 알았다는 것을 암시하고 있다. 그래서 하늘의 법칙(紀)을 따르지(法) 않고 다스리거나(故治不法天之紀), 땅의 원리를 사용할 줄 모르고 다스리면(不用地之理), 결국에 돌아오는 것은 재앙뿐이다(則災害至矣). 즉, 음양을 모르고 살면, 재앙이 온다는 뜻이다. 이 구문은 전자생리학의 극치를 보여주고 있다. 참으로 대단하다.

   이렇게 해서 동의수세보원에서 필요한 음양의 내용 일부만 황제내경에서 가져와서 인용해보았다. 본 연구소가 발행한 황제내경을 읽지 않은 독자들은 이 인용문이 조금은 어려울 것이다. 이의 자세한 내용은 본 연구소가 발행한 황제내경을 참고하면 된다. 이제 이제마가 제시한 동의수세보원 성명론의 주해를 살펴보자.

地方 卽少陰 兌上絶西方也. 人倫 卽太陰 坎中運 北方也.
此兩方 闔鎭左上 地有餘天不足之方. 故一曰地方云.
盖太少陰人之 上焦不足 卽天不足 西北而然 卽右耳目不如左耳目.
右耳目 太少陰之耳目 不如太少陽之耳目 視聽之力 不及也.

世會 卽 少陽巽下絶 東方也. 天時 卽太陽離虛中 南方也. 此兩方闢鎭右下 天有餘地不滿之方. 故 四曰 天時云. 盖太少陽人之 下焦不足 卽地不滿東南而然 卽左手足 不如右手足. 左手足 太少陽人之手足 不如 太少陰人之手足 行去之力 不足也.

　　인체를 땅(地)의 방위(方)를 빌려서 바꿔(兌) 표현해보면(卽), 소음(少陰)은 상하(上)로 표현되지 않고(絶) 좌우로 표현되는데, 이는 서쪽(西方)이 된다(地方 卽少陰 兌上絶西方也). 인체(人倫)를 이런 식으로 표현(坎)해보면(卽), 태음(太陰)은 상하로 표현되는데, 이는 60갑자 표에서 중운(中運)이 되는 북쪽(北方)이다(人倫 卽太陰 坎中運 北方也). 이런 식으로 표현된 지금의 이(此) 두(兩) 개의 방향(方)은 소음으로써 서쪽은 좌측(左)으로 표현(闔鎭)될 수 있고, 태음으로써 북쪽은 위쪽(上)으로 표현(闔鎭)될 수 있다(此 兩方 闔鎭左上). 이 형국을 양인 하늘(天)과 음인 땅(地)으로 표현해보게 되면, 즉, 이를 에너지로 표현해보게 되면, 서쪽은 가을의 약간(少) 쌀쌀한 음기(陰)를 말하고, 북쪽은 몹시(太) 추운 겨울의 음기(陰)를 말한다. 그래서 서쪽이 주도하는 가을은 소음(少陰)이 되고, 북쪽이 주도하는 겨울은 태음(太陰)이 된다. 그리고 이는 에너지가 하늘(天)에 있지 않고(不足). 땅(地)에 있게(有餘) 되는 방위(方)이다(地有餘天不足之方). 열에너지가 공급되는 봄과 여름에는 에너지가 열기를 타고 하늘로 올라가 버리므로, 이 두 계절에는 에너지가 상대적으로 하늘(天)에 더 많이(有餘) 존재하게 되고, 장마의 시기인 장하 때 하늘에 존재하던 에너지가 비를 타고 땅으로 내려오게 되고, 열에너지의 공급이 극히 적어지는 가을과 겨울에는 장하 때 땅으로 내려온 에너지가 열에너지 부족으로 인해서 하늘로 증발하지 못하고 그대로 땅에 머물게 되고, 이때는 땅(地)에 더 많은(有餘) 에너지가 존재하게 된다. 대신에 이때 하늘(天)에는 상대적으로 적은(不足) 에너지가 존재하게 된다(地有餘天不足之方). 이는 양기의 부족(不足)과 음기의 과잉(有餘)을 말하고 있다. 이 부분은 전자생리학을 필수로 요구하고 있다. 그래서(故) 이 첫 번째를 이르러(一曰) 인체를 땅(地)의 방위(方)를 빌려서 표현(云)했다고 말한다(故 一曰地方云). 에너지의 개념을 몹시 어렵게 설명하고 있다. 이의 개념을 정확히 알려면, 본 연구서가 발행한 황제내경 소문과 전자생리학을 참고하면 된다. 다시 주해의 본문을 살펴보자. 그래서 소음인이나 태음인 모두(盖)를 보게 되면(盖太少陰人之), 양(上)으로 표현되는 상초(上焦)는 에너지가 부족하게 되고(上焦不足) 즉, 하늘(天)로 표현되는 양이 부족(不足)하게 된다(卽天不足). 이는 에너지가 부족한 서쪽(西)과 북쪽(北)을 표현하므로, 당연(然)한 일이다(西北而然). 그러면 당연히(卽) 양(右)에 속하는 이목(耳目)과 음(左)에 속하는 이목(耳目)의 기능이 서로 다르게(不如) 될 것이다(卽右耳目不如左耳目). 그러면 자동으로 양(右)의 이목을 보았을 때(右耳目), 음의 이목인 태음인과 소음인의 이목과 그 기능을 비교해보면(太少陰之耳目), 당연히 양의 이목인 태양인과 소양인의 이목(太少陽之耳目)의 기능과 다르게(不如) 되므로(不如太少陽之耳目), 태음인과 소음인의 시각(視) 능력과 청각(聽) 능력은 태양인과 소양인의 시각 능력과 청각 능력을 따라가지 못하게 된다(視聽之力 不及也). 에너지가 많은 양과 적은 음을 고려해서, 인체를 가동하는 에너지의 차이에 주목하면 된다. 그리고 인간계와 더불어 에너지를 품고 있는 다른 생물들과 무생물들이 만나는(會) 세계(世)도 이런 식으로 표현(異)해보게 되면(卽), 소양(少陽)은 상하(上)로 표현되지 않고(絶) 좌우로 표현되는데, 이는 동쪽(東方)이 된다(世會 卽 少陽異下絶 東方也). 그리고 사계절이라는 하늘(天)이 공급한 에너지를 품고 있는 계절(時)이라고 말하는 천시(天時)도 이런 식으로 분할(離)해서 보게 되면(卽), 태양(太陽)은 좌우 공간이 아닌(虛中) 상하로 표현되는데, 이는 남쪽(南方)이 된다(天時 卽太陽離虛中 南方也). 그리고 이런 식으로 표현된 지금의 이(此) 두(兩) 개의 방향(方)은 소양으로써 동쪽은 우측(右)으로 표현(闢鎭)될 수 있고, 태양으로써 남쪽은 아래쪽(下)으로 표현(闢鎭)될 수 있다(此兩方 闢鎭右下). 이 형국을 양인 하늘(天)과 음인 땅(地)으로 표현해보게 되면, 즉, 이를 에너지로 표현해보게 되면, 동쪽(東方)은 조금(少) 따뜻한 봄기운이 도는 양기(陽)를 말하고, 남쪽(南方)은 엄청나게(太) 무더운 여름의 양기(陽)를 말한다. 그래서 동쪽이 주도하는 봄은 소양(少陽)이 되고, 남쪽이 주도하는 여름은 태양(太陽)이 된다. 그리고 이는 에너지가 하늘(天)에 있고(有餘), 땅(地)에 있지 않게(不足) 되는 방위(方)이다(天有餘地不滿之方). 열에너지가 공급되는 봄과 여름에는 땅에 존재하는 에너지가 열에너지를 통해서 자극되고, 이어서 활성화되어서 하늘로 증발하면서, 에너지는 하늘로 많이(有餘) 올라가서 존재하게 되고, 땅에는 상대적으로 적은(不足) 에너지가 존재하게 된다. 이는 오운육기의 원리를 말하고 있다. 이를 자세히 알려면, 본 연구소가 발행한 황제내경 소문을 참고하면 된다. 그래서(故) 이 네 번째를 이르러(四曰) 인체를 하늘(天)이 만든 계절(時)을 빌려서 표현(云)했다고 말한다(故 四曰 天時云). 그래서 소양인이나 태양인 모두(蓋)를 보게 되면(蓋太少陽人之), 음(下)으로 표현되는 하초(下焦)는 에너지가 부족하게 되고(下焦不足) 즉, 땅(地)으로 표현되는 음이 부족(不滿)하게 된다(卽地不滿). 이는 에너지가 많은 동쪽(東)과 남쪽(南)을 표현하므로, 당연(然)한 일이다(東南而然). 이렇게 되면(卽), 당연히 음(左)에 속하는 수족(手足)과 양(右)에 속하는 수족(手足)의 기능이 서로 다르게(不如) 될 것이다(卽左手足 不如右手足). 그러면 자동으로 태양인과 소양인이 보유한 수족은 에너지가 적은(左) 수족이 되는데(左手足 太少陽人之手足), 이는 에너지가 많은 태음인과 소음인의 수족과 다르게 되고(不如太少陰人之手足), 그 결과로 수족을 사용하는 태양인과 소양인의 행동거지의 능력(行去之力)은 태음인과 소음인을 따라가지 못하게(不足) 된다(行去之力 不足也).

이제마가 직접 단 이 주해는 4개의 에너지 담체인 천기(天機)의 개념을 이용해서 인체와 에너지의 관계를 설명하고 있다. 이 부분을 주역(周易)을 이용해서 푸는 경우가 대부분인데, 이는 우연의 일치로 주역의 문장과 겹칠 뿐이지, 위의 해석에서 보다시피, 실제로는 주역과는 전혀 관계가 없다. 물론 주역도 에너지의 개념이기는 하다. 이런 결과로 이 부분의 해석은 말 그대로 엉망진창이 되고 말았다. 결국에 이 부분은 인체의 에너지와 하늘의 에너지 그리고 사물의 에너지가 모두 자유전자로 똑같다는 사실을 모르게 되면, 접근 자체를 허용하지 않는다. 이는 양자역학과 전자생리학을 필수로 요구한다. 다시 성명론으로 가보자.

人事有四　一曰　居處　二曰　黨與　三曰　交遇　四曰　事務

사람이 하는 인사에는 4가지 유형이 존재한다(人事有四). 첫째는 사람이 거주하는 거처이고(一曰 居處), 둘째는 파벌을 대하는 자세이며(二曰 黨與), 셋째는 많은 낯선 사람들과 교제하는 교우 관계이고(三曰 交遇), 넷째는 자기 직업을 유지하는 것이다(四曰 事務). 이는 주로 일상의 스트레스 관계를 말하고 있다. 스트레스는 인체 질병의 원인에서 최소한 50% 이상을 차지한다는 사실을 상기해보자.

耳聽天時 目視世會 鼻嗅人倫 口味地方

　청각(耳聽)은 하늘의 에너지인 천시(天時)와 연결할 수 있다(耳聽天時). 청각은 에너지인 전자가 만들어내는 파동(波動)을 통해서 작동한다. 그리고 이 파동은 날씨의 상태에 따라서 상태가 변한다. 즉, 날씨가 맑은 날은 청각이 잘 전달되고, 날씨가 흐린 날은 청각의 전달이 떨어진다. 이는 황제내경 소문의 인용문을 통해서 앞에서 설명했다. 이도 결국에는 파동이라는 에너지와 천시라는 에너지의 상호 작용에 불과하다. 시각(目視)은 만물의 세계(世)와 연결할 수 있다(目視世會). 시각은 에너지인 전자가 발산하는 빛을 통해서 작동하는데, 모든 사물은 빛이라는 색깔을 통해서 시각으로 보여진다. 즉, 만물은 예외 없이 모두 색깔을 보유하고 있는데, 이는 에너지인 전자가 공급하는 빛이 만들어낸다. 그리고 빛을 인지하는 시각은 이 만물의 색깔을 인지하는 것이다. 이도 역시 에너지 문제이다. 즉, 시각이 빛이라는 에너지를 통해서 사물이 내뿜는 에너지로서 빛인 색깔을 인지하는 것이다. 후각을 인간과 연결할 수 있다(鼻嗅人倫). 이는 설명이 필요 없다. 후각도 냄새라는 에너지 입자가 코의 점막을 자극할 때 만들어지는 감각이다. 미각을 땅의 방위와 연결할 수 있다(口味地方). 땅의 방위는 보통 동서남북인데, 이를 에너지로 표현하면, 각각 봄, 가을, 여름, 겨울이 된다. 그리고 이 계절에 만들어지는 영양분의 맛(味)이 다르게 된다. 즉, 봄에는 신맛의 영양소가 만들어지고, 여름에는 쓴맛의 영양소 만들어지고, 가을에는 매운맛의 영양소가 만들어지고, 겨울에는 미네랄 성분인 짠맛의 영양소가 만들어진다. 이 관계는 본 연구소가 발행한 전자생리학을 참고하면 된다. 이 문장도 에너지와 만물의 관계를 알면 쉽게 풀 수 있는 문제이지만, 아니면 해석이 산으로 가버린다. 이 구문도 이제마의 주해가 있다.

耳屬神 無形之物故 能聽天時 輕淸 無形之聲
目屬靈 有像之物故 能視世會 浮動 有像之色
鼻屬魂 無跡之物故 能嗅人倫 沈靜 無跡之像
口屬魄 有質之物故 能味地方 重濁 有質之滋也

　청각으로 대표되는 귀(耳)는 신(神)에 복종(屬)한다(耳屬神). 여기서 신(神)은 청각의 도구인 파동(波動)을 만들어내는 전자(Electron)이다. 그리고 청각은 전자가 만들어내는 파동이 없으면 무용지물이 된다. 그래서 당연히 파동을 통해서 청각을 만들어내는 귀는 파동을 만들어내는 신(神)에 복종(屬)할 수밖에 없다. 그리고 이때 신(神)인 전자는 눈에 형태가 없는 물질로 보인다(無形之物). 측정 기술이 고도로 발전했다고 자부하는 지금도 신(神)인 전자(Electron)는 눈으로 측정이 불가하다는 사실을 상기해보자. 그래서(故) 파동을 통해서 작동하는 귀는 당연히 (能) 파동을 전달하는 에너지인 천시(天時)에 복종(聽)할 수밖에 없다(能聽天時). 이때 천시는 날씨의 상태를 말한다. 날씨에 따라서 파동의 전달 상태가 바뀐다는 사실을 상기해보자. 이때 에너지인 파동은 가볍고 맑고 깨끗한(輕淸), 눈으로 볼 수 없는 무형의 소리가 된다(無形之聲). 시각으로 대표되는 눈(目)은 영(靈)에 복종(屬)한다(目屬靈). 영(靈)은 전자인 신(神)을 품고 있는 모든 사물을 말한다. 그래서 태양계 아래 존재하는 모든 물체는 신(神)인 전자를 품고 있으므로, 모두 영(靈)을 보유하게 된다. 그래서 여기서 영(靈)은 형상(像)을 띠고 있고 동시에 전자를 보유한 눈에 색깔로 보이는 물체(物)를 말한다(有像之物). 색깔은 신(神)인 전자가 만들어낸다는 사실을 상기해보자. 그리고 태양계 아래 존재하는 모든 물체는 각자 고유의 색깔을 보유하고 있으며, 이는 눈이 사물을 인지하는 도구라는 사실도 상기해보자. 결국에 여기서 영(靈)도 전자 문제이므로, 눈도 전자 즉, 영(靈)에 복종(屬)할 수밖에 없게 된다. 그래서(故), 당연히(能) 전자라는 에너지가 만들

성명론(性命論)

어내는 색깔을 통해서 시각이 작동하므로, 색깔을 인지하는 시각은 만물의 세계(世會)를 볼(視) 수 있게 된다(能視世會). 결국에 시각도 전자가 만들어내는 색깔인 에너지 문제로 귀결한다. 그리고 이때 물체의 색깔은 물체가 보유한 전자의 초고속 회전(浮動)의 결과물이다. 즉, 우리가 눈으로 보는 물체의 부피나 질량은 전자가 회전하고 있는 텅 빈 공간에 불과하다. 이 문제는 본 연구소가 발행한 반야심경•양자불교•천부경•삼일신고라는 책에 자세히 기술되어있다. 그래서 전자의 초고속 회전(浮動) 공간으로서 물체는(浮動), 인간의 눈에는 색깔(色)로 보이는 형상(像)이 있는 물체가 된다(有像之色). 이 문제는 양자역학(量子力學)의 극치(極致)를 말하고 있다. 이제마는 이 당시에 이 사실을 어떻게 알았는지 참으로 놀랍기만 하다. 코(鼻)는 혼(魂)에 복종(屬)한다(鼻屬魂). 코는 냄새를 맡는 기관이다. 그리고 냄새는 휘발성 분자가 만든다. 휘발성(揮發性)이라는 말은 공중에 떠다닌다는 뜻이다. 비행기가 되었건 먼지가 되었건 간에 공중에 뜨려면, 부양력이 필요한데, 이 부양력은 반드시 전자가 만들어낸다. 이는 부양력은 에너지를 요구하는데, 이때 에너지가 전자라는 뜻이다. 좀 더 정확히 말하자면, 이때 전자는 자유전자를 말한다. 이렇듯 냄새 분자도 전자를 보유해야만 냄새 인자로 기능하게 된다. 원래 혼백에서 혼(魂)은 자유전자를 보유하고 있는 산성 물질이고, 백(魄)은 에스터(Ester)화된 알칼리 물질을 말한다. 이 문제는 본 연구소가 발행한 황제내경 소문을 참고하면 된다. 그리고 휘발성 분자인 냄새는 크기가 너무나 작고 날아다니는 특성 때문에, 그 흔적(跡)을 인간이 찾기란 불가하므로, 이는 인간이 보기에는 흔적을 남기지 않는 물질(物)이다(無跡之物). 그래서(故) 당연히(能) 냄새는 사람이 코를 통해서 맡을 수 있는 물질이다(能嗅人倫). 냄새라는 인자는 전자를 잃고서 가라앉게(沈) 되면, 자동으로 냄새를 발산하지 못하게 되고 조용(靜)해지게 되면(沈靜), 이 냄새 인자의 형태(像)도 인간이 보기에는 흔적(跡)을 남기지 않는다(無跡之像). 입(口)은 백(魄)에 복종(屬)한다(口屬魄). 여기서 백은 구강을 통해서 섭취하는 에스터화된 물질을 말한다. 태양계 아래 존재하는 모든 물체는 에스터화된 분자라는 사실을 상기해보자. 이는 이런 이유로 당연히 눈으로 보이는 질량(質)을 보유(有)한 물체(物)가 된다(有質之物). 그래서(故) 당연히(能) 맛(味)을 땅(地)의 방위(方)로 표현이 가능하다(能味地方). 맛과 땅의 관계는 이미 앞에서 설명했다. 그리고 맛을 보유한 눈에 보이는 물질 분자는 당연히 무겁고(重), 그 속을 들여다볼 수 없게 탁(濁)한 것이 특징이다(重濁). 그리고 이때 에스터화된 맛 분자는 에스터가 추가될 수가 있으므로, 이 맛 분자는 더 커질(滋) 수기 있다(有質之滋也). 물질의 부피가 커진다는 사실은 에스터(Ester)의 추가라는 사실을 상기해보자. 이 주해도 역시 양자역학과 전자생리학을 필수로 요구하고 있다. 이제마는 이 당시에 이 사실을 어떻게 알았는지 참으로 놀랍기만 하다.

天時 極蕩也 世會 極大也 人倫 極廣也 地方 極邈也

천시라는 하늘의 에너지는 인간이 헤아릴 수 없을 만큼(極) 방대(蕩)하다(天時極蕩也). 그리고 생물계와 무생물계를 포함하는 사물계(世會)는 인간이 헤아리기 없을 만큼(極) 방대(大)하다(世會 極大也). 인간계(人倫)도 헤아려보면, 헤아릴 수 없을 만큼(極) 방대(廣)하다(人倫 極廣也). 그리고 땅에서 바라보는 방향은 인간이 헤아릴 수 없을 만큼 광활(邈)하다(地方 極邈也). 사방팔방으로 펼쳐진 우주 공간을 생각해보면, 이의 의미를 알 것이다.

肺達事務 脾合交遇 肝立黨與 腎定居處

폐(肺)는 인간사의 모든 일(事務)에 개입(達)한다(肺達事務). 산소를 빨아들이는 폐가 수행하는 호흡은 인간의 모든 생리에 개입하기 때문이다. 비장(脾)은 교우(交遇) 문제에 개입(合)한다(脾合交遇). 여기서 교우는 사상과 가치관이 서로 다른 사람과 사람 사이에서 만남을 말한다. 이는 곧 스트레스로 이어진다. 그리고 이 스트레스는 산성인 호르몬의 폭증을 만들어낸다. 그리고 이 호르몬은 간질로 분비

성명론(性命論)

되고, 이어서 이는 림프로 들어간다. 그리고 비장은 이런 산성 림프액을 최종 책임
진다. 그래서 비장은 스트레스(思)를 책임지는 오장으로 알려져 있기도 하다. 그래
서 당연히 비장(脾)은 교우(交遇) 문제에 개입(合)하게 된다. 간(肝)은 당파적 적
대적인 관계(黨與)를 처리할 때 개입(立)한다(肝立黨與). 적대적인 관계를 처리할
때는 당연히 스트레스가 폭증하면서 스트레스 호르몬인 코티졸(Cortisol)이 분비된
다. 그리고 이 코티졸은 담즙이 되어서 간에서 처리된다. 그래서 간은 당연히 적대
적인 관계를 처리할 때 개입(立)하게 된다. 간은 하는 일이 엄청나게 많아서 이는
간 기능의 일부에 해당한다. 그러나 간의 이런 여러 가지 기능의 핵심은 모두 담
즙 때문에 파생된다. 신장은 거처 문제에 개입(定)한다(腎定居處). 여기서 거처의
의미는 춥고 더운 상태를 조절해주는 거처를 말한다. 이는 당연히 신장이 처리하
는 염(塩:화학 용어)의 문제로 표현된다. 이 문제는 오장이 고유적으로 처리하는
물질의 특성을 알아야만 한다. 이 문제는 본 연구소가 발행한 황제내경 소문을 참
고하면 된다. 그래서 춥게 지내게 되면, 인체 안에 산성 쓰레기인 염(塩:화학 용
어)이 쌓이게 되고, 이어서 신장은 이 염을 체외로 배출하기 위해서 소변의 배출을
요구한다. 그래서 신장은 거처 문제에 개입(定)하게 된다. 사실, 이 네 문장은 엄청
난 전자생리학 지식을 요구한다. 이 문제를 자세히 알려면, 본 연구소가 발행한 황
제내경 소문과 전자생리학을 참고하면 된다. 이 구문도 이제마의 주해가 있다.

肺主呼 呼則 必有 應對之理 以其直升之哀力 能達事務之歐也.
脾主納 納則 必有 盆虛之理 以其橫升之 怒力 能合交遇之侮也.
肝主吸 吸則 必有 致來之理 以其放降之喜力 能立黨與之助也.
腎主出 出則 必有 竭盡之理 以其路降之 樂力 能定居處之保也.

　폐(肺)는 날 숨(呼)을 주도한다(肺主呼). 이때 폐는 이산화탄소와 수분의 불감
증설(不感蒸泄)을 통해서 산성 물질을 체외로 배출한다. 이 문제도 본 연구소가
발행한 황제내경 소문을 참고하면 된다. 날 숨(呼)이 실행될 때는 반드시(必) 이

에 대응(應對)되는 원리(理)가 있다(呼則 必有 應對之理). 이때 대응되는 원리(以其)는 곧바로(直) 슬픈(哀) 힘(力)을 날려(升) 보내는 것이다(以其直升之哀力). 이때 슬픈 힘이란 인체를 괴롭히는 산성 물질인 이산화탄소와 불감증설을 통해서 체외로 배출되는 산성 물질이다. 이들은 폐가 숨을 내쉴 때 체외로 배출되어서 공기 중으로 날아가(升) 버린다. 그래서 폐는 당연히(能) 인간이 하는 모든 일인 사무(事務)에 개입(達)해서, 이때 인체 안에서 만들어지는 이산화탄소와 산성 물질을 체외로 토(歐)해내게 된다(能達事務之歐也). 비장(脾)은 림프를 책임지므로, 림프관이 보내는 림프액을 받아(納) 들인다(脾主納). 비장은 이렇게 림프액을 받아들여서(納則) 반드시(必) 림프관이라는 동이(盆)를 비워(虛)주는 도리(理)를 수행한다(必有 盆虛之理). 이렇게 해서(以其), 분노(怒力)를 만들어내는 인자로 작용해서 횡포(橫)를 부리는 산성(酸性) 림프액을 제거(升)해준다(以其橫升之 怒力). 인체에서 분노를 유발하는 인자는 산성(酸性) 체액이라는 사실을 상기해보자. 이 원리는 본 연구소가 발행한 황제내경 소문을 참고하면 된다. 그래서 비장은 당연히(能) 스트레스를 받는 교우(交遇) 관계에서 만들어지는 산성(酸性) 림프액을 제거(侮)할 때 관여(合)하게 된다(能合交遇之侮也). 비장은 스트레스를 통제하는 오장이라는 사실을 상기해보자. 간은 흡기(吸)를 주도한다(肝主吸). 간은 소화관에서 올라오는 영양분이 가득한 산성 정맥혈을 흡수(吸)해서 받는다는 사실을 상기해보자. 이렇게 간은 영양분을 흡수하게 되면(吸則), 반드시(必) 받은(來) 영양분을 온몸으로 돌려(致)주는 도리(理)를 수행하게 된다(必有 致來之理). 간이 이렇게(以其) 온몸이 필요로 하는 영양분을 공급하게 되면, 자동으로 영양분을 통해서 기분 좋은 힘(喜力)이 온몸으로 퍼지게(放降) 된다(以其放降之喜力). 그래서 간은 당연히(能) 적(黨與)을 상대해서 만들어지는(立) 스트레스를 해소할 때 일조(助)하게 된다(能立黨與之助也). 신장(腎)은 인체의 산성 체액인 소변의 배출(出)을 주도한다(腎主出). 이렇게 신장이 산성 체액을 보유한 소변의 배출을 주도하면(出則) 이때는 반드시(必) 인체 안에 든 산성 체액이 제거(竭盡)되는 도리(理)가 수행된다(必有 竭盡之理). 인체의 모든 질병은 산성 체액이 주도한다는 사실을 상기해보자. 이 문제는 본 연구소가 발행한 전자생리학을 참고하면 된다. 이렇게 해서

성명론(性命論)

신장이 요로(路)를 따라서 인체를 괴롭히는 산성 체액 내려(降)보내게 되면, 인체를 괴롭히던 산성 체액이 제거되었으므로, 당연히 인체는 즐거워(樂)지게 된다(以其路降之 樂力). 그래서 신장은 당연히(能) 거처(居處) 문제에서 생기는 산성 체액을 제거해서 인체를 보호(保)할 때 일조(定)하게 된다(能定居處之保也).

事務 克修也 交遇 克成也 黨與 克整也 居處 克治也.

일상을 통해서 하는 모든 일(事務)은 자기를 극복(克)하고 자신을 수양(修)하는 일기도 하다(事務 克修也). 사상이 다르고 가치관이 다른 사람들과 교류하는 일(交遇)은 자기를 극복(克)하고 자기를 완성(成)해가는 길이다(交遇 克成也). 적과의 관계를 알고 극복(克)해가는 과정은 주변을 정리(整)해가는 과정이기도 하다(黨與 克整也). 거처(居處)를 자기의 몸에 맞게 정리하는 일은 자신을 극복(克)하고 다스리는(治) 일과도 같다(居處 克治也). 사실, 이 구문들은 다양한 해석이 나올 수 있는 구문들이다. 그래서 지금 이 해석은 자신의 가치관을 담는다.

頷有籌策 臆有經綸 臍有行檢 腹有度量

턱(頷)은 주책(籌策)을 보유한다(頷有籌策). 여기서 주책(籌策)은 책략(策略)을 말한다. 그리고 책략은 뇌(腦)를 이용한다는 사실을 말한다. 그러면, 턱과 뇌의 관계를 물어보면 된다. 위턱이든 아래턱이든지 간에 턱은 뇌의 제5 신경인 삼차신경(trigeminal nerve:三叉神經)에 속한다. 그리고 이 삼차신경은 뇌교(pons:腦橋:다리 뇌)에서 나온다. 그리고 뇌교는 머리의 모든 뇌와 연결되다시피 한다. 뇌교(橋)를 다리(橋)뇌로 부르는 이유를 상기해보자. 결국에 턱의 움직임은 자동으로 뇌의 움직임으로 이어지게 되고, 이어서 이는 책략으로 이어진다는 뜻이다. 가슴(臆)은 경륜(經綸)을 보유하고 있다(臆有經綸). 이 문장은 해석이 상당히 어려운 문장이다. 여기서 가슴(臆)은 우리가 평소에 생각하던 가슴이 아니라 가슴의 한가운데 자리한 흉선(胸腺)을 말한다. 그리고 경륜(經綸)은 신경(經)의 망(綸)을 말한다. 즉, 경륜(經綸)은 뇌(腦)를 말한다. 그러면 뇌와 흉선의 관계를 알아봐야만 한다. 먼저 흉선은 뇌가 많이 필요로 하는 스테로이드를 많이 만든다. 그리고 흉선은 산성 림프액을 최종 처리하는 기관이다. 그리고 뇌를 품고 있는 뇌척수액은 림프액이다. 그래서 흉선은 스테로이드와 림프액을 통해서 뇌를 조절할 수가 있게 된다. 추가로 흉선에서 살고 있는 티세포(T-Cell)는 뇌의 쓰레기 청소부인 송과체에 살고 있는 비세포(B-Cell)가 수거해다 준 산성 쓰레기를 처리한다. 그래서 흉선은 뇌의 수호자가 된다. 이 관계는 본 연구소가 발행한 전자생리학을 참고하면 된다. 배꼽(臍)은 한 사람의 품격(行檢)을 보유하고 있다(臍有行檢). 배꼽의 존재는 무엇이고, 기능은 무엇일까? 배꼽(臍)은 원래 탯줄이 달린 자리이다. 그리고 이 탯줄은 간과 연결되어서 엄마의 영양분을 태아가 간을 통해서 받는 기관이다. 그래서 사람의 배꼽은 자동으로 간과 연결되어있다. 특히 배꼽은 간을 세로로 가로지르는 낫인대(falciform ligament)와 직접 연결되어있다. 그래서 간에서 변동이 생기면, 그 변동은 배꼽으로 전해지게 된다. 그래서 배꼽은 간의 상태를 측정하는 도구로 이용되기도 한다. 그리고 간은 신경을 통제하므로, 신경이 만들어내는 분노의 조절에 간이 개입하게 된다. 이 문제는 본 연구소가 발행한 황제내경 소문을 참고하면 된다. 그리고 신경이 만들어내는 분노의 조절은 그 사람의 품격(行檢)을 말한다. 그래서 배꼽(臍)은 간을 통해서 한 사람의 품격(行檢)을 측정할 수 있는 도구가 된다. 그리고 복부(腹)는 도량(度量)을 보유하고 있다(腹有). 여기서 도량은 너그러운 마음인 아량(雅量)을 말한다. 그리고 아량은 신경질(神經質)의 정도를 말한다. 즉, 도량인 아량이 넓으면 신경질을 덜 낸다는 뜻이다. 그러면 복부와 신경 문제가 수면 위로 떠 오르게 된다. 복부는 소화관이 자리하고 있는 곳으로서 독자 신경총을 보유하고 있다. 그래서 복부를 제2의 뇌라고 부르기도 한다. 그리고 이 복부의 독자 신경총은 90%가 뇌로 올라가는 구심성 신경이다. 그래서 복부인 속이 안 좋으면 자주 신경질을 내게 된다. 우리는 보통 속이 편해야 살 수 있다고 말한다. 이는 지금 이 상황을 두고 하는 말이다. 그래서 소화관인 복부에 문제가 있게 되면, 자동으로 신경은 과잉 자극되고, 이는 곧바로 뇌를 과부하로 몰고 가고, 이어서 짜증으로 나타나게 되고, 이는 자동으로 도량(度量)으로 이어진다. 그래서 복부(腹)는 도량(度量)을 보유하고 있다고 말하게 된다. 이 문장들은 모두 해부학의 정수를 요구하고 있다. 이 문장은 길이는 짧지만, 해석이 상당히 어려운 문장이다. 이에 걸맞게 이제마는 이 문장에 대해서 주해를 달았다.

頷屬津海 耳之根本而 耳屬肺則 太陰人 肺小故.

耳無聽力 卓然自有 嗅思之才壽策也.

臆屬膏海 目之根本而 目屬脾則 少陰人 脾小故.

目無視力 坦然自有 味辨之才經綸也.

臍屬油海 鼻之根本而 鼻屬肝則 太陽人 肝小故.

鼻無嗅力 便然 自有聽學之才行檢也.

腹屬液海 口之根本而 口屬脾則 少陽人 腎小故.

口無味力 恢然 自有視問之才度量也.

턱(頷)은 진해(津海)에 복종(屬)한다(頷屬津海). 여기서 진해(津海)는 뇌척수액을 말한다. 이는 턱을 지배하는 삼차신경 때문이고, 이를 뇌척수액이 통제하기 때문이다. 그리고 이 진해는 귀(耳)의 근본(根本)이 된다(耳之根本而). 귀는 내이에 이석(耳石)이 자리하고 있다. 그리고 이 이석은 알칼리이다. 그리고 이 이석은 뇌척수액인 림프액에 잠겨있다. 그래서 뇌척수액이 산성으로 기울게 되면, 그 영향은 곧바로 귀로 미치게 된다. 그래서 뇌척수액이 산성으로 기울게 되면, 이 알칼리 이석은 산성 뇌척수액을 완충하면서 깨져서 여러 개가 되면서, 이때 어지럼증이 발생하게 된다. 동시에 청력(聽力)도 떨어지게 된다. 그래서 뇌척수액인 진해는 귀(耳)의 근본(根本)이 될 수밖에 없다. 그리고 귀(耳)는 폐(肺)에 복종(屬)한다(耳屬肺則). 폐는 인체에서 최고의 알칼리인 산소를 공급한다. 그래서 폐가 나빠져서 산소 공급이 줄게 되면, 뇌척수액은 곧바로 산성(酸性)으로 기울고 만다. 약 1.5Kg 정도 되는 뇌는 인체 전체 산소의 약 25%를 소비한다는 사실을 상기해보면, 이 말이 무슨 뜻인지 쉽게 알 수 있을 것이다. 그래서 하초(下焦)의 기운은 강하지만, 상초(上焦)의 기운이 약한 태음인은(太陰人) 자동으로 폐(肺)의 크기가 작을(小) 수밖에(故) 없다(太陰人 肺小故). 태음인이 상초(上焦)가 약하다는 개념은 이미 앞에서 살펴보았다. 그래서 태음인은 상초에 자리한 폐로 인해서 자동으로 청력(聽力)이 약할(無) 수밖에 없다(耳無聽力). 그러면 당연히(卓然) 자동(自)으로 폐가 좋아서 냄새(嗅)를 잘 맡는(思:어조사) 능력을 보유(有)한 사람은 주책(壽策)의 재능(才)이 있게 된다(自有嗅思之才壽策也). 이는 앞에서 설명한 폐와 뇌의 관계를 상기해보면 된다. 추가로 주책도 뇌의 문제라는 사실을 상기해보자. 흉선(臆)은 고해(膏海)에 복종(屬)한다(臆屬膏海). 여기서 고해(膏海)는 기름(膏)의 바다(海)이다. 그리고 여기서 기름은 지용성(脂溶性) 성분을 말한다. 그리고 지용성 성분은 림프를 통해서 소통한다. 그리고 흉선은 산성 림프액이 대정맥으로 들어가기 전에 모든 산성 림프액을 최종 처리하는 림프 기관이다. 그래서 흉선은 많은 림프액을 처리하므로, 당연히 림프액(膏)이 엄청나게(海) 모이는 고해(膏海)가 된다. 그리고 이 림프액은 뇌척수액이기도 하다. 그리고 눈은 림프액인 뇌척수액의 통제를 받는다. 그래서 흉선은 자동으로 눈의 근본이 된다(目之根本而). 그래서 눈도 역시 림프액을 분해 처리하는 비장(脾)에 복종(屬)한다(目屬脾則). 그래서 흉선은 상초에 자리하고 있으므로, 상초가 약한 소음인(少陰人)은 비장(脾)이 작을(小) 수밖에(故) 없다(少陰人 脾小故). 이는 비장(脾)이 작아서(小) 림프액의 분해를 제대로 하지 못해서 흉선(臆)이 개고생한다는 사실을 말해주고 있다. 그래서 흉선 때문에 상초가 안 좋은 소음인은 시력(目)이 나쁠(無) 수밖에 없다(目無視力). 그러면 당연히(坦然) 자동(自)으로 맛(味)을 잘 분별(辨)하는 사람은 뇌(經綸)의 기능이 좋은 재주(才)를 갖게 된다(自有味辨之才經綸也). 여기서 맛(味)과 뇌(經綸)의 관계는 뭘까? 맛은 구강의 문제인데, 구강도 뇌척수액의 지배를 받기 때문이다. 즉, 뇌척수액은 림프액인데, 구강은 림프계가 아주 잘 발달한 탓에 뇌척수액이 문제가 되면, 구강의 림프계가 혼란이 일어나면서 맛(味)을 잘

성명론(性命論)

느끼지 못하고, 분별(辨)도 하지 못하게 된다. 그리고 배꼽(臍)은 유해(油海)에 복종(屬)한다(臍屬油海). 그리고 유해는 코(鼻)의 근본(根本)이 된다(鼻之根本而). 그래서 코(鼻)는 간(肝)에 복종(屬)한다(鼻屬肝則). 이 세 문장은 아주 복잡한 생리 관계를 요구한다. 먼저 유해(油海)는 간이 만들어내는 지용성 성분인 산성 림프액을 말한다. 간은 지방 대사를 아주 많이 한다는 사실을 상기해보자. 그래서 간에는 산성 림프액을 처리하는 통로가 세 군데나 존재한다. 이는 간이 엄청난 중성지방을 만들어낸다는 사실을 말해주고 있다. 그리고 이 과도함은 지방간으로 이어진다. 그래서 간이 지방 문제에 치여서 신음하게 되면, 간은 과잉(過剩) 산(酸)의 해독을 제대로 하지 못하게 되고, 그러면 과잉(過剩) 산(酸)은 삼투압 기질이므로, 이때는 자동으로 수분을 잔뜩 끌어모으면서 복수(腹水)가 차게 된다. 즉, 이때는 간성(肝性) 복수(腹水)가 만들어진다. 그러면, 이어서 탈장(脫腸)이 생겨난다. 탈장은 배꼽 탈장, 대퇴부 탈장, 서혜부 탈장으로 구분된다. 그리고 이때 배꼽 탈장이 맨 처음에 발생한다. 그래서 배꼽(臍)은 유해(油海)에 복종(屬)한다(臍屬油海)는 말은 배꼽이 간 문제에 개입된다는 뜻이다. 그러면, 어떻게 배꼽과 코가 연결될까? 이는 간이 코와 연결된다는 뜻이기도 하다. 이 문제는 흉부(胸部) 배수(排水)의 개념으로 이어진다. 이는 간이 공급한 산성 림프액을 싣고 있는 흉관(胸管:thoracicduct)의 문제를 말한다. 그리고 폐는 이 흉관에 든 산성 림프액을 최종 처리하는 기관이다. 그래서 간의 과부하는 폐에 직격탄을 날리게 된다. 그러면 폐는 자동으로 코를 괴롭히게 된다. 즉, 이는 간이 코를 괴롭힌 것이다. 그리고 흉부 배수의 개념은 Hippocrates가 금속 튜브의 절개, 소작 및 삽입을 통한 축농증 치료를 설명했을 때 처음 주장되었습니다. 그리고 축농증은 부비강에 염증이 생긴 상태이다. 그리고 부비강은 림프액을 통해서 다스려진다. 그러면, 간, 폐, 코가 아주 복잡하게 얽히고설키게 된다. 그리고 그 중심에는 산성 림프액(油海)이 자리하고 있다. 이런 이유로 코(鼻)는 산성 림프액을 통해서 간(肝)에 복종(屬)한다(鼻屬肝則)고 말하게 된다. 축농증이 생기면, 코는 자기 기능인 냄새를 맡을 수 없다는 사실을 상기해보자. 그리고 폐는 담즙을 만들어서 이를 처리하는 간으로 보내게 되는데 즉, 폐는 간을 상극하게 되는데, 이 개념은 폐가 만든 산성 쓰레기를 간이 받는다는 뜻이 된다. 그래서 간이 과부하로 신음하게 되면, 폐는 산성 쓰레기를 처리하지 못하게 되고, 이어서 자동으로 폐가 최종 처리하는 산성 림프액은 정체되고, 이어서 코의 부비강에 산성 림프액이 쌓이게 되고, 이는 축농증으로 이어지고, 코는 냄새를 맡는 기능을 잃고 만다. 이 복잡한 문제는 본 연구소가 발행한 황제내경 소문을 참고하면 된다. 그리고 간은 추가로 간문맥을 통해서 인체의 정맥혈을 총통제한다. 특히 간은 하초(下焦)에 자리한 하복부 정맥총을 총통제한다. 하초(下焦)에 자리한 이 정맥총들은 인체 생리에서 엄청나게 중요한 정맥총들이다. 그래서 간은 하초(下焦)의 생리를 엄청나게 많이 간섭하게 된다. 즉, 하초의 문제는 간 문제가 된다는 뜻이다. 그런데, 태양인(太陽人)은 상초(上焦)는 강하지만, 하초(下焦)는 약하므로, 이들은 자동으로 간(肝)이 작다(小)는 사실을 말하고(故) 있기도 하다(太陽人 肝小故). 그래서 이때는 코가 냄새를 맡는 능력이 떨어지게 된다(鼻無嗅力). 그러면 당연히(便然) 자동으로(自) 림프액이 통제하는 귀 때문에, 청력이 좋은(聽學) 사람은 간의 상태가 좋은 상태이므로, 이 사람은 간이 만들어내는 품행(行檢)이 좋게 되는 재능(才)을 보유하게 된다(自有聽學之才行檢也). 이 구문은 짧지만, 인체 생리에 대한 상당한 내공을 요구하고 있다. 복부는 액해(液海)에 복종(屬)한다(腹屬液海). 복부(腹)는 복강(腹腔)으로 싸여있다. 그리고 이 복강에는 일정한 양의 복수(腹水)가 체류하고 있다. 그리고 이 문장에서는 이 복수를 액해(液海)라고 표현하고 있다. 그리고 이 복수는 림프액이다. 그리고 구강은 림프계가 아주 잘 발달해있다. 그래서 림프액인 액해(液海)는 구강의 근본이 된다(口之根本而). 그래서 구강은 산성 림프액을 분해 처리하는 비장(脾)에 굴복(屬)할 수밖에 없다(口屬脾則). 그리고 신장은 림프액인 뇌척수액을 처리한다. 그래서 비장과 신장은 림프액을 통해서 상호 소통한다. 이 문제는 본 연구소가 발행한 황제내경 소문을 참고하면 된다. 그리고 이런 신장은 하초(下焦)에 자리한 방광을 통제한다. 즉, 신장은 하초(下焦)를 통제한다. 그래서 상초(上焦)가 강하고, 하초(下焦)가 약한 소양인(少陽人)은 자동으로 신장(腎)이 작다(小)는 것이다(少陽人 腎小故). 그래서 신장이 작은 소양인은 산성 림프액을 제대로 처리하지 못하므로 입으로 맛(味)을 제대로 느끼지 못한다(無)는 것이다(口無味力). 여기서 중요한 사실은 신장은 뇌척수액을 통제한다는 점이다. 그리고 구강의 림프액은 뇌척수액이 통제한다는 사실이다. 그러면 당연히(恢然) 자동(自)으로 뇌척수액이 통제하는 산성 림프액의 통제를 받는 눈이 좋은(視問) 사람은 림프액을 공급하는 간도 림프액을 처리하면서 문제를 만들지 않는다는 사실도 말하고 있으므로, 이 사람은 성질을 잘 안 내면서 좋은 도량(度量)을 발휘하는 재능(才)을 보유하게 된다(自有視問之才度量也). 이제마가 직접 단 이 주해는 생리학의 정수를 요구하고 있다.

籌策 不可驕也 經綸 不可矜也 行檢 不可伐也 度量 不可夸也.

계략인 주책은 교만(驕)해서는 안 된다(籌策 不可驕也). 교만하면, 빈틈이 많이 생기기 때문이다. 그러나 계략은 빈틈을 허용하지 않는다. 경륜은 사람을 위태롭게(矜) 하지 않는다(經綸 不可矜也). 여기서 경륜은 앞에서 설명한 뇌와도 연결된다는 사실을 상기해보자. 즉, 경륜이 쌓이면 자동으로 뇌가 발달한다는 사실이다. 경륜이란 세상사는 원리를 터득하므로, 자동으로 어떤 일에 임할 때 세상 원리에 따라서 하므로, 자동으로 이 사람은 위태롭지(矜) 않게 된다. 품행이 단정한 사람은 처벌(伐)하기가 불가하다(行檢 不可伐也). 너무나 당연한 말이다. 그리고 넓은 도량을 가진 사람은 절대로 자기를 과시(夸)하지 않는다(度量 不可夸也). 너무나 당연한 말이다. 이 구문도 해석자의 가치관에 따라서 다양한 해석이 가능하다.

頭有識見 肩有威儀 腰有材幹 臀有方略.

머리는 식견을 보유(識見)하고 있다(頭有識見). 여기서 식견은 지식을 말하는데, 지식은 신경의 문제이고, 이는 자동으로 신경의 집합체인 뇌를 보유한 머리의 문제로 간다. 어깨는 위의(威儀)를 보유한다(肩有威儀). 위의는 풍채의 위풍당당함을 말한다. 그래서 어깨가 떡 벌어지고 잘 발달해있으면 위엄이 있어 보인다. 신장(腰)은 재간을 보유한다(腰有材幹). 신장은 뇌척수액을 통제한다. 여기서 요(腰)는 뇌를 통제하는 신장(腰:腎)을 말한다. 이는 자동으로 뇌를 조절해서 재간을 만들어낸다. 엉덩이는 방략을 보유한다(臀有方略). 여기서 볼기(臀:엉덩이)는 회음부(會陰部)를 말한다. 이는 스테로이드 호르몬의 중요성을 말한다. 이 문제는 이제마가 직접 단 주해를 보자. 이 네 문장은 아래에서 생리적으로 설명되고 있다.

頭之膩海 神之所舍也 神之爲氣 光明而鑑造化 自有識見.
則此句之論 太陽人言而 特擧 少陰人言者
蓋少陰 出太陽而 奪其母神故也.
肩之膜海 靈之所舍也 露之爲氣 嚴肅而酷態度 自有威儀.
則此句之論 少陽人言而 特擧 太陰人言者 蓋太陰 生少陽而 假其子露故也.
腰之血海 魂之所舍也. 魂之爲氣 顯達而奇行裝 自有材幹.
則此句之論 太陰人言而 特擧 少陽人言者 益(蓋)少陽 出太陰而 憑其母魂故也.
臀之精海 魄之所舍也. 魄之爲氣 盛太而壯經營 自有方略
則此句之論 少陰人言而 特擧 太陽人言者 蓋太陽 生少陰而 侍其子魄故也.

머리는 니해(膩海)이고, 신이 거주하는 집이다(頭之膩海 神之所舍也). 머리는 뇌를 보유하고 있는데, 이 뇌는 지용성(脂溶性) 성분인 뇌척수액에 잠겨있다. 그리고 이 문장은 지용성 뇌척수액을 니해(膩海)로 표현하고 있다. 여기서 니(膩)가 지용성(脂溶性)이라는 뜻이다. 그리고 여기서 신(神)은 신경을 통해서 소통하는 자유전자(Free Electron)를 말한다. 그래서 뇌는 신경의 집합체이므로, 신(神)인 자유전자는 당연히 모두 뇌로 모이게 된다. 이 문장은 이를 신이 거주하는 집으로 표현하고 있다(神之所舍也). 이런 연유로 뇌의 상태를 살필 때는 뇌에서 자유전자의 활동을 측정하는 뇌전도(腦電圖)를 측정한다. 이 문제는 본 연구소가 발행한 황제내경 영추를 참고하면 된다. 또한 자유전자인 신(神)은 에너지이므로, 에너지

성명론(性命論)

인 신(神)은 당연히 에너지인 기(氣)를 만든다(神之爲氣). 여기서는 인체의 에너지가 ATP가 아니라 자유전자라는 사실을 아는 것이 엄청나게 중요하다. 이 문제는 본 연구소가 발행한 전자생리학을 참고하면 된다. 그리고 전자가 만들어내는 빛(光)이 밝게(明) 발산되면, 이 빛(鑑)은 조화(造化)를 부려서(光明而鑑造化), 자동(自)으로 기억과 학습이라는 과정을 만들어서 식견(識見)을 만들어낸다(自有識見). 이 부분은 해석자를 참으로 난감하게 만든다. 그 이유는 이 부분의 해석은 최첨단 현대의학으로는 불가능한데, 이를 이제마가 정확히 풀어내고 있기 때문이다. 이는 정확히 양자역학을 기반으로 한 전자생리학을 요구하고 있다. 빛은 전자가 만들어내는데, 이는 전자의 이동 때 만들어진다. 그리고 전자생리학을 보면 알겠지만, 전자의 이동 결과로 생긴 현상이 기억과 학습 현상이다. 그리고 이를 이 문장은 식견(識見)으로 표현하고 있다. 즉, 이는 이제마가 양자역학을 기반으로 한 전자생리학을 정확히 이해하고 있었다는 뜻이 된다. 이제마는 1900년에 사망했다. 그리고 서양에서 양자역학이라는 말을 처음 만든 사람은 과학자인 막스 보른(Max Born, 1882~1970)이었다. 그런데, 이때 이제마는 이미 양자역학 이론을 정확하게 꿰뚫고 있었다. 우리는 우리가 미개인이라고 부르는 우리 조상이 만든 최첨단 문명을 복원해가고 있는 것일까? 판단은 독자 여러분의 몫이다. 이 문제도 본 연구소가 발행한 전자생리학을 참고하면 된다. 그리고 이 구절(句)의 논의는(則此句之論), 원래는 태양인을 논하는 구절이다(太陽人言而). 즉, 지금은 뇌에서 만들어지는 식견을 논하고 있다. 그런데, 산소를 엄청나게 소비하는 뇌 문제는 산소를 조달해주는 폐 문제가 된다. 그리고 폐는 상초(上焦)에 존재하므로, 상초의 문제는 당연히 태양인(太陽人)의 문제가 된다. 그래서 이 구절은 원래는 태양인을 논하는 구절이라는 뜻이다. 그런데 여기서 특별히(特擧) 소음인(少陰人)을 논하는 이유는(特擧 少陰人言者), 소음(少陰)이 태양(太陽)에서 나오(出)는 신을 모두 제거(蓋)해서(蓋少陰 出太陽而), 식견(其)의 모체(母)가 되는 신(神)을 탈취(奪)해가기 때문(故)이다(奪其母神故也). 뇌의 기억과 학습이 만들어내는 식견은 전자인 신(神)의 문제라는 사실을 상기해보자. 그러면, 식견의 기본 재료인 전자인 신(神)이 탈취(奪)되면, 식견은 만들어지지 않을 것이다. 이 구문은 정확히 전자생리학을 요구하고 있고, 이는 전자생리학의 정수(精髓)이다. 여기서 소음(少陰)과 태양(太陽)을 에너지 개념으로 해석해보자. 그러면 음(陰)은 자유전자가 없는 상태인 알칼리 (Alkali)를 말하고, 이는 당연히 자유전자를 받아들일 수 있다는 결론으로 다가간다. 그리고 양(陽)은 자유전자를 보유한 산(Acid)이다. 이 문제는 본 연구소가 발행한 전자생리학을 참고하면 된다. 그러면 자동으로 음(陰)은 양(陽)이 보유한 신(神)인 자유전자를 탈취(奪)할 수 있게 된다. 이를 전자생리학으로 다시 풀게 되면, 음(陰)인 알칼리는 과잉 산이 보유한 과잉 자유전자를 중화(中和:奪)할 수 있다는 결론으로 다가간다. 그리고 과잉 자유전자는 뇌를 과부하로 몰고 간다. 그리고 과부하에 걸린 뇌는 기억과 학습을 통해서 식견을 만들지 못하고 만다. 그러면, 이 문구(句)는 묘한 여운을 남긴다. 즉, 태양인보다는 소양인이 더 높은 식견(識見)을 보유한다는 것이다. 태양인은 본래 에너지가 과잉이어서 뇌가 과부하에 잘 걸리게 된다. 그리고 뇌의 과부하는 식견(識見)을 만들어내는 기억과 학습을 방해한다. 그러면 자동으로 태양인보다는 소양인이 더 많은 식견(識見)을 보유한다는 사실로 간다. 이 문제는 아주 재미있는 추론도 가능하게 한다. 즉, 소음인은 과잉 에너지를 중화해서 뇌가 과부하로 가는 상황을 막을 수가 있으므로, 식견을 더 많이 보유할 수 있다는 추론으로 간다. 이런 이유인지는 모르겠지만, 이제마는 이 주해를 명시적인 결론은 기술하지 않고서 끝낸다. 그러나 이는 논리적으로 분명히 설득력이 있다. 이 구절은 전자생리학을 모르면, 단 한 문장도 제대로 정확히 해석하지 못하고 만다. 아무튼, 이 구문은 해석이 상당히 어렵다. 그리고 어깨(肩)는 막해(膜海)로 되어있고(肩之膜海), 영(靈)이 거주하는 곳이다(靈之所舍也). 여기서 막(膜)은 말 그대로 막(膜)이다. 그러면 어깨(肩)에는 어떤 막(膜)이 많아서(海) 바다라고 말한 것일까? 이는 어깨의 구조를 보면 된다. 어깨는 여러 종류의 근육이 얽히고설켜 있다. 그래서 여기서 말하는 막(膜)은 근막(筋膜)을 말한다. 즉, 근육이 많으니 근막(膜)이 많을(海) 수밖에 없다. 그러면 자동으로 영(靈)의 문제가 풀리게 된다. 즉, 영(靈)은 전자인 신(神)을 보유하고 있는 물질을 말한다. 즉, 어깨 근육이 영(靈)인 것이다. 그리고 이 근육은 당연히 움직이면서 호르몬을 분비하게 된다. 그리고 여기에서는 이 호르몬을 이슬(露)로 표현하고 있다. 그리고 이 호르몬은 신(神)인 자유전자의 환원(還元)을 통해서 분비된다. 그리고 이 자유 전자는 에너지(氣)이기도 하다. 이 문제는 본 연구소가 발행한 전자생리학을 참고 하면 된다. 아니면 본 연구소가 발행한 황제내경을 참고해도 된다. 그래서 자동으로, 이 호르몬인 이슬(露)은 에너지(氣)를 공급(爲)하게 된다(露之爲氣). 그리고 이런 어깨 근육이 떡 벌어진 상태에서 근엄한 태도를 보이게 되면(嚴肅而酷態度), 이때는 자동(自)으로 위엄(威儀)이 생기게 된다(自有威儀). 이 구문(句)은 분명히 어깨라는 상초(上焦) 문제를 논하고 있으므로(則此句之論), 이는 분명히 상초(上焦)가 강한 소양인(少陽人)의 문제를 말하고 있다(少陽人言而). 그런데 여기서 특별하게(特擧) 태음인(太陰人)의 예를 드는 이유는(太陰人言者), 태음이 소양이 만들어(生)내는 호르몬이라는 이슬을 빼앗(蓋)아버리기 때문이다(蓋太陰 生少陽而). 여기서 양은 에너지인 기를 보유한 호르몬을 말하고, 음은 이 호르몬을 중화할 수 있는 알칼리를 말한다. 이 문제는 본 연구소가 발행한 전자생리학이나 황제내경을 참고하면 된다. 그래서 이 문구는 음인 알칼리가 양인 과잉 호르몬을 중화한다는 사실을 말하고 있다. 이렇게 되면, 위엄(其子)을 만들어냈던 어깨에서 분비된 호르몬인 이슬(露)은 사라지고 말기 때문(故)이다(假其子露故也). 여기서 이슬인 호르몬은 어깨의 근육을 작동하게 하는 에너지라는 사실을 상기해보자. 그리고 이런 호르몬의 과잉 분비는 어깨 근육을 분해(分解)해서 문제를 만들고 만다. 이는 묘한 암시를 준다. 즉, 어깨 근육의 유지는 소양인보다는 태음인이 더 잘 할 수 있다는 사실을 말하고 있다. 그리고 신장은 혈해이고(腰之血海), 혼이 거주하는 곳이다(魂之所舍也). 이 문장에서 주의할 단어는 요(腰)이다. 이 요(腰)는 허리라는 뜻이 아니라 신장이라는 뜻이다. 그리고 신장에는 부신과 신장에 수질(髓質)이 있다. 이 수질(髓質)은 뼈에 들어있는 골수(骨髓) 성분이다. 그리고 이 골수(骨髓)에는 혈구아세포가 살고 있어서 혈액을 만들어낸다. 즉, 신장에서 혈액을 만든다는 뜻이다. 그리고 신장은 20분 정도에 한 번씩 온몸의 혈액을 여과시켜준다. 이런 이유로 신장은 혈해(血海)가 될 수밖에 없다. 이때 신장이 혈액을 여과하는 이유는 혈액에 든 산성 노폐물을 제거하기 위함이다. 그리고 혼백(魂魄)에서 혼(魂)은 산성 물질을 말하고, 백(魄)은 알칼리 물질을 말한다. 그래서 신장은 산성화(魂)된

혈액을 여과해주므로, 산성(魂) 혈액인 혼(魂)이 거주하는 장소가 될 수밖에 없다 (魂之所舍也). 그리고 산성(魂) 물질에 붙은 신(神)인 자유전자는 에너지이기도 하므로, 산성 물질인 혼(魂)은 당연히 에너지(氣)가 된다(魂之爲氣). 즉, 여기서 혼(魂)은 신경을 따라서 흐르는 자유전자를 말한다. 즉, 혼(魂), 신(神), 자유전자 (Free Electron), 기(氣), 에너지(energy)가 모두 같은 뜻이다. 이 문제는 본 연구 소가 발행한 전자생리학이나 황제내경을 참고하면 된다. 그래서 이때 혼(魂)인 자 유전자가 자기의 행동을 들어내서(顯達) 홀(奇)로 행동(行)해서 작동(裝)하게 되 면(顯達而奇行裝), 이때는 자동(自)으로 재간(材幹)이 생기게 된다(自有材幹). 여 기서 재간(材幹)은 뇌가 만들어내는 능력을 말한다. 그리고 뇌는 자유전자를 통해 서 작동한다. 이 문장은 전자생리학의 정수를 말하고 있다. 이제마가 당시에 이 사실을 알았다는 사실이 놀랍기만 하다. 최첨단이라고 으스대는 최첨단 현대의학 도 모르는 사실을 말이다. 이제마는 참으로 대단하다. 그리고 이 문구가 논하는 주제(則此句之論)는 태음에 속하는 신장이므로, 이 문구는 태음인(太陰人)에 관해 서 말하고 있다(太陰人言而). 그러나 여기에서 특별히 거론해야만 하는 사실은(特 擧), 이는 소양인(少陽人)을 말하고 있기도 한다(少陽人言者)는 점이다. 그 이유 는 소양이라는 양(陽)의 기운이 태음에서 나오는(出) 음(陰)의 기운을 제거(蓋)할 때(蓋少陽 出太陰而), 재간(其)의 모체(母)가 되는 혼(魂)이 제거(憑)되기 때문 (故)이다(憑其母魂故也). 즉, 신장에서 활동하는 주요 인자는 혼(魂)인 산성 물질 이라는 뜻이다. 여기서 혼은 에너지인 자유전자를 말하는데, 이 자유전자는 신장에 서 산성 물질을 분해(分解)할 때 환원(還元) 인자로서 활동하게 된다. 모든 물질 은 분해(分解)될 때 반드시 자유전자의 환원(還元)이 필요하다는 사실을 상기해보 자. 이 문제는 본 연구소가 발행한 전자생리학을 참고하면 된다. 이는 신장에서 산성 물질을 분해할 때 태음인보다는 소양인이 더 유리하다는 사실을 암시하고 있다. 즉, 태음인 신장이 좋은 사람은 태음인이 아니라 소양인이라는 뜻이다. 그리 고 엉덩이(臀)는 정해이고(臀之精海), 백이 거주하는 장소이다(魄之所舍也). 여기 서 둔(臀)은 엉덩이가 아니고 엉덩이에 붙어있는 회음부(會陰部)를 말한다. 그리 고 성 기관으로써 회음부는 스테로이드(Steroid)는 만드는 공장이다. 그리고 이 스

성명론(性命論)

테로이드를 한의학에서 정(精)이라고 부른다. 그리고 정(精)인 이 스테로이드 (Steroid)는 산성 물질을 중화하는 백(魄)인 알칼리(Alkali) 물질이다. 그런데 알칼리 물질인 이 백(魄)은 에너지인 기(氣)를 만든다(魄之爲氣). 이 문장은 전자생리학의 정수(精髓)를 넘어서서 극치(極致)를 말하고 있다. 이제마는 참으로 대단한 사람이다. 이 문제도 본 연구소가 발행한 전자생리학에서 스테로이드 부분을 참고하면 된다. 이렇게 말하는 이유는 스테로이드가 에너지(氣)인 자유전자를 만들어 낸다는 사실 때문이다. 아무튼, 이 부분은 감탄이 절로 나오는 부분이다. 그리고 더 중요한 사실은 이 스테로이드가 뇌의 학습과 기억에서 엄청나게 중요한 역할을 한다는 사실이다. 이때 스테로이드를 뇌-스테로이드 또는 신경-스테로이드라고 해서 뉴로-스테로이드(Neuro-steroid)라고 부른다. 그래서 스테로이드는 방략(方略)을 만들어내는 뇌 신경의 작동에서 엄청나게 중요한 인자가 된다. 그래서 이런 신경-스테로이드가 넘쳐나서(盛太) 뇌의 경영(經營)에 활발하게 참여(壯)하게 되면(盛太而壯經營), 이때는 자동(自)으로 방략(方略)이 생기게 된다(自有方略). 그리고 이 문구가 논하는 주제(則此句之論)는 회음부(臀)가 있는 인체의 하초(下焦)를 말하고 있으므로, 이는 하초(下焦)가 강한 소음인(少陰人)을 말하고 있다(少陰人言而). 그러나 여기서 특별히 말해야 할 부분은(特擧), 이는 태양인(太陽人)을 말하고 있기도 하다는 사실이다(太陽人言者). 즉, 양(陽)으로서 태양은 음(陰)으로서 소음이 만들어내는(生) 스테로이드를 중화해서 제거(蓋)함으로써(蓋太陽 生少陰而), 방략(其子)을 만들어내는 스테로이드인 백(魄)의 생산을 독려(侍)하기 때문이다(侍其子魄故也). 이 문장도 전자생리학의 정수(精髓)를 넘어서서 극치(極致)를 말하고 있다. 이제마는 참으로 대단한 사람이다. 이 문제도 본 연구소가 발행한 전자생리학에서 스테로이드 부분을 참고하면 된다. 이는 스테로이드가 에너지(氣)인 자유전자를 만들어낸다는 사실 때문이다. 그리고 이 에너지는 또 다른 스테로이드를 만드는 인자로 작용한다. 이 사실은 묘한 암시를 준다. 즉, 스테로이드의 생산 능력을 말하는 정력(精)을 말할 때 소음인(少陰人)보다는 태양인(太陽人)이 더 정력이 좋다는 사실을 말해주고 있다. 이는 우리 일상에서 흔히 관찰할 수 있는 부분이다. 정력은 또한 큰 힘(太陽)의 상징이기 때문이다.

識見 必無奪也 威儀 必無侈也 材幹 必無懶也 方略 必無竊也.

　한 개인이 쌓아온 식견은 반드시 빼앗기지 않으며(識見 必無奪也), 한 개인이 만든 위엄은 반드시 무절제를 동반하지 않으며(威儀 必無侈也), 한 개인이 보유한 재간은 반드시 나태함이나 게으름을 허용하지 않으며(材幹 必無懶也), 한 개인이 만든 방략은 절대로 훔쳐서 된 일이 아니다(方略 必無竊也). 이 구문은 해석자의 가치관에 따라서 다양한 해석이 나올 수 있다. 여기도 이제마의 주해가 있다.

以我之短 學彼之長 以我之長 敎彼之短 同時助成 功歸正故.
曰 無奪 無侈 無懶 無竊之謂也.

　나(我)의 단점(短)을 참고(以)해서(以我之短), 상대방(彼)의 장점(長)을 배울(學) 것이며(學彼之長), 나의 장점을 이용해서(以我之長), 상대방의 단점을 교화(敎)시킬 것이며(敎彼之短), 이 네 가지 사실이 동시에 조성되게 하면(同時助成), 성공은 정도(正)를 따라서 회귀하기 때문(故)이다(功歸正故). 이렇게 되도록 하는 말이(曰), 무탈(無奪), 무치(無侈), 무라(無懶), 무절(無竊)이다(無竊之謂也).

耳目鼻口 觀於天也 肺脾肝腎 立於人也 頷臆臍腹 行其知也 頭肩腰臀 行其行也

　이목구비는 하늘(天)의 에너지를 측정(觀)하는 기관이다(耳目鼻口 觀於天也). 즉, 귀는 청각을 통해서 하늘이 주는 소리라는 에너지를 측정(觀)하고, 눈은 시각을 통해서 빛이라는 하늘이 주는 에너지를 측정(觀)하고, 입은 미각을 통해서 하늘이 주는 맛이라는 에너지를 측정(觀)하고, 코는 후각을 통해서 하늘이 주는 냄새라는 에너지를 측정(觀)한다. 그리고 폐비간신은 인체 안에서 과잉되는 에너지를 조절해서 인체의 대사를 올바르게

성명론(性命論)

정립(立)시킨다(肺脾肝腎 立於人也). 인체 안에서 일어나는 문제의 99%는 에너지 과잉인데, 이 에너지 과잉을 오장이 해결해준다는 사실을 상기해보자. 함억제복은 이들(其) 기관의 생리를 알고 행해야 하며(頷臆臍腹 行其知也), 두견요둔은 이들(其)의 생리의 행태를 알고 행해야 한다(頭肩腰臀 行其行也). 이 부분의 문제는 이미 앞에서 자세히 설명했으므로, 이 설명을 참고하면 된다. 여기도 이제마의 주해가 있다.

天機之所當　無處不應之謂也　人事之所行　無時不用之謂也.
心之所侍　發其知之謂也　身之所處　達其行之謂也.

하늘이 주는 에너지를 보유한 에너지 담체(天機)들은 항상 정당(當)한 장소에 자리(所)하고 있으며(天機之所當), 태양계 아래에 존재하는 모든 장소에 존재하되, 정해진 장소도 없고(無處), 미리 정해진 반응도 하지 않으면서(不應) 행동한다(無處不應之謂也). 그리고 인간이 행하는 행동도(人事之所行), 때가 정해져 있는 것도 아니고(無時), 이때 하는 행동이 쓸모가 없는(不用) 것도 아니다(無時不用之謂也). 그리고 마음이 독려(侍)하는 연유(所)라는 것은(心之所侍), 마음(其)이 독려하는 일을 얼마나 알고(知) 있느냐를 표현(發)한 것이다(發其知之謂也). 그리고 자기 몸이 자리하고 있는 장소는(身之所處), 자기 몸(其)이 행한 결과물이다(達其行之謂也). 이 구문도 해석자의 가치관에 따라서 다양한 해석이 나올 수 있다.

天時　大同也　事務　各立也　世會　大同也　交遇　各立也
人倫　大同也　黨與　各立也　地方　大同也　居處　各立也

하늘이 주는 계절로서 에너지인 천시는 크게 다르지 않고 대동소이하다(天時 大同也). 그러나 이에 따라서 행하는 인간들의 행동은 각자 다르게 한다(事務 各立也). 이는 개인마다 천시에 다르게 대처한다는 뜻이다. 인간계를 제외하고 모든 생물계와 무생물계는 크게 다르지 않고 대동소이하다(世會 大同也) 그러나 이의 원리에 따라서 행동하는 교우 관계는 인간들의 사상이나 가치관에 따라서 각자 다르게 형성된다(交遇 各立也). 인간계가 지켜야 하는 도덕이나 윤리는 크게 다르지 않고 대동소이하다(人倫 大同也). 그러나 이도 편싸움이나 적대 관계에서는 각자 다르게 형성된다(黨與 各立也). 땅의 방위는 크게 다르지 않고 대동소이하다(地方 大同也). 그러나 이에 따라서 인간들이 정하는 거처는 각자 다르게 된다(居處 各立也). 세상의 원리와 인간들의 이에 따르는 정도를 말하고 있다. 이 구문도 해석자의 가치관에 따라서 다양한 해석이 나올 수 있다. 여기도 이제마의 주해가 있다.

仁義禮智 與天同 是無變易之謂也 因時制宜 如羽橫空也.

忠孝友悌 與世同 是有齊立之謂也. 從俗性化 如火炎上也.

農工商虞 與人同 是無休息之謂也 作類秉便 如鱗縱壑也.

田宅邦國 與地同 是有興盛之謂也 隋錄應變 如水趨下也.

　　인간이 지켜야 할 인의예지는(仁義禮智), 하늘이 모든 사람에게 똑같이(同) 부여(與)한 원칙이다(與天同). 이 원칙은 변화무쌍(變易)해서는 안 된다(是無變易之謂也). 이는 새가 공중(空)을 유영할 때 날개(羽)를 기압에 따라서 조절하듯이 때(時)에 따라서(因) 잘 조절(制)해야만 한다(因時制宜 如羽橫空也). 그리고 충효우제도(忠孝友悌), 세상(世) 사람에게 똑같이(同) 부여(與)한 원칙이다(與世同). 그리고 이 원칙은 질서가 정연하게 섬(齊立)을 말한다(是有齊立之謂也). 그리고 이는 불꽃이 위로 올라가는 자연의 순리처럼 풍속화(俗)되어서 인격으로 성품화(性)되어야만 한다(從俗性化 如火炎上也). 그리고 하늘이 농공상을 헤아려서 염려(虞)하는 마음도(農工商虞), 사람(人)에게 똑같이(同) 부여(與)한 원칙이다(與人同). 이는 숨(息)을 중지하지 않는 원리와 똑같은 원리이다(是無休息之謂也). 즉, 사농공상을 차별하지 않는 것이, 하늘이 인간에게 부여한 원칙이다. 이는 물고기가 도랑물(壑)을 따라서 편의에 따라서 흘러가는 것처럼, 인간의 편의(便)에 따라서 (秉) 농공상이라는 종류(類)를 나누어(作) 놓았을 뿐이다(作類秉便 如鱗縱壑也). 그리고 전택방국이라는 개념도(田宅邦國), 땅(地)이 사람에게 똑같이(同) 부여 (與)한 원칙이다(與地同). 이는 땅이 사람을 흥성(興盛)하게 하는 원칙을 가지고 있다고 말한다(是有興盛之謂也). 그래서 전택방국이라는 개념도 물이 아래(下)로 떨어지는 원리처럼, 변화하는 상황에 따라서(應) 기록한 것일 뿐이다(隋錄應變 如 水趨下也). 이 구문도 해석자의 가치관에 따라서 다양한 해석이 나올 수 있다. 특히, 이 부분은 인문 의학(人文醫學)적인 요소를 많이 포함하고 있다. 사실, 의학의 완성은 인문 의학(人文醫學)이다. 인간은 살면서 다양한 인간상을 만나게 되고, 이때 당연한 순리로 가치관의 충돌을 경험한다. 이때는 당연히 스트레스가 뒤따르게 되고, 이는 이어서 질병의 원인으로 작용한다. 의학을 깊이 공부하다가 보면, 스트레스가 병인(病因)의 최소 50% 이상을 차지한다. 그리고 이 인간 스트레스를 해결하는 방편이 인문학(人文學)이다. 이때 인문학을 인문 의학(人文醫學)이라고 부른다. 인문학(人文學)은 사람을 아는 학문이므로, 인문학을 깊이 있게 하게 되면, 사람에게서 받는 스트레스를 거의 모두 줄일 수가 있다. 추가로 인문학을 더 깊이 공부하게 되면, 다른 사람들에게 휘둘리지 않게 된다. 특히 권(權)과 부(富)의 장난질에 쉽게 넘어가지 않게 된다. 이는 쉬운 일이 아니다. 우리가 사회에서 받는 속박 대부분은 권(權)과 부(富)의 장난질에서 나온다. 권(權)과 부(富)에 극단적으로 탐닉하는 자들은 남을 짓밟고 그 위에 서야만 직성이 풀리는 사이코패스 정신병자들이다. 이들의 유일한 즐거움은 남을 자기 기분대로 주무르면서 지배하는 일이다. 이 사이코패스 정신병자들은 인문학의 천재들이다. 그래서 이들은 사람을 잘 가지고 놀면서 자기가 원하는 권과 부를 마음껏 챙겨간다. 이의 결과가 부의 편중이다. 이 사이코패스 정신병자들은 오직 권과 부만 노린다. 그리고 이들은 미디어를 가지고 논다. 그래서 사이코패스 정신병자들은 대중의 감정을 교묘히 자극해서 가지고 논다. 이 시점에서 우리는 삶의 근본을 묻게 된다. 즉, 인간이란 무엇이며, 행복이란 무엇일까? 그리고 이들의 해답은 인문학에 있다. 그래서 사이코패스 정신병자들인 인문학의 천재들은 자기들은 인문학을 탐독해야 하지만, 자기들이 지배하는 대중은 인문학을 알아서는 안 된다는 식이다. 그래서 이 사이코패스 정신병자들은 대학에서 어떻게든 인문학을 제거하려고 갖은 노력을 수행한다. 그래서 사이코패스 정신병자들이 주도하는 천민자본주의가 발달한 나라일수록 인문학은 천대받는다. 여기서 나온 말이 "문송합니다"이다. 즉, "문과를 졸업해서 죄송합니다"이다. 이 사이코패스 정신병자들은 편 가르기를 조장하고, 편싸움을 유도하는 전문가들이다. 이를 위해서 사이코패스 정신병자들은 사람의 감정을 교묘히 이용한다. 그리고, 사이코패스 정신병자들은 이를 사회 풍조로 발전시킨다. 그래서 대중의 모든 일상 행동에 감정을 넣게 만든다. 즉, 돈이 없어서 밥을 굶더라도 엄청나게 비싼 명품을 걸쳐야 멋진 사람이고, 멋진 비싼 자동차를 가지고 운전해야 멋진 사람이고, 혼자 살더라도 비싼 큰 집에서 살아야 멋진 사람이다. 즉, 인간의 근본을 묻지 못하게 사람을 현혹시키는 것이다. 여기서 인간의 근본은 진정으로 느끼는 마음의 행복이다. 그리고 이 진정한 행복을 얻기 위해서는, 옷은 그냥 더위와 추위를 피하면서 남에게 혐오감만 주지 않으면 되고, 자동차는 필요할 때 그냥 운송 수단만 되면 되고, 집은 그냥 자신의 안전을 보장하면 된다. 이 결과는 인체를 덜 피곤하게 하고, 더 적은 노동을 하고, 더 적은 스트레스를 만들고, 더 적은 질병을 경험하고, 더 많은 진정한 마음의 행복을 얻게 한다. 이를 알고 극복하는 것이 진정한 인문학의 출발이다. 즉, 권과 부가 쳐놓은 덫에 걸리지 말라는 뜻이다. 인문학의 천재들인 사이코패스 정신병자들에게 휘둘려서 살다 보면, 남은 것이라고는 피폐해진 정신과 골병이 들대로든 몸뿐이다. 동시에 자기의 진정한 자아는 어디로 간지도 모르게 가고 없는 자신의 처참한 모습뿐이다. 인문학의 배움은 행복의 출발점이다. 그러나 사이코패스 정신병자들은 이 점도 너무나도 잘 알고 있어서 권과 부를 추종하라는 공자의 논어(論語)나 추천하고 더욱더 조장한다. 사실 논어는 서민을 위한 인문학이 아니라 권부를 위한 인문학이다. 서민 대중을 위한 진정한 인문학은 노자의 도덕경(道德經)이다. 논어가 권력을 위한 책이 된 이유는 공자의 사상을 만든 작자가 사이코패스 정신병자인 한나라 무제이기 때문이다. 한 무제가 즉위하기 전까지는 노자의 도덕경 사상이 주류 사상이었다. 노자의 도덕경은 철저히 권과 부를 의심한다. 그래서 사이코패스 정신병자인 한 무제는 이를 공자의 권력형 인문학으로 대체한다. 그리고 권과 부라면 환장하는 사대부를 키우기 시작한다. 그래서 권과 부라면 환장하는 사대부가 지배하던 조선 시대에는 노자의 도덕경이 금서였다. 여기서 금서는 기득권은 읽어도 되지만 취득권은 읽으면 안 되는 책을 말한다. 그리고 도덕경을 짓밟기 위해서 왕필이라는 하수인을 통해서 노자의 도덕경을 짓밟아버리고 조롱하기에 이른다. 그리고 이는 지금도 그대로 진행 중에 있다. 도덕경은 권과 부의 민낯을 까발리기 때문이다. 인문 의학을 말하다가 여기까지 왔다. 지금 우리는 동무 이제마의 동의수세보원을 논하고 있다. 그런데, 이 책에 인문학이 나올 수 있는 이유는 이제마가 책을 쓴 시기는 일제를 비롯한 외세가 조선을 혼란으로 몰아넣던 시기라서 사대부들의 입김이 많이 줄어든 시기였기 때문이다. 그래서 이 부분의 결론을 꺼내 보자면, 의학을 배우는 마지막에는 반드시 인문학을 탐독하라는 결론으로 다가간다. 그래서 이제마는 이런 생각을 분명하게 가지고 있었던 것 같다. 이런 이유가 아니더라도 인문학은 험난한 세상을 살아가는 데 필수이다. 즉, 인문학은 인생의 생명줄이다. 다시 본론으로 가보자. 이 구문에는 이제마의 주해가 하나 더 있다.

順德者 人之所贊也 逆失者 目之所欺也

正學者 思之所懼也 邪陰者 神之所怒也.

明進者 聖之攸畏也 暗退者 景之攸辱也

德謙者 仇之攸恥也 妖誇者 惠之攸憎也.

순리에 따라서 덕을 행하는 자는(順德者), 당연히 사람들의 칭찬이 따른다(人之所贊也). 그러나 순리를 역행해서 덕을 잃어버리는 자는(逆失者), 목전에서 수치를 당하게 된다(目之所欺也). 학문을 정확히 배운 자는(正學者), 자기 정서(思)를 표현할 때 항상 모자라지 않을까 두려움을 갖지만(思之所懼也), 학문을 나쁜 의도로 배운 자는(邪陰者), 타인의 정신(神)까지도 분노하게 만든다(神之所怒也). 그리고 수행을 명확히 밀고 나가는 자는(明進者), 성인의 말씀을 경외하면서 따르지만(聖之攸畏也), 생각이 비루한 자는(暗退者), 성인을 경외(景)하기보다는 욕되게 한다(景之攸辱也). 덕을 겸비해서 겸손한 자는(德謙者), 원수도 부끄럽게 만드나 (仇之攸恥也), 오만방자한 자는(妖誇者), 은혜도 증오로 만들고 만다(惠之攸憎 也). 이 구문도 해석자의 가치관에 따라서 다양한 해석이 나올 수 있다.

籌策 博通也 識見 獨行也 經綸 博通也 威儀 獨行也
行檢 博通也 材幹 獨行也 度量 博通也 方略 獨行也

책략인 주책은 통하는 바가 광범위하다(籌策 博通也). 그래야 책략으로서 가치가 있기 때문이다. 식견은 자기만 아는 머릿속에 있으므로, 자기 머릿속에서 홀로 행해진다(識見 獨行也). 자기가 쌓아온 이력인 경륜도 역시 통하는 바가 광범위하다(經綸 博通也). 그래서 경륜이라고 부른다. 위엄도 자기의 몸에서 풍기는 기운이므로, 당연히 독행한다(威儀 獨行也). 한 사람의 품격이나 인격도 통하는 바가 광범위하다(行檢 博通也). 그래서 이를 품격이나 인격이라고 부른다. 한 개인의 능력인 재간도 자기의 몸에서 단련된 결과이므로, 당연히 독행한다(材幹 獨行也). 세상사를 너그러이 처리하는 아량으로서 도량은 여러 사람을 대상으로 행해지는 일이므로, 통하는 바가 광범위하다(度量 博通也). 책략인 방략은 자기의 머리에서 나오므로, 당연히 독행한다(方略 獨行也). 이 부분도 다양한 해석이 가능하다.

大同者 天也 各立者 人也 博通者 性也 獨行者 命也

평등하게 똑같이 대해주는 존재는 하늘이고(大同者 天也), 각기 다르게 대해주는 존재는 사람이다(各立者 人也). 통하는 바가 광범위한 것은 성품이고(博通者 性也), 자기 안에서 홀로 행하는 것은 가르침이다(獨行者 命也).

성명론(性命論)

耳好善聲 目好善色 鼻好善臭 口好善味

  청각을 담당하는 귀는 당연히 좋은 소리를 좋아하고(耳好善聲), 시각을 담당하는 눈은 당연히 좋은 색깔을 좋아하고(目好善色), 후각을 담당하는 코는 당연히 좋은 냄새를 좋아하고(鼻好善臭), 미각을 담당하는 입은 당연히 좋은 맛을 좋아한다(口好善味). 이들 명제는 모두 그냥 상식이다. 이곳도 이제마의 주해가 있다.

善聲 非淸雅之聲 善色 非華麗之色 善嗅 非芳香之嗅 善味 非美甘之味也
此等之事 令人反爲 聾盲塞缺之病 不足爲稱也.

  때로는 좋은 소리가 청아한 소리가 아닐 때도 있고(善聲 非淸雅之聲), 때로는 좋은 색이 화려한 색이 아닐 때도 있고(善色 非華麗之色), 때로는 좋은 냄새가 방향이 아닐 때도 있고(善嗅 非芳香之嗅), 때로는 좋은 맛이 맛있는 맛이 아닐 수도 있다(善味 非美甘之味也). 그 이유는 이런 똑같은(等) 일을(此等之事), 사람에게 반복(反)적으로 적용(爲)하게 되면(令人反爲), 이 기관들에 병인으로 작용하기 때문이다(聾盲塞缺之病). 이는 부족(不足)함을 칭찬(稱)하게 하는 요인이 된다(不足爲稱也). 이는 모든 일에서 과유불급(過猶不及)을 말하고 있기도 하고, 좋은 것에도 중독(中毒)되면 문제가 발생한다는 사실도 말하고 있기도 하다. 이 문제는 황제내경 소문에서도 지적하는 내용이다.

善聲 順耳也 善色 順目也 善臭 順鼻也 善味 順口也

  좋은 소리란 귀의 순리에 따라야만 하고(善聲 順耳也), 좋은 색이란 눈의 순리에 따라야만 하고(善色 順目也), 좋은 냄새란 코의 순리에 따라야만 하고(善臭 順鼻也), 좋은 맛이란 입의 순리에 따라야만 한다(善味 順口也). 여기서 순리란

과유불급(過猶不及)을 말한다. 이는 모든 일에서 마찬가지이다. 이 대표가 흥분 독성(Excitotoxicity)을 만들어내는 MSG(monosodium glutamate)이다. 이는 전형적인 과유불급을 말한다. 이 문장도 이제마의 주해가 있다.

善聲 是忠厚之聲 善色 是勤儉之色 善嗅 是信質之嗅 善味 是仁愛之味.
此等之事 便人遠倫 聰明德慧之正 可爲所知也.

　　좋은 소리란(善聲), 소리(是)가 귀에 알맞은 소리여야 하며(是忠厚之聲), 좋은 색이란(善色), 색(是)이 눈을 자극하지 않는 색이어야 하며(是勤儉之色), 좋은 냄새란(善嗅), 냄새(是)가 코를 정상으로 유지할 수 있게 하는 냄새여야 하고(是信質之嗅), 좋은 맛이란(善味), 맛(是)이 입을 너무 자극하지 않는 맛이어야 한다(是仁愛之味). 이와 같은 일은(此等之事), 사람(人)이 이 네 기관(聰明德慧)에서 지켜야 할 도리(倫)로부터 너무 멀리(遠) 벗어나게 하는(使) 일을 바로 잡아주기(正) 때문이므로(使人遠倫 聰明德慧之正), 이는 반드시(可) 알아야만(知) 하는 문제이다(可爲所知也). 모든 문제는 균형의 문제이다. 즉, 언제나 치우침은 금물이다.

肺惡惡聲 脾惡惡色 肝惡惡臭 腎惡惡味

　　이 문장과 관련된 내용은 이미 앞에서 설명했던 부분이다. 이번에는 이를 황제내경 방식으로 풀어보자. 황제내경에서 상극(相尅)의 문제는 서로 에너지를 교환하는 관계이다. 이 문제는 본 연구소가 발행한 황제내경을 참고하면 된다. 폐는 나쁜 소리를 싫어한다(肺惡惡聲). 경락을 보면, 귀는 담(膽)과 연결된다. 그래서 나쁜 소리의 의미는 담에 문제가 있다는 뜻이 되고, 이는 또한 간 문제로 간다. 간은 산성 담즙을 만들어서 담으로 보내면, 담은 이를 중화한다는 사실을 상기해보자. 그러면 이 문장(肺惡惡聲)은 폐(肺)와 간(肝) 문제로 전환된다. 그리고 이 둘의 관계는 상극(相剋) 관계이다. 즉, 폐는 산성 담즙을 만들어서 간으로 보낸다. 그런데 간이 과부하에 걸리게 되면, 폐는 자기가 만든 산성 담즙을 간으로 보낼 수가 없게 된다. 그러면 자동으로 폐는 간을 과부하로 몰고 가는 나쁜 소리를 싫어할(肺惡惡聲) 수밖에 없다. 이번에는 비장은 나쁜 색깔을 싫어한다(脾惡惡色). 색은 시각의 문제이므로, 눈과 연결된다. 그리고 눈은 간의 문제가 된다. 그러면 이 문장은 비장(脾)과 간(肝)의 문제로 간다. 그리고 이 둘의 관계는 상극(相剋) 관계이다. 즉, 간은 산성 림프액을 몽땅 만들어서 이를 처리하는 비장으로 보내버리면, 비장은 곧바로 과부하에 걸리고 만다. 간은 산성 림프액을 아주 많이 만들므로, 림프를 처리하는 통로가 3개나 된다는 사실을 상기해보자. 그래서 비장은 나쁜 색깔을 싫어할(脾惡惡色) 수밖에 없다. 간은 나쁜 냄새를 싫어한다(肝惡惡臭). 냄새는 코의 문제이다. 그리고 코는 폐의 문제로 연결된다. 그러면 이 문장(肝惡惡臭)은 간과 폐의 문제로 전환된다. 그리고 폐는 이산화탄소(CO$_2$)를 처리하면서 과부하에 걸리게 되면, 이산화탄소의 처리가 지연되게 되고, 그러면 이 이산화탄소는 삼투압 기질인 중조로 변해서 적혈구를 파괴해버린다. 그리고 이때 파괴된 적혈구는 산성 담즙이 되어서 간으로 간다. 그러면 이때 간은 곧바로 과부하에 시달리게 된다. 이를 보고 폐(肺)가 간(肝)을 상극(相剋)했다고 한다. 이 문제는 본 연구소가 발행한 황제내경 소문이나 난경(難經)을 참고하면 된다. 그러면 자동으로 간은 나쁜 냄새를 싫어할(肝惡惡臭) 수밖에 없다. 신장은 나쁜 맛을 싫어한다(腎惡惡味). 맛은 혀에 박힌 미뢰를 통해서 감지된다. 그리고 혀는 심장과 연결된다. 이 문제도 본 연구소가 발행한 황제내경 소문을 참고하면 된다. 그러면 이 문장(腎惡惡味)은 신장과 심장 문제로 전환된다. 그리고 이 둘의 관계는 상극(相剋) 관계가 된다. 즉, 이 둘은 모두 과잉 자유전자를 처리하는데, 심장은 자유전자를 전기(電氣) 형식으로 처리하고, 신장은 염(塩:화학 용어)의 형식으로 처리한다. 그래서 이 둘은 자유전자가 과잉되면, 서로에게 핑퐁 게임을 하는 것처럼 과잉 자유전자를 떠넘기게 된다. 그래서 심장이 과잉 자유전자를 처리하면서 과부하에 걸리게 되면, 심장은 이를 신장으로 보내버리게 되고, 이어서 신장은 과부하에 시달리게 된다. 그러면 자동으로 신장은 나쁜 맛을 싫어할(腎惡惡味) 수밖에 없다. 이 구문의 관계는 앞에서 이미 설명했으므로, 여기에서는 황제내경 방식으로 해석해보았다. 이 구문에 대한 이제마의 주해가 있다.

惡聲 非殺伐之聲 惡色 非醜陋之色 惡嗅 非腐儳之嗅 惡味 非辛苦之味.
此等之狀 令人徒爲 掩閉杜吐之勞 不足爲難也.

　나쁜 소리란(惡聲), 공포를 자아내는 살벌한 소리가 아닐 수도 있고(非殺伐之聲), 나쁜 색이란(惡色), 눈에 문제를 일으키는 색이 아닐 수도 있고(非醜陋之色), 나쁜 냄새란(惡嗅), 악취를 풍기는 냄새가 아닐 수도 있고(非腐儳之嗅), 나쁜 맛이란(惡味), 혀를 너무나 강하게 자극하는 맛이 아닐 수도 있다(非辛苦之味). 이와 같은 현상은(此等之狀), 이 인체 기관들의 기능(掩閉杜吐)을 수고(勞)롭게 해서 사람(人)들을 도망(徒)가게 하기(令) 때문이다(令人徒爲 掩閉杜吐之勞). 이는 이 인체 기관들을 만족시키지 못해서(不足) 힐난(難)을 만든 것이다(不足爲難也).

惡聲 逆肺也 惡色 逆脾也 惡臭 逆肝也 惡味 逆腎也

　나쁜 소리는 폐의 생리를 거역하고(惡聲 逆肺也), 나쁜 색은 비장의 생리를 거역하고(惡色 逆脾也), 나쁜 냄새는 간의 생리를 거역하고(惡臭 逆肝也), 나쁜 맛은 신장의 생리를 거역한다(惡味 逆腎也). 이 문제는 앞에서 황제내경 방식으로 설명했다. 이 구문에도 이제마가 직접 단 주해가 있다.

惡聲 是毁謗之聲 惡色 是難悖之色 惡嗅 是陰害之嗅 惡味 是偸盜之味

此等之狀 使人空成 癲狂癩瘤之患 可僞所愼也.

　나쁜 소리는(惡聲), 이것이 청각이 감지하는 소리를 훼방하기 때문이고(是毁謗之聲), 나쁜 색깔은(惡色), 이것이 시각이 감지하는 색의 분별을 방해하기 때문이고(是難悖之色), 나쁜 냄새는(惡嗅), 이것이 후각이 감지하는 냄새의 분별을 방해하기 때문이고(是陰害之嗅), 나쁜 맛은(惡味), 이것이 미각이 감지하는 맛의 분별을 방해하기 때문이다(是偸盜之味). 이와 같은 현상은(此等之狀), 이 인체 기관들의 기능(癲狂癩瘤)에 문제(患)를 만들어서, 사람(人)들로 하여금(使), 이 인체 기관들이 기능을 제대로 하지(成) 못하게(空) 하기 때문이다(使人空成 癲狂癩瘤之患). 그래서 이런 현상을 다룰 때는 반드시(可) 신중(愼)해야만 한다(可僞所愼也).

頷有驕心 臆有矜心 臍有伐心 腹有夸心
驕心 驕意也 矜心 矜慮也 伐心 伐操也 夸心 夸志也

　이 구문은 앞에서 설명한 이 구문(頷有籌策 臆有經綸 臍有行檢 腹有度量)을 참고하면 된다. 턱은 주책을 만들어내는 뇌와 연결되므로, 뇌를 잘못 사용하면, 건방진 교만(驕)한 마음으로 발전할 수 있고(頷有驕心), 흉선(臆)도 경륜 때문에 뇌와 연결되므로, 뇌를 믿고 너무 과해서 남의 비위를 건드리는 자긍심으로 연결될 수 있고(臆有矜心), 분노를 조절해서 품행을 만들어내는 간과 연관된 배꼽은 간으로 인해서 분노를 유발해서 남을 처벌하는 마음을 갖게 될 수도 있고(臍有伐心), 도량을 만들어내는 소화관의 독자 신경총과 연결된 복부는 신경의 과부하로 인해서 너무 과한 생각을 가질 수 있다(腹有夸心). 교만한 마음은 교만한 의지를 만들고(驕心 驕意也), 너무 자긍심이 강한 마음은 과한 생각을 만들고(矜心 矜慮也), 남을 처벌하려는 마음은 너무 과한 처벌을 만들고(伐心 伐操也), 너무 과한 생각은 너무 과한 의지를 만든다(夸心 夸志也). 마음을 다스리는 방법을 말하고 있다.

頭有擅心 肩有侈心 腰有懶心 臀有欲心
擅心 奪利也 侈心 自尊也 懶心 自卑也 欲心 竊物也

　머리에는 자기 멋대로(擅) 하려는 마음이 존재할 수 있고(頭有擅心), 위엄을 만드는 어깨는 외면에 치우친 나머지 자칫 사치심(侈心)을 유도할 수 있고(肩有侈心), 뇌척수액을 통제해서 뇌를 통제하는 신장은 자칫 잘못하면, 뇌를 잘못 통제해서 증오심(懶心)이나 성실성 문제를 만들어낼 수가 있고(腰有懶心), 회음부는 스테로이드를 통해서 뇌를 통제하면서 자칫 잘못하면 욕심을 자극할 수가 있다(臀有欲心). 그래서 자기 멋대로 하는 마음은 남의 이익을 멋대로 탈취하게 할 수도 있고(擅心 奪利也), 사치하는 마음은 자기 자존감만 너무 과하게 올릴 수가 있고(侈心 自尊也), 남을 증오(懶)하거나 불성실한 마음은 자기 자신을 비하(卑)시킬 수가 있고(懶心 自卑也), 과한 욕심은 당연히 남의 물건을 절도하려는 마음으로 갈 수가 있다(欲心 竊物也).

人之耳目鼻口 好善 無雙也 人之肺脾肝腎 惡惡 無雙也
人之頷臆臍腹 私心 無雙也 人之頭肩腰臀 怠心 無雙也

　사람의 이목구비가 아무리 좋다고 해도, 양쪽(雙)이 모두 좋을 수는 없다(人之耳目鼻口 好善 無雙也). 사람의 오장이 아무리 나쁘다고 해도, 양쪽(雙)이 모두 나쁠 수는 없다(人之肺脾肝腎 惡惡 無雙也). 사람의 감정을 조절하는 네 기관이 사심을 갖는다고 해도, 양쪽(雙)이 모두 사심을 가질 수는 없다(人之頷臆臍腹 私心 無雙也). 사람의 감정을 조절하는 네 기관이 거만(怠)한 태도를 만든다고 해도, 양쪽(雙)이 모두 거만한 태도를 가질 수는 없다(人之頭肩腰臀 怠心 無雙也). 여기에 나오는 인간의 신체는 모두 쌍으로 존재한다는 사실을 상기해보자. 이는 인체 기능의 다양성과 반응의 다양성을 말하고 있다. 이는 결국에 인체의 에너지 조절 능력을 말한다. 인체의 모든 기능은 에너지로 작동하기 때문이다. 이를 인간의 공과로 평가해보면, 인간은 완전무결한 존재가 아니라는 뜻으로도 해석된다. 즉, 인간은 누구나 장단점을 보유한다는 뜻이다. 이는 다음 문장으로 이어진다.

堯舜之行仁 在於五千年前而 至于今

天下之稱善者 皆曰堯舜則 人之好善 果無雙也

桀紂之行暴 在於四千年前而 至于今

天下之稱惡者 皆曰桀紂則 人之惡惡 果無雙也

以孔子之聖 三千之徒 受敎而 惟顔子 三月 不違仁 其餘 日月 至焉而

心悅誠服者 只有七十二人則 人之邪心 果無雙也

以文王之德 百年而後崩 未洽於天下 武王周公 繼之然後 大行而

管叔蔡叔 猶以至親 作亂則 人之怠行 果無雙也

그래서 인격을 갖췄다고 후세에서 칭찬이 자자한 요순 임금의 인자한 행동이 (堯舜之行仁), 5,000년 전에 있었고, 이 사실은 지금까지 전해지고 있다(在於五千年前而 至于今). 그리고 천하에서 선을 말할 때 보게 되면(天下之稱善者), 모두 요순 임금을 말한다(皆曰堯舜則). 그러나 사람들은 분명히 선을 좋아하지만(人之好善), 그들이 평가하는 공과(果)는 모두 같지(雙)가 않다(果無雙也). 어떤 사람을 공과를 통해서 선을 평가할 때, 그 기준이 사람마다 모두 다르다는 뜻이다. 이는 평가하는 사람들의 가치관과 사상이 다르기 때문이다. 그리고 후세에 전해진 기록으로써 평가는 기득권이 기록한 평가라는 사실이다. 즉, 기득권에 이익을 주면, 기득권은 기록에 좋은 사람으로 기록한다는 뜻이다. 즉, 기록이라는 역사는 기득권의 문제인 것이다. 악행으로 소문난 걸주라는 임금은(桀紂之行暴), 이 악행이 4,000년 전에 존재했었고(在於四千年前而), 이는 지금까지 전해지고 있다(至于今). 그리고 천하에서 악행을 말할 때 보면(天下之稱惡者), 모두 걸주 임금을 말한다(皆曰桀紂則). 그러나 사람들은 분명히 악을 싫어하지만(人之惡惡), 그들이 평가하는 공과(果)는 모두 같지(雙)가 않다(果無雙也). 어떤 사람을 공과를 통해서 악을 평가할 때, 그 기준이 사람마다 모두 다르다는 뜻이다. 이는 평가하는 사람들의 가치관과 사상이 다르기 때문이다. 공자는 성인으로서(以孔子之聖), 3,000명에 달하는 제자를 가르쳤지만(三千之徒 受教而), 유일하게 안자만 3개월 동안 인을 위반하지 않았고(惟顏子 三月 不違仁), 나머지 제자들은(其餘), 세월이 지나서야(日月 至焉而), 인을 진심으로 지키려고 노력했지만(心悅誠服者), 그 숫자는 겨우 72명뿐이었다(只有七十二人則). 그래서 사람이 인이 아닌 나쁜 사심(邪心)을 평가하는 기준은(人之邪心), 공과를 평가하는 개인의 기준 차이 때문에, 모두 같지(雙)가 않다(果無雙也). 즉, 안자가 인을 지켰다고 평가한 공자의 기준은 다른 문하생들의 평가 기준과 달랐다는 뜻이다. 그리고 문왕이 덕으로써 100년을 다스렸지만, 이는 그 뒤에 무너져버렸고(以文王之德 百年而後崩), 천하에는 덕이 부족하게 되었다(未洽於天下). 그리고 무왕과 주공이 그 뒤를 이어서 큰 덕행을 펼쳤지만(武王周公 繼之然後 大行而), 관숙과 채숙이(管叔蔡叔), 주왕의 아들인 무강(武康: 親)을 앞세워서(猶以至親), 반란을 일으키기에 이른다(作亂則). 이는 인간의 가치관의 차이를 극명하게 보여준다. 요즘에는 이를 내로남불이라고 부른다. 이런 일이 일어나는 이유는 생명체는 모두 먹이사슬에 엮이기 때문이다. 즉, 먹이를 주면 내 편이요, 먹이를 빼앗으면 적이기 때문이다. 그래서 인간이 행동(行)할 때 선악을 평가(怠)하는 기준은(人之怠行), 공과를 평가하는 개인의 기준 차이 때문에, 모두 같지(雙)가 않다(果無雙也). 이는 인문 의학(人文醫學)을 다시 한번 상기하게 한다. 즉, 사람을 이해할 수 있어야만, 스트레스를 덜 받는다는 뜻이다. 그러면, 자동으로 자기의 기준이 유일한 기준이 아니라는 사실이 수면 위로 떠 오르게 된다. 그러면, 자동으로 남의 마음도 이해할 수 있게 된다. 그러면 자동으로 사람으로 인한 스트레스도 해소된다. 이는 인문학의 근본을 묻게 된다. 이는 "너 자신을 알라"는 소크라테스의 말을 잘 살펴볼 필요가 있다. 이 말은 전형적으로 왜곡된 문구이기도 하다. 당시에 기득권은 소크라테스를 무척이나 싫어했다는 사실을 상기해보자. 이는 소크라테스가 청년들을 시켜서 잘났다고 뻐기는 어쭙잖은 자들에게 질문을 퍼붓게 해서 그들의 무식함을 만천하에 드러냈기 때문이다. 결국에 소크라테스는 이 일로 인해서 사약을 받는다. 이게 기득권의 무서움이다. 아무튼, 기득권

성명론(性命論)

에 한 번 찍히면 무섭게 당한다. 소크라테스가 말한 "너 자신을 알라"는 진정한 뜻은 자신을 알라는 뜻이다. 이는 기득권이 해석하는 것처럼, "너의 분수를 알라"는 뜻이 아니라, 한 인간으로서 자기 자신이 어떤 존재인지 알라는 뜻이다. 그러면 이는 자동으로 사람이라는 존재는 어떤 존재일까로 전환된다. 그래서 자기 자신이 어떤 존재인지를 알게 되면, 자동으로 다른 사람의 존재도 어떤 존재인지를 안다는 사실이다. 즉, 다른 사람이나 자기 자신이나 똑같은 사람이므로, 사람의 특성은 거의 대동소이하다는 뜻이다. 단, 사람마다 약간의 개인적인 특성은 존재한다는 사실도 알아야만 한다. 즉, 인간이라는 동물 종류는 98%는 특성이 똑같고, 나머지 2% 정도만 다르다는 것이다. 그러면, 내가 어떤 종류의 동물인지를 알면, 상대방을 98% 정도는 파악할 수 있다는 뜻이다. 상대방도 나와 똑같은 종류의 동물이니까 너무나 당연한 일일 것이다. 즉, 인간은 모두 칭찬해주면 좋아하고 하고, 자기 말을 들어주면 좋아하고, 자기에게 이익이 되면 좋아하고 등등 말이다. 이는 손자병법과 36계 병법에서 지피지기(知彼知己)로 나타난다. 즉, 나라는 사람이 어떤 사람인지 알게 되면, 상대도 어떤 사람인지를 98% 정도는 알 수 있다는 뜻이다. 아무튼, 기득권들이 제거하려고 하는 인문학은 인생의 필수품이다.

耳目鼻口 人皆可以爲堯舜 頷臆臍腹 人皆自不爲堯舜
肺脾肝腎 人皆可以爲堯舜 頭肩腰臀 人皆自不爲堯舜

모든 사람이 육체적(耳目鼻口)으로 요순 임금과 똑같게 할 수는 있지만(耳目鼻口 人皆可以爲堯舜), 모든 사람이 사고(頷臆臍腹)를 요순 임금과 똑같게 만들 수는 없다(頷臆臍腹 人皆自不爲堯舜). 모든 사람이 타고난 오장(肺脾肝腎)도 요순 임금과 똑같을 수는 있지만(肺脾肝腎 人皆可以爲堯舜), 정신(頭肩腰臀)을 요순 임금과 똑같게 만들 수는 없다(頭肩腰臀 人皆自不爲堯舜). 이는 사람마다 다른 가치관과 사상의 차이를 말하고 있다. 즉, 사람의 생각 차이를 인정하라는 뜻이다. 그래야 자기도 편하고 주위도 편하니까! 이는 자식의 문제로도 이어진다. 자식은 부모의 거울이기 때문이다. 무식한 부모는 빗나간 자기 자식을 보고 누가 그렇게 가르쳤냐고 자식을 힐난하지만, 현명한 부모는 자신을 돌아보고 자기가 먼저 올바르게 행동한다. 여기서 무서운 사실은 사람은 유유상종(類類相從)이라는 점이다. 유유상종은 자기 가치관의 옳고 그름을 떠나서 자기 가치관을 무조건 강화시켜버린다. 이는 특히 종교에서 많이 만들어진다. 즉, 우물 안 개구리가 되고 만다.

人之耳目鼻口 好善之心 以衆人耳目鼻口 論之而 堯舜 未爲一加鞭也
人之肺脾肝腎 惡惡之心 以堯舜肺脾肝腎 論之 以衆人 未爲一少鞭也
人皆可以爲堯舜者 以此 人之頷臆臍腹之中 詐世之心 每每隱伏也
存其心 養其性 然後 人皆可以爲堯舜之知也
人之頭肩腰臀之中 罔民之心 種種暗藏也 修其身 立其命 然後
人皆可以爲堯舜之行也 人皆自不爲堯舜者 以此

　사람의 이목구비(耳目鼻口)는 자기의 기능에 따라서 이를 즐겁게(善) 해주는 것을 선호(好)하는 마음을 가지게 된다(人之耳目鼻口 好善之心). 이 사실을 기반으로 해서, 대중의 이목구비와 요순 임금의 이목구비를 거론(論)해 보자면(以衆人 耳目鼻口 論之而堯舜), 이 둘의 이목구비의 차이는 대나무 뿌리의 마디(鞭) 하나(一) 차이도 안(未) 된다(未爲一加鞭也). 사람의 오장(肺脾肝腎)은 자기의 기능에 따라서 이를 나쁘게(惡) 해주는 것을 싫어(惡)하는 마음을 가지게 된다(人之肺脾肝腎 惡惡之心). 이 사실을 기반으로 해서, 대중의 오장과 요순 임금의 오장을 거론(論)해 보자면(以堯舜肺脾肝腎 論之以衆人), 이 둘의 오장의 차이는 대나무 뿌리 마디(鞭)의 작은(少) 하나(一) 차이도 안(未) 된다(未爲一少鞭也). 사람은 육체적으로 요순 임금이 될 수는 있으나(人皆可以爲堯舜者), 육체(此)와 비교해서(以此), 사람의 마음(頷臆臍腹) 안에는(人之頷臆臍腹之中), 항상 부정한 마음이 숨어있다(詐世之心 每每隱伏也). 그래서 사람은 그런(其) 마음(心)이 존재(在)한다는 사실을 인정하고서(存其心), 그런(其) 심성(性)을 바로 잡게(養) 되면(養其性)

그 후에는(然後), 모든 사람이 요순 임금처럼 될 수 있다는 사실을 알게 된다(人
皆可以爲堯舜之知也). 사람의 인격은 마음가짐이라는 사실을 말하고 있다. 사람의
육체(頭肩腰臀) 안에는(人之頭肩腰臀之中), 일반 백성의 마음이(岡民之心), 다양
하게 묻혀있다(種種暗藏也). 그래서 일반 백성(其)도 육체(身)를 수양(修)하고(修
其身), 육체(其)의 천성(命)을 제대로 확립한 후에는(立其命 然後), 모든 사람이
요순 임금처럼 행동(行)할 수 있다(人皆可以爲堯舜之行也). 그래서 모든 사람이
자동(自)으로 요순 임금처럼 될 수 없는 이유는(人皆自不爲堯舜者), 이런(此) 이
유 때문(以)이다(以此). 이는 교육과 성장 환경이 얼마나 중요한지를 말하고 있다.
그리고 교육과 성장 환경을 조성하는 주체는 기득권이므로, 기득권의 가치관이 사
회의 가치관을 만들어서 하나의 문화를 만든다. 여기서 제일 먼저 다가오는 기득
권은 바로 자식을 직접 양육하는 부모이다. 그래서 자식은 부모의 거울이 된다.

耳目鼻口之情 行路之人 大同於協義故 好善也

好善之實 極公也 極公則 亦極無私也

肺脾肝腎之情 同室之人 各立於擅利故 惡惡也

惡惡之實 極無私也 極無私則 極公也

頷臆臍腹之中 自有不息之知 如切如磋而 驕矜伐夸之私心

卒然敗之則 自棄其知而 不能博通也

頭肩腰臀之下 自有不息之行 赫兮喧兮而

奪侈懶竊之慾心 卒然陷之則 自棄其行而 不能正行也

　사람의 육체(耳目鼻口) 안에 든 성정은(耳目鼻口之情), 한 길을 여럿이 동행하
는 사람들이(行路之人), 서로 협동해서 합심하려는 성정처럼(大同於協義故), 서로
에게 좋은(善) 것을 선호(好)하게 된다(好善也). 그리고 이런 좋은 것을 선호하는
실체는(好善之實), 지극한 공공의 선이다(極公也). 지극한 공공의 선은(極公則),
역시 지극한 사리사욕의 제거이다(亦極無私也). 사람의 육체(肺脾肝腎) 안에 든

성정은(肺脾肝腎之情), 한방을 쓰는 여러 사람이(同室之人), 각기 지기들의 이익만 챙기려고 할 때(各立於擅利故), 이런 나쁜 습성을 싫어하는 것과 같다(惡惡也). 이런 나쁜 습성을 싫어하는 실체는(惡惡之實), 지극히 사리사욕을 버리는 행동이다(極無私也). 그리고 지극히 사리사욕을 버리게 되면(極無私則), 이때 지극히 공공의 선이 확립된다(極公也). 사람의 마음(頷臆臍腹) 안에는(頷臆臍腹之中), 끊임없이(不息) 꿈틀대는 나쁜 사심이 있다는 사실을 알고서(自有不息之知), 이런 나쁜(驕矜伐夸) 사심(私心)을 칼로 끊어내고 숫돌로 갈아내서 없애주어야만 한다(如切如磋而 驕矜伐夸之私心). 만약에 이렇게 하지 못하게(敗) 되면(卒然敗之則), 자기 스스로(自) 사람의 마음속에는 나쁜 사심이 있다는 사실을 알면서도 이를 버리지 않는 형국이 되므로(自棄其知而), 자동으로 자기가 가진 가치관이나 사상은 널리 통용되지 못하는 결과로 나타난다(不能博通也). 사람의 정신(頭肩腰臀) 아래에는(頭肩腰臀之下), 끊임없이(不息) 꿈틀대는 나쁜 과시욕(赫兮咺兮)을 인식(行)할 수 있는 능력이 있는데(自有不息之行 赫兮咺兮而), 나쁜 욕심이 생겨날 때(奪侈懶竊之慾心), 만약에 이에 함몰(陷)되어서(卒然陷之則), 스스로 이런(其) 인식(行) 능력을 버리게 되면(自棄其行而), 이 사람은 올바른 정도를 걸을 수가 없게 된다(不能正行也). 한 번만 더 생각하게 되면, 부정부패에서 벗어난다는 사실을 말하고 있다. 이는 권(權)과 부(富)의 행태와는 정반대 이야기를 하고 있다.

耳目鼻口 人皆知也 頷臆臍腹 人皆愚也
肺脾肝腎 人皆賢也 頭肩腰臀 人皆不肖也
人之耳目鼻口 天也 天知也 人之肺脾肝腎 人也 人賢也
我之頷臆臍腹 我自爲心而 未免愚也 我之免愚 在我也
我之頭肩腰臀 我自爲身而 未免不肖也 我之免不肖 在我也

하늘은 육체(耳目鼻口)를 통해서 모든 사람에게 이 육체 안에 지혜(知)를 부여

성명론(性命論)

했을지라도(耳目鼻口 人皆知也), 이 육체가 작동시키는 정신(頷臆臍腹)은 모든 사람에게 어리석음(愚)을 부여할 수도 있다(頷臆臍腹 人皆愚也). 여기서 이목구비(耳目鼻口)라는 육체와 이 육체가 작동시키는 정신(頷臆臍腹)이 서로 연결되어있다는 사실을 주목해야 한다. 하늘은 육체(肺脾肝腎)를 통해서 모든 사람에게 이 육체 안에 현명함(賢)을 부여했을지라도(肺脾肝腎 人皆賢也), 이 육체가 작동시키는 정신(頭肩腰臀)은 모든 사람에게 모자람(不肖)을 부여할 수 있다(頭肩腰臀 人皆不肖也). 여기서도 오장(肺脾肝腎)이라는 육체와 이 육체가 작동시키는 정신(頭肩腰臀)이 서로 연결되어있다는 사실을 주목해야 한다. 그래서 사람의 이목구비(耳目鼻口)라는 육체는(人之耳目鼻口), 하늘에서 부여받았으므로(天也), 이 육체는 하늘의 지혜(知)를 담고 있다(天知也). 그리고 하늘이 부여한 오장(肺脾肝腎)이라는 이 육체도(人之肺脾肝腎), 비록 사람에게 속해있기는 하지만(人也), 이 육체 안에도 사람의 현명(賢)함이 담겨있을 수 있다(人賢也). 그래서 자기 자신의 정신은(我之頷臆臍腹), 자기 자신의 마음을 만들게 되므로(我自爲心而), 자기 자신의 우매함(愚)을 벗어나지 못하는 것이나(未免愚也), 자기 자신의 우매함(愚)을 벗어나는 것이나(我之免愚), 모든 문제의 근원은 모두 자기 자신의 정신 안에 존재하는 것이다(在我也). 나로 인해서 발생하는 모든 문제는 모두 내 탓이라는 개념을 말하고 있다. 즉, 자기가 실행한 모든 일의 책임은 자기가 지라는 뜻이다. 또한 역시, 자기 자신의 정신이(我之頭肩腰臀), 자기 자신의 육체(身)를 만들므로(我自爲身而), 자기 자신의 육체적 모자람(不肖)을 벗어나지 못하는 것이나(未免不肖也), 자신의 육체적 모자람(不肖)을 벗어나는 것이나(我之免不肖), 모든 문제의 근원은 모두 자기 자신의 정신 안에 존재하는 것이다(在我也).

天生萬民 性以慧覺 萬民之生也 有慧覺則生 無慧覺則死 慧覺者 德之所由生也

天生萬民 命以資業 萬民之生也 有資業則生 無資業則死 資業者 道之所由生也

하늘이 모든 사람을 만들 때(天生萬民), 지혜(慧)를 깨달을(覺) 수 있는 성정

(性)을 부여해서(性以慧覺), 모든 사람을 만들었다(萬民之生也). 그래서 모든 사람은 지혜를 깨달을 수 있으면 살아남을 수가 있고(有慧覺則生), 지혜를 깨달을 수 없으면 죽는다(無慧覺則死). 그래서 지혜를 깨닫는다는 것은(慧覺者), 세상을 잘 살아갈 수 있는 덕이 생겨나는 연유가 된다(德之所由生也). 하늘이 모든 사람을 만들 때(天生萬民), 스스로 자립해서 살아갈 수 있는 특성을 부여해서(命以資業), 모든 사람을 만들었다(萬民之生也). 그래서 이런 자립할 수 있는 능력을 보유하게 되면 살아남을 수가 있으나(有資業則生), 이런 자립할 수 있는 능력을 보유하지 못하게 되면 살아남을 수가 없다(無資業則死). 이런 자립할 수 있는 능력을 보유한다는 것은(資業者), 세상을 살아가는 원리(道)를 알게 되는 연유가 된다(道之所由生也). 세상을 살아갈 때 필요한 지혜와 자립할 수 있는 능력이 세상을 살아갈 때 얼마나 중요한지를 말하고 있다. 그리고 이는 하늘이 모두에게 부여했다. 이도 역시 자기가 실행한 모든 일의 책임은 자기 문제라는 뜻이다.

仁義禮智 忠孝友悌 諸般百善 皆出於慧覺
士農工商 田宅邦國 諸般百用 皆出於資業

　인의예지(仁義禮智)와 충효우제(忠孝友悌)라는 모든 선은(諸般百善), 모두 지혜를 깨달을 때 나온다(皆出於慧覺). 사농공상(士農工商)과 전택방국(田宅邦國)이라는 모든 쓰임새는(諸般百用), 모두 인간을 자립하게 할 수 있는 능력에서 나온다(皆出於資業). 앞 문장의 내용을 보충해주고 있다.

慧覺 欲其兼人而 有教也 資業 欲其廉己而 有功也
慧覺私小者 雖有其傑 巧如曹操而 不可爲教也
資業橫濫者 雖有其雄 猛如秦王而 不可爲功也

　지혜를 깨달으면(慧覺), 그것(其)이 남(人)을 포용(兼)하게 해서(欲其兼人而),

남을 교화시킨다(有敎也). 자기의 능력인 자업이라는 것은(資業), 그것(其)이 자기(己)를 돌보게 해서(欲其廉己而), 공적을 쌓게 만든다(有功也). 지혜의 깨달음이 사소하게 되면(慧覺私小者), 비록 그(其) 걸출함과 기교가 위나라 초대 황제 조조와 같을지라도(雖有其傑 巧如曹操而), 그 사소한 지혜로 남을 교화시키기는 불가능하다(不可爲敎也). 자업이 잘 연마되지 못하게 되면(資業橫濫者), 비록 그(其) 자업이 웅장하고 진 왕처럼 용맹할지라도(雖有其雄 猛如秦王而), 그 자업으로 공을 세우기는 불가능하다(不可爲功也).

好人之善而 我亦知善者 至性之德也 惡人之惡而 我必不行惡者 正命之道也
知行積則 道德也 道德成則 仁聖也 道德非他 知行也 性命非他 知行也

사람이 행하는 선을 좋아한다면(好人之善而), 나 역시도 선이 뭔지를 깨닫고(我亦知善者), 성정이 덕에 이르도록 해야만 한다(至性之德也). 사람이 행하는 악을 싫어한다면(惡人之惡而), 나도 반드시 악을 실행하지 말 것이며(我必不行惡者), 세상의 옳은 정도를 따르도록 나를 교정(正)해야 한다(正命之道也). 그리고 지혜를 행해서 쌓이게 되면(知行積則), 그때는 도덕군자가 된다(道德也). 그리고 도덕이 완성되면(道德成則), 인자한 성인이 된다(仁聖也). 그래서 도덕과 지행은 다른 것이 아니며(道德非他 知行也), 성명과 지행도 다른 것이 아니다(性命非他 知行也).

或曰 擧知而論性 可也而 擧行而論命 何義耶 曰命者 命數也 善行則 命數自美也
惡行則 命數自惡也 不待卜筮而 可知也 詩云 永言配命 自求多福 卽 此義也

혹자는 말하기를(或曰), 바로 앞 문장에서 본 것처럼, 지(知)를 들고나와서 성(性)을 논의하는 것은 옳은 일인 것 같지만(擧知而論性 可也而), 행(行)을 들고나와서 명(命)을 논의하는 것은(擧行而論命), 옳은 것일까요(何義耶)? 여기서 깨달음(知)과 성정(性)의 문제는 모두 마음의 문제이므로, 서로 통하는 바가 있다는 뜻이다. 그러나 행(行)하는 일과 세상을 옳은(命) 일로 교정하는 것은 서로 통하는 바가 없다는 것이다. 즉, 행하는 것은 몸의 행동 문제이고, 교정하는 것은 마음의 개입이 뒤따른다는 것이다. 그래서 명(命)을 다시 해석해준다. 여기서 말하는 명은(曰命者), 명(命)의 경우의 수(數)를 말한다(命數也). 그래서 명수에 따라서 선행을 실행하면(善行則), 명수는 자동으로 아름다워지고(命數自美也), 악행을 실행하면(惡行則), 명수는 자동으로 더러워진다(命數自惡也). 이는 다른 사람들의 반응을 점칠 필요도 없이 옳은 것이다(不待卜筮而 可知也). 시경에서 말하기를(詩云), 이 말을 영원히 간직하고 여기에 명을 배합해서(永言配命), 스스로 해답을 구하면, 당연히 다복할 것이다(自求多福). 즉, 이것이 옳은 것이다(卽 此義也).

或曰 吾子之言 曰 耳聽天時 目視世會 鼻嗅人倫 口味地方
耳聽天時 目視世會則 可也而 鼻何以嗅人倫 口 何以味地方乎?
曰 處於人倫 察人外表 黙探各人之賢不肖者 此 非嗅耶
處於地方 均嘗各處人民生活之地理者 此非味耶

　혹자는 말한다(或曰). 당신은 다음과 같이 말했다(吾子之言 曰). 귀로는 계절과 날씨인 천시를 살피게(聽) 되고(耳聽天時), 눈으로는 인간계를 제외한 생물계와 무생물계를 보고(目視世會), 코로는 인간계의 냄새를 맡고(鼻嗅人倫), 입으로는 혀를 이용해서 지방을 맛본다(口味地方). 여기서 지방(地方)은 땅(地)의 방위(方)를 말한다. 그리고 땅의 방위는 오성(五星)의 방위를 말하고, 이는 계절을 말하고, 계절은 오미(五味)를 만들어내는 근본이다. 그리고 입은 이 오미를 맛(味)본다. 그러면 자동으로 입은 지방을 맛보는 것이다. 이 문제는 본 연구소가 발행한 황제내경 소문을 참고하면 된다. 그런데, 귀로는 계절과 날씨인 천시를 살피게(聽) 되고(耳聽天時), 눈으로는 인간계를 제외한 생물계와 무생물계를 본다(目視世會則)는 말은 충분히 이해를 하겠는데(可也而), 코로 어떻게 인간계의 냄새를 맡으며(鼻何以嗅

人倫), 입으로 어떻게 지방을 맛봅니까(口何以味地方乎)? 이를 다시 말씀드리지요
(曰). 여기서 인륜이라는 것은(處於人倫), 사람들이 외부로 표현되는 인간계를 살
피는 것이고(察人外表), 또한, 사람 각각의 현명함과 부족함을 암암리에 탐색하는
것인데(黙探各人之賢不肖者), 이것이 어찌 냄새를 맡는 것이 아니겠습니까(此非嗅
耶)? 여기서 지방이라는 것은(處於地方), 사람들이 일상생활을 하면서 계절을 통해
서 땅의 원리에 따라서 나오는 영양소를 골고루 맛보는 것인데(均嘗各處人民生活
之地理者), 이것이 어찌 지방을 맛보는 것이 아닌가요(此非味耶)?

存其心者 責其心也 心體之明暗 雖若自然而 責之者淸 不責者濁
馬之心覺 黠於牛者 馬之責心 黠於牛也 鷹之氣勢 猛於鴟者 鷹之責氣 猛於鴟也
心體之淸濁 氣宇之强弱 在於牛馬鴟鷹者 以理推之而 猶然 況於人乎
或相倍蓰 或相千萬者 豈其生而輒得 茫然不思 居然自至而 然哉.

그(其) 마음에 존재하는 것은(存其心者), 그 마음의 책임이다(責其心也). 너무
나 당연한 말이다. 그래서 마음과 신체의 명암은(心體之明暗), 비록 자연과 닮았
다고 해도(雖若自然而), 마음과 신체는 스스로 꾸짖어서 단련하면, 맑고 깨끗해지
고 발전하나(責之者淸), 무책임하게 내버려 두게 되면, 자동으로 탁해지면서 퇴보
한다(不責者濁). 이는 항상 자기 자신을 뒤돌아보라는 뜻이다. 말이 자기 자신을
깨닫는 마음이(馬之心覺), 소보다 영리한 것은(黠於牛者), 말이 자기 자신을 질책
하는 마음이(馬之責心), 소보다 영리하기 때문이다(黠於牛也). 매가 기세를 뽐낼
수 있고(鷹之氣勢), 올빼미보다 용맹한 이유는(猛於鴟者), 매가 자기 자신을 질책
하는 기운이(鷹之責氣), 올빼미보다 용맹하기 때문이다(猛於鴟也). 자기 자신을
많이 뒤돌아볼수록 자기 발전이 가속된다는 사실을 말하고 있다. 몸과 마음의 청
탁과(心體之淸濁) 기운 크기의 강약은(氣宇之强弱), 소와 말 그리고 매와 올빼미
에게도 존재하는데(在於牛馬鴟鷹者), 이런 이치를 추론해보고서(以理推之而), 이
를 사람에게 적용해보면, 이런 상황은 사람에게도 너무나 당연한 일이다(猶然 況

於人乎). 그래서 혹은 다섯 곱절을 다시 서로 곱하고(或相倍蓰), 혹은 천만을 서로 곱할 정도로 수많은 노력을 해야만 이를 얻을 수가 있는데(或相千萬者), 어찌 이를 태어나자마자 바로 얻을 수가 있겠으며(豈其生而輒得), 아무 생각 없이 빈둥거리면서(茫然不思) 그리고 방구석에 처박혀 있으면서 이를 쉽게 얻을 수가 있겠는가 말이다(居然自至而 然哉).

성명론(性命論)

사단론(四端論)

사단론(四端論)

人稟臟理 有四不同
肺大而肝小者 名曰 太陽人. 肝大而肺小者 名曰 太陰人
脾大而腎小者 名曰 少陽人. 腎大而脾小者 名曰 少陰人

　　사람마다 하늘이 부여해준 장의 이치가 있는데, 이들은 4가지인데, 서로 같지가 않다(人稟臟理 有四不同). 폐의 크기가 크고, 간의 크기가 작으면(肺大而肝小者), 이를 태양인이라고 하고(名曰 太陽人), 간의 크기가 크고 폐의 크기가 작으면(肝大而肺小者), 이를 태음인이라고 하고(名曰 太陰人), 비장의 크기가 크고 신장의 크기가 작으면(脾大而腎小者), 이를 소양인이라고 하고(名曰 少陽人), 신장의 크기가 크고 비장이 크기가 작으면(腎大而脾小者) 이를 소음인이라고 한다(名曰 少陰人). 이를 황제내경의 이론에 따라서 다시 한번 분석해보자. 폐와 간은 잘 알다시피 서로 상극 관계이고, 비장과 신장도 서로 상극하는 관계이다. 즉, 폐는 적혈구를 취급하면서 담즙을 만들어서 간으로 보내버린다. 그러면 이때 간은 갑자기 날벼락을 맞는다. 그리고 비장도 산성 림프액을 처리하다가 과부하에 걸리게 되면, 이를 신장으로 보내버린다. 그러면 이때 신장은 갑자기 날벼락을 맞는다. 신장과 비장은 서로 똑같이 림프액을 처리한다는 사실 때문에, 서로 산성 림프액을 전가할 수 있다. 이들 문제는 모두 본 연구소가 발행한 황제내경 소문을 참고하면 된다. 그래서 폐가 간을 상극하는 관계나 비장이 신장을 상극하는 관계는 정상(陽)적인 상극 관계이나, 이를 거꾸로 하면 비정상(陰)적인 관계가 나오게 된다. 여기서 양(陽)의 상극 관계와 음(陰)의 상극 관계가 나온다. 그래서 정상(陽)적인 상극 관계에서 태양인(太陽人)과 소양인(少陽人)이 나온다. 그리고 비정상(陰)적인 거꾸로 상극 관계에서 태음인(太陰人)과 소음인(少陰人)이 나온다. 이는 체액을 통해서 다시 분류할 수도 있다. 즉, 림프액을 처리하는 폐, 비장, 흉선, 우 심장은 상초(上焦)를 통제하는 자리에 있고, 산성 정맥혈을 통제하는 간과 신장은 하초

(下焦)를 통제하는 자리에 있다. 그래서 큰 범주로 보게 되면, 양(陽)의 문제는 양(上)인 상초(上焦)의 문제가 되고, 음(陰)의 문제는 음(下)인 하초(下焦)의 문제가 된다. 그리고 상초(上焦)를 통제할 때 핵심은 림프액이 되고, 이는 림프액을 최종 처리하는 비장, 흉선, 우 심장, 폐로 이어진다. 앞에 성명론에서 림프액을 처리하는 관인 흉관이 막히게 되면, 엄청난 파급효과가 나타난다는 사실을 이미 설명했다. 그러면, 상초(上焦)에는 림프액을 최종 처리하는 흉선, 우 심장, 폐가 있으므로, 림프액이 상초를 통제하는 결과로 나타나게 된다. 이런 이유로 림프액을 통제하는 비장과 폐가 양(陽)의 관계에서 나타나게 된다. 그리고 간은 하복부 정맥총을 통제해서 하초를 통제하고, 신장도 산성 정맥혈을 여과해서 하초에 자리한 방광을 통제한다. 이런 이유로 산성 정맥혈을 통제하는 간과 신장이 음(陰)의 관계에서 나타나게 된다. 그러면, 여기서 두 가지 체액이 등장하게 된다. 즉, 폐와 비장이 통제하는 림프액과 간과 신장이 통제하는 정맥혈이다. 인체에서 체액의 핵심은 동맥혈, 정맥혈 그리고 림프액이다. 여기서 동맥혈이 빠진 이유는 동맥혈은 밀어내는 힘이 있어서 순환에 상대적으로 덜 취약하다. 그러나 림프액과 정맥혈은 밀어내는 힘을 상대적으로 덜 받아서 순환에 문제가 많다. 그래서 인체 전체적인 측면에서 체액 순환을 바라보게 되면, 혈액 순환에서 문제가 되는 체액 인자는 림프액과 정맥혈이 된다. 즉, 림프액과 정맥혈은 하수구에서 처리된다. 그래서 수도에서도 하수구가 막히게 되면 난리가 난다. 그래서 체액 순환의 핵심은 림프액의 소통과 정맥혈의 소통이다. 이것이 바로 사상의학(四象醫學)의 핵심이 된다. 즉, 이제마는 사상의학을 쓸 때 체액 이론을 염두에 두고 썼다는 뜻이다. 이는 역사가 깊다. 한 의학뿐만이 아니라 동양의학, 인도 의학인 아유르베다(Ayurveda), 아랍 의학인 유나니(Unani) 그리고 히포크라테스 때부터 1900년대 서양의학까지 모두 체액 이론을 기반으로 하고 있었다. 그 이유는 체액을 기반으로 하는 치료는 근원(根源) 치료로서 질병을 완치(完治)시키기 때문이다. 그러나 최첨단이라고 지껄여대는 최첨단 현대의학은 병의 근원은 방치한 채 증상(症狀)만 치료하는 대증(對症) 치료이다. 대증 치료의 특징은 증상만 치료하므로, 잠시만 지나면 방치된 병의 근원이 다시 증상을 만들게 된다. 이는 병이 완치되지 않는다는 사실을 말하고 있다. 그

래서 환자는 한번 병에 걸리게 되면, 일평생 동안 병원의 볼모가 되고 만다. 즉, 최첨단 현대의학은 흡혈귀 의학 아니면 수탈의학 아니면 약탈 의학이라는 뜻이다. 즉, 최첨단 현대의학은 절대로 병을 완치시키지 않는다. 그래야 지속적인 수입이 보장되기 때문이다. 그러고도 뻔뻔하게 대중을 철저히 속여서 자신들의 의학이 최첨단이라고 광고해댄다. 물론 현대의학이 최첨단인 사실은 맞다. 어디에서? 즉, 대중을 속이는 데서는 최첨단이라는 뜻이다. 그리고 병의 근원을 치료해서 완치시키는 도구는 혈액이고 혈액 순환이다. 이는 체액 순환의 중요성을 말한다. 이 사실은 최첨단 현대의학은 너무나도 잘 알고 있으므로, 어떤 경우가 되었든지 간에 절대로 혈액 순환과 체액 순환은 언급하지 않는다. 오직 유전자와 단백질만 외쳐댄다. 이는 완벽한 사기(詐欺)이다. 다시 본론으로 가보자면, 그래서 이제마의 이론은 체액에 의존할 수밖에 없다. 이는 의학의 기본 상식(基本常識)이기도 하다. 이런 이제마의 사상의학을 최첨단 현대의학으로 풀면서 자동으로 엉망진창이 되고 말았다. 결국에 이제마의 사상의학(四象醫學)은 체액 순환의 경우의 수를 4(四)가지로 나눈 것이다. 여기서 폐, 간, 비장, 신장의 크기는 기능의 크기를 말하게 된다. 이들의 부피가 크면, 자동으로 기능도 커지기 때문이다.

人趨心慾 有四不同
棄禮而放縱者 名曰 鄙人. 棄義而偸逸者 名曰 懦人
棄智而飾私者 名曰 薄人. 棄仁而極慾者 名曰 貪人

　사람들에게는 추구하는 마음의 욕심이 있는데(人趨心慾), 이들은 4가지로서 서로 다르다(有四不同). 4가지 사례를 구체적으로 살펴보자. 예의를 내팽개쳐 버리고 방종을 택하는 경우인데(棄禮而放縱者), 이를 천박하고 비루한 사람이라는 의미에서 비인(鄙人)이라고 부른다(名曰 鄙人). 의리를 버리고 교활함(偸)을 즐기는(逸) 경우인데(棄義而偸逸者), 이를 의리를 끝까지 지키지 못한 나약한 사람이라는 의미에서 나인(懦人)이라고 부른다(名曰 懦人). 만인이 인정하고 따르는 지혜

(智)는 버리고 개인(私)적인 가치관(飾:경계할 칙)만 고집해서 문제를 만드는 경우인데(棄智而飾私者), 이를 개인적인 가치관이 지혜가 없이 천박(薄)하다고 해서 박인(薄人)이라고 부른다(名曰 薄人). 남을 배려하는 인(仁)을 버리고, 오직 지독한 개인적인 욕심만 채우는 경우인데(棄仁而極慾者), 이를 탐욕이 목구멍까지 찼다고 해서 탐인(貪人)이라고 부른다(名曰 貪人).

五臟之心 中央之太極也 五臟之肺脾肝腎 四維之四象也
中央之太極 聖人之太極 高出於衆人之太極也
四維之四象 聖人之四象 旁通於衆人之四象也

오장에서 심장은(五臟之心), 중앙의 태극이 된다(中央之太極也). 여기서 태극(太極)의 개념은 모든 존재와 가치의 근원이 되는 궁극적 실체라는 뜻이다. 즉, 오장에서 심장(心:太極)은 알칼리 동맥혈을 공급해서 심장을 제외한 나머지 오장인 폐, 비, 간, 신(肺脾肝腎)이 생명을 유지하고 기능을 유지할 수 있게 해주는 태극(太極)이다. 즉, 이 4개의 오장은 심장이 혈액을 공급해주지 않는다면, 그 즉시 죽고 만다. 즉, 여기서 태극(太極)은 주역(周易)에 나오는 태극이 아니라는 뜻이다. 오장 중에서 폐비간신이라는 4개의 오장은(五臟之肺脾肝腎), 4개가 서로 거미줄처럼 연결(維)되어서, 4개의 징후(象)를 만들어낸다(四維之四象也). 여기서 사유(四維)도 건곤간손(乾坤艮巽)이라는 주역의 용어가 아니다. 여기서 중앙의 태극은 성인의 태극에 비유되고(中央之太極 聖人之太極), 이는 높은(高) 곳에서 대중에게 은혜를 내보내 주는 태극에 해당한다(高出於衆人之太極也). 오장의 생존 연료인 혈액을 공급하는 심장이 태극이 듯이, 성인도 대중에게 이에 버금가는 은혜를 베푼다는 뜻이다. 심장을 제외한 나머지 오장인 폐비간신이 서로 연결되어서 만들어내는 사유가 사상을 만들어내듯이(四維之四象), 성인도 사상을 만들어내서(聖人之四象), 대중이 서로 소통하게 사상을 만들어낸다(旁通於衆人之四象也). 오장의 생존에서 심장이 태극으로서 필수인 것처럼, 성인도 대중의 삶에서 필수라는

사단론(四端論)

사실을 말하고 있다. 이 구문은 체액 이론을 알아야만 주역을 도입하지 않는다. 이 구문에서 주역을 도입하는 순간, 이 구문의 해석은 엉망진창이 되고 만다.

太少陰陽之臟局短長 四不同中 有一大同 天理之變化也 聖人與衆人 一同也
鄙薄貪懦之心地淸濁 四不同中 有萬不同 人欲之闊狹也 聖人與衆人 萬殊也

　사유를 만드는 오장(臟)은 짧은 것도 있고 긴 것도 있어서(太少陰陽之臟局短長), 사상이 모두 같지는 않지만(四不同), 그중에서 하나만은 완전히 똑같은데(中有一大同), 이는 이 사유 안에서 만들어지는 하늘이 부여한 원리의 변화이다(天理之變化也). 성인과 더불어 대중도 겉으로 보기에는 똑같다(聖人與衆人 一同也). 그러나 사람의 마음 씀씀이(鄙薄貪懦) 4가지는 땅의 청탁처럼(鄙薄貪懦之心地淸濁), 4가지가 모두 다르다(四不同). 그리고 그중에서도 많은 것이 다른데(中有萬不同), 이는 사람이 가진 욕심의 넓이(闊狹) 때문이다(人欲之闊狹也). 이런 측면에서 성인과 더불어 대중도 많은 측면에서 다르게(萬殊) 된다(聖人與衆人 萬殊也). 세상의 많은 것은 욕심으로 인해서 여러 가지 변화를 만들어낸다.

太少陰陽之短長變化 一同之中 有四偏 聖人 所以希天也
鄙薄貪懦之淸濁闊狹 萬殊之中 有一同 衆人 所以希聖也

　사유를 만드는 오장(臟)의 크기인 장단의 변화는(太少陰陽之短長變化), 똑같지만, 이런 와중에서도 4가지 치우침이 있을 수밖에 없어서(一同之中 有四偏), 성인은 이런 이유(所以)로 인해서 하늘을 따르게(希) 된다(聖人 所以希天也). 즉, 오장이 만들어내는 사유는 당연히 4가지 치우침(四偏)이 있을 수밖에 없다. 그래서 여기에서 당연히 사상(四象)이 만들어진다. 이는 실제로는 하늘이 부여한 인체 원리의 변화를 나타낸 것에 불과하므로, 성인은 하늘의 원리를 따른다(希)는 것이다. 즉, 성인이 따르는(希) 하늘의 원리를 알면, 사유의 4가지 치우침(四偏)은 자동으로 알 수 있다는 뜻이다. 사람 감정(鄙薄貪懦)의 청탁의 넓이(闊狹)를 보면(鄙薄貪懦之淸濁闊狹), 아주 다양(萬殊)하지만, 그중에서도(萬殊之中), 유일하게 똑같은 것이 하나가 있는데(有一同), 이는 대중이 사람 감정의 다양성 때문에(所以) 성인을 따른다(希)는 사실이다(衆人 所以希聖也). 즉, 대중이 보기에 대중의 마음은 하도 다양해서 종잡을 수가 없으나, 성인의 마음은 정도를 따르면서 항상 똑같게 되므로, 대중은 성인을 따른다(希)는 것이다.

聖人之臟 四端也 衆人之臟 亦四端也
以聖人一四端之臟 處於衆人萬四端之中 聖人者 衆人之所樂也
聖人之心 無慾也 衆人之心 有慾也
以聖人一無慾之心 處於衆人萬有慾之中 衆人者 聖人之所憂也

　성인의 오장도 사단을 가지고 있고(聖人之臟 四端也), 대중의 오장도 역시 사단을 가지고 있다(衆人之臟 亦四端也). 이 책의 앞에서 보았지만, 오장은 감정을 만들어낸다. 그러면 여기서 사단(四端)은 사유를 통해서 사상을 만들어내는 4개의 오장이 만들어내는 감정(端)을 말한다. 이는 본 연구소가 발행한 황제내경을 참고할 수밖에 없다. 그래야만, 오장이 감정을 만들어낸다는 사실을 명확히 일 수 있게 된다. 그래서 사유를 통해서 사상을 만들어내는 폐간비신이라는 오장은 자동으로 사단(四端)을 만들게 된다. 그런데, 문제는 대중의 마음 씀씀이는 종잡을 수가 없어서 이 사단도 종잡을 수가 없다는 사실이다. 그러나 마음이 정직하게 안정되어있는 성인의 사단은 정확히 하나(一)라는 사실이다. 그래서(以) 성인의 폐간비신이라는 오장(臟)은 정직한 단 하나(一)의 사단만 만들어내지만(以聖人一四端之臟), 대중은 이 상황에 처(處)했을 때, 정직하지 못한 만(萬) 가지의 사단을 만들게 되고(處於衆人萬四端之中), 이는 대중을 엄청난 혼란으로 몰고 간다. 그러면 자동으로 성인의 정직한 사단은 대중에게는 즐거움(樂)으로 다가온다(聖人者 衆人之所樂也). 성인의 마음은 욕심이 없다(聖人之心 無慾也). 그러나 대중의 마음은 욕심이 있다(衆人之心 有慾也). 그래서(以) 성인은 무욕(無慾)이라는 단 하나(一)의 마음만 존재하지만(以聖人一無慾之心), 대중은 이 상황에 처(處)했을 때, 만(萬) 가지 유욕(有慾)에 빠지게 되고 만다(處於衆人萬有慾之中). 그러면 자동으로 대중의 이러한 행동은 성인에게는 근심(憂)거리로 다가오게 된다(衆人者 聖人之所憂也). 욕심은 모든 불행을 몰고 오기 때문이다. 이는 인문 의학의 표본이다.

然則 天下衆人之臟理 亦皆聖人之臟理而 才能 亦皆聖人之才能也
以肺脾肝腎 聖人之才能而 自言曰 我無才能云者 豈才能之罪哉 心之罪也

　자연(然)의 섭리(則)를 통해서 보면(然則), 천하에 존재하는 대중의 오장 원리나(天下衆人之臟理) 성인의 오장 원리나 모두 같으므로(亦皆聖人之臟理而), 재능의 보유 측면에서 보면(才能), 이도 역시 모두 성인의 재능과 똑같다(亦皆聖人之才能也). 그래서 성인의 재능도 폐비간신이라는 오장을 이용(以)해서 만들어지므로(以肺脾肝腎 聖人之才能而), 폐비간신을 성인처럼 똑같이 보유한 대중이 스스로 말하기를(自言曰), 나는 재능이 없다고 운운(云)하는 것은(我無才能云者), 어찌 재능이 죄이겠습니까(豈才能之罪哉)! 이는 이렇게 말한 사람의 마음이 죄이지요(心之罪也)! 자기 재능을 발굴하는 일은 자기 마음가짐의 문제라는 뜻이다.

浩然之氣 出於肺脾肝腎也 浩然之理 出於心也
仁義禮智 四臟之氣 擴而充之則 浩然之氣 出於此也
鄙薄貪懦一心之慾 明而辨之則 浩然之理 出於此也

　다양한 마음의 기운은(浩然之氣), 당연히 오장에서 나온다(出於肺脾肝腎也). 이

문제는 본 연구소가 발행한 황제내경을 참고하면 된다. 그리고 다양한 마음의 원리
는 자기 마음에서 나온다(浩然之理 出於心也). 인의예지라는 마음의 감정은(仁義
禮智), 폐비간신이라는 4개의 오장이 만들어낸 기운이다(四臟之氣). 그리고 인의예
지라는 마음의 감정을 확충하게 되면(擴而充之則), 이때(此) 호연지기가 나오게
된다(浩然之氣 出於此也). 그리고 부정직한 마음(鄙薄貪懦)에서 하나의 마음(一
心)은 욕심인데(鄙薄貪懦一心之慾), 이 상태를 명확히 밝히고 이를 분별하게 되면
(明而辨之則), 이때(此) 호연지기의 원리가 나오게 된다(浩然之理 出於此也).

聖人之心 無慾云者 非淸淨寂滅如老佛之無慾也
聖人之心 深憂天下之不治故 非但無慾也 亦未暇及於一己之慾也
深憂天下之不治而未暇及於一己之慾者 必學不厭而 敎不倦也
學不厭而敎不倦者 卽 聖人之無慾也
毫有一己之慾則 非堯舜之心也 暫無天下之憂則 非孔孟之心也

　성인의 마음은 무욕(無慾)의 마음이라고 말하지만(聖人之心 無慾云者), 여기서
말하는 무욕(無慾)의 마음이란 노자나 부처가 실행했던 그런 무욕(無慾)이 아니다
(非淸淨寂滅如老佛之無慾也). 이는 성인의 마음은(聖人之心), 천하가 다스려지지
않는다는 사실까지 심히 우려하는 연유(故) 때문이다(深憂天下之不治故). 이는 비
단 무욕뿐만이 아니라(非但無慾也), 이는 또한 성인 자신의 욕심까지 생각할 겨를
이 없게 만든다(亦未暇及於一己之慾也). 천하가 다스려지지 않는다는 사실을 심
히 걱정한 나머지 자신의 욕심은 생각할 겨를이 없게 되면(深憂天下之不治而未
暇及於一己之慾者), 이때는 반드시 자기의 학문을 계속해서 탐구하고(必學不厭
而), 대중을 교화하는 일을 멈추지 않게 된다(敎不倦也). 즉, 성인의 무욕(無慾)이
라는 개념은 자기의 학문을 계속해서 탐구하고, 대중을 교화하는 일을 멈추지 않
는 것을 말한다(學不厭而敎不倦者 卽 聖人之無慾也). 자기의 욕심이 추호(毫)만
큼이라도 있다면(毫有一己之慾則), 요순 임금의 마음이 아니다(非堯舜之心也). 또

한, 잠시라도 천하를 걱정하는 마음이 없다면(暫無天下之憂則), 이는 공자나 맹자의 마음이 아니다(非孔孟之心也). 이 부분은 장수를 보증하는 동의수세보원에 잘 안 맞는 부분이다. 걱정이라는 스트레스는 장수하는데 제1의 적이기 때문이다.

太陽人 哀性遠散而 怒情促急 哀性遠散則 氣注肺而 肺益盛 怒情促急則 氣激肝而 肝益削 太陽之臟局 所以成形於肺大肝小也

少陽人 怒性宏抱而 哀情促急 怒性宏抱則 氣注脾而 脾益盛 哀情促急則 氣激腎而 腎益削 少陽之臟局 所以成形於脾大腎小也

太陰人 喜性廣張而 樂情促急 喜性廣張則 氣注肝而 肝益盛 樂情促急則 氣激肺而 肺益削 太陰之臟局 所以成形於肝大肺小也

少陰人 樂性深確而 喜情促急 樂性深確則 氣注腎而 腎益盛 喜情促急則 氣激脾而 脾益削 少陰之臟局 所以成形於腎大脾小也

이 문장을 풀기 위해서는 이미 앞에서 해석했던 성명론 일부를 살펴봐야 한다.

<성명론 참고 문장1>

肺主呼 呼則 必有 應對之理 以其直升之哀力 能達事務之歐也.

脾主納 納則 必有 益虛之理 以其橫升之怒力 能合交遇之侮也.

肝主吸 吸則 必有 致來之理 以其放降之喜力 能立黨與之助也.

腎主出 出則 必有 竭盡之理 以其路降之樂力 能定居處之保也

여기에서 보면, 폐(肺)는 애(哀)와 연결되고, 비장(脾)은 노(怒)와 연결되고, 간

(肝)은 희(喜)와 연결되고, 신장(腎)은 낙(樂)과 연결된다. 이 연결 관계는 황제내경에서 말하는 오장과 감정의 관계를 말하지는 않는다. 그래서 이제마는 이들의 감정 관계를 희노애락(喜怒哀樂)으로 새로 정의해주고 있다. 이 부분을 해석하면서 성명론에서 참고해야만 하는 문장이 하나가 더 있다.

<성명론 참고 문장2>

頷屬津海 耳之根本而 耳屬肺則 **太陰人 肺小故**.
耳無聽力 卓然自有 嗅思之才壽策也.
臆屬膏海 目之根本而 目屬脾則 **少陰人 脾小故**.
目無視力 坦然自有 味辨之才經綸也.
臍屬油海 鼻之根本而 鼻屬肝則 **太陽人 肝小故**.
鼻無嗅力 便然 自有聽學之才行檢也.
腹屬液海 口之根本而 口屬脾則 **少陽人 腎小故**.
口無味力 恢然 自有視問之才度量也.

여기에서 보면, 태음인은 폐가 작고(太陰人 肺小), 소음인은 비장이 작고(少陰人 脾小), 태양인은 간이 작고(太陽人 肝小), 소양인은 신장이 작다(少陽人 腎小).

이는 이제마가 분석의 편의를 위해서 재정의한 것 같다. 이를 기반으로 해서 본문을 해석해보자. 폐는 크고, 간은 작은 태양인은(太陽人), 산성 림프액을 최종 중화 처리하는 폐의 기운(哀)이 과부하에 걸려서 멀리까지 발산되게 되면(哀性遠散而), 이는 산성 림프액을 중화 처리하는 비장(怒)의 기운을 자동으로 자극하게 된다(怒情促急). 이 문제는 본 연구소가 발행한 황제내경 소문을 참고하면 된다. 즉,

사단론(四端論)

폐의 기운(哀)이 과부하에 걸려서 멀리까지 발산되게 되면(哀性遠散則), 이는 폐(肺)에 과부하의 기운(氣)이 정체(注)하고 있다는 뜻이 된다(氣注肺而). 이때 만일에 산성 림프액을 최종 중화 처리하는 폐에 이런 과부하의 기운이 넘쳐흐르게 되면(肺益盛), 당연히 산성 림프액을 중화 처리하는 비장(怒)의 상태는 과부하로 돌변하게 된다(怒情促急則). 그러면, 산성 림프액을 몽땅 만들어서 비장으로 보내는 간은 직격탄을 맞게 된다. 즉, 과부하의 기운이 산성 림프액을 몽땅 만드는 간을 공격하게 된다(氣激肝而). 즉, 간은 산성 림프액을 비장으로 보내지 못해서 심각한 문제에 직면하게 된다. 그러면 자동으로 간은 작살나게 된다(肝益削). 그래서(所以) 이때 태양인의 오장 상태를 살펴보게 되면(太陽之臟局), 당연히 폐는 크고, 간은 작게 형성된다(所以成形於肺大肝小也). 여기서 중요한 사실은 이런 상태가 태생적 문제라는 사실이다. 그리고 이는 성인이 되어서도 그대로 적용된다는 사실이다. 그래서 태양인의 문제는 결국에 산성 림프액을 어떻게 처리하느냐로 수렴한다. 이번에는 소양인을 보자. 비장이 크고, 신장이 작은 소양인은(少陽人), 산성 림프액을 중화 처리하는 비장(怒)의 기운이 과부하로 변하게 되면(怒性宏抱而), 자동으로 산성 림프액을 최종 처리하는 폐(哀)도 과부하로 가게 된다(哀情促急). 즉, 비장(怒)의 기운이 과부하로 돌변하게 되면(怒性宏抱則), 이때는 과부하의 기운(氣)이 비장(脾)에 머문다는 뜻이다(氣注脾而). 이렇게 해서 산성 림프액을 처리하는 비장의 기운이 넘쳐흐르게 되면(脾益盛), 자동으로 산성 림프액을 최종 처리하는 폐(哀)는 직격탄을 맞게 된다(哀情促急則). 그러면, 비장은 자기가 보유한 산성 림프액을 자동으로 자기가 상극하는 신장으로 보내버린다. 그러면, 이때는 과부하의 기운이 신장을 공격하게 된다(氣激腎而). 신장과 비장은 산성 림프액을 서로 교환할 수 있다는 사실을 상기해보자. 이 문제는 본 연구소가 발행한 황제내경 소문을 참고하면 된다. 그러면, 산성 림프액을 비장에서 받은 신장은 말 그대로 작살나게 된다(腎益削). 그래서 소양인의 오장 상태를 살펴보게 되면(少陽之臟局), 비장은 크고, 신장은 작게 형성된다(所以成形於脾大腎小也). 이번에는 태음인을 보자. 간은 크고, 폐는 작은 태음인은(太陰人), 간(喜)이 과부하에 걸리게 되면(喜性廣張而), 간은 암모니아를 만들어서 신장으로 보내면서 신장(樂)이 과부하에 시달리게 된다(樂情促急). 즉, 간이 과부하에 걸리게 되면(喜性廣張則), 이때는 과부하의 기운(氣)이 간에 머문다는 뜻이다(氣注肝而). 이때 암모니아를 만드는 간에서 과부하의 기운이 넘쳐흐르게 되면(肝益盛), 암모니아를 배출하는 신장(樂)은 자동으로 과부하에 시달리게 된다(樂情促急則). 그러면 과부하의 기운 (氣)을 끌어안고 있던 간은 산성 정맥혈을 기정맥(奇靜脈)을 통해서 폐로 직접 보내서 폐를 공격하게 된다(氣激肺而). 이 문제는 본 연구소가 발행한 황제내경 소문을 참고하면 된다. 그러면 자동으로 폐는 말 그대로 작살나게 된다(肺益削). 그래서(所以) 태음인의 오장 상태를 살펴보게 되면(太陰之臟局), 간은 크고, 폐는 작은 상태로 형성된다(所以成形於肝大肺小也). 이는 태생의 문제라는 사실을 상기해보자. 이번에는 소음인의 문제로 가보자. 신장은 크고, 비장은 작은 소음인은 (少陰人). 암모니아를 체외로 배출하는 신장(樂)이 과부하에 걸리게 되면(樂性深確而), 암모니아를 만드는 간(喜)은 이를 배출하지 못해서 자동으로 과부하에 시달리게 된다(喜性促急). 이때 신장(樂)은 과부하에 걸려있으므로(樂性深確則), 과부하의 기운은 자동으로 신장에 정체하게 된다(氣注腎而). 그래서 암모니아를 체외로 배출하는 신장에서 과부하의 기운이 넘쳐흐르게 되면(腎益盛), 자동으로 암모니아를 만드는 간(喜)도 과부하에 시달리게 된다(喜情促急則). 그러면, 이때 간과 신장은 공동으로 산성 림프액을 비장으로 보내버린다. 즉, 이때는 과부하의 기운이 비장으로 공격하게 된다(氣激脾而). 이 문제도 본 연구소가 발행한 황제내경 소문을 참고하면 된다. 그러면 비장은 자동으로 작살나게 된다(脾益削). 그래서(所以) 이때 소음인의 오장 상태를 살펴보게 되면(少陰之臟局), 신장은 크고, 비장은 작은 상태로 형성된다(所以成形於腎大脾小也). 이 부분은 체액 이론을 가지고 놀수가 없게 되면, 절대로 풀 수가 없다. 그리고 이 상황은 지금도 진행 중이다.

肺氣 直而伸 脾氣 栗而包. 肝氣 寬而緩 腎氣 溫而蓄
肺以呼 肝以吸 肝肺者 呼吸氣液之門戶也
脾以納 腎以出 腎脾者 出納水穀之府庫也

산성 림프액을 최종 처리하는 폐의 기운이(肺氣), 과부하에 걸려서 직접적으로 펼쳐지게 되면(直而伸), 이때는 폐에서 처리되지 못한 산성 림프액은 비장의 기운이 되어서(脾氣), 비장에 쌓이게 된다(栗而包). 즉, 폐가 산성 림프액을 처리하지 못하게 되면, 이 산성 림프액은 비장에 정체하게 된다. 산성 정맥혈을 처리하는 간의 기운이(肝氣), 느슨해져서(寬而緩), 이를 처리하지 못하게 되면, 이는 산성 정맥혈을 여과하는 신장에 신장의 기운으로서 쌓여서(溫) 축적된다(腎氣 溫而蓄). 이는 암모니아(Ammonia)를 통해서도 설명이 가능해진다. 간은 암모니아를 만들고, 신장은 암모니아를 배출하기 때문이다. 폐는 이산화탄소라는 기운(氣)을 날 숨(呼)을 통해서 체외로 배출하고(肺以呼), 간은 간문맥을 통해서 소화관에서 올라오는 영양소가 담긴 체액(液)을 흡수(吸)한다(肝以吸). 그래서 간과 폐를 보게 되면(肝肺者), 폐는 호기(呼)를 통해서 이산화탄소라는 기운(氣)이 드나드는 문호가 되고, 간은 흡수(吸)를 통해서 영양소라는 체액(液)을 흡수하는 문호가 된다(呼吸氣液之門戶也). 그리고 비장은 간질에서 들어오는 영양소가 든 체액을 들여보내서(納) 받게 되고(脾以納), 신장은 산성 정맥혈을 통해서 여과한 산성 체액을 소변을 통해서 체외로 배출(出)하게 된다(腎以出). 그래서 신장과 비장을 보게 되면(腎脾者), 신장은 소변 배출(出) 기능을 통해서 수분(水)을 조절하는 창고 역할을 하고, 비장은 간질로 흡수되는 영양소(穀)가 든 체액을 받(納)는 창고 역할을 한다(出納水穀之府庫也). 소화관에서 흡수되는 영양소는 먼저 간질로 흡수된다는 사실을 상기해보자. 이 부분도 체액 이론을 잘 알아야만 정확히 풀 수 있다.

哀氣 直升 怒氣 橫升 喜氣 放降 樂氣 陷降

哀怒之氣 上升 喜樂之氣 下降

上升之氣 過多則 下焦傷 下降之氣 過多則 上焦傷

폐(哀)의 기운은(哀氣), 나머지 오장에서 직접(直) 올라온(升) 산성 체액이다(直升). 폐는 오장들이 만들어준 산성 체액을 최종적으로 받는다는 사실을 상기해보

자. 비장(怒)의 기운은(怒氣), 인체 여러(橫) 곳에서 올라(升) 온 림프액이다(橫升). 인체 여러 곳에서 모여든 림프액을 비장이 중화 처리한다는 사실을 상기해보자. 간(喜)의 기운은(喜氣), 소화관에서 산성 정맥혈 형태로 영양소를 받아서 전신으로 내려보낸다(放降). 신장(樂)의 기운은(樂氣), 소변을 만들어서 방광으로 내려보낸다(陷降). 그래서 폐의 기운과 비장의 기운은(哀怒之氣), 상승하는 기운이고(上升), 간의 기운과 신장의 기운은(喜樂之氣), 하강하는 기운이다(下降). 이때 상승하는 폐의 기운과 비장의 기운이(上升之氣), 과다하게 되면(過多則), 이는 하초에서 산성 체액이 과다하게 상초로 올라온다는 뜻이므로, 이때 하초는 산성 체액 때문에, 상한 상태가 된다(下焦傷). 하강하는 간의 기운과 신장의 기운이(下降之氣) 과다하다면(過多則), 이는 상초에서 하초로 산성 체액이 내려왔다는 뜻이므로, 이때 상초는 산성 체액 때문에, 상한 상태가 된다(上焦傷).

哀怒之氣 順動則 發越而上騰. 喜樂之氣 順動則 緩安而下墜
哀怒之氣 陽也 順動則 順而上升. 喜樂之氣 陰也 順動則 順而下降
哀怒之氣 逆動則 暴發而 竝於上也. 喜樂之氣 逆動則 浪發而 竝於下也
上升之氣 逆動而 竝於上則 肝腎傷. 下降之氣 逆動而 竝於下則 脾肺傷

상승하는 폐의 기운과 비장의 기운이(哀怒之氣), 순리에 따라서 움직이다가(順動則), 갑자기 강하게 움직이면(越), 이때 이 기운은 과부하(上騰)를 만들어낸다(發越而上騰). 하강하는 간의 기운과 신장의 기운이(喜樂之氣), 순리에 따라서 움직이다가(順動則), 갑자기 느리게(緩安) 움직이게 되면, 이 기운은 침전(下墜)된다(緩安而下墜). 이는 소변의 배출이 느리게 되면, 소변이 결정이 되어서 침전(下墜)된다는 사실을 상기해보면 된다. 폐의 기운과 비장의 기운은(哀怒之氣), 올라오는 기운이므로, 이는 양의 기운이고(陽也), 이 기운이 순리에 따라서 움직이면(順動則), 이 기운은 순리대로 상승하게 된다(順而上升). 간의 기운과 신장의 기운은(喜樂之氣), 내려가는 기운이므로, 이는 음의 기운이고(陰也), 이 기운이 순리에 따라서 움직이면(順動則), 이 기운은 순리대로 하강하게 된다(順而下降). 폐의 기운과 비장의 기운이(哀怒之氣), 역동적으로 움직이다가(逆動則), 갑자기 폭발적으로 움직이게 되면(暴發而), 이 기운은 훨씬 더(竝) 강하게 상승하게 된다(竝於上也). 간의 기운과 신장의 기운이(喜樂之氣), 역동적으로 움직이다가(逆動則), 갑자기 출렁거리게 되면(浪發而), 이 기운은 훨씬 더(竝) 강하게 하강하게 된다(竝於下也). 그래서 폐와 비장으로 상승하는 기운이(上升之氣), 역동적이면서(逆動而), 강하게 상승하게 되면(竝於上則), 이렇게 상승하는 기운은 하초에서 올라온 기운이 되므로, 이때는 하초를 다스리는 간과 신장이 상한 상태가 된다(肝腎傷). 즉, 이때는 간과 신장이 산성 체액을 제대로 처리하지 못하고 있다는 뜻이다. 간과 신장으로 하강하는 기운이(下降之氣), 역동적이면서(逆動而), 강하게 하강하게 되면(竝於下則), 이렇게 하강하는 기운은 상초에서 내려온 기운이 되므로, 이때는 상초를 다스리는 폐과 비장이 상한 상태가 된다(脾肺傷). 즉, 이때는 폐와 비장이 산성 체액을 제대로 처리하지 못하고 있다는 뜻이다. 이 구문도 체액 이론을 필수로 요구하고 있다.

頻起怒而 頻伏怒則 腰脇 頻迫而頻蕩也. 腰脇者 肝之所住着處也

腰脇 迫蕩不定則 肝 其不傷乎

乍發喜而 乍收喜則 胸腋 乍闊(濶)而乍狹也. 胸腋者 脾之所住着處也

胸腋 闊(濶)狹不定則 脾 其不傷乎

忽動哀而 忽止哀則 脊曲 忽屈而忽伸也. 脊曲者 腎之所住着處也

脊曲 屈伸不定 腎 其不傷乎

屢得樂而 屢失樂則 背顀 暴揚而暴抑也. 背顀者 肺之所住着處也

背顀 抑揚不定則 肺 其不傷乎

　너무나 자주 비장(怒)의 기운을 자극(起)하거나(頻起怒而), 너무나 자주 비장(怒)에게 산성 림프액을 떠안기게(伏:안을 부) 되면(頻伏怒則), 비장이 자리하고 있는 요협을(腰脇), 너무 자주 핍박(迫)해서 괴롭히게 되고, 너무 자주 힘들게(蕩)

할 수 있다(頻迫而頻蕩也). 이 요협이라는 장소는(腰脇者), 간도 붙어있고 머물면서 지내는 간의 안식처이다(肝之所住着處也). 비장은 간 옆에 나란히 자리하고 있다는 사실을 상기해보자. 이런 요협이(腰脇), 핍박당하고 부담을 안게 되면(迫蕩不定則), 간이 이(其) 때문에, 상하지 않겠는가(肝 其不傷乎)! 간(喜)을 너무나 자주 자극하거나(乍發喜而), 간(喜)에 너무나 많은 산성 체액을 흡수(收)시키게 되면(乍收喜則), 간이 자리하고 있는 흉액을(胸腋), 너무나 자주 거칠게(闊) 다루는 꼴이 되고, 너무나 자주 자극(狹)하는 꼴이 된다(乍闊(濶)而乍狹也). 그런데 흉액이라는 장소는(胸腋者), 비장도 붙어있고 머물면서 지내는 비장의 안식처이다(脾之所住着處也). 이런 흉액이(胸腋), 너무 거칠게 다뤄지고, 너무 자극받게 되면(闊(濶)狹不定則), 비장이 이(其) 때문에, 상하지 않겠는가(脾 其不傷乎)! 갑자기 폐(哀)를 자극하거나(忽動哀而), 갑자기 폐(哀)의 기능을 멈추게 하면(忽止哀則), 척곡 부분이(脊曲), 갑자기 굴신하는 상황이 된다(忽屈而忽伸也). 이런 척곡이라는 장소는(脊曲者), 신장도 붙어있고 머물면서 지내는 신장의 안식처이다(腎之所住着處也). 이런 척곡에서(脊曲), 굴신이 부정확하게 일어나게 되면(屈伸不定), 신장이 이(其) 때문에, 상하지 않겠는가(腎 其不傷乎)! 신장(樂)을 통해서 너무 자주 소변을 만들게(得) 하거나(屢得樂而), 신장(樂)을 통해서 너무 자주 소변을 배출(失)하게 하면(屢失樂則), 신장이 붙어있는 배추는(背顀), 갑자기 이완되거나 눌리게 된다(暴揚而暴抑也). 그런데 이 배추는(背顀者), 폐도 붙어있고 머물면서 지내는 폐의 안식처이다(肺之所住着處也). 그래서 배추에서(背顀), 이완되고 눌리는 경우가 부정확하게 되면(抑揚不定則), 폐가 이(其) 때문에, 상하지 않겠는가(肺 其不傷乎)!

太陽人 有暴怒深哀 不可不戒　少陽人 有暴哀深怒 不可不戒
太陰人 有浪樂深喜 不可不戒　少陰人 有浪喜深樂 不可不戒

　폐(哀)는 크고, 간(喜)은 작은 태양인은(太陽人), 비장(怒)을 너무 자극해서도 안 되고, 큰 폐(哀)를 너무 쉬게 해서도 안 된다(有暴怒深哀)는 사실을 명심해야만 한다(不可不戒). 작은 간을 보호하고, 큰 폐는 활용하자는 전략이다. 작은 간은 당연히 쉽게 과부하에 시달리므로, 이때 작은 간은 당연히 많은 산성 림프액을 만들게 된다. 그러면, 작은 간이 만든 산성 림프액은 자동으로 비장에서 처리된다. 그런데, 이때 비장을 너무 자극하게 되면, 비장은 자동으로 과부하에 시달리게 되고, 그러면 자동으로 비장은 작은 간이 보낸 산성 림프액을 처리하지 못하게 된다. 그러면, 이때는 태양인의 작은 간을 비장을 활용해서 보호할 수가 없게 된다. 그래서 태양인의 작은 간을 보호하기 위해서는 비장을 너무 심하게 자극하면 안 된다. 이 구문의 해석은 체액 이론을 자유자재로 가지고 놀 수가 없게 되면, 해석이 산으로 가고 만다. 그리고 이 상황은 지금도 진행 중이다. 이번에는 비장(怒)이 크고, 신장(樂)이 작은 소양인은(少陽人), 폐(哀)를 너무 자극하고, 비장(怒)을 너무 쉽게 해서는 안 된다(有暴哀深怒)는 사실을 명심해야만 한다(不可不戒). 이산화탄소를 처리하는 폐를 너무 자극하게 되면, 자동으로 폐는 과부하에 시달리게 되고, 그러면, 폐가 처리하는 이산화탄소는 처리가 지연되고, 이는 자동으로 중조로 변하게 되고, 이 중조는 자동으로 신장으로 가서 배출된다. 그런데, 소양인은 신장이 작다. 즉, 신장이 작은 소양인의 폐를 자극하게 되면, 이 여파는 작은 신장의 자극으로 이어진다는 뜻이다. 즉, 신장이 작은 소양인은 작은 신장을 보호해야만 한다는 뜻이다. 이번에는 간(喜)이 크고, 폐(哀)가 작은 태음인은(太陰人), 신장(樂)을 너무 자극하고, 간을 너무 쉽게 해서는 안 된다(有浪樂深喜)는 사실을 명심해야만 한다(不可不戒). 폐(哀)가 작다는 말은 폐(哀)는 자기가 처리하는 이산화탄소를 제대로 처리하지 못한다는 뜻이다. 그리고 이때 이 이산화탄소는 중조로 변한다. 그리고 이 중조는 신장으로 가서 처리된다. 그런데, 이때 신장(樂)을 너무 자극해서 과부하로 몰게 되면, 과부하에 걸린 신장은 작은 폐가 보낸 중조를 처리할 수가 없게 된다. 이는 큰 간은 활용하고, 작은 폐는 보호하자는 전략이다. 이번에는 신장(樂)은 크고, 비장(怒)이 작은 소음인은(少陰人), 간(喜)을 너무 자극해서도 안 되고, 신장(樂)을 너무 쉽게 해서도 안 된다(有浪喜深樂)는 사실을 명심해야만 한다(不可不戒). 간(喜)을 너무 자극해서 과부하로 몰게 되면, 간은 자동으로 많은 산성 림프액을 만들어서 비장(怒)으로 보내버린다. 그런데, 소음인은 비장(怒)이 작다. 그래서 산성 림프액을 처리하는 비장이 작은 소음인은 비장을 보호해야만 하므로, 산성 림프액을 공급하는 간을 너무 자극하면 안 된다.

皐陶曰　都　在知人　在安民
禹曰　吁　咸若時　惟帝　其難之　知人則哲　能官人　安民則惠　黎民懷之
能哲而惠　何憂乎驩兜　何遷乎有苗　何畏乎巧言令色孔壬

　　순임금의 신하인 고요(皐陶)가 말한다(皐陶曰). 임금이 하는 모든 일은 사람을 아는 것이요(都　在知人), 그렇게 해서 백성을 편안하게 해주는 것이다(在安民). 이어서 우임금이 말한다(禹曰). 그렇소이다(吁). 이는 요임금께서도 어렵게 여기던 일이다(咸若時　惟帝　其難之). 사람을 알면 세상 이치에 통하게 되고(知人則哲), 그러면 능히 사람을 관리할 수가 있게 되고(能官人), 백성을 편안하게 해서 은혜를 베풀 수가 있으며(安民則惠), 그러면 저잣거리 백성들도 그를 그리워할 것이다(黎民懷之). 그래서 세상일에 능히 통달하고 이를 통해서 혜택을 베풀게 되면(能哲而惠), 어찌 환두(驩兜)의 난과 같은 재난을 근심하며(何憂乎驩兜), 어찌 묘(苗)를 추방하는 일이 생기겠습니까(何遷乎有苗)! 그리고 공임처럼 아첨하려고 말을 잘 꾸미는 교언영색(巧言令色)을 행하는 자들을 두려워할까요(何畏乎巧言令色孔壬)!

三復大禹之訓而　欽仰之曰
帝堯之喜怒哀樂　每每中節者　以其難於知人也
大禹之喜怒哀樂　每每中節者　以其不敢輕易於知人也
天下喜怒哀樂之暴動浪動者　都出於行身不誠而　知人不明也
知人　帝堯之所難而　大禹之所吁(吁)也則　其誰沾沾自喜乎
蓋亦益反其誠而　必不可輕易取捨(舍)人也

사단론(四端論)

위대한 우임금의 교훈을 3번이나 반복하여 음미하고(三復大禹之訓而), 우임금을 흠모하면서 말한다(欽仰之曰). 요임금의 사람을 다루는 감정(喜怒哀樂)이 순간순간마다 적절(節)하게 적중(中)하는 이유는(帝堯之喜怒哀樂 每每中節者), 요임금이 사람을 아는 일을 어렵다고 생각하고 있었기 때문이다(以其難於知人也). 위대한 우임금의 사람을 다루는 감정(喜怒哀樂)이 순간순간마다 적절(節)하게 적중(中)하는 이유는(大禹之喜怒哀樂 每每中節者), 우임금이 사람을 아는 일을 감히(敢) 경솔하게 여기지 않았기 때문이다(以其不敢輕易於知人也). 천하에서 감정(喜怒哀樂)이 터져 나와서 요동치는(暴動浪動) 이유는(天下喜怒哀樂之暴動浪動者), 행실을 정성들여서 하지 않고(都出於行身不誠而), 사람을 제대로 모르고 일을 행했기 때문에, 이런 일이 터져 나오는(出) 것이다(知人不明也). 그래서 사람을 아는 일에 관해서는(知人), 요임금도 어려워했고(帝堯之所難而), 위대한 우임금도 탄식했다(大禹之所吁(盱)也則). 그래서 사람을 아는 일(其)에 대해서 누군들 경망(沾)스럽게 스스로 만족할까요(其誰沾沾自喜乎)? 이런 연유로 자기의 정성을 또한 역시 반추해보기도 하고(蓋亦益反其誠而), 또한 사람을 취하거나 버릴 때 경솔하게 하지 않는 것이다(必不可輕易取捨(舍)人也).

雖好善之心 偏急而好善則 好善 必不明也
雖惡惡之心 偏急而惡惡則 惡惡 必不周也
天下事 宜與好人做也 不與好人做則 喜樂必煩也
天下事 不宜與不好人做也 與不好人做則 哀怒益煩也

아무리 좋은 일을 좋아하는 마음도(雖好善之心), 너무나 치우쳐서 좋은 일을 좋아하게 되면(偏急而好善則), 반드시 좋은 일을 좋아하는 논리가 불명확해진다(好善 必不明也). 아무리 나쁜 일을 싫어하는 마음도(雖惡惡之心), 너무나 지나쳐서 나쁜 일을 싫어하게 되면(偏急而惡惡則), 반드시 나쁜 일을 싫어하는 논리가 통하지 않게 된다(惡惡 必不周也). 모든 일에서 과유불급(過猶不及)을 말하고 있다.

세상의 모든 일은 분명히 좋은 사람과 함께 실행해야 마땅하다(天下事 宜與好人 做也). 이를 좋은 사람과 함께 실행하지 않게 되면(不與好人做則), 반드시 좋은 일도 번잡함을 만들어내기 때문이다(喜樂必煩也). 천하의 모든 일은(天下事), 좋지 않은 사람과 함께 행하지 않는 것이 마땅하며(不宜與不好人做也), 좋지 않은 사람들과 일을 함께 행하게 되면(與不好人做則), 이때는 좋지 않은 감정이 폭발해서 번거로움을 만들기 때문이다(哀怒益煩也).

哀怒相成 喜樂相資, 哀性極則 怒情動.

怒性極則 哀情動. 樂性極則 喜情動. 喜性極則 樂情動.

太陽人 哀極不濟則 忿怒激外. 少陽人 怒極不勝則 悲哀動中.

少陰人 樂極不成則 喜好不定. 太陰人 喜極不服則 侈樂無厭.

如此而動者 無異於以刀割臟 一次大動 十年難復. 此 死生壽夭之機關也 不可不知也

　　폐(哀)의 기능과 비장(怒)의 기능은 서로 연결되어서 만들어지고(哀怒相成), 간(喜)의 기능과 신장(樂)의 기능은 서로 돕는다(喜樂相資). 산성 림프액을 최종 처리하는 폐(哀)의 상태가 극에 달하게 되면(哀性極則), 산성 림프액을 중화 처리하는 비장(怒)의 상태도 이에 반응해서 당연히 요동친다(怒情動). 그리고 이 둘은 산성 림프액을 통해서 서로 연결되어있으므로, 비장(怒)의 상태가 극에 달하게 되면(怒性極則), 당연히 폐(哀)의 상태도 요동치게 된다(哀情動). 암모니아를 소변을 통해서 체외로 배출하는 신장(樂)의 상태가 극에 달하게 되면(樂性極則), 암모니아를 만드는 간(喜)의 상태가 요동친다(喜情動). 그래서 이 둘은 암모니아를 통해서 서로 연결되어있으므로, 간(喜)의 상태가 극에 달하게 되면(喜性極則), 자동으로 신장(樂)의 상태도 요동치게 된다(樂情動). 태양인은(太陽人), 산성 림프액을 최종 처리하는 폐(哀)가 극에 달해서 자기 기능을 제대로 수행하지 못하게 되면(哀極不濟則), 이때는 산성 림프액을 중화 처리하는 비장(怒)이 과부하에 걸리게 되고, 이때는 비장(怒)의 기운이 외부(外)로 격(激)하게 분출(忿)되어서 나온다(忿怒激外).

　　　　　　　　사단론(四端論)

소양인은(少陽人), 비장(怒)의 기능이 극에 달해서 비장(怒)이 산성 림프액을 제대로 처리하지 못하게 되면(怒極不勝則), 산성 림프액을 최종 처리하는 폐(哀)가 덤터기를 씌게 되고, 그러면 자동으로 폐(哀)는 요동치면서 불쌍한(悲) 상태가 된다(悲哀動中). 소음인은(少陰人), 암모니아를 체외로 배출하는 신장(樂)의 기능이 극에 달해서 제대로 작동하지 못하게 되면(樂極不成則), 암모니아를 만들어내는 간(喜)은 자동으로 좋지 않은 상태가 된다(喜好不定). 태음인은(太陰人), 간(喜)의 기능이 극에 달해서 간(喜)이 자기 기능을 제대로 수행하지 못하게 되면(喜極不服則), 이때는 간이 만든 암모니아의 처리가 문제로 부상하게 되고, 그러면 암모니아를 체외로 배출하는 신장(樂)은 자동으로 많은(侈) 암모니아를 막아낼(厭:누를 엽) 수가 없게 된다(侈樂無厭). 즉, 이때 신장은 암모니아가 너무나 많이 들이닥치는 바람에 개고생한다는 뜻이다. 이처럼(如此) 다양한 산성 체액이 요동치게 되면(如此而動者), 이 산성 체액에 든 자유전자는 콜라겐 분해 효소인 MMP(Matrix MetalloProteinase)를 동원해서 간질을 분해(割)하게 되므로, 이런 상태는 오장을 칼로 난도질하는 일과 다름이 없게 된다(無異於以刀割臟). 이 원리는 본 연구소가 발행한 황제내경 소문이나 전자생리학을 참고하면 된다. 이렇게 산성 체액이 한 번만 난리를 쳐도(一次大動), 이때 인체는 엄청나게 많이 상하게 되므로, 이는 10년이 걸려도 쉽게 회복되지 않게 된다(十年難復). 그 이유는 사단론에서 나오는 오장(此)이 생사와 장수 그리고 요절을 조절하는 기관이기 때문이다(此 死生壽夭之機關也). 그래서 이런 체액의 원리는 절대로 모르면 안 된다(不可不知也).

太少陰陽之臟局短長 陰陽之變化也. 天稟之已定 固無可論. 天稟之已定之外
又有短長而 不全其天稟者則 人事之修不修而 命之傾也 不可不愼也

사단론에서 사상(太少陰陽)을 통제하는 오장(臟)은 장단을 보유하고 있는데(太少陰陽之臟局短長), 이는 음양의 변화를 통해서 완성된 것이다(陰陽之變化也). 너무나 당연한 이야기이다. 여기서 음양의 결정 인자는 성장인자인 자유전자를 말한다. 이는 본 연구소가 발행한 전자생리학을 참고하면 된다. 하늘에서 이미 만들어진 채 부여받은 이 오장의 장단은(天稟之己定), 인간이 왈가불가할 문제가 아니다(固無可論). 그리고 외형(外)상 이 오장의 장단이 이미 하늘이 부여해서 결정되었다고 해도(天稟之己定之外), 또 다른 이 오장의 장단이 있을 수가 있는데(又有短長而), 이는 하늘이 부여해준 오장을 제대로 보전(全)하지 못해서 생기는 장단이다(不全其天稟者則). 이는 인간이 자기를 얼마나 수양할 수 있느냐 없느냐의 문제로서(人事之修不修而), 이는 또한 인간의 수명을 결정한다(命之傾也). 그래서 인간은 자기 신체를 항상 신중하게 다뤄야만 한다(不可不愼也).

太陽人怒 以一人之怒而 怒千萬人 其怒 無術於千萬人則 必難堪千萬人也
少陰人喜 以一人之喜而 喜千萬人 其喜 無術於千萬人則 必難堪千萬人也
少陽人哀 以一人之哀而 哀千萬人 其哀 無術於千萬人則 必難堪千萬人也
太陰人樂 以一人之樂而 樂千萬人 其樂 無術於千萬人則 必難堪千萬人也

　폐는 크고, 간은 작은 태양인에게 비장은(太陽人怒), 한 개인에 속한 비장(怒)이기도 하기만(以一人之怒而) 모든 사람(千萬人)에게 속하는 비장(怒)이기도 하다(怒千萬人). 그러나 이런 비장은(其怒), 모든 사람에게서 비장의 기능(術)이 똑같은 것만은 아니다(無術於千萬人則). 그래서 모든 사람의 비장을 구별(堪)하려고 하면, 이때는 반드시 어려움(難)에 처하게 된다(必難堪千萬人也). 이는 태양인의 폐와 간의 기능에서 비장(怒)이 한가운데에 자리하고 있기 때문이다. 즉, 이 셋은 산성 림프액으로 연결된다. 그러면 비장은 폐의 상태와 간의 상태에 따라서 변화하게 된다. 그러나 이 변화는 항상 똑같은 것이 아니다. 이는 사상의학에서 비장의 상태를 구별할 때 어려움을 토로하는 뜻이기도 하다. 신장이 크고, 비장이 작은 소음인에서 간은(少陰人喜), 신장에게는 암모니아를 만들어서 보내고, 비장에게는 산성 림프액을 만들어서 보내므로, 간은 신장과 비장에게 산성 체액을 보내게 된다. 그래서 간은 한 개인에게 속하는 간(喜)이기도 하지만(以一人之喜而),

모든 사람에게 속하는 간(喜)이기도 하다(喜千萬人). 그러나 이런 간은(其喜), 모든 사람에게서 간의 기능(術)이 똑같은 것만은 아니다(無術於千萬人則). 그래서 모든 사람의 간을 구별(堪)하려고 하면, 이때는 반드시 어려움(難)에 처하게 된다(必難堪千萬人也). 이는 사상의학에서 간의 상태를 구별할 때 어려움을 토로하는 뜻이기도 하다. 비장이 크고, 신장 작은 소양인에서 폐는(少陽人哀), 한 개인에게 속하는 폐(哀)이기도 하지만(以一人之哀而), 모든 사람에게 속하는 폐(哀)이기도 하다(哀千萬人). 비장과 신장은 둘 다 똑같이 산성 림프액을 처리한다. 그리고 폐는 이런 산성 림프액을 최종 처리한다. 그래서 폐의 상태는 비장과 신장의 상태에 따라서 다양한 변화를 겪는다. 그러나 이런 폐는(其哀), 모든 사람에게서 폐의 기능(術)이 똑같은 것만은 아니다(無術於千萬人則). 그래서 모든 사람의 폐를 구별(堪)하려고 하면, 이때는 반드시 어려움(難)에 처하게 된다(必難堪千萬人也). 이는 사상의학에서 폐의 상태를 구별할 때 어려움을 토로하는 뜻이기도 하다. 간이 크고, 폐가 작은 태음인에서 신장은(太陰人樂), 한 개인에게 속하는 신장(樂)이기도 하지만(以一人之樂而), 모든 사람에게 속하는 신장(樂)이기도 하다(樂千萬人). 신장은 간에서 암모니아를 받고, 폐에서는 중조를 받는다. 그래서 신장은 간과 폐의 상태에 따라서 다양한 변화를 겪게 된다. 그러나 이런 신장은(其樂), 모든 사람에게서 신장의 기능(術)이 똑같은 것만은 아니다(無術於千萬人則). 그래서 모든 사람의 신장을 구별(堪)하려고 하면, 이때는 반드시 어려움(難)에 처하게 된다(必難堪千萬人也). 이는 사상의학에서 신장의 상태를 구별할 때 어려움을 토로하는 뜻이기도 하다. 이런 맥락에서 이 구문을 평가해보면, 사상의학에서 네 개의 오장 상태를 판별하는 일이 결코 쉬운 일이 아니라는 사실을 말하고 있다. 즉, 이는 사상의학의 실행이 상당히 어렵다는 사실을 말하고 있다. 이런 관계를 사유(四維)라고 말한다. 그래서 사상의학에서 사유(四維)는 주역(周易)의 사유(四維)가 아니라 사단론에서 이용되는 오장 4개가 서로 밧줄(維)을 통해서 연결(維)된 것처럼, 연결(維)된 상태를 말한다. 이는 오장이 체액으로 서로 엉켜있어서 별수가 없다. 이 개념을 모르게 되면, 사상의학의 해석은 엉망진창이 되고 만다. 그리고 이런 상태는 지금도 여전히 진행 중이다.

太陽少陽人 但恒戒哀怒之過度而 不可强做喜樂 虛動不及也

若强做喜樂而 煩數之則 喜樂 不出於眞情而 哀怒 益偏也

太陰少陰人 但恒戒喜樂之過度而 不可强做哀怒 虛動不及也

若强做哀怒而 煩數之則 哀怒 不出於眞情而 喜樂 益偏也

　　상대적으로 상초(上焦)의 기능이 강한 태양인과 소양인은(太陽少陽人), 아무리 상초가 강하다고 할지라도, 상초를 통제하는 폐(哀)와 비장(怒)을 과도하게 혹사해서는 안 된다(但恒戒哀怒之過度而). 그 이유는 상초를 너무 과도하게 혹사하게 되면, 여기서 생긴 산성 체액은 당연히 하초로 몰리기 때문이다. 그러나 태양인이나 소양인은 하초의 기능을 책임지고 있는 원래 약한 간(喜)이나 신장(樂)을 강(强)하게 만들 수가 없기 때문이다(不可强做喜樂). 즉, 이렇게 허약(虛)한 간이나 신장을 가동(動)해봤자, 원래 허약한 간이나 신장은 과부하에 걸린 상초가 하초로 내려보낸 산성 체액을 처리하기에는 역부족(不及)이기 때문이다(虛動不及也). 그래서 만약(若)에 원래 약한 간(喜)이나 신장(樂)을 강(强)하게 하려고 시도하게 되면(若强做喜樂而), 번거로움만 더 생기게 되고(煩數之則), 그러면 간(喜)과 신장(樂)은 원래 자기가 보유한 진짜(眞) 기능(情)조차도 발휘(出)하지 못하게 된다(喜樂 不出於眞情而). 그러면, 거꾸로 태양인과 소양인의 폐(哀)와 비장(怒)은 더욱더(益) 많은 책임을 져야만 하는 쪽으로 기울게(偏) 된다(哀怒 益偏也). 상대적으로 하초(下焦)의 기능이 강한 태음인과 소음인은(太陰少陰人), 아무리 하초가 강하다고 할지라도, 하초를 통제하는 간(喜)과 신장(樂)을 과도하게 혹사해서는 안 된다(但恒戒喜樂之過度而). 그 이유는 하초를 너무 과도하게 혹사하게 되면, 여기서 생긴 산성 체액은 당연히 상초로 몰리기 때문이다. 그러나 태음인이나 소음인은 상초의 기능을 책임지고 있는 원래 약한 폐(哀)나 비장(怒)을 강(强)하게 만들 수가 없기 때문이다(不可强做哀怒). 즉, 이렇게 허약(虛)한 폐나 비장을 가동(動)해봤자, 원래 허약한 폐나 비장은 과부하에 걸린 하초가 상초로 올려보낸 산성 체액을 처리하기에는 역부족(不及)이기 때문이다(虛動不及也). 그래서 만약(若)에 원래 약한 폐(哀)나 비장(怒)을 강(强)하게 하려고 시도하게 되면(若强做

哀怒而), 번거로움만 더 생기게 되고(煩數之則), 그러면 폐(哀)와 비장(怒)은 원래 자기가 보유한 진짜(眞) 기능(情)조차도 발휘(出)하지 못하게 된다(哀怒 不出於眞情而). 그러면, 거꾸로 태음인과 소음인의 간(喜)과 신장(樂)은 더욱더(益) 많은 책임을 져야만 하는 쪽으로 기울게(偏) 된다(喜樂 益偏也). 여기서 제시한 명제들은 너무나 당연한 말들이다. 결국에 건강 문제는 균형 문제이다.

喜怒哀樂之未發 謂之中 發而皆中節 謂之和
喜怒哀樂未發而 恒戒者 此 非漸近於中者乎
喜怒哀樂已發而 自反者 此 非漸近於節者乎

사상을 중재하는 4개의 오장이 만들어내는 감정(喜怒哀樂)이 아직 촉발되지 않은 상태를(喜怒哀樂之未發), 감정이 아직 오장 안(中)에 있다는 의미로 중(中)이라고 하고(謂之中), 촉발되어서 발산된 상태에서 오장 모두(皆)가 중(中)이 깨진(節) 상태를(發而皆中節), 오장 모두(皆)가 반응(和)한다는 의미에서 화(和)라고 부른다(謂之和). 사상을 중재하는 4개의 오장이 만들어내는 감정(喜怒哀樂)이 아직 촉발되지 않았다고 할지라도(喜怒哀樂未發而), 항상 경계해야만 하는 이유는(恒戒者), 이(此) 상태가 중(中)에 점진적(漸)으로 접근(近)한다는 뜻은 아니기 때문이요(此 非漸近於中者乎)! 이는 감정이 과하게 터져 나오는 경우를 경계하라는 뜻이다. 사상을 중재하는 4개의 오장이 만들어내는 감정(喜怒哀樂)이 이미 촉발된 상태에서는(喜怒哀樂已發而), 스스로 이 감정을 반추(反)해봐야만 하는 이유는(自反者), 이(此) 상태가 절제(節)에 점진적으로 접근해가는 경우가 아니기 때문이요(此 非漸近於節者乎)! 이는 감정 표현을 적절하게 했는지를 반추해보라는 뜻이다.

확충론(擴充論)

확충론(擴充論)

太陽人 哀性遠散而 怒情促急

哀性遠散者 太陽之耳 察於天時而 哀衆人之相欺也 哀性 非他 聽也

怒情促急者 太陽之脾 行於交遇而 怒別人之侮己也 怒情 非他 怒也

少陽人 怒性宏抱而 哀情促急

怒性宏抱者 少陽之目 察於世會而 怒衆人之相侮也 怒性 非他 視也

哀情促急者 少陽之肺 行於事務而 哀別人之侮己也 哀情 非他 哀也

太陰人 喜性廣張而 樂情促急

喜性廣張者 太陰之鼻 察於人倫而 喜衆人之相助也 喜性 非他 嗅也

樂情促急者 太陰之腎 行於居處而 樂別人之保己也 樂情 非他 樂也

少陰人 樂性深確而 喜情促急

樂性深確者 少陰之口 察於地方而 樂衆人之相保也 樂性 非他 味也

喜情促急者 少陰之肝 行於黨與而 喜別人之助己也 喜情 非他 喜也

이 문장을 해석하기 전에 성명론을 정리한 도표가 하나 필요하다.

<성명론 정리 도표>

체질 구분	태양인	소양인	태음인	소음인
오장(강/약)	폐/간	비/신	간/폐	신/비
소속 신체1	귀(耳)	눈(目)	코(鼻)	입(口)
소속 신체2	턱(頷)	가슴(臆·흉선)	배꼽(臍)	배(腹)
소속 신체3	머리(頭)	어깨(肩)	허리(腰·신장)	볼기(臀·회음부)
감각	청각(聽)	시각(視)	후각(嗅)	미각(味)
감정1	천심(擅心)	치심(侈心)	나심(懶心)	욕심(慾心)
감정2	애(哀)	노(怒)	희(喜)	낙(樂)
감정3	탈리(奪利)	자존(自尊)	자비(自卑)	절물(竊物)
천기(天機)	천시(天時)	세회(世會)	인륜(人倫)	지방(地方)
인사(人事)	사무(事務)	교우(交遇)	당여(黨與)	거처(居處)
사유(四維)	신(神)	기(氣)	혈(血)	정(精)

폐가 크고, 간은 작은 태양인에서(太陽人), 산성 림프액을 처리하는 폐(哀)의 기운이 과부하에 걸려서 멀리까지 확산되면(哀性遠散而), 이 파급효과는 당연히 산성 림프액을 중화 처리하는 비장(怒)을 자극하게 된다(怒情促急). 그리고 폐(哀)의 기운이 과부하에 걸려서 멀리까지 확산되면(哀性遠散者), 이 여파는 폐와 짝을 이루면서 천시에 반응(察)하는 태양인의 귀(耳)로 연결된다(太陽之耳, 察於天時而). 이 문제는 이미 앞에서 살펴보았다. 그러면, 이때 태양인의 귀는 자동으로 귀(耳)가 먹통이 되다시피 한다. 즉, 이때 태양인의 귀(耳)가 잘 안 들리면서 헷갈리게 된다. 그래서 이런 상태에서 태양인(哀)의 귀를 가진 사람들(哀衆人)은 당연히 서로 의사 전달이 잘못되어서 서로(相) 속이(欺)는 꼴이 되고 만다(哀衆人之相欺也). 이때 폐(哀)의 특성(性)이란 것은(哀性), 다름이 아니라(非他), 청각(聽)의 문제로 나타나게 된다(聽也). 즉, 태양인의 과부하는 청각(聽) 문제를 만든다는 뜻이다. 확충론에서 첫 문장으로 나온 이 구문 전체는 해석 오류의 전형을 보여주는 곳이다. 또한, 폐의 과부하로 인해서 발생한 비장(怒)의 자극은 당연히 비장(怒)을 과부하로 몰게 되는데(怒情促急者), 이때 태양인의 비장은(太陽之脾), 교우 관계를 실행(行)할 때 작동하게 된다(行於交遇而). 그래서 이때 비장(怒)은 다른 사람(別人)이 자기(己)를 업신(侮)여기게 만들고 만다(怒別人之侮己也). 그 이유는 여기서 말하는 비장(怒)의 특성(情)이란 것이(怒情), 다름이 아니라(非他), 폭발하는 분노(怒)이기 때문이다(怒也). 즉, 태양인이 폐로 인해서 과부하에 걸린 비장 때문에, 분노(怒)를 표출하게 되면, 남들은 태양인의 이런 모습을 보고, 이런 태양인을 업신(侮)여기게 된다는 뜻이다. 분노를 폭발하고 있는 사람을 보고 좋다고 할 사람은 아무도 없을 것이다. 이 구문 해석에서 몇 개의 글자를 살펴볼 필요가 있다. 먼저, 성(性)과 정(情)이다. 이를 기어이 구분해서 해석하자면, 성(性)은 원인의 제공자이고, 정(情)은 그 원인으로 인해서 결과를 만들어낸 자이다. 그래서 이 구문에서는 폐(肺)는 원인 제공자라서 성(性)이라는 글자를 쓰고 있고, 폐의 영향을 받아서 분노를 표출한 비장(脾)은 그 원인을 이어받아서 결과를 만들었으므로, 정(情)이라는 글자를 쓰고 있다. 그러나 해석에서는, 바로 앞의 해석에서 보다시피, 이를 별도로 구분할 필요는 없다. 또한, 중인(衆人)과 별인(別人)이다. 이

확충론(擴充論)

도 역시 기어이 별도로 구분해서 쓸 필요는 없다. 그러면 여기서 아주 재미있는 추론이 나오게 된다. 즉, 태양인은 과부하에 걸리게 되면, 귀가 잘 안 들리게 되고, 이어서 그로 인해서 애(哀)를 먹으면서, 그로 인해서 분노(怒)가 폭발한다는 뜻이 된다. 그리고 폐가 과부하에 걸리게 되면, 폐는 당연히 산성 담즙을 만들어서 간을 상극(相剋)하게 된다. 그런데, 이때 간이 이를 제대로 받아주게 되면 문제는 없다. 그런데, 불행히도 태양인은 간이 작다. 그러면 약한 간은 자기가 받은 산성 담즙을 산성 림프액으로 만들어서 자기가 상극(相剋)하는 비장으로 보내버린다. 문제는 여기서 태양인의 폐가 아주 크므로, 비장으로 몰려오는 산성 체액의 양도 엄청나다는 사실이다. 이는 비장을 곧바로 과부하로 몰게 되고, 이는 분노로 표출된다는 사실이다. 그러면 지금의 이 관계는 2개의 상극(相剋) 관계로 이어진다. 이를 다른 말로 하자면, 인체의 에너지(energy) 순환을 말하고 있다. 여기서 나오는 산성 담즙이나 산성 림프액은 모두 산성(酸性)으로서 에너지를 싣고 있다는 사실이다. 이 문제는 본 연구소가 발행한 황제내경 소문이나 전자생리학을 참고하면 된다. 결국에 이는 산성 체액의 해독(解毒) 문제로 다가간다. 이는 이제마의 사상(四象) 체질 이론은 해독(解毒) 이론이라는 뜻도 된다. 이는 또한 역시 에너지(energy) 순환 이론이라는 뜻도 된다. 그래서 산성 체액으로서 에너지 쓰레기인 독(毒)이 폐에서 간으로, 이어서 간에서 비장으로 가서, 그래도 해독이 안 되니까 결국에 분노(怒)로 표출된 것이다. 결국에 분노(怒)라는 감정 표현은 과잉 산성 체액을 중화하는 과정일 뿐이다. 그래서 이렇게 분노를 표출하고 나면, 과잉 산성 체액이 중화되면서 분노(怒)가 풀리게 된다. 이 문제도 본 연구소가 발행한 황제내경 소문이나 전자생리학을 참고하면 된다. 다시 본문을 보자. 비장이 크고, 신장은 작은 소양인에서(少陽人), 산성 림프액을 처리하는 비장(怒)이 과부하에 걸리게 되면(怒性宏抱而), 이 여파는 자동으로 산성 림프액을 최종 처리하는 폐(哀)를 자극해서 과부하로 몰고 간다(哀情促急). 그래서 소양인에서 산성 림프액을 처리하는 비장(怒)이 과부하에 걸리게 되면(怒性宏抱者), 비장과 짝을 이루면서 사물계(世會)를 보(察)는 눈(目) 문제로 다가간다(少陽之目 察於世會而). 그래서 비장(怒)에 문제를 안고 있는 소양인들(怒衆人)은 자동으로 눈이 잘 보이지 않게 되고, 이어서 이들을 서로(相)를 잘 알아보지 못하게(侮) 된다(怒衆人之相侮也). 이때 소양인에서 비장의 특성은(怒性), 다름이 아니라(非他), 시각의 문제인 것이다(視也). 즉, 소양인은 과부하에 걸리게 되면, 시각이 문제를 만든다는 뜻이다. 그리고 이때 더불어 과부하에 걸린 폐도(哀情促急者), 당연히 문제를 만들게 된다. 이때 과부하에 걸린 소양인에 속하는 폐는(少陽之肺), 원래 사무(事務)를 행할 때 꼭 필요한 존재이다(行於事務而). 그러나 지금은 사무와 짝을 이루고 있는 폐가 과부하에 시달리게 되면서, 사무를 제대로 수행하지 못하게 만들고 있다. 그러면 이(哀)는 당연히 남들이(別人) 자기(己)를 깔보게(侮) 만든다(哀別人之侮己也). 자기가 맡은 일을 제대로 하지 못하는 사람을 깔보는 일은 너무나 당연한 일일 것이다. 그래서 이때 폐의 특성이라는 것은(哀情), 다름이 아니라(非他), 사무를 망치는 폐(哀)의 문제가 된다(哀也). 즉, 이때 소양인은 폐가 좋지 않다는 뜻이다. 폐가 안 좋아서 숨을 헐떡이면, 일(事務)이 제대로 되겠는가! 이번에는 태음인으로 가보자. 간이 크고, 폐가 작은 태음인에서(太陰人), 암모니아를 만들어내는 간이 과부하에 걸리게 되면(喜性廣張而), 이는 자동으로 암모니아를 체외로 배출하는 신장을 자극해서 과부하로 몰고 간다(樂情促急). 그래서 간이 과부하에 걸리게 되면(喜性廣張者), 간과 짝을 맺어서 인간계(人倫)를 살피(察)는 코는(太陰之鼻 察於人倫而), 자동으로 문제를 만들게 될 수밖에 없다. 그래서 이런 코를 보유한 태음인들(喜衆人)은 서로(相) 냄새를 맡지 못하게(助:없앨 서) 된다(喜衆人之相助也). 그래서 이때 간의 특성이라는 것은(喜性), 다름이 아니라(非他), 냄새(嗅)를 맡는 코의 문제가 된다(嗅也). 즉, 이때 태음인은 코가 문제가 된다는 뜻이다. 그리고 간 때문에 자극을 심하게 받아서 과부하에 걸린 신장은(樂情促急者), 원래 기능은 거처에서 행동할 때 관여하는데, 태음에서 신장(腎)도 거처 문제에 관여한다(太陰之腎 行於居處而). 그러나 지금은 신장에 문제가 있어서 거처에서 행동이 문제를 만들고 만다. 그래서 이(樂)는 남들이 자기(己)를 보호(保)해주는 결과로 나타나게 된다(樂別人之保己也). 그래서 이때 신장의 특성이라는 것은(樂情), 다름이 아니라(非他), 거처에서 하는 일상을 어떻게 즐기(樂)느냐의 문제이다(樂也). 즉, 이는 태음인의 신장 문제를 말하고 있다. 신장은 크고, 비장이 작은 소음인에서(少陰人), 암모니아를 체외로 배출하는 신장이 과부하에 걸리게 되면 (樂性深確而), 암모니아를 만들어내는 간은 자동으로 자극을 받게 되고, 이어서 과부하에 걸리게 된다(喜情促急). 신장이 과부하에 걸리게 되면(樂性深確者), 신 장과 짝하고 있는 입(口)이 문제가 된다. 이때 소음인도 입도(少陰之口), 원래 입 의 기능에 따라서 땅의 방위가 만든 계절을 따라서 땅이 만든 영양소의 맛을 보 게 된다(察於地方而). 그런데 지금은 맛(味)을 보는 입(口)이 문제가 있다. 그래서 이런 신장 문제를 가진 사람들(樂衆人)은 맛을 느끼지 못하게 된다. 이는 소음인 의 신장과 비장이 서로(相) 작용해서 만든 조합(保)의 결과이다(樂衆人之相保也). 그래서 이때 신장의 특성이라는 것은(樂性), 다름이 아니라(非他), 입으로 느끼는 맛(味)의 문제이다(味也). 즉, 이때 소음인의 문제는 미각의 문제라는 뜻이다. 그 리고 신장 때문에, 과부하에 걸린 간은(喜情促急者) 원래 적대적인 이해관계(黨 與)에 개입한다. 그래서 소음인의 간도 자동으로 적대적인 이해관계(黨與)에 개입 한다(少陰之肝 行於黨與而). 그래서 이때 소음인의 간(喜)은 남들이 자기(己)를 없애려고(助:없앨 서) 할 때 개입하게 된다(喜別人之助己也). 즉, 이때 간은 스트 레스 문제에 개입한다는 뜻이다. 그래서 이때 간의 특성이라는 것은(喜情), 다름이 아니라(非他), 즐거움(喜)과 연관된 스트레스 문제라는 뜻이다(喜也).

太陽之耳 能廣博於天時而 太陽之鼻 不能廣博於人倫
太陰之鼻 能廣博於人倫而 太陰之耳 不能廣博於天時
少陽之目 能廣博於世會而 少陽之口 不能廣博於地方
少陰之口 能廣博於地方而 少陰之目 不能廣博於世會

  폐와 짝하는 태양인의 귀는(太陽之耳), 태양인은 폐가 크므로, 이때 폐와 짝하는 귀는 능히 천시에 반응해서 널리(廣博) 영향을 미칠 수가 있게 된다(能廣博於天時 而). 그러나 이때 간이 작은 태양인의 코는(太陽之鼻), 작은 간과 짝하므로, 능히 인륜과 관련해서 널리 영향을 미칠 수가 없다(不能廣博於人倫). 즉, 폐는 크고, 간이 작은 태양인에서는 큰 폐가 인체 생리에 더 큰 영향을 미치고, 상대적으로 작은 간은 인체 생리에 상대적으로 적은 영향을 미치게 된다는 뜻이다. 그리고 간이 크고, 폐는 작은 태음인의 코는(太陰之鼻), 능히 인륜 문제에 반응해서 널리 영향을 미칠 수가 있으나(能廣博於人倫而), 귀와 짝하는 폐가 작은 태양인의 귀는(太陰之耳), 능히 천시에 반응해서 널리 영향을 미치지 못하게 된다(不能廣博於天時). 그리고 비장이 크고 신장은 작은 소양인의 눈은(少陽之目), 비장과 짝하고 있으므로, 사물계를 바라보면서 널리 영향을 미칠 수가 있으나(能廣博於世會而), 소양인의 작은 신장과 짝하는 입은(少陽之口), 지방이 만들어내는 미각에 반응해서 널리 영향을 미치지 못하게 된다(不能廣博於地方). 그리고 신장이 크고, 비장은 작은 소음인의 입은(少陰之口), 소음인의 큰 신장과 짝하고 있으므로, 지방에 반응해서 널리 영향을 미칠 수가 있게 된다(能廣博於地方而). 그러나 소음인의 작은 비장과 짝하고 있는 눈은(少陰之目), 사물계와 반응하면서 능히 큰 영향을 미칠 수가 없게 된다(不能廣博於世會). 이 구문은 앞의 구절에 대해서 정리를 해주고 있다.

太陽之脾 能勇統於交遇而 太陽之肝 不能雅立於黨與
少陰之肝 能雅立於黨與而 少陰之脾 不能勇統於交遇
少陽之肺 能敏達於事務而 少陽之腎 不能恒定於居處
太陰之腎 能恒定於居處而 太陰之肺 不能敏達於事務

앞의 해석에서 보았듯이, 폐로 인해서 에너지를 많이 받은 태양인의 비장은(太陽之脾), 이 에너지를 이용해서 능히 비장이 책임지는 교우 관계를 용맹스럽게 통솔하게 된다(能勇統於交遇而). 그러나 큰 폐에 상극 당하는 태양인의 작은 간은(太陽之肝), 기능 부족으로 인해서, 자기가 책임지는 당여 문제에 크게(雅) 간여할 수가 없게 된다(不能雅立於黨與). 그리고 앞의 해석에서 보았듯이, 신장은 크고, 비장이 작은 소음인의 간은(少陰之肝), 큰 신장에서 받은 과잉 에너지 때문에, 당여 문제에 크게(雅) 관여할 수 있으나(能雅立於黨與而), 소음인의 작은 비장은(少陰

之脾), 그만큼 기능의 저하가 뒤따르게 되므로, 자기가 책임지는 교우 문제를 제대로 통제할 수가 없게 된다(不能勇統於交遇). 그리고 앞의 해석에서 보았듯이, 비장이 크고, 신장이 작은 소양인의 폐는(少陽之肺), 큰 비장에서 받은 과잉 에너지 때문에, 자기가 책임지는 사무 문제에 크게 관여할 수 있으나(能敏達於事務而), 소양인의 작은 신장은(少陽之腎), 그만큼 기능의 저하가 뒤따르게 되므로, 자기가 책임지는 거처 문제에 정상적으로 개입할 수가 없게 된다(不能恒定於居處). 그리고 앞의 해석에서 보았듯이, 간이 크고, 폐가 작은 태음인의 신장은(太陰之腎), 큰 간에서 받은 과잉 에너지 때문에, 능히 자기가 책임지는 거처 문제에 크게 관여할 수 있다(能恒定於居處而). 그러나 태음인의 작은 폐는(太陰之肺), 그만큼 기능의 저하가 뒤따르게 되므로, 자기가 책임지는 사무 문제를 제대로 통제할 수가 없게 된다(不能敏達於事務). 마찬가지로, 전에 해석한 구절에 대해서 정리를 해주고 있다.

太陽之聽 能廣博於天時故 太陽之神 充足於頭腦而 歸肺者 大也
太陽之嗅 不能廣博於人倫故 太陽之血 不充足於腰脊而 歸肝者 小也

太陰之嗅 能廣博於人倫故 太陰之血 充足於腰脊而 歸肝者 大也
太陰之聽 不能廣博於天時故 太陰之神 不充足於頭腦而 歸肺者 小也

少陽之視 能廣博於世會故 少陽之氣 充足於背膂而 歸脾者 大也
少陽之味 不能廣博於地方故 少陽之精 不充足於膀胱而 歸腎者 小也

少陰之味 能廣博於地方故 少陰之精 充足於膀胱而 歸腎者 大也
少陰之視 不能廣博於世會故 少陰之氣 不充足於背膂而 歸脾者 小也

폐가 크고, 간이 작은 태양인의 청각 능력은(太陽之聽), 큰 폐와 귀가 짝하면서 생긴 능력으로서, 귀를 통해서 천시 반응에 능히 널리(廣博) 작용할 수 있게 만든다(能廣博於天時故). 그래서 태양인에서 작동하는 에너지로서 전자(電子)인 신은

(太陽之神), 폐의 도움을 받아서 두뇌의 작동을 충족할 수 있게 된다(充足於頭腦而). 그래서 이의 원인은 폐가 크다(大)는 사실로 회귀한다(歸肺者 大也). 이의 관계는 이미 전에 설명했다. 즉, 큰 폐는 산소를 굉장히 많이 소비하는 뇌에 산소 공급을 충분히 많이 해서, 자유전자인 신(神)을 통해서 작동하는 뇌를 풀로 가동시키게 만든다. 그리고 코와 짝하는 태양인의 간은 작은 상태이므로, 자동으로 태양인의 후각 능력은 떨어져서(太陽之嗅), 간은 후각이 담당하는 인간 문제에 널리 반응할 수가 없게 만든다(不能廣博於人倫故). 이는 태양인의 작은 간이 통제하는 산성 정맥혈(血)의 문제로서(太陽之血), 이는 정맥혈과 관계되는 신장(腰)과 척수(脊) 문제에서 충분한 기능을 발휘하지 못하게 만든다(不充足於腰脊而). 척수에는 각각 척수마다 정맥을 통제하는 정맥총이 4개씩이나 존재한다는 사실을 상기해보자. 이는 결국에 태양인의 작은(小) 간 문제로 회귀한다(歸肝者 小也). 그리고 간이 크고, 폐가 작은 태음인의 후각 능력은(太陰之嗅), 코와 큰 간이 짝하면서 생긴 능력으로서, 이는 코가 능히 인간계의 반응에 널리 관여하게 만드는 이유(故)가 된다(能廣博於人倫故). 그래서 큰 간을 보유한 태음인은 자동으로 산성 정맥혈의 통제를 잘하므로(太陰之血), 정맥혈과 관계되는 신장(腰)과 척수(脊) 문제에서 충분한 기능을 발휘할 수 있게 된다(充足於腰脊而). 결국에 이 문제는 간이 크다(大)는 사실로 회귀한다(歸肝者 大也). 반면에 귀와 짝하는 폐가 작은 태음인은 어쩔 수 없이 청각에서 문제를 가지고 있으므로(太陰之聽), 청각을 통해서 반응하는 천시 문제에 널리 영향력을 행사할 수 없게 된다(不能廣博於天時故). 그래서 폐가 관여하는 전자인 신은(太陰之神), 자동으로 자유전자(神)로 작동하는 두뇌를 충분히 작동시킬 수가 없게 된다(不充足於頭腦而). 결국에 이 문제는 산소를 굉장히 많이 소비하는 두뇌에 산소를 공급하는 폐가 크기가 작다(小)는 사실로 회귀한다(歸肺者 小也). 그리고 비장이 크고, 신장이 작은 소양인은 큰 비장과 눈이 짝하므로, 소양인의 시각 능력은 아주 좋아서(少陽之視), 눈이 능히 사물계를 관찰할 때 널리(廣博) 영향력을 행사할 수 있는 이유(故)가 된다(能廣博於世會故). 그리고 비장이 큰 소양인은 비장이 통제하는 뇌척수액이라는 림프액을 잘 통제하므로, 소양인의 산성(氣) 림프액의 통제 능력 때문에(少陽之氣), 림프액이라

는 뇌척수액을 통해서 작동하는 척수의 기능을 충족시키게 된다(充足於背膂而). 이는 결국에 비장이 크다(大)는 사실로 회귀한다(歸脾者 大也). 그러나 신장이 작은 소양인은 작은 신장과 입이 짝하게 되면서 맛을 통제하므로, 소양인의 미각 능력은(少陽之味), 입이 지방 문제에 반응할 때 충분히 능력을 발휘하지 못하게 되는 이유(故)가 된다(不能廣博於地方故). 그러면, 작은 신장의 문제인 정력(精)의 문제는(少陽之精), 자동으로 신장은 방광의 문제를 해결할 때 충분한 능력을 발휘하지 못하게 된다(不充足於膀胱而). 여기서 신장은 스테로이드를 분비하는 부신을 말하는데, 부신이 분비하는 스테로이드는 소변 문제에 개입하게 된다. 그리고 이는 당연히 소변을 배출하는 방광 문제로 이어진다. 이는 결국에 신장이 작다(小)는 사실로 회귀하게 된다(歸腎者 小也). 그리고 신장이 크고, 비장은 작은 소음인은 큰 신장과 짝하는 입으로 인해서, 신장이 큰 소음인의 미각 능력은(少陰之味), 능히 지방 문제에서 충분한 능력을 발휘하게 되는 이유(故)가 된다(能廣博於地方故). 그리고 큰 신장과 짝하는 스테로이드 문제인 정력의 문제는(少陰之精), 충분한 스테로이드 분비를 통해서 방광의 문제를 수월하게 처리하게 된다(充足於膀胱而). 이는 결국에 신장이 크다(大)는 사실로 회귀한다(歸腎者 大也). 여기서 실제로는 스테로이드를 분비하는 부신이 크다는 사실을 말한다. 그리고 눈과 짝하는 작은 비장을 보유한 소음인은 당연히 시각의 문제를 안게 되므로, 소음인의 시각 능력은(少陰之視), 눈이 사물계에 반응할 때 충분한 능력을 발휘하지 못하게 되는 이유(故)가 된다(不能廣博於世會故). 이때 작은 비장은 산성(氣) 림프액의 통제를 잘하지 못하게 되므로, 소음인의 작은 비장은 산성 림프액의 통제 능력이 떨어져서(少陰之氣), 결국에는 림프액인 뇌척수액을 통해서 작동하는 척수(背膂:배려)를 제대로 통제하지 못하게 된다(不充足於背膂而). 이는 결국에 림프액인 뇌척수액을 통제하는 비장이 작다(小)는 사실로 회귀한다(歸脾者 小也). 이 구문은 한의학이나 최첨단 현대의학을 제외한 전 세계의학의 핵심인 체액 이론을 설명하고 있다.

太陽之怒 能勇統於交遇故 交遇 不侮也 太陽之喜 不能雅立於黨與故 黨與 侮也

是故 太陽之暴怒 不在於交遇而 必在於黨與也

少陰之喜 能雅立於黨與故 黨與 助也 少陰之怒 不能勇統於交遇故 交遇 不助也
是故 少陰之浪喜 不在於黨與 必在於交遇也

少陽之哀 能敏達於事務故 事務 不欺也 少陽之樂 不能恒定於居處故 居處 欺也
是故 少陽之暴哀 不在於事務而 必在於居處也

太陰之樂 能恒定於居處故 居處 保也 太陰之哀 不能敏達於事務故 事務 不保也
是故 太陰之浪樂 不在於居處而 必在於事務也

　　폐가 크고, 간이 작은 태양인은 큰 폐를 통해서 산성 림프액의 처리가 제대로 되므로, 이때 산성 림프액을 중화 처리하는 비장은(太陽之怒), 당연히 자기 기능을 잘하므로, 비장이 기능하는 교우 관계는 자동으로 잘 실행된다(能勇統於交遇故). 그래서 이때 교우 관계는 문제가 없이 원만하게 진행된다(交遇 不侮也). 그러나 간(喜)이 작은 태양인에게서, 이때 간(喜)은 자기 기능을 제대로 하지 못하므로(太陽之喜), 이때 태양인은 간이 기능하는 당여 문제를 우아(雅)하게 처리할 수가 없게 된다(不能雅立於黨與故). 그래서 태양인은 당여 문제를 처리할 때, 이를 제대로 처리하지 못하게 되면서 조롱거리(侮)가 되고 만다(黨與 侮也). 황제내경의 생리를 빌리자면, 간은 신경을 통제하므로, 간이 작아서 신경을 제대로 통제하지 못하게 되면, 순식간에 분노가 폭발해버리게 된다. 이때 당여라는 적대적인 관계를 제대로 처리하지 못하게 될 것은 뻔하게 되고, 당연히 조롱거리(侮)가 되고 말 것이다. 그래서(是故), 산성 림프액을 최종 처리하는 태양인의 폐가 과부하에 걸려서 이때 산성 림프액을 중화 처리하는 비장(怒)까지 과부하(暴)에 걸리게 되면(太陽之暴怒), 자동으로 비장이 기능하는 교우 관계는 정상적으로 존재하지 못하게 된다. 그런데 이 문제가 교유 관계에서 기능하는 비장에 영향을 미치지 않았다면(不在於交遇而), 이때 비장은 자기가 폐로부터 산성 체액의 영향을 받지 않았다는 뜻이 되고, 이는 폐가 산성 체액을 산성 담즙으로 만들어서 자기가 상극하는 간으로 보냈다는 뜻이 되고, 이는 간이 산성 체액 문제를 끌어안고 있다는 뜻이 되므로, 이 문제는 반드시 간이 처리하는 당여 문제에 존재하게 된다(必在於黨

與也). 즉, 폐의 과부하는 원래 비장이 떠안게 되는데, 이때는 간이 이 문제를 떠안은 것이다. 원인은 뭘까? 이는 다양한 산성 체액을 처리하는 폐의 기능에 있다. 그래서 지금은 폐가 산성 담즙을 만들어서 간으로 보낸 것이다. 사실 이 문제는 이산화탄소, 산성 림프액, 산성 담즙이라는 변수를 통해서 아주 복잡하게 얽히게 된다. 결국에 이 문장은 체액 이론을 모르게 되면, 절대로 안 풀리게 된다. 그리고 이 상태는 지금도 여전히 진행 중이다. 다시 본문을 보자. 암모니아를 체외로 배출하는 신장이 큰 소음인에게서 암모니아를 만들어내는 간은(少陰之喜), 큰 신장이 자기가 만들어준 암모니아를 잘 처리해준 덕분에, 간은 자기의 원래 기능인 당여 문제 처리를 우아하게 실행할 수 있게 된다(能雅立於黨與故). 그래서 이때 간은 당연히 당여 문제를 처리하는 조력자가 된다(黨與 助也). 그러나 작은 비장을 보유한 소음인의 특성 때문에(少陰之怒), 비장이 처리하는 교우 문제는 잘 처리하지 못하게 된다(不能勇統於交遇故). 그래서 이때 비장은 당연히 교우 문제를 처리하는 조력자가 되지 못한다(交遇 不助也). 그래서(是故), 이때 소음인의 작은 간(喜)에서 문제(浪)가 발생했는데(少陰之浪喜), 이 문제가 간이 수행하는 당여 문제에 있지 않게 되면(不在於黨與而), 이는 간이 자기를 문제로 이끈 산성 체액을 산성 림프액으로 만들어서 자기가 상극하는 비장으로 보냈다는 뜻이 되므로, 이때 문제는 반드시 비장이 처리하는 교우 문제에 있게 된다(必在於交遇也). 너무나 당연한 이야기이다. 산성 림프액을 중화 처리하는 비장의 크기가 큰 소양인에게서 산성 림프액을 최종 처리하는 폐는(少陽之哀), 자동으로 큰 비장 덕분에 부담에서 벗어나게 되므로, 이때 폐는 자기가 맡아서 처리하는 사무를 민첩하게 잘 처리할 수 있게 된다(能敏達於事務故). 그래서 이때 폐가 처리하는 사무 문제는 아무런 문제도 만들지 않게 된다(事務 不欺也). 그러나 작은 신장을 보유한 소양인에게서 신장은(少陽之樂), 자기가 맡은 거처 문제를 제대로 처리하지 못하게 된다(不能恒定於居處故). 그래서 신장이 작은 소양인은 거처 문제를 처리할 때 문제를 떠안게 된다(居處 欺也). 그래서(是故), 중조를 만들어서 작은 신장으로 보내는 소양인의 폐가 과부하(暴)에 걸려서 문제가 있을 때(少陽之暴哀), 폐가 맡아서 처리하는 사무 문제에 문제가 있지 않게 되면(不在於事務而), 이때 폐는 자기가 만든 중조를 작은 신장으로 보내버렸다는 뜻이 되므로, 이 문제는 당연히 그리고 반드시 신장이 맡아서 처리하는 거처 문제에 있게 된다(必在於居處也). 그리고 암모니아를 만드는 간의 크기가 큰 태음인에게서 암모니아를 체외로 배출하는 신장은(太陰之樂), 큰 간 덕분에 암모니아로 인해서, 과부하에 걸리지 않게 되면서, 신장은 당연히 자기가 맡은 임무인 거처 문제를 잘 처리하게 된다(能恒定於居處故). 그래서 이때 신장은 거처 문제 해결의 보호자가 된다(居處 保也). 그러나 폐(哀)가 작은 태음인은(太陰之哀), 폐가 처리하는 사무를 제대로 수행하지 못하게 된다(不能敏達於事務故). 그래서 이때 폐가 처리하는 사무 문제는 잘 처리되리라는 보장(保)이 없게 된다(事務 不保也). 그래서(是故), 그래서 태음인에게서 신장(樂)이 과부하(浪)에 걸리는 문제가 발생했는데(太陰之浪樂), 이 문제가 신장이 처리하는 거처 문제에서 존재하지 않게 되면(不在於居處而), 이는 신장으로 중조를 보내는 폐가 신장으로 중조를 보내지 않았다는 뜻이 되므로, 이때는 폐가 처리하는 사무에서 문제가 반드시 발생하게 된다(必在於事務也). 사상을 만드는 네 개의 오장에서 일어나는 복잡한 체액 관계를 설명하고 있다.

太陽之交遇 可以怒治之而 黨與 不可以怒治之也
若遷怒於黨與則 無益於黨與而 肝傷也

少陰之黨與 可以喜治之而 交遇 不可以喜治之也
若遷喜於交遇則 無益於交遇而 脾傷也

少陽之事務 可以哀治之而 居處 不可以哀治之也
若遷哀於居處則 無益於居處而 腎傷也

太陰之居處 可以樂治之而 事務 不可以樂治之也
若遷樂於事務則 無益於事務而 肺傷也

폐가 크고, 간이 작은 태양인에게서, 비장이 처리하는 교우 문제는(太陽之交遇),

산성 림프액을 처리해주는 폐가 비장을 도와주므로, 교우 문제는 비장(怒)을 이용(以)해서 다스리(治)는 것이 가능(可)하나(可以怒治之而), 태양인의 작은 간이 처리하는 당여 문제는(黨與), 비장(怒)을 이용(以)해서 다스리(治)는 것이 불가(可)하게 된다(不可以怒治之也). 이는 간이 처리하는 일이 워낙 많아서 이를 비장이 모두 받아서 처리하는 것이 불가능하기 때문이다. 비장이 간을 도와 줄 수 있는 방법은 간이 만들어서 보낸 산성 림프액을 처리하는 수준이기 때문이다. 그러나 만약(若)에 간이 처리하는 당여 문제를 해결하면서 비장을 제외(遷)하게 되면(若遷怒於黨與則), 이는 간이 만들어서 비장으로 보내는 산성 림프액의 처리가 불가하게 되므로, 이는 당여 문제를 처리하는 데 전혀 도움(益)이 되지 않을뿐더러(無益於黨與而), 이는 산성 림프액으로 인해서 간을 망치(傷)는 결과로 나타나게 된다(肝傷也). 신장이 크고, 비장은 작은 소음인에게서 간이 담당하는 당여 문제는(少陰之黨與), 간이 만들어주는 암모니아를 큰 신장이 원만하게 처리해주므로, 이때는 당여 문제를 간을 이용해서 처리가 가능해진다(可以喜治之而). 그러나 비장이 처리하는 교우 문제는(交遇), 간을 이용해서 치료가 불가하다(不可以喜治之也). 즉, 간은 비장으로 산성 림프액을 보내므로, 간과 비장은 산성 체액으로 연결되지만, 지금은 비장의 크기가 작은 상태이므로, 간으로 비장의 문제를 모두 다스리기는 불가하게 된다. 그러나 만약(若)에 비장이 처리하는 교우 문제를 해결하면서 간(喜)을 제외(遷)하게 되면(若遷喜於交遇則), 이는 교우 문제를 처리하는 데 전혀 도움(益)이 되지 않을뿐더러(無益於交遇而), 간이 비장으로 보내는 산성 림프액의 문제가 불거지게 되므로, 이때는 산성 림프액으로 인해서 비장을 망치(傷)는 결과로 나타나게 된다(脾傷也). 그리고 비장이 크고, 신장이 작은 소양인에게서, 폐가 처리하는 사무는(少陽之事務), 산성 림프액을 처리하는 비장이 산성 림프액을 처리하는 폐를 도와주므로, 이때 사무 문제는 폐를 이용해서 처리가 가능하게 된다(可以哀治之而). 그러나 소양인은 신장이 작으므로, 신장이 처리하는 거처 문제는(居處), 암모니아를 만들어서 신장으로 보내는 간(哀)으로 처리하기에는 역부족이다(不可以哀治之也). 간이 신장을 도와준다고 해도 이는 한계가 있게 된다. 즉, 이때 문제의 핵심은 신장이 작다는데에 있다. 그리고 만약(若)에 신장이 처리하는 거처 문제를 해결하면서 폐(哀)를 제외(遷)하게 되면(若遷哀於居處則), 이는 중조를 만들어서 신장으로 보내는 폐의 기능을 무시하는 결과로 나타나게 되므로, 이는 거처 문제를 처리하는 데 전혀 도움(益)이 되지 않을뿐더러(無益於居處而), 이때는 폐에서 중조를 받아서 처리하는 신장을 상하게 할 뿐이다(腎傷也). 그리고 간이 크고, 폐가 작은 태음인에게서, 신장이 담당하는 거처 문제는(太陰之居處), 큰 간이 암모니아를 적게 만들게 되므로, 이때는 거처 문제를 신장(樂)을 이용해서 처리가 가능하다(可以樂治之而). 그러나 태음인은 폐가 작으므로, 폐가 처리하는 사무 문제는(事務), 신장을 이용해서 처리가 불가하게 된다(不可以樂治之也). 즉, 신장이 폐가 보내는 중조를 아무리 잘 소화해준다고 해도, 문제는 태음인의 폐가 너무 작아서 기능이 떨어진다는 사실이 더 중요하다는 뜻이다. 그러나 만약(若)에 폐가 처리하는 사무 문제를 해결하면서 신장(樂)을 제외(遷)하게 되면(若遷樂於事務則), 이는 사무 문제를 처리하는 데 전혀 도움(益)이 되지 않을뿐더러(無益於事務而), 이때는 폐가 보내는 중조를 신장이 전혀 처리하지 않게 되면서, 결국에는 폐를 상하게 만들고 만다(肺傷也). 체액 이론의 정수를 말하고 있다. 그래서 이 구문은 체액 이론을 모르게 되면 해석이 엉망진창이 되고 만다. 그리고 이런 엉망진창인 상황은 지금도 여전히 진행 중이다.

太陽之性氣 恒欲進而 不欲退. 少陽之性氣 恒欲擧而 不欲措
太陰之性氣 恒欲靜而 不欲動. 少陰之性氣 恒欲處而 不欲出

이 문장을 해석하기 전에 확충론 첫머리에 나온 몇 문장을 가져와 보자.

太陽人 哀性遠散而 怒情促急, 少陽人 怒性宏抱而 哀情促急
太陰人 喜性廣張而 樂情促急. 少陰人 樂性深確而 喜情促急

여기서 성(性)은 사상 체질 원래의 강한 기운이고, 정(情)은 원래 강한 기운을 받아서 영향을 받은 기운이다. 그래서 태양인에서 원래 강한 기운은 폐(哀)의 기운이고, 여기서 파생된 기운은 비장(怒)의 기운이 된다. 그리고 소양인에서 원래 강한 기운은 비장(怒)의 기운이고, 여기서 파생된 기운은 폐(哀)의 기운이고, 태음인에서 원래 강한 기운은 간(喜)의 기운이고, 여기서 파생된 기운은 신장(樂)의 기운이고, 소음인에서 원래 강한 기운은 신장(樂)의 기운이고, 여기서 파생된 기운은 간(喜)의 기운이다. 이를 기반으로 위와 다음 문장들을 해석해보자.

태양에서 원래(性) 강한 기운은(太陽之性氣), 폐(哀)의 기운으로서, 폐는 온몸에서 올라오는 모든 산성 체액을 받아서 중화하고, 이를 좌 심장으로 전해준다. 그리고 폐의 기운이 되는 이 체액은 인체의 아래쪽에서 항상(恒) 폐를 향해서 무조건 위로 진입(進)하는 체액이다(恒欲進而). 그래서 폐의 기운을 대표하는 이 체액은 어떠한 한이 있더라도 후퇴는 있을 수가 없다(不欲退). 이때 만일에 폐로 들어가는 체액이 후퇴한다면, 인간의 목숨은 이미 죽어있을 것이다. 그리고 소양에서 원래(性) 강한 기운은(少陽之性氣), 림프액을 처리하는 비장(怒)의 기운인데, 비장이 처리하는 림프액도 이를 최종 처리하는 폐를 향해서 항상 올라가기(舉)만 하지(恒欲舉而), 내려가려고(措) 하지는 않는다(不欲措). 이는 비장이 처리하는 림프액도 폐를 향해서 올라가는 특성 때문이다. 그리고 태음에서 원래(性) 강한 기운은(太陰之性氣), 간(喜)의 기운인데, 간은 정맥혈(靜脈血)을 통제하므로, 이때 간의 기운은 정맥혈(靜脈血)이 된다. 그리고 정맥혈(靜脈血)은 이름이 말해주듯이 잘 움직이려고 하지 않고 조용히 있는 편이다(恒欲靜而 不欲動). 그리고 소음에서 원래(性) 강한 기운은(少陰之性氣), 신장(樂)의 기운인데, 신장의 기운은 소변(小便)의 기운이므로, 소변은 잘 알다시피 방광에 체류(處)하고 있으며(恒欲處而), 쉽게 배출(出)되지 않는다(不欲出). 소변이 쉽게 배출된다면, 요실금이 될 것이다.

太陽之進 量可而進也 自反其材而不壯 不能進也
少陽之擧 量可而擧也 自反其力而不固 不能擧也

太陰之靜 量可而靜也 自反其知而不周 不能靜也

少陰之處 量可而處也 自反其謀而不弘 不能處也

　　태양에서 폐를 향해서 올라가는 강한 기운인 체액이 위쪽으로 진입(進)할 때(太陽之進), 이때 체액은 이 체액을 받는 장기들이 수용할 수 있는 양(量)만이 진입이 가능하다(量可而進也). 이때 진입하는 체액이 이(其) 장기들이 수용할 수 있는 능력(材)에 반(反)할 정도로 많게 되면, 체액은 자동(自)으로 진입하는 속도가 강(壯)하지 못하게 된다(自反其材而不壯). 그러면, 추가로 올라오는 체액은 진입이 불가하게 된다(不能進也). 너무나 당연한 말이다. 소양에서 비장이 통제하는 림프를 따라서 소통하는 림프액도 폐를 향해서 올라갈 때(少陽之擧), 이때 체액은 이 체액을 받는 장기들이 수용할 수 있는 양(量)만이 진입(擧)이 가능하다(量可而擧也). 이때 진입하는 체액이 이(其) 장기들이 수용할 수 있는 능력(力)에 반(反)할 정도로 많게 되면, 체액은 자동(自)으로 진입하는 속도가 떨어지게 된다(自反其力而不固). 그러면, 추가로 올라오는 체액은 진입(擧)이 불가하게 된다(不能擧也). 이도 역시 너무나 당연한 말이다. 태음에서 간이 통제하는 정맥혈도(太陰之靜), 간문맥이 수용할 수 있는 정맥혈(靜)의 양(量)만이 진입이 가능하다(量可而靜也). 이때 간문맥으로 진입하는 정맥혈도 간문맥(其)이 수용할 수 있는 능력(知)에 반(反)할 정도로 많게 되면, 정맥혈은 자동(自)으로 진입하는 속도가 고르지(周) 못하게 된다(自反其知而不周). 그러면, 추가로 올라오는 정맥혈(靜)은 진입이 불가하게 된다(不能靜也). 그리고 소음에서 신장이 통제하는 소변의 체류는(少陰之處), 소변을 받는 방광이 수용할 수 있는 양(量)만이 체류(處)가 가능하다(量可而處也). 이때 방광에 모이는 소변이 방광(其)이 수용할 수 있는 능력(謀)에 반(反)할 정도로 많게 되면, 방광이 더는 늘어나서 커질(弘) 수가 없(不)으므로, 소변은 자동(自)으로 모일 수가 없게 된다(自反其謀而不弘). 그러면, 추가로 내려오는 소변은 체류(處)가 불가하게 된다(不能處也). 정확한 체액 이론을 요구하고 있다.

太陽之情氣 恒欲爲雄而 不欲爲雌. 少陰之情氣 恒欲爲雌而 不欲爲雄

少陽之情氣 恒欲外勝而 不欲內守. 太陰之情氣 恒欲內守而 不欲外勝

　　태양에서 파생(情)된 기운은 비장의 기운인데(太陽之情氣), 이 비장의 기운은 항상 수컷이 되려고 하고(恒欲爲雄而), 암컷이 되려고 하지는 않는다(不欲爲雌). 이는 도대체 무슨 말일까? 여기서 비장의 기운은 양(陽)인 상초(上焦)를 다스린다. 그래서 비장은 양(陽)에 속하게 된다. 즉, 지금 태양이라는 양(陽)에서는 비장이 음(陰)이 될 수는 없다. 그리고 수컷(雄)은 양(陽)이고, 암컷(雌)은 음(陰)이다. 그러면 당연히 태양에서 비장(脾)은 수컷(雄)처럼 양(陽)이 된다(恒欲爲雄而). 즉, 태양에서 비장은 절대로 암컷(雌)처럼 음(陰)이 될 수는 없다(不欲爲雌). 그리고 소음의 파생(情)된 기운은 간(喜)의 기운인데(少陰之情氣), 소음에서 간은 하초(下焦)를 통제하는 음(陰)이 된다. 그래서 간은 자동으로 암컷(雌)처럼 음(陰)이 되지(恒欲爲雌而), 절대로 수컷(雄)처럼 양(陽)이 될 수는 없다(不欲爲雄). 그리고 소양에서 파생(情)된 기운은 폐의 기운인데(少陽之情氣), 이 폐는 피부 호흡을 통제해서 양(陽)인 피부를 통제하므로, 폐는 항상 양(陽)인 피부라는 외부(外)를 지키려고 하지(恒欲外勝而), 음(陰)인 내부(內)를 지키려고 하지 않는다(不欲內守). 그리고 태음의 파생(情)된 기운은 신장의 기운인데(太陰之情氣), 이 신장은 뼈 안(內)에 든 뇌척수액이라는 음(陰)인 안쪽(內)을 지키려고 하지(恒欲內守而), 양(陽)인 외부(外)를 지키려고 하지 않는다(不欲外勝). 이 부분은 해석이 상당히 까다로운 부분이다. 이 덕분에 이 부분의 해석은 대부분이 엉망진창이다.

太陽之人 雖好爲雄 亦或宜雌 若全好爲雄則 放縱之心 必過也

少陰之人 雖好爲雌 亦或宜雄 若全好爲雌則 偸逸之心 必過也

少陽之人 雖好外勝 亦宜內守 若全好外勝則 偏私之心 必過也

太陰之人 雖好內守 亦宜外勝 若全好內守則 物欲之心 必過也

　　태양인은 양(陽)이므로(太陽之人), 비록 양(陽)인 수컷(雄)처럼 행동하지만(雖好爲雄), 또한(或) 역시(亦) 암컷(雌)처럼 행동하는 음(陰)과 화합(宜)해야만 한다

(亦或宜雌). 이 문제는 체액으로 설명해야만 이해가 쉽게 된다. 양(陽)은 인체를 가동하는 에너지이다. 그러나 이런 양이 과도(過度)하면 반드시 인체는 망가진다. 우리는 이런 현상을 보고 과잉(過剩) 산(酸)이 적체했다고 말한다. 이 문제는 본 연구소가 발행한 전자생리학이나 황제내경 소문을 참고하면 된다. 그래서 이는 태양인은 에너지가 많은 양(陽)의 체질이므로, 항상 과잉(過剩) 에너지에 조심하라는 뜻이다. 그리고 이 과잉 에너지를 중화해주는 인자가 바로 음(陰)이다. 그러면 자동으로 양(陽)의 체질을 보유한 태양인(陽)은 반드시 에너지 과잉을 막아주는 음(陰)과 조화(調和)를 이뤄야만 건강을 보장(保障)받을 수 있게 된다. 이는 곧 음양(陰陽)의 조화(調和)가 건강의 핵심이라는 사실을 말을 하고 있다. 그래서 만약(若)에 태양인이 무조건(全) 양(雄)만 좋아하게 되면(若全好爲雄則) 즉, 항상 에너지 과잉 상태가 되면, 이는 에너지인 양(陽)이 오만방자(放縱)한 상태(心)가 되고(放縱之心), 이는 반드시 질병이라는 화근(過)으로 다가오게 된다(必過也). 즉, 태양인은 음(陰)의 장기 즉, 간과 신장도 잘 돌봐주라는 뜻이다. 그리고 소음인은 음(陰)이므로(少陰之人), 비록 음(陰)인 암컷(雌)처럼 행동하지만(雖好爲雌), 또한(或) 역시(亦) 수컷(雄)처럼 행동하는 양(陽)과 화합(宜)해야만 한다(亦或宜雄). 이는 소음인은 양(陽)인 에너지가 부족하므로, 양(陽)인 폐와 비장을 잘 보살피라는 뜻이다. 이도 결국에는 음양(陰陽)의 조화(調和)를 말하고 있다. 그래서 만약(若)에 소음인이 무조건(全) 음(雌)만 좋아하게 되면(若全好爲雌則), 이는 에너지를 중화하는 음(陰)이 오만방자(偸逸)한 상태(心)가 되고(偸逸之心), 이는 반드시 에너지 부족으로 인해서 질병이라는 화근(過)으로 다가오게 된다(必過也). 그리고 양(陽)의 체질인 소양인도 마찬가지로(少陽之人), 비록 양(外)을 선호하지만(雖好外勝), 역시(亦) 음(內)과 화합(宜)해야만 한다(亦宜內守). 이도 결국에는 음양(陰陽)의 조화(調和)를 말하고 있다. 그래서 만약(若)에 소양인이 무조건(全) 양(外)만 좋아하게 되면(若全好外勝則), 양(陽)이 오만방자(偏私)한 상태(心)가 되고(偏私之心), 이는 반드시 에너지 과잉으로 인해서 질병이라는 화근(過)으로 다가오게 된다(必過也). 그리고 음(陰)인 태음인도 마찬가지로(太陰之人), 비록 음(內)을 선호하지만(雖好內守), 역시(亦) 양(外)과 화합(宜)해야만 한다(亦宜外勝).

그래서 만약(若)에 태음인이 무조건(全) 음(內)만 좋아하게 되면(若全好內守則), 음(陰)이 오만방자(物欲)한 상태(心)가 되고(物欲之心), 이는 반드시 에너지 부족으로 인해서 질병이라는 화근(過)으로 다가오게 된다(必過也).

太陽人 雖至愚 其性 便便然 猶延納也 雖至不肖 人之善惡 亦知之也

少陽人 雖至愚 其性 恢恢然 猶式度也 雖至不肖 人之知愚 亦知之也

太陰人 雖至愚 其性 卓卓然 猶敎誘也 雖至不肖 人之勤惰 亦知之也

少陰人 雖至愚 其性 坦坦然 猶撫循也 雖至不肖 人之能否 亦知之也

이 문장을 풀기 위해서는 성명론 정리 도표를 재소환해서 살펴보자.

체질 구분	태양인	소양인	태음인	소음인
오장(강/약)	폐/간	비/신	간/폐	신/비
소속 신체1	귀(耳)	눈(目)	코(鼻)	입(口)
소속 신체2	턱(頷)	가슴(臆:흉선)	배꼽(臍)	배(腹)
소속 신체3	머리(頭)	어깨(肩)	허리(腰:신장)	볼기(臀:회음부)
감각	청각(聽)	시각(視)	후각(嗅)	미각(味)
감정1	천심(擅心)	치심(侈心)	나심(懶心)	욕심(慾心)
감정2	애(哀)	노(怒)	희(喜)	낙(樂)
천기(天機)	천시(天時)	세회(世會)	인륜(人倫)	지방(地方)
인사(人事)	사무(事務)	교우(交遇)	당여(黨與)	거처(居處)
능력	識見(식견)	威儀(위의)	材幹(재간)	方略(방략)
사유(四維)	신(神)	기(氣)	혈(血)	정(精)

이 도표에서 살펴봐야 할 항목은 "감정1" 부분이다. 그리고 이를 기술한 문구도 성명론에서 가져와서 살펴볼 필요가 있다. 아래는 그 내용이다.

頭有擅心 肩有侈心 腰有懶心 臀有欲心

擅心 奪利也 侈心 自尊也 懶心 自卑也 欲心 竊物也

머리에는 자기 멋대로(擅) 하려는 마음이 존재할 수 있고(頭有擅心), 위엄을 만드는 어깨는 외면에 치우친 나머지 자칫 사치심(侈心)을 유도할 수 있고(肩有侈

心), 뇌척수액을 통제해서 뇌를 통제하는 신장은 자칫 잘못하면, 뇌를 잘못 통제해서 증오심(懶心)을 만들어낼 수가 있고(腰有懶心), 회음부는 스테로이드를 통해서 뇌를 통제하면서 자칫 잘못하면 욕심을 자극할 수가 있다(臀有欲心). 그래서 자기 멋대로 하는 마음은 남의 이익을 멋대로 탈취하게 할 수도 있고(擅心 奪利也), 사치하는 마음은 자기 자존감만 너무 과하게 올릴 수가 있고(侈心 自尊也), 남을 증오(懶)하거나 불성실한 마음은 자기 자신을 비하(卑)시킬 수가 있고(懶心 自卑也), 과한 욕심은 당연히 남의 물건을 절도하려는 마음으로 갈 수가 있다(欲心 竊物也).

 이를 토대로 이 문장을 해석해보자. 태양인이(太陽人), 모름지기 어리석은 우(遇)를 범할 때 보면(雖至愚), 태양인(其)의 본래 성정(性)인 자기 멋대로 하는 천심(擅心)이 발동하기 때문인데(其性 便便然), 이는 태양인의 천심을 반영(延納)해서 나타낸(猶) 것이다(猶延納也). 그러나 이런 태양인도 비록 자기는 천심(擅心)을 보유해서 부족(不肖)할지라도(雖至不肖), 남(人)의 선악은 눈에 잘 보이므로(人之善惡), 역시 이를 잘 알 수가 있다(亦知之也). 여기서는 자기 멋대로 하는 천심을 선악의 문제로 규정하고 있다. 이는 자기 단점은 알아차리지 못하지만, 남의 단점은 아주 잘 보인다는 뜻이다. 그래서 이를 거울삼아서 자기 단점인 자기 멋대로 하는 천심(擅心)을 보라는 뜻이다. 소양인이(少陽人), 모름지기 어리석은 우(遇)를 범할 때 보면(雖至愚), 소양인(其)의 본래 성정(性)인 겉치장만 중요하게 여기는 치심(侈心)이 발동하기 때문인데(其性 恢恢然), 이는 소양인의 치심을 반영하는 가치관의 척도(式度)를 나타낸(猶) 것이다(猶式度也). 그러나 이런 소양인도 비록 자기는 치심(侈心)을 보유해서 부족(不肖)할지라도(雖至不肖), 남(人)의 지혜와 어리석음은 눈에 잘 보이므로(人之知愚), 역시 이를 잘 알 수가 있다(亦知之也). 이는 겉만 추구하는 치심을 지혜의 문제로 보고 있다. 이는 또한 남의 단점을 보고, 자기 단점을 지각하라는 뜻이기도 하다. 이는 또한 겉치장만 중요하게 여기는 치심(侈心)은 지혜로운 행동이 아니라는 뜻이다. 태음인이(太陰人), 모름지기 어리석은 우(遇)를 범할 때 보면(雖至愚), 태음인(其)의 본래 성정(性)인 남을 미워하거나 성실 여부인 나심(懶心)이 발동하기 때문인데(其性 卓卓然),

이는 태음인의 나심(懶心)을 반영하는 인성 교육(教誘)의 정도를 나타낸(猶) 것이다(猶教誘也). 그러나 이런 태음인도 비록 자기는 나심(懶心)을 보유해서 부족(不肖)할지라도(雖至不肖), 남(人)의 증오나 성실성 여부(勤惰)는 눈에 잘 보이므로(人之勤惰), 역시 이를 잘 알 수가 있다(亦知之也). 이는 남의 장단점을 보고, 자기 장단점을 지각하라는 뜻이다. 소음인이(少陰人), 모름지기 어리석은 우(遇)를 범할 때 보면(雖至愚), 소음인(其)의 본래 성정(性)인 욕심(慾心)이 발동하기 때문인데(其性 坦坦然), 이는 소음인의 욕심(慾心)을 반영하는 욕심을 좇는(撫循) 정도를 나타낸(猶) 것이다(猶撫循也). 그러나 이런 소음인도 비록 자기는 욕심(慾心)을 보유해서 부족(不肖)할지라도(雖至不肖), 남(人)의 능력의 정도(能否)는 눈에 잘 보이므로(人之能否), 역시 이를 잘 알 수가 있다(亦知之也). 이는 자기가 가져가려는 욕심이 과연 자기 능력(能)에 맞는 몫인가를 생각해보라는 뜻이다. 여기서 나오는 성격들과 사상 체질 사이에 나타나는 관계는 결국에 감정의 문제인데, 이는 인체의 에너지 조절 문제이기도 하다. 이 부분은 인체의 에너지 조절이라는 측면에서 다시 세밀하게 분석할 필요성을 제기한다. 현재로서는 이 부분의 정확한 근거를 찾을 수가 없다. 즉, 이 부분을 현실에서 적용할 때는 상당히 주의를 요구한다는 뜻이다. 이 감정의 문제는 본 연구소가 발행한 황제내경 소문이 제시한 감정의 문제가 더 합리적으로 보이게 한다.

太陽人 謹於交遇故 恒有交遇生疎人慮患之怒心 此心 出於秉彝之敬心也 莫非至善而 輕於黨與故 每爲親熟黨與人所陷而 偏怒傷臟 以其擇交之心 不廣故也

폐가 커서 사무(事務)에 재능이 있는 태양인은(太陽人), 폐의 영향을 받는 비장의 기능을 통해서 발현되는 교우(交遇) 관계를 신중히(謹) 해야만 하는 이유(故)가 있는데(謹於交遇故), 교우 관계란 항상(恒) 다른 사람(人)과 소통(疎)하면서, 비장이 만들어내는 마음인 남을 배려하고 걱정하는 문제(慮患)를 만들어내기(生) 때문이다(恒有交遇生疎人慮患之怒心). 사무(事務)에 재능이 있는 태양인은 교우 관계에는 재능이 부족하다는 사실을 상기해보자. 가치관이 다르고 사상이 다른 사람들과의 만남이 교우 관계인데, 이는 항상 남을 배려(慮患)해주는 가치관이 필요하다. 그런데, 태양인은 사무에는 능하지만, 이런 교우 관계에는 능하지 못하다. 이는 당연히 태양인에게는 스트레스로 다가올 것이다. 이는 인체 생리에서 폐는 비장이 과부하에 걸리게 되면, 폐가 곧바로 과부하에 걸린다는 사실을 전제로 깔고 있다. 폐는 비장이 보낸 산성 림프액을 최종 처리하고, 비장은 이런 산성 림프액을 중화 처리해준다는 사실을 상기해보자. 이 문장은 결국에 인체 생리와 인간이 일상에서 행하는 활동을 정교하게 연결하고 있다. 이런 마음은(此心), 사무에 능한 태양인의 천성(秉彝:병이)에서 나오는(出) 교우 관계를 꺼리는(敬) 마음이다(出於秉彝之敬心也). 폐가 크고, 간이 작은 태양인은 아니나 다를까(莫非) 자기의 즐거움(善)을 위해서(莫非至善而), 간의 기능을 통해서 수행되는 당여(黨與) 문제는 가볍게(輕) 감당할 수 있는 이유(故)가 된다(輕於黨與故). 즉, 폐는 간을 상극해서 이길 수가 있다. 그래서 폐가 크고 간이 작은 태양인은 간 문제에 대해서는 크게 신경 쓰지 않고도, 간 문제를 처리할 수가 있게 된다. 즉, 태양인은 당여 문제를 크게 신경 쓰지 않는다. 그래서 이때 태양인이 어렵게 느끼는 교우 관계는 삼가(謹)게 되고, 대신에 자기가 쉽게 처리할 수 있는 당여 문제는 가볍게(輕) 여기게 된다. 이런 이유로 매번(每) 당여인(黨與人)들과 너무 친숙(親熟)하게 빠지게(陷) 되면(每爲親熟黨與人所陷而), 이때도 문제가 발생하게 되는데, 이때 문제는 당여 문제를 담당하는 간(肝)이 태양인에게는 작다(小)는 사실이다. 그래서 태양인이 자기에게 힘든 교우 관계는 회피하고, 상대적으로 쉬운 당여에 너무 빠지게 되면, 이는 자동으로 간의 과부하를 유도한다. 그러면 간은 자동으로 이때 산성 림프액을 만들어서 비장으로 보내버리게 되고, 그러면 이런 편향(偏)된 행동이 실행될 때 비장(怒)은 자동으로 상(傷)하게 된다(偏怒傷臟). 그러면 자동으로 비장은 폐를 과부하로 몰고 간다. 이때 태양인의 근간이 폐라는 사실을 고려해보게 되면, 이런(其) 선택적(擇) 교류(交) 관계를 맺으려는 마음은(以其擇交之心) 즉, 비장이 책임지는 교우 관계는 삼가고(謹), 간이 책임지는 당여 문제에 빠지는(陷) 선택은, 태양인에게는 자기를 위로(廣)해주는 일이 아닌 이유(故)가 된다(不廣故

也). 이는 한쪽으로 치우친(陷) 행동은 누구에게나 독이 된다는 사실을 말하고 있다. 이 구문도 해석이 상당히 어려운 부분이다. 그 이유는 실제 인간의 행동과 인간 생리 문제를 접목해놨기 때문이다. 이 구문은 성명론을 설명하는 확장론의 결론 부분이라는 사실을 상기해보자. 이 구문의 기존 해석들도 엉망진창이다.

少陰人 謹於黨與故 恒有黨與親熟人擇交之喜心 此心 出於秉彝之敬心也 莫非至善而 輕於交遇故 每爲生疎交遇人所誣而 偏喜傷臟 以其慮患之心 不周故也

신장이 커서 거처(居處) 문제에 재능이 있는 소음인(少陰人), 신장의 영향을 받는 간의 기능을 통해서 발현되는 당여(黨與) 문제를 신중히(謹) 해야만 하는 이유(故)가 있는데(謹於黨與故), 당여 관계란 항상(恒) 친숙한 사람(親熟人)들과 선택적(擇)으로 교류(交)하면서, 간(喜)이 만들어내는 마음이기 때문이다(恒有黨與親熟人擇交之喜心). 이는 간과 신장의 관계를 말하고 있다. 즉, 간은 암모니아를 만들어서 공급하고, 신장은 이를 체외로 배출해준다. 그러면, 자동으로 소음인이 당여 문제에 탐닉하게 되면, 자동으로 간의 과부하를 유도하고, 그러면 자동으로 간은 암모니아를 과잉으로 만들어서 신장으로 보내게 되고, 그러면 자동으로 신장은 과부하에 걸리고 만다. 그리고 소음인은 큰 신장을 기반으로 버텨나간다. 이런 마음은(此心), 거처 문제에 능한 소음인의 천성(秉彝:병이)에서 나오는(出) 당여 문제를 꺼리는(敬) 마음이다(出於秉彝之敬心也). 신장이 크고, 비장이 작은 소음인은 아나 다를까(莫非) 자기의 즐거움(善)을 위해서(莫非至善而), 비장의 기능을 통해서 수행되는 교우(交遇) 문제는 가볍게(輕) 감당할 수 있는 이유(故)가 된다(輕於交遇故). 여기서 신장이 큰 소음인은 신장이 산성 림프액을 처리하다가 과부하에 걸리게 되면, 이를 산성 림프액을 중화 처리하는 비장으로 보낼 수 있기 때문이다. 이런 이유로 매번(每) 교우인(交遇人)들과 너무 친숙(親熟)하게 소통(疎)하게 되면서 인체 생리를 왜곡(誣)하게 되면(每爲生疎交遇人所誣而), 이때도 문제가 발생하게 되는데, 이때 인체 생리를 보게 되면, 교우 관계는 비장의 문제가 되기 때문이다. 그런데, 소음인은 불행히도 비장이 작다. 그러면 산성 림프액을 중화 처리하는 비장은 간이 보내는 산성 림프액을 처리할 수가 없게 된다. 그러면, 이때 간은 자동으로 상하게 된다. 즉, 이때 간의 입장으로 보자면, 자기가 산성 림프액을 보낼 비장은 이미 신장이 보낸 림프액으로 가득한 상태가 된다. 그래서 이때 소음인의 교우 관계적 편향(偏)된 행동은 자동으로 간(喜)을 상하게 만든다(偏喜傷臟). 결국에 이런(其) 비장(慮患)을 과부하로 만드는 마음은(以其慮患之心), 인체 생리를 온전(周)하지 못하게 만드는 이유(故)가 되고 만다(不周故也).

少陽人 重於事務故 恒有出外興事務之哀心 此心 出於秉彛之敬心也 莫非至善而 不謹於居處故 每爲主內做居處人所陷而 偏哀傷臟 以其重外而 輕內故也

　비장이 커서 교우 관계에 능숙한 소양인은(少陽人), 폐가 처리하는 사무 관계에 신중(重)할 이유(故)가 있다(重於事務故). 여기서 비장은 폐가 최종 중화 처리하는 산성 림프액을 중화 처리하기 때문이다. 그래서 만일에 사무 관계를 너무 강하게 몰아붙여서 폐를 과부하로 몰게 되면, 이는 곧바로 소양인의 근간이 되는 비장을 과부하로 몰기 때문이다. 즉, 사무 관계란 항상(恒) 폐(哀)가 양(陽:外)을 흥(興)하게 하는 마음의 표출(出)이기 때문이다(恒有出外興事務之哀心). 사무 관계는 양(陽)이 강한 폐가 주도한다는 사실을 상기해보자. 그리고 소양인의 비장도 양(陽)을 흥하게 한다. 폐와 비장은 사상 체질에서 양(陽)을 책임진다는 사실을 상기해보자. 그래서 사무 관계를 무리하게 해서 폐를 과부하로 몰게 되면, 자동으로 소양인의 기반인 비장을 과부하로 몰고 만다. 이런 마음은(此心), 교우 문제에 능한 소양인의 천성(秉彛:병이)에서 나오는(出) 사무 문제를 꺼리는(敬) 마음이다(出於秉彛之敬心也). 비장이 크고, 신장이 작은 소양인은 아니나 다를까(莫非) 자기의 즐거움(善)을 위해서(莫非至善而), 자기가 산성 림프액을 보낼 수 있는 신장이 처리하는 거처(居處) 문제에는 신경을 안 쓰게(不謹) 되는 이유(故)가 된다(不謹於居處故). 이런 이유로 매번(每) 음(內:陰)을 주도(主)하는 신장이 책임지는 거처인(居處人) 문제에만 빠지게(陷) 되면(每爲主內做居處人所陷而), 이때도 문제가 발생하게 되는데, 이는 자동으로 신장을 과부하로 몰기 때문이다. 그러면, 신장은 폐가 보내는 중조를 받아서 처리할 수가 없게 된다. 그래서 소양인의 이런 편향(偏)된 행동은 자동으로 폐(哀)를 상하게 만들고 만다(偏哀傷臟). 이는 결국에 비장이라는 양(外:陽)을 중요(重)하게 생각하면서(以其重外而), 신장이라는 음(內)을 경시(輕)하는 결과로 나타나게 된 이유(故)가 된다(輕內故也).

太陰人 重於居處故 恒有主內做居處之樂心 此心 出於秉彛之敬心也 莫非至善而 不謹於事務故 每爲出外興事務人所誣而 偏樂傷臟 以其重內而 輕外故也

간이 크고 폐가 작아서 간이 담당하는 당여에 능숙한 태음인은(太陰人), 신장이 처리하는 거처 문제에 신중할 이유가 있다(重於居處故). 즉, 거처 문제란 항상(恒) 신장(樂)이 음(陰:內)을 흥(做)하게 하는 마음을 주도(主)하기 때문이다(恒有主內做居處之樂心). 신장과 간은 사상 체질에서 음(陰)을 통제한다는 사실을 상기해보자. 이런 마음은(此心), 당여 문제에 능한 태음인의 천성(秉彛:병이)에서 나오는(出) 거처 문제를 꺼리는(敬) 마음이다(出於秉彛之敬心也). 이는 간과 신장이 암모니아를 주고 받는다는 사실에서 기인한다. 이때 만일에 간이 과부하에 걸리게 되면, 간은 암모니아를 신장으로 보내서 신장을 과부하로 몰고 만다. 그런데 신장도 음(陰)을 주도한다. 그러면 간은 자동으로 자기가 과부하에 걸리게 되면, 산성 정맥을 만들어서 기정맥(奇靜脈)이라는 우회로를 이용해서 이 산성 정맥혈을 양(陽)인 폐로 보내버린다. 원래 간이 폐로 보내는 산성 정맥혈은 정상적인 경우에는 우 심장으로 들어가서, 우 심장의 동방결절에서 한 번 중화(中和)된 다음에 폐로 보내진다. 그러면 이때는 자동으로 폐가 날벼락을 맞게 된다. 그런데, 태음인에서 폐는 불행히도 크기가 작다. 간이 크고, 폐가 작은 태음인은 아니나 다를까(莫非) 자기의 즐거움(善)을 위해서(莫非至善而), 자기가 마음대로 산성 정맥혈을 보낼 수 있는 간은 폐가 처리하는 사무(事務) 문제는 신경을 안 쓰게(不謹) 되는 이유(故)가 된다(不謹於事務故). 이런 이유로 매번(每) 양(外:陽)을 주도(主)하는 폐가 책임지는 사무인(事務人) 문제에만 빠지게 되면, 이때는 인체 생리의 왜곡(誣)을 유도하게 된다(每爲出外興事務人所誣而). 그러면 폐는 자동으로 중조를 만들어서 신장으로 보내버린다. 이때 생리 상태를 보게 되면, 간은 신장으로 암모니아를 보내고, 폐는 신장으로 중조를 보낸다. 즉, 이때는 인체 생리의 왜곡(誣)이 유도된다. 그러면 이때 양쪽에서 공격받은 신장(樂)은 온전할 리가 없다(偏樂傷臟). 이는 결국에 간이 주도하는 생리가 음(內:陰)을 중시(重)한 나머지(以其重內而), 폐라는 양(外;陽)을 경시(輕)한 결과물이다(輕外故也).

太陰之頷 宜戒驕心 太陰之頷 若無驕心 絶世之籌策 必在此也
少陰之臆 宜戒矜心 少陰之臆 若無矜心 絶世之經綸 必在此也
太陽之臍 宜戒伐心 太陽之臍 若無伐心 絶世之行檢 必在此也
少陽之腹 宜戒夸心 少陽之腹 若無夸心 絶世之度量 必在此也

이 문장을 해석하기 전에 성명론에서 한 문장을 가져와 보자.

頭有擅心 肩有侈心 腰有懶心 臀有欲心
擅心 奪利也 侈心 自尊也 懶心 自卑也 欲心 竊物也

머리에는 자기 멋대로(擅) 하려는 마음이 존재할 수 있고(頭有擅心), 위엄을 만드는 어깨는 외면에 치우친 나머지 자칫 사치심(侈心)을 유도할 수 있고(肩有侈心), 뇌척수액을 통제해서 뇌를 통제하는 신장은 자칫 잘못하면, 뇌를 잘못 통제해서 증오심(懶心)이나 성실성 문제 만들어낼 수가 있고(腰有懶心), 회음부는 스테로이드를 통해서 뇌를 통제하면서 자칫 잘못하면 욕심을 자극할 수가 있다(臀有欲心). 그래서 자기 멋대로 하는 마음은 남의 이익을 멋대로 탈취하게 할 수도 있고(擅心 奪利也), 사치하는 마음은 자기 자존감만 너무 과하게 올릴 수가 있고(侈心 自尊也), 남을 증오

(懶)하거나 불성실한 마음은 자기 자신을 비하(卑)시킬 수가 있고(懶心 自卑也), 과한 욕심은 당연히 남의 물건을 절도하려는 마음으로 갈 수가 있다(欲心 竊物也).

그리고 성명론을 정리한 도표도 다시 소환해보자.

<성명론 정리 도표>

체질 구분	태양인	소양인	태음인	소음인
오장(강/약)	폐/간	비/신	간/폐	신/비
소속 신체1	귀(耳)	눈(目)	코(鼻)	입(口)
소속 신체2	턱(頷)	가슴(臆:흉선)	배꼽(臍)	배(腹)
소속 신체3	머리(頭)	어깨(肩)	허리(腰:신장)	볼기(臀:회음부)
감각	청각(聽)	시각(視)	후각(嗅)	미각(味)
감정1	천심(擅心)	치심(侈心)	나심(懶心)	욕심(慾心)
감정2	애(哀)	노(怒)	희(喜)	낙(樂)
감정3	탈리(奪利)	자존(自尊)	자비(自卑)	절물(竊物)
천기(天機)	천시(天時)	세회(世會)	인륜(人倫)	지방(地方)
인사(人事)	사무(事務)	교우(交遇)	당여(黨與)	거처(居處)
사유(四維)	신(神)	기(氣)	혈(血)	정(精)

그리고 성명론에서 문장도 하나만 더 소환해보자.

頷有籌策 臆有經綸 臍有行檢 腹有度量

턱(頷)은 주책(籌策)을 보유한다(頷有籌策). 여기서 주책(籌策)은 책략(策略)을 말한다. 그리고 책략은 뇌(腦)를 이용한다는 사실을 말한다. 그러면, 턱과 뇌의 관계를 물어보면 된다. 위턱이든 아래턱이든지 간에 턱은 뇌의 제5 신경인 삼차신경(trigeminal nerve:三叉神經)에 속한다. 그리고 이 삼차신경은 뇌교(pons:腦橋:다리 뇌)에서 나온다. 그리고 뇌교는 머리의 모든 뇌와 연결되다시피 한다. 뇌교(橋)를 다리(橋)뇌로 부르는 이유를 상기해보자. 결국에 턱의 움직임은 자동으로 뇌의 움직임으로 이어지게 되고, 이어서 이는 책략으로 이어진다는 뜻이다. 가슴(臆)은 경륜(經綸)을 보유하고 있다(臆有經綸). 이 문장은 해석이 상당히 어려운 문장이다. 여기서 가슴(臆)은 우리가 평소에 생각하던 가슴이 아니라 가슴의 한가운데 자리한 흉선(胸腺)을 말한다. 그리고 경륜(經綸)은 신경(經)의 망(綸)을 말한다. 즉. 경륜(經綸)은 뇌(腦)를 말한다. 그러면 뇌와 흉선의 관계를 알아봐야만 한다. 먼저 흉선은 뇌가 많이 필요로 하는 스테로이드를 많이 만든다. 그리고 흉선은 산성 림프액을 최종 처리하는 기관이다. 그리고 뇌를 품고 있는 뇌척수액은 림프액이다. 그래서 흉선은 스테로이드와 림프액을 통해서 뇌를 조절할 수가 있게 된다. 추가로 흉선에서 살고 있는 티세포(T-Cell)는 뇌의 쓰레기 청소부인 송과체에 살고 있는 비세포(B-Cell)가 수거해다 준 산성 쓰레기를 처리한다. 그래서 흉선은 뇌의 수호자가 된다. 이 관계는 본 연구소가 발행한 전자생리학을 참고하면 된다. 배꼽(臍)은 한 사람의 품격(行檢)을 보유하고 있다(臍有行檢). 배꼽의 존재는 무엇이고, 기능은 무엇일까? 배꼽(臍)은 원래 탯줄이 달린 자리이다. 그리고 이 탯줄은 간과 연결되어서 엄마의 영양분을 태아가 간을 통해서 받는 기관이다. 그래서 사람의 배꼽은 자동으로 간과 연결되어있다. 특히 배꼽은 간을 세로로 가로지르는 낫인대(falciform ligament)와 직접 연결되어있다. 그래서 간에서 변동이 생기면, 그 변동은 배꼽으로 전해지게 된다. 그래서 배꼽은 간의 상태를 측정하는 도구로 이용되기도 한다. 그리고 간은 신경을 통제하므로, 신경이 만들어내는 분노의 조절에 간이 개입하게 된다. 이 문제는 본 연구소가 발행한 황제내경 소문을 참고하면 된다. 그리고 신경이 만들어내는 분노의 조절은 그 사람의 품격(行檢)을 말한다. 그래서 배꼽(臍)은 간을 통해서 한 사람의 품격(行檢)을 측정할 수 있는 도구가 된다. 그리고 복부(腹)는 도량(度量)을 보유하고 있다(腹有). 여기서 도량은 너그러운 마음인 아량(雅量)을 말한다. 그리고 아량은 신경질(神經質)의 정도를 말한다. 즉, 도량인 아량이 넓으면 신경질을 덜 낸다는 뜻이다. 그러면 복부와 신경 문제가 수면 위로 떠 오르게 된다. 복부는 소화관이 자리하고 있는 곳으로서 독자 신경총을 보유하고 있다. 그래서 복부를 제2의 뇌라고 부르기도 한다. 그리고 이 복부의 독자 신경총은 90%가 뇌로 올라가는 구심성 신경이다. 그래서 복부인 속이 안 좋으면 자주 신경질을 내게 된다. 우리는 보통 속이 편해야 살 수 있다고 말한다. 이는 지금 이 상황을 두고 하는 말이다. 그래서 소화관인 복부에 문제가 있게 되면, 자동으로 신경은 과잉 자극되고, 이는 곧바로 뇌를 과부하로 몰고 가고, 이어서 짜증으로 나타나게 되고, 이는 자동으로 도량(度量)으로 이어진다. 그래서 복부(腹)는 도량(度量)을 보유하고 있다고 말하게 된다. 이 문장들은 모두 해부학의 정수를 요구하고 있다. 이 문장은 길이는 짧지만, 해석이 상당히 어려운 문장이다. 이에 걸맞게 이제마는 이 문장에 대해서 주해를 달았다.

이를 기반으로 이 문장들을 해석해보자. 간이 크고, 폐가 작은 태음인은 작은 폐(肺)를 대표하는 함(頷)을 의식해야만 하므로(太陰之頷), 함(頷)의 문제인 천심(擅心)에서 나오는 교만심(驕心)을 마땅히 경계해야만 한다(宜戒驕心). 그래서 태음인의 함은(太陰之頷), 만약에 태음인이 교만심만 무시(無)할 수가 있다면(若無驕心), 함(頷)은 계책을 만들어내는 근원이므로, 태음인은 절세의 계책인 주책(籌策)을 만들어낼 수가 있다(絶世之籌策) 그리고 주책이라는 것은 반드시(必) 이런(此) 조건의 존재(存)를 요구한다(必在此也). 그리고 신장이 크고, 비장이 작은 소음인은 작은 비장을 대표하는 억(臆)을 의식해야만 하므로(少陰之臆), 억(臆)의 문제인 치심(侈心)에서 나오는 자긍심(矜心)을 마땅히 경계해야만 한다(宜戒矜心). 그래서 소음인의 억은(少陰之臆), 만약에 소음인이 자긍심만 무시(無)할 수가 있다면(若無矜心), 억(臆)은 경륜을 만들어내는 근원이므로, 소음인은 절세의 경륜(經綸)을 만들어낼 수가 있다(絶世之經綸). 그리고 경륜이라는 것은 반드시(必) 이런(此) 조건의 존재(存)를 요구한다(必在此也). 그리고 폐가 크고, 간이 작은 태양인은 작은 간을 대표하는 제(臍)를 의식해야만 하므로(太陽之臍), 제(臍)의 문제인 나심(懶心)에서 나오는 남을 처벌하는 마음(伐心)을 마땅히 경계해야만 한다(宜戒伐心). 그래서 태양인의 제는(太陽之臍), 만약(若)에 태양인이 남을 처벌하는 마음(伐心)만 무시(無)할 수가 있다면(若無伐心), 태양인은 절세의 행검(行檢)을 만들어낼 수가 있다(絶世之行檢). 그리고 행검이라는 것은 반드시(必) 이런(此) 조건의 존재(存)를 요구한다(必在此也). 그리고 비장이 크고, 신장이 작은 소양인은 작은 신장을 대표하는 복(腹)를 의식해야만 하므로(少陽之腹), 복(腹)의 문제인 욕심(慾心)에서 나오는 남에게 과시하는 마음인 과심(夸心)을 마땅히 경계해야만 한다(宜戒夸心). 그래서 소양인의 복은(少陽之腹), 만약(若)에 소양인이 과심만 무시(無)할 수가 있다면(若無夸心), 소양인은 절세의 도량(度量)을 만들어낼 수가 있다(絶世之度量). 그리고 도량이라는 것은 반드시(必) 이런(此) 조건의 존재(存)를 요구한다(必在此也). 사상 체질을 가진 사람들의 경계 사항을 말하고 있다.

少陰之頭 宜戒奪心 少陰之頭 若無奪心 大人之識見 必在此也
太陰之肩 宜戒侈心 太陰之肩 若無侈心 大人之威儀 必在此也
少陽之腰 宜戒懶心 少陽之腰 若無懶心 大人之材幹 必在此也
太陽之臀 宜戒竊心 太陽之臀 若無竊心 大人之方略 必在此也

　신장이 크고, 비장이 작은 소음인은 신장이 폐에서 중조를 받아서 처리하므로 소음인은 폐를 대표하는 머리(頭) 문제를 의식할 수밖에 없는데(少陰之頭), 이 머리는 또한 탈심을 대표하기도 하므로, 소음인은 탈심을 경계하는 것이 마땅하다(宜戒奪心). 그래서 소음인은 폐를 대표하는 머리를 의식해서(少陰之頭), 만약(若)에 머리로 인해서 생기는 탈심을 무시(無)할 수만 있다면(若無奪心), 큰 사람으로서 머리가 만들어내는 식견을 보유할 수가 있다(大人之識見). 그리고 식견이라는 것은 반드시(必) 이런(此) 조건의 존재(存)를 요구한다(必在此也). 이 문장이 말하고 싶은 것은 소음인의 근간이 되는 큰 신장이 과부하에 걸리지 않도록 신장으로 중조를 보내는 폐를 잘 관리하라는 뜻이다. 여기서 머리, 탈심, 식견이 모두 폐 문제라는 사실을 상기해보자. 그리고 간이 크고, 폐가 작은 태음인은 간이 산성 림프액을 만들어서 비장으로 보내므로, 비장을 대표하는 견(肩) 문제를 의식할 수밖에 없는데(太陰之肩), 이 견(肩)은 또한 치심을 대표하기도 하므로, 태음인은 당연히 치심을 경계하는 것이 마땅하다(宜戒侈心). 그래서 태음인은 비장을 대표하는 견(肩)을 의식해서(太陰之肩), 만약(若)에 견으로 인해서 생기는 치심을 무시(無)할 수만 있다면(若無侈心), 큰 사람으로서 견(肩)이 만들어내는 위의를 보유할 수가 있게 된다(大人之威儀). 그리고 위의이라는 것은 반드시(必)

이런(此) 조건의 존재(存)를 요구한다(必在此也). 이를 생리적으로 설명하자면, 태음인은 간이 보내는 산성 림프액을 처리하는 비장의 생리를 잘 관리하라는 뜻이다. 간은 엄청나게 많은 산성 림프액을 만들어내므로, 간에는 3개나 되는 림프액 처리 통로가 존재한다. 이때 만일에 간이 이 지용성(脂溶性) 물질인 산성 림프액을 제대로 처리하지 못하게 되면 곧바로 지방간(脂肪肝)으로 발전하게 된다. 그래서 생리적으로 보게 되면, 간은 비장이 엄청나게 중요한 존재가 된다. 그리고 이 문장은 이 상태를 설명하고 있다. 그리고 비장이 크고, 신장이 작은 소양인은 요(腰)로 대표되는 간을 의식할 수밖에 없는데(少陽之腰), 그 이유는 비장으로 간이 엄청난 양의 산성 림프액을 보내기 때문이다. 그래서 소양인은 나심으로 대표되는 간을 경계(戒)하는 것은 너무나 마땅한 일이 된다(宜戒懶心). 그래서 소양인에게 간을 대표하는 요(腰)는 엄청나게 중요하므로(少陽之腰), 소양인은 만약(若)에 요로 인해서 생기는 나심을 무시(無)할 수만 있다면(若無懶心), 큰 사람으로서 요(腰)가 만들어내는 재간을 보유할 수가 있게 된다(大人之材幹). 그리고 재간이라는 것은 반드시(必) 이런(此) 조건의 존재(存)를 요구한다(必在此也). 이도 역시 앞에서 설명한 비장과 간의 관계를 말하고 있다. 그리고 폐가 크고, 간이 작은 태양인은 둔(臀)으로 표현되는 신장을 의식할 수밖에 없는데(太陽之臀), 이미 앞에서 본 것처럼, 폐와 신장은 중조로 서로 엮이기 때문이다. 물론 이를 다른 방식으로 설명할 수도 있다. 즉, 폐는 호흡하면서 스테로이드의 도움을 엄청나게 많이 받는다. 그리고 신장은 부신을 통해서 인체의 스테로이드 대사를 총지휘한다. 그래서 난경(難經)에서는 부신을 호흡의 문(門)이라고 표현한다. 그래서 폐의 입장으로 신장을 바라보게 되면, 부신 때문에 신장은 폐에게 엄청나게 중요한 존재이다. 그리고 큰 폐는 태양인의 근간이 된다. 이 문제는 본 연구소가 발행한 전자생리학의 스테로이드 부분을 참고하면 된다. 이런 이유로 태양인은 신장으로 대표되는 절심(竊心)을 경계하는 것이 마땅한 일이 된다(宜戒竊心). 그래서 태양인은 신장을 대표하는 둔(臀) 때문에(太陽之臀), 만약(若)에 둔(臀)으로 인해서 생기는 절심(竊心)을 무시(無)할 수만 있다면(若無竊心), 큰 사람으로서 둔(臀)이 만들어내는 방략을 보유할 수가 있게 된다(大人之方略). 그리고 방략이라는 것은 반드시

(必) 이런(此) 조건의 존재(存)를 요구한다(必在此也).

이렇게 해서 성명론을 확충해서 설명한 확충론을 끝맺게 된다. 지금까지 나온 사상 체질에 관련된 변수를 모두 정리해보면, 아래와 같이 13가지로 정리된다.

<사상 체질에 연관된 13개 변수 총정리 도표>

체질 구분	태양인	소양인	태음인	소음인
오장(강/약)	폐/간	비/신	간/폐	신/비
소속 신체1	귀(耳)	눈(目)	코(鼻)	입(口)
소속 신체2	턱(頷)	가슴(臆:흉선)	배꼽(臍)	배(腹)
소속 신체3	머리(頭)	어깨(肩)	허리(腰:신장)	볼기(臀:회음부)
감각	청각(聽)	시각(視)	후각(嗅)	미각(味)
감정1	천심(擅心)	치심(侈心)	나심(懶心)	욕심(慾心)
감정2	교심(驕心)	긍심(矜心)	벌심(伐心)	과심(夸心)
감정3	애(哀)	노(怒)	희(喜)	낙(樂)
감정4	탈리(奪利)	자존(自尊)	자비(自卑)	절물(竊物)
천기(天機)	천시(天時)	세회(世會)	인륜(人倫)	지방(地方)
인사(人事)	사무(事務)	교우(交遇)	당여(黨與)	거처(居處)
능력	識見(식견)	威儀(위의)	材幹(재간)	方略(방략)
사유(四維)	신(神)	기(氣)	혈(血)	정(精)

확충론(擴充論)

장부론(臟腑論)

장부론(臟腑論)

肺部位 在顀下背上 胃脘部位 在頷下胸上故 背上胸上以上 謂之上焦
脾部位 在膂 胃部位 在膈故 膂膈之間 謂之中上焦
肝部位 在腰 小腸部位 在臍故 腰臍之間 謂之中下焦
腎部位 在腰脊下 大腸部位 在臍腹下故 脊下臍下以下 謂之下焦

　이 부분은 상초, 중초, 하초를 구분해준 곳이다. 참고로 황제내경에서 상중하초 구분을 보게 되면, 상초(上焦)는 횡격막을 기준으로 위쪽이 상초가 된다. 그러면, 상초에 포함된 중요 기관은 폐, 심장, 고황(흉선)이 된다. 그리고 중초(中焦)는 횡격막과 하복부 장간막 사이를 말한다. 여기에는 간, 신장, 비장이 포함된다. 그리고 하초(下焦)는 하복부 장간막을 기준으로 아래쪽이 된다. 여기에는 회음부, 방광이 포함된다. 그런데, 이제마는 사상 체질을 만들면서 인체 구조를 음(陰)과 양(陽)이라는 두 가지로 분류하면서, 중초(中焦)를 둘로 구분해서 상초(中上焦)와 하초(中下焦)에 포함시키고 있다. 그러면, 상중하초가 상초(上焦)와 하초(下焦)로 구분이 되고, 이는 사상 체질의 음양(陰陽) 구조에 맞춰진다. 이는 사상 체질에서 비장(脾)이 양(陽)으로 구분되고, 간(肝)과 신장(腎)이 음(陰)으로 구분되므로, 별수가 없다. 이 구분은 체액으로 하게 되면 아주 쉽게 된다. 즉, 상초(上焦)는 폐, 우 심장, 흉선, 비장이 림프액을 통해서 통제하고, 하초(下焦)에서는 간은 하복부 정맥총을 통제해서 하초를 통제하고, 신장은 방광을 통해서 하복부를 통제하고, 추가로 신장에 붙은 부신은 스테로이드의 통제를 통해서 하복부 회음부 스테로이드를 통제한다. 스테로이드는 인체 생리에서 엄청나게 중요한 존재라는 사실을 상기해보자. 이 문제는 본 연구소가 발행한 전자생리학의 스테로이드 부분을 참고하면 된다. 이렇게 하면, 음양을 통해서 인체를 체액을 통제해서 다스리는 구조가 완성된다. 말이 나온 김에 태(太)와 소(小)의 의미와 사상 체질의 구조를 살펴보자. 먼저 상초(上焦)는 위쪽이므로 양(陽)으로 구분되고, 하초(下焦)는 아래쪽이므로, 음

(陰)으로 구분된다. 그러면 자동으로 상초(上焦)에 포함된 폐(肺)와 비장(脾)은 양(陽)이 된다. 그런데 여기서 폐와 비장의 기능을 구분해보게 되면, 폐가 하는 일이 훨씬 더 크고(太) 많다. 그래서 폐는 태(太)가 된다. 그리고 비장은 폐와 비교해서 상대적으로 기능이 적게(少) 된다. 그래서 비장은 소(少)가 된다. 그리고 간과 신장은 하초를 통제하므로, 음(陰)이 된다. 그리고 여기서도 간은 신장과 비교해서 상대적으로 하는 일이 크고(太) 많다. 그리고 신장의 기능은 간과 비교해서 보면 기능이 상대적으로 적게(少) 된다. 그래서 간(肝)은 태(太)가 되고, 신장(腎)은 소(少)가 된다. 그리고 사상 체질은 음양으로 구성되므로, 각각 체질마다 음양(陰陽)으로 구분된다. 그리고 동시에 큰 것은 큰 것끼리 배치하고, 적은 것은 적은 것끼리 배치된다. 그러면 자동으로 양(陽)을 나타내는 태양인(太陽人)은 큰(太) 양(陽)과 큰(太) 음(陰)의 조합이 되어야만 한다. 그래서 태양인은 자동으로 음양을 구성할 때, 큰(大) 폐와 작(小)은 간으로 구성된다. 여기서 크기의 구조는 기능적인 문제가 아니라 물리적으로 평가한 크기를 말한다. 즉, 여기서는 양(陽)이 주도하므로, 양인 폐가 더 큰(大) 것이다. 그러면 자동으로 소양인의 구조도 나오게 된다. 일단 소양인(少陽人)은 기능적으로 태양인과 비교해서 기능적으로 적다(少)는 의미를 포함하므로, 소(少)를 쓴다. 그러면 자동으로 소양인에는 음양을 구성할 때도 적(少)은 기능끼리만 모여야 한다. 그러면, 양(陽)에서는 자동으로 비장(脾)이 나오고, 음(陰)에서는 신장(腎)이 나오게 된다. 그래서 소양인(少陽人)은 자동으로 비장이 크고(大), 신장이 작게(小) 된다. 즉, 여기서는 양(陽)이 주도하므로, 양인 비장이 더 큰(大) 것이다. 그래서 태음인도 똑같은 구조를 유지하게 된다. 태음인도 태(太)이므로, 일단 큰(太) 것으로만 구성되는데, 태음인은 음(陰)이 주도하므로, 큰(大) 음인 간(肝)이 주도하고, 작(小)은 폐(肺)가 뒤따르게 된다. 그래서 태음인은 큰(大) 간과 작(小)은 폐로 구성된다. 똑같은 논리로 소음인(少陰人)은 일단 기능적으로 적다(少)는 의미를 포함하고 있으므로, 기능적으로 적(少)은 것끼리만 모여야 한다. 그래서 소음인(少陰人)의 구성은 기능적으로 적(少)은 신장과 적(少)은 비장이 된다. 그런데, 소음인은 음(陰)이 주도하므로, 큰(大) 신장과 작(小)은 비장이 된다. 이렇게 해서 사상 체질에서 각각 체질은 음양(陰陽)이 공존

(共存)하고 있다. 이렇게 하면, 네 개의 체질 조합(組合이 만들어지므로, 이를 사상 체질(四象體質)이라고 부른다. 이를 황제내경 방식으로 보자면, 에너지(energy) 문제를 음양의 문제로 푼 것이다. 즉, 에너지를 품은 양(陽)과 안 품은 음(陰) 말이다. 그래서 이 구문은 사상 체질을 구성하고 있는 네 개의 오장(肺脾肝腎)이 어떻게 상초와 하초에 포함되는지를 말하고 있다. 여기서 구체적인 해석은 큰 의미가 없으므로, 이는 독자 여러분의 몫으로 남긴다.

水穀 自胃脘而入于胃 自胃而入于小腸 自小腸而入于大腸 自大腸而出于肛門者
水穀之都數　停畜於胃而薰蒸爲**熱氣** 消導於小腸而平淡爲**凉氣**
熱氣之輕淸者 上升於胃脘而爲**溫氣** 凉氣之質重者 下降於大腸而爲**寒氣**

물과 섞인 영양소로서 수곡은(水穀), 자동으로 위완부를 거쳐서 위장에 진입하면(自胃脘而入于胃), 이어서 이는 자동으로 연동 운동을 통해서 소장으로 진입하고(自胃而入于小腸), 이어서 이는 자동으로 대장으로 진입하고(自小腸而入于大腸), 이어서 이는 자동으로 항문으로 배출된다(自大腸而出于肛門者). 이런 수곡은 수많은(都) 경우의 수(水)를 만들게 된다(水穀之都數). 그래서 이들 수곡이 위장에 정체해서 축적되면, 이는 자동으로 위산에 포함된 자유전자로 환원(薰蒸)되면서 당연히 열기(熱氣)를 만들어낸다(停畜於胃而薰蒸爲熱氣). 열은 전자가 환원될 때 만들어진다는 사실을 상기해보자. 그리고 위장에서 일어나는 소화는 자유전자의 환원 과정이라는 사실도 상기해보자. 이는 소화가 잘게 분해(分解)되는 과정이라는 사실을 상기해보게 되면, 쉽게 이해가 갈 것이다. 추가로 물질의 분해(分解)는 자유전자가 물질의 공유결합(共有結合)을 환원(還元)하면서 일어난다는 사실도 상기해보자. 그래서 위장에서 소화가 일어나게 되면, 열(熱)은 자동으로 발생하게 된다. 그리고 소장으로 유도(導)된 소화(消)된 유미즙(乳糜汁:chyme)인 평담(平淡)은 이미 자유전자를 환원해서 위장에서 열(熱)을 발산한 상태이므로, 자동으로 상대적으로 열기가 적은 량기(凉氣)가 된다(消導於小腸而平淡爲凉氣). 그리고 위장에서 발생한 열기는 가볍고 깨끗하므로(熱氣之輕淸者), 이는 열기의 성질에 따라서 자동으로 위완부를 거쳐서 상승(上升)하게 되고, 이는 자동으로 인체의 온기(溫氣)를 만들게 된다(上升於胃脘而爲溫氣). 유미즙의 일부인 량기 중에서 소화가 덜 된 무거운 입자들은(凉氣之質重者), 자동으로 대장으로 하강하게 되고, 이들은 자동으로 열기가 량기보다 더 떨어져서 상태이므로 한기(寒氣)를 만든다(下降於大腸而爲寒氣). 즉, 이때 한기는 진짜 차갑다는 뜻이 아니라 량기와 비교해서 상대적(相對的)으로 더 차갑다는 뜻이다. 그리고 여기서 온기(溫氣)라는 말이 나오는데, 이 의미는 뒤에서 살펴보자. 이 구문은 소화 과정을 기술하고 있다.

胃脘 通於口鼻故 水穀之氣 上升也 大腸 通於肛門故 水穀之氣 下降也
胃之體 廣大而包容故 水穀之氣 停畜也 小腸之體 狹窄而屈曲故 水穀之氣 消導也

식도와 연결된 위완은(胃脘), 입과 코로도 소통하는 통로이므로(通於口鼻故), 이는 수곡의 기운이 상승하는 통로이기도 하다(水穀之氣 上升也). 그리고 대장은 항문과 소통하므로(大腸 通於肛門故), 이는 수곡의 남은 찌꺼기인 대변이 내려가는 통로이기도 하다(水穀之氣 下降也). 그리고 위장은 자기 크기의 10배까지도 늘어날 수가 있으므로, 많은 음식물을 수용할 수가 있다(胃之體 廣大而包容故). 그래서 위장에서 수곡의 기운이 정체하기도 하고, 축적되기도 한다(水穀之氣 停畜也). 그리고 연동 운동을 할 수 있는 소장은 좁은 구멍(狹窄)과 수많은 굴곡을 포함하고 있으므로 인해서(小腸之體 狹窄而屈曲故), 수곡의 기운인 소화(消)된 유미즙을 아래로 유도(導)할 수가 있다(水穀之氣 消導也).

水穀溫氣 自胃脘而化津 入于舌下 爲津海 津海者 津之所舍也
津海之淸氣 出于耳而爲神 入于頭腦而爲膩海 膩海者 神之所舍也
膩海之膩汁淸者 內歸于肺 濁滓 外歸于皮毛故

胃脘與 舌 耳 頭腦 皮毛 皆肺之黨也

　　수곡이 만든 온기(水穀溫氣)는 위완부를 따라가(自)다가 진액(津)을 만들게(化)
된다(自胃脘而化津). 그리고 이 온기는 설하로 진입해서(入于舌下), 진해를 만든
다(爲津海). 여기서 진해라는 장소는(津海者), 진액이 머무는 집이다(津之所舍也).
여기서 핵심은 온기(溫氣)와 진(津)이다. 일단 위장에서 음식물인 수곡이 위산을
환원(還元)받게 되면, 당연히 열(熱)이 발생한다. 위산은 자유전자를 공급하는 도
구이며, 자유전자가 환원되면, 열이 발생한다는 사실을 상기해보자. 그러면, 이 열
은 온기(溫氣)를 자극하게 된다. 여기서 온기를 글자 그대로 해석하면, 체온(溫)이
된다. 그러나 여기서는 온(溫)의 다른 뜻을 살펴봐야만 한다. 여기서 온(溫)은 샘
(泉)이라는 뜻이다. 그리고 우리는 인체에 존재하는 호르몬(hormone) 분비 장소를
샘(泉)이라고 칭한다. 그러면 온기(溫氣)는 자동으로 샘(泉:溫)의 기운(氣)이 된
다. 이는 별수 없이 전자생리학의 도움을 받을 수밖에 없다. 소화되는 과정에서
신경을 자극하는 자유전자가 만들어지게 된다. 신경은 자유전자의 소통 통로라는
사실을 상기해보자. 그래서 최첨단 현대의학은 신경을 전기가 흐르는 도선(導線)
이라고 말한다. 그리고 호르몬의 분비는 반드시 신경의 작용을 통해서 실행된다.
그러면 소화 과정에서 나온 자유전자는 자동으로 신경을 타고 가다가 반드시 호
르몬의 분비를 자극할 수밖에 없게 된다. 그러면 온기(溫氣)는 자동으로 신경을
타고 흐르는 자유전자가 된다. 그리고 이 자유전자(Free Electron)는 환원되면서
열(熱)을 만들게 된다. 이는 자동으로 따뜻한 온기(溫氣)를 만들게 된다. 그래서
여기서 온기(溫氣)는 이중적(二重的)인 의미로 쓰인다고 봐도 된다. 그러나 여기
서 중요한 사실은 호르몬의 분비(分泌) 문제이다. 그리고 이 문장에서는 이 호르
몬(hormone)을 진(津)이라고 표현하고 있다. 그리고 여기서 신경은 소화관의 독자
신경총을 말한다. 그리고 이 신경총은 90%가 뇌로 올라가는 구심성 신경(求心性
神經)이다. 그리고 온기는 이 신경을 통해서 자극받게 된다. 이 문제는 본 연구소
가 발행한 황제내경 소문이나 전자생리학을 참고하면 된다. 이 구문을 이해하기
위해서는 이들 책이 필수이다. 그리고 여기서 진(津)은 호르몬(hormone)이며, 호

르몬의 분비는 반드시 신경의 작용을 통해서 분비된다는 사실도 상기해보자. 그래서 "수곡이 만든 온기(水穀溫氣)는 위완부를 따라가(自)다가 진액(津)을 만들게 (化) 된다(自胃脘而化津)"라는 말은 위장이 소화(消化)를 진행하면서 만든 자유 전자인 온기(溫氣)가 신경의 자극을 통해서 호르몬(hormone)을 분비시켰다는 뜻이 된다. 이 문제는 본 연구소가 발행한 황제내경 영추 제28편 구문(第二十八篇 口問) 제2장 10절을 참고하면 도움이 될 것이다. 이때 온기가 위완부를 따라서 가다가 신경을 통해서 호르몬을 분비시키게 되는데, 호르몬은 반드시 분비샘(泉)에서 분비된다. 그러면, 위완부에서 위쪽으로 가면서 나타나는 분비샘(분비선)은 갑상샘(갑상선)과 침샘(침선)이다. 그리고 갑상선과 침선은 임맥(任脈)의 염천(廉泉)을 통해서 조절된다. 그리고 염천(廉泉)은 이하선과 설하선(舌下腺)의 끝 관이 열린 곳을 말하기도 한한다. 그리고 이 온기는 설하로 진입해서(入于舌下), 진해를 만든다(爲津海)고 한다. 그런데, 뒤에 나오는 문장을 보게 되면, 이때 진해는 침샘을 말한다. 즉, 위장에서 올라온 온기가 신경의 자극을 통해서 침샘에서 침을 분비하게 만든 것이다. 그러면 자동으로 진해는 침이라는 호르몬이 가득한 침샘을 말한다(津海者 津之所舍也). 전자생리학으로 침을 바라보게 되면, 침도 호르몬이 라는 사실을 상기해보자. 그래서 이 부분을 정리해보자면, 위장이 만든 온기(溫氣)가 신경의 자극을 통해서 침샘에서 침(津)을 분비(化)시킨 것이다(水穀溫氣 自胃 脘而化津). 해석이 상당히 어려운 부분이다. 문제는 이런 관계를 이제마는 어떻게 꿰고 있었냐는 사실이다. 사실, 이 부분은 최첨단 현대의학도 자세히 모른다. 이 부분은 오직 양자역학을 기반으로 한 전자생리학으로만 풀리기 때문인데, 최첨단 현대의학은 양자역학보다 수준이 한참이나 낮은 고전물리학을 기반으로 하고 있기 때문이다. 그리고 여기서 우리나 우리 조상들의 슬픔 현실도 볼 수 있다. 즉, 일제나 미국이 조선에 들어오면서, 이런 최첨단 전통 의학을 완전히 몰살시키게 되면서, 최첨단 전통 의학이 후진적 서양의학을 통해서 짓밟혀버렸다는 사실이다. 이는 우리의 엄청난 지식의 손실을 말하고 있고, 동시에 의학의 퇴보를 말하고 있다. 사실, 최첨단 현대의학은 응급의학을 빼면, 최첨단이 아니라 약탈(掠奪) 의학이고 수탈(收奪) 의학이다. 이 문제는 본 연구소가 발행한 전자생리학에 자세히 기술되

어있다. 다시 본문을 보자. 잔해에서 나온 청기는(津海之淸氣), 귀에서 나오게 되
는데, 이는 신(神)을 만든다(出于耳而爲神). 이 부분도 전자생리학을 요구하고 있
다. 여기서 신(神)은 자유전자(自由電子:Free Electron)를 말한다. 그리고 청기(淸
氣)는 호르몬(hormone)을 말한다. 그리고 이 호르몬은 반드시 자유전자를 보유한
상태가 된다. 그 이유는 호르몬은 전구체 형태로 공유결합을 통해서 인체에 붙잡
혀있기 때문이다. 그래서 호르몬이 분비되기 위해서는 반드시 호르몬 전구체의 공
유결합을 자유전자로 환원해서 풀어줘야만 한다. 그러면 호르몬은 자동으로 자유
전자라는 신(神)을 보유한 상태가 된다. 그러면 자동으로 이 호르몬은 자유전자인
신(神)을 만들어내는 도구가 된다. 이제 귀(耳)를 보자. 귀는 신경이 엄청나게 집
중된 장소이다. 그리고 귀밑에는 귀밑샘이라는 이하선(耳下腺)이 자리하고 있다.
즉, 귀밑샘에서 분비된 자유전자를 실은 호르몬이 귀밑에서 분비되면서 자유전자
인 신(神)을 만든다는 것이다(津海之淸氣, 出于耳而爲神). 이는 바로 뒤에 나오지
만, 이때 호르몬은 신경전달 물질을 말하고 있다. 신경(神經)은 신(神)이 다니는
경로(經)라는 사실을 상기해보자. 그래서 이때 호르몬이 만든 자유전자는 당연히
신경을 타고 뇌고 진입하게 되고(入于頭腦), 이는 자동으로 뇌척수액이라는 니해
(膩海)를 만든다(入于頭腦而爲膩海). 여기서 기름이라는 니(膩)는 지용성(脂溶性)
물질을 말하는데, 뇌척수액(腦脊髓液)은 지용성(脂溶性) 물질인 림프액이기 때문
이다. 여기서 뇌척수액은 과잉(過剩) 자유전자를 중화(中和)하는 도구라는 사실을
상기해보자. 그래서 니해(膩海)는 결국에는(膩海者), 자유전자인 신(神)이 사는 집
이 될 수밖에 없게 된다(神之所舍也). 중화물은 반드시 자유전자를 품고 시작된다
는 사실을 상기해보자. 그리고 뇌척수액 중에서 정제(汁淸)된 것은(膩海之膩汁淸
者), 림프액이 되어서 폐(肺)를 통해서 최종 중화 처리된다(內歸于肺). 폐(肺)는
산성 림프액을 최종 중화 처리한다는 사실을 상기해보자. 그리고 뇌척수액에서 흘
러나온 정제가 안 된(濁滓) 일부는 머리의 피부를 통해서 머리카락으로 배출되면
서 머리카락에 기름기를 만들게 된다(濁滓 外歸于皮毛故). 즉, 뇌척수액 일부(汁
淸)는 폐(肺)라는 인체 내부(內)에서 처리되기도 하고, 일부(濁滓)는 피부라는 외
부(外)에서 처리되기도 한다. 여기서 즙청(汁淸)과 탁제(濁滓)를 특별히 구분할

필요는 없다. 이는 그냥 뇌척수액에서 나온 일부이기 때문이다. 그래서 위장, 혀, 귀, 두뇌, 피부에서 작용하는 모든(皆) 산성 체액은 폐가 처리하는 종류(黨)의 체액이 된다(胃脘與 舌 耳 頭腦 皮毛 皆肺之黨也). 이는 큰 의미는 없다. 그 이유는 폐는 인체의 모든 산성 체액을 최종 중화 처리하기 때문이다.

水穀熱氣 自胃而化膏 入于膻間兩乳 爲膏海 膏海者 膏之所舍也

膏海之淸氣 出于目而爲氣 入于背膂而爲膜海 膜海者 氣之所舍也

膜海之膜汁淸者 內歸于脾 濁滓 外歸于筋故

胃與 兩乳 目 背膂 筋 皆脾之黨也

　　음식물인 수곡은 소화 과정에서 위산이 제공한 자유전자를 환원받게 되면서, 자동으로 열기를 만들게 된다(水穀熱氣). 그리고 여기서 체온(溫)과 열(熱)을 구분해야만 한다. 열은 체온 이상(以上)의 열기를 말한다. 그래서 체온을 뛰어넘어서 열이 만들어진다는 사실은 자유전자의 과잉을 말한다. 여기서도 전자생리학을 빌릴 수밖에 없다. 그리고 이 자유전자의 과잉은 자동으로 지방(膏)을 만들어서 중화된다. 즉, 지방(膏)이 만들어졌다는 사실은 과잉 자유전자의 중화를 말한다는 뜻이다. 그래서 위장에서 열이 만들어졌다는 사실은 자동으로 지방(膏)을 만들었다(自胃而化膏)는 뜻이 된다. 그리고 이 지방은 유방(乳)의 양쪽(兩) 사이(間)에 자리하고 있는 단(膻)이라고 부르는 흉선(胸腺)으로 모이게 된다(入于膻間兩乳). 흉선은 지용성 물질인 림프액을 처리하는 기관이라는 사실을 상기해보자. 그러면, 이들은 모여서 당연히 고해를 만들게 된다(爲膏海). 그래서 고해는(膏海者), 당연히 지방(膏)이 모이는 장소가 된다(膏之所舍也). 즉, 이는 단(膻)이라고 부르는 흉선(胸腺)에 지용성 물질인 림프액이 모인다는 뜻이다. 그리고 이 림프액 일부는(膏海之淸氣), 눈에서 배출되어서 눈의 산성(氣) 림프액을 만들게 된다(出于目而爲氣). 이는 또한 등에 자리하고 있는 척추(背膂:배려)에서 뇌척수액으로 막해를 만든다(入于背膂而爲膜海). 이 막해는 이미 앞에서 언급된 단어이다. 여기서 막해는 척추(背膂:배려)가 품고 있는 척수액을 말한다. 그래서 막해는(膜海者), 당연히 에너지(氣)라는 자유전자를 보유한 림프액이므로, 에너지인 기(氣)가 거주하는 장소가 된다(氣之所舍也). 그래서 막해가 만든 정제(汁淸)된 림프액은(膜海之膜汁淸者), 인체 안쪽에서 처리될 때는 림프액을 전문으로 처리하는 비장으로 들어가고(內歸于脾), 정제가 안 된 일부는(濁滓), 비장을 떠나서(外) 근육(筋) 세포로 들어간다(外歸于筋故). 그리고 이는 세포의 리소솜에서 분해된다. 그래서 위장 그리고 유방 사이에 자리한 흉선, 눈, 척추, 정맥은 모두 비장이 영향을 미치는 종류(黨)의 기관이 된다(胃與 兩乳 目 背膂 筋 皆脾之黨也).

水穀涼氣 自小腸而化油 入于臍 爲油海 油海者 油之所舍也
油海之淸氣 出于鼻而爲血 入于腰脊而爲血海 血海者 血之所舍也
血海之血汁淸者 內歸于肝 濁滓 外歸于肉故
小腸與 臍 鼻 腰脊 肉 皆肝之黨也

수곡이 소화되어서 소장에서 흡수될 때, 이때 영양분은 2가지 형태로 분리된다. 하나는 산성 정맥혈이 되고, 하나는 림프액이 된다. 그리고 이 림프액은 산성 정맥혈과 비교해보면, 상대적으로 따뜻함이 적게 된다. 그래서 소장에서 흡수되는 림프액을 량기(涼氣)로 표현하고 있다. 그래서 소화 과정에서 만들어지는 량기는(水穀涼氣), 자동으로 소장에서 흡수되는데, 이는 자동으로 지용성(油) 물질이 된다(自小腸而化油). 그래서 이 지용성 물질은 배꼽 부위를 거쳐서(入于臍), 지용성 물질을 유통시키는 흉관의 시작점인 유미조(乳糜槽)를 만든다(爲油海). 즉, 여기서 유해(油海)는 유미조(乳糜槽)라는 뜻이다. 그래서 유미조인 유해는(油海者), 지용성(油) 물질이 모이는 장소가 된다(油之所舍也). 그리고 이 유해 중에서 깨끗이 여과된 일부(淸氣)는 코를 거치면서 정맥혈로 합류한다(油海之淸氣 出于鼻而爲血). 림프액 일부는 여과되어서 정맥혈로 합류한다는 사실을 상기해보자. 그리고 이런 현상은 척추에서는 더욱더 두드러지게 나타난다. 척추는 뇌척수액인 림프액을 품고 있다. 그리고 이 림프액이 여과되면 자동으로 정맥혈로 합류한다. 그리고 척추는 척추 하나당 4개의 정맥총을 보유하고 있다. 그리고 정맥총은 정맥혈이 모이는 혈해(血海)가 된다. 그래서 이 여과된 림프액은 척추를 거치면서 자동으로 정맥총이라는 혈해를 만들게 된다(入于腰脊而爲血海). 그리고 혈해는 자동으로 정맥혈이 거주하는 장소가 된다(血海者 血之所舍也). 그리고 이 정맥혈은 모든 정맥혈이 모이는 간문맥으로 모여든다. 그래서 혈해에서 나온 림프액이 정제된 정맥혈은 간문맥 안(內)에서 처리된다(血海之血汁淸者 內歸于肝). 그러나 정제되지 않는 림프액(濁滓)은 정맥혈이 아닌(外) 림프액(肉)을 처리하는 비장으로 돌아오게 된다(濁滓 外歸于肉故). 그래서 소장, 배꼽 부위, 코, 림프관은 모두(皆) 간(肝)과 연결되는 종류(黨)의 기관들이다(小腸與 臍 鼻 腰脊 肉 皆肝之黨也).

水穀寒氣 自大腸而化液 入于前陰毛際之內 爲液海 液海者 液之所舍也
液海之淸氣 出于口而爲精 入于膀胱而爲精海 精海者 精之所舍也
精海之精汁淸者 內歸于腎 濁滓 外歸于骨故
大腸與 前陰 口 膀胱 骨 皆腎之黨也

음식물이라는 수곡은 한기도 만들어낸다(水穀寒氣). 여기서 말하는 한기는 열기의 정반대를 말한다. 그리고 이는 상한론(傷寒論)의 개념을 소환한다. 이 문제는 본 연구소가 발행한 상한론을 참고하면 된다. 태양계 아래에서 만들어지는 모든 열(熱)은 무조건 전자(Electron)의 문제이다. 즉, 전자가 없다면, 열도 없다는 뜻이다. 그러면 어떤 물질이 열을 만드는 전자를 감추는 기능이 있다면, 이는 자동으로 한(寒)을 만들어낼 것이다. 우리는 이를 염(塩:화학 용어)이라고 부른다. 그리고 인체 안에서 염을 총지휘하는 기관은 신장(腎)이다. 그리고 이 문장은 전자생리학의 정수를 요구한다. 이때 중요한 사실은 칼슘과 같은 염의 재료는 자유전자를 보유할 수 있다는 사실로 귀결한다. 그리고 대장은 이 염을 흡수한다. 그런데 대장이 흡수한 이 염은 자유전자를 포함한 전해질을 만든다. 그래서 이 염은 자동으로 삼투압 기질이 되면서 수분을 잔뜩 끌어모으게 된다. 그리고 여기에서는 삼투압 기질로서 전해질인 염(塩)이 수분을 끌어안은 상태를 액(液)이라고 표현하고 있다. 그러면 자동으로 염을 흡수하는 대장은 액체(液)인 수분을 끌어안고 있게 된다(自大腸而化液). 그리고 이 액체는 당연히 흡수되는 과정에서 회음부 앞쪽을 거치게 된다(入于前陰毛際之內). 그래서 대장은 액해를 만든다(爲液海). 여기서 액해는 수분인 액체(液)가 거주하는 장소이다(液海者 液之所舍也). 그리고 이 액체 중에서 수분을 빼고 정제된 물질(淸氣)은 당연히 많은 전자를 보유한 상태가 된다(液海之淸氣). 즉, 이는 염(塩)을 말한다. 그리고 염(塩)인 이 정제된 물질(淸氣)은 입(口)으로 나와서 정(精)을 만들게 된다(出于口而爲精). 이는 전자생리학을 요구한다. 여기서 구(口)는 스테로이드(steroid)인 코티졸이 분비되는 구강을 말한다. 구강에서도 엄청나게 많은 스테로이드인 코티졸이 분비된다는 사실을 상기해보자. 그리고 이 스테로이드를 정(精)이라고 표현한다. 그리고 정(精)이라는 스테로이드를 만들 때는 염(塩)이 보유한 전자가 요구된다. 그리고 염(塩)을 처리하는 신장은 염(塩)이 보관한 자유전자(自由電子)가 과도하게 되면, 부신을 시켜서 스테로이드(steroid)를 만들게 하고. 이어서 이를 방광을 통해서 체외로 배출하게 만든다. 그리고 이때 과잉 염(塩)을 체외로 버릴 때 이용되는 스테로이드는 알도스테론(Aldosterone)이다. 그러면, 염을 잔뜩 수거한 알도스테론은 자동으로 방광으로 모이게 되고, 이때 방광(膀胱)은 자동으로 정해가 된다(入于膀胱而爲精海). 그래서 정해는(精海者), 자동으로 알도스테론이라는 정(精)이 거주하는 장소가 된다(精之所舍也). 그리고 이들 중에서 자유전자가 중화되어서 자유전자를 보유하지 않은 염인 정제(汁淸)된 정(精)은 자동으로(精海之精汁淸者), 다시 신장에서 흡수된다(內歸于腎). 이는 자유전자를 보유하지 않은 나트륨이 신장에서 흡수되는 경우와 똑같은 경우를 말한다. 또한 정제되지 않은(濁滓) 염 일부는 당연히(濁滓), 미네랄 금속의 보고인 뼈에 축적되기 위해서 빠져나오게(外) 된다(外歸于骨故). 그래서 신장은 대장, 회음부 일부, 구강, 방광, 뼈와 연관된 종류(黨)를 통제한다(大腸與 前陰 口 膀胱 骨 皆腎之黨也). 이 부분은 전자생리학을 완벽하게 이해한 상태에서만 해석이 가능한 곳이다. 이제마는 참으로 대단한 사람이다. 우리는 과연 얼마나 많은 우리의 지적 재산(知的財産)을 외세(外勢) 때문에 잃어버린 걸까? 전자생리학을 모르게 되면, 해석이 상당히 어려운 곳이다.

耳 以廣博天時之聽力 提出津海之清氣 充滿於上焦 爲神而

注之頭腦 爲膩   積累爲膩海

目 以廣博世會之視力 提出膏海之清氣 充滿於中上焦 爲氣而

注之背膂 爲膜   積累爲膜海

鼻 以廣博人倫之嗅力 提出油海之清氣 充滿於中下焦 爲血而

注之腰脊 爲凝血 積累爲血海

口 以廣博地方之味力 提出液海之清氣 充滿於下焦 爲精而

注之膀胱 爲凝精 積累爲精海

  날씨인 천시에 따라서 청력의 조정을 받게 되는 귀(耳)가 과부하(廣博)에 걸리게 되면(耳 以廣博天時之聽力), 이는 상초에서 올라오는 온기(溫氣)가 충만한 상태여서, 이때 이하선(耳) 침샘(津海)에서는 호르몬(清氣)이 분비되고(提出津海之清氣 充滿於上焦), 이어서 자유전자를 품고 있는 이 호르몬은 자동으로 자유전자인 신(神)을 공급하게 된다(爲神而). 이는 앞에서 기술한 온기 부분을 참고하면 된다. 그리고 자유전자인 신(神)은 자동으로 신경을 타고서 뇌로 주입된다(注之頭腦). 그리고 이는 알칼리로 중화되어서 림프액으로서 뇌척수액이라는 지용성(膩) 물질이 된다(爲膩). 그리고 이 지용성 물질이 쌓이고 쌓이게 되면, 니해(膩海)라고 하는 지용성 물질인 뇌척수액(膩)의 풀(海)이 만들어진다(積累爲膩海). 그리고 세상 만물(世會)을 시력을 통해서 보는 눈이 산성 림프액 때문에 과부하(廣博)에 걸리게 되면(目 以廣博世會之視力), 이는 중상초(中上焦)에 자리한 비장에 산성 림프액이 충만한 상태여서, 이때 비장이 처리하는 산성 림프액은 자동으로 고황인 흉선(膏海)으로 떠밀리게 되고, 이는 자동으로 흉선의 호르몬(清氣)을 분비시키고(提出膏海之清氣 充滿於中上焦), 이 호르몬은 자유전자를 보유한 상태가 되므로,

자동으로 에너지인 기(氣)를 만든다(爲氣而). 이 산성 림프액이 척추(背膂:배려)에 주입되면(注之背膂), 이는 자동으로 척수액(膜)이 된다(爲膜). 그리고 이 척수액이 쌓이고 쌓이게 되면, 자동으로 척수액(膜)의 풀(海)을 만들게 된다(積累爲膜海). 척수액도 림프액이라는 사실을 상기해보자. 즉, 뇌척수액이 림프액이라는 뜻이다. 그리고 사람(人倫)에 속해서 냄새를 맡는 후각 능력이 과부하(廣博)에 걸리게 되면(鼻 以廣博人倫之嗅力), 이는 중하초에 자리하고 있는 유미조(油海)에 지용성 물질이 충만한 상태인데, 이때 유미조에 충만해진 지용성 물질인 림프액이 정제 (淸氣)되면, 이 정제된 림프액은(提出油海之淸氣 充滿於中下焦), 자동으로 정맥 혈로 합류한다(爲血而). 그리고 이 정맥혈은 척추의 정맥총에서도 체류한다(注之 腰脊). 그리고 이 척추 정맥총에 체류한 정맥혈은 산성 정맥혈이므로, 점성(凝)이 아주 높아서 응혈 수준이 된다(爲凝血). 체액의 점성(粘性)은 산성도(酸性度)가 결정한다는 사실을 상기해보자. 여기서 응(凝)은 차갑다는 뜻도 있다. 그리고 정맥 혈은 동맥혈과 비교해서 보면, 상대적으로 차갑다. 그래서 여기서 응혈(凝血)은 점 성이 높은 혈액으로 해석해도 되고, 차가운 혈액으로 해석해도 된다. 이는 어느 쪽으로 해석해도 문제는 없다. 그리고 이런 정맥혈이 모이고 모이게 되면, 정맥혈 의 풀(Pool)인 혈해를 만든다(積累爲血海). 이는 코와 간의 관계를 설명하면서 나 온 문장이다. 간과 코의 문제는 이미 전에 살펴보았다. 그리고 지방이라는 하늘의 방향이 주는 계절에 따라서 만들어진 영양소의 맛을 보는 미각이 과부하(廣博)에 걸리게 되면(口 以廣博地方之味力), 입안에서 스테로이드인 코티졸이 분비된다. 이 문제도 앞에서 이미 살펴보았다. 이때는 하초에 자리한 대장에서 염을 흠뻑(充 滿) 흡수하면서 액해를 만들고, 이 액해가 스테로이드(精)라는 호르몬(淸氣)을 분 비하게 만든다(提出液海之淸氣 充滿於下焦 爲精而). 그리고 이때 스테로이드를 알도스테론이라고 하며, 이는 과잉 자유전자를 보유한 염을 흡수해서 방광으로 주 입된다(注之膀胱). 그리고 이때 스테로이드는 지용성 물질이므로, 이는 점성(凝)이 높아서, 스테로이드는 응정(凝精)이 된다(爲凝精). 그리고 이들이 축적되면 자동으 로 정해를 만든다(積累爲精海). 이 문장도 해석이 그리 만만하지 않다.

肺 以鍊達事務之哀力 吸得膩海之淸汁 入于肺 以滋肺元而

內以擁護津海 鼓動其氣 凝聚其津

脾 以鍊達交遇之怒力 吸得膜海之淸汁 入于脾 以滋脾元而

內以擁護膏海 鼓動其氣 凝聚其膏

肝 以鍊達黨與之喜力 吸得血海之淸汁 入于肝 以滋肝元而

內以擁護油海 鼓動其氣 凝聚其油

腎 以鍊達居處之樂力 吸得精海之淸汁 入于腎 以滋腎元而

內以擁護液海 鼓動其氣 凝聚其液

　　폐는 사무 능력에 통달(鍊達)해서 폐의 능력(哀力)을 발휘하는데(肺 以鍊達事務之哀力), 이런 폐는 머리 쪽에서 내려오는 정제(淸汁)된 산성 림프액인 뇌척수액(膩海)을 흡수(吸)해서 받게(得) 된다(吸得膩海之淸汁). 폐는 인체의 모든 산성 체액을 최종적으로 받아서 처리한다는 사실을 상기해보자. 그래서 이런 산성 림프액인 뇌척수액이 폐로 들어오게 되면(入于肺), 이는 당연히 폐의 기운(元)을 강(滋)하게 만든다(以滋肺元而). 즉, 이는 폐에 부하(負荷)를 걸게 된다. 이렇게 폐가 산성 뇌척수액의 부담을 떠안게 되면, 뇌척수액의 영향을 받는 침샘(津海)은 자동으로 보호(擁護)되게 된다(內以擁護津海). 침샘도 뇌척수액의 영향권에 있다는 사실을 상기해보자. 이때 폐가 받은 산성 림프액인 뇌척수액(其)의 기운(氣)이 너무 산성이어서 요동(鼓動)치게 되면(鼓動其氣), 이는 자동으로 뇌척수액의 심한 산성도를 말하게 되므로, 이는 자동으로 구강으로 분비되는 침(其)이라는 진액(津)도 응고(凝聚)되게 된다(凝聚其津). 이는 스트레스를 심하게 받아서 머리가 과부하에 걸리게 되면, 침의 점성이 올라간다는 뜻이다. 그리고 비장은 교우 관계에 통달(鍊達)해서 비장의 능력(怒力)을 발휘하는데(脾 以鍊達交遇之怒力), 이런 비장은 척수에서 오는 정제(淸汁)된 산성 림프액인 척수액(膜海)을 흡수(吸)해서 받게(得) 된다(吸得膜海之淸汁). 그래서 이런 산성 림프액인 척수액이 비장으로 들어오게 되면(入于脾), 이는 당연히 비장의 기운(元)을 강(滋)하게 만든다(以滋

脾元而). 즉, 이는 비장에 부하(負荷)를 걸게 된다. 이렇게 비장이 산성 척수액의 부담을 떠안게 되면, 척수액의 영향을 받는 흉선(膏海)은 자동으로 보호(擁護)되게 된다(內以擁護膏海). 이때 비장이 받은 산성 림프액인 척수액(其)의 기운(氣)이 너무 산성이어서 요동(鼓動)치게 되면(鼓動其氣), 이는 자동으로 척수액의 심한 산성도를 말하게 되므로, 이는 자동으로 흉선에 모이는 림프액(其)이라는 지용성(膏) 물질도 응고(凝聚)되게 된다(凝聚其膏). 그리고 간은 당여 문제에 통달(鍊達)해서 간의 능력(喜力)을 발휘하는데(肝 以鍊達黨與之喜力), 이런 간은 온몸에서 오는 정제(清汁)된 산성 정맥혈(血海)을 간문맥을 통해서 흡수(吸)해서 받게(得) 된다(吸得血海之清汁). 그래서 이런 산성 정맥혈이 간으로 들어오게 되면(入于肝), 이는 당연히 간의 기운(元)을 강(滋)하게 만든다(以滋肝元而). 즉, 이는 간에 부하(負荷)를 걸게 된다. 이렇게 간이 산성 정맥혈의 부담을 떠안게 되면, 간의 영향을 받는 유미조(油海)는 자동으로 보호(擁護)되게 된다(內以擁護油海). 유미조는 간이 보내는 지용성 물질이 모이는 장소라는 사실을 상기해보자. 이때 간이 받은 산성 정맥혈(其)의 기운(氣)이 너무 산성이어서 요동(鼓動)치게 되면(鼓動其氣), 간은 자동으로 더 많은 산성 지용성 물질을 공급하게 되고, 이는 자동으로 유미조가 받을 지용성 물질의 심한 산성도를 말하게 되므로, 이는 자동으로 유미조(其)에 모이는 지용성(油) 물질도 응고(凝聚)되게 된다(凝聚其油). 그리고 신장은 거처 문제에 통달(鍊達)해서 신장의 능력(樂力)을 발휘하는데(腎 以鍊達居處之樂力), 이런 신장은 온몸에서 오는 정제(清汁)된 산성 스테로이드(精海)를 흡수(吸)해서 받게(得) 된다(吸得精海之清汁). 그래서 이런 산성 스테로이드가 신장으로 들어오게 되면(入于腎), 이는 당연히 신장의 기운(元)을 강(滋)하게 만든다(以滋腎元而). 즉, 이는 신장에 부하(負荷)를 걸게 된다. 이렇게 신장이 산성 스테로이드의 부담을 떠안게 되면, 액해(液海)가 만들어지는 대장은 자동으로 보호(擁護)되게 된다(內以擁護液海). 액해 문제는 전에 설명했다. 이때 신장이 만드는 정해(其)의 기운(氣)이 너무 산성이어서 요동(鼓動)치게 되면(鼓動其氣), 이는 자동으로 대장이 만든 액해의 심한 산성도를 말하게 되므로, 이는 자동으로 대장(其)에 모이는 진액도 응고(凝聚)되게 된다(凝聚其液).

津海之濁滓則 胃脘 以上升之力 取其濁滓而 以補益胃脘

膏海之濁滓則 胃 以停畜之力 取其濁滓而 以補益胃

油海之濁滓則 小腸 以消導之力 取其濁滓而 以補益小腸

液海之濁滓則 大腸 以下降之力 取其濁滓而 以補益大腸

　　호르몬 분비샘인 샘(泉)에서 간질로 분비된 호르몬은 자유전자를 포함한 산성 물질이 된다. 그런데, 이 산성 물질은 곧바로 중화되어서 청즙(清汁)이 되기도 하고, 중화되지 않은 탁재(濁滓)가 되기도 한다. 그리고 청즙은 정상적인 인체 순환계를 통해서 순환한다. 그러나 탁재는 순환계에 합류하지 못하고 간질에 머물게 되고, 이는 결국에 간질에 접한 세포 안으로 끌려 들어가게 되고, 이는 결국에 세포 안에 자리한 리소솜(Lysosome)에서 분해 효소를 통해서 분해된다. 이 문제도 본 연구소가 발행한 전자생리학을 참고하면 된다. 침샘에서 만들어지는 탁재는(津海之濁滓則), 위완부를 통해서 위쪽(以上)으로 올라가는 힘(力)을 통해서 전달된 것인데(胃脘 以上升之力), 이런(其) 탁재를 침샘에서 잘 처리(取)해주게 되면(取其濁滓而), 이를 올려보낸 위완부는 당연히 도움(補益)을 받게 된다(以補益胃脘). 이때 이들이 침샘에서 처리되지 못하고 정체하면, 이 물질은 위완부에서 위로 올라가지 못하고 정체한다. 그러면 당연히 위완부는 이 물질들로 인해서 곤욕을 치를 것이다. 그리고 흉선에서 만들어지는 탁재는(膏海之濁滓則), 위장에서 정체되었다가 올라오는 힘을 통해서 흉선으로 온 것인데(胃 以停畜之力), 이런(其) 탁재를 흉선에서 잘 처리(取)해주게 되면(取其濁滓而), 이를 올려보낸 위장은 당연히 도움(補益)을 받게 된다(以補益胃). 이때 이들이 흉선에서 처리되지 못하고 정체하면, 이 물질은 위장에서 위로 올라가지 못하고 정체한다. 그러면 당연히 위장은 이 물질들로 인해서 곤욕을 치를 것이다. 그리고 유미조에서 만들어지는 탁재는(油海之濁滓則), 소장에서 소화로 유도된 힘을 통해서(小腸 以消導之力), 간으로 갔다가 유미조로 온 것인데, 이런(其) 탁재를 유미조에서 잘 처리(取)해주게 되면(取其濁滓而), 이를 올려보낸 소장은 당연히 도움(補益)을 받게 된다(以補益小腸). 아니면 이 탁재는 소장에서 정체하게 되고, 이는 고스란히 소장의 부담으로 돌아올 것이다. 그리고 대장에서 만들어진 액해에서 나온 탁재는(液海之濁滓則), 대장의 내려보내는 힘을 통해서 만들어진 것인데(大腸 以下降之力), 이런(其) 탁 재가 대장에서 잘 처리(取)되게 되면(取其濁滓而), 이를 만든 대장은 당연히 도움 (補益)을 받게 된다(以補益大腸). 즉, 대장에서 만들어진 액해가 대장에서 잘 흡 수되어서 다른 순환계로 보내지게 되면, 이때는 대장이 부담을 던다는 뜻이다.

膩海之濁滓則 頭 以直伸之力 鍛鍊之而 成皮毛

膜海之濁滓則 手 以能收之力 鍛鍊之而 成筋

血海之濁滓則 腰 以寬放之力 鍛鍊之而 成肉

精海之濁滓則 足 以屈强之力 鍛鍊之而 成骨

뇌척수액에서 중화되지 않은 탁재는(膩海之濁滓則), 산성 물질로 작용해서 머리 쪽에 나쁜 영향을 주게 되면서, 머리의 굴신(直伸) 능력에 영향을 미치게 된다(頭 以直伸之力). 일반적으로 산성 물질은 자유전자를 통해서 신경을 경직(硬直)시키 게 만들기 때문이다. 그리고 간질에 정체한 이런 산성 물질은 간질에 자리한 콜라 겐 단백질도 환원해서 분해해버린다. 그런데, 이렇게 분해된 콜라겐 단백질은 진피 에서 모발의 뿌리가 박혀있는 장소의 구성 성분이 된다. 그래서 산성 물질이 콜라 겐을 분해해버리게 되면, 자동으로 모발은 뽑히고 만다. 이 문제도 본 연구소가 발행한 황제내경 소문이나 전자생리학을 참고하면 된다. 그러나 이런 산성 물질을 잘 중화 처리(鍛鍊)하게 되면(鍛鍊之而), 당연히 피모는 뿌리가 뽑히지 않고 왕성 하게 자라게 된다(成皮毛). 그리고 어깨뼈의 척수액에서 만들어진 산성 물질인 탁 재는(膜海之濁滓則), 산성 물질로 작용해서 어깨에 나쁜 영향을 주게 되면서, 어 깨를 통해서 작동하는 손의 수축과 이완(能收) 능력에 영향을 미치게 된다(手 以 能收之力). 그러나 이런 산성 물질을 잘 중화 처리(鍛鍊)하게 되면(鍛鍊之而), 어 깨에 붙어있는 근육(筋)도 잘 작동(成)하게 된다(成筋). 이때 근육도 콜라겐 단백 질을 포함하고 있다는 사실을 상기해보자. 그리고 척추의 정맥혈에서 만들어진 산성 물질인 탁재는(血海之濁滓則), 산성 물질로 작용해서 척추에 속한 허리에 나쁜 영향을 주게 되면서, 척추를 통해서 작동하는 허리의 굴신(寬放) 능력에 영향을 미치게 된다(腰 以寬放之力). 그러나 이런 산성 물질을 잘 중화 처리(鍛鍊)하게 되면(鍛鍊之而), 산성 척수액인 림프액(肉)은 잘 소통하게 될 것이다(成肉). 림프액(肉)인 척수액이 정제되어서 정맥혈로 진입한다는 사실을 상기해보자. 그리고 신장과 방광이 처리하는 산성 스테로이드인 탁재는(精海之濁滓則), 산성 물질로 작용해서 신장에 나쁜 영향을 미치게 되고, 이는 신장이 척수액을 통해서 통제하는 척추에 나쁜 영향을 주게 되고, 이어서 이는 중추 신경에서 문제가 발생하게 만든다. 그러면 자동으로 중추 신경을 통해서 작동하는 발은 굴신에서 문제가 발생한다(足 以屈强之力). 그러나 이런 산성 물질을 잘 중화 처리(鍛鍊)하게 되면(鍛鍊之而), 신장이 척수액을 통해서 통제하는 뼈는 자동으로 건강하게 된다(成骨). 이는 체액 이론의 정수를 요구하고 있는 문장이다.

是故 耳必遠聽 目必大視 鼻必廣嗅 口必深味
耳目鼻口之用 深遠廣大則 精神氣血 生也
淺近狹小則 精神氣血 耗也
肺必善學 脾必善問 肝必善思 腎必善辨
肺脾肝腎之用 正直中和則 津液膏油 充也
偏倚過不及則 津液膏油 爍也

지금까지 기술한 여러 요인을 통해서(是故), 귀는 반드시 멀리서 들려오는 소리를 들을 수가 있고(耳必遠聽), 눈은 반드시 큰 시야를 확보할 수가 있고(目必大視), 코는 반드시 후각 능력이 확대되고(鼻必廣嗅), 입은 반드시 깊은 맛까지 느낄 수가 있게 된다(口必深味). 이렇게 이목구비의 쓰임새는(耳目鼻口之用), 4가지 특성들이 결정하게 되는데(深遠廣大則), 이때 작용하는 인자는 입에는 정(精)이 되고, 귀에는 신(神)이 되고, 눈에는 기(氣)가 되고, 코에는 혈(血)이 된다(精神氣血), 그리고 이들이 이목구비의 활성화를 만들어내게 된다(生也). 이는 성명론 정리 도표를 참고하면 된다. 그리고 이목구비에 작용하는 4가지 인자가 형편이 없게 되면(淺近狹小則), 이때 이 4가지 인자를 돌보는 4가지 기운은(精神氣血), 당연히 소모된 상태가 된다(耗也). 그래서 인체 생리가 제대로 작동하게 되면, 폐는 반드시 머리의 통제를 통해서 공부를 잘 할 수 있게 만들고(肺必善學), 비장은 반드시 흉선을 통제해서 머리를 통제하므로, 문제에 관해서 잘 물을 수가 있게 만들고(脾必善問), 간은 반드시 뇌척수액을 통제해서 뇌를 통제하는 신장을 통해서 사고를 잘 할 수 있게 만들고(肝必善思), 신장은 반드시 스테로이드를 만드는 회음부를 통한 신경 스테로이드를 통제해서 변론을 잘할 수 있게 만든다(腎必善辨). 이도 성명론 정리 도표를 참고하면 된다. 그리고 사상을 구성하는 4개 오장의 쓰임새가(肺脾肝腎之用), 정상적으로 유지되면(正直中和則), 이때는 이들 4개 오장이 통제하는 체액의 바다도 충실하게 된다(津液膏油 充也). 그러나 사상을 구성하는 4개 오장의 쓰임새가 체액이 산성 쪽으로 치우쳐서(偏倚) 비정상적(過)으로 유지되면(偏倚過不及則), 이때는 이들 4개 오장이 통제하는 체액의 바다도 손상(爍)되어서 심각한 문제를 만들어낸다(津液膏油 爍也).

膩海藏神 膜海藏靈 血海藏魂 精海藏魄
津海藏意 膏海藏慮 油海藏操 液海藏志

　뇌척수액인 니해는 뇌 신경을 통제하므로, 당연히 신경의 밥인 자유전자로서 신(神)을 보유하고 있다(膩海藏神). 척수를 통제하는 척수액인 막해는 중추 신경이라는 신을 보유한 영(靈)을 보유하고 있다(膜海藏靈). 산성 정맥혈의 풀인 혈해는 산성(魂)이므로, 당연히 혼(魂)을 보유하고 있다(血海藏魂). 혼백(魂魄)에서 혼(魂)은 산성이고, 백(魄)은 알칼리라는 사실을 상기해보자. 그리고 알칼리인 스테로이드 풀인 정해는 당연히 알칼리인 백(魄)을 보유하고 있다(精海藏魄). 그리고 진해는 결국에는 뇌와 연결되므로, 뇌가 만들어내는 의지(意)를 보유하고 있다(津海藏意). 고해인 흉선도 결국에는 뇌와 연결되므로, 뇌가 만들어내는 사려(慮)를 보유하고 있다(膏海藏慮). 간과 연결된 유해도 결국에는 뇌와 연결되므로, 뇌가 만들어내는 절개(操)를 보유하고 있다(油海藏操). 대장이 만들어내는 액해도 결국에는 스테로이드를 통해서 뇌와 연결되므로, 뇌가 만들어내는 의지(志)를 보유하고 있다(液海藏志).

頭腦之膩海 肺之根本也. 背膂之膜海 脾之根本也
腰脊之血海 肝之根本也. 膀胱之精海 腎之根本也

이 부분은 앞에서 살펴본 부분을 정리해주고 있다. 폐의 영향을 받은 뇌척수액인 니해(膩海)는 당연히 두뇌를 적시고 있고(頭腦之膩海), 그리고 이런 니해의 근본은 폐(肺)가 된다(肺之根本也). 이는 뇌척수액의 기능을 보면 금방 알 수 있다. 뇌척수액은 뇌의 산성 물질을 산소를 이용해서 중화해준다. 그리고 이때 니해가 필요한 산소를 폐가 공급해준다. 그리고 척추가 담고 있는 림프액으로서 척수액인 막해는(背膂之膜海), 당연히 비장이 통제하는 림프액이므로, 이는 비장이 그 근본을 제공한다(脾之根本也). 그리고 척추 하나당 4개의 정맥총을 보유한 척수는 당연히 혈해가 되는데(腰脊之血海), 이 혈해는 간문맥을 통해서 정맥혈을 통제하는 간이 그 근본이 된다(肝之根本也). 그리고 신장에 붙은 부신이 알도스테론을 통해서 과잉 염을 수거해서 보내는 정해는(膀胱之精海), 부신이 붙은 신장이 그 근본을 제공한다(腎之根本也). 이 구문은 이제마의 이론이 체액(體液)을 기본으로 하고 있다는 사실을 명확히 보여주고 있다. 그리고 여기서 이제마는 체액을 뇌척수액, 림프액(膜海), 혈액, 스테로이드(精) 체액으로 나누고 있다. 이는 4개의 체액을 설명하는 아랍 전통 의학인 유나니(Unani)를 연상케 한다. 그리고 여기에 정확히 사상 체질을 만들어내는 4개의 오장을 배치하고 있다. 이는 이제마의 이론을 풀지 못하게 하는 장애물로 작용하기도 한다. 그 이유는 이제마의 이론을 풀 때 말만 최첨단인 최첨단 현대의학을 빌려서 풀기 때문이다. 이때 최첨단 현대의학은 체액

(體液)이 아닌 단백질(蛋白質)이 인체의 주인이 된다. 이는 이렇게 단백질을 인체의 주인으로 내세워야만 대증(對症) 처방이라는 약탈(掠奪) 의학을 실행할 수 있기 때문이다. 이 대증(對症) 처방에서는 병의 완치(完治) 개념은 고스란히 사라지고, 병의 관리(管理) 개념만 살아있게 된다. 이는 평생 병을 달고 살아야만 하는 구조로 내몬다. 그래서 한 번 병에 걸리게 되면, 병은 완치가 안 되고, 평생 병을 안고 살아야만 한다. 즉, 환자는 한 번 환자가 되면, 평생 병원의 볼모가 되고 만다. 이 문제는 본 연구소가 발행한 전자생리학을 참고하면 된다.

舌之津海 耳之根本也. 乳之膏海 目之根本也.
臍之油海 鼻之根本也. 前陰之液海 口之根本也

이하선과 설하선이라는 침샘은(舌之津海), 귀와도 연결되므로, 이는 귀의 근본이 되기도 한다(耳之根本也). 이는 귀의 핵심인 내이(內耳)에 있는 림프액과 연결된다는 사실을 상기해보면 알 것이다. 그리고 양쪽 유방 사이에 자리하면서 림프액을 통제하는 흉선은(乳之膏海), 당연히 림프액으로 통제되는 눈의 근본이 된다(目之根本也). 그리고 배꼽을 지나서 바로 자리한 지용성 물질이 모이는 유미조는(臍之油海), 유미조에서 시작해서 흉선과 연결된 흉관을 거쳐서 폐에 영향을 미치므로, 유미조는 폐의 영향을 받는 코의 근본을 제공한다(鼻之根本也). 회음부 근처에 자리한 대장에서 만들어지는 액해는(前陰之液海), 스테로이드 호르몬을 분비하게 만들면서, 이는 입안에서 코티졸이라는 스테로이드에 영향을 미치므로, 액해는 입의 근본이 된다(口之根本也). 이는 구강에서 코티졸의 중요성을 말하고 있다.

心 爲一身之主宰 負隅背心 正向膻中 光明瑩徹(澈)
耳目鼻口 無所不察 肺脾肝腎 無所不忖

頷臆臍腹 無所不誠 頭手腰足 無所不敬

　심장은 온몸(一身)이 필요로 하는 핵심인 알칼리 동맥혈을 공급하면서 온몸(一身)을 주재한다(心 爲一身之主宰). 동맥혈이 없다면 생명도 없다는 사실을 상기해 보면 된다. 그래서 중추 신경 거주지의 핵심(心)인 척수도 심장에 의지(負隅)할 수밖에 없으며(負隅背心), 등과 비교하면 앞쪽 정(正)중앙에 자리한 흉선(膻中)도 심장에 의지할 수밖에 없으며(正向膻中), 그래서 심장이 공급하는 동맥혈은 온몸에 광명을 만들어줘서 모든 인체가 영화롭게 다스려(徹)지게 한다(光明瑩徹). 이는 온몸을 주재하는 심장을 말하고 있다. 그리고 심장은 이목구비와 같은 신체도(耳目鼻口), 무소불위로 살피게 되며(無所不察), 사상을 만들어내는 4개의 오장도(肺脾肝腎), 무소불위로 살피게 되며(無所不忖), 4개의 오장 생리를 간섭하는 4개의 기관도(頷臆臍腹), 무소불위로 돌보게 되며(無所不誠), 인체의 운동 기능을 수행하는 4개의 인체 기관도(頭手腰足), 무소불위로 돌보게 된다(無所不敬).

제2권(卷之二)

의원론(醫源論)

의원론(醫源論)

書曰 若藥不瞑眩 厥疾不瘳 商高宗時 已有瞑眩藥驗而 高宗 至於稱歎則

醫藥經驗 其來已久於神農黃帝之時 其說 可信於眞也而

本草 素問 出於神農黃帝之手 其說 不可信於眞也

何以言之 神農黃帝時文字 應無後世文字澆漓例法故也

衰周秦漢以來 扁鵲有名而 張仲景 具備得之 始爲成家著書 醫道始興

張仲景(以後) 南北朝隋唐醫 繼之而 至于宋 朱肱 具備得之 著活人書 醫道中興

朱肱以後 元醫 李杲 王好古 朱震亨 危亦林 繼之而 至于明 李梴 龔信 具備得之

許浚 具備傳之 著東醫寶鑑 醫道復興

蓋 自神農黃帝以後 秦漢以前 病證藥理 張仲景傳之

魏晋以後 隋唐以前 病證藥理 朱肱傳之

宋元以後 明以前 病證藥理 李梴 龔信 許浚傳之

若 以醫家勤勞功業論之則 當以張仲景 朱肱 許浚爲首而 李梴 龔信次之

　　서경에서 말하기를(書曰), 만약(若)에 약을 썼는데, 이 약으로 인해서 명현(瞑眩) 반응이 나타나지 않는다면(若藥不瞑眩), 그(厥) 질병은 낫지 않을 것(厥疾不瘳)이라고 했다. 명현(瞑眩:crisis for healing) 반응은 최첨단 현대의학이 한의학을 조롱할 때 애용하는 단골이다. 대부분 질병은 에너지 과잉으로 인해서 발생한다. 그래서 병을 낫게 하는 일은 자동으로 에너지 과잉을 해소하는 과정이 된다. 그러면 병이 낫는 과정은 에너지를 소모하는 과정이 된다. 그리고 이 에너지는 신경의 밥인 자유전자이다. 그래서 병현 반응의 첫 번째는 신경의 집합체인 머리에서 시작된다. 이는 질병, 에너지, 신경, 자유전자라는 공식 때문이다. 그래서 병이 치료될 때는 명현 반응이 발생할 수밖에 없게 된다. 중국 상나라 고종 때 이야기를 보게 되면(商高宗時), 약효가 나타나면 명현 현상이 존재하게 된다고 이미(已) 말하고 있다(已有瞑眩藥驗而). 그리고 고종은 이를 보고 감탄을 자아내기도 했다(高

宗 至於稱歎則)고 한다. 그래서 의약의 이런 경험은(醫藥經驗), 그(其) 유래가 신
농과 황제 때보다도 더 오래되었다(其來已久於神農黃帝之時)고 추정할 수 있다.
그래서 명현(其) 현상의 이론은(其說), 진짜라고 믿을 수 있을 것 같다(可信於眞
也而). 그래서 신농 본초나 황제내경 소문은(本草 素問), 신농과 황제가 저작했다
는 말은 있지만(出於神農黃帝之手), 이(其) 말은 진짜라고 믿을 수 없을 것 같다
(其說 不可信於眞也). 이를 다시 설명하자면(何以言之), 신농이나 황제 때는 이에
대응할 문자가 존재하지 않았으며(神農黃帝時文字應無), 이는 후세에 나온 문자
의 조잡함에서 그 예를 짐작할 수 있다(後世文字澆漓例法故也). 주나라가 쇠퇴해
간 말엽부터 진나라와 한나라 이래로(衰周秦漢以來), 전설의 명의인 편작의 이름
이 거론되었고(扁鵲有名而), 장중경은(張仲景), 이의 이론을 모두 습득해서 터득
했고(具備得之), 결국에 상한잡병론을 쓴 장중경은 저서를 통해서 의학의 한 문파
(家)를 만들기 시작했다(始爲成家著書). 더불어 의학에 대한 새로운 길도 열어서
의학을 부흥시키기 시작했다(醫道始興). 그리고 장중경 이후에(張仲景 以後), 남
북조와 수당의 출신 의사들이 그 뒤를 이었고(南北朝隋唐醫 繼之而), 송나라에
이르러서는(至于宋), 주굉이 이의 이론을 모두 습득해서 터득했고(朱肱 具備得
之), 그는 남양활인서를 저술했고(著活人書), 이는 의학에 대한 새로운 길도 열어
서 다시 한번 의학을 부흥시켰다(醫道中興). 그리고 주굉 이후에(朱肱以後), 원나
라 의사였던(元醫), 이고, 황호고, 주진형, 위역림이 그 뒤를 이었으며(李杲 王好
古 朱震亨 危亦林 繼之而), 명대에 이르러서는(至于明), 이천과 공신이 의학 이
론을 모두 습득해서 터득했고(李梴 龔信 具備得之), 조선에서는 허준이 의학 이
론을 모두 습득하고 터득해서 전하기에 이르렀고(許浚 具備傳之), 그의 저서 동의
보감은(著東醫寶鑑), 의학에 대한 새로운 길도 열어서 의학을 부흥시켰다(醫道復
興). 대체로(蓋), 신농과 황제 이후(自神農黃帝以後), 진한 이전에 나왔던(秦漢以
前) 병증에 따른 약리는(病證藥理), 장중경이 정리해서 전해주었다(張仲景傳之).
그리고 위진 이후(魏晉以後), 수당 이전에 나왔던(隋唐以前), 병증에 따르는 약리
는(病證藥理), 주굉이 정리해서 전해주었다(朱肱傳之). 그리고 송나라와 원나라
이후(宋元以後), 명나라 이전에 나왔던(明以前), 병증에 따르는 약리는(病證藥理),

의원론(醫源論)

이천, 공신, 허준이 정리해서 전해주었다(李梴 龔信 許浚傳之). 그래서 이런 사실들을 요약해서(若), 의가들의 공로를 논하자면(以醫家勤勞功業論之則), 당연히 장중경, 주굉, 허준이 최고로 인정받을 수 있고(當以張仲景 朱肱 許浚爲首而), 그다음이 이천과 공신이 될 것이다(李梴 龔信次之).

本草 自神農黃帝以來 數千年 世間流來經驗(而) 神農時 有本草

殷時 有湯液本草 唐時 有孟詵 食療本草 陳藏器 本草拾遺

宋時 有龐安常 本草補遺 日華子本草 元時有 王好古 湯液本草

본초는(本草), 신농과 황제 이래로 수천 년 동안 전해져 내려오면서(自神農黃帝以來 數千年), 세간에서 이미 경험한 내용이다(世間流來經驗). 신농 때는 본초가 있었고(神農時 有本草), 은나라 때는 탕액 본초가 있었고(殷時 有湯液本草), 당나라 때는 맹선의 식료 본초가 있었고(唐時 有孟詵 食療本草), 또한 진장기의 본초 습유가 있었고(陳藏器 本草拾遺), 송나라 때는 방안상의 본초 보유와 일화자 본초가 있었고(宋時 有龐安常 本草補遺 日華子本草), 원나라 때는 왕호고의 탕액 본초가 있었다(元時有 王好古 湯液本草).

少陰人 病證藥理 張仲景 庶幾乎昭詳發明而 宋元明諸醫 盡乎昭詳發明
少陽人 病證藥理 張仲景 半乎昭詳發明而 宋元明諸醫 庶幾乎昭詳發明
太陰人 病證藥理 張仲景 略得影子而 宋元明諸醫 太半乎昭詳發明
太陽人 病證藥理 朱震亨 略得影子而 本草 略有藥理

소음인의 병증 약리는(少陰人 病證藥理), 장중경이 아주 잘 밝혀 논 내용을(張仲景 庶幾乎昭詳發明而), 다시 송나라, 원나라, 명나라 여러 의원이 잘 연구해 놓았다(宋元明諸醫 盡乎昭詳發明). 소양인의 병증 약리는(少陽人 病證藥理), 장중경이 반쯤 아주 잘 밝혀 논 내용을(張仲景 半乎昭詳發明而), 다시 송나라, 원나라, 명나라 여러 의원이 잘 연구해 놓았다(宋元明諸醫 庶幾乎昭詳發明). 태음인의 병증 약리는(太陰人 病證藥理), 장중경이 개략적으로 밝힌 내용을(張仲景 略得影子而), 다시 송나라, 원나라, 명나라 여러 의원이 많은 부분을 잘 연구해 놓았다(宋元明諸醫 太半乎昭詳發明). 태양인의 병증 약리는(太陽人 病證藥理), 주진형이 개략적으로 밝혀 논 내용인데(朱震亨 略得影子而), 이는 본초에서도 개략적인 약리만 있을 뿐이다(本草 略有藥理).

余 生於醫藥經驗五六千載後 因前人之述 偶得四象人臟腑性理 著得一書 名曰 壽世保元. 原書中 張仲景所論 太陽病 少陽病 陽明病 太陰病 少陰病 厥陰病 以病證名目而論之(也). 余所論 太陽人 少陽人 太陰人 少陰人 以人物名目而論之也

二者 不可混看 又不可厭煩然後 可以探其根株而 採其枝葉也

若 夫脈(脉)法者 執證之一端也. 其理 在於浮沈遲數而 不必究其奇妙之致也

三陰三陽者 辨證之同異也 其理 在於腹背表裏而 不必究其經絡之變也

　나의 의학 경험은 이 경험이 오륙천 년 동안 쌓인 후에 태어나서(余 生於醫藥經驗五六千載後), 앞서 떠나신 여러 의원의 의술을 토대로(因前人之述), 우연히 사상인의 장부 섭리를 깨달아서(偶得四象人臟腑性理), 이를 책으로 정리했는데(著得一書), 나는 이를 수세보원이라고 이름 지었다(名曰 壽世保元). 내 책에서는 장중경이 말하는(原書中 張仲景所論), 태양병, 소양병, 양명병, 태음병, 소음병, 궐음병의 내용도 들어있는데, 이는 병증의 이름을 명목으로 나눠서 논했다(太陽病 少陽病 陽明病 太陰病 少陰病 厥陰病 以病證名目而論之(也)). 그러나 나는 태양인, 소음인, 태음인, 소음인이라는 사람별로 나누어서 논했다(余所論 太陽人 少陽人 太陰人 少陰人 以人物名目而論之也). 장중경의 내용과 나의 내용을 서로 뒤섞어 보아서는 안 된다(二者 不可混看). 또한 역시 이런 연유(然後)로 너무 까다롭게 보아서도 안 된다(又不可厭煩然後). 그래야 이 책의 뿌리와 줄기를 심층적으로 탐구할 수가 있고(可以探其根株而), 그래야 이 책에서 줄기와 잎을 제대로 채취할 수가 있게 된다(採其枝葉也). 그리고(若), 무릇 진맥을 한다는 것은(夫脈(脉)法者), 병증의 실마리를 잡아내는 일이다(執證之一端也). 그리고 진맥(其)의 원리는(其理), 맥의 부침지삭에 있으며(在於浮沈遲數而), 이때 맥상(其)의 아주 특이한 경우까지 탐구할 필요는 없다(不必究其奇妙之致也). 삼음삼양에서는(三陰三陽者), 병증의 같음과 다름을 가려내는 일을 한다(辨證之同異也). 그 원리는(其理), 복배표리에 있고(在於腹背表裏而), 이때는 물론 해당 경락의 변화까지 읽어낼 필요는 없다(不必究其經絡之變也). 동의수세보원의 개요를 설명하고 있다.

古人 以六經陰陽 論病故 張仲景 著傷寒論 亦以六經陰陽 該病證而

以頭痛 身疼 發熱惡寒 脈(脉)浮者 謂之太陽病證

以口苦 咽乾 目眩 耳聾 胸脇滿 寒熱往來 頭痛 發熱 脈弦細者 謂之少陽病證

以不惡寒 反惡熱 汗自出 大便秘者 謂之陽明病證

以腹滿時痛 口不燥 心不煩而 自利者 謂之太陰病證

以脈微細 但欲寐 口燥 心煩而 自利者 謂之少陰病證

以初無腹痛自利等證而 傷寒六七日 脈微緩 手足厥冷 舌卷囊縮者 謂之厥陰病證

六條病證中 三陰病證 皆少陰人病證也. 少陽病證 卽 少陽人病證也.

太陽病證 陽明病證則 少陽人 少陰人 太陰人病證 均有之而 少陰人病證 居多也

古昔以來 醫藥法方 流行世間 經歷累驗者 仲景採摭而 著述之

蓋 古之醫師 不知 心之愛惡所欲 喜怒哀樂 偏着者 爲病而

但知 脾胃水穀 風寒暑濕 觸犯者 爲病故

其論病論藥全局 都自少陰人 脾胃水穀中出來而 少陽人 胃熱證藥 間或有焉

至於太陰人病情則 全昧也

옛날의 의술인들은(古人), 육경을 이용해서 이를 음양 이론으로 정립하고(以六

經陰陽), 병증을 논했으므로(論病故), 장중경도(張仲景), 상한론을 저술해서(著傷寒論), 역시 육경을 이용해서 음양 이론을 정립하고(亦以六經陰陽), 병증을 이해했다(該病證而). 그래서 장중경은 두통, 신통, 발열, 오한이 있을 때(以頭痛 身疼 發熱惡寒), 맥상을 부맥으로 규정짓고서(脈(脉)浮者), 이를 태양병증이라고 말했다(謂之太陽病證). 그리고 입안이 쓰고, 목구멍이 건조하고, 눈이 침침하고, 귀가 잘 안 들리고, 가슴이 그득하면서 한열이 왕래하고(以口苦 咽乾 目眩 耳聾 胸脇滿 寒熱往來), 두통이 있고, 열이 나면(頭痛 發熱), 이때 맥상을 현맥과 세맥으로 규정짓고서(脈弦細者), 이를 소양병증이라고 말했다(謂之少陽病證). 그리고 반대로 오한이 없고 오열이 있으면서 스스로 땀을 흘리면서 대변이 굳어서 문제가 있으면(以不惡寒 反惡熱 汗自出 大便秘者), 이를 양명병증이라고 말했다(謂之陽明病證). 그리고 복부가 그득하면서 통증이 있고, 입은 건조하지 않으나 스스로 설사하게 되면(以腹滿時痛 口不燥 心不煩而 自利者), 이를 태음병증이라고 했다(謂之太陰病證). 그리고 맥상이 미세하면서 자꾸 눕고 싶어 하고, 입이 건조하게 되고, 가슴이 답답하면서 스스로 설사하면(以脈微細 但欲寐 口燥 心煩而 自利者), 이를 소음병증이라고 했다(謂之少陰病證). 그리고 초기에 복통과 스스로 설사하는 증상 등등이 발현되지 않은 상태에서(以初無腹痛自利等證而), 상한에 걸려서 6~7일이 지나고 나서(傷寒六七日), 맥상이 약한 완맥으로 나오게 되면서 수족이 냉하고, 혀가 꼬이고 고환이 수축하게 되면(脈微緩 手足厥冷 舌卷囊縮者), 이를 궐음병증이라고 했다(謂之厥陰病證). 이 6가지 경우의 수 때 나타나는 병증 중에서(六條病證中), 삼음에 속하는 병증은(三陰病證), 모두 소음인 병증이 된다(皆少陰人病證也). 여기서 말하는 삼음은 심장, 간, 비장을 말한다. 이 문제는 본 연구소가 발행한 상한론이나 상한잡병론을 참고하면 된다. 여기서 특히 중요한 일은 상한(傷寒)이라는 개념을 정확히 이해하는 것이다. 이는 상당히 어려운 개념이다. 이는 또한 역시 본 연구소가 발행한 황제내경이나 전자생리학을 참고해도 된다. 그리고 소양병증은(少陽病證), 말 그대로(卽), 소양인의 병증이다(少陽人病證也). 그리고 태양병증과(太陽病證), 양명병증은(陽明病證則), 소양인(少陽人), 소음인(少陰人), 태음인의 병증에(太陰人病證), 골고루 섞여 있는 병증이나(均有之而), 이는 소음인의 병증인 경우가(少陰人病證), 다수이다(居多也). 여기서 잠깐 정리를 좀 해보고 가자. 먼저 상한론에서 삼음은 간. 비장, 신장이고, 삼양은 삼음의 양(陽)인 담, 위장, 방광이다. 그리고 상한론의 원리에 따르게 되면, 여기서 한(寒)은 염(塩: 화학 용어)이다. 그리고 이 염은 만병의 근원이 과잉 자유전자를 보유한 과잉 산(酸)을 말한다. 그리고 이 과잉 산을 수거해서 버리는 장소가 삼양삼음이다. 여기서 간, 비장, 신장인 삼음은 과잉 산을 수거하는 기능을 하고, 삼음에 속하는 삼양은 삼음이 수거한 산성 물질을 체외로 배출한다. 이때 산성 물질을 배출하는 도구는 간에서 담즙이 되고, 이를 담이 체외로 배출하고, 비장에서는 위산이 되고, 이를 위장이 체외로 배출하고, 신장에서는 요산 등등이 되고, 이를 방광이 체외로 배출한다. 그래서 상한론은 병의 근원인 과잉 산을 체외로 버려서 병증을 통제하게 된다. 그리고 이제마는 소양(少陽)인 담(膽)이 문제가 되어서 병이 되는 경우를 소양인(少陽人)의 병증으로 분류한다. 그러면 담(膽)의 문제는 담에게 담즙을 만들어서 보내는 간(肝)의 문제하고도 연결된다. 즉, 이를 황제내경 식으로 따져보자면, 간(肝)과 담(膽)의 문제가 소양인(少陽人)의 병증이 된다. 참고로 황제내경에서 간과 담은 신경을 통해서 근육을 통제하므로, 당연히 이 둘은 뇌에도 영향을 미치게 된다. 게다가 간은 정맥혈을 통제하므로, 당연히 뇌의 정맥혈에도 영향을 미치게 된다. 그리고 이제마는 소양인(少陽人)을 비장이 크고, 신장이 작은 경우로 분류하고 있다. 그리고 비장과 신장을 기준으로 양쪽으로 영향을 미치는 인자는 간과 담이 된다. 그리고 방광(膀胱)과 위장(胃)의 병증은 여러 장부에 걸쳐있으나 소음인(少陰人)의 병증으로 분류한다. 그러면 방광과 위장의 문제는 각각 신장과 비장의 문제도 된다. 그러면, 이를 황제내경 방식으로 재정의해보자면, 소음인(少陰人)의 병증은 신장(腎臟)과 방광(膀胱), 비장(脾臟)과 위장(胃)의 문제가 된다. 그리고 이제마는 소음인을 신장이 크고, 비장이 작은 경우로 규정하고 있다. 그러면 이제마의 소음인(少陰人)은 황제내경의 분류와 똑같게 된다. 단지 기관의 크기에서 차이가 있을 뿐이다. 그런데, 이제마는 소음인(少陰人)의 병증에 황제내경이 말하는 삼음의 병증 즉, 간, 신장, 비장의 병증을 추가하고 있다. 그러면 자동으로 이제마의 소음인(少陰人) 병증은 황제내경의 삼양삼음 병증이 되고 만다.

또한 이는 정확히 장중경의 상한론(傷寒論)을 말하고 있다. 다시 본문으로 가보자. 옛날부터(古昔以來), 의약 처방이란(醫藥法方), 세상 사람들이 경험을 통해서 얻은 내용이 전해 내려온 것인데(流行世間 經歷累驗者), 이를 장중경이 채집하고 편집해서 상한잡병론으로 저술했다(仲景採摭而 著述之). 대개(蓋), 옛날 의사들은(古之醫師), 마음에서 나오는 애증과 소유욕 그리고 희노애락의 집착이 병을 만든다는 사실을 몰랐다(不知 心之愛惡所欲 喜怒哀樂 偏着者 爲病而). 이는 인문 의학을 말하고 있기도 하다. 물론 제대로 된 의사들은 이를 잘 알았을 것이다. 그래서 옛날 의사들은 단지(但知), 비위가 통제하는 수곡과(脾胃水穀), 풍한서습을 위반해서 범하게 되면(風寒暑濕 觸犯者), 이들이 병이 된다고 생각했다(爲病故). 그래서 이런(其) 이론에 병론을 적용해서 약전을 보자면(其論病論藥全局), 소음인 유래(自) 모든(都) 질병은(都自少陰人), 비위가 수곡을 어떻게 처리(中出來)하느냐의 문제로 간다(脾胃水穀中出來而). 그리고 소양인에서 나타나는(少陽人), 위장 열증의 약은(胃熱證藥), 간혹 그 처방이 있을 뿐이다(間或有焉). 여기서 중요한 사실은 소음인(少陰人)이나 소양인(少陽人)을 받쳐주는 기관은 모두 비장(脾臟)과 신장(腎臟)이라는 사실이다. 그리고 태음인의 병정에 이르러서는(至於太陰人病情 則), 자료가 거의 없다(全昧也). 참고로 태음인은 간이 크고, 폐가 작다. 이 구문을 자세히 알려면, 본 연구소가 발행한 상한잡병론이나 상한론을 참고하면 된다.

岐伯曰 傷寒一日 巨陽受之 故 頭項痛 腰脊强

二日 陽明受之 陽明主肉 其脈挾鼻 絡於目故 身熱 鼻乾 目疼(痛)而 不得臥也

三日 少陽受之 少陽主膽 其脈循脇 絡於耳故 胸脇痛而 耳聾

三陽經絡 皆受病而 未入於臟故 可汗而已

四日 太陰受之 太陰脈 布胃中 絡於肝故 腹滿而 嗌乾

五日 少陰受之 少陰脈 貫腎 絡於肺 繫舌本故 口燥 舌乾而渴

六日 厥陰受之 厥陰脈 循陰器而 絡於肝故 煩滿而 囊縮

三陰三陽 五臟六腑 皆受病 榮衛不行 五臟不通則 死矣

기백이 말한다(岐伯曰). 이 부분은 기백이 나오므로 황제내경 방식으로 풀어야 만 한다. 상한에 걸려서 일일 차가 되면(傷寒一日), 방광이 이를 받는다(巨陽受 之). 상한은 앞에서 잠깐 살펴보았지만, 이는 신장과 방광이 처리하는 염(塩)의 문 제이다. 즉, 신장이 과잉 자유전자를 수거한 염을 요산 등등으로 만들어주게 되면, 이를 방광이 받아서 체외로 배출해주게 되면, 염이 만들어낸 상한은 깨끗이 해결 된다. 그런데, 이런 염을 받은 방광이 처리하지 못하게 되면, 이 염은 자동으로 혈 류를 타고 흐르게 된다. 그러면 이 염에 붙은 자유전자는 염소(Cl)에 저장되고, 이는 자동으로 위산(HCl)이 되어서 체외로 배출된다. 위장은 인체 입장으로 보면, 체외라는 사실을 상기해보자. 그래서(故), 신장과 방광은 뇌척수액을 통해서 머리 를 통제하므로, 이 여파는 자동으로 뇌척수액이 다스리는 머리와 목 그리고 척추 문제로 이어진다(頭項痛 腰脊强). 이렇게 2일 차가 되면, 이 문제는 자동으로 위 장(陽明) 문제로 이어진다(二日 陽明受之). 그러면, 위장과 비장은 림프액(肉)을 통제하므로(陽明主肉), 이 경락은 당연히 림프액의 영향을 크게 받는 코를 통과해 서 눈에까지 이르므로(其脈挾鼻 絡於目故), 이때는 자동으로 이 문제를 만든 과 잉 산은 신열을 만들고(身熱), 이 열은 자동으로 코를 건조하게 하고(鼻乾), 눈에 이르러서는 눈 통증을 만들어내고(目疼(痛)而), 결국에는 림프액으로서 뇌척수액 까지 문제를 만들게 되므로, 이어서 잠까지 설치게 된다(不得臥也). 상한에 걸려 서 3일 차가 되면(三日), 이때는 소양이 받는다(少陽受之). 이는 위장이 문제가 되고, 이어서 비장이 문제가 되면서 발생한다. 비장은 간이 보내는 산성 쓰레기를 처리하는 하수구라는 사실을 상기해보자. 그래서 간의 하수구인 비장이 위장으로 인해서 막히게 되면, 이 문제는 곧바로 간 문제로 이어지고, 이어서 간 문제는 담 (少陽) 문제로 이어진다. 그리고 잘 알다시피 소양의 문제는 담 문제이다(少陽主 膽). 그리고 담의 경락은 갈비뼈를 거쳐서(其脈循脇), 눈에 연결되므로(絡於耳故), 당연히 담의 경맥이 경유하는 갈비뼈에서 통증을 만들어내게 되고(胸脇痛而), 더 불어 담의 경락이 지나가는 귀에서도 문제를 만든다(耳聾). 지금까지 상황을 종합 해보면, 처음에 상한이 방광에서 문제를 만들고, 이어서 이는 위장으로 이어지고, 이어서 담으로 이어지면서, 결국에 이 문제는 삼양의 경락 모두에 연결되면서 이

삼양은 모두 병에 걸리고 말았다(三陽經絡 皆受病而). 그리고 지금 상태는 아직 양(陽)의 경락만 순환하고 있지, 이 양을 순환하고 있는 과잉 산을 중화하는 음(陰)인 오장까지는 가지 않았다(未入於臟故). 이때는 병을 만든 과잉 산이 아직은 간질을 떠돌고 있으므로, 이때는 간질의 과잉 산을 중화 처리하는 땀법으로 해결이 가능하다(可汗而已). 그러나 이때 양(陽)인 간질에서 문제가 해결이 안 되면, 이 문제는 당연히 음(陰)인 오장으로 진입하게 된다. 그러면 간질에 있던 과잉 산은 자동으로 림프로 들어간다. 그리고 림프액을 통제하는 오장은 비장(太陰)이 된다. 그래서 상한이 4일 차가 되면, 이 문제는 자동으로 비장(太陰)이 받게 된다(四日 太陰受之). 그러면 비장의 경락은(太陰脈), 당연히 자기와 짝하는 위장을 거쳐서(布胃中), 자기가 산성 쓰레기를 처리해주는 간으로 연결된다(絡於肝故). 그러면 자동으로 비장과 간이 자리한 복부가 그득해지고(腹滿而), 그러면 비장이 통제하는 림프가 아주 잘 발달한 입은 바싹바싹 마르게 된다(嗌乾). 이때는 자동으로 열이 나기 때문이다. 이제 상한에 걸려서 5일 차가 되면(五日), 이 문제는 신장으로 간다(少陰受之). 이는 비장이 림프액을 처리하다가 자기가 힘에 부쳐서 버겁게 되면, 똑같이 림프액을 처리하는 신장으로 산성 림프액을 보내버리기 때문이다. 비장은 신장을 상극(相剋)한다는 사실을 상기해보자. 그러면 신장의 경락은(少陰脈), 신장을 관통해서 폐까지 이르고(貫腎 絡於肺), 이는 설본까지 연계되므로(繫舌本故), 이는 자동으로 입을 건조하게 만들고, 이어서 갈증까지 초래한다(口燥 舌乾而渴). 이제 상한이 6일 차가 되면(六日), 신장은 자기가 처리하는 담즙인 유로빌린(Urobilin)을 처리하지 못하게 되고, 이는 자동으로 담즙을 전문으로 처리하는 간으로 가게 된다. 즉, 이때는 간(厥陰)이 상한을 받게 된다(厥陰受之). 그러면 간의 경락은(厥陰脈) 음부를 지나서(循陰器而), 간을 거치게 되므로(絡於肝故), 간이 자리하고 있는 복부가 그득해지면서 불편해지게 되고(煩滿而), 음부에 자리한 고환은 수축한다(囊縮). 그러면 삼양삼음(三陰三陽)을 포함한 오장육부는(五臟六腑), 모두 병을 받게 된다(皆受病). 이렇게 해서 오장육부를 순행하던 영양분과 에너지 그리고 면역(衛)이 불통하게 되면(榮衛不行), 자동으로 오장도 따라서 불통하게 되고(五臟不通則), 이는 인체가 가동하기 위해서는 필수인 에너지의 공급 단절을 말하므로, 인체는 자동으로 죽게 된다(死矣).

兩感於寒者 必不免於死. 兩感(於)寒者 一日 巨陽少陰俱病則 頭痛 口乾而 煩滿

二日 陽明太陰俱病(則) 腹滿 身熱 不飮食 譫語

三日 少陽厥陰俱病 耳聾 囊縮而厥 水漿不入口 不知人

六日 死 其死 皆以六七日(之)間 其愈 皆以十日已上

　여기서 중요한 사실은 산성 체액이 오장육부를 순환(循環)하면서 나누어서 중화된다는 점이다. 그런데, 이런 중간에 특정 오장육부에 문제가 있어서 이 순환이 정체(停滯)하게 되면, 이때는 산성 체액을 준 오장육부와 받은 오장육부가 동시에 산성 체액으로 인해서 부하(負荷)에 걸리게 된다. 이를 양감(兩感)이라고 부른다. 그래서 상한 때 양감에 걸리게 되면(兩感於寒者), 이는 인체를 작동시키는 에너지 순환의 중단을 의미하므로, 이때는 당연히 죽음을 면치 못하게 된다(必不免於死). 이때는 일부 신체의 에너지 부족으로 인해서 인체는 자동으로 죽게 된다. 그래서 상한 때 양감에 걸리게 되었는데(兩感(於)寒者), 그 일일 차에(一日), 방광과 신장이 모두 병에 걸리게 되면(巨陽少陰俱病則), 이 둘은 뇌척수액을 통제해서 머리를 통제하므로, 이때는 당연히 두통이 자동으로 따라오게 되고(頭痛), 뇌척수액을 받는 구강도 문제를 만들면서 입이 건조해지게 되고(口乾而), 몸은 자동으로 대단히 불편해지게 된다(煩滿). 이런 상태가 2일 차가 되었는데(二日), 이번에는 위장과 비장이 모두 병에 걸리게 되면(陽明太陰俱病(則)), 이는 위장과 비장이 자리한 복부를 그득하게 만들게 되고(腹滿), 과잉 산 때문에 신열은 자동으로 나게 되고(身熱), 위장에 문제가 있으므로, 음식은 섭취가 불가하고(不飮食), 이 문제는 비장이 통제하는 림프액으로서 뇌척수액하고도 연계되면서 자동으로 머리가 이상해지게 되고, 이어서 헛소리인 섬어를 내뱉게 만든다(譫語). 이제 이런 상태가 3일 차가 되면(三日), 이제 문제는 산성 체액 흐름도의 순서에 따라서, 간과 담에 모두 병을 안기게 된다(少陽厥陰俱病). 그러면, 이는 간경과 담경이 지나가는 부위에서 문제를 만든다(耳聾 囊縮而厥). 이 상태는 산성 체액의 순환이 마지막에 와 있게 된다. 그러면, 이때는 당연히 아무것도 먹을 수가 없는 상태가 되는 것은 당연한 순리가 되고(水漿不入口), 또한 자동으로 사람도 알아보지 못하게 된다(不知人). 이 순서에 주목할 필요가 있다. 이렇게 해서 6일 차가 되면, 에너지의 순환이 끊기게 되면서 인체는 자동으로 죽게 된다(六日 死). 그리고 이때(其) 죽음까지는(其死), 모두 6~7일 정도가 걸리게 된다(皆以六七日(之)間). 반면에 이(其) 병의 치유는 모두 10일 이상이 소요된다(其愈 皆以十日己上).

論曰 靈樞素問 假托黃帝 異怪幻惑 無足稱道 方術好事者之言 容或如是
不必深責也 然 此書 亦是古人之經驗而 五臟六腑 經絡鍼法 病證修養之辨
多有所啓發則 實是醫家 格致之宗主而 苗脈之所自出也 不可全數其虛誕之罪而
廢其啓發之功也 蓋 此書 亦古之聰慧博物之言 方士淵源修養之述也
其理 有可考而 其說 不可盡信

나는 주장하고 싶다(論曰). 황제내경의 영추와 소문은(靈樞素問), 황제를 들먹여서(假托黃帝), 사람들을 현혹시키고(異怪幻惑), 도라고 말하는 것을 충분히 말하지 못하고 있으며(無足稱道), 방중술을 행하는 호사가들의 말이 많이 있다(方術好事者之言 容或如是). 그러나 이를 심하게 질책할 필요는 없다(不必深責也). 그 연유는(然), 이 책도(此書), 역시 고인들의 경험을 담고 있으며(亦是古人之經驗而), 오장육부의 문제와(五臟六腑), 경락을 포함한 침법 등등이(經絡鍼法), 병증과 수양의 문제를 탐구하고 있기 때문이다(病證修養之辨). 그래서 이는 우리의 식견을 높일 수 있는 예가 많으므로(多有所啓發則), 이는 실제로 의가들의(實是醫家), 품격을 높여주는 바탕이 되며(格致之宗主而), 의술의 근본(苗脈)이 나오게 하는 출처가 된다(苗脈之所自出也). 이 책에 들어있는 허술한 부분을 탓할지라도 이를 모두 무시해서는 안 되며(不可全數其虛誕之罪而), 추가로 이를 계발한 사실까지도 없애버리면 안 된다(廢其啓發之功也). 대체로(蓋), 이 책은(此書) 역시 고대

선인들이 의학에 관련된 고귀한 경험과 말들을 집대성한 내용이다(亦古之聰慧博物之言). 그래서 여기에는 방사들의 심오한 수양 방법들이 들어있다(方士淵源修養之述也). 이런 의미에서 그 원리는(其理), 고려할 가치가 있다(有可考而). 그러나 그 가설들은(其說), 모두 믿어서는 안 된다(不可盡信). 여기서 우리는 이제마가 동의수세보원을 쓴 이유를 엿볼 수가 있다. 추가로 이 부분은 이제마의 한계를 말하고 있기도 하다. 상한잡병론이란 위대한 책을 쓴 장중경도 한 가지 약점은 있다. 즉, 장중경은 침법을 모른다는 사실이다. 그러나 장중경은 오운육기(五運六氣)는 어느 정도 알고 있었다. 그런데, 이제마는 침법과 오운육기를 동시에 모르고 있었던 것 같다. 특히 오운육기라는 에너지 이론을 모르게 되면, 이 시점에서 많은 미신(迷信)이 튀어나올 수밖에 없다. 그러면 자동으로 황제내경 영추와 소문이 문제가 아주 많은 책으로 보이기 시작할 것이다. 특히 침법의 원리는 깨닫기가 지독히도 어렵다. 그러나 이제마는 인체 생리는 양자역학 개념을 이용해서 찬탄을 자아낼 정도로 아주 잘 풀어내고 있다. 그래서 이제마는 정맥혈과 림프액을 이용해서 사상이론을 확립하고 있고, 그 중앙에 심장을 태극(太極)이라는 이름으로 배치하고 있다. 이는 심장이 공급하는 알칼리 혈액이 산성 정맥혈과 산성 림프액을 중화해주기 때문이다. 그래서 이제마는 체액(體液) 이론에는 놀라울 정도로 정통하고 있다. 그래서 이제마의 사상의학은 실제로는 체액 이론이다. 이는 최첨단 현대의학을 제외하면, 체액 이론이 모든 의학의 근본(根本)이기 때문이다. 이는 정확히 중세 기독교를 떠올리게 한다. 이때는 교회가 사상을 억압해서 왜곡시켰지만, 지금은 최첨단 현대의학이 과학을 억압하고 있다. 그러면, 중세의 교회 때문에, 르네상스가 일어났던 것처럼, 지금은 최첨단 현대의학 때문에 의학 르네상스를 기대해 볼 수 있을 것이다. 즉, 지금의 최첨단 현대의학의 약탈적(掠奪的) 대증(對症) 치료 철학에서 인술적(仁術的) 근원(根源) 치료 철학으로 돌아가자는 뜻이다.

岐伯所論 巨陽少陽少陰經病 皆少陽人病也

陽明太陰經病 皆太陰人病也. 厥陰經病 少陰人病也

기백의 주장을 따르면(岐伯所論), 방광, 담, 신장 경락의 병은(巨陽少陽少陰經病), 모두 소음인의 병증이다(皆少陽人病也). 그리고 비장과 위장 경락의 병증은(陽明太陰經病), 모두 태음인의 병증이다(皆太陰人病也). 그리고 간 경락의 병증은(厥陰經病), 소음인의 병증이다(少陰人病也).

< 동의수세보원에 나오는 변수 최종 정리 도표 >

체질 구분	태양인	소양인	태음인	소음인
오장(강/약)	폐/간	비/신	간/폐	신/비
소속 신체1	귀(耳)	눈(目)	코(鼻)	입(口)
소속 신체2	턱(頷)	가슴(膻:흉선)	배꼽(臍)	배(腹)
소속 신체3	머리(頭)	어깨(肩)	허리(腰:신장)	볼기(臀:회음부)
감각	청각(聽)	시각(視)	후각(嗅)	미각(味)
감정1	천심(擅心)	치심(侈心)	나심(懶心)	욕심(慾心)
감정2	교심(驕心)	긍심(矜心)	벌심(伐心)	과심(夸心)
감정3	애(哀)	노(怒)	희(喜)	낙(樂)
감정4	탈리(奪利)	자존(自尊)	자비(自卑)	절물(竊物)
천기(天機)	천시(天時)	세회(世會)	인륜(人倫)	지방(地方)
인사(人事)	사무(事務)	교우(交遇)	당여(黨與)	거처(居處)
능력	識見(식견)	威儀(위의)	材幹(재간)	方略(방략)
사유(四維)	신(神)	기(氣)	혈(血)	정(精)
체액1	니해(膩海)	막해(膜海)	혈해(血海)	정해(精海)
체액2	진(津)	고(膏)	유(油)	액(液)
체액3	진해(津海)	고해(膏海)	유해(油海)	액해(液海)
관리 기관	위완부(胃脘) 혀(舌) 귀(耳) 두뇌(頭腦) 피모(皮毛)	위장(胃) 고황(兩乳) 눈(目) 등척(背膂) 정맥·근육(筋)	소장(小腸) 배꼽(臍) 코(鼻) 요척(腰脊) 림프(肉)	대장(大腸) 회음부(前陰) 구강(口) 방광(膀胱) 뼈(骨)

소음인 신수열 표열병론
(少陰人 腎受熱 表熱病論)

소음인 신수열 표열병론(少陰人 腎受熱 表熱病論)

이 문단을 해석하기 전에 먼저 언급해야만 하는 사실은 이제마는 동양의학과 한의학의 기반인 황제내경 소문이나 영추를 신뢰하지 않는다는 점이다. 이런 이유로 이제마는 자기 독자적인 생리 이론을 구축하고 있다. 여기서 아쉬운 점은 동양의학의 핵심인 오운육기와 침법이 빠져있다는 사실이다. 이는 에너지 문제로 연결되는데, 에너지 문제는 인체가 에너지로 작동하므로, 의학에서 에너지 문제는 핵심이 된다. 결국에 이제마는 자기가 터득한 인체 생리 지식만을 이용해서 자기의 독특한 이론을 확립하고 있다. 이런 이유로 이제마는 황제내경에서 출발해서 장중경의 이론까지 침투한 삼양삼음의 이론과 사상 체질을 정확히 짝 지우지 못하고 있다. 아마도 이 부분이 제일 아쉬운 부분인 것 같다. 본 연구소가 발행한 황제내경을 보면 알겠지만, 황제내경은 약 20가지 이상의 과학(科學)을 섭렵해야만 정확히 풀어낼 수 있는 종합 과학 서적이다. 그리고 이제마는 장중경의 이론과 이를 따르는 다른 이론을 예를 들어서 자기의 이론을 증명해나간다. 그런데, 장중경의 이론 자체가 황제내경의 이론을 철저히 따르고 있다는 사실이다. 이 부분이 이제마가 확립한 이론에서 제일 아쉬운 부분이다. 물론 이는 이제마의 이론을 깎아내리는 것은 아니다. 이제마는 인체 생리는 정확히 알고 있다. 이런 연유로 이제마는 자기만의 이론을 확립할 수 있었다. 그래서 이런 전반적인 내용을 정확히 알지 못하고 이제마의 동의수세보원을 해석하게 되면, 결과는 너무나 뻔하게 된다. 그리고 동의수세보원을 해석하면서 반드시 지적(指摘)해야만 하는 부분이 있다. 바로 주역(周易)이다. 동의수세보원을 해석하다가 보면, 주역에서 사용되는 용어들이 등장한다. 그러나 이는 주역의 이론을 동의수세보원에 적용한 사례가 아니고, 이는 그냥 주역에 빗대어서 사상이론을 설명할 뿐이다. 이 부분은 동의수세보원을 해석할 때 대혼란을 유도하고 만다. 그리고 주역의 근본은 오운육기를 포함하고 있다. 그러나 이제마는 오운육기를 설명하지 않고 있다. 그러면, 자동으로 주역의 내용이 동의수세보원에 들어갈 리가 없게 된다. 이런 여러 이유로 인해서 동의수세보원의 정확한 해석은 상당히 어렵다. 이는 동양의학과 서양의학 양쪽을 장난감처럼 모두 가지고 놀 수 있어야만 가능하다. 추가로 동의수세보원은 동양의학 종합 서적이므로, 이를 정확히 해석하기 위해서는 황제내경 소문과 영추, 난경, 맥경, 침구갑을경, 상한잡병론, 상한론의 지식을 요구한다. 이런 연유로 동의수세보원을 해석하기가 상당히 어렵다. 이런 사실들을 염두에 두고 이제마의 이론을 파헤쳐보자.

張仲景 傷寒論 曰 發熱 惡寒 脈浮者 屬表 卽 太陽證也

太陽傷風 脈陽浮而陰弱 陽浮者 熱自發 陰弱者 汗自出

嗇嗇惡寒 淅淅惡風 翕翕發熱 鼻鳴乾嘔 桂枝湯主之

危亦林 得效方 曰 四時瘟疫 當用 香蘇散

龔信 醫鑑 曰 傷寒 頭痛 身疼 不分表裏證 當用 藿香正氣散

　장중경의 상한론을 보자(張仲景 傷寒論 曰). 이 부분은 장중경의 상한잡병론을 먼저 보면, 이해가 쉽다. 이 구문이 말하는 내용은 상한론이지만, 상한론은 상한잡병론을 정리한 내용인데, 상한론을 상한잡병론과 비교해보면, 상한론은 내용의 질이 한참이나 떨어진다. 이는 본 연구소가 발행한 상한잡병론과 상한론을 동시에 읽거나, 아니면 상한잡병론을 보면, 이런 내용이 설명되어있다. 다시 본문을 보자. 열이 나고(發熱), 오한이 들고(惡寒), 맥상이 부맥이면(脈浮者), 이는 표증에 속하는 증상인데(屬表), 이는 곧(卽), 태양증을 말하고 있다(太陽證也). 발열이나 오한의 문제는 본 연구소가 발행한 황제내경 소문을 참고하면, 되는데, 이는 간질에 열을 만드는 과잉 산(酸)의 적체 때문에 일어난다. 여기서 간질을 표(表)로 취급한다는 사실이 중요하다. 간질은 체액이 소통하는 공간이므로, 이는 너무나 당연한 사실이 된다. 그리고 간질에 쌓인 과잉 산(酸)은 자유전자를 보유한 상태이므로, 이는 자동으로 전해질이 되고, 이어서 삼투압 기질이 되므로, 자동으로 부종(浮)도 만들어낸다. 그리고 이때 나타나는 맥상이 부맥(浮)이다. 그러면, 여기서 태양증(太陽證)의 해석이 여러 가지로 나오게 된다. 황제내경에서 태양(太陽)은 삼투압 기질인 염(塩)을 처리하는 방광(太陽)의 문제가 된다. 또한, 부맥(浮)은 맥경에 따르면, 폐(肺)의 전형적인 맥상이다. 그리고 태양(太陽)은 사상이론에서 폐(肺)를 말한다. 그러면 앞에 기술한 병증은 자동으로 태양증(太陽證)이 된다. 그리고 동의수세보원에 나오는 변수 최종 정리 도표에서 보면, 폐(太陽)는 간질과 접한 피모(表)와 연관된다. 그리고 태양(太陽)인 방광이 암모니아 염을 처리하지 못해서 이를 만드는 간(風)을 상(傷)하게 하면(太陽傷風) 즉, 간이 과부하에 걸려서 산성 정맥혈을 우 심장을 거치지 않고 기정맥을 통해서 직접 폐로 보내버리게 되면, 이때는 당연히 폐가 과부하에 시달리게 되면서, 폐가 통제하는 양(陽)인 간질에서 자동으로 부맥(浮)이라는 맥상(脈)이 만들어지게 되고, 이는 자동으로 폐와 간이라는 음(陰)이 약(弱)한 상태를 말하게 된다(脈陽浮而陰弱). 이렇게 간질이라는 양(陽)에서 부맥(浮)이 만들어지게 되면(陽浮者), 이는 자동으로 간질에 열의 근원인 과잉 산(酸)의 정체를 말하게 되므로, 이때는 자동(自)으로 열이 발생하게 된다(熱自發). 이 문제는 본 연구소가 발행한 황제내경 소문을 참고하거나 전자생리학을 참고해도 된다. 이때 만들어진 열(熱)은 자동으로 모공을 열어서 땀(汗)의 배출을 유도한다. 이는 또한 음인 오장이 과잉 산을 중화하지 못하고 있다는 뜻도 된다. 즉, 지금은 과잉 산을 중화하는 음(陰)인 간과 폐가 약(弱)한 상태가 된다. 그래서 자동으로 음(陰)인 오장이 약(弱)하게 되면(陰弱者), 이때 과잉 산은 오장이 중화하지 못하게 되고, 이는 자동(自)으로 간질에서 산소로 중화되면서 땀(汗)을 배출(出)시키게 된다(汗自出). 이 기전은 아주 복잡해서 여기서 이 기전을 모두 설명할 수는 없다. 별수 없이 본 연구소가 발행한 황제내경을 참고하라고 말하는 수밖에 없다. 이때 지독한 오한이 있거나(嗇嗇惡寒), 지독한 악풍이 있거나(淅淅惡風), 이 두 가지로 인해서 지독한 발열이 있게 되면(翕翕發熱), 이때는 이 열로 인해서 당연히 코가 막히면서 코에서 소리가 나고, 머리가 아프면서 건구역질(乾嘔)이 나오게 된다(鼻鳴乾嘔). 그러면 지금의 문제는 간질에 정체한 과잉 산의 문제이므로, 이는 자동으로 땀법으로 향하게 된다. 그리고 이는 땀법의 대표 처방인 계지탕(桂枝湯)으로 향하게 된다(桂枝湯主之). 이는 정확히 황제내경의 생리를 기반으로 하고 있다. 위역림은 득효방에서 다음과 같이 말하고 있다(危亦林 得效方 曰). 사계절에 발생하는 온역에는(四時瘟疫), 당연히 향소산을 쓴다(當用 香蘇

散). 여기서 핵심은 온역(瘟疫)이다. 온역은 전염병으로서 인체가 산성화(酸性化)된 상태에서 코나 입으로 전염원이 침입했을 때 발생한다. 여기서 핵심은 인체의 산성화이다. 이때 인체를 산성화시키는 산(酸)은 세균의 에너지인 산성 쓰레기를 말한다. 즉, 산성 쓰레기는 세균의 먹이를 보유하고 있다는 뜻이다. 이에 따라서 어떤 사람은 전염병에 취약하게 되고, 어떤 사람은 덜 취약하게 된다. 그래서 건강을 지킬 때 인체의 산성화는 엄청나게 중요하다. 그리고 지금 말한 향소산(香蘇散)은 열과 오한이 있을 때 이용하는 처방이다. 이는 곧 상한(傷寒)을 말한다. 이도 결국은 계지탕과 큰 차이가 없다. 계지탕도 오한과 발열 때 쓴다는 사실을 상기해보자. 그리고 이때 이들을 쓰는 이유는 병의 근원이 간질(表)에 있기 때문이다. 공신의 의감에서는 다음과 같이 말하고 있다(龔信 醫鑑 曰). 상한에 걸려서(傷寒), 두통이 있고(頭痛), 몸이 여기저기 아픈 신통(身疼:신동)이 있고(身疼), 이것이 표증인지 이증인지를 구별할 수 없으면(不分表裏證), 이때는 당연히 곽향정기산을 쓴다(當用 藿香正氣散). 곽향정기산의 용도를 보게 되면, "소엽이 폐를 도와 울기(鬱氣)를 내리며, 혈분(血分)을 조절하여 통증을 멈추게 하는 작용, 백지의 풍습(風濕)을 없애고 해열하는 작용, 진피의 기운을 고루어 체기를 없애는 작용, 대복피의 가슴을 시원하게 하고 비장을 도우면서 울기를 내리는 작용, 후박의 위장을 조절하여 소화를 돕는 작용, 길경의 기혈을 통하게 하는 작용 등을 이용, 사기를 제거하고 비위의 기능을 조절하여 병세를 바로잡도록 한 것이다. (출처 : 한국민족문화대백과, 한국학중앙연구원)"라고 표기하고 있다. 이제 이제마의 변론을 들어보자.

論曰 張仲景所論 太陽傷風 發熱惡寒者 卽 少陰人 腎受熱 表熱病也. 此證 發熱惡寒而 無汗者 當用 桂枝湯 川芎桂枝湯 香蘇散 芎歸香蘇散 藿香正氣散. 發熱惡寒而 有汗者 此 亡陽初證也 必不可輕易視之. 先用 黃芪桂枝湯 補中益氣湯 升陽益氣湯. 三日連服 而 汗不止 病不愈則 當用 桂枝附子湯 人蔘桂枝附子湯 升陽益氣附子湯

소음인 신수열 표열병론

이제마는 다음과 같이 주장한다(論曰). 장중경의 상한론에 따르면(張仲景所論), 방광(太陽)이 간(風)을 상하게(傷) 했을 때(太陽傷風), 발열과 오한이 오면(發熱惡寒者), 이는 곧(即), 신장이 커서 신장이 핵심인 소음인의 문제로서(少陰人), 신장이 열(熱)의 재료인 과잉 산을 받아서(腎受熱), 이것이 간질인 표에서 열병으로 표현된 것이다(表熱病也). 이는 간이 신장으로 암모니아라는 열의 재료를 보낸 것인데, 이를 신장이 배출을 위해서 방광으로 보낸 것이다. 그런데, 방광이 이를 모두 처리하지 못해서 일부가 간질에 정체하게 되면서 열과 오한을 만든 것이다. 이는 또 다른 말도 된다. 즉, 신장이 과부하에 걸려서 과잉 산을 제대로 여과하지 못하고 방광으로 보낸 것이다. 그러면 방광도 과부하에 시달리게 되면서, 이 산성 체액은 제대로 처리되지 못하게 되고, 결국에는 간질에 정체하게 된다. 이 문제는 경락 문제하고도 연결된다. 경락은 전기(電氣)를 소통시키는 기관도 되지만, 동시에 물질(物質)도 소통시키는 경로이기 때문이다. 이 문제는 본 연구소가 발행한 전자생리학을 참고하면 된다. 다시 본문으로 가보자. 이때 증상이 나타날 때(此證), 발열과 오한이 있지만(發熱惡寒而), 땀이 나지 않는다면(無汗者), 이때는 당연히 계지탕, 천궁계지탕, 향소산, 궁귀향소산, 곽향정기산을 쓴다(當用 桂枝湯 川芎桂枝湯 香蘇散 芎歸香蘇散 藿香正氣散). 이 처방들은 모두 땀을 내는 처방을 암시하고 있다. 그 이유는 발열(發熱)과 오한(惡寒)이 간질에 정체한 과잉 산의 문제이기 때문이다. 이때는 간질에 산소 부족이 동반된다. 그러면, 이때는 간질로 산소를 공급해줘야만 한다. 그리고 이때 산소를 공급해주는 처방이 바로 땀법 처방이다. 땀은 물로서 산소와 자유전자가 만나서 물이 될 때 열이 만들어지면서 나오게 되기 때문이다. 이 기전은 상당히 복잡하므로, 본 연구소가 발행한 황제내경 소문을 참고하면 된다. 그리고 이때 필요한 자유전자를 땀법 처방에 든 본초가 공급해준다. 그래서 이때 만일에 발열과 오한이 드는데(發熱惡寒而), 땀이 난다면(有汗者), 이는(此), 양(陽)을 잃어(亡)버리는 초기 증상이 된다(亡陽初證也). 여기서 핵심은 양(陽)이다. 이를 제대로 해석하지 못하게 되면, 이 구문의 해석은 물 건너가게 된다. 여기서 말하는 양(陽)은 땀(汗)을 만들어내는 자유전자(自由電子)를 말한다. 땀(汗)이란 물(H_2O)로서 산소와 자유전자인 양(陽)의 결합이라는 사실을 상기해보자. 그래서 땀이 나게 되면(有汗者), 자동으로 양을 잃게 된다(亡陽初證也). 그리고 이때 소모되는 양인 자유전자는 인체 안에 많이 존재하는 인자가 아니다. 그래서 이때 땀을 추가로 빼서 병을 낫게 하려면, 당연히 외부에서 이를 공급해줘야 하는데, 이 도구가 땀법 처방들이다. 이 처방을 여기에서는 5가지로 제시하고 있다. 이 기전은 상당히 복잡하므로, 본 연구소가 발행한 황제내경 소문을 참고하면 된다. 그래서 땀을 만들어서 병을 낫게 하는 양(陽)인 자유전자의 소실(亡) 문제는 그리 쉽게 간과할 문제가 아니다(必不可輕易視之). 그래서 이제마는 여기서 황기계지탕, 보중익기탕, 승양익기탕을 먼저(先) 쓰라고(用) 하고 있다(先用 黃芪桂枝湯 補中益氣湯 升陽益氣湯). 여기서 익(益)은 양기인 자유전자를 보충(益)해준다는 뜻이다. 이런 처방 약을 3일 연속해서 복용했는데도 불구하고(三日連服而), 땀이 멈추지 않고 계속해서 나온다면(汗不止), 이는 간질에 아직도 땀의 근원인 과잉 산이 적체하고 있다는 뜻이 되므로, 이때 병은 자동으로 덜 치유된 상태가 된다(病不愈則). 그러면 이때는 당연히 더 강한 땀법을 요구하게 되고, 그러면 이때는 당연히 더 많은 자유전자를 공급하는 부자(附子)가 추가된다. 부자의 성분은 알칼로이드로서 아코니틴·메사코니틴·히파코니틴 등인데, 약성은 뜨겁고, 맛은 맵고 쓰다. 여기서 부자의 약성이 뜨겁다는 말은 부자가 자유전자를 공급해서 열을 만든다는 뜻이고, 맵다는 말은 휘발성이라는 뜻이고, 쓰다는 말은 스테로이드 사포닌을 보유하고 있다는 뜻이다. 그리고 여기서 핵심은 스테로이드 사포닌이 된다. 즉, 사포닌이 자유전자를 공급하게 된다. 다시 본문으로 가보자. 그래서 이때 처방은 당연히 계지부자탕, 인삼계지부자탕, 승양익기부자탕을 쓴다(當用 桂枝附子湯 人蔘桂枝附子湯 升陽益氣附子湯).

張仲景 曰 太陽病 脈浮緊 發熱 無汗而 衄者 自愈也.
太陽病 六七日 表證因在 脈微而沈 反不結胸 其人如狂者 以熱在下焦 小腹當滿 小便自利者 下血乃愈 抵當湯主之. 太陽證 身黃 發狂 小腹硬滿 小便自利者 血證 宜抵當湯. 傷寒 小腹滿 應小便不利 今反小便自利者 以有血也.

太陽病 不解 熱結膀胱 其人如狂 血自下者 自愈. 但 小腹急結者 宜攻之 宜桃仁承氣湯. 太陽病 外證未除而 數卜之 遂下利不止 心下痞硬 表裏不解 人蔘桂枝湯主之.

 장중경은 상한론에서 다음과 같이 주장한다(張仲景 曰). 방광이 문제인 태양병에 걸렸을 때(太陽病), 맥상이 폐가 통제하는 부맥과 간이 통제하는 긴맥이면서(脈浮緊), 열이 나고(發熱), 땀은 안 나는데(無汗而), 코피를 흘리게 되면(衄者), 이때는 병이 자동으로 치유된다(自愈也). 이 부분은 본 연구소가 발행한 맥경을 참고하기 바란다. 지금 병은 방광 문제이다. 그리고 폐는 중조라는 염을 신장으로 보내서 방광 문제를 만들고, 간은 신장으로 암모니아를 보내서 방광 문제를 만든다. 그리고 신장과 방광은 뇌척수액을 통제해서 머리를 통제한다. 그러면 지금은 병이 방광에 있으므로, 당연히 뇌척수액의 문제가 된다. 그러면 방광이 문제가 되면 뇌척수액은 자동으로 산성화(酸性化)된다. 그러면 자동으로 뇌척수액의 점도가 올라가면서 두개골의 압력이 높아지게 된다. 이때 인체가 이 압력을 제거하는 방법이 코피(衄)이다. 그리고 이 코피에는 산성화(酸性化)된 정맥혈(靜脈血)이 들어있게 된다. 즉, 코피는 두개골의 압력을 줄이는 동시에 문제를 만들었던 뇌척수액의 산성 체액까지 산성 정맥혈을 통해서 체외로 배출한다. 뇌척수액은 림프액으로서 이들이 정제되면, 이는 곧바로 정맥혈로 들어간다는 사실을 상기해보자. 그러면 인체의 산성화(酸性化)는 만병의 근원인데, 산성화(酸性化)된 체인인 뇌척수액을 정맥혈을 통해서 코피로 체외로 버렸으니까 병은 자동으로 치유(愈)된다. 이때 만일에 땀(汗)이 났다면, 땀이 산성 체액을 중화해주므로, 코피를 흘리는 일은 없었을 것이다. 즉, 땀은 산성 체액을 중화하는 과정이라는 뜻이다. 다시 본문으로 가보자. 방광이 문제인 태양병에 걸려서(太陽病), 6~7일이 지났는데(六七日), 간질에 과잉 산이 정체하고, 이어서 표증이 존재하면서(表證因在), 맥상이 힘이 없는 미맥과 신장의 맥상인 침맥이 나오면서(脈微而沈), 반대로 가슴이 답답한 결흉이 없다면(反不結胸), 이(其) 환자는 미친 사람처럼 행동할 것이다(其人如狂者). 이는 설명이 조금 필요하다. 방광은 뇌척수액을 통제해서 머리와 뇌를 통제한다. 그런데, 방광이 문제가 되어서 병이 난 상태가 6~7일이 지났는데(六七日), 이때 맥상이 전형적인 신장의 맥상인 침맥(沈)이 나오고 있다. 이 말은 신장이 병의 근원인 산성 체액을 전혀 중화하지 못하고 있다는 뜻이다. 그러면 이때 산성 체액은 알칼리로 걸러지지 못하고 그대로 방광으로 보내지게 되고, 이어서 방광은 과부하에 걸리고 만다. 그러면 방광의 체액은 간질액을 통제하므로 이는 자동으로 간질인 양의 문제가 되고, 증상은 표증으로 표출된다(表證因在). 그런데, 방광이 통제하면서 문제를 만든 산성 뇌척수액은 림프계를 따라서 내려와서 우 심장을 거쳐서 폐가 최종 중화 처리한다. 그러면, 이때 자동으로 흉부에 산성 체액이 모이면서 가슴은 답답해진다. 이를 결흉(結胸)이라고 부른다. 그러나 지금은 결흉이 없다(反不結胸). 이 말은 산성 뇌척수액이 순환계를 따라서 아래쪽으로 내려오지 않았다는 뜻이 된다. 그래서 이때 맥상을 보게 되면, 맥상은 순환계의 이상으로 인해서 자동으로 힘이 없는 미맥(微)이 나오게 된다. 그러면, 뇌에 압박을 가하는 산성 뇌척수액은 신장과 방광이 처리하지 못한 상태이고, 또한, 폐 쪽으로 내려오지도 못하고 있다. 그러면 자동으로 산성 뇌척수액은 뇌에 심한 압박을 가하게 되면서, 환자는 뇌의 과부하로 인해서 거의 미친놈처럼(如) 되고 말 것이다(其人如狂者). 그러나 이때 다행히도 산성 뇌척수액이 순환계를 타고 아래쪽(下焦)으로 내려와서 중화되면서 하초에서 열을 만들고 있다면(以熱在下焦), 이때는 산성 체액이 하초에 정체하고 있으므로, 이때는 당연히(當) 하초에 자리한 소복이 그득해질 것이다(小腹當滿). 그런데 이때 산성 뇌척수액을 여과한 소변이 스스로 잘 나오고 있다면(小便自利者), 이는 산성 뇌척수액을 중화해서 체외로 버리고 있다는 뜻이 된다. 게다가 산성 체액을 체외로 배출하는 하혈(下血)까지 하고 있다면, 이는 자동으로 방광을 괴롭히던 산성 체액이 해소되게 만들므로, 이때 태양병은 자동으로 치유된다(下血乃愈). 이때는 저당탕(抵當湯)으로 주치한다(抵當湯主之). 저당탕(抵當湯)은 하초에 산성 정맥혈이 뭉쳐있을 때 쓴다. 즉, 저당탕(抵當湯)은 하초(下焦)에 산성 정맥혈이 모이는 축혈(蓄血)이 있을 때, 이를 배출하기 위해서 쓴다. 하초에 산성 정맥혈이 축혈(蓄血)된 상태로 모이는 이유는 하초에 자리한 하복부 정맥총 때문이다. 이 정맥총에는 점도(粘度)가 아주 높은 산성 정맥혈이 모여있기 때문이다. 이는 자동으로 축혈(蓄血)이 될 수밖에 없다. 체액은 점도가 높으면 순환이 잘 안되기 때문이다. 이때 점도는 산성도(酸性度)가 결정한다는 사실도 상기해보자. 다시 본문을 보자. 방광이 문제인 태양증에 걸렸을 때(太陽證), 몸이 누렇게 변하고(身黃), 머리가 아파서 발광하고(發狂), 하복부가 단단하게 변하고(小腹硬滿), 소변이 스스로 나오게 되면(小便自利者), 이는 혈액이 문제인 증상이다(血證). 이때는 마땅히 축혈을 제거하는 저당탕을 쓴다(宜抵當湯). 설명이 조금 필요하다. 몸이 누렇게 변하고(身黃) 있다는 말은 노란 색소를 보유한 빌리루빈(Bilirubin)을 간이 담즙(膽汁)으로 처리하지 못하고 있다는 뜻이다. 이는 자동으로 간이 담즙을 통해서 통제하는 신경의 과부하로 다가간다. 그러면 이는 자동으로 뇌의 과부하로 몰고 가고, 이어서 과부하에 걸린 뇌가 만들어내는 발광(發狂)으로 이어진다. 이는 간의 과부하를 의미하므로, 자동으로 간이 통제하는 하복부 정맥총에 점도가 높은 산성 정맥혈의 축혈이 유도된다. 그러면 이는 자동으로 정맥총이 자리한 하복부가 단단하게 변하는(小腹硬滿) 요인으로 작용하게 된다. 즉, 지금의 문제는 혈액의 문제(血證)가 된다. 그러면 이때 처방도 자동으로 축혈을 제거하는 사혈 요법에 쓰는 저당탕이 된다(宜抵當湯). 이는 겉으로 보기에는 방광이 문제인 태양증으로 보이지만, 실제로는 간이 문제인 궐음증이 된다. 간과 방광 모두가 뇌를 통제할 수 있으므로 인해서, 이런 일이 생기게 된다. 다시 본문을 보자. 이를 다시 설명하자면, 방광이 문제인 상한병에 걸렸을 때(傷寒), 방광이 자리하고 있는 하복부(小腹)가 그득하다면(小腹滿), 이때는 당연히 소변이 잘 안 나오는 반응(應)으로 나타날 것이다(應小便不利). 그런데 지금(今)은 반대(反)로 소변은 스스로 잘 나오고 있으므로(今反小便自利者), 이는 하복부(小腹)에 자리한 방광의 문제가 아니라, 하복부(小腹)에 자리한 하복부(小腹) 정맥총의 문제로 다가가게 된다. 그러면 이는 자동으로 점도가 높은 산성 정맥혈의 문제가 된다(以有血也). 즉, 사혈 요법에 쓰는 저당탕을 처방한 이유를 설명해주고 있다. 이때 방광이 문제였다면 소변이 나오게 하는 저령탕(猪苓湯)을 썼을 것이다. 이는 또한 병증 파악의 어려움을 말하고 있기도 하다. 즉, 증상은 방광이 문제인 태양병으로 보이는데, 실상은 간이 문제인 궐음병이다. 이때 태양병으로 오인해서 소변을 빼내는 저령탕을 쓰게 되면, 환자는 체액 부족을 겪게 되면서 위험에 빠지게 된다. 이때

진단의 핵심 힌트는 신황(身黃) 즉, 황달이다. 물론 신장과 방광도 황달에 관여한다. 그런데, 지금은 소변이 스스로 나오고 있으므로, 이는 자동으로 방광의 문제는 아니게 된다. 그러면 이는 자동으로 간으로 가게 된다. 원래 황달은 림프액을 처리하는 비장의 문제이다. 적혈구가 깨지면서 만들어지는 활달의 재료인 빌리루빈은 분자 크기가 커서 비장이 통제하는 림프로 들어가기 때문이다. 그리고 여기서 처리되지 못한 빌리루빈은 자동으로 담즙에 실려서 최종적으로 간에서 처리된다. 다시 본문을 보자. 방광이 문제인 태양병에 걸려서(太陽病), 해결을 보지 못하게 되면(不解), 이때는 열을 만들어내는 과잉 산이 자동으로 방광에 모이게 되고, 이는 자동으로 열(熱)과 연결(結)되게 되고(熱結膀胱), 그러면, 방광이 통제하는 산성 뇌척수액은 뇌에 정체하면서 환자를 거의 미친 사람으로 만들어버린다(其人如狂). 이때 다행히 하복부 정맥총에 쌓인 축혈이 스스로 하혈로 빠지게 되면(血自下者), 이때는 문제가 자동으로 해결되고, 이어서 병은 자동으로 치유된다(自愈). 이때 단지(但), 하복부가 급성으로 뭉치게(結) 되면(小腹急結者), 이때는 마땅히 치료(攻)해야만 한다(宜攻之). 그리고 이때는 마땅히 도인승기탕을 쓴다(宜桃仁承氣湯). 승기탕은 오장이 문제일 때 쓰는 설사 처방이다. 설사는 오장과 연결된다는 사실을 상기해보자. 이 문제는 본 연구소가 발행한 상한론, 금궤요략, 상한잡병론을 참고하면 된다. 태양병에 걸려서(太陽病), 간질에 정체한 과잉 산 문제가 해결이 안 되어서 외증이 해결이 안 된 상태이고(外證未除而), 이때 자주 설사하면서(數下之), 설사가 그치지 않고(遂下利不止), 위장 부분에 뭔가 뭉쳐서 그득하게 되면(心下痞硬), 이는 해결이 안 된 외증과 오장이 문제인 설사가 동시에 문제를 만들고 있는 상태가 된다. 그러면 이는 외증이라는 표증(表)과 오장이라는 이증(裏)이 동시에 해결이 안 된 상태를 말한다(表裏不解). 그러면, 이때 처방은 오장에 약효가 있는 인삼과 표증을 땀으로 해결하는 땀법의 대표인 계지탕으로 해결하면 된다. 그래서 이때는 인삼계지탕을 처방하면 된다(人蔘桂枝湯主之).

論曰 此證 其人如狂者 腎陽困熱也 小腹硬(堅)滿者 大腸怕寒也 二證俱見 當先其急.

腎陽困熱則 當用 川芎桂枝湯 黃芪桂枝湯 八物君子湯 升補之. 大腸怕寒則 當用 藿香
正氣散 香砂養胃湯 和解之. 若 外熱包裡冷而 毒氣重結於內 或 將有養虎遺患之弊則
當用 巴豆丹 下利一二度 因以藿香正氣散 八物君子湯 和解而 峻補之.

이제마는 다음과 같이 주장한다(論曰). 이 증상으로 인해서(此證), 환자가 미친
사람처럼 행동하는 이유는(其人如狂者), 신장(腎)이 받은 열(熱)의 원천으로서 양
(陽)인 자유전자가 뇌를 곤란(困)하게 만들기 때문이다(腎陽困熱也). 즉, 뇌를 괴
롭히는 과잉 산을 신장이 받아서 처리하지 못했기 때문이다. 이는 문제가 되는 과
잉 산을 중화하는 신장의 과부하(困)를 말하고 있다. 이때 하복부가 뭉쳐서 그득
하다면(小腹硬滿者), 이때는 그로 인해서 자동으로 체액 순환이 막히게 되고, 이
어서 그로 인해서 하복부에 자리한 대장은 한기(寒)를 두려워(怕)해야 할 것이다
(大腸怕寒也). 즉, 이때 대장에는 체액 순환이 안 되니까 자동으로 한기가 돌 것
이다. 이런 두 증상이 모두 나타나게 되면(二證俱見), 당장 급한 불을 먼저 꺼야
만 한다(當先其急). 이는 신장(腎)이 받은 열(熱)의 원천으로서 양(陽)인 자유전
자가 뇌를 곤란(困)하게 만들기 때문인데(腎陽困熱則), 그러면 이때 급한 불은 신
장이 처리하지 못한 간질에 정체한 과잉 산이므로, 이는 간질인 양을 통제하는 땀
법을 써야만 한다. 그러면 당연히 땀법에 쓰는 계지탕 종류가 처방으로 나타나게
된다. 즉, 이때는 당연히 천궁계지탕, 황기계지탕, 팔물군자탕을 써서(當用 川芎桂
枝湯 黃芪桂枝湯 八物君子湯), 양기를 끌어 올려줘야만 한다(升補之). 여기서 양
기는 땀을 만드는 재료인 양(陽)으로서 자유전자를 말한다. 그리고 하복부가 뭉쳐
서 체액 순환 장애로 인한 대장의 한기 문제의 해결 처방은(大腸怕寒則), 당연히
곽향정기산, 향사양위탕이며(當用 藿香正氣散 香砂養胃湯), 이는 자동으로 뭉친
체액을 풀어주게 되고, 이어서 체액 순환을 돕게 된다(和解之). 이때 만약에(若),
간질(外)에서는 과잉 산으로 인해서 열(熱) 문제가 발생하고, 동시(包)에 대장이
자리한 안쪽(裡)에서는 냉(冷) 문제가 발생한다면(外熱包裡冷而), 이는 냉 문제를
만들어낸 체액 순환이 간질에서부터 막혔다는 뜻이 된다. 간질은 체액 순환의 핵
심이라는 사실을 상기해보자. 그러면 인체 안쪽(內)은 이미 냉으로 인해서 굳어진

상태에서 만들어지는 독(毒)과 추가로 체액 순환이 막혀서 냉이 만들어지는 독(毒)이 합쳐져서 인체 안쪽에서는 이중(重)으로 독이 뭉치게(結) 된다(毒氣重結於內). 이를 다른 말로 하자면(或), 이는 범을 길러서 장래에 우환을 만드는 폐해와 똑같게 된다(將有養虎遺患之弊則). 이때 인체 안쪽 문제를 해결하기 위해서는 당연히 파두단을 써서(當用 巴豆丹), 한두 번 설사를 시켜줘야만 한다(下利一二度). 추가로 곽향정기산, 팔물군자탕을 써서(因以藿香正氣散 八物君子湯), 과잉 산이 모여있는 간질을 양기로 풀어서 이 과잉 산을 해결해줘야 하므로(和解而), 이때는 자유전자라는 양기를 많이 보충해줘야 한다(峻補之).

張仲景所論 下焦血證 卽 少陰人 脾局陽氣 爲寒邪所掩抑而 腎局陽氣 爲邪所拒 不能直升連接於脾局 鬱縮膀胱之證也. 其人如狂者 其人亂言也. 如見鬼狀者 恍惚譫語也. 太陽病 表證因在者 身熱煩惱而 惡寒之證 間有之也. 太陽病 外證除者 身熱煩惱而 惡寒之證 都無之也. 此證 益氣而升陽則 得其上策也. 破血而解熱則 出於下計也. 太陽病 外證未除而 數下之 遂下利不止 云云者 亦可見 古人之於此證 用承氣湯則 下利不止故. 遂變其方而 用抵當·桃仁湯耳. 太陽病 外證未除則 陽氣其力 雖有鬱抑 猶能振寒而 與寒邪相爭於表也. 若 外證盡除則 陽氣其力 不能振寒而 遂爲窮困縮伏之勢也. 攻下之藥 何甚好藥而 必待陽氣窮困縮伏之時而 應用耶 人蔘桂枝湯 不亦晚乎.

장중경의 상한론에 따르면 다음과 같다(張仲景所論). 앞에서 본 하초에서 산성 정맥혈이 쌓이는 혈증을(下焦血證), 다시 말하자면(卽), 비장이 작은 소음인은 신장이 핵심적인 역할을 하게 되는데(少陰人), 만일에 비장을 운영하는 양기가(脾局陽氣), 한사가 만들어지면서 억압받게 되면(爲寒邪所掩抑而), 이때 비장은 더는 산성 체액을 수용할 수가 없게 된다. 그런데, 비장은 신장과 산성 림프액이라는 산성 체액을 비상시에는 서로 교환해서 위기를 회피한다. 그래서 비장이 이렇게 과부하에 걸리게 되면, 이는 당연한 순리로 문제는 신장으로 가게 된다. 그러면 소음인에서 큰 신장은 곧바로 문제를 만들고 만다. 소음인(少陰人)은 신장이 크다는 사실을 상기해보자. 그러면, 신장에 존재하는 양기는(腎局陽氣), 비장이 받기를 거부(拒)하면서 결국에 신장에서 사기를 만들고 만다(爲邪所拒). 비장은 신장과 산성 림프액이라는 산성 체액을 비상시에는 서로 교환해서 위기를 회피한다는 사실을 상기해보자. 이는 신장이 사기를 자기와 인접한 비장으로 직접(直) 올려(升) 보내지 못하면서 생긴 재앙이다(不能直升連接於脾局). 그러면 이 결과는 신장이 산성 체액을 내보내는 방광으로 이어진다. 그러면 산성 체액은 방광에서 응축(鬱縮:울축)되면서 문제를 만들고 만다(鬱縮膀胱之證也). 그러면 뇌척수액을 통해서 방광의 통제를 받는 뇌는 곧바로 과부하에 시달리게 되고, 그로 인해서 이 환자는 미친 사람처럼 행동하게 된다(其人如狂者). 그러면 이 환자는 그로 인해서 말도 횡설수설하게 된다(其人亂言也). 이는 마치 환자가 귀신을 본 것처럼 보이게 하고 (如見鬼狀者), 정신은 당연히 몽롱(恍惚:황홀)해지면서 헛소리인 섬어(譫語)를 내뱉게 된다(恍惚譫語也). 이는 장중경이 말한 상한론을 재편해서 소음인의 핵심인 신장과 비장을 중심으로 기술하고 있다. 그런데 여기서는 간 문제가 빠져있다. 그리고 축혈 문제는 간 문제이다. 그런데, 이를 소음인의 신장과 비장을 중심으로 기술하다 보니까 간 문제는 사라지고 말았다. 그러나 이 축혈 문제는 간이 중심에 서게 된다. 그 원리는 체액 이론으로 풀면 아주 간단하다. 간은 산성 체액을 버리는 통로가 4개가 된다. 하나는 산성 림프액을 만들어서 이를 통제하는 비장으로 보내고, 하나는 산성인 암모니아를 만들어서 이를 통제하는 신장으로 보내고, 하나는 산성 정맥혈을 만들어서 이를 받는 우 심장으로 보내고, 하나는 우 심장이 과부하에 시달리게 되면, 간은 이때 산성 정맥혈을 기정맥이라는 우회로를 통해서 폐로 직접 보내는 경로이다. 이 시점에서 간을 중심으로 상황을 정리해보자. 그러면, 소음인의 작은 비장과 큰 신장은 이미 과부하로 간의 하수구 역할을 하지 못하는 상황이 되어버렸다. 이제 간의 선택지는 우 심장과 폐가 남았다. 그러나 우 심장은 신장과 상극 관계라서 신장이 과부하에 시달리는 상황에서는 우 심장도 간에게 도움을 줄 수가 없는 형편이 되고 말았다. 이제 남은 선택지는 폐가 남았는데, 폐도 이산화탄소를 처리하면서 남은 이산화탄소를 중조로 만들어서 신장으로 보내는데, 신장도 이미 과부하 상태이다. 게다가 폐는 비장이 처리하는 산성 림프액을 최종 처리하므로, 이때 폐도 이미 과부하 상태가 되어있다. 이제 간은 자동으로 고립무원(孤立無援)이 되고 만다. 그러면 간이 통제하는 하복부 정맥총에 자동으로 점성이 높은 산성 정맥혈이 축혈로 변하게 된다. 그래서 이때 장중경이 마땅히 축혈을 제거하는 저당탕을 쓰게 되는(宜抵當湯) 이유가 된다. 이 부분은 해석이 엉망진창이 되는 전형을 보여주는 곳이다. 그 이유는 이 부분은 오직 체액(體液) 이론으로 풀어야만 풀리기 때문이다. 그런데, 불행히도 한의학은 체액 이론을 대놓고 무시하는 최첨단 현대의학에 기대어서 이제마의 동의수세보원을 해석한다. 그 결과는 이미 미신(迷信)이라는 제목으로 정해지게 된다. 즉, 미신(美神)을 미신(迷信)으로 취급하게 된다. 이 부분이 말하는 함축적 의미는 아주 크다. 결론부터 말하자면, 체액 이론은 최첨단 현대의학의 무덤이다. 그 이유는 인술(仁術)의 근원인 체액 이론은 병의 근원을 제거해서 병을 완치(完治)시키기 때문이다. 그러나 최첨단 현대의학은 병을 질질 끌면서 돈만 뜯어가는 약탈적(掠奪的) 대증(對症) 치료를 철학으로 삼으면서, 병을 관리(管理)만 하고 약탈(掠奪)을 실행하기 때문이다. 그래서 체액 이론은 최첨단 현대의학이 지독히도 싫어하는 이론이다. 그러면 자동으로 체액 이론을 기반으로 근원 치료를 실행해서 병을 완치(完治)시키는 한의학은 최첨단 현대의학의 제1호 적이 되고 만다. 그래서 일본이나 조선에 미군이 진주했을 때 제일 먼저 한 일이 한의학이나 일본 전통 의학을 말살(抹殺:抹撥)시키는 것이었다. 이를 위해서 교육, 언론, 행정, 정치를 돈으로 휘어잡아서 한의학을 미신(迷信)으로 둔갑시키게 된다. 이 문제는 본 연구소가 발행한 전자생리학을 참고하면 된다. 다시 본론으로 가보자. 그래서 여기서 말하는 태양병은(太陽病), 표증이 존재한 상태에서 그로 인해(表證因在者), 신열과 번뇌가 있게 되고(身熱煩惱而), 오한까지 곁들이면서(惡寒之證), 이 증상들이 간간이 있는 경우이다(間有之也). 그래서 태양병에서는(太陽病), 핵심이 간질에서 만들어지는 외증(外證)이므로, 이때는 외증만 제거하게 되면(外證除者), 자동으로 신열과 번뇌(身熱煩惱而) 그리고 오한의 증상도(惡寒之證), 모두(都) 사라지게 된다(都無之也). 태양병 자체가 간질에서 발생하는 외증이라는 사실을 말하므로, 이는 너무나도 당연한 이야기이다. 그래서 이런 증상을 처리하기 위해서는(此證), 땀법을 만들어내는 양기인 자유전자를 보충(益)해줘서 양기를 올려줘(升)야만 한다(益氣而升陽則). 이렇게 하는 것이 이 문제를 해결할 때, 상책, 중책, 하책 중에서 상책(上策)이 된다(得其上策也). 이는 간으로 인해서 생긴 축혈을 깨서 열을 해소시키는 전략은(破血而解熱則), 하책(下計)의 전략에서 나온 것이다(出於下計也). 이는 최첨단 현대의학을 생각나게 하는데, 이는 전형적인 대증(對症) 치료이기 때문이다. 지금 나타나는 축혈은 간에서 나왔지만, 이는 축혈을 만든 산성 체액을 간질에서 중화하지 못했기 때문이다. 즉, 간질에 정체한 산성 체액이 축혈의 근원(根源)이라는 뜻이다. 그래서 이제마는 축혈의 근원(根源)을 제거해야지 간(肝)만 표적으로 삼는 대증(對症) 치료는 안 된다고 주장하고 싶은 것이다. 그리고 이를 양기를 올려주는(益氣而升陽) 땀법으로 해결하자는 것이다. 여기서 이제마는 자기가 체액 이론의 대가(大家)라는 사실을 입증(立證)시키고 있다. 이는 또한 양자역학(量子力學)의 대가(大家)라는 사실도 말하고 있다. 다시 본문으로 가보자. 그래서 간질에 산성 체액이 정체해서 문제를 일으키는 태양병에 걸렸을 때(太陽病), 간질에 정체한 산성 체액 문제(外證)를 해결하지 않으면(外證未除而), 이는 자동으로 오장으로 문제가 번져서, 자주 설사하게 되고(數下之), 설사가 그치지 않게 되면(遂下利不止), 이때 처방전을 말할 때(云云者), 역시 쉽게 보이는(亦可見), 옛날 고인들이 이 증상에 쓰던(古人之於此證), 설사 처방인 승기탕을 처방하게 되면(用承氣湯則), 설사가 멈추지 않는 이유가 된다(下利不止故). 즉, 이는 간질의 산성 체액이 설사의 재료인 산성 체액을 계속해서 보내주기 때문이다. 당연히 설사의 근원인 산성 체액이 간질에서 정체하고 있으므로, 설사는 계속된다. 여기서는 설사 처방과 땀 처방을 구분할 줄 알아야만 한다. 땀법은 간질에 정체한 산성 체액을 제거하는 처방이고, 설사법은 오장을 돕는 처방이다. 그런데, 태양병은 간질에 정체한 산성 체액의 문제이다. 그래서 이때는 땀법을 써야지, 설사법을 써서는 안 된다는 뜻이다. 이는 앞에서 말했던 근원(根源) 치료와 대증(對症) 치료를 말하고 있기도 하다. 즉, 현재 시점에서 땀법은 근원(根源) 치료의 처방이 되고, 설사법은 대증(對症) 치료의 처방이 된다는 뜻이다. 역시 이제마는 양자역학의 대가가 분명하다. 양자역학은 에너지 문제를 다루는 학문인데, 병은 에너지 문제이기 때문이다. 그리고 이때 대증ʼ 치료적 처방(方)을 변형시켜서 따른 처방이(遂變其方而), 사혈 요법을 실행하는 저당탕과 도인탕일 뿐(耳)이다(用抵當·桃仁湯耳). 여기서 사혈 요법은 간질에 정체한 산성 체액을 제거해주는 효과를 발휘한다. 산성 정맥 혈도 산성 체액이라는 사실을 상기해보자. 그래서 간질의 산성 체액이 문제인 태양병에 걸렸을 때(太陽病), 간질의 산성 체액 문제(外證)를 제거하지 않게 되면 (外證未除則), 이 산성 체액은 이를 제거하는 힘을 보유한 양기를(陽氣其力), 억제하게 되고(雖有鬱抑), 이는 자동으로 체액 순환을 막으면서 지독한 한기인 진한 (振寒)으로 발전하게 되고(猶能振寒而), 이는 결국에 간질인 표(表)에서 산성 체액인 한사(寒邪)들이 모여서 서로 싸우는 꼴을 만들고 만다(與寒邪相爭於表也). 점성도(粘性度)가 높은 산성 체액은 간질에서 체액의 소통을 막아서 한기(寒氣)를 만들어낸다는 사실을 상기해보자. 이때 만약에(若), 간질의 산성 체액 문제(外證)를 완전히(盡) 제거하게 되면(外證盡除則), 이 산성 체액은 이를 제거하는 힘을 보유한 양기를 통해서 억제되고(陽氣其力), 이때는 양기가 활발히 활동하면서, 당연히 지독한 한기인 진한(振寒)은 만들어지지 않게 되고(不能振寒而), 이는 병을 만든 요인(窮困)들을 굴복(縮伏)시키는 세력(勢)을 만들게 된다(遂爲窮困縮伏之勢也). 그러면, 이때는 설사를 유도하는 약이(攻下之藥), 어찌 좋은 약이라고 할 수 있겠는가(何甚好藥而)! 즉, 이때는 간질의 산성 체액을 제거하는 근원(根源) 처방인 땀법 처방을 실행해야만 한다는 뜻이다. 그래서 이는 반드시 병을 만든 요인(窮困)들을 굴복(縮伏)시킬 때 양기를 만들어서(必待陽氣窮困縮伏之時而), 응용할 수 있는 처방이 될 수밖에 없다(應用耶). 이는 땀을 내는 인삼계지탕인데(人蔘桂枝湯), 이를 너무 늦게 쓰면 안 되지 않는가(不亦晩乎)!

張仲景 曰 婦人傷寒 發熱 經水適來適斷 晝日明了 夜則譫語 如見鬼狀者 此爲熱入血室 無犯胃氣及上二焦 必自愈. 陽明病 口燥 嗽水 不欲嚥 此必衄 不可下. 陽明病 不能食 攻其熱 必噦. 傷寒 嘔多 雖有陽明 不可攻. 胃家實 不大便 若 表未解 及 有半表半裏者 先以桂枝·柴胡和解 乃可下也.

소음인 신수열 표열병론

장중경은 다음과 같이 말하고 있다(張仲景 曰). 부인이 염이 과잉인 상한에 걸려서(婦人傷寒), 열이 나고 있지만(發熱), 월경은 적기에 오고 적기에 끝나고(經水適來適斷), 낮에는 정신이 명료한데(晝日明了), 밤만 되면 헛소리인 섬어를 내뱉으면서(夜則譫語), 마치 귀신을 본 것처럼 행동하면(如見鬼狀者), 이는 자궁인 혈실에 열기가 침입했기 때문이다(此爲熱入血室). 이때 위기에서 상이초까지 범하지 않았다면(無犯胃氣及上二焦), 이때는 반드시 스스로 치유된다(必自愈). 설명이 조금 필요하다. 상한(傷寒)이란 열의 원천인 자유전자를 수거한 염(塩)이 과잉일 때, 이 과잉 염이 열에너지를 받아서 자유전자를 과잉으로 내놓을 때 만들어지는 질병이다. 과잉 자유전자는 항상 만병의 근원이 되기 때문이다. 이는 본 연구소가 발행한 상한론을 참고하면 된다. 그러면, 이 과잉 염은 열의 원천인 자유전자의 공급원이므로, 염이 과잉이어서 상한에 걸리게 되면, 인체에서 열은 자동으로 나게 된다(發熱). 그리고 월경(月經)은 여성 호르몬인 에스트로겐이라는 스테로이드가 만들어내는 현상인데, 이 스테로이드 호르몬의 분비는, 이미 앞에서 액해(液海)와 정해(精海)를 설명하면서 설명했듯이, 염이 과잉일 때 분비된다. 즉, 스테로이드는 과잉 염을 제거하는 도구이다. 그래서 지금처럼 염이 과잉이어서 상한에 걸리게 되면, 이 염을 제거하기 위해서 자동으로 스테로이드를 분비하는 월경은 정상으로 오고 간다(經水適來適斷). 여기서 중요한 사실은 스테로이드가 상한을 만든 염(塩)을 제거하는 도구라는 사실이다. 그런데, 이 염을 제거하는 도구가 하나가 더 있다. 더 정확히 말하자면, 이 염에 든 사고뭉치인 과잉 자유전자를 제거하는 도구가 하나 더 있다. 이는 다름 아닌 해독 인자인 CRY(Cryptochrome)이다. 이 CRY의 특징은 지구의 중력과 낮에 햇빛이 공급하는 청색광을 통해서 작동한다는 사실이다. 이 문제는 본 연구소가 발행한 황제내경 소문이나 전자생리학을 참고하면 된다. 즉, CRY는 낮(晝日)에 작동하면서 상한을 만든 과잉 염을 제거하는 도구이다. 그리고 스테로이드 호르몬도 낮에 더 많이 분비된다. 즉, 스테로이드 호르몬의 분비도 CRY처럼 일주기 리듬을 가진다는 뜻이다. 그러면, 자동으로 밤이 되면, 상한의 근원인 과잉 염을 제거하는 도구 2개가 기능을 멈추게 된다. 그래서 낮에는 정신이 명료한데(晝日明了), 밤만 되면 헛소리인 섬어를 내뱉으면서(夜則

譫語), 마치 귀신을 본 것처럼 행동하는(如見鬼狀者) 이유는 밤에는 이 2가지 기능이 거의 작동하지 않기 때문이다. 여기서 또한 중요한 사실은 왜 스테로이드 문제, 염의 문제, 섬어를 만든 뇌의 문제가 서로 연결되는지를 아는 것이다. 이는 염이 보유한 자유전자 문제로 모아진다. 염이 보유한 자유전자는 신경의 밥이기도 하다. 신경은 전기인 자유전자가 흐르는 도선(導線)이라는 사실을 상기해보자. 그래서 밤에는 과잉 염을 스테로이드와 CRY가 제거하지 못하게 되면서, 이 과잉 염에서 나온 자유전자는 자동으로 신경을 타고 머리로 모이게 되고, 이어서 뇌는 과부하에 걸리게 되면서, 환자는 섬어를 내뱉고(夜則譫語), 정신이 몽롱해져서 귀신을 본 것처럼 행동하게 된다(如見鬼狀者). 그런데 장중경은 이 근원을 자궁인 혈실에 열기가 침입했기 때문(此爲熱入血室)이라고 말하고 있다. 열이 나려면, 열을 만드는 재료인 자유전자가 반드시 요구된다. 그리고 지금은 열의 원천인 자유전자를 보유한 염이 과잉인 상한에 걸린 상태이므로, 자궁에서 열이 난다는 말은 자궁에 염이 과잉으로 정체하고 있다는 뜻이 된다. 그러면, 자궁의 이 문제하고 어떻게 뇌의 문제가 서로 연결될까? 참고로 자궁을 혈실(血室)이라고 말한 이유는 자궁이 혈관 덩어리 그 자체이기 때문이다. 이 연결고리는 스테로이드(steroid)이다. 뇌는 엄청나게 많은 스테로이드를 소비한다. 그리고 자궁은 스테로이드를 만드는 공장이다. 이 문제는 본 연구소가 발행한 전자생리학의 스테로이드 부분을 참고하면 된다. 그런데, 지금은 자궁에서 열이 나면서 스테로이드가 과잉 염을 처리하면서 엄청나게 많이 소모되고 있다. 이는 자동으로 스테로이드 공장인 자궁이 만든 스테로이드를 뇌까지 공급할 여력이 없다는 사실을 말하고 있다. 이는 곧바로 뇌의 과부하로 이어지면서 환자는 섬어를 내뱉게 되고, 더불어 귀신을 본 것처럼 행동하게 된다. 이 부분은 해석이 상당히 어려운 부분이다. 그런데 뒤에 더 어려운 문장이 등장한다. 즉, 이때 위기에서 상이초까지 범하지 않았다면(無犯胃氣及上二焦), 이때는 반드시 스스로 치유된다(必自愈)고 한 문장 말이다. 이는 두 가지로 설명된다. 먼저 상이초(上二焦)는 자궁이 자리한 하초를 제외한 중초와 상초를 말하는데, 이곳에는 과잉 염을 중화하는 오장이 자리하고 있다. 특히 과잉 염을 위산을 통해서 체외로 축출하는 비장, 과잉 염을 담즙을 통해서 체외로 축출하는 간, 과잉 염을 요산 등등을 통해서 체외로 축출하는 신장이 자리하고 있다. 이 문제는 본 연구소가 발행한 상한론을 참고하면 된다. 그래서 상이초에서 과잉 산을 중화하는 오장이 멀쩡하게(無犯) 활동하고 있다면, 상한을 만든 과잉 염은 이들 오장을 통해서 제거될 것이다. 그 결과로 이때 만들어진 상한은 자동으로 해결될 것이다(必自愈). 그리고 여기서 말하는 위기(胃氣)는 위산(胃酸)을 말한다. 위산 대부분은 염산(塩酸)으로서 상한을 만든 염(塩)이라는 사실을 상기해보자. 그리고 위산의 양은 엄청나게 많다. 즉, 위산은 상한을 만든 과잉 염을 처리하는 제1의 도구라는 뜻이다. 이런 이유로 위기에서 상이초까지 범하지 않았다면(無犯胃氣及上二焦), 이때는 반드시 스스로 치유된다(必自愈)고 한 것이다. 이 부분은 대부분 주석가가 해석을 포기하는 곳이다. 이는 이 부분의 해석이 상당히 어렵다는 사실을 말하고 있다. 다시 본문을 보자. 위장경에 열의 원천인 과잉 산이 쌓이면서 문제를 만드는 양명병은(陽明病), 당연히 위장에서 열이 나게 만들고, 이때는 열이 위로 올라가는 성질 때문에, 입안이 건조해지게 되고(口燥), 그러면 입을 물로 축이기 위해서 물을 입 안에 넣기는 하지만(嗽水), 삼키고 싶은 마음이 없게 만들면(不欲嚥), 이는 위장이 경직되어서 음식을 받을 수 없다는 사실을 말하게 된다. 이는 또한 머리로 올라가는 신경이 과부하에 걸려있다는 사실을 말하기도 한다. 경직은 신경 문제라는 사실을 상기해보자. 더불어 소화관의 독자 신경총은 90%가 뇌로 올라가는 구심성 신경이라는 사실도 상기해보자. 그러면 신경을 따라서 뇌로 올라간 자유전자는 자동으로 뇌척수액을 산성으로 만들면서 두개골의 뇌척수액 압력(壓力)을 높이고 만다. 그러면 인체는 이 압력을 줄기기 위해서 이때는 반드시 코피(衄)를 만들어낸다(此必衄). 코피는 인체가 뇌척수액의 압력을 줄이는 도구라는 사실을 상기해보자. 그리고 양명은 위장으로서 간질을 통제하므로, 이때는 오장을 통제하는 설사법은 쓸 수가 없게 된다(不可下). 그리고 과잉 산의 정체 때문에 위장에서 문제가 발생하는 양명병에 걸리면(陽明病), 이때는 위장에서 자동으로 과잉 산이 중화하면서 열이 나게 된다. 이런 연유로 식사를 제대로 하지 못하고 있을 때(不能食), 위장에서 나는 열을 잡으려고 공격한다는 말은(攻其熱), 위장에 정체하고 있는 과잉 산을 제거한다는 뜻이 된다. 그러면 이때는 자동으로 위장을 자극하게 되고, 이는 자동으로 위장을 달고 있는 횡격막을 자극하게 되고, 이는 순식간에 횡격막이 조절하는 호흡을 건드리게 된다. 그러면 이때는 반드시 인체는 숨을 쉬기 위해서 딸꾹질하게 된다(必噦). 여기서 홰(噦:얼)를 다르게 해석할 수도 있다. 이 홰(噦:얼)는 구토라는 뜻도 있다. 그래서 위장에서 나는 열 때문에 밥을 먹지 못하고 있을 때, 이 열을 잡기 위해서 위장을 공격하게 되면, 갑자기 위장이 자극받게 되고, 이어서 위장이 심하게 경직되면서 구토(噦)하게 된다. 여기서 핵심은 넘길 수가 없다는 사실에 있다. 이는 위장이 경직된 상태라는 사실을 말해준다. 이때 위장에서 나는 열을 잡겠다고 위장을 자극하게 되면, 위장은 더 심하게 경직되면서 구토(噦)는 자동으로 나오게 된다. 그래서 과잉 염 때문에 상한에 걸렸는데(傷寒), 이때 구토를 많이 하게 되면(嘔多), 이때 문제는 위장(陽明)에 있게 되는데(雖有陽明), 이때는 이 문제를 해결하기 위해서 하는 위장에 대한 공격이 불가하게 된다(不可攻). 이는 구토에 답이 있다. 즉, 구토는 위장의 경직을 말하는데, 위장의 공격은 위장을 더욱더 경직되게 만들기 때문이다. 그리고 구토 자체가 위장의 문제를 푸는 과정이다. 그리고 위장에 과잉 산이 정체해서 위장이 과부하(實)에 걸린 상태에서(胃家實), 대변까지 볼 수가 없다면(不大便), 이는 소화관 전체가 문제에 봉착한 것이다. 이때 만약에(若), 위장으로 체액을 보내는 간질에서 문제가 되는 표증이 미해결된 상태와(表未解 及), 반표반리(半表半裏) 증상까지 있다면(有半表半裏者), 이때는 우선 간질을 땀으로 통제하는 계지탕과 간을 통제하는 시호탕을 먼저 써서 문제를 어느 정도 해결한 다음에(先以桂枝·柴胡和解), 설사법을 쓰면 된다(乃可下也). 이는 약간의 추가 설명이 요구된다. 지금은 소화관 전체에 문제가 있다. 그러면 소화관으로 산성 체액을 보내는 간질인 표(表)에도 문제가 있다는 뜻이다. 그리고 소화관이 간으로 보내는 산성 정맥혈의 소통이 막혀도 소화관은 문제를 일으키게 된다. 그러면, 지금의 문제는 간질과 간이 된다. 그러면 처방은 간질에 정체한 과잉 산을 땀으로 제거하는 계지탕(桂枝湯)이 되고, 동시에 소화관의 산성 정맥혈을 받는 간을 통제하는 시호탕(柴胡湯)이 된다. 그러나 문제는 여기서 해결되지 않는 문제가 하나 있다. 바로 반표반리(半表半裏)이다. 이를 문자 그대로 해석하게 되면, 절반은 표증과 연관되

소음인 신수열 표열병론

고, 절반은 이증과 연관된다는 뜻이다. 그러면, 표증은 간질의 문제가 되고, 이증은 오장의 문제가 되므로, 이는 간질과 오장의 중간(半)에 있다는 뜻이 된다. 그게 뭘까? 이는 바로 간질과 오장을 이어주는 장간막(腸間膜)이다. 이때 장간막은 모든 체액과 신경이 통과하는 통로가 된다. 그러면, 반표반리(半表半裏)의 문제가 나오게 되면, 간질, 장간막, 오장의 문제가 함께 뒤섞이게 된다. 그런데, 계지탕과 시호탕은 오장 문제를 푸는 처방은 아니다. 그래서 오장 문제를 풀어주는 설사 처방이 자동으로 요구된다. 그래서 맨 마지막 문장에 설사법(乃可下也) 문제가 튀어나오게 된다. 이곳은 체액 이론을 잘 알아야만 잘 풀린다.

論曰 右諸證 當用 藿香正氣散 香砂養胃湯 八物君子湯

이제마는 다음과 같이 주장한다(論曰). 앞(右)에서 논한 여러 증상에서는(右諸證), 당연히(當) 곽향정기산, 향사양위탕, 팔물군자탕을 처방한다(當用 藿香正氣散 香砂養胃湯 八物君子湯). 여기서 우(右)는 쓰기를 우측에서 좌측으로 쓰기 때문이다.

張仲景 曰 陽明之爲病 胃家實也. 問 曰 緣何得陽明病. 答 曰 太陽病 發汗 若下 若利小便者 此 亡津液 胃中乾燥 因轉屬陽明 不更衣 內實 大便難者 此 名陽明病也. 傷寒 轉屬陽明 其人 濈然微汗出也. 傷寒 若吐 若下後 不解 不大便 五六日至十餘日 日晡所發潮熱 不惡寒 狂言 如見鬼狀 若劇者 發則 不識人 循衣摸床 惕而不安 微喘直視. 脈弦者 生 脈濇者 死.

장중경은 다음과 같이 말하고 있다(張仲景 曰). 위장경이 병을 만들게 되면(陽明之爲病), 이때는 당연히 위(胃)와 연관된 계통(家)에서 과부하(實)가 나타나게 된다(胃家實也). 어떤 연유로 위장의 문제인 양명병을 얻게 되는가(問 曰 緣何得

陽明病)? 그 이유는 다음과 같다(答 曰). 방광이 문제일 때 걸리는 태양병에 걸렸을 때(太陽病), 강제로 땀을 내고(發汗), 동시에 설사시키고(若下), 동시에 소변을 보게 만들면(若利小便者), 이때는 당연히(此), 이 3가지 모두는 체액의 체외 배출을 동반하므로, 체액의 과도한 손실이 뒤따르게 된다(亡津液). 이때는 사실 방광이 문제이므로, 소변만 배출시켜도 된다. 문제는 여기에서 체액의 고갈을 유도하게 되면, 방광의 문제가 해결이 안 되게 된다. 그러면 방광이 처리하지 못한 과잉 자유전자는 염소(Cl⁻)에 실려서 위장으로 향하게 된다. 방광이 주로 사용하는 도구는 염화나트륨(NaCl)이라는 사실을 상기해보자. 그러면 위장은 자기가 받은 과잉 산을 위산(HCl)을 통해서 체외로 버리게 된다. 그러면 방광의 문제는 위장을 통해서 깨끗이 처리되면서 문제가 해결된다. 문제는 위산이 배출되려면 엄청나게 많은 수분의 배출도 동반되어야만 한다는 사실이다. 그러나 지금은 체액이 고갈된 상태이다. 그러면 자동으로 위장은 체액 부족 때문에 수분 부족으로 인해서 건조해지게 되고 만다(胃中乾燥). 즉, 이때는 위산을 분비시킬 때 필요한 수분이 부족하다는 뜻이다. 그러면 방광에서 받은 과잉 산은 위장에 적체하면서 위장은 실해지고 만다. 이는 결국에 방광으로 인(因)해서 발생한 과잉 산이 위장으로 전이된 것이다(因轉屬陽明). 그러면 소화관은 위장이 위산으로 보내준 수분을 통해서 수분 문제를 해결하는데, 지금은 수분의 부족으로 인해서 위산 분비가 여의치 못한 상태가 되고 말았다. 이제 소화관에는 수분이 부족하게 되면서, 당연히 대변이 수분 부족으로 인해서 말라비틀어지게 되고, 이어서 대변이 말라서 대변을 보기가 힘들게 되고 만다(不更衣). 즉, 이렇게 위장 안쪽(內)에서 과잉 산이 과부하(實)를 만들게 되면(內實), 이때는 대변을 보기가 어렵게 된다(大便難者). 이를 이르러(此), 양명병이라고 부른다(名陽明病也). 즉, 이 문제를 위장이 만들었다는 뜻이다. 이렇게 방광에서 시작된 상한이(傷寒), 위장으로 전이하게 되면(轉屬陽明), 이때 과잉 산은 위산으로 배출되지 못하게 되고, 이는 간질에 정체하게 되고, 이어서 이는 별수 없이 간질에서 중화되면서 땀으로 변하게 된다. 그래서 이때 환자는(其人), 체액 부족으로 인해서 끈적한 땀(濈然汗)을 조금(微) 흘리게 된다(濈然微汗出也). 과잉 염 때문에 상한에 걸려서(傷寒), 염을 체외로 버리는 구토를 하거나(若吐), 염을 체외로 버리는 설사를 한 후에도(若下後), 여전히 상한 문제가 해결이 안 되고 있고(不解), 대변도 제대로 볼 수 없는 상태에서(不大便), 5~6일에서 10여 일에 이르게 되었을 때(五六日至十餘日), CRY와 스테로이드 기능이 제대로 작동하지 않게 되는 시간인 해질녘에 열이 발생하거나(日晡所發潮熱), 오한은 없는데(不惡寒), 광언을 하고(狂言), 마치 귀신을 본 것처럼 행동하면서(如見鬼狀), 이 상태가 만약에 극한에 이르게 되었을 때(若劇者), 열이 발생하게 되면(發則), 이때는 자유전자를 보유한 과잉 산의 적체가 엄청나다는 말이 되고, 이때는 자동으로 신경에 과도한 자유전자를 공급하게 되면서, 이때는 자동으로 뇌를 과흥분시키게 된다. 그러면 이때 환자는 뇌의 과부하로 인해서 거의 미친 상태가 되면서, 사람을 알아보지 못하게 되고(不識人), 자기가 입은 옷을 돌돌 말면서 침상을 어루만지는 이상한 행동을 하면서(循衣摸床), 괜히 무서워서 불안에 떨게 되고(惕而不安), 약간의 기침도 하면서 눈이 뒤틀리기 시작할 때(微喘直視), 이때 맥상이 현맥이면 살고(脈弦者 生), 색맥이면 죽는다(脈濇者 死). 왜? 현맥(弦)은 간(肝)이 과부하에 걸렸을 때 나타나는 맥상이다. 그래서 환자가 뇌가 이상해져서 문제를 만들고 있을 때, 담즙이라는 도구를 이용해서 신경을 통해서 뇌를 통제할 수 있는 간(肝)이 열심히 과잉 산을 중화하면서 현맥(弦)을 만들게 되면, 이는 인체가 아직은 뇌를 괴롭히는 과잉 산을 중화할 수 있는 능력을 보유하고 있다는 뜻이 되므로, 이때 환자는 살아(生)남게 된다. 그러나 맥상이 체액의 흐름이 막혀(濇)있을 때 나오는 색맥(濇)이 나오게 되면, 이는 에너지 공급의 중단을 말하게 되므로, 이때 환자는 당연히 죽게(死) 된다.

論曰 秦漢時 醫方治法 大便秘燥者 有大黃治法 無巴豆治法. 故 張仲景 亦用大黃大承氣湯 治少陰人 太陽病轉屬陽明. 其人 濈然微汗出 胃中燥煩實 不大便 五六日至十餘日 日晡發潮熱 不惡寒 狂言 如見鬼狀之時而 用之則 神效 若劇者 發則 不識人 循衣摸床 惕而不安 微喘直視 用之於此則 脈弦者 生 脈濇者 死. 蓋此方 治少陰人 太陽病轉屬陽明 不大便五六日 日晡發潮熱者 可用而 其他則不可

用也. 仲景 知此方 有可用 不可用之時候 故 亦能昭詳 少陰人 太陽陽明病證候 也. 蓋 仲景 一心精力 都在於探得 大承氣湯可用時候 故 不可用之時候 亦昭詳 知之也. 仲景 太陽陽明病 藥方中 惟(唯)桂枝湯・人蔘桂枝湯 得其彷彿而 大承 氣湯則 置人死生於茫無津涯之中 必求大承氣湯可用時候而 待其不大便五六日 日 晡發潮熱狂言時 是 豈美法也哉? 蓋 少陰人病候 自汗不出則 脾不弱也. 大便秘 燥則 胃實也. 少陰人 太陽陽明病 自汗不出而 脾不弱者 輕病也 大便雖硬 用藥 則易愈也. 故 大黃 枳實 厚朴 芒硝之藥 亦能成功於此時而 劇者 猶有半生半死. 若 用八物君子湯 升陽益氣湯 與巴豆丹則 雖劇者 亦無脈弦者生 脈濇者死之理 也. 又 太陽病 表證因在時 何不早用溫補升陽之藥 與巴豆 預圖其病而 必待陽明 病 日晡發潮熱 狂言時 用承氣湯 使人 半生半死耶.

　이제마는 다음과 같이 주장한다(論曰). 진나라와 한나라 때(秦漢時), 의료 처방 을 보면(醫方治法), 변비가 생겨서 대변이 안 나올 때면(大便秘燥者), 대황으로 다스리라는 처방은 있었으나(有大黃治法), 파두로 다스리라는 처방은 없었다(無巴 豆治法). 이런 연유로(故), 장중경도 역시 대황대승기탕을 이용해서(張仲景 亦用 大黃大承氣湯), 소음인의 상한이 방광에서 위장으로 전이된 상태를 다스렸다(治 少陰人 太陽病轉屬陽明). 이런 환자는(其人), 끈적한 땀이 조금 나고(濈然微汗 出), 위장은 건조하고 과부하에 걸린 상태가 되고(胃中燥煩實), 당연히 대변은 변 비가 되어서 보기가 어렵고(不大便), 이 상태로 5~6일에서 10여 일이 지나면(五 六日至十餘日), 저녁 해가 지는 일포에 열이 발생하게 되고(日晡發潮熱), 자동으 로 오한도 있게 되고(不惡寒), 광언도 하며(狂言), 이때는 마치 귀신을 본 것처럼 행동하게 되고(如見鬼狀之時而), 이때 앞에서 말한 처방을 이용하면(用之則), 효 과가 아주 좋게 된다(神效). 그런데 만약에 이런 상태가 극단으로 치달아서(若劇 者), 열이 발생하게 되면(發則), 이때 문제가 심각해지면서, 환자는 사람을 알아보 지 못하게 되고(不識人), 자기가 입은 옷을 돌돌 말면서 침상을 어루만지는 이상 한 행동을 하면서(循衣摸床), 괜히 무서워서 불안에 떨게 되고(惕而不安), 약간의 기침도 하면서 눈이 뒤틀리기 시작할 때(微喘直視), 이 처방을 이용하면 되는데

소음인 신수열 표열병론

(用之於此則) 이때 환자의 맥상이 간(肝)의 맥상인 현맥이 나오면 살고(脈弦者生), 체액의 흐름이 막힐 때 나오는 색맥이 나오면 환자는 죽게 된다(脈濇者 死). 그리고 또한(蓋), 이 처방은(此方), 소음인으로서 상한이 방광에서 위장으로 전이 되었을 때도 사용한다(治少陰人 太陽病轉屬陽明). 이때 대변이 변비가 되어서 보지 못한 지가 5~6일이 되었는데(不大便五六日), 일포에 열이 나게 되면(日晡發潮熱者), 이때도 이 처방을 이용하면 되나(可用而), 다른 병증에는 이를 이용하면 안 된다(其他則不可用也). 장중경도(仲景), 이 처방을 알고 있었고(知此方), 사용했으며(有可用), 사용하지 말아야 할 때와 증상도 알고 있었다(不可用之時候). 이런 연유로(故), 장중경은 이 처방에 대해서 아주 잘 알고 있어서(亦能昭詳), 소음인의 상한이 방광에서 위장으로 전이 되었을 때 증후도 잘 알고 있었다(少陰人 太陽陽明病證候也). 또한(蓋), 장중경은 전심전력으로 이 상태를 모두 터득해서(仲景 一心精力 都在於探得), 대승기탕을 사용할 때와 증후를 알고 있었다(大承氣湯可用時候). 이런 연유로(故), 장중경은 대승기탕의 사용 시기와 증후를(不可用之時候), 역시나 아주 소상히 알고 있었다(亦昭詳知之也). 그리고 장중경의(仲景), 태양병과 양병명 전이 처방 중에서(太陽陽明病 藥方中), 계지탕이나 인삼계지탕은(惟(唯)桂枝湯·人蔘桂枝湯), 서로 거의 비슷(彷彿)한 처방이다(得其彷彿而). 그러나 대승기탕의 경우를 보면(大承氣湯則), 이는 사람의 생사를 헤어 나올 수 없는 상태로 버려둔다는 느낌이 들게 한다(置人死生於茫無津涯之中). 그래서 대승기탕의 처방 시기와 증후를 보게 되면 반드시(必求大承氣湯可用時候而), 이 처방은 대변을 보지 못한 상태가 5~6일이 지나고(待其不大便五六日), 일포에 열이 나고 광언을 할 때까지 기다려서(待) 하는 처방이다(日晡發潮熱狂言時). 그런데, 이런 처방이(是), 어찌 좋은 처방이란 말인가(豈美法也哉)! 대부분(蓋), 신장이 크고 비장이 작은 소음인의 병증 중에서(少陰人病候), 땀이 스스로 나오지 않은 경우는(自汗不出則), 작은 비장이 약하지 않기 때문이다(脾不弱也). 이는 설명이 조금 필요하다. 먼저 땀은 간질에서 과잉 산이 중화되면서 발생한다. 그리고 간질에 정체한 과잉 산은 림프로 들어간다. 그리고 이 림프를 비장이 통제한다. 그래서 이때 림프를 통제하는 비장이 약하지 않게 되면(脾不弱也), 간질에 쌓인

과잉 산은 자동으로 림프로 들어가서 처리된다. 그러면 자동으로 간질에는 땀을 만드는 재료인 과잉 산이 정체할 이유가 없어진다. 그러면 자동으로 비장이 약하지 않게 되면(脾不弱也), 땀은 나지 않게 된다. 이 사실을 이제마가 말하고 있다. 다시 본문을 보자, 상한에 걸려서 수분 부족으로 인해서 대변이 건조해지고, 이어서 변비가 되는 이유는(大便秘燥則), 소화관에 위산을 통해서 수분을 공급하는 위장이 과부하(實)에 걸려있기 때문이다(胃實也). 태양병과 양명병을 앓는 소음인에서(少陰人 太陽陽明病), 스스로 땀이 나지 않는 이유는(自汗不出而), 비장이 약하지 않기 때문이므로(脾不弱者), 이때 병은 비교적 가벼운 병이 된다(輕病也) 여기서 추가해야 할 사실은 비장은 병을 이겨내는 면역(免疫)을 통제한다는 점이다. 그래서 이런 상태에서 비록 대변이 굳어 있을지라도(大便雖硬), 이때 약을 처방하게 되면, 병은 쉽게 치유된다(用藥則易愈也). 그래서(故), 대황, 지실, 후박, 망초와 같은 약도(大黃 枳實 厚朴 芒硝之藥), 역시 이때 처방하면 성공할 수 있다(亦能成功於此時而). 이때 증상이 극단에 이른 경우에도(劇者), 이 처방을 쓰게 되면 반생반사를 만들어낼 수 있다(猶有半生半死). 이때 만약에(若), 팔물군자탕, 승양익기탕과 더불어 파두단을 병용하게 되면(用八物君子湯 升陽益氣湯 與巴豆丹則), 병이 극단으로 치달았을 때조차도(雖劇者), 환자의 맥상이 현맥이 나오면 살고(亦無脈弦者生), 색맥이 나오면 죽는다는 이치(理)가 통하지 않게(無) 된다(脈濇者死之理也). 즉, 이 처방을 쓰면, 어떤 경우에도 사람을 살릴 수가 있다는 뜻이다. 또한(又), 태양병에 걸려서(太陽病), 표증으로 인해서 문제가 있을 때(表證因在時), 어찌하여 이를 치료할 수 있도록 조기에 몸을 따뜻하게 해주고 양기를 끌어올리는 약을 파두와 함께 쓰지 않고(何不早用溫補升陽之藥 與巴豆), 그 병을 기다리는가 말이다(預圖其病而). 그러면, 이때는 반드시 양명병은 문제를 만들게 되고(必待陽明病), 이어서 일포에 열이 발생하게 만들고(日晡發潮熱), 이어서 광언을 하게 될 때가 되어서야(狂言時), 승기탕을 쓰게 되면(用承氣湯), 이는 환자(人)를 반생반사로 몰게(使) 되는 것이 되고 만다(使人 半生半死耶). 이제마는 기존의 처방이 불충분하다고 말하고 있다.

소음인 신수열 표열병론

許叔微 本事方 曰 一人 病傷寒 大便不利 日晡發潮熱 手循衣縫 兩手撮空 直視 喘急 諸醫皆走. 此 誠惡候 仲景 雖有證而無法 但云 脈弦者生 脈濇者死 謾且救 之 與小承氣湯 一服而 大便利 諸疾漸退 脈且微弦 半月愈

王好古 海藏書 曰 一人 傷寒 發狂欲走 脈虛數 用柴胡湯 反劇 以人蔘·黃芪· 當歸·白朮·陳皮·甘草煎湯 一服 狂定 再服 安睡而愈

醫學綱目 曰 嘗治循衣摸床者 數人 皆用大補氣血之劑 惟一人 兼瞤振 脈代 遂於 補劑中 略加桂 亦振止 脈和而愈

成無己 明理論 曰 潮熱 屬陽明 必於日晡時發者 乃爲潮熱也. 陽明之爲病 胃家 實也 胃實則 譫語 手足濈然汗出者 此 大便已硬也. 譫語有潮熱 承氣湯下之 熱 不潮者 勿服

朱震亨 丹溪心法 曰 傷寒壞證 昏垂沈死 一切危急之證 好人蔘一兩 水煎一服而 盡 汗自鼻梁上出 涓涓如水.

허숙미는 본사방에서 다음과 같이 주장한다(許叔微 本事方 曰). 환자가(一人), 상한병에 걸려서(病傷寒), 대변을 보지 못하고(大便不利), 일포에 조열이 오르고 (日晡發潮熱), 정신이 몽롱해져서 손으로 옷의 재봉선을 어루만지고(手循衣縫), 양 손을 허공으로 올려서 뭔가를 잡기도 하고(兩手撮空), 눈이 뒤집어지면서 숨도 급 하게 헐떡이고(直視喘急), 난리를 치게 되면, 이 상태를 본 모든 의사는 도망가기 에 바쁘게 된다(諸醫皆走). 이는 참으로 좋지 않은 증후이다(此 誠惡候). 이런 경 우에 장중경의 책에는 증상은 기록하고 있으나 처방은 없다(仲景 雖有證而無法). 단지(但云), 이때 현맥이면 살고(脈弦者生), 색맥이면 죽는다(脈濇者死)고 나와 있 을 뿐이다. 늦게나마(謾) 이 환자를 치료하기 위해서(謾且救之), 소승기탕을 일복 하도록 처방하면(與小承氣湯 一服而), 대변이 나오게 되고(大便利), 모든 질병이 점점 사라지면서(諸疾漸退), 맥상도 다시 미미하게 색맥에서 현맥으로 돌아오게 되 면서(脈且微弦), 병은 보름 만에 치유된다(半月愈). 그리고 왕호고는 해장서에서 다음과 같이 주장한다(王好古 海藏書 曰). 환자가 상한병에 걸려서(一人 傷寒), 발 광 때문에 뛰쳐나가서 달리고 싶은 욕망이 생길 때(發狂欲走), 맥상이 힘이 없이 자주 뛰게 되면(脈虛數), 이때는 간을 통제하는 시호탕을 처방한다(用柴胡湯). 이때 환자가 반대로 극단에 이르게 되면(反劇), 이때는 인삼, 황기, 당귀, 백출, 진피, 감초를 탕으로 만들어서 한 번 복용시킨다(以人蔘·黃芪·當歸·白朮·陳皮·甘草煎湯 一服). 그러면 환자의 광기는 진정되고(狂定), 이 처방을 한 번 더 복용시키면(再服), 편안히 잠을 자게 되고, 이어서 병은 치유된다(安睡而愈). 그리고 의학강목에서는 다음과 같이 주장한다(醫學綱目 曰). 일찍이 옷을 돌돌 말면서 병상을 어루만지는 환자를 다스릴 때(嘗治循衣摸床者), 대다수 환자에게는(數人), 모두 기와 혈을 크게 보충하는 약을 쓰고(皆用大補氣血之劑), 나머지 사람 중에서(惟一人), 쥐가 나서 떠는 경우를 겸하고 있고(兼瞤振), 맥상이 대맥으로 나오게 되면(脈代), 이때는 앞 처방에 계지를 조금 추가해서 처방해준다(遂於補劑中 略加桂). 그러면 쥐가 나서 떠는(振) 경우가 멈추게 되고(亦振止), 맥상도 대맥에서 인체 생리가 조화를 이루는 맥상으로 바뀌게 되면서 병은 치유된다(脈和而愈). 그리고 성무기는 명리론에서 다음과 같이 주장한다(成無己 明理論 曰). 밀물과 썰물(潮)이 시간에 맞춰서 만들어지는 것처럼, 시간에 맞춰서 열(潮熱)이 나면, 이 병은 양명병에 속한다(潮熱 屬陽明). 그러면 이때는 반드시 일포라는 시간에 맞춰서(必於日晡時發者), 조열이 발생하게 된다(乃爲潮熱也). 일포(日晡)라는 해가 질 때 나는 조열(潮熱)의 원리는 앞에서 이미 설명했다. 위장의 문제인 양명병이 발병하는 이유는(陽明之爲病), 당연히 위장의 계통에 속하는 기관들이 과부하(實)에 시달리기 때문이다(胃家實也). 이렇게 위장 계통이 과부하에 시달리게 되면(胃實則), 이는 앞에서 이미 보았듯이, 섬어를 내뱉게 되고(譫語), 수족에서 끈적한 땀이 나오게 되고(手足濈然汗出者), 이때는(此), 수분 부족으로 인해서 대변은 이미 굳어있게 된다(大便已硬也). 이때 섬어와 조열이 더불어 있다면(譫語有潮熱), 이때는 승기탕을 써서 설사를 유도해서 변비를 없애주면 된다(承氣湯下之). 이때 조열이 나지 않으면, 이 처방을 복용시키면 안 된다(熱不潮者 勿服). 그리고 주진형은 단계심법에서 다음과 같이 주장한다(朱震亨 丹溪心法 曰). 상한병을 치료할 때 치료를 잘못해서 나타나는 괴증이 있을 경우에(傷寒壞證), 환자가 혼수상태에 빠져서 거의 죽을 지경이 되어있고(昏垂沈死), 이 상태가 아주 위급한 증상을 만들고 있으면(一切危急

之證), 이때는 좋은 인삼 한 냥을 물에 달여서 단번에 모두 마시게 하면(好人蔘一兩 水煎一服而盡), 콧잔등에서 땀이 송골송골 나는 상태를 시작(自)으로 해서(汗自鼻梁上出), 결국에는 땀이 물처럼 졸졸(涓涓) 흘러나오게 된다(涓涓如水).

論曰 右論 皆以張仲景 大承氣湯 始作俑而 可用不可用時候 難知. 故 紛紜多惑而 始知 張仲景之不可信也. 張仲景 大承氣湯 元是殺人之藥而 非活人之藥則 大承氣湯 不必擧論. 此 胃家實病 不更衣 發狂證 當用 巴豆全粒 或 用 獨蔘八物君子湯 或 先用 巴豆 後用 八物君子湯 以壓之.

이제마는 다음과 같이 주장한다(論曰). 앞(右)에 나온 논의에서(右論), 모두 장중경이 쓴(皆以張仲景), 대승기탕을 이용해서(大承氣湯), 아플(俑) 때 처방을 시작하고 있으나(始作俑而), 어떤 때에 어떤 증후에 이 처방을 쓰고 안 쓰는지를(可用不可用時候), 알기가 어렵다(難知). 그래서(故), 말도 분분하고 의혹도 많이 있어서(紛紜多惑而), 장중경의 처방을 믿을 수 없다는 사실이 알려지기 시작했다(始知 張仲景之不可信也). 장중경이 기록한 대승기탕은(張仲景 大承氣湯), 원래 사람을 죽이는 약이지(元是殺人之藥而), 살리는 약이 아니므로(非活人之藥則), 대승기탕은 거론할 필요조차도 없다(大承氣湯 不必擧論). 그래서 양명병에 걸렸을 때(此), 위장 계통이 과부하에 걸려있을 때는(胃家實病), 앞에서 본 것처럼, 대변을 보기가 어렵고(不更衣), 발광하는 증상도 나타나는데(發狂證), 이때는 당연히 파두 한 알을 쓰거나(當用 巴豆全粒), 독삼팔물군자탕을 쓰거나(或 用 獨蔘八物君子湯), 아니면, 먼저 파두를 쓰고(或 先用 巴豆), 뒤에 팔물군자탕을 써서(後用 八物君子湯), 병을 제압하면 된다(以壓之).

張仲景 曰 陽明病 外證 身熱 汗自出 不惡寒 反惡熱. 傷寒 陽明病 自汗出 小便

數則 津液內竭 大便必難 其脾爲約 麻仁丸主之. 陽明病 自汗出 小便自利者 此
爲津液內竭 大便雖硬 不可攻之 宜用蜜導法 通之. 陽明病 發熱汗多者 急下之
宜大承氣湯. 李梴 醫學入門 曰 汗多不止 謂之亡陽 如心痞胸煩 面青膚瞤者 難
治 色黃手足溫者 可治. 凡 汗漏不止 眞陽脫亡 故 謂之亡陽 其身必冷 多成痺寒
四肢拘急 桂枝附子湯主之.

　　장중경은 다음과 같이 말하고 있다(張仲景 曰). 양명병은(陽明病), 간질에서 만
들어지는 외증으로서(外證), 신열이 있고(身熱), 땀이 스스로 나며(汗自出), 오한
은 없지만(不惡寒), 반대로 오열은 있다(反惡熱). 그리고 상한이 만든 양명병은
(傷寒 陽明病), 스스로 땀이 나면서(自汗出), 소변을 너무 자주 보므로(小便數
則), 이때는 당연히 체액이 인체 안에서 고갈되고(津液內竭), 그러면 수분도 함께
고갈되면서, 자동으로 반드시 대변이 말라서 대변을 보기가 어려워진다(大便必
難). 이는 비장이 과부하(約)에 걸려있기 때문이다(其脾爲約). 이때는 마인환으로
처방한다(麻仁丸主之). 지금 비장이 문제라고 지적한 이유는 지금 문제의 중심에
비장이 보내는 과잉 산을 버리는 위장이 자리하고 있기 때문이다. 그래서 비장이
과부하(約)에 시달리게 되면, 자동으로 위장은 이 부담을 떠안을 수밖에 없다. 다
시 본문을 보자. 그래서 양명병에 걸리게 되면(陽明病), 땀은 스스로 나오고(自汗
出), 소변도 스스로 나오게 되는데(小便自利者), 이는(此), 결국에 체액의 내부 고
갈을 유도하게 되고(爲津液內竭), 이어서 인체에서 수분이 부족해지면서, 이때는
자동으로 대변이 수분 부족으로 인해서 굳어지면서 대변 보기가 어렵게 되나(大
便雖硬), 이때는 이 굳어진 대변을 녹여내기 위해서 체액의 체외 배출을 동반하는
설사법으로 공격할 수가 없게 된다(不可攻之). 이때는 마땅히 체액의 동반 배출을
유도하지 않는 밀도법을 써서 굳은 대변을 빼내고, 소화관을 소통시켜야만 한다
(宜用蜜導法 通之). 양명병에 걸렸을 때(陽明病), 열이 나고 땀이 너무 많이 나면
(發熱汗多者), 이때는 급하게 설사로 대처해야 한다(急下之). 그래서 이때는 대승
기탕을 쓴다(宜大承氣湯). 그리고 이천은 의학입문에서 다음과 같이 말한다(李梴
醫學入門 曰). 과도한 땀이 나면서 그치지 않는 상황을 보고(汗多不止), 양을 잃

어버린다고 말한다(謂之亡陽). 여기서 양(陽)은 에너지이기도 한 자유전자를 말한다. 그래서 땀을 과도하게 빼고 나면 힘이 없어서 탈진하게 된다. 땀은 물(H_2O)로서 에너지인 자유전자 2개를 중화한 결과물이다. 그래서 과도한 땀은 자동으로 에너지인 양(陽)을 잃게(亡) 만든다. 이 문제는 본 연구소가 발행한 황제내경 소문이나 상한론을 참고하면 된다. 이때 만일에 가슴이 결리면서 아프고 불편하면서(如心痞胸煩), 낯빛이 푸르고, 피부가 부들부들 떨게 되면(面靑膚瞤者), 이때는 병은 난치병이 되고 만다(難治). 이는 설명이 조금 필요하다. 가슴 문제는 폐와 심장의 문제이다. 이때 폐는 산소를 공급하고, 심장은 이 산소를 전신으로 순환시킨다. 그리고 체액 이론에서 핵심은 만병의 근원인 과잉 자유전자를 산소로 중화하는 것이다. 그래서 일단 가슴에서 문제가 생기면, 이는 심각한 문제가 된다. 그러면, 이때 자동으로 가슴으로 체액을 보내는 인체의 최대 해독 기관인 간(肝)은 갑자기 날벼락을 맞는다. 그러면, 간은 자기가 통제하는 푸른색의 산성 정맥혈과 푸른색의 담즙을 통제하지 못하게 되고, 이들은 간질에 정체하게 된다. 그리고 이 둘은 모두 푸른색으로 안면에서 표현된다. 그리고 간은 담즙을 통해서 신경을 통제하고, 이어서 신경을 통해서 근육을 통제한다. 그래서 간이 문제가 되면, 근육이 신경을 통해서 과잉 자극되고, 이어서 근육이 떨게 된다. 그러면, 이제 상황을 종합해보면, 인체의 중추인 세 개의 오장이 문제가 있는데, 이를 치료 가능하다고 말한다면, 이는 자동으로 어불성설이 될 것이다. 다시 본문을 보자. 그러나 안색이 황색이면서 혈액 순환이 제일 취약한 손발이 혈액 순환이 되면서 따뜻하다면(色黃手足溫者), 이때 병은 치료가 가능하게 된다(可治). 얼굴이 황색이라는 말은 노란 색소를 보유한 빌리루빈의 간질에서 정체를 말한다. 그리고 이 빌리루빈은 적혈구가 깨지면서 만들어진다. 그리고 이 적혈구가 깨지는 경우는 과잉 자유전자를 환원받을 때이다. 그래서 얼굴 안색이 노랗다는 말은 인체가 적혈구를 통해서 만병의 근원인 과잉 자유전자를 잘 중화하고 있다는 뜻이 된다. 이는 자동으로 간질에서 혈액 순환이 잘 되고 있다는 뜻이 되고, 이는 자동으로 손발이 따뜻해지는 이유가 된다. 그래서 이런 환자는 만병의 근원인 과잉 자유전자를 잘 중화하고 있으므로, 당연히 병은 치료가 가능해진다. 다시 본문을 보자. 일반적으로(凡), 땀이 너무 과도하게 흐르면서 멈추지 않게 되면(汗漏不止), 인체를 돌리는 에너지로서 자유전자인 진양을 잃는 것은 상식이 된다(眞陽脫亡). 그래서(故), 이를 보고 망양(亡陽)이라고 부른다(謂之亡陽). 그러면, 이 땀은 체외로 배출되면서 자동으로 인체의 열을 보유한 채로 체외로 배출되므로, 이때 인체는 자동으로 체온을 잃게 되면서, 자동으로 인체는 반드시 차가워진다(其身必冷). 이때 환자의 대다수는 당연히 체액 순환의 장애로 인해서 저린 증상과 한기가 동시에 발현된다(多成痺寒). 그러면 체액 순환에 제일 취약한 사지는 자동으로 혈액 순환 장애가 발생하면서 경련이 오게 된다(四肢拘急). 그래서 이때는 땀으로 잃어버린 자유전자를 공급해 주는 부자를 추가하게 된다. 즉, 이때 처방은 계지부자탕이 된다(桂枝附子湯主之).

嘗治 少陰人 十一歲兒 汗多亡陽病. 此兒 勞心焦思 素證 有時以泄瀉爲憂而 每飯時汗流滿面矣. 忽一日 頭痛 發熱 汗自出 大便秘燥. 以此兒 素證 泄瀉爲憂故 頭痛身熱 便秘 汗出之熱證 以其反於泄(洩)瀉寒證而 曾不關心 尋常治之 以黃芪 桂枝 (白)芍藥等屬 發表矣. 至于四五日 頭痛・發熱不愈. 六日平明 察其證候則 大便燥結已四五日 小便赤澁二三匙而 一晝夜間 小便度數 不過二三次 不惡寒而發熱 汗出度數則 一晝夜間二三四次不均而 人中則 或有時有汗 或有時無汗 汗流滿面滿體其證可惡 始覺 汗多亡陽證候 眞是危證也. 急用 巴豆一粒 仍煎黃芪桂枝附子湯 用附子一錢 連服二貼 以壓之. 至于未刻 大便通 小便稍淸而稍多. 其翌日 卽 得病七日也 以小兒 附子太過之慮故 以黃芪桂枝附子湯一貼 分兩日服矣. 兩日後 其兒 亡陽證又作 不惡寒 發熱汗多而 小便赤澁 大便秘結如前 面色帶靑 間有 乾咳 病勢比前太甚 其日 卽 得病九日也 時則 巳時末刻也. 急用 巴豆一粒 仍煎人蔘桂枝附子湯 用人蔘五錢 附子二錢 連二貼而 壓之. 至于日晡 大便始通 小便稍多而 色赤則 一也. 又用人蔘桂枝附子湯 用人蔘五錢 附子二錢 一貼服矣. 至于二更夜 其兒側臥而 頭不能擧 自吐痰一二匙而 乾咳仍止. 其翌日 又用人蔘桂枝附子湯 人蔘五錢 附子二錢 三貼 食粥二三匙 每用藥後則 身淸凉無汗 小便稍多而 大便必通 又翌日 用此方二貼 食粥半碗 又翌日 用此方二貼 食粥半碗有餘 身淸凉 自起坐房室中

소음인 신수열 표열병론

此日 卽 得病十二日也. 此三日內 身淸凉 無汗 大便通 小便淸而多者 連用附子二
錢 日二三貼之故也. 至于十三日 又起步門庭而 擧頭 不能仰面 懲前小兒附子太過
之慮 用黃芪桂枝附子湯 用附子一錢 每日二貼服 至于七八日 頭面稍得仰擧而 面
部浮腫 又 每日二貼服 至于七八日 頭面又得仰擧而 面部浮腫 亦減. 其後 用此方
每日 二貼服 自得病初 至於病解 前後一月餘 用附子 凡八兩矣.

일찍이 소음인으로서 11세 아이가 땀을 너무나 많이 흘려서 양기를 잃은 상태
를 치료해준 적이 있었다(嘗治 少陰人 十一歲兒 汗多亡陽病). 이 아이의 문제는
(此兒), 항상 걱정하는(勞心焦思), 평소의 증세로서(素證), 설사 때문에 근심할 때
가 있다(有時以泄瀉爲憂而). 그리고 이 아이는 식사할 때마다 얼굴 그득히 땀을
흘린다(每飯時汗流滿面矣). 그러다가 문득 어느 날에는(忽一日), 두통이 있고(頭
痛), 열이 나고(發熱), 스스로 땀을 흘리고(汗自出), 대변이 건조해져서 변비가 되
곤 한다(大便秘燥). 이 아이가 겪고 있는(以此兒), 평소의 증세는(素證), 설사하면
근심이 생긴다는 것이다(泄瀉爲憂故). 두통이 있고(頭痛), 신열이 있고(身熱), 변
비가 있고(便秘), 땀이 나는 열증은(汗出之熱證), 설사하는 한증과는 정반대로서
(以其反於泄(洩)瀉寒證而), 큰 관심을 둘 필요가 없이(曾不關心), 그냥 평상시대
로 다스리면 된다(尋常治之). 이때 처방은 황기. 계지, 작약 등등으로서(以黃芪
桂枝 (白)芍藥等屬), 땀을 내는 발표(發表) 처방이다(發表矣). 이후 4~5일이 지
나서도(至于四五日), 두통과 열이 잡히지 않게 되면서(頭痛·發熱不愈), 6일째 되
는 날 해가 막 뜨는 아침에(六日平明), 증후를 살펴보게 되면(察其證候則), 열 때
문에, 대변이 굳은 상태가 4~5일이 되었음을 알 수 있다(大便燥結已四五日). 이
때 소변이 붉게 나오면서 잘 안 나오고 나와봤자 두세 숟갈 정도뿐이고(小便赤澁
二三匙而), 주야 하루 동안(一晝夜間), 소변을 누는 횟수도(小便度數), 불과 두세
차례 정도이고(不過二三次), 오한은 없으나 열이 나고(不惡寒而發熱), 땀이 나는
횟수도(汗出度數則), 주야 하루 동안(一晝夜間), 두서너 차례이면서 고르지 않고
(二三四次不均而), 인중에는 땀이 있을 때도 있고(人中則 或有時有汗), 없을 때
도 있고(或有時無汗), 그러나 나머지 얼굴과 온몸은 땀으로 범벅이 되면(汗流滿

面滿軆), 이 증세는 참으로 고약한 증세로서 인식되며(其證可惡 始覺), 이는 다한 망양의 증세인데(汗多亡陽證候), 이는 진짜로 위험한 증세이다(眞是危證也). 이때 황급히 하는 처방은(急用), 파두 한 알에(巴豆一粒), 황기계지부자탕을 끓이는데 (仍煎黃芪桂枝附子湯), 이때 부자는 1전을 사용하며(用附子一錢), 이를 연달아서 두 첩을 복용시키면(連服二貼), 증후는 제압된다(以壓之). 즉, 이 처방을 쓰면, 한 두 시간도 안 되어서(至于未刻), 대변이 통하게 되고(大便通), 소변도 조금씩 맑 아지게 되고, 소변이 나오는 양도 조금씩 많아진다(小便稍淸而稍多). 그다음 날 (其翌日), 즉(卽) 병이 발병해서 7일째가 되는 날에도 아이에게 약을 복용시켜야 만 하는데(得病七日也), 아이에게 부자를 너무 많이 복용시킨다고 염려되면(以小 兒 附子太過之慮故), 이때는 황기계지부자탕 한 첩을 가지고(以黃芪桂枝附子湯 一貼), 반 분해서 이틀 동안 나누어서 복용시키면 된다(分兩日服矣). 그리고 이틀 후에 다시(兩日後), 이 아이의 망양 증상이 도지면서(其兒 亡陽證又作), 오한은 없고(不惡寒), 열이 나면서 땀을 많이 흘리고(發熱汗多而), 소변이 붉고 잘 나오 지 않고(小便赤澁), 대변도 예전처럼 굳은 상태가 되고(大便秘結如前), 안색이 푸 르고(面色帶靑), 간간이(間有), 마른기침을 하고(乾咳), 병세가(病勢), 전보다 더 심해지게 되면(比前太甚), 이날 인즉(其日 卽), 병을 얻은 지 9일째 되는 날이 된 다(得病九日也). 이때 시각은(時則), 오전 11시 정도가 될 것이다(巳時末刻也). 그러면 급히 처방을 실행해야만 하는데(急用), 이때는 파두 한 알에(巴豆一粒), 인삼계지부자탕을 끓이면서(仍煎人蔘桂枝附子湯), 이때 인삼은 5전을 쓰고(用人 蔘五錢), 부자는 2전을 쓰고(附子二錢), 이를 연달아서 두 첩을 복용시키게 되면 (連二貼而), 병은 제압된다(壓之). 이렇게 해주면, 일포에(至于日晡), 대변이 통하 기 시작하고(大便始通), 소변의 양도 점점 많아지게 되나(小便稍多而), 오줌의 붉 은색은 여전할 것이다(色赤則 一也). 또한, 인삼계지부자탕을 만들 때(又用人蔘桂 枝附子湯), 인삼을 5전을 쓰고(用人蔘五錢), 부자를 2전을 써서(附子二錢), 한 첩 을 복용시키게 되면(一貼服矣), 아이는 밤 10시 무렵이 되면(至于二更夜), 아이가 모로 누우면서(其兒側臥而), 머리를 들지 못하게 되고(頭不能擧), 스스로 가래를 한두 숟갈 토하게 되고(自吐痰一二匙而), 마른기침을 멈추게 된다(乾咳仍止). 그다음 날(其翌日), 다시 인삼계지부자탕을 만드는데(又用人蔘桂枝附子湯), 이때 인삼은 5전을 쓰고(人蔘五錢), 부자는 2전을 쓰고(附子二錢), 이를 3첩을 복용시키면서(三貼), 죽도 두세 숟갈 먹이면(食粥二三匙), 매번 약을 복용한 후에는(每用藥後則), 몸에서 열이 내려가고 땀도 없어질 것이며(身清涼無汗), 소변도 점점 많아질 것이고(小便稍多而), 대변도 반드시 통할 것이다(大便必通). 또 다음 날(又翌日), 이 처방으로 해서 두 첩을 쓰고(用此方二貼), 죽도 반 사발을 먹인다(食粥半碗). 그리고 또 다음 날(又翌日), 이 처방으로 해서 두 첩을 쓰고(用此方二貼), 죽은 반 사발을 넘게 먹인다(食粥半碗有餘). 그러면 열도 내려가고(身清涼), 스스로 일어나서 방안에서 앉게 된다(自起坐房室中). 이날 인즉(此日 卽), 병이 나고 나서 12일 차 되는 날이다(得病十二日也). 이때는 3일 안에(此三日內), 몸에서 열은 완전히 내려가고(身清涼), 그로 인해서 땀도 안 흘리게 되고(無汗), 대변도 잘 보고(大便通), 소변도 맑고, 자주 보면(小便清而多者), 이는 부자 2전을 넣은 탕약을(連用附子二錢), 매일 이삼 첩씩 연거푸(連) 썼기 때문이다(日二三貼之故也). 병이 나고 13일 차에 도달해서(至于十三日), 다시 일어나서 뜰을 거닐다가(又起步門庭而), 머리는 들 수 있는데(擧頭), 얼굴을 돌리지 못하면(不能仰面), 이는 전에 아이에게 부자를 너무 많이 쓴 것을 염려한 나머지 부자를 덜 썼기 때문이다. 그래서 이때는 이 염려를 뉘우치게 된다(懲前小兒附子太過之慮). 그래서 다시 부자 처방을 더 해줘야만 한다. 그래서 다시 황기계지부자탕을 처방하는데(用黃芪桂枝附子湯), 이때는 부자 1전을 쓰며(用附子一錢), 이를 매일 2첩씩 복용시키면 된다(每日二貼服). 이렇게 해서 7~8일이 지나면(至于七八日), 머리도 점점 잘 들 수가 있고, 얼굴도 점점 잘 돌릴 수가 있게 된다(頭面稍得仰擧而). 그러나 이때 얼굴에 부종이 있으면(面部浮腫), 이때는 다시(又), 이를 매일 두 첩씩 복용시키면 된다(每日二貼服). 이렇게 하고 다시 7~8일이 지나면(至于七八日), 머리를 잘 들 수가 있고, 얼굴도 잘 돌릴 수가 있고(頭面又得仰擧而), 얼굴 부종도(面部浮腫), 역시 줄어든다(亦減). 이후에도(其後), 이 처방을(用此方), 매일 두 첩씩 복용시키게 되면(每日 二貼服), 처음에 얻었던 병은(自得病初), 해소되기에 이른다(至於病解). 이때 걸리는 시간은 한 달 전후이다(前後一月餘). 이때 쓴 부자의 총량은 8냥 정도이다(用附子 凡八兩矣).

張仲景 曰 陽明病 有三病 太陽陽明者 脾約是也. 正陽陽明者 胃家實是也.
少陽陽明者 發汗利小便 胃中燥煩實 大便難是也.

　장중경은 다음과 같이 말하고 있다(張仲景 曰). 위장과 관련된 양명병에는(陽明病), 3가지가 있다(有三病). 첫째는 방광과 위장이 연관된 태양양병병으로서(太陽陽明者), 이때는 비장이 과부하에 걸리는 경우이다(脾約是也). 이는 앞에서 이미 설명했다. 둘째는 양명 그 자체(正陽)의 문제로서(正陽陽明者), 이때는 당연히 위장(胃)과 연관된 계통(家)의 기관들이 과부하(實)에 걸린 경우이다(胃家實是也). 이 부분도 이미 앞에서 설명했다. 셋째는 담과 위장이 연관된 소양양명병으로서(少陽陽明者), 이때는 땀이 나고 소변은 나오나(發汗利小便), 위장이 건조해져서 불편해지고, 그로 인해서 위장이 과부하에 걸리고(胃中燥煩實), 대변을 볼 수 없는 경우이다(大便難是也). 담은 어떻게 위장과 연관될까? 답은 담과 음양 관계를 맺고 있는 간에 있다. 간은 소화관이 보내는 엄청난 양의 산성 정맥혈을 받아서 처리한다. 그런데, 이때 담이 간이 보낸 담즙을 처리하지 못하게 되면, 간은 곧바로 과부하에 시달리고 만다. 그리고 이 영향은 곧바로 소화관으로 번지게 되고, 이는 양명병의 원인이 되고 만다. 그러면, 간으로 가지 못한 산성 정맥혈은 열의 재료인 자유전자를 보유한 산성 체액이므로, 이는 자동으로 열을 만들어낸다. 그러면, 이때 위장은 자동으로 건조해지게 되고, 또한, 소화관도 건조해지게 되면서 자동으로 변비는 보너스로 주어진다. 이는 간과 비장의 관계로 설명해도 된다.

論曰 張仲景所論 陽明三病 一曰 脾約者 自汗出 小便利之證也. 二曰 胃家實者
不更衣 大便難之證也. 三曰 發汗利小便 胃中燥煩實者 此亦胃家實也. 其實 非三
病也 二病而已. 仲景意脾約云者 津液漸竭 脾之潤氣 漸約之謂也. 胃家實云者 津

液已竭 胃之全局 燥實之謂也. 中古戰國秦漢之時 醫家單方經驗 其來已久 汗吐
下三法 始爲盛行. 太陽病 表證因在者 或以麻黃湯 發汗 或以猪苓湯 利小便 或
以承氣湯 下之. 承氣湯下之則 下利不止之證作矣. 麻黃湯 猪苓湯 發汗 利小便則
胃中燥煩實 大便難之證 作矣. 仲景 有見於此故 以脾約之自汗出·自利小便者
脾之潤氣 漸約 亦將爲胃燥實之張本矣. 然 脾約 自脾約也. 胃家實 自胃家實也.
寧有其病 先自脾約而 後至於胃家實之理耶.

이제마는 다음과 같이 주장한다(論曰). 장중경의 이론에 따르면(張仲景所論),
양명병은 3가지가 있는데(陽明三病), 하나는 비장이 과부하로 문제가 되면서(一曰
脾約者), 땀이 스스로 나오고(自汗出), 소변이 나오는 증상이다(小便利之證
也). 둘은 위장 계통이 과부하에 걸려서(二曰 胃家實者), 대변이 문제가 되어서(不更
衣), 대변을 볼 수가 없다(大便難之證也). 셋은 땀이 나고 소변이 나오고(三曰 發
汗利小便), 위장이 건조해지면서 과부하에 시달리게 되고, 이어서 불편해지는데
(胃中燥煩實者), 이것 역시 위장 계통을 과부하로 몰고 간다(此亦胃家實也). 그리
고 이 위가실은 세 번째 병이 아니라(其實 非三病也), 두 번째 병일 뿐이다(二病
而已). 그리고 장중경이 말하는 비장의 과부하는(仲景意脾約云者), 체액이 점점
고갈되어서(津液漸竭), 비장의 체액이(脾之潤氣), 점점 문제를 만드는 상황을 말
한다(漸約之謂也). 그리고 장중경이 말하는 위가실은(胃家實云者), 체액이 이미
고갈되어서(津液已竭), 위장 계통 전반이(胃之全局), 건조해지면서 과부하에 시달
리는 상황을 말한다(燥實之謂也). 옛날 춘추전국 진한 시대에(中古戰國秦漢之時),
의가들의 단방 경험이 있었는데(醫家單方經驗), 이것이 전래되어서 이미 정착되었
다(其來已久). 그리고 땀법, 구토법 설사법인 3법이(汗吐下三法), 유행을 만들었
다(始爲盛行). 그리고 방광이 문제인 태양병에 걸렸을 때(太陽病), 표증이 원인이
되어서 이 병이 존재하고 있으면(表證因在者), 이때는 마황탕을 처방해서(或以麻
黃湯), 표증 치료를 위해서 땀을 내면 되고(發汗), 또는 저령탕을 처방해서(或以
猪苓湯), 소변을 나오게 하면 되고(利小便), 또는 승기탕을 처방해서(或以承氣湯),
설사시키면 된다(下之). 그런데 이때 승기탕으로 설사를 시키게 되면(承氣湯下之

則), 지금 병의 근원은 간질이 문제인 표증이고, 설사법은 오장을 다스리는 이증이므로, 표증을 그대로 방치한 상태에서 이증을 쓰게 되면, 표증의 근원인 간질이 계속해서 설사의 재료인 과잉 산을 계속해서 공급하므로, 설사가 멈추지 않는 증상을 만들고 만다(下利不止之證作矣). 그러면 이는 체액의 고갈을 유도해버린다. 그리고 마황탕과 저령탕을 써서(麻黃湯 猪苓湯), 땀을 빼고(發汗), 소변을 나오게 하면(利小便則), 이때는 체액의 부족으로 인해서 위장이 불편해지면서 과부하에 시달리게 되고(胃中燥煩實), 그로 인해서 자동으로 대변은 수분 부족으로 인해서 변비를 만들고 만다(大便難之證 作矣). 장중경은(仲景), 이런(此) 연유(故)에 대한 견해(見)를 밝히고 있는데(有見於此故), 간질의 과잉 산을 받아서 처리하는 비장이 과부하(約)에 걸리게 되면서, 비장이 처리하지 못한 과잉 산이 간질에서 땀으로 처리되면서, 이는 스스로 땀이 나는 경우로 발전했고(以脾約之自汗出), 이는 비장이 상극하는 신장으로 과잉 산이 되돌아가는 경우가 되면서, 스스로 소변이 나오게 되었고(自利小便者), 이는 또 다른 문제를 만들게 되는데, 이는 체액의 부족이었고, 이는 자동으로 점점 비장의 체액 부족을 유발했고(脾之潤氣 漸約), 이는 역시 장래에 위가실의 근본을 제공하게 된다는 것이다(亦將爲胃燥實之張本矣). 그러나 이런 연유들을 보면(然), 비장의 과부하는(脾約), 비장이 스스로 과부하를 만든 것이고(自脾約也), 위가실은(胃家實), 위장 계통의 기관들이 스스로 위가실을 만든 것이다(自胃家實也). 그런데 어찌 이 병들이(寧有其病), 먼저 스스로 비장이 과부하에 걸리고 나서(先自脾約而), 뒤에 위가실로 발전하는 논리가 된단 말인가 말이다(後至於胃家實之理耶). 이는 이제마가 비장과 위장의 음양 관계를 인정하지 않고 있다는 증거가 된다. 이 논리는 황제내경의 논리이므로, 이는 이제마가 황제내경을 불신한 증거이기도 하다. 계속해서 이제마의 논리를 들어보자.

胃家實 脾約 二病 如陰證之太陰 少陰病 虛實證狀 顯然不同, 自太陽病 表證因在時 已爲兩路分岐 元不相合. 太陽病 表證因在而 其人如狂者 鬱狂之初證也. 陽明病 胃家實 不更衣者 鬱狂之中證也. 陽明病 潮熱 狂言 微喘直視者 鬱狂之末

證也. 太陽病 發熱惡寒 汗自出者 亡陽之初證也. 陽明病 不惡寒 反惡熱 汗自出
者 亡陽之中證也. 陽明病 發熱汗多者 亡陽之末證也. 蓋 鬱狂證 都是 身熱 自汗
不出也. 亡陽證 都是 身熱 自汗出也.

　　위가실과 비약이라는(胃家實 脾約), 이 두 가지 병은(二病), 태음병이나 소음병
처럼 음병으로서(如陰證之太陰 少陰病), 이들의 허실이 드러난 증상인데(虛實證
狀), 이때 이들이 발현되는 이유는 다르다(顯然不同). 바로 앞에서 보았지만, 이제
마는 비약과 위가실의 연계성을 부인하고 있다는 사실을 상기해보자. 원래(自) 방
광의 문제인 태양병은(自太陽病), 원래 간질의 문제인 표증이 원인으로 작용해서
존재하게 되었을 때(表證因在時), 이때 간질은 이미 태양과 양명이라는 양 갈래
분지를 만들므로(已爲兩路分岐), 원래 태양병과 양명병은 서로(相) 연결되어서 조
합(合)을 만들지 않는다(元不相合). 이는 장중경이 말한 태양병이 전이(轉移)되어
서 양명병이 된다는 장중경의 주장을 불신(不信)하고 있다. 즉, 이미 간질에서 태
양병과 양명병이라는 두 가지 양 갈래 문제가 만들어진다(已爲兩路分岐)는 것이
다. 간질에 정체한 산성 체액은 만병(萬病)의 근원(根源)이 되므로, 이도 맞는 말
이기는 하다. 이는 간질이 만들어내는 표증에서 태양병과 양명병이 만들어진다는
뜻이기도 하다. 그리고 이제마는 이 점을 강조하고 있는 상황이다. 그러나 이는
이제마가 상한론(傷寒論)을 제대로 이해하지 못하고 있다는 증거이기도 하다. 이
미 전에 설명했지만, 상한(傷寒)은 신장이 맨 먼저 처리하는 염(塩)의 문제이다.
신장은 염(塩)을 전문적으로 처리한다는 사실을 상기해보자. 이 문제는 본 연구소
가 발행한 황제내경 소문을 참고하면 된다. 그리고 이는 신장을 통해서 태양인 방
광으로 보내진다. 그리고 여기서 방광이 문제인 태양병이 발병하게 되면, 이 염은
방광에서 체외로 버려지지 못하게 되고, 이는 자동으로 체액 순환에 합류해버린다.
그러면, 이 염은 양명이라는 위장을 통해서 위산 형식으로 체외로 버려진다. 이
상황을 보고 상한론에서는 상한이 방광에서 위장으로 전이되었다고 말한다. 이를
생리학으로 풀어보게 되면, 방광은 염화나트륨(NaCl) 형식을 빌려서 염소(Cl^-)에
자유전자를 실어서 상한의 핵심 인자인 과잉 자유전자를 체외로 버린다. 그런데,

이때 방광이 문제가 되면, 자유전자를 싣고 있는 이 염소(Cl^-)는 체외로 버려지지 못하고 만다. 그러면, 이 염소(Cl^-)는 위산(HCl)에 실려서 체외로 버려진다. 위장도 인체 입장으로 보게 되면 체외(體外)라는 사실을 상기해보자. 이를 다시 한의학으로 풀어보게 되면, 이때는 태양병이 양명병으로 전이된 것이다. 장중경은 이를 태양양명병이라고 부른다. 즉, 태양병이 양명병으로 전이된 것이다. 그런데, 이제마는 이를 인정하지 않는다. 그 이유는 간질에 정체하고 있는 산성 체액에 있다. 방광이 처리하지 못한 염은 어차피 간질 체액으로 되돌아오기 때문이다. 그리고 이런 간질 산성 체액이 위장으로 보내져서 위산을 만든다는 것이다. 이 말도 분명히 맞기는 하다. 그러나 이를 장중경의 염소를 매개로 한 정교(精巧)한 체액 이론과 비교해보게 되면, 이제마의 체액 이론은 수준이 한참이나 뒤진다고 볼 수 있다. 그렇다고 이제마의 주장이 틀린 것은 아니다. 이는 단지 수준에서 차이가 난다는 뜻이다. 이왕 말이 나온 김에 하나만 더 짚고 넘어가자. 이제마는 황제내경에 나오는 위장과 비장의 음양 관계를 불신(不信)하고 있다. 그래서 이제마는 비약은 그냥 비약이고, 위가실은 그냥 위가실이라는 것이다. 과연 그럴까? 이는 비장의 생리와 위장의 생리를 정확히 알고 있어야만 풀 수 있는 문제이다. 림프를 통제하는 비장은 폐기 적혈구를 전문으로 처리한다. 그 이유는 폐기 적혈구는 분자 크기가 커서 정맥혈로 들어가지 못하고 별수 없이 림프로 들어가기 때문이다. 그리고 이 림프액은 비장이 처리한다. 그런데, 비장이 처리하는 폐기 적혈구에는 이산화탄소(CO_2)가 실려있다. 그리고 이 이산화탄소는 물과 만나서 반응하면서 음이온인 중조를 만들어낸다. 그리고 이 음이온인 중조는 세포 안으로 들어가면서 자동으로 음이온인 염소(Cl^-)와 교환된다. 즉, 이때 염소는 세포 밖으로 쫓겨난다. 이 상황이 위장 벽에서 만들어지는데, 이는 위산(HCl)에 염소(Cl^-)가 포함되는 이유이다. 이는 또한 비장과 위장이 음양으로 관계하는 이유가 된다. 그러나 이제마는 이 관계를 몰랐던 것 같다. 그리고 이 결과는 비약과 위가실이 서로 관계가 없는 일로 치부된다. 이는 이제마가 주장하는 이론이 아주 정교하지는 않다는 사실을 말하고 있다. 그리고 여기서 엄청나게 중요한 사실은 염소(Cl^-)에 실린 자유전자(e^-)이다. 그래서 여기서 보면, 신장과 방광 그리고 비장과 위장 그리고 방광과 위장이 염소

소음인 신수열 표열병론

(Cl⁻)에 실린 자유전자(e⁻)를 통해서 서로 연결되고 있다. 그리고 이 자유전자를 황제내경은 신(神)이라고 부른다. 이 문제는 본 연구소가 발행한 전자생리학을 참고하면 된다. 계속해서 이제마의 주장을 더 들어보자. 태양병이(太陽病), 표증이 원인(因)이 되어서 존재할 때 보면(表證因在而), 이때 환자는 마치 미친놈처럼 행동하는데(其人如狂者), 이는 울광(鬱狂)의 초기(初) 증상이다(鬱狂之初證也). 방광은 염화마그네슘(magnesium chloride:MgCl₂)을 통해서 뇌척수액을 통제한다는 사실을 상기해보자. 여기에서도 자유전자가 실린 염소(Cl⁻)에 주목해보자. 여기서 울광은 산성 체액이 간질에 정체(鬱)하면서 나타나는 광증이다. 신경의 밥인 자유전자를 보유한 산성 체액이 간질에서 중화되지 못하고 정체하게 되면, 여기에 붙은 자유전자는 효소 작용을 통해서 신경에 전해지게 되고, 이는 뇌로 집중되면서 광증을 만들어낸다. 그리고 이를 울광(鬱狂)이라고 표현하고 있다. 다시 본문을 보자. 양명병과 위가실에 걸리게 되면(陽明病 胃家實), 대변을 볼 수가 없는데(不更衣者), 이는 울광증의 중간(中) 증상이다(鬱狂之中證也). 울광증의 초기(初) 증상은 방광이 만들어냈다는 사실을 상기해보자. 양명병에서(陽明病), 정기적으로 나는 조열이 나고(潮熱), 광언을 하고(狂言), 약한 기침을 하면서 눈이 뒤집어지면(微喘直視者), 이는 울광의 말기 증세이다(鬱狂之末證也). 그리고 태양병에 걸렸을 때(太陽病), 열이 나고 오한이 들고(發熱惡寒), 스스로 땀을 흘리게 되면(汗自出者), 이는 망양의 초기(初) 증상이다(亡陽之初證也). 그리고 양명병에서(陽明病), 오한이 없고(不惡寒), 반대로 오열이 있으면서(反惡熱), 스스로 땀을 흘리게 되면(汗自出者), 이는 망양증의 중간(中) 증상이다(亡陽之中證也). 그리고 양명병에서(陽明病), 열이 나고 땀을 너무 많이 흘리게 되면(發熱汗多者), 이는 망양증의 말기(末) 증상이다(亡陽之末證也). 여기서 종합해보면(蓋), 울광증은(鬱狂證), 이 질환이 발병했을 때 모두 다(都是), 신열이 있고(身熱), 스스로 땀을 흘리지는 않는다(自汗不出也). 그리고 망양증은(亡陽證), 이 질환이 발병했을 때 모두 다(都是), 신열이 있고(身熱), 스스로 땀을 흘리게 된다(自汗出也). 이는 그래야만 양(陽)이라는 에너지를 잃기(亡) 때문이다. 즉, 열과 땀은 모두 자유전자라는 양(陽)을 중화(亡)해버리는 과정의 결과물이기 때문이다.

陰證 口中 有和而 有腹痛泄瀉者 太陰病也. 口中不和而 有腹痛泄瀉者 少陰病也. 陽證 自汗不出而 有頭痛身熱者 太陽陽明病 鬱狂證也. 自汗出而 有頭痛身熱者 太陽陽明病 亡陽證也. 陰證之太陰病 陽證之鬱狂病 有輕證·重證也. 陰證之少陰病 陽證之亡陽病 有險證·危證也. 亡陽·少陰病 自初痛 已爲險證 繼而(爲)危證也.

　이 부분을 해석하기 전에 음증(陰證)과 양증(陽證)의 개념을 정리해보자. 음증은 오장육부 중에서 음(陰)인 오장과 연계되는 증상이고, 양증은 오장육부 중에서 양(陽)인 육부와 연계되는 증상이다. 그래서 음증(陰證)은 주로 통증으로 표출되고, 양증(陽證)은 주로 열이나 땀으로 표출된다. 이제 본문을 살펴보자. 음증이 있을 때(陰證), 입 안은 문제가 없는데(口中有和而), 복통이 있고 설사하면(有腹痛泄瀉者), 이는 태음병이고(太陰病也), 입 안에도 문제가 있고(口中不和而), 복통과 설사가 있다면(有腹痛泄瀉者), 이는 소음병이다(少陰病也). 여기서 태음과 소음은 삼양삼음의 구성 장기를 말한다. 그러면 태음은 비장이 되고, 소음은 신장이된다. 그리고 입은 뇌척수액의 통제를 받는다. 그러면 뇌척수액을 통제하는 오장은 신장이므로, 입은 자동으로 신장의 영향을 받게 된다. 그리고 복통은 오장이 있는 복부에서 일어난다. 그리고 설사 문제는 오장의 문제이다. 이는 본 연구소가 발행한 상한론을 참고하면 된다. 그러면 자동으로, 입 안은 문제가 없는데(口中有和而), 복통이 있고 설사하면(有腹痛泄瀉者), 이는 자동으로 태음병이 된다(太陰病也). 그리고 입 안에도 문제가 있고(口中不和而), 복통과 설사가 있다면(有腹痛泄瀉者), 이는 자동으로 소음병이 된다(少陰病也). 이번에는 양증을 보자. 간질인 양(陽)에 과잉 산이 쌓일 때 만들어지는 양증이 있을 때(陽證), 스스로 땀은 나지 않는데(自汗不出而), 두통과 신열이 있으면(有頭痛身熱者), 이는 태양양명병이며(太陽陽明病), 이는 울광증으로 비화하게 된다(鬱狂證也). 그러나 이때 스스로 땀이 나고(自汗出而), 두통과 신열이 있으면(有頭痛身熱者) 이도 역시 태양양명병인데(太陽陽明病), 이때는 망양증으로 비화된다(亡陽證也). 양증은 주로 양(陽)인 간질에서 문제를 만든다. 그리고 이 간질을 육부가 통제한다. 그래서 간질 문제는 곧 육부의 문제가 된다. 그리고 간질에 과잉 산이 쌓이면서 양병을 만들게 되면,

이때는 간질에서 과잉 산에 붙은 자유전자가 산소로 중화되면서 자동으로 열(熱)이 나게 된다. 그리고 이 열은 땀구멍을 열어서 땀을 만든다. 그래서 양병일 때 땀이 나는 것은 그냥 상식이 된다. 그런데, 간질에 산소가 부족하게 되면, 과잉 산에 붙은 자유전자는 산소로 중화되지 못하고 신경으로 전달된다. 자유전자는 신경의 밥이라는 사실을 상기해보자. 그러면 이는 자동으로 뇌를 과부하로 몰면서 자동으로 두통이 발병하게 만든다. 그래서 양병은 자동으로 열, 땀, 두통, 신열이 따라오게 된다. 그리고 두통을 넘어서서 문제가 더 심각해지게 되면, 이를 울광(鬱狂)이라고 부른다. 그리고 땀은 만병의 근원인 과잉 자유전자를 중화한 결과물이므로, 땀을 흘리게 되면, 신경으로 전해지는 자유전자의 양이 적어지면서 울광증은 안 걸리게 된다. 대신에 이때는 땀으로 자유전자라는 양을 잃어버리면서 망양증이 만들어진다. 그래서 스스로 땀이 나지 않으면(自汗不出而), 자동으로 울광증이 발병하고(鬱狂證也), 스스로 땀이 나면(自汗出而), 자동으로 망양증이 발병한다(亡陽證也). 이 문제는 본 연구소가 발행한 상한론이나 금궤요략 또는 황제내경 소문을 참고하면 된다. 그리고 여기서 태양양명병(太陽陽明病)이 등장하는 이유는 삼양삼음이 등장하기 때문이다. 잘 알다시피 삼양삼음은 상한론의 대표적인 오장육부 구분법이다. 그리고 상한에서 핵심인 염은 신장과 방광이 전문으로 처리한다. 그리고 이 염이 신장과 방광에서 처리되지 못하면 위장으로 간다는 사실은 앞에서 이미 설명했다. 그래서 상한론에서 태양양명병(太陽陽明病)은 자동으로 등장하게 된다. 음증인 태음병이나(陰證之太陰病), 양증인 울광병은(陽證之鬱狂病), 모두 경증과 중증이 있다(有輕證·重證也). 그리고 음증인 소음병이나(陰證之少陰病), 양증인 망양병도(陽證之亡陽病), 위증보다 덜 위험한 험증과 아주 위험한 위증이 있다(有險證·危證也). 이제마는 질병의 위중(危重)한 정도를 경증(輕證), 중증(重證), 험증(險證), 위증(危證)으로 나누어 설명하고 있다. 그리고 험증(險證)은 매우 위급한 상태이고, 위증(危證)은 목숨이 경각에 달려있는 응급상황이고, 험증(險證)과 위증(危證)을 합하여 위험증(危險證)으로 설명하기도 한다. 다시 본문을 보자. 망양증과 소음병은(亡陽·少陰病), 초기에는 통증으로 시작(自)하지만(自初痛), 이 병이 정착(已)되면, 이는 험증이 되고(已爲險證), 이 상태가 이어지게(繼) 되면 위증으로 발전한다(繼而(爲)危證也).

亡陽病證 非但 觀於汗也 必 觀於小便多少也. 若 小便淸利而 自汗出則 脾約病
也. 此險證也. 小便赤澁而 自汗出則 陽明病 發熱汗多也 此危證也. 然 少陽人
裡熱證 太陰人 表熱證 亦有汗多而 小便赤澁者 宜察之 不可誤藥.

　　망양병의 증상을 보게 되면(亡陽病證), 이는 비단(非但), 땀을 관찰하는 데 그
치지 않는다(觀於汗也). 이는 반드시(必), 소변의 다소 즉, 변비 문제를 동반한다
(觀於小便多少也). 망양병은 땀을 흘려서 체액의 부족을 유도하므로, 이는 자연스
럽게 인체의 수분 부족으로 이어지게 되고, 이는 자동으로 수분의 부족으로 변비
가 만들어진다. 만약에(若), 소변이 깨끗하게 잘 나오고(小便淸利而), 스스로 땀까
지 흘리게 되면(自汗出則), 이때는 자동으로 간질에서 체액 부족을 유도하게 되
고, 그러면 간질에서 과잉 산은 제대로 중화되지 못하게 되고, 그러면 간질에서
중화되지 못한 과잉 산은 자동으로 림프로 들어가서 비장으로 모이면서 자동으로
비장은 과부하(約)에 걸리게 된다(脾約病也). 그런데, 림프와 비장은 인체 면역의
핵심이다. 그리고 면역은 인체를 지키는 핵심이다. 그래서 비장이 문제가 되면, 이
는 자동으로 위험한 험증이 된다(此險證也). 이때 소변이 맑지 못하고 적색으로
변하면서 소변을 보기가 어렵게(澁) 되면서(小便赤澁而) 스스로 땀까지 흘리게
되면(自汗出則), 이때는 방광이 소변으로 처리하지 못한 과잉 산이 위장으로 전해
지게 되고, 이어서 양명병이 되면서(陽明病), 자동으로 열이 나고 땀도 더 많아지
게 된다(發熱汗多也). 이는 응급상황인 위증이 된다(此危證也). 이때 나타나는 핵
심은 체액의 고갈이다. 그리고 체액의 고갈은 혈액 순환의 장애를 말하게 되고,
이는 자동으로 위급(危)한 상황이 된다. 그리고 어떤 연유로든지 간에(然), 비장이
크고 신장이 작은 소양인에서(少陽人), 오장에서 열이 만들어지는 이열증이 있고
(裡熱證), 간이 크고 폐가 작은 태음인에서(太陰人), 간질에 과잉 산이 정체하면
서 열을 만드는 표열증이 있고(表熱證), 또한 땀이 과도하게 나면서(亦有汗多而),

소변이 붉고 잘 나오지 않게 될 때는(小便赤澁者), 우선 관찰을 세심히 해서(宜察之), 약을 잘못 쓰는 일이 없도록 해야만 한다(不可誤藥). 조금만 설명을 해보자. 이열증은 피부와 접한 간질에서 열이 나는 것이 아니라 인체의 맨 안쪽에서 열이 나는 열병이다. 이는 왜 위험할까? 답은 열의 배출 때문이다. 피부와 접한 간질에서 나는 표열은 피부를 통해서 체외로 발산된다. 그러나 인체 맨 안쪽에서 발생하는 이열은 체외로 버려지지 못하게 되고, 인체를 산 채로 삶아버린다. 이는 소양인에서 뿐만이 아니라 어떤 체질이 되었건 간에 당연히 위험한 증상이 된다. 그리고 표열증이 있고(表熱證), 또한 땀이 과도하게 나면(亦有汗多而), 이때는 체액의 고갈을 유도하기 때문이다. 이는 혈액 순환을 막아서 인체를 위험에 빠지게 만들고 만다. 이 두 경우는 어떤 체질에서건 간에 위험한 상황을 만들게 된다.

胃家實病 其始焉 汗不出 不惡寒 但惡熱而 其病垂危則 濈然 微汗出 潮熱也. 濈然微汗出 潮熱者 表寒振發之力 永竭故也 胃竭之候也. 脾約病 其始焉 身熱汗自出 不惡寒而 若其病垂危則 發熱汗多而 惡寒也. 發熱汗多而 惡寒者 裡熱撑支之勢 已窮故也 脾絶之候也.

위가실병에 걸리게 되면(胃家實病), 이 병의 처음 시작은(其始焉), 땀이 나지 않고(汗不出), 오한도 없고(不惡寒), 단지 오열이 있을 뿐이다(但惡熱而). 추가로 설명하자면, 위가실에 걸리려면, 일단 먼저 방광이 문제인 상태로 시작한다. 그리고 이 상태가 태양양명병으로 전이가 된다. 그리고 이때는 체액이 이미 부족한 상태가 되면서 대변을 볼 수 없게 된다. 이때 핵심은 체액 부족이다. 그래서 땀이 나지 않는다. 그리고 땀은 열을 가지고 체외로 증발해버린다. 그래서 땀이 나지 않는 덕분에 오열(惡熱)이 있게 된다. 땀은 열을 가지고 증발해버리므로, 자동으로 열이 해소된다. 그러나 지금은 체액이 부족해서 땀을 만들 수가 없다. 그래서 이때 나는 열은 해소가 안 되고, 인체를 괴롭히게 된다. 이 열이 오열(惡熱)이다. 즉, 열은 이열치열로 열을 제압한다. 그 도구가 바로 땀이고, 이 땀이 열을 가지고 체외로 증발해주기므로 가능한 일이다. 그런데 지금은 체액이 부족해서 땀을 만들 수가 없으므로, 이때 나는 열은 자동으로 오열(惡熱)이 되고 만다. 이 오열은 근본적으로 해소가 안 되므로, 사람을 미치고 환장하게 만든다. 다시 본문을 보자. 그래서 위가실이라는 이 병은 마침내(垂) 위중(危)한 상태로 변해야만 문제를 알아차리게 한다(其病垂危則). 그리고 이때는 체액이 부족하므로, 땀이 난다고 해도, 수분이 없이 점도가 높은 끈적끈적한(濈然) 땀이 아주 조금(微) 날 뿐이다(微汗出). 그리고 이때 조열이 나는 것은 기본 상식이 된다(潮熱也). 이 기전은 앞에서 이미 설명했다. 위가실에서 이런 상태가 나타나는 이유는(濈然微汗出 潮熱者), 간질인 표(表)에서 땀을 만들어서 인체를 차갑게(寒振) 할 수 있는 능력이(表寒振發之力), 이미 오래(永)전에 체액의 고갈로 인해서 고갈(竭)되었기 때문이다(永竭故也). 이는 자동으로 위산의 고갈이라는 증후로 나타나게 된다(胃竭之候也). 위산의 분비는 엄청난 양의 수분을 동반해야만 한다는 사실을 상기해보자. 다시 본문을 보자. 비약병의 시작은(脾約病 其始焉), 신열이 있고, 스스로 땀이 나고(身熱汗自出), 오한이 없다(不惡寒而). 이는 땀과 열을 만드는 기관이 간질이기 때문이다. 그리고 비장은 간질에서 산성 체액을 받는다. 그래서 비장은 간질의 하수구인 셈이다. 그래서 비장이 문제가 되면, 간질의 하수구는 막히게 되고, 그러면 간질에 자동으로 산성 체액이 정체하면서 땀과 신열을 만들어낸다. 이때 만약에 이 병이 마침내 위험한 지경으로 기울게 되면(若其病垂危則), 이때는 상황이 악화되어서 열이 나면서 땀이 과도해지게 되고(發熱汗多而), 자동으로 오한도 나타나게 된다(惡寒也). 오한(惡寒)이란 몸에서 열은 나는데 몸은 추워서 떠는 경우이다. 이는 피부에서 나는 열이 체온을 싣고서 체외로 발산해버리므로 인해서, 체온이 내려가면서 인체가 추워서 떠는 경우이다. 이때는 자동으로 체온을 실어다가 체외로 버리는 땀도 과도하게 나오게 된다. 이렇게 된 이유는(發熱汗多而 惡寒者), 인체 안에서 버텨내는 힘이(裡熱撐支之勢), 이미 고갈되었기 때문이다(已窮故也). 즉, 이는 비장의 기능이 끊긴 증상을 말한다(脾絕之候也). 설명이 조금 필요하다. 비장은 간질에서 오는 산성 체액을 받아서 처리한다. 그래서 비장의 기능이 끊기게 되면, 자동으로 간질은 하수구가 없어져 버린다. 그러면 과잉 산은 간질에서

소음인 신수열 표열병론

모두 처리되게 되고, 그 결과로 이때는 상황이 악화되어서 열이 나면서 땀이 과도해지게 되고(發熱汗多而), 자동으로 오한도 나타나게 된다(惡寒也). 즉, 하수구가 막혀서 산성 체액이라는 오물이 간질에서 넘쳐난 것이다.

張仲景 曰 厥陰證 手足厥冷 小腹痛 煩滿囊縮 脈微欲絶 宜當歸四逆湯. 凡厥者 陰陽氣 不相順接 便爲厥 厥者 手足逆冷是也. 傷寒 六七日 尺寸脈微緩者 厥陰受病也 其證 小腹煩滿而囊縮 宜用承氣湯 下之. 六七日 脈至皆大 煩而口噤 不能言 躁擾者 必欲解也.

朱肱活人書 曰 厥者 手足逆冷 是也. 手足指頭微寒者 謂之淸 此疾 爲輕. 陰厥者 初得病 便四肢厥冷 脈沈微而不數 足多攣. 傷寒 六七日 煩滿囊縮 尺寸俱微緩者 足厥陰經 受病也. 其脈微浮 爲欲愈 不浮 爲難愈. 脈浮緩者 必囊不縮 外證 必發熱惡寒 爲欲愈 宜桂麻各半湯. 若 尺寸俱沈短者 必囊縮 毒氣入腹 宜承氣湯 下之. 速用承氣湯 可保五生一死. 六七日 脈微浮者 否極泰來 水升火降 寒熱作而大汗解矣. 諸手足逆冷 皆屬厥陰 不可汗下 然 有須汗須下者 謂手足雖逆冷 時有溫時 手足掌心 必煖 非正厥逆 當消息之.

李梴 曰 舌卷厥逆 冷過肘膝 小腹絞痛 三味蔘萸湯 四順湯主之. 囊縮 手足乍冷乍溫 煩滿者 大承氣湯主之.

장중경은 다음과 같이 말하고 있다(張仲景 曰). 궐음증은(厥陰證), 간이 문제가 되면서 생기는 질환이므로, 간의 생리를 따라가다 보면 답이 보인다. 간은 산성 정맥혈을 통제하므로, 간이 문제가 되면, 정맥혈의 순환에서 장애가 발생하면서, 당연히 혈액 순환에 제일 취약한 손발이 차갑게 된다(手足厥冷). 그리고 간은 하복부 정맥총을 통제하므로, 간이 문제가 되면, 하복부 정맥혈의 순환에서 장애가 발생하면서 하복부에서 통증이 발생한다(小腹痛). 그러면 하복부 정맥총 중에서 정계 정맥총이 문제가 되면서 정계 정맥총의 영향을 받는 고환은 자동으로 불편해지면서 고환이 오그라들게 된다(煩滿囊縮). 이때 간의 맥상이 아주 미약하고 끊어질 것만 같으면(脈微欲絶), 이때는 당연히 당귀사역탕을 처방한다(宜當歸四逆湯). 일반적으로 궐이라는 것은(凡厥者), 알칼리 동맥혈이라는 음(陰)의 기운과 산성 정맥혈이라는 양(陽)의 기운이(陰陽氣), 서로 접점에서 만나서 소통하지 못할 때(不相順接), 곧바로 궐증을 만들어낸다(便爲厥). 이는 손끝을 보면 된다. 손끝은 동맥혈이라는 음과 정맥혈이라는 양이 만나는 접점(順接)이다. 그래서 이때 산성 정맥혈의 소통이 막히게 되면, 혈액 순환이 막히면서 궐증이 생기게 된다. 그래서 궐이 생기게 되면(厥者), 이때는 자동으로 수족 냉증이 발병한다(手足逆冷是也). 그리고 삼투압 기질인 염의 과도한 정체로 인해서 생기는 상한에 걸려서(傷寒), 6~7일이 지나게 되면(六七日), 과도한 염으로 인해서 체액 순환에 장애가 발생하면서, 손목에서 맥상을 살펴보게 되면, 체액 순환 장애로 인해서 맥상이 미약하면서 느린 상태로 나오게 된다(尺寸脈微緩者). 그리고 이때는 정맥혈을 총통제하고 인체의 최대 해독기관인 간이 병의 근원인 과잉 산을 받게 된다(厥陰受病也). 이때 나타나는 증상은(其證), 간이 하복부 정맥총을 통해서 통제하는 하복부가 불편하고(小腹煩滿而), 간이 정계 정맥총을 통해서 통제하는 고환도 수축하게 된다(囊縮). 이때는 우선 승기탕을 처방해서(宜用承氣湯), 설사시키면 된다(下之). 설사는 오장의 문제를 해결하는 도구라는 사실을 상기해보자. 그런데, 6~7일이 지나서(六七日), 맥상이 모두 힘이 없어서 파장이 느린 대맥이 나오고(脈至皆大), 온몸이 불편하고 입이 경직되고(煩而口噤), 그로 인해서 말을 할 수 없고(不能言), 안절부절못하게 되면(躁擾者), 이는 필히 병이 해소되려는 징후이다(必欲解也). 이를 보통은 명현 현상(暝眩現像)이라고 부른다. 그리고 주굉은 활인서에서 다음과 같이 주장한다(朱肱活人書 曰). 궐이라는 것은(厥者), 수족이 냉한 것이 핵심이다(手足逆冷 是也). 이렇게 수족의 끝이 약간 냉하게 되면(手足指頭微寒者), 이를 차다는 의미에서 청이라고 부른다(謂之淸). 이 질환은(此疾), 비교적 경증을 만든다(爲輕). 음궐을(陰厥者), 처음에 얻게 되면(初得病), 곧바로 사지가 체액 순환이 막힘(厥)으로 인해서 냉하게 된다(便四肢厥冷). 이때 맥상을 보게 되면, 맥상은 침체되고 미약해서 자주 뛰지 않고(脈沈微而不數), 이는 혈액의 순환이 막힌 상태를 말하므로, 당연히 혈액 순환이 막힌 다리에서는 자주 경련이 오게 된다(足多攣). 그리고 상한에 걸려서(傷寒), 6~7일이 되면(六七日), 이미 앞에서 살펴보았듯이, 하복부가 그득해지면서 불편하게 되고(煩滿), 정계 정맥총의 영향을 받은 고환은 수축하게 된다(囊縮). 이때 손목에서 맥상을 보게 되면, 모두 미약하고 아주 느리게 나온다(尺寸俱微緩者). 이는 혈액 순환의 핵심인 간에서 문제가 발생해서 나타나므로, 이때는 간경에서 병을 받게 된다(足厥陰經 受病也). 이때 맥상이 조금 살아나서 약간 부맥으로 나오게 되면(其脈微浮), 부맥은 산소를 공급하는 폐의 맥상이므로, 이는 병이 치유되려는 징조이다(爲欲愈). 그러나 이때 맥상이 부맥이 아니면(不浮), 이 병은 난치병이 되고 만다(爲難愈). 폐가 보내는 산소는 혈액의 핵심 인자라는 사실을 상기해보자. 그래서 폐의 문제는 혈액 순환의 문제가 된다. 그래서 폐의 맥상이 살아나게 되면, 혈액 순환은 좋아지게 된다. 이렇게 폐의 맥상이 약간이라도 살아나게 되면(脈浮緩者), 이때는 반드시 혈액 순환이 개선되면서, 고환의 수축은 오지 않게 된다(必囊不縮). 이때 간질에서 과잉 산이 중화되면서 외증이 발생하게 되면(外證), 이때는 반드시 과잉 산의 중화 결과로서 열이 나게 되고(必發熱), 오한이 발생하면서(惡寒), 과잉 산은 중화되는데, 이는 당연히 병이 치유되려는 증조가 된다(爲欲愈). 이때는 간질을 도와주기 위해서 마땅히 계마각반탕을 처방한다(宜桂麻各半湯). 이때 만약에(若), 손목의 맥상이 모두 침체되어서 짧게 나오게 되면(尺寸俱沈短者), 이는 혈액 순환의 개선이 요원하다는 뜻이 되고, 그러면 반드시 고환은 수축한다(必囊縮). 이때 과잉 산이라는 독성이 오장까지 침입하게 되면(毒氣入腹), 이때는 오장을 도와주는 설사 처방인 승기탕을 처방해서(宜承氣湯), 설사를 시켜줘야 한다(下之). 이때 승기탕을 신속(速)하게 처방하게 되면(速用承氣湯), 5명은 살고 1명은 죽게 된다(可保五生一死). 즉, 이때는 대부분 환자가 살아난다는 뜻이다. 그리고 6~7일이 지나서(六七日), 맥상이 약간 부맥으로 돌아서게 되면(脈微浮者), 병세는 약해지고 회복의 기운이 오는 상태로 변하게 된다(否極泰來). 그러면 자동으로 찬 기운은 올라가고 열은 내려가는 수승화강이 만들어지고(水升火降), 이때는 당연히 한과 열이 함께 작동하고(寒熱作而), 당연히 큰 땀이 나면서 병은 해소된다(大汗解矣). 혈액 순환이 막히(厥)면서 나타나는 여러 수족 냉증은(諸手足逆冷), 모두 정맥혈의 순환을 책임지고 있는 간 문제로 귀결한다(皆屬厥陰). 이때는 이미 많은 땀을 흘려서(大汗解矣) 체액이 부족한 상태이므로, 체액의 체외 배출을 동반하는 땀법이나 설사법의 이용은 불가하게 된다(不可汗下). 물론 때에 따라서는(然), 모름지기 땀법과 설사법을 써야 할 경우가 있는데(有須汗須下者), 이때는 수족이 비록 냉할지라도(謂手足雖逆冷), 때때로 가끔씩 온기가 돌 때나(時有溫時), 혈액 순환이 잘 안되는 손발 바닥 가운데가(手足掌心), 반드시 온기가 돌 때이다(必煖). 이때는 비정상적인 궐역이므로(非正厥逆), 당연히 병증의 변화(消息)를 잘 헤아려야만 한다(當消息之). 그리고 의학입문의 저자 이천은 다음과 같이 주장한다(李梴 曰). 근육이 핵심인 혀가 근육을 통제하는 간 때문에, 간이 만들어내는 궐역으로 인해서 꼬이게 되면(舌卷厥逆), 이때 생긴 냉증은 관절(肘膝)을 지나서(冷過肘膝), 하복부에서 지독한 통증인 교통을 만들게 되는데(小腹絞痛), 이때는 삼미삼유탕이나(三味蔘萸湯), 사순탕을 처방한다(四順湯主之). 그리고 고환이 수축하고(囊縮), 수족이 온냉을 반복하면서(手足乍冷乍溫), 몸이 그득해지면서 불편하게 되면(煩滿者), 이때는 설사제인 대승기탕을 처방한다(大承氣湯主之).

論曰 張仲景所論 厥陰病 初無腹痛下利等證而 六七日 猝然而厥 手足逆冷則 此非陰證之類也. 乃少陰人 太陽傷風 惡寒發熱汗自出之證 正邪相持日久 當解不而變爲此證也. 此證 當謂之 太陽病厥陰證也. 此證 不必用 當歸四逆湯 桂麻各半湯而 當用 蔘萸湯 人蔘吳茱萸湯 獨蔘八物湯 不當用 大承氣湯而 當用 巴豆. 凡少陰人 外感病六七日 不得汗解而死者 皆死於厥陰也. 四五日 觀其病勢 用黃芪桂枝湯 八物君子湯 三四五貼 豫防可也.

이제마는 다음과 같이 주장한다(論曰). 장중경의 이론에 따르면(張仲景所論), 궐음병은(厥陰病), 초기에는 복통이나 설사와 같은 증상이 없다가(初無腹痛下利等證而), 6~7일이 지나서 보면(六七日), 갑자기 궐증이 나타나면서(猝然而厥), 수족에서 냉증이 나오게 된다고 하는데(手足逆冷則), 이는(此), 음증의 종류가 아니다(非陰證之類也). 이제마는 수족 냉증을 간으로 인해서 발병하는 음증으로 안 보고, 양증으로 보고 있다는 뜻이다. 이는 겉으로 보면, 손과 발은 양에 속하므로, 양증이 된다는 논리이다. 다시 본문을 보자. 이것을 다시 설명하자면, 신장이 크고 비장이 작은 소음인을 보면 되는데(乃少陰人), 신장이 보내는 과잉 산을 처리하는 방광(太陽)이 간(風)을 상하게 하고(太陽傷風), 이를 처리하지 못하면서, 이는 다시 간질로 되돌아가게 되고, 이어서 간질에서 이들이 중화되면서 오한, 발열, 땀을 만들어내게 하는 증상이다(惡寒發熱汗自出之證). 이는 정기(正)와 사기(邪)가 서로 싸움을 유지(持)하면서 오랜 시간이 지났지만(正邪相持日久), 이때는 문제가 제대로 풀리지 않게 되면서(當解不而), 병증이 변해서 이 증상이 된 것이다(變爲此證也). 알칼리라는 정기(正)와 산이라는 사기(邪)가 서로 싸움을 유지(持)하면서 오랜 시간이 지나면서 중화(中和)된 결과물이 바로 오한, 발열, 땀이다. 이는 당연히 처음에는 혈액 순환이 안 되면서 나타나는 수족 냉증으로 시작한다. 그리고 이들이 시간이 지나서 변하게 되면, 당연히 간질에 과잉 산이 쌓이게 되고, 이는 자동으로 오한, 발열, 땀으로 변한다. 지금 이제마는 이 상황을 설명하고 있다. 이는 너무나도 당연한 사실이다. 다시 본문을 보자. 그래서 이 증상은(此證), 당연히 다음처럼 표현해야 맞다(當謂之). 즉, 이 증상은 태양병 궐음증이다(太陽病厥陰證也). 즉, 이는 방광과 간이 합작해서 만든 병이라는 뜻이다. 즉, 지금 이제마가 말하고 싶은 요지는 앞에서 장중경이 말한 병증은 간이 혼자서 만든 궐음증이 아니라 방광도 개입했으므로, 이 증상을 부를 때 방광병 궐음증이라고 해야 맞다는 것이다. 이도 당연한 말이다. 지금 말하는 장중경의 이론은 상한론이다. 그리고 상한론은 염의 문제이고, 이 염을 제일 먼저 처리하는 기관은 신장과 방광이다. 그래서 상한병은 자동으로 신장과 방광에서 제일 먼저 문제를 일으킬 수밖에 없다. 그러면 이때는 간이 보내는 암모니아라는 염(塩)을 방광이 처리하지 못하게 되면서, 간은 자동으로 문제를 만든다. 이를 종합해보면, 장중경의 상한론에는 염의 문제를 이미 함축하고 있으므로, 염을 처리하는 신장과 방광의 문제는 자동으로 포함된다. 그래서 장중경은 이 병을 방광병 궐음증으로 칭하지 않고, 그냥 궐음증으로 칭한 것이다. 이 문제는 앞에서도 나왔었지만, 여기서도 이제마는 상한(傷寒)을 제대로 이해하지 못하고 있다는 사실이 여실히 증명되고 있다. 다시 본문을 보자. 그래서 이 증상에 대한 처방은(此證), 당귀사역탕이나 계마각반탕을 처방할 필요가 없으며(不必用 當歸四逆湯 桂麻各半湯而), 이때는 당연히 삼유탕이나 인삼오수유탕이나 독삼팔물탕을 써야만 한다(當用 蔘萸湯 人蔘吳茱萸湯 獨蔘八物湯). 그리고 당연히 설사를 유도하는 대승기탕을 써서도 안 되며(不當用 大承氣湯而), 당연히 소변과 대변이 동시에 잘 나오게 하는 파두를 써야만 한다(當用 巴豆). 파두 처방은 방광과 간을 동시에 생각한 처방이다. 이는 지금의 병 문제를 방광병 궐음증으로 보고 있으므로 인해서 나타나는 처방이다. 그러나 장중경은 이를 다르게 보고 있다. 즉, 간이 방광으로 암모니아라는 염(塩)을 보냈으므로, 병의 근원을 간으로 본 것이다. 그래서 이 분석이 더 맞는 분석이다. 물론 이때 이제마의 분석도 틀린 분석은 아니지만, 그 깊이가 장중경과 비교해서 보면, 수준이 많이 떨어지게 된다. 다시 본문을 보자. 일반적으로(凡), 소음인에서(少陰人), 간질에 과잉 산이 쌓이면서 문제를 만드는 외감병은(外感病), 6~7일이 지났을 때(六七日), 땀을 빼서 문제를 해결하지 못하게 되면, 당연히 죽게 된다(不得汗解而死者). 간질은 체액 순환의 핵심인데, 이런 간질에서 6~7일 동안 과잉 산이 정체하게 되면, 이때는 체액 순환이 완전히 막히면서 인체는 자동으로 죽게 된다. 이때는 당연히 모두 인체의 최대 해독기관인 간이 문제가 되면서 죽게 된다(皆死於厥陰也). 간질에 정체한 산성 체액은 독(毒)이라는 사실을 상기해보자. 이때는 6~7일 동안을 기다릴 것이 아니라, 4~5일 정도에(四五日), 해당 병세를 잘 관찰해서(觀其病勢), 땀을 빼는 황기계지탕이나(用黃芪桂枝湯), 팔물군자탕을(八物君子湯), 삼사오 첩 복용시키게 되면(三四五貼), 심각한 문제가 일어나는 상황을 예방할 수 있게 된다(豫防可也).

朱肱 曰 厥陰病 消渴 氣上衝心 心中疼熱 飢不欲食 食則吐蚘

龔信 曰 傷寒 有吐蚘者 雖有大熱 忌下 涼藥犯之 必死

盖 胃中有寒則 蚘不安所而 上膈 大凶之兆也 急用理中湯

소음인 신수열 표열병론

　주굉은 다음과 같이 주장한다(朱肱 曰). 과도한 산을 해독하면서 간이 만들어낸 문제인 궐음병은(厥陰病), 간이 해독을 계속하면서 알칼리를 계속해서 소모(消)하면서 고갈(渴)시키게 되고(消渴), 이때 간이 자기보다 위쪽(上)에 자리한 우 심장으로 내보내는 산성 정맥혈의 기운(氣)은 당연히 우 심장(心)을 공격(衝)하게 되며(氣上衝心), 그러면 당연한 순리로 우 심장에서는 산성 정맥혈을 중화하면서 동통(疼)이 만들어지면서 열(熱)이 나게 되고(心中疼熱), 간은 소화관에서 올라오는 산성 정맥혈을 통제하므로, 간이 문제가 되면, 자동으로 소화관이 문제가 되면서 자동으로 배는 고픈데(飢) 밥 먹을 생각이 없어지게 되고(飢不欲食), 이때 만일에 밥을 먹게 되면, 소화관의 문제 때문에, 곧바로 구토하게 되는데, 이때 구토는 엄청나게 심해서 소화관에 사는 기생충이 빠져나올 정도가 된다(食則吐蛔). 이 구문의 해석은 간을 둘러싸고 있는 장기들의 생리를 아주 잘 알아야만 제대로 풀린다. 그리고 공신은 다음과 같이 주장한다(龔信 曰). 상한에 걸렸을 때(傷寒), 회충이 나올 정도로 심한 구토가 있을 경우에는(有吐蛔者), 이때는 열의 원천인 과잉 산이 소화관에 그만큼 많이 적체하고 있다는 뜻이 되고, 이는 자동으로 대열(大熱)을 만들게 된다. 그래서 이때는 모름지기 대열이 있게 되고(雖有大熱), 이때 설사(下) 처방은 금기(忌) 사항이 된다(忌下). 그 이유는 이미 회충이 나올 정도로 구토를 심하게 했으므로, 이때 인체는 이미 많은 체액을 잃어버렸기 때문이다. 그리고 이런 설사 처방처럼 몸을 차갑게(凉) 하는 차가운(凉) 약(藥)의 처방을 잘못할 경우에는(凉藥犯之), 반드시 환자를 사망에 이르게 한다(必死). 설사는 열(熱)의 원천이면서 삼투압 기질인 자유전자를 보유한 염(塩)을 보유한 물질을 체외로 빼내는 과정이다. 그래서 이때 설사는 자동으로 열을 내리게(凉) 하고, 추가로 체액도 배출하게 된다. 그래서 지금은 지독하게 심한 구토로 인해서 이미 체액이 고갈된 상태가 된다. 그래서 이때 설사를 통해서 체액을 추가로 체외로 배출시키게 되면, 인체는 체액 부족으로 인해서 반드시(必) 사망하게 된다. 다시 본문을 보자. 대개는(盖), 위장에 한기가 들어서(胃中有寒則), 회충이 위장에서 살 수가 없을 정도가 되고(蛔不安所而), 이어서 심한 구토(上膈)까지 하게 되면(上膈), 이는 엄청나게 무서운 불길한 징조이므로(大凶之兆也), 이때는 위장을 보호해주는 이중탕을 급하게 처방해야 한다(急用理中湯). 위장에 한기가 돌게 되면, 위장은 굳어버리면서, 자기 기능을 잃고 만다. 그래서 이때는 먹으면 무조건 토한다(上膈).

論曰 此證 當用 理中湯 日三四服 又連日服 或理中湯 加陳皮 官桂 白何首烏. 重病危證 藥不三四服則 藥力 不壯也. 又 不連日服則 病加於少愈也 或 病愈而 不快也. 連日服者 或 日再服 或 日一服 或 日三服 (或) 二三日連日服 或 五六日連日服 或數十日連日服 觀其病勢 圖之.

이제마는 다음과 같이 주장한다(論曰). 이 병증에는(此證), 당연히 이중탕을 처방한다(當用 理中湯). 그리고 이는 하루에 서너 번 복용한다(日三四服). 또한(又), 이틀 연속 복용해도 된다(連日服). 이때 때로는 이중탕에(或理中湯), 진피(加陳皮), 관계(官桂) (백)하수오를 첨가해도 된다(白何首烏). 이때 병이 중증이라서 위증이 되었을 때는(重病危證), 약을 하루에 서너 번을 복용하지 않게 되면(藥不三四服則), 이때는 환자가 약의 효력을(藥力), 제대로 얻지 못하게 된다(不壯也). 또한(又), 약을 연속해서 연일 복용하지 않게 되면(不連日服則), 병이 조금 나으려고 하다가 병이 추가되기도 하고(病加於少愈也), 때로는(或), 병이 치유된다고 해도 불쾌한 느낌을 지울 수가 없게 된다(病愈而不快也). 그리고 약을 연일 복용할 때는 많은 경우의 수가 있게 되는데(連日服者) 즉, 혹은(或), 하루에 두 번씩 복용하거나(日再服), 혹은(或), 하루에 일 복하거나(日一服), 혹은(或), 하루에 삼 복하거나(日三服), 혹은(或), 이삼일 연일해서 연복하거나(二三日連日服), 혹은(或), 오륙일 연일 연복하거나(五六日連日服), 혹은(或), 수십 일 연일 연복할 수가 있는데(數十日連日服), 이의 결정은 병세를 잘 살펴서(觀其病勢), 실행하면 된다(圖之).

소음인 신수열 표열병론

소음인 위수한 이한병론
(少陰人 胃受寒 裡寒病論)

소음인 위수한 이한병론(少陰人 胃受寒 裡寒病論)

張仲景 曰 太陰證 腹滿而吐 食不下 自利益甚 時腹自痛 腹滿時痛 吐利不渴者 爲太陰 宜四逆湯 理中湯. 腹滿不減 減不足言 宜大承氣湯. 傷寒 自利不渴者 屬太陰 以其臟有寒故也 當溫之 宜用四逆湯. 太陰證 腹痛(滿)自利不渴(者) 宜理中湯 理中丸 四順理中湯丸 亦主之.

　장중경은 다음과 같이 말하고 있다(張仲景 曰). 태음증에 걸리는 경우를 보자. 삼양삼음에서 태음은 비장이다. 그리고 비장은 위산을 통제해서 위장을 통제한다. 그래서 비장이 문제인 태음증에 걸리게 되면(太陰證), 자동으로 위장이 자리한 복부가 그득해지게 되고, 이는 소화가 되지 않는다는 사실을 말하게 되고, 이는 자동으로 구토로 이어진다(腹滿而吐). 이때는 위장이 경직된 상태라서 먹은 음식이 아래로 내려가지 않는다(食不下). 그리고 소화가 안 되면서 자동으로 스스로 설사하게 되는데, 이 설사가 점점 심해지게 되면(自利益甚), 때때로 위장이 자리한 복부에서 자동으로 통증이 발생하고(時腹自痛), 때로는 복부가 그득해지면서 통증이 오기도 하고(腹滿時痛), 이때 구토하고 설사하게 되면, 정상인 때는 체액이 고갈되어서 갈증이 나타나야 하지만, 이때 갈증이 없다면(吐利不渴者), 이는 소화관 자체의 문제가 아니라 비장의 문제이므로, 구토와 설사에서 많은 체액을 잃어버리지는 않아서 갈증이 없는 경우이므로, 이는 비장이 만든 병이다(爲太陰). 이때는 마땅히 사역탕이나(宜四逆湯), 이중탕을 처방하면 된다(理中湯). 이때 위장이 자리한 복부의 그득함이 점점 사라지지 않고(腹滿不減), 사라지더라도 만족하게 사라지지 않으면(減不足言), 이때는 마땅히 대승기탕을 처방한다(宜大承氣湯). 그래서 앞에서처럼 위산이라는 염이 과잉이라서 상한에 걸린 상태에서(傷寒), 스스로 설사했는데, 갈증이 없다면(自利不渴者), 이 문제는 비장의 문제에 속하게 된다(屬太陰). 즉, 위장으로 위산을 만들어서 보내는 비장(其)이라는 오장(臟)으로 인해서(以) 위장이 과부하에 걸리게 되면서, 위장에 한기(寒)를 만들었기 때문(故)에, 지금 모든 병이 발병한 것이다(以其臟有寒故也). 이때는 당연히 위장을 따뜻하게 해줘야만 하므로(當溫之), 당연히 사역탕을 쓴다(宜用四逆湯). 그리고 태음 증 중에서(太陰證), 복통이 있고, 복부가 그득하고, 설사가 있으나 갈증이 없을 때 는(腹痛(滿)自利不渴(者)), 당연히 이중탕(宜理中湯), 이중환(理中丸)을 처방하고, 사순이중환四順理中湯丸)으로도 처방이 가능하다(亦主之).

論曰　右證　當用　理中湯　四順理中湯　四逆湯而　古方草刱(創)　藥力不具備. 此證 當用　白何烏理中湯　白何烏附子理中湯. 腹滿不減　減不足言者　有痼冷積滯也　當 用　巴豆而　不當用　大承氣湯.

　이제마는 다음과 같이 주장한다(論曰). 앞(右)에서 말한 증상들에는(右證), 당연 히 이중탕(當用　理中湯), 사순이중탕(四順理中湯), 사역탕을 처방하나(四逆湯而), 이 처방들은 고대 초창기에 만들어진 처방이라서(古方草刱(創)), 약의 효험이 떨어 진다(藥力不具備). 그래서 이 증상에는(此證), 약성을 높여서 당연히 백하오이중탕 이나(當用　白何烏理中湯), 백하오부자이중탕을 써야만 한다(白何烏附子理中湯). 그리고 이때 위장이 자리한 복부의 그득함이 점점 사라지지 않고(腹滿不減), 사라 지더라도 만족하게 사라지지 않으면(減不足言者), 복부에 오래된 냉이 만든 체증이 있기 때문이다(有痼冷積滯也). 여기서 냉(冷)은 자유전자를 품고 있는 염(塩)을 말 한다. 이 염은 과잉되면 만병의 근원이 되는 자유전자를 품고 있다가 열에너지가 주어지게 되면, 염에 든 자유전자가 밖으로 나와서 문제를 만든다. 이를 상한(傷寒) 이라고 부른다. 그리고 지금 우리는 이를 논하고 있다. 그래서 복부에 오래된 냉이 만든 체증이 있다(有痼冷積滯也)는 말은 상한에 걸렸다는 뜻이다. 그러면 지금은 자동으로 상한의 시작인 방광과 전이 장기인 위장의 문제가 되므로, 이때 처방은 자동으로 당연히 소변과 대변을 잘 나오게 하는 파두를 처방한다(當用　巴豆而). 그 래서 이때 설사 처방인 대승기탕의 처방은 부당하다(不當用　大承氣湯). 이 문제는 앞에서도 이미 논했다. 이제마는 장중경의 상한론을 정확히 이해하지 못하고 있다. 물론 여기서 이제마의 처방이 틀린 처방은 아니다. 그 이유는 방광을 통해서 소변

　　　소음인 위수한 이한병론

을 빼내는 것도, 상한의 근원인 염을 제거하는 일이고, 설사를 통해서 대변을 잘 나오게 하는 것도, 위산이라는 염과 담즙이라는 염, 그리고 설사 자체가 배출한 염을 제거하는 일이기 때문이다. 여기서 문제는 없다. 다만 처방이 서로 다를 뿐이다.

張仲景 曰 病發於陰而反下之 因作痞. 傷寒 嘔而發熱者 若心下滿(而) 不痛 此爲痞 半夏瀉心湯主之. 胃虛氣逆者 亦主之. 下後下利 日數十行 穀不化 腹(中)雷鳴 心下痞硬 乾嘔心煩 此 乃結熱 乃胃中虛 客氣上逆故也 甘草瀉心湯主之. 太陰證 下利淸穀 若發汗則 必脹滿 發汗後腹脹滿 宜用厚朴半夏湯. 汗解後 胃不和 心下痞硬 脇下有水氣 腹中雷鳴 下利者 生薑瀉心湯主之. 傷寒 下利 心下痞硬 服瀉心湯後 以他藥下之 利不止 與理中湯 利益甚 赤石脂禹餘粮湯主之.

   장중경은 다음과 같이 말하고 있다(張仲景 曰). 오장인 음(陰)에서 과잉 염으로 인해서 병이 발병해서 인체가 이를 해결하기 위해서 반복(反)해서 설사하게 되면(病發於陰而反下之), 그로 인해서 자동으로 오장이 자리한 뱃속이 결리는(痞) 비증(痞)에 걸리게 된다(因作痞). 이런 상한에 걸리게 되면(傷寒), 당연히 위장도 문제가 되면서 구토하게 되고, 상한을 만든 과잉 염에서 자유전자가 빠져나와서 중화되면서 자동으로 열도 발생한다(嘔而發熱者). 이때 만약(若)에 위장이 자리하고 있는 명치 끝이 그득하나(若心下滿(而)), 통증은 없다면(不痛), 이는 자동으로 비증이 된다(此爲痞). 이때는 반하사심탕으로 주치한다(半夏瀉心湯主之). 이때 위장의 기운이 약해서 기가 역하게 되면(胃虛氣逆者) 즉, 위장에 과잉 산이 존재하게 되면, 이때도 역시 반하사심탕으로 주치하면 된다(亦主之). 그리고 설사했는데도 불구하고 또 설사하면서(下後下利), 하루에 수십 번씩 화장실을 가게 되면(日數十行), 이때는 자동으로 음식물은 소화되지 않고(穀不化), 당연히 뱃속에서는 가스가 차면서 천둥소리가 난다(腹(中)雷鳴). 그리고 명치 끝에 비증이 있어서 굳어지게 되고(心下痞硬), 그로 인해서 명치 부위에 자리한 위장이 자극받으면서 건구역질이 나오고(乾嘔), 이는 자동으로 심장과 연결된 횡격막을 건드리게 되면서 가슴이 불편해지게 되는데(心煩), 이때는(此), 자동으로 열이 맺히게 된다(乃結熱). 여기서 열이 맺힐 수는 없다. 그래서 여기서 열(熱)이 맺힌다(結)는 말은 열을 만드는 자유전자를 보유한 염이 축적되어있다는 뜻이다. 즉, 이는 염이 뭉친 상한(傷寒)에 걸렸다는 뜻이다. 지금 우리는 상한병을 논하고 있다는 사실을 상기해보자. 이렇게 가슴 부위에 과잉 염(塩)으로 인해서 열결(熱結)이 만들어지는 이유는 위장이 허약해서 과잉 염(塩)을 위산을 통해서 체외로 분비하지 못하고(乃胃中虛), 이 과잉 염은 객기인 병인이 되어서 가슴이 있는 위쪽으로 치고(逆) 올라왔기 때문이다(客氣上逆故也). 과잉 염을 품고 있는 체액은 폐에서 최종 중화된다는 사실을 상기해보자. 그래서 과잉 염이 인체 아래쪽에서 만들어지게 되면 자동으로 이는 위쪽으로 올라오게 된다. 이때는 감초사심탕으로 주치하면 된다(甘草瀉心湯主之). 그래서 위장을 통제하는 비장이 문제인 태음증에 걸리게 되었을 때(太陰證), 소화관이 문제가 되면서 설사하게 되고, 이어서 이 상태가 심해서 먹은 음식물이 그대로 나오는데(下利淸穀), 이때 만약에 열의 원천인 자유전자를 보유한 과잉 염이 중화되면서 땀이 나게 되면(若發汗則), 이는 과잉 염이 상당히 많이 복부에 정체하고 있다는 뜻이 되므로, 이때는 반드시 삼투압 기질인 염으로 인해서 복부는 체액을 끌어안고 있게 되면서 창만해지고 만다(必脹滿). 그래서 땀이 난 후에 복부가 창만해지게 되면(發汗後腹脹滿), 이때는 당연히 후박반하탕으로 주치한다(宜用厚朴半夏湯). 그리고 위장에 적체한 과잉 염을 중화하는 땀 문제가 해결된 뒤에도(汗解後), 여전히 위장이 문제를 안고 있으면서(胃不和), 위장이 자리하고 있는 명치 끝부분이 걸리고 경직되어있으면(心下痞硬), 이는 상한을 만든 염이 삼투압 기질로 작용해서 갈비뼈 부근에서 수분을 잔뜩 끌어안고 있으면서 수기를 만들었기 때문이다(脇下有水氣). 이때 소화가 안 되어서 복부에서 천둥이 치고(腹中雷鳴), 설사까지 하면(下利者), 이때는 생강사심탕으로 주치하면 된다(生薑瀉心湯主之). 이렇게 과잉 염이 문제인 상한에 걸려서(傷寒), 설사하고(下利), 명치 끝부분에서 걸리고 경직된 상태가 유지되면서(心下痞硬), 이를 해결하기 위해서 사심탕을 복용한 후에(服瀉心湯後), 다른 약을 써서 다시 설사를 강제하게 되면(以他藥下之), 이때는 자동으로 설사가 그치지 않게 된다(利不止). 이때 설사에 투여하는 이중탕을 투여했는데도 불구하고(與理中湯), 설사가 점점 더 심해지게 되면(利益甚), 이때는 적석지우여량탕을 투여하면 된다(赤石脂禹餘粮湯主之).

論曰 病發於陰而反下之云者 病發於胃弱 當用 藿香正氣散而 反用 大黃下之之謂也. 麻黃 大黃 自是太陰人藥 非少陰人藥則 少陰人病 無論表裏 麻黃大黃汗下 元非可論. 少陰人病 下利淸穀者 積滯自解也. 太陰證 下利淸穀者 當用 藿香正氣散 香砂養胃湯 薑朮寬中湯 溫胃而降陰. 少陰證 下利淸穀者 當用 官桂附子理中湯 健脾而降陰. 藿香正氣散 香砂六君子湯 寬中湯 蘇合元 皆 張仲景瀉心湯之變劑也. 此 所謂 靑於藍者 出於藍 噫 靑 雖自靑 若非其藍 靑 何得靑.

이제마는 다음과 같이 주장한다(論曰). 병이 오장인 음에서 발생해서 반복적으로 설사하는 상태를 말하는 것은(病發於陰而反下之云者), 비장의 영향을 받은 위장이 약해져서 병이 발병했다는 뜻이므로(病發於胃弱), 이때는 당연히 표증(表)과 이증(裏) 모두에 쓰는 곽향정기산을 쓴다(當用 藿香正氣散而). 지금은 비장(裏)과 위장(表)이 동시에 개입되어있다는 사실을 상기해보자. 이때 반대(反)되는 처방은 열결을 풀어주는 대황으로 설사를 시키는 것이다(反用 大黃下之之謂也). 대황의 효능을 보면, 대황은 다년생 풀인 장군풀의 뿌리줄기로써, 열독(熱毒)을 제거하고, 쌓이고 막힌 것을 풀어준다고 되어있다. 이때 열을 만드는 인자는 자유전자인데, 이 자유전자를 염이 끌어안고 있다. 그래서 열독을 제거하고 쌓이고 막힌 것을 풀어준다는 말은 이때 문제의 핵심인 염을 제거해준다는 뜻이다. 그리고 설사는 염을 체외로 버리는 과정이다. 그리고 지금의 상황은 위장이 허약해서 염인 위산을 체외로 버리지 못하고 있다. 그래서 이를 대신해서 대황을 통해서 염을 대신 설사로 제거한다는 뜻이다. 다시 본문을 보자. 그래서 마황(麻黃), 대황(大黃)이라는 이(是) 약은 원래(自) 태음인의 약이었지(自是太陰人藥), 소음인의 약은 아니었다(非少陰人藥則). 그리고 소음인 병은(少陰人病), 표리를 논하지 않는다(無論表裏). 그래서 소음인에서 마황과 대황으로 땀을 내고 설사를 시키는 것은(麻黃大黃汗下), 원래 가능한 이론이 아니다(元非可論). 그 이유는 소음인 병에서(少陰人病), 먹은 음식물이 그대로 나오는 지독한 설사를 하게 되면(下利淸穀者), 이때는 인체 안에 쌓인 병의 근원인 염은 자동(自)으로 설사를 통해서 해결되기 때문이다(積滯自解也). 여기서 소음인과 태음인은 이제마가 말하는 사상 문제가 아니라 상한에서 말하는 삼양삼음의 문제로 보인다. 그러면 소음은 자동으로 신장이 된다. 그리고 신장은 상한의 근원인 염을 통제한다. 그리고 이 염은 간질에서는 간질 문제를 만들고, 염을 배출하게 만드는 신장, 간, 비장에서는 배출이라는 문제를 만든다. 그래서 신장이 문제인 소음인 병에서는 표리 문제가 있을 수가 없게 된다. 이는 염이 간질인 표(表)와 오장인 이(裏)를 동시에 오가면서 문제를 만들기 때문이다. 그래서 소음인에서 마황과 대황으로 땀(汗:表)을 내고 설사(下:裏)를 시키는 것은(麻黃大黃汗下), 원래 가능한 이론이 아니라(元非可論)는 것이다. 이 구문(元非可論)은 다르게 해석해도 된다. 즉, 표와 이에서 문제를 만드는 염이 문제인 소음인에서 마황과 대황으로 땀(汗:表)을 내고 설사(下:裏)를 시키는 것은(麻黃大黃汗下), 원래 논의할 문제가 아니라(元非可論)는 것이다. 즉, 이는 너무나 당연해서 논의할 문제가 아니라는 것이다. 다시 본론을 보자. 그래서 마황(麻黃), 대황(大黃)이라는 이(是) 약은 원래(自) 태음인의 약(自是太陰人藥)이라는 것이다. 여기서 태음은 비장을 말하는데, 비장은 림프를 통해서 표(表)인 간질을 통제하고, 위장을 통해서 설사로 오장인 이(裏)를 통제한다. 그래서 땀을 내고 설사를 만드는 마황(麻黃), 대황(大黃)이라는 이(是) 약은 원래(自) 태음인의 약(自是太陰人藥)이라는 것이다. 그러면 소음인 병에서(少陰人病), 먹은 음식물이 그대로 나오는 지독한 설사를 하게 되면(下利淸穀者), 이때는 인체 안에 쌓인 병의 근원인 염은 자동(自)으로 설사를 통해서 해결된다(積滯自解也). 즉, 신장인 소음의 문제는 염의 문제이므로, 지금은 염을 배출하는 설사를 지독하게 해서(下利淸穀者) 이 염을 이미 체외로 배출했다. 그러면 자동으로 염의 문제인 소음의 문제는 자동으로 해결된다(積滯自解也)는 것이다. 이 부분은 체액 이론의 상당한 내공을 요구하고 있다. 역시 이제마는 체액 이론의 대가임이 분명하다. 다시 본문을 보자. 그래서 비장이 문제인 태음증에서(太陰證), 지독한 설사를 하게 되면(下利淸穀者), 이때는 당연히 표리를 동시에 다스리는 곽향정기산을 쓴다(當用 藿香正氣

散). 추가로 향사양위탕(香砂養胃湯), 강출관중탕을 써서(薑朮寬中湯), 위장을 따뜻하게 해줘서 비장이라는 음의 항복을 받아내야 한다(溫胃而降陰). 이는 자동으로 염이라는 위산을 위장으로 하여금 배출하게 만드는 것이다. 그러면 음인 비장의 문제도 자동으로 해결된다. 그리고 염이 문제인 소음증에서(少陰證) 염을 많이 배출하는 지독한 설사를 할 때는(下利淸穀者), 당연히 설사 문제에 처방하는 관계 부자이중탕을 처방한다(當用 官桂附子理中湯). 이렇게 해주게 되면, 당연히 비장을 건강하게 해서 음(陰)인 비장을 항복(降)하게 만든다(健脾而降陰). 즉, 비장이 위장을 통해서 인체를 괴롭히지 못하게 만든다. 그리고 곽향정기산(藿香正氣散), 향사육군자탕(香砂六君子湯), 관중탕(寬中湯), 소합원(蘇合元)은 모두(皆) 장중경이 처방한 사심탕을 변형해서 만든 처방제이다(張仲景瀉心湯之變劑也). 이렇게 말한 이유는(此 所謂), 쪽보다 더 푸른 것이(靑於藍者), 쪽에서 나온 것이다(出於藍). 오(噫)! 푸른색이(靑) 스스로 푸른색을 낼지라도(雖自靑), 만약에 푸른색의 원천인 쪽이 없었다면(若非其藍), 어찌 푸른색이(靑), 푸른색을 얻을 수가 있으리오(何得靑)! 이는 장중경의 원래 처방을 칭찬하는 동시에 이제마의 처방도 칭찬하고 있다. 이는 또한 청출어람(靑出於藍)을 말하고 있기도 하다. 즉, 쪽에서 나온 푸른색이 쪽보다 더 푸르다는 것이다. 그러나 이도 쪽이라는 근본이 필요하다.

張仲景 曰 傷寒陰毒之病 面靑 身痛如被杖 五日可治 七日不治. 李梴 曰 三陰病深 必變爲陰毒. 其證 四肢厥冷 吐利不渴 靜踡而臥. 甚則 咽痛鄭聲 加以頭痛 頭汗 眼睛 內痛 不欲見光 面脣指甲靑黑 身如被杖. 又 此證 面靑白黑 四肢厥冷 多睡.

장중경은 다음과 같이 말하고 있다(張仲景 曰). 자유전자를 보유한 염(塩)이 과잉되어서 문제가 되는 상한은(傷寒), 과잉되면 만병의 근원이 되는 자유전자를 보유한 염(塩)이라는 음독이 만들어낸 병이다(陰毒之病). 그리고 이런 염(塩)의 한 형태인 파란색(靑)의 담즙이, 담과 간이 이를 처리하지 못하면서 이들이 체액을 순환하면서, 안색을 파랗게 만들게 되면(面靑), 이때는 당연히 온몸에서 통증이 만들어지고, 몸은 온통 파래서 매로 두들겨 맞은 것처럼 보인다(身痛如被杖). 이는 인체 최대의 해독 기관인 간이 엄청나게 망가졌다는 뜻이 되므로, 이 상태가 5일 정도 계속되면, 치료가 가능하나(五日可治), 7일 정도 계속되면 치료가 불가하다(七日不治). 그리고 의학입문의 저자 이천은 다음과 같이 주장한다(李梴 曰). 상한에 걸렸을 때 상한을 중화하는 물질로 만들어서 배출하는 삼음이 심한 병에 시달리게 되면(三陰病深), 이때 상한을 만드는 염은 중화되지 못하게 되고, 이때는 반드시 상황이 변해서 염이 음독을 만들게 된다(必變爲陰毒). 이때 증상을 보게 되면(其證), 삼투압 기질인 과잉 염으로 인해서 체액 순환이 막히게 되고, 이어서 체액 순환에 제일 취약한 사지는 체액 순환이 막히(厥)면서 냉기(冷)가 돌게 된다(四肢厥冷). 그리고 인체는 골칫거리인 과잉 염을 체외로 배출하기 위해서 염을 체외로 배출하는 도구인 구토와 설사를 만들게 되나(吐利), 체액이 고갈되어서 갈증을 만들 정도는 아니게 된다(不渴). 그리고 이때 환자는 힘이 드니까 조용히 웅크리고 눕게 된다(靜踡而臥). 그리고 지금은 정맥혈을 통제하는 간이 문제가 된 상태인데, 이 상태가 심해지게 되면(甚則), 간이 통제하는 정맥혈이 제대로 처리되지 못하게 되면서, 인후부 식도 정맥총이 과부하에 시달리게 되면서 목구멍 인후부가 아프게 되고(咽痛), 또한, 간은 담즙을 통해서 신경을 통제하고, 이어서 뇌도 통제하므로, 이때는 환자가 뇌의 이상으로 인해서 헛소리도 하게 된다(鄭聲). 이때 추가로 두통까지 앓게 되면(加以頭痛), 이는 머리에 열의 원천인 자유전자의 과잉을 말하게 되고, 이는 자동으로 머리에서 과잉 자유전자가 중화되면서 땀을 만들어낸다(頭汗). 그러면 자동으로 뇌척수액도 문제가 되게 되고, 그러면 뇌척수액의 통제를 받는 눈도 문제를 안게 되면서 눈에서 통증이 발생하게 된다(眼睛內痛). 그러면 당연히 눈이 아프니까 빛을 보려고 하지 않게 된다(不欲見光). 이때 얼굴뿐만이 아니라 입술과 손톱까지도 청색과 흑색이 나타나게 되면(面脣指甲靑黑), 몸은 마치 매를 심하게 맞은 것처럼 검푸르게 보이게 된다(身如被杖). 여기서 나온 흑색은 신장이 처리하는 담즙의 한 형태인 유로빌린(Urobilin) 때문이다. 대장에서 흡수되고 신장이 처리하는 유로빌린은 처음에는 갈색이다가 점점 산성화되면, 흑색으로 변하게 된다. 그래서 신장이 문제가 되면, 이 검게 변한 유로빌린을 처리하지 못하게 되면서 몸이 검게 보이게 만든다. 그래서 지금처럼 몸이 청색과 흑색이 동시에 보이게 되면, 이는 간과 신장이 망가졌다는 사실을 말하게 된다. 이때 또한 안색이 백색(白)이 되면, 이는 폐의 문제를 말한다. 이 문제는 본 연구소가 발행한 황제내경 소문을 보면 자세히 기술되어있다. 다시 본문을 보자. 또한 (又), 이런 증상이 나타날 때(此證), 안색이 청색, 백색, 흑색이 동시에 나타나게 되면, 이는 간, 폐, 신장이 동시에 망가졌다는 사실을 말한다(面靑白黑). 그러면 이때는 자동으로 체액 순환이 막히면서 체액 순환에 제일 취약한 사지는 체액 순환이 막히(厥)면서 냉(冷)해지게 되고 만다(四肢厥冷). 그러면 자동으로 몸은 엄청나게 피곤해지게 되고, 이는 자동으로 너무 자주 졸음을 불러온다(多睡).

論曰 右證 當用 人蔘桂(陳)皮湯 人蔘附子理中湯

이제마는 다음과 같이 주장한다(論曰). 앞에서 본 증상에는(右證), 당연히 인삼계피탕을 처방하거나(當用 人蔘桂(陳)皮湯), 인삼부자이중탕을 처방하면 된다(人蔘附子理中湯). 이제마는 장중경이 빼먹은 처방을 보충해주고 있다.

張仲景 曰 傷寒直中陰經 初來 無頭痛 無身熱 無渴 怕寒踡臥 沈重欲眠 脣靑厥冷. 脈微而欲絶 或脈伏 宜四逆湯 四逆者 四肢逆冷也.

장중경은 다음과 같이 말하고 있다(張仲景 曰). 염이 과잉되면서 문제를 만드는 상한이(傷寒), 오장이 통제하는 음경(陰經)을 직접 공격(中)하게 되면(直中陰經), 이때 초기에는(初來), 음경을 통해서 오장이 과잉 염을 중화하게 되므로, 당연히 상한이 만드는 두통도 없고(無頭痛), 신열도 없고(無身熱), 갈증도 없게 된다(無渴). 이 부분은 해석할 때 주의를 요구한다. 보통은 음경이라는 경락의 구조와 기능을 모르기 때문이다. 경락은 원래 전기가 항상 흐르고 있는 통신선이면서 동시에 전선이다. 이는 자유전자가 전기도 되고, 통신 도구도 되기 때문이다. 그리고 추가로 경락은 물질도 소통시키는 통로가 된다. 이 문제는 본 연구소가 발행한 전자생리학을 보면, 자세히 기술되어있고, 이에 따르는 논문도 많이 수록되어있다. 다시 본문을 보자. 그러나 시간이 지나서 상한이 본격적으로 문제를 만들기 시작하면 상황은 급변한다. 즉, 몸이 추워지면서 웅크리고 눕기 좋아하게 되고(怕寒蹉臥), 몸은 천근만근이 되면서 피곤하니까 자고 싶어지고(沈重欲眠), 입술은 피가 통하지 않으면서 파란 정맥혈이 정체하면서 파래지고(脣靑), 이어서 체액 순환이 막히(厥)면서 냉증이 오고(厥冷), 이때쯤 되면, 체액 순환이 막히면서 맥상은 아주 미약해지면서 곧 끊어질 것만 같게 된다(脈微而欲絶). 이때 맥상은 때로는 맥상이 숨어버린 느낌을 주는 복맥이 되기도 한다(或脈伏). 이때는 사지가 혈액 순환이 되지 않아서 냉기가 돌 때 쓰는 사역탕을 쓰면 된다(宜四逆湯). 여기서 사역이라는 말은(四逆者), 사지가 체액 순환이 막히면서 냉해지는 경우를 뜻한다(四肢逆冷也).

論曰 嘗治 少陰人 直中陰經 乾霍亂關格之病 時屬中伏節候 少陰人 一人 面部氣色 或靑或白 如彈丸圈 四五點成團 起居如常而 坐於房室中 倚壁 一身委靡無力而 但欲寐 問其這間原委則 曰 數日前 下利淸水一二行 仍爲便閉 至(只)今爲兩晝夜 別無他故云 問所(其)飮食則 曰 食麥飯云 急用 巴豆如意丹 一半時刻 其汗 自人中穴出而 達于面上 下利一二度 時當日暮 觀其下利則 淸水中 雜穢物而出 終夜 下利十餘行 翌日 平明至日暮 又十餘行下利而 淸穀麥粒 皆如黃豆大. 其病 爲食滯故 連三日 絶不穀食 日所食 但進好熟冷一二碗 至第三日平明 病人面色則 無不顯明而 一身皆冷 頭頸墜下 去地二三寸(而) 不能仰擧 病證更重 計出無聊. 仔細點檢病人一身則 手足膀胱腰腹 皆如氷冷 臍下全腹 硬堅如石而 胸腹上中脘 熱氣熏騰 炙手可熱 最爲可觀 至第五日平朝 一發吐淸沫而 淸沫中 雜米穀一朶而出 自此 病勢大減 因進米飮 聯(連)服數碗. 其翌日 因爲食粥. 此病 在窮村故 未暇溫胃和解之藥. 其後 又 有少陰人 一人 日下利數次而 仍下淸水 全腹浮腫 初用 桂附藿陳理中湯 倍加人

소음인 위수한 이한병론

蔘 官桂 各 二錢 附子 或二錢 或一錢 日四服 數日後則 日三服 至十餘日 遂下利淸
穀 連三日 三四十行而 浮腫大減. 又 少陰人 小兒 一人 下利淸水 面色靑黯 氣陷如
睡 用 獨蔘湯 加生薑二錢 陳皮一錢 砂仁 一錢 日三四服 數日後 下利十餘行 大汗
(而)解. 蓋 少陰人 霍亂關格病 得人中汗者 始免危也. 食滯大下者 次免危也. 自然
能吐者 快免危也. 禁進粥食 但進好熟冷 或米飮者 扶正抑邪之良方也. 宿滯之彌留
者 得好熟冷乘熱溫進則 消化 無異於飮食 雖絶食二三四日 不必爲慮.

　　이제마는 다음과 같이 주장한다(論曰). 일찍이 소음인이(嘗治 少陰人), 음경을
직접 공격받아서(直中陰經), 건곽란과 관격이라는 소화관의 심각한 장애를 안고
있을 때, 이를 치료(治)한 적이 있다(乾霍亂關格之病). 이때 절기는 지독하게 무
더운 중복이었는데(時屬中伏節候), 어떤 소음인의 안색의 기운이(少陰人 一人 面
部氣色), 때로는 간이 문제가 되면서 청색이 되기도 하고(或靑), 때로는 폐가 문제
가 되면서 백색이 되기도 하면서(或白), 얼굴에는 마치 탄환을 맞아서 테두리가
형성된 것처럼(如彈丸圈), 네다섯 개의 점이 뭉쳐서 형성되어있었고(四五點成團),
일상생활은 평상시와 다름이 없었고(起居如常而), 그러나 방에 앉아있을 때는(坐
於房室中), 벽에 기댄 채(倚壁), 온몸은 힘이 없이 무기력해 보였고(一身委靡無力
而), 자꾸 자려고만 했다(但欲寐). 그래서 왜 그런지 그 원인을 물어봤더니(問其
這間原委則), 다음과 같이 대답했다(曰). 즉, 수일 전(數日前), 물 설사를 한두 번
하더니(下利淸水一二行), 결국에 대변을 볼 수가 없게 되었고(仍爲便閉), 지금까
지 이틀 동안(至(只)今爲兩晝夜), 별다른 일은 없다고 말했다(別無他故云). 그래
서 음식은 뭘 먹었냐고 묻자(問所(其)飮食則), 그냥 보리밥을 먹었다고 했다(曰
食麥飯云). 그래서 급히 파두여의단을 처방했다(急用 巴豆如意丹). 그러자 반 시
각 정도 지나서(一半時刻), 이때 땀이 인중혈에서(自) 나오기 시작해서(其汗 自人
中穴出而), 면상까지 이르렀다(達于面上). 그리고 설사도 한두 번 했다(下利一二
度). 당시 때는 해가 질 무렵이었는데(時當日暮), 이때 설사를 살펴보니(觀其下利
則), 설사의 깨끗한 물 안에(淸水中), 잡다한 찌꺼기 물질들이 섞여서 나오고 있었
다(雜穢物而出). 그리고 이 환자는 밤새도록(終夜), 설사를 10여 차례 했다(下利

十餘行). 그리고 다음 날은(翌日), 새벽 아침부터 저녁 해질 때까지(平明至日暮), 또다시(又), 10여 차례의 설사를 했다(十餘行下利而). 이때 보니까 소화가 안 된 보리 알갱이가(淸穀麥粒), 모두 메주콩 정도의 크기였다(皆如黃豆大). 이 병은(其病), 결국에 보리밥을 잘못 먹어서 체한 것이므로(爲食滯故), 소화관을 완전히 비우기 위해서 연속 3일간(連三日), 알갱이가 있는 음식은 금식하도록 했다(絶不穀食). 이때는 완전히 금식이 아니므로, 하루에 먹을 수 있는 음식의 양은(日所食), 좋은 숭늉 한두 사발 정도였다(但進好熟冷一二碗). 이렇게 해주고서 3일 차의 아침에 보니까(至第三日平明), 환자의 안색은(病人面色則), 좋았다(無不顯明而). 그러나 온몸은 모두 냉기가 돌았고(一身皆冷), 땅에 닿을 정도로 머리와 목을 아래로 떨어뜨리고(頭頸墜下 去地二三寸(而)), 가누지 못했다(不能仰擧). 그래서 이때는 병증이 위증으로 변해서(病證更重), 다른 생각을 할 겨를이 없게 되었다(計出無聊). 그래서 이때 환자의 몸을 전체적으로 샅샅이 살펴보았다(仔細點檢病人一身則). 그래서 보니까 수족, 방광, 요복이(手足膀胱腰腹), 모두 얼음장과도 같았다(皆如氷冷). 그리고 배꼽 아랫부분 하복부 전체가(臍下全腹), 마치 돌처럼 딱딱하게 굳어있었다(硬堅如石而). 그리고 가슴과 복부의 상부와 중부는(胸腹上中脘), 열이 너무나 심하게 나는 바람에(熱氣熏騰), 손을 대보면 손이 델 정도가 되어서(炙手可熱), 이 부분이 최고 가관이었다(最爲可觀). 그리고 5일째 되는 날 아침에(至第五日平朝), 맑은 포말인 거품을 구토로 한 번 쏟아냈는데(一發吐淸沫而), 이 포말 안에(淸沫中), 소화가 안 된 쌀밥이 한 움큼 섞여서 있었다(雜米穀一朶而出). 이때부터(自此), 병세가 크게 약해졌다(病勢大減). 그래서 이를 계기로 미음을(因進米飮), 계속해서 몇 사발을 먹였다(聯(連)服數碗). 그리고 그다음 날은(其翌日), 이를 계기로 죽을 먹였다(因爲食粥). 이 병 때문에(此病), 이렇게 고생한 이유는 환자가 사는 곳이 처방 약을 구하기에는 너무나 외진 마을이었기 때문이었다(在窮村故). 즉, 위장을 따뜻하게 해줘서 풀어줄 약을 구할 수 없는 오지에 환자가 살고 있었기 때문이었다(未暇溫胃和解之藥). 이후에도(其後), 또(又) 어떤 소음인이(有少陰人 一人), 물 설사를 하루에 여러 차례 하면서(日下利數次而 仍下淸水), 온 복부에 부종이 형성되어있었다(全腹浮腫). 그래서 초기에는(初用), 계부곽진이중탕을 처방하면서(桂附藿陳理中湯), 여기에 인삼과 관계를 각각 2전씩 두 배로 추가하고(倍加人蔘 官桂 各 二錢), 부자는 2전이나 1전을 두 배로 추가하고(附子 或二錢 或一錢), 이를 하루에 4복하게 하고(日四服), 며칠 후에(數日後則), 하루에 3복하게 하고(日三服), 10여 일이 지나서 보니까(至十餘日), 음식물이 삭지 않는 맑은 설사를(遂下利淸穀), 연속해서 3일간 하면서(連三日), 거의 삼사십 번을 설사했다(三四十行而). 이 덕분에 부종은 크게 감소했다(浮腫大減). 또 다른 사례는(又), 어떤 소음인 어린애가(少陰人 小兒 一人), 소화되지 않은 설사를 하는데(下利淸水), 이 아이의 안색이 검푸르게 변해있었고(面色靑黯), 기운이 빠져서 마치 잠을 자고 있는 것과 같았다(氣陷如睡). 이때 처방은 독삼탕을 했는데(用 獨蔘湯), 여기에 생강 2전도 추가하고(加生薑二錢), 진피 1전도 추가하고(陳皮一錢), 사인 1전도 추가해서(砂仁 一錢), 매일 삼사 복을 시켰다(日三四服). 그리고 며칠 후에(數日後), 설사를 십여 차례 하고(下利十餘行), 땀을 크게 한 번 흘린 뒤에 병이 해결되었다(大汗(而)解). 그리고 대개(蓋), 소음인에서(少陰人), 곽란이나 관격과 같은 소화관의 문제를 해결할 때는(霍亂關格病), 땀을 내서 문제를 해결하게 되는데, 이때 인중에서 땀이 나게 되면(得人中汗者), 이는 위험에서 벗어나는 시발점이 된다(始免危也). 그리고 식체일 때 큰 설사를 시키면(食滯大下者), 이는 위험에서 벗어나는 차선책이 된다(次免危也). 그러나 이때 스스로 자연스럽게 구토를 시원하게 하면(自然能吐者), 이는 위험에서 벗어나는 최고의 징후이다(快免危也). 그리고 이때 죽을 먹는 일은 금기 사항이다(禁進粥食). 그러나 이때 좋은 숭늉이나(但進好熟冷), 또는 미음을 먹는 일은(或米飮者), 나쁜 기운을 억누르는 좋은 방법이다(扶正抑邪之良方也). 그리고 식체가 오래 머물러 있는 사람이(宿滯之彌留者), 좋은 숭늉을 뜨거울 때 따뜻하게 해서 먹게 되면(得好熟冷乘熱溫進則), 이는 죽이나 밥을 소화시켜서 먹는 것과 다르지 않다(消化 無異於飮食). 즉, 좋은 숭늉은 이미 소화된 음식과 똑같다는 뜻이다. 그러면, 자동으로 비록 밥과 같은 음식을 이삼사 일 끊더라도(雖絶食二三四日), 좋은 숭늉을 먹게 되면, 이 좋은 숭늉이 영양분을 공급하므로, 영양 부족 때문에, 건강을 염려할 필요가 없게 된다(不必爲慮). 이 숭늉에 대해서는 할 말이 많다. 원래 숭늉은 가마솥에 밥을 할 때 생기는 누룽지를 끓인 다음에 건더기는 빼고 웃물만 먹는다. 여기에는 미네랄이 풍부하게 들어있다. 음식 재료에 든 미네랄은 열을 받으면, 자동으로 음식 재료에서 빠져나와서 무거워서 아래로 가라앉게 된다. 그러면 자동으로 가마솥 밑바닥에는 미네랄이 풍부하게 존재하게 된다. 또한 가마솥 자체도 철이므로, 이도 또한 미네랄을 제공한다. 그러면 숭늉이나 누룽지는 자동으로 천연 미네랄 보충제가 된다. 그리고 이 미네랄들은 열을 가해서 자유전자를 날려 보낸 상태이므로, 이는 자동으로 알칼리 미네랄이 된다. 그리고 이는 자동으로 인체로 흡수되어서 과잉 자유전자를 흡수해서 신장을 통해서 체외로 배출된다. 지금 이는 상한에서 말하는 염을 말하고 있다. 상한에서 알칼리 미네랄은 엄청나게 중요하다. 상한을 만드는 미네랄은 자유전자를 보유한 염으로써 산성 미네랄이기 때문이다.

張仲景 曰 少陰病 脈微細 但欲寐. 傷寒 欲吐不吐 心煩 但欲寐 五六日 自利而渴者 屬少陰 小便色白 宜四逆湯. 少陰病 身體痛 手足寒 骨節痛 脈沈者 附子湯主之. 下利 腹脹滿 身體疼痛 先溫其裏 乃攻其表 溫裏 宜四逆湯 攻表 宜桂枝湯.

장중경은 다음과 같이 말하고 있다(張仲景 曰). 신장이 전문으로 처리하는 염이 과잉되면서 신장에서 문제가 생기는 소음병에 걸렸을 때(少陰病), 맥상이 아주 약하고(脈微細), 환자는 자꾸 자려고만 하는데(但欲寐), 이런 상한에 걸리게 되면(傷寒), 토하고는 싶은데 토할 수가 없고(欲吐不吐), 심장이 불편해지고(心煩), 자꾸 자려고만 한다(但欲寐). 추가 설명이 조금 필요하다. 여기서 소음 문제는 신장의 문제이므로, 이는 신장이 처리하는 염과 뇌척수액의 문제가 된다. 그래서 지금은 염을 처리하는 신장에 문제가 있으므로, 인체는 신장이 처리하지 못한 염을 위산염 형식으로 배출하려고 하면서 자꾸 구토 욕구를 느끼게 되고, 한편으로는 심장이 염으로 처리하지 못한 자유전자는 이를 전문으로 처리하는 심장에서 중화되게 되고, 이는 심번(心煩)을 만들게 된다. 그리고 신장이 처리하지 못한 뇌척수액의 문제는 뇌를 피곤하게 해서 자꾸 자려고 하게 만든다. 잠은 과잉 자유전자를

소음인 위수한 이한병론

중화하는 과정이기 때문이다. 이 문제는 본 연구소가 발행한 전자생리학의 수면 부분을 참고하면 된다. 그리고 이때는 신장이 처리하지 못한 삼투압 기질인 염이 간질에 정체하게 되면서, 자동으로 체액 순환이 막히게 되고, 이어서 이때 맥상은 자동으로 미약하게(脈微細) 나오게 된다. 다시 본문을 보자. 이렇게 해서 5~6일이 지나게 되면서(五六日), 스스로 소변이 나오고 갈증이 생기면(自利而渴者), 이것은 소음병이다(屬少陰). 이때 스스로 나온 소변이, 알부민이 염이 보유한 자유전자에 의해서 환원되고 이들이 깨지면서, 백색을 띠고 있으면(小便色白), 이는 염의 지독한 과잉을 말하게 되고, 그러면 이는 삼투압 기질인 과잉 염의 간질 정체를 말하게 된다. 그러면 자동으로 체액 순환은 막히고 만다. 그러면 이때 처방도 자동으로 사지에 체액 순환이 막혔을 때 하는 처방인 사역탕이 된다(宜四逆湯). 이처럼 소음병에 걸렸을 때(少陰病), 과잉 염 때문에, 신체에 통증이 있고(身體痛), 체액 순환에 취약한 수족에서 한기가 돌고(手足寒), 더불어 신장이 통제하는 뇌척수액의 일부인 관절 활액의 문제로 인해서 골 관절통이 생기게 되고(骨節痛), 이때 맥상은 당연히 전형적인 신장의 맥상인 침맥이 나오게 된다(脈沈者). 이때는 과잉 염을 처리하는 부자탕을 처방한다(附子湯主之). 이때 만일에 인체가 과잉 염을 체외로 배출하기 위해서 설사하고(下利), 이 과잉 염이 삼투압 기질로 작용하면서 체액이 정체하게 되고, 이어서 복부가 창만하게 되고(腹脹滿), 염이 공급한 자유전자가 신체를 괴롭히면서 인체에서 동통이 발생하면(身體疼痛), 이때는 문제를 만든 이(裏)인 신장(其)을 먼저 따뜻하게 해주고 나서(先溫其裏), 간질인 표(表)에 정체한 과잉 염을 제거하기 위해서 염을 통제하는 표(表)인 방광경(其)을 치료하면 된다(乃攻其表). 이때 이(裏)인 신장을 따뜻하게 하기 위해서는 체액의 순환을 요구하므로, 이를 위해서는(溫裏), 당연히 체액 순환을 유도하는 사역탕을 쓴다(宜四逆湯). 그리고 추가로 간질인 표(表)에 정체한 과잉 염을 땀으로 제거하기 위해서는(攻表), 당연히 땀법의 대표 처방인 계지탕을 쓴다(宜桂枝湯).

論曰 右證 當用 官桂附子理中湯

　　이제마는 다음과 같이 주장한다(論曰). 앞의 병증에는(右證) 당연히 관계부자이
중탕을 처방하면 된다(當用 官桂附子理中湯). 이 처방을 한의학 사전에서 찾아보
게 되면, 이는 소음인(少陰人)의 처방이라고 나와 있다. 그러나 이는 앞에서 본 장
중경의 주장에서 볼 수 있듯이, 신장이 크고 비장이 작은 소음인의 처방이 아니라,
장중경이 말하는 삼양삼음에 속하는 신장(腎臟)에 문제가 있을 때 하는 처방이다.
이를 겉으로 보면, 신장 문제를 포함하고 있는 소음인의 처방으로 보일지라도, 이
는 분명히 상한론에서 말하는 신장을 위한 처방이지, 사상의학이 말하는 신장을 위
한 처방은 아니다. 그러나 이를 소음인 처방이라고 하는 이유는 소음인에서 핵심이
신장이기 때문이다. 이제마는 소음인에서 신장을 강조한 나머지 비장은 거의 생각
하지 않는다. 그 이유는 신장과 비장이 모두 산성 림프액을 처리하기 때문이다.

張仲景 曰 少陰病 始得之 反發熱 脈沈者 麻黃附子細辛湯主之. 少陰病一二日 口中和
背惡寒(者) 宜附子湯. 少陰病二三日 用麻黃附子甘草湯 微發之 以二三日 無證故 微發
汗也. 無證 謂無吐利厥證也. 下利 脈沈而遲 其人 面小赤 身有微汗 下利淸穀 必鬱冒汗
出而解 病人 必微厥 所以然者 其面戴陽 下虛故也. 少陰病 脈細沈數 病爲在裏 不可發
汗. 少陰病 但厥 無汗而 强發之 必動其血 或從口鼻 或從目出 是爲下厥上渴 難治.

　　장중경은 다음과 같이 말하고 있다(張仲景 曰). 염이 과잉되면서 신장이 문제인
소음병을(少陰病) 얻게 되면, 처음에는(始得之), 염에 든 자유전자가 중화되면서
반복(反)해서 열이 나게 되고(反發熱), 이때는 신장에 문제가 있으므로, 전형적인
신장맥인 침맥이 나오게 된다(脈沈者). 이때는 마황부자세신탕으로 주치한다(麻黃
附子細辛湯主之). 이렇게 신장이 문제인 소음병에 걸려서(少陰病), 하루 이틀이
지나서(一二日), 입안은 문제가 없으나(口中和), 신장이 통제하는 뇌척수액의 문제
로 인해서 등 쪽에서 오한이 만들어지게 되면(背惡寒(者)), 이때는 당연히 부자탕

　　　　소음인 위수한 이한병론

을 쓴다(宜附子湯). 그리고 이런 소음병이 낫지 않고 이삼일이 지나게 되면(少陰病二三日), 이때는 마황부자감초탕을 쓴다(用麻黃附子甘草湯). 이렇게 이 처방을 써서 땀을 약간 빼게 되면(微發之), 이삼일은 증상이 없게 되는데(以二三日 無證故), 이는 땀을 약간 빼서 과잉 염을 어느 정도 중화해줬기 때문이다(微發汗也). 이때 증상이 없다는 말은(無證), 구토도 없고, 설사도 없고, 체액이 막히는 증상인 궐증도 없다는 뜻이다(謂無吐利厥證也). 이때 설사하고 있는데(下利), 맥상이 전형적인 신장의 맥상인 침맥과 지맥이 나온다면(脈沈而遲), 이 환자는(其人), 얼굴이 약간 붉고(面小赤), 신체에는 약간 땀이 있을 것이다(身有微汗). 이는 모두 신장이 처리하는 염의 과잉 때문에 일어난다. 이는 나쁜 증상은 아니고, 낫는 과정에 있는 상태이다. 얼굴이 붉게 변하는 이유는 신장이 염으로 처리하는 자유전자를 심장이 받아서 처리하면서 생기는 현상이다. 심장은 붉은(赤) 색소를 보유한 알칼리 동맥혈을 통제한다는 사실을 상기해보자. 즉, 이는 신장이 처리하지 못한 과잉 자유전자를 심장이 나누어서 처리하고 있는 상황이다. 이를 보고 한의학은 신장이 심장을 상극(相剋)했다고 표현한다. 먹은 음식물이 소화되지 않고 그대로 설사로 나오는 물 설사를 하게 되면(下利淸穀), 이는 인체 안에 염의 과잉이 엄청나게 많다는 사실을 말하게 된다. 그러면 이때는 염이 보유한 자유전자가 신경을 통해서 뇌를 공격하면서 반드시 울모가 발생하는데(必鬱冒), 이는 자유전자를 산소로 중화하게 만드는 땀법을 이용해서 땀을 빼주면 해결된다(汗出而解). 이때 환자는(病人), 반드시 약한 궐증이 있게 되는데(必微厥), 그 이유는(所以然者), 앞에서 얼굴을 붉게 만든 양의 기운이 얼굴에 체류하면서(其面戴陽), 이 양의 기운이 하체 쪽으로 공급이 이루어지지 않았기 때문이다. 이때 양의 기운은 체액을 순환시키는 에너지(陽)를 말한다. 이는 자동으로 체액의 순환 측면에서 하체를 허약하게 만들고 말았기 때문이다(下虛故也). 그리고 소음병에 걸렸는데(少陰病), 이때 맥상이 세맥과 침맥과 삭맥이 동시에 나오게 되면(脈細沈數), 이 세 가지 맥상은 모두 오장의 맥상이므로, 이때 병은 자동으로 오장인 이(裏)에 있게 된다(病爲在裏). 이는 본 연구소가 발행한 맥경을 참고하면 된다. 이는 오장이라는 음(陰)의 문제이므로, 양(陽)인 간질을 통제하는 땀법을 쓸 수 없게 만들어버린다(不可發汗). 그래서 소음병이 있을 때(少陰病), 단지 궐증이 있다고 해서(但厥), 땀을 뺄 수 없는 이유는(無 汗而), 이때 만약에 강제로 땀을 빼게 되면(强發之), 이는 문제를 잘못 파악한 것이다. 즉, 궐증이라는 증상은 체액 순환이 막히면서 일어나는 증상인데, 이때 강제로 땀을 빼 게 되면, 이는 자동으로 체액의 부족을 일으켜서, 체액의 순환을 더 막아버리고 만다. 그러면 이때는 반드시 순환하는 혈액을 동요하게 만들고 만다(必動其血). 즉, 혈액이 체액의 부족으로 인해서 더디게 순환하는 것이다. 그러면, 이때 혈액은 혈액 순환이 비 교적 잘 되는 이목구비로 치우치게 되고(或從口鼻 或從目出), 이로 인한 결과는 인체 의 위쪽(上)에서 혈액을 고갈(渴)시키게 되고, 체액 순환에서 제일 취약한 하체(下) 쪽 에서는 혈액의 순환이 막히(厥)는 결과로 이끌고 만다(是爲下厥上渴). 그러면, 이때 병 은 자동으로 혈액 순환 문제 때문에, 난치병이 되고 만다(難治).

論曰 張仲景所論 太陰病 少陰病 俱是 少陰人 胃氣虛弱 泄瀉之證而 太陰病泄瀉 重證中 平證也. 少陰病泄瀉 危證中 險證也. 人 但見泄瀉 同是一證而 易於尋常 做圖 少陰病泄瀉 尋常做圖則 必不免死. 盖 太陰病泄瀉 大腸之泄瀉也. 少陰病泄 瀉 胃中之泄瀉也. 太陰病泄瀉 溫氣逐冷氣之泄瀉也. 少陰病泄瀉 冷氣逼溫氣之泄 瀉也. 少陰病 欲自愈則 面小赤 身有微汗 必鬱冒汗出而解. 故 古人 有見於此 少 陰病 但厥無汗者 亦以麻黃 强發汗 欲其自愈而 反動其血 從口鼻出故 於是乎 始 爲戒懼. 凡 少陰病 不敢輕易用麻黃而 少陰病 始得之一二日二三日初證 以麻黃 附子甘草湯 微發之也. 然 麻黃 爲少陰病害藥則 雖二三日初證 必不可用麻黃發 之也. 此證 當用 官桂附子理中湯 或以 桂枝 易 官桂. 少陰病 初證 因爲險證 繼 而爲危證. 此病 初證 早不辨證而措置則 危境也. 凡 腹痛自利 無口渴 口中和者 爲太陰病. 腹痛自利而 有口渴 口中不和者 爲少陰病. 少陰病 有身體痛 骨節痛 表 證 此則 表裏俱病而 大腸寒氣 必勝胃中溫氣而 上升也. 太陰病 無身體痛 骨節痛 表 證 此則(卽) 裏病 表不病而 胃中溫氣 猶勝大腸寒氣而 下降也.

이제마는 다음과 같이 주장한다(論曰). 장중경의 상한론에 따르게 되면(張仲景

所論), 비장(脾)의 태음병과(太陰病) 신장(腎)의 소음병은(少陰病), 모두(俱是), 사상의학이 말하는 신장(腎)이 크고 비장(脾)이 작은 소음인의 질병에 속하게 된다(少陰人). 이때는 신장이 처리하지 못한 과잉 염이 비장을 거쳐서 위장으로 떠넘겨진 바람에 위장이 문제를 떠안게 되고, 이는 자동으로 위장의 기운을 허약하게 만들고 만다(胃氣虛弱). 그러면 이는 소화관의 문제로 전이되면서 설사 증세까지 동반하고 만다(泄瀉之證而). 그래서 비장이 문제인 태음병에 걸려서 설사하는 일은(太陰病泄瀉), 중증 중에서도(重證中), 평증이 된다(平證也). 이를 이제마는 태양병양면증이라고 불렀다. 즉, 병(病)은 태양인 방광에서 시작했고, 증상(證)은 위장인 양명에서 나타난 것이다. 그리고 비장은 원래 위장을 통해서 소화관을 통제하므로, 이때 설사는 큰 문제는 아니라는 뜻이다. 그러나 신장이 문제가 된 소음병에서 설사는(少陰病泄瀉), 이미 방광과 신장이 망가져서 처리하지 못한 과잉 염이 비장을 거쳐서 위장으로 왔으므로, 이때 설사는 위증 중에서(危證中), 험증이라는 것이다(險證也). 그래서 보통 사람들은(人), 설사를 보고서(但見泄瀉), 설사는 모두 동일한 증상으로 보는데(同是一證而), 앞에서 한 설명처럼, 설사는 그리 쉽게 넘길 사안이 아니다(易於尋常做圖). 만약에 소음병에서 설사를(少陰病泄瀉), 보통 설사로 쉽게 생각하고서 덤비게 되면(尋常做圖則), 이때는 반드시 죽음을 면치 못하게 된다(必不免死). 이는 정확히 맞는 말이다. 문제는 비장이 문제가 되어서 설사했느냐? 아니면 신장으로 인해서 설사했느냐? 여부를 가리기가 쉽지 않다는 데 있다. 대개는(盖), 비장이 문제가 있어서 하는 설사는(太陰病泄瀉), 대장이 주도하는 설사이다(大腸之泄瀉也). 그러나 신장이 주도하는 설사는(少陰病泄瀉), 위장이 주도하는 설사이다(胃中之泄瀉也). 이는 앞에서 말한 태양병양명증을 말하고 있다. 즉, 방광에서 위장으로 상한이 전이된 것이다. 그래서 이때는 설사를 당연히 위장이 주도하게 된다. 즉, 이때는 방광이 처리하지 못한 염이 위장으로 보내지면서 위산의 과잉으로 인해서 설사가 만들어지게 된다. 위산도 염이라는 사실을 상기해보자. 그리고 이는 설사를 유도한다. 그러나 비장이 만든 설사는 비장이 위산을 통제해서 만들기도 하지만, 비장은 소화관 동맥혈로 산성 정맥혈을 보내서 소화관 전체를 요동치도록 만들게 되는데, 이때는 연동 운동을 강하게 해서 설사를 만든다. 그리고 그 연동 운동의 끝이 대장이 된다. 즉, 이때 설사는 대장이 만드는 것처럼 보인다. 이제마는 이 상황을 말하고 있다. 이제마는 역시 체액 이론의 대가이다. 그리고 비장이 만든 설사는(太陰病泄瀉), 소화관의 연동 운동(蠕動運動)을 통해서 만들어지는데, 이 연동 운동은 소화관의 독자 신경총이 만들어낸다. 그리고 이 신경은 온기(溫氣)를 만드는 자유전자를 통해서 작동한다. 이를 다르게 표현하면, 연동 운동을 만드는 온기가 냉기(寒:塩)인 염(塩)이 만든 설사를 만들어 낸 것이다. 이를 보고 온기가 냉기를 축출(逐)했다(溫氣逐冷氣之泄瀉也)고 말하고 있다. 여기서 설사를 만든 염은 한(寒)이고, 신경을 작동시키는 자유전자는 온기(溫)를 만든다는 사실을 아는 것이 핵심이다. 다시 본문을 보자. 그리고 신장이 만들어내는 설사는(少陰病泄瀉), 신장이 보낸 염(塩:寒)인 냉기가 위장에 있는 양기를 핍박하면서 생기게 된 설사이다(冷氣逼溫氣之泄瀉也). 즉, 이는 신장이 보낸 염에 든 자유전자가 역시 소화관의 연동 운동을 주도해서 설사를 만들어냈다는 뜻이다. 설사는 어떤 경우이든지 간에 반드시 연동 운동이 개입한다는 사실을 상기해보자. 그리고 이 연동 운동은 반드시 자유전자가 통제하는 신경을 통해서 행해진다는 사실도 상기해보자. 이제마는 참으로 대단한 사람이다. 다시 본문을 보자. 그리고 신장이 문제인 소음병이(少陰病), 자가 치유가 되려고 하면(欲自愈則), 이때는 얼굴이 약간 붉어지게 된다(面小赤). 왜 그럴까? 이는 신장이 심장을 상극(相剋)하기 때문이다. 즉, 신장이 염을 통해서 해결하는 자유전자 문제를 이를 전문으로 처리하는 심장이 나누어서 중화하면서 약간의 과부하로 인해서 붉은 혈액이 조금 많이 유통된 것이다. 그리고 이 상태가 붉은 안색으로 나타난 것이다. 그러면 자유전자를 보유한 염의 문제를 신장과 심장이 함께 처리하게 되므로, 이는 자동으로 자가 치유로 갈 수밖에 없다. 이것이 상극(相剋)의 개념이다. 이 부분은 상극의 진정한 개념과 신장과 심장에서 작동하는 체액 이론을 모르게 되면, 미신(迷信)으로 둔갑하고 만다. 다시 본문을 보자. 이때 몸에서 약간의 땀이 흘러나오게 되면(身有微汗), 이때는 반드시 울모가 있게 되는데(必鬱冒), 이는 땀을 빼주게 되면 해결된다(汗出而解). 울모는 염이 정체하고 있는 간질액의 문제이기 때문이다. 지금 우리는 염이 문제를 만드는 상한을 논하고 있다는 사실을 상기해보자.

이는 본 연구소가 발행한 상한론을 참고하면 된다. 다시 본문을 보자. 그래서(故), 옛날에(古人), 이런 상태가 나타나는(有見於此), 소음병이 있을 때(少陰病), 궐증이 있는데, 땀이 나지 않으면(但厥無汗者), 이때는 역시 마황을 써서(亦以麻黃), 궐증을 해결한답시고 강제로 발한시키는(强發汗) 경우가 있었다. 그러면 이는 인체가 스스로 자가 치유하려고 하는(欲其自愈而) 생리를 막아버리게 된다. 이는 전에 나왔던 구문을 기억해야만 풀리는 문제이다. 전에 맥상이 세맥과 침맥과 삭맥이 동시에 나오게 되는(脈細沈數) 경우를 설명하면서 지금의 상황을 설명했었다. 이를 다시 설명하자면, 지금은 소음병으로서 이(裏)인 음(陰)의 문제라는 것이다. 그런데 지금 마황으로 하는 땀 빼기는 표(表)인 양(陽)의 문제이다. 그러면 표인 양의 문제는 자동으로 땀으로 해결하고, 이인 음의 문제는 설사로 해결한다. 설사는 오장과 연결된다는 사실을 상기해보자. 그래서 음(陰)으로서 이(裏)가 문제가 되어서 소음병에 걸렸을 때, 양(陽)인 표(表)의 문제를 해결하는 마황을 써서 땀을 빼게 되면, 이때는 체액의 부족이 유도되면서, 반대로 혈액 순환의 동요를 만들어 낸다는 것이다(反動其血). 그 혈액 순환의 동요란 혈액이 체액 부족으로 인해서 비교적 혈액 순환이 잘되는 입이나 코 쪽으로 쏠리게(出) 되고(從口鼻出故), 체액 순환에 제일 취약한 하체에서는 혈액 순환이 막히면서 궐증이 만들어지게 되는 것이다. 그리고 지금 설명은 이(是)를 말하(乎)는 것이다(於是乎). 이는 환자를 치료할 때 시작(始)을 어떻게 하느냐의 문제이므로, 치료를 시작(始)할 때는 항상 경계(戒)하고 두려움(懼)을 가지고 정신을 바짝 차리고 해야만 한다(始爲戒懼). 그래서 일반적으로(凡), 음(陰)이 문제인 소음병에서는(少陰病), 감히 경망스럽게 양(陽)의 문제를 해결하는 땀을 빼는 마황을 처방해서는 안 된다(不敢輕易用麻黃而). 그리고 소음병을 처음 얻어서(少陰病 始得之), 하루나 이틀(一二日), 또는 이삼일이 지나서 초기의 증상이 나타날 때(二三日初證), 마황부자감초탕을 써서(以麻黃附子甘草湯), 땀을 조금이라도 빼게 되면(微發之也), 이는 자연스럽게(然), 마황이(麻黃), 소음병에 독약(害藥)이 되는 결과로 나타나게 된다(爲少陰病害藥則). 그래서 모름지기 소음병에 걸려서 이삼일이 지나서 초증이 있을 때(雖二三日初證), 마황으로 땀을 빼는 일은 반드시 불가하다고 생각하고 있어야만 한다(必不可

用麻黃發之也). 이때 증상을 해결하기 위해서는(此證), 당연히 관계부자이중탕을 처방해야만 한다(當用 官桂附子理中湯). 이때 때로는 관계 대신에 계지를 쓰기(以)도 한다(或以 桂枝 易 官桂). 그리고 소음병 초기 증상에서(少陰病 初證), 그로 인(因)해서 험증이 만들어지게 되었을 때(因爲險證), 이를 계속(繼) 놔두게 되면, 이는 위증으로 변해버린다(繼而爲危證). 그래서 소음병인 이 병은 초증에서부터(此病 初證), 조기에 병세를 정확히 변별해서 조치를 정확히 취하지 않게 되면(早不辨證而措置則), 위험한 지경까지 가버린다(危境也). 그리고 일반적으로(凡), 복통이 있고, 스스로 설사하나(腹痛自利), 구강에서 갈증은 발생하지 않고(無口渴), 입안은 문제가 없다면(口中和者), 이는 태음병이 된다(爲太陰病). 이 기전은 전에 이미 설명했다. 그러나 복통이 있고, 스스로 설사하고(腹痛自利而), 입에서 갈증이 생기고(有口渴), 입안에 문제가 있다면(口中不和者), 이는 소음병이 된다(爲少陰病). 이 기전도 전에 이미 설명했다. 그리고 소음병에 걸렸을 때(少陰病), 신체 통증과(有身體痛) 골절통(骨節痛)이라는 표증(表證)에 걸리게 되면, 이는(此則), 소음병이라는 음병을 더하면, 표리(表裏) 양쪽에서 모두 병이 발병한 것으로서(表裏俱病而), 이는 대장의 한기가(大腸寒氣), 반드시 위장 안의 온기를 이겨서(必勝胃中溫氣而) 상승한 것이다(上升也). 이는 설명이 조금 필요하다. 먼저 여기서 한기(寒氣)는 상한(傷寒)을 만드는 염(塩)을 말한다. 이 개념은 본 연구소가 발행한 상한론을 참고하면 된다. 그리고 대장은 수분(水分)을 흡수하는 대표적인 기관이다. 그리고 수분이 흡수되려면, 반드시 삼투압 기질이 있어야만 가능하게 된다. 그리고 이때 염은 삼투압 기질의 대표이다. 그러면 자동으로 대장이 수분을 흡수한다는 말은 수분의 흡수를 만드는 염의 흡수도 말하게 된다. 즉, 삼투압 기질인 염이 수분을 안고 대장에서 흡수된다는 뜻이다. 그래서 대장의 한기(大腸寒氣)란 대장에 체류하고 있는 과잉 염(塩)을 말한다. 그리고 소음인 신장은 대장의 이런 염을 전문으로 처리하는 대표적인 오장이다. 이렇게 해서 대장과 신장이 연결된다. 이는 또한 소음인(少陰人)에서 신장과 대장이 연결되는 원리이기도 하다. 그리고 위중온기(胃中溫氣)는 위장 안(中)에서 만들어진 온기를 말한다. 즉, 이는 위장 안에서 온기를 만드는 영양소를 말한다. 이는 위장 안으로 들어온 음식물이 위산에서 자유전자를 환원받으면서, 열의 원천인 이 자유전자가

소음인 위수한 이한병론

온기를 만들게 된다. 그리고 이 온기를 만드는 영양소는 대장에까지 내려오게 되고, 이는 자동으로 염과 결합해서 대변이라는 이름으로 체외로 배출된다. 이를 제일 잘 볼 수 있는 경우가 식이섬유이다. 즉, 식이섬유는 대장에서 염을 수거해서 이를 체외로 배출하는 대표적인 영양소이다. 그래서 대장에서 식이섬유와 같은 영양소가 부족하게 되면, 대장에 체류하는 염은 그대로 대장에서 흡수되고, 이는 자동으로 염을 전문으로 처리하는 신장으로 올라가서(上升也) 처리된다. 그래서 대장의 한기가(大腸寒氣), 반드시 위장 안의 온기를 이겨서(必勝胃中溫氣而) 상승한 것이다(上升也)는 말은 대장에 체류한 염이 식이섬유와 같은 영양소의 부족으로 인해서 대장에서 흡수되어서 신장으로 올라갔다(上升)는 뜻이 된다. 그리고 이 염이 너무 과잉되면, 신장에서 문제를 만들게 되고, 이어서 방광에서 문제를 만들게 된다. 그래서 대장에서 과잉으로 흡수된 염으로 인해서 소음병에 걸렸을 때(少陰病), 신체 통증과(有身體痛) 골절통(骨節痛)이라는 표증(表證)을 만들어내게 된다. 대장에서 과잉 염이 처음에는 표(表)인 간질로 흡수된다는 사실도 상기해보자. 이 부분은 해석이 상당히 어려운 곳이다. 이 부분은 이 덕분에 해석의 오류가 나오는 대표적인 곳이기도 하다. 그리고 태음병은(太陰病), 신체통(無身體痛)과 골절통(骨節痛)이라는 표증(表證)이 없는(無) 경우이다. 여기서 특히 골절통은 관절활액인 뇌척수액의 문제가 되고, 뇌척수액은 소음인 신장이 통제한다. 이는 태음병이(此則(卽)), 이증이지(裡病), 표증이 아니라는 사실을 말하고 있다(表不病而). 이는 위 안에 온기가(胃中溫氣), 오히려 대장의 한기를 이겨서(猶勝大腸寒氣而), 하강한 것이다(下降也). 이는 앞의 설명을 응용하면 된다. 즉, 대장에 있는 한기인 과잉 염을 식이섬유와 같은 영양소가 흡수(勝)해서 대변 형식으로 체외로 배출(下降也)한 것이다. 그러면 자동으로 대장에 체류하는 과잉 염은 대장에서 흡수되어서 표증을 만들지 못하게 된다. 이는 아주 묘한 여운을 남기게 한다. 즉, 비장이 통제하는 림프는 표증을 만들어내는 간질을 통제하기 때문이다. 그리고 비장이 보낸 위산이라는 염이 식이섬유를 통해서 체외로 배출되게 되면, 이때는 당연히 염이 간질인 표로 흡수되지 않게 되므로, 이때는 당연히 표증은 만들어지지 않게 된다. 그러나 비장은 림프의 통제를 통해서 간질인 표를 통제하므로, 표증에서도 문제를 만들 수가 있다. 분자 크기가 큰 간질액은 림프로 흘러 들어간다는 사실을 상기해보자. 물론 여기에서는 상한에서 문제가 되는 염 문제만 말하고 있으므로, 이제마의 말이 틀린 것은 아니다.

張仲景 曰 少陰病 自利純靑水 心下痛 口燥乾者 宜大承氣湯. 朱肱 曰 少陰病 口燥咽乾 而渴 宜急下之 非若陽明 宜下而可緩也. 李杲 東垣書 曰 少陰證 口中辨 口中和者 當溫 口中乾燥者 當下 少陰證 下利辨 色不靑者 當溫 色靑者 當下. 李梴 曰 舌乾口燥 或下利靑水 譫語 便閉 宜小承氣湯 脣靑 四肢厥冷 指甲靑黑 宜薑附湯.

　　장중경은 다음과 같이 말하고 있다(張仲景 曰). 소음병에 걸려서(少陰病), 스스로 물 설사하고(自利純靑水), 명치 끝에서 통증이 있고(心下痛), 입이 마르면(口燥乾者), 이는 오장의 문제이므로, 설사 처방인 대승기탕을 처방한다(宜大承氣湯). 그리고 주굉은 다음과 같이 주장한다(朱肱 曰), 소음병에 걸려서(少陰病), 입과 인후부가 건조해지면서 갈증이 나면(口燥咽乾而渴), 우선 급하게 설사를 시킨다(宜急下之). 만약에 이 증상이 위장이 문제인 양명병이 아니라면(非若陽明), 우선 설사를 시키게 되면, 증상을 완화시킬 수가 있게 된다(宜下而可緩也). 이고는 동원서에서 다음과 같이 주장한다(李杲 東垣書 曰). 소음병에 걸렸을 때(少陰證), 문제의 핵심을 변별할 때는, 입 안을 보고 변별하는데(口中辨), 입 안이 문제가 없으면(口中和者), 당연히 따뜻하게 해주고(當溫), 입 안이 건조할 때는(口中乾燥者), 당연히 설사를 시킨다(當下). 소음병은 신장의 문제인데, 신장은 뇌척수액을 통제한다. 그리고 구강은 뇌척수액의 통제를 받는다. 그래서 신장 문제인 소음병은 구강과 연계된다. 그리고 뇌척수액에 삼투압 기질인 염이 과잉되면, 염은 자동으로 수분을 붙잡고 놔주지 않게 된다. 이는 자동으로 갈증으로 이어진다. 그래서 입 안이 문제가 될 정도가 되면, 상당히 많은 염이 정체하고 있다는 뜻이 된다. 그러면 이는 자동으로 설사라는 도구를 통해서 과잉 염을 체외로 버리면 해결된다. 그러나 이때 입 안에 문제가 없다면, 이는 염의 정체가 심하지 않다는 뜻이 되고, 이때는 염에 든 자유전자를 제거해주면 문제는 해결된다. 그리고 이 염에 든 자유전자를 빼내는 방법이 인체의 체온을 올려서 따뜻하게 해주는 것이다. 자유전자는 열을 받으면 활성화된다는 사실을 상기해보자. 지금 이 상황들을 3명이 모두 공통으로 말하고 있다. 다시 본문을 보자. 또한 그리고 소음의 증상을(少陰證), 설사를 통해서 해결할 때는(下利辨), 안색이 파랗지 않으면(色不靑者), 당연히 따뜻하게 해주고(當溫), 안색이 파래면(色靑者), 당연히 설사시키면 된다(當下). 안색이 파랗다는 말은 간이 문제가 있다는 뜻이다. 즉, 간이 신장인 소음으로 염인 암모니아를 만들어서 보냈다는 뜻이다. 그리고 간은 간문맥을 통해서 소화관의 산성 정맥혈을 모두 받는다. 이때 소화관에서 설사를 시켜주게 되면, 간은 소화관을 통해서 이때 산성 체액을 체외로 버리게 되면서 암모니아를 덜 만들게 된다. 그리고 간은 파란색으로 보이는 산성 정맥혈과 담즙을 유통시킨다는 사실을 상기해보자. 그래서 안색이 파랗게 되면, 이때는 병의 근원인 간을 통제하기 위해서 설사를 시키게 되고, 아니면 몸을 따뜻하게 해서 염에 든 자유전자를 산소를 이용해서 제거해주면 된다. 여기서 문제의 핵심은 염의 과잉 여부이지만, 이는 결국에 염이 보유한 자유전자 과잉의 문제라는 사실을 알아야만 한다. 다시 본문을 보자. 의학입문의 저자 이천은 다음과 같이 주장한다(李梴 曰). 신장이 통제하는 과잉 염 때문에 혀가 건조해지고, 이어서 입 안이 건조해지고(舌乾口燥), 때로는 물 설사를 하고(或下利靑水), 신장이 통제하는 뇌척수액으로 인해서 뇌가 과부하에 걸리면서 헛소리인 섬어를 하고(譫語), 삼투압 기질인 염의 과잉으로 인한 변비로 인해서 대변을 볼 수가 없을 때는(便閉), 마땅히 설사 처방인 소승기탕을 처방한다(宜小承氣湯). 이때 삼투압 기질인 염의 과잉으로 인해서 혈액 순환이 막히면서 입술이 파래지고(脣靑), 추가로 혈액 순환이 막히면서 사지에서 궐증이 생기고, 이어서 냉증이 동반되고(四肢厥冷), 추가로 혈액 순환이 막히면서 손톱의 색깔이 검푸르면(指甲靑黑), 이때는 우선 염이 과잉되어서 음증이 나타날 때 쓰는 강부탕을 처방한다(宜薑附湯). 소음증의 분석을 여러 저자를 통해서 살펴보고 있다.

論曰 下利靑水者 欲下之則 當用 巴豆. 欲溫之則 當用 官桂附子理中湯. 下利靑水 仍爲便閉者 先用 巴豆 後用 薑朮寬中湯.

이제마는 다음과 같이 주장한다(論曰). 물 설사하는 환자가(下利靑水者), 갑자기 대변이 막혀서 이를 해결하려고 설사를 강제로 시키려 한다면(欲下之則), 이때는 당연히 파두를 처방한다(當用 巴豆). 그리고 이때 몸을 따뜻하게 하려면(欲溫之則), 당연히 관계부자이중탕을 처방한다(當用 官桂附子理中湯). 그리고 물 설사를 했는데(下利靑水), 이후에 갑자기 대변이 막혀서 나오지 않는다면(仍爲便閉者), 이때는 먼저 파두를 처방하고(先用 巴豆), 뒤에 강출관중탕을 처방하면 된다(後用 薑朮寬中湯).

嘗見 少陰人 十歲兒 思慮耗氣 每有憂愁 一二日則 必腹痛泄瀉. 一二日 用白何烏理中湯 二三四貼 或 甚則 附子理中湯 一二貼則 泄瀉必愈矣. 忽一日 此兒 心有憂愁 氣度不平 數日故. 預治次 用白何烏理中湯 二貼則 泄瀉因作 下利靑水 連用六貼 靑水不止. 急用 附子理中湯 六貼 靑水變爲黑水 又二貼 黑水泄瀉 亦愈 又二三貼 調理 以此觀之則 下利靑水者 病人 有霍亂關格而後 成此證也. 此證 當用 巴豆 破積滯痼冷 自是無疑. 此兒 十歲冬十二月 有下利靑水病 十一歲春二月 又得亡陽病.

일찍이 소음인이면서 10살 먹은 아이가(嘗見 少陰人 十歲兒), 걱정이 많아서 기운이 소진되고(思慮耗氣), 매번 걱정이 있고 나서(每有憂愁), 하루 이틀이 지나면(一二日則), 반드시 복통과 설사를 했다(必腹痛泄瀉). 이때 하루 이틀 때는(一二日), 백하오이중탕을 처방했고(用白何烏理中湯), 처방은 이삼사 첩을 해줬고(二三四貼), 때로(或), 병세가 심해질 때는(甚則), 부자이중탕을(附子理中湯), 한두 첩 처방해서(一二貼則), 설사시키고 나면, 반드시 치유되었다(泄瀉必愈矣). 홀연 어느 날 보니까(忽一日), 이 아이가(此兒), 마음에 근심이 있어서(心有憂愁), 기운 상태가 평소와 같지 않았고(氣度不平), 이 상태가 수일이 지났기 때문에(數日故), 앞에 치료한 처방에 이어서(預治次), 백하오이중탕을(用白何烏理中湯), 두 첩 처방했더니(二貼則), 이때 만들어진 설사로 인(因)해서 물 설사를 유발(作)하고 말았다(泄瀉因作 下利靑水). 그래서 이 처방을 연이어 6첩을 썼더니(連用六貼), 물 설사가 멈추지 않아서(靑水不止), 이때 급하게 부자이중탕을(急用 附子理中湯), 6

소음인 위수한 이한병론

첩을 썼더니(六貼), 이때는 돌연 물 설사 질환이 변해서 이번에는 혹 설사가 되었다(靑水變爲黑水). 그래서 또 이 처방을 두 첩을 썼더니(又二貼), 혹 설사가 역시 치유되었다(黑水泄瀉 亦愈). 그리고 또 이 처방을 이삼 첩 썼더니(又二三貼), 환자는 몸을 가누게 되었다(調理). 이를 계기로 관찰한 사실을 살펴보게 되면(以此觀之則), 물 설사는(下利靑水者), 환자가(病人), 곽란과 관격이 있은 후에(有霍亂關格而後), 이 증상이 만들어졌다(成此證也). 그리고 이 증상에는(此證), 당연히 파두를 처방해서(當用 巴豆), 겹겹이 쌓인 과잉 염을 파괴하고(破積滯痼冷), 이 응어리가 스스로 없어지게 하면 되었다(自是無疑). 이 아이는(此兒), 10세가 된 겨울 12월에(十歲冬十二月), 물 설사 병을 얻었었고(有下利靑水病), 11세가 된 봄 2월에(十一歲春二月), 그로 인해서 또한 망양증을 얻었다(又得亡陽病).

朱肱 曰 躁無暫定而厥者 爲藏厥. 李梴 曰 藏厥者 發躁無休息時 發熱七八日 脈微 (膚)冷而 躁 或吐 或瀉 無時暫安者 乃厥陰眞藏氣絶 故曰 藏厥. 仲景 無治法而 四逆湯 冷飮救之. 又 少陰病 厥而吐利發躁者 亦不治而 三味蔘萸湯救之.

주굉은 다음과 같이 말했다(朱肱 曰). 잠시도 가만히 있지를 못하는 조증에 걸려서 궐증이 생기게 되면(躁無暫定而厥者), 이때는 장궐로 발전하게 된다(爲藏厥). 여기서 조증은 인체가 과잉 자유전자를 통해서 신경이 과잉 흥분하므로 일어난다. 신경이 계속해서 자극받게 되면, 조용히 있을 수가 없는 것은 너무나 당연한 일이다. 이는 당연히 신경의 자극에 공급되는 자유전자의 과잉을 말하고, 이는 또한 자유전자를 품고 있는 염의 과잉을 말한다. 그러면 삼투압 기질인 염은 자동으로 체액을 뭉치게 해서 궐증을 만들고 만다. 그러면 산성 체액을 중화하는 오장(藏))은 자동으로 막히고(厥) 만다. 이것을 장궐(藏厥)이라고 부른다. 다시 본문을 보자. 의학입문의 저자 이천은 다음과 같이 주장한다(李梴 曰). 장궐이라는 질병은(藏厥者), 환자가 조바심이 나서 계속해서 움직이는 상태를 말한다(發躁無休息時). 이는 과잉 자유전자가 인체를 신경을 통해서 자극하므로, 별수가 없다. 그러면 이 과잉 자유전자는 산소로 중화되면서 자동으로 열을 만들게 된다. 이렇게 열이 나는 상태가 7~8일이 지났는데(發熱七八日), 맥상이 힘이 없이 아주 미약하고(脈微), 몸에 냉기가 돌고(膚冷而), 과잉 자유전자가 만들어내는 조증은 여전한데(躁), 때로는 과잉 자유전자를 체외로 버리기 위해서 구토하고(或吐), 때로는 과잉 자유전자를 보유한 염을 체외로 버리기 위해서 설사하면서(或瀉), 잠시라도 안정을 찾지 못하고(無時暫安者), 결국에 인체의 최대 해독 기관인 간에서 과잉 산을 중화하는 진장기가 끊어지게 되면(乃厥陰眞藏氣絶), 이를 이르러(故曰), 장궐이라고 부른다(藏厥). 그리고 장중경은 이를 보고 말하기를(仲景), 이때는 근본적인 치료법은 없다고 했는데(無治法而), 이는 사지의 냉기에 쓰는 사역탕을(四逆湯), 차게 해서 먹이면, 치료(救)가 가능하다(冷飮救之). 이 문제의 해답은 사역탕에 들어가는 부자에서 찾을 수 있을 것 같다. 이를 아주 간단하게나마 살펴보자. 부자(附子)의 원래 성질은 몹시 열(熱)하고 맛은 매우며 달고(甘) 독(毒)이 많다고 한다. 여기서 열(Heat)은 자유전자가 산소를 환원(還元)하면서 만들어진다. 그러면 부자가 발휘하는 핵심은 열의 원천인 자유전자의 공급으로 모아진다. 그래서 부자는 냉기가 도는 증상을 치료할 때 쓴다. 그리고 이는 또한 부자의 독(毒)으로 작용하기도 한다. 즉, 이는 만병의 근원인 자유전자의 과잉 상태를 부자가 만들어낸다는 사실을 말하고 있다. 그런데, 부자가 보유한 자유전자는 열에너지가 공급되면 활동을 잘하고, 냉 에너지가 공급되면 상대적으로 활동성이 준다. 그래서 이제마는 과잉 자유전자가 만들어내는 부자의 독성을 줄이기 위해서, 부자가 든 사역탕을 과잉 자유전자의 활동을 억제하기 위해서 차갑게 해서 복용시키라는 것이다. 이를 보게 되면, 이제마는 참으로 대단한 사람이다. 다시 본문을 보자. 또한(又), 염이 과잉되어서 신장이 문제인 소음병에 걸렸을 때(少陰病), 삼투압 기질로 작용해서 궐증(厥)을 만들어내는 이 과잉 염에 든 자유전자를 체외로 배출하기 위해서 구토하고 설사하게 되면, 이 과잉 염에 든 자유전자는 당연히 신경을 자극해서 조증(躁)을 만들어낸다(厥而吐利發躁者). 그리고 이도 역시 치료가 불가능하다고들 말한다(亦不治而). 그러나 이도 삼미삼유탕으로 치료가 가능하다(三味蔘萸湯救之).

論曰 少陰人 喜好不定而 計窮力屈則 心煩躁也. 少陰病 傷寒 欲吐不吐 心煩 但
欲寐者 此 非計窮力屈者之病乎. 蓋 喜好者 所慾也. 何故 至於計窮力屈而 得此
少陰病乎 何不早用君子寬平心乎. 然 初證傷寒 欲吐不吐 心煩 但欲寐者 早用藥
則 猶可免死也. 其病 至於躁無暫定而厥則 勢在極危也 豈不可憐乎. 此證 當用
蔘萸湯 四逆湯 官桂附子理中湯 吳茱萸附子理中湯.

이제마는 다음과 같이 주장한다(論曰). 신장이 크고 비장이 작은 소음인에서(少
陰人), 간(喜)의 상태가 매우(好) 불안정하게 되면(喜好不定而), 대책이 없이(計
窮) 무너지게 되는데(計窮力屈則), 이때는 심장이 불편해지면서 요동치게 된다(心
煩躁也). 이는 설명이 조금 필요하다. 여기서 보면, 신장, 비장, 간, 심장이 등장한
다. 그리고 문제의 핵심은 간(肝:喜)에 있다. 그러면 여기서 간(喜)의 생리를 체액
이론을 통해서 알아보자. 간은 산성 림프액을 만들어서 비장으로 보내고, 암모니아
를 만들어서 신장으로 보내고, 산성 정맥혈을 만들어서 우 심장으로 보낸다. 또한
간이 과부하에 시달릴 때는 산성 정맥혈을 기정맥(奇靜脈)을 통해서 폐로 직접 보
내버린다. 그리고 폐는 우 심장에서 산성 정맥혈을 받아서 이를 알칼리로 만들어
서 좌 심장으로 보낸다. 그래서 간(喜)이 대책이 없이(計窮) 무너지게 되면(計窮
力屈則), 당연히 문제가 심각해지게 된다. 간(喜)은 이만큼 중요한 장기이다. 그리
고 여기서 보면, 신장과 심장의 관계는 서로 상극 관계이다. 그리고 심장은 지방산
을 이용해서 자기 활동의 90%를 수행한다. 이는 자동으로 이 지방산을 처리하는
비장을 괴롭히게 된다. 그런데 지금 간(喜)으로 인해서 신장, 비장, 폐 모두가 난
리가 났다. 그러면 자동으로 이 아사리 판 사이에 낀 좌우 심장은 죽어나게 된다.
그래서 이때는 심장이 불편해지면서(心煩), 자동으로 요동(躁)치게 된다(心煩躁
也). 이 부분도 해석의 오류가 나오는 전형적인 곳이다. 그리고 이때 희(喜)를 간
(肝)으로 해석해줘야만 한다. 다시 본문을 보자. 상한을 만드는 염의 과잉으로 인
해서 발생하는 신장의 소음병은(少陰病), 과잉 염으로 인해서 당연히 상한병으로
발전하게 되는데(傷寒), 이때 상한이 방광에서 위장으로 전이하면서, 구토하고 싶
은데 구토가 나오지 않고(欲吐不吐), 이때 신장이 상극하는 심장도 문제가 되면서

심번이 있고(心煩), 신장이 통제하는 뇌척수액에서 문제를 만들면서 자꾸 자려고만 한다면(但欲寐者), 이는(此), 대책이 없는 병이 아니던가요(非計窮力屈者之病乎)! 대개(蓋), 이때 소음병에서 간(喜)의 문제는(喜好者), 신장(慾)에 그 원인(所)이 있다(所慾也). 지금은 신장이 주도하고 있는 소음인의 문제를 논하고 있다는 사실을 상기해보자. 그리고 여기서 욕(慾)은 신장(慾)을 대표한다는 사실도 상기해보자. 이 관계는 "동의수세보원에 나오는 변수 최종 정리 도표"를 참고하면 된다. 다시 본문을 보자. 어찌하여(何故), 이렇게 대책이 없이(計窮) 무너지게 만들어서(至於計窮力屈而), 이런 소음병을 만들었단 말인가(得此少陰病乎)! 어찌하여 욕심(慾)을 버리고 조기에 군자(君子)의 마음을 가지고 마음의 평정심을 찾지 못했단 말인가(何不早用君子寬平心乎)! 이 부분은 생리 의학과 인문 의학을 교묘하게 섞어 놓았다. 덕분에 해석이 만만치가 않다. 또한 자연스러운 순리에 따라서(然), 소음병의 초기 증상인 상한병에서(初證傷寒), 구토가 나오려고 하지만 구토가 나오지 않고(欲吐不吐), 심장이 불편한 심번이 있고(心煩), 신장이 통제하는 뇌로 인해서 자꾸 잠만 자려고 할 때(但欲寐者), 조기에 약을 썼더라면(早用藥則), 오히려 죽음은 면할 수 있었을 텐데 말이다(猶可免死也). 이 병은(其病), 초기에는 마음이 불안정해서 조증(躁)에 이르러서 결국에는 궐증(厥)으로 가게 되면(至於躁無暫定而厥則), 병의 형세는 극단적인 위증으로 가고 만다(勢在極危也). 이 어찌 불행한 일이 아니던가(豈不可憐乎)! 이 증상에는(此證), 당연히(當用), 삼유탕(蔘萸湯), 사역탕(四逆湯), 관계부자이중탕(官桂附子理中湯), 오수유부자이중탕을 처방한다(吳茱萸附子理中湯). 이는 또한 신장의 중요성을 말하고 있기도 하다.

朱肱 曰 病人 身冷 脈沈細而疾 煩躁而 不飮水者 陰盛隔陽也 若 飮水者 非此證也. 厥陰病 渴欲飮水者 小小與之 愈. 成無己 曰 煩 謂心中鬱煩也. 躁 謂氣外熱躁也. 但煩不躁 及 先煩後躁者 皆可治. 但躁不煩 及 先躁後煩者 皆不可治. 先躁後煩 謂怫怫然 更作躁悶 此 陰盛隔陽也 雖大躁 欲於泥水中臥 但水不得入口 是也. 此 氣欲絶而爭 譬如燈將滅而暴明. 李梃 曰 傷寒 陰盛隔陽 其證 身冷反躁

欲投井中 脣靑面黑 渴欲飮水復吐 大便自利黑水. 六脈沈細而疾 或無脈 陰盛隔陽 大虛證也, 宜霹靂散. 又曰 厥逆煩躁者 不治.

주굉은 다음과 같이 주장한다(朱肱 曰). 환자가(病人), 몸이 차고(身冷), 맥상은 맥을 작동시키는 에너지가 부족해서 침맥이 나오면서 약하고 빠르고(脈沈細而疾), 체액 순환이 안 되면서 몸이 답답하고(煩躁而), 물을 마시지 않으면(不飮水者), 이는 음(陰)이 왕성(盛)해서 양(陽)을 숨긴(隔) 것이다(陰盛隔陽也). 설명이 조금 필요하다. 일단은 몸이 차다(身冷). 그러면, 이는 자동으로 인체 안에서 열(熱)이 만들어지지 않고 있다는 뜻이다. 그런데 우리는 열의 원천인 자유전자를 수거한 염(塩)을 한(寒)이라고 표현한다. 즉, 염이 열의 원천인 자유전자를 숨겨(隔)버린 것이다. 자유전자가 산소(酸素)를 환원(還元)하면서 열(熱)을 만든다는 사실을 상기해보자. 그래서 염(塩)은 한(寒)이 된다. 지금 이 말을 어렵게 풀고 있다. 그리고 이때 열을 만드는 자유전자는 체액을 순환시키는 에너지이기도 하다. 그래서 에너지인 자유전자를 염이 수거해서 숨겨(隔)버리게 되면, 에너지로 작동하는 맥상은 자동으로 침체한 침맥이 나오게 되고, 이는 또한 맥상이 힘이 없어서 약(細)하게 만들고 만다. 그러면 몸은 침체하고 약한 맥상이 체액을 힘차게 밀어내지 못하게 되고, 이 결과로 몸이 답답해진다(煩躁而). 그리고 이때는 열이 없으므로, 피부를 통해서 만들어지는 수분의 체외 배출인 불감증설도 나타나지 않게 되면서 자동으로 목이 마르지 않게 되고, 이어서 물을 마시지 않게 된다(不飮水者). 이는 결국에 에너지인 자유전자의 부족 때문이다. 이는 또한 음(陰)이라는 염이 너무 왕성(盛)하게 많아서, 이들이 에너지로서 양(陽)인 자유전자를 환원받아서 숨겨(隔)버린 결과이다(陰盛隔陽也). 이는 양자역학의 개념을 정확히 알아서 에너지 문제를 통달해야만 기술할 수 있는 명제이다. 문명인이라고 자부하는 현재의 우리는 과연 우리 조상들보다 미개인은 아닐까? 우리는 이제야 겨우 양자역학의 기초를 다지고 있을 뿐이다. 다시 본문을 보자. 만약에(若), 이때 인체가 물을 요구한다면(飮水者), 이 증상은 음성격양의 증상이 아니다(非此證也). 그리고 간이 문제인 궐음병에 걸렸을 때(厥陰病), 갈증이 나서 물을 요구하면(渴欲飮水者), 이때는 물을 한꺼번에 몽땅 주지 말고, 조금씩 서서히 주게 되면(小小與之), 이 문제는 치유된다(愈). 설명이 조금 필요하다. 간은 인체의 최대 해독 기관이다. 여기서 해독이라는 말은 산소를 이용해서 행해지는 과잉 자유전자의 중화를 뜻한다. 그러면 이때 열은 자동으로 나게 된다. 그래서 간은 복부의 체온 유지에 필수 장기가 된다. 즉, 복부가 차가운 경우는 간이 열을 만들지 못하기 때문이라는 뜻이다. 그러면 이때 수분은 열을 통해서 자동으로 증발한다. 우리는 이를 불감증설이라고 부른다. 즉, 이는 자기도 모르게 수분이 체외로 증발한다는 뜻이다. 그러면 간이 문제가 되어서(厥陰病), 열이 많이 나게 되면, 인체는 자동으로 갈증이 생기면서 수분을 요구하게 된다(渴欲飮水者). 그러나 이때 인체가 수분을 요구한다고 해서 단번에 몽땅 주게 되면 안 된다. 그 이유는 불감증설에 있다. 불감증설은 수분이 조금씩 서서히(小小) 날아간다. 그러면, 이때 갈증을 막기 위해서는 수분의 보충도 조금씩 서서히(小小) 공급되어야만 한다. 그래야 불감증설을 통해서 조금씩 서서히(小小) 날아가는 수분이 조금씩 서서히(小小) 보충된다. 다시 본문을 보자. 성무기는 다음과 같이 주장한다(成無己 曰). 가슴이 답답하고 번조한 이유는(煩), 아래쪽에서 위쪽으로 올라오는 정맥혈과 림프액이 명치(心中) 끝에서 뭉쳐서(鬱) 불편하게 만들기 때문이다(謂心中鬱煩也). 명치는 검상돌기 부분인데, 이곳에는 횡격막의 구멍이 자리하고 있다. 그리고 인체의 아래쪽에서 위쪽으로 올라오는 모든 체액관은 횡격막의 이 구멍을 통과해야만 한다. 그래서 이 부분이 막히게 되면, 가슴이 답답한 번조(煩) 현상이 만들어지는 일은 당연하게 된다. 다시 본문을 보자. 가만히 있지를 못하는 조증이 만들어지는 이유는(躁), 자유전자로서 에너지인 기(氣)가 인체 외부(外)로 열(熱)을 만들어내서 인체를 자극(躁)하기 때문이다(謂氣外熱躁也). 인체에서 열이 나서 미치겠는데 가만히 있을 수 있는 사람은 없을 것이다. 이는 열의 원천이면서 에너지로서 기(氣)인 자유전자가 과잉되어서 산소로 중화되는 바람에 만들어지는 열 때문이다. 이때 번만 있고 조가 없는 상태에서(但煩不躁), 병은 이어져서(及), 먼저 번이 있고 후에 조가 있거나 하는 증상들은(先煩後躁者), 모두 치료가 가능하다(皆可治). 추가 설명을 조금만 해보자. 번만 있고 조가 없다(但煩不躁)는 말은 명치 아래에 체액이 뭉친 것만 있다는 뜻이다. 이는

소음인 위수한 이한병론

한 가지 병증만 다스리면 되므로, 당연히 치료가 가능해진다. 그리고 이 상태에서 먼저 번이 있고, 후에 조가 있는 증상을 살펴보게 되면(先煩後躁者), 번은 과잉 산이 뭉친(鬱) 상태인데, 이것이 깨지게 되면, 자동으로 열을 만들어내게 된다. 그러면 이것은 열이 동반된 조(躁)를 만들게 된다. 이는 이미 번(煩)에 대한 치유가 시작된 상태이므로, 이도 역시 치료가 가능하게 된다. 그리고 조만 있고 번이 없을 때(但躁不煩), 이어서(及), 먼저 조가 있고 후에 번이 있거나 하는 증상들은(先躁後煩者). 모두 치료가 불가능하다(皆不可治). 추가 설명을 조금만 해보자. 먼저 열이 나는 조(躁)가 있고, 후에 체액이 막힌(鬱) 번(煩)이 있다면, 만병의 근원인 과잉 자유전자를 중화하면서 열이 나는 조(躁)는 치유의 과정인데, 이 과정 다음에 완치되기는커녕 체액이 막히는(鬱) 번(煩)이 다시 나타난다면, 이는 인체가 치유할 수 있는 능력을 잃었다는 사실을 말하고 있다. 즉, 인체가 과잉 산을 중화하면서 열을 만들고 치유하려고 했지만, 결국에는 다시 체액이 뭉치고(鬱) 말았다는 뜻이다. 이는 당연히 치료가 불가하게 된다. 모든 병의 최종 완치는 인체가 스스로 하는 것이지, 인간이 치료를 통해서 하는 일이 아니다. 즉, 인간이 치료한다는 말은 인체의 자가 치유 능력을 도와줄 뿐이라는 뜻이다. 그리고 이 문제가 심각한 것은 처음에는 조만 있고 번이 없어서(但躁不煩), 이미 인체는 조(躁)를 통해서 치유 과정에 있었다는 사실을 말하고 있기 때문이다. 이는 자동으로 치유 불가로 만들고 만다. 이 구문은 만병의 근원인 과잉 산을 중화하면서 열이 나는 조(躁)와 체액의 순환이 막힌(鬱) 번(煩)을 어떤 시각으로 바라보느냐의 문제이다. 다시 본문을 보자. 그리고 먼저 조가 있고 후에 번이 있거나 하면(先躁後煩), 이는 갑자기 (謂怫怫然), 조증이 변(更)한 것인데(更作躁悶), 이것은(此), 음성격양이다(陰盛隔陽也). 이도 역시 약간의 설명이 요구된다. 앞에서 말했듯이 조가 열을 만든다는 사실은 치유의 과정인데, 이 과정 뒤에 번이 생겼다(先躁後煩)는 말은 당연히 갑자기 조라는 치유 과정이 변(更)하면서 생긴 것이다(更作躁悶). 그러면 이는 자동으로 열을 만드는 자유전자가 염(塩) 안으로 숨었다(隔)는 뜻이 된다. 즉, 이때는 과잉 (盛) 염(陰:塩)이 형성되면서, 이 염이 자유전자라는 양(陽)을 흡수해서 숨겼다 (隔)는 뜻이 된다(陰盛隔陽也). 이 부분은 해석이 만만치 않은 곳이다. 다시 본문을 보자. 모름지기 대조라는 병은(雖大躁), 근본적으로 조(躁)는 열을 만들어내므로, 대조(大躁)는 자동으로 열을 과잉으로 만들어내게 된다. 그런데 이때 만들어지는 열은 자유전자라는 인체의 에너지를 중화하면서 만들어진 결과물이므로, 대조(大躁)는 인체 에너지의 고갈을 말하기도 한다. 그리고 대조가 만든 엄청난 열은 사람을 미쳐버리게 하므로, 이때 인체는 열을 식히기 위해서 물이 있는 진흙탕에 누워서 멧돼지처럼 뒹굴고 싶지만(欲於泥水中臥), 이 열을 식히려고 입으로 물을 삼킬 수가 없는 병이(但水不得入口), 대조라는 이 병이다(是也). 그 이유는 대조가 엄청난 열을 만들면서 물을 입으로 삼킬 수 있는 에너지조차도 고갈시켰기 때문이다. 즉, 자유전자라는 기(氣)를 엄청나게 소모하면서, 열을 엄청나게 만드는 대조라는 이 병은(此), 기(氣)가 거의 끊기려고 하면서 인체가 사투(爭)를 벌이고 있는 상태이다(氣欲絶而爭). 이를 다른 표현을 빌려서 비유(譬)하자면, 등잔불이 에너지가 다해서 꺼지려고 할 때 마지막으로 크게 타오르는 상태이다(譬如燈將滅而暴明). 이는 대조가 에너지를 엄청나게 소모한다는 사실을 말하고 있다. 그래서 이 병이 위험하다는 것이다. 다시 본문을 보자. 의학입문의 저자 이천은 다음과 같이 주장한다(李梴 曰). 양(陽)인 자유전자를 숨기고(隔) 있는 염(陰:塩)의 과잉(盛)이 만들어내는 상한은(傷寒), 당연히 글자 그대로 음성격양이 된다(陰盛隔陽). 이때 증상을 보게 되면(其證), 몸속은 혈액 순환이 안 되어서 냉한데(身冷), 간질에서는 과잉 염 안에 든 자유전자가 중화되면서 반대(反)로 열을 만들면서 조증(躁)을 만들므로(反躁), 우물 안에 뛰어들어서 몸을 식히고 싶게 만든다(欲投井中). 이때 안색을 살펴보게 되면, 혈액 순환이 막히면서 입술은 파랗고 얼굴은 검게 나타난다(脣靑面黑). 즉, 과잉 염이 만든 상한이 간(靑)과 신장(黑)을 망친 것이다. 이때는 갈증이 나서 물을 먹고 싶어져서 물을 마시게 되면 반복해서 토하고 만다(渴欲飮水復吐). 이는 간(肝)에 해답이 있다. 지금 간이 안 좋아서 입술이 파랗다는 사실을 상기해보자. 간은 소화관의 산성 체액을 간문맥을 통해서 통제한다. 그래서 간에서 문제가 발생하게 되면, 소화관의 생리는 엉망진창이 되고, 이는 이어서 무엇을 먹게 되면 곧바로 구토로 이어지게 만든다. 지금 이 상황을 설명하고 있는 것이다. 다시 본문을 보자. 그리고 이때 대변이 스스로 나오게 되면 검은 물이 나온다(大便自利黑水). 이는 신장(腎) 때문이다. 지금 신장이 안 좋아서 안색이 검다는 사실을 상기해보자. 신장은 검정 색소를 보유한 유로빌린을 처리하는 기관인데, 이런 유로빌린은 대장을 통해서 흡수된다. 그리고 이때 이 유로빌린이 흡수되는 형태는 염의 형식을 빌리게 된다. 그러나 지금은 염을 통제하는 신장의 생리가 엉망진창인 상태이다. 그래서 이때 검은 색소를 보유한 유로빌린은 그대로 설사로 배출되면서 설사가 검은 물이 되고 만다. 그리고 상한에서 이용되는 삼양삼음에 속하는 6개의 맥상은 에너지 부족으로 인해서 침맥과 세맥 그리고 질맥이 나오게 된다(六脈沈細而疾). 이 문제는 본 연구소가 발행한 맥경을 참고하면 된다. 이때 때로는 맥상이 거의 없는 경우도 생기게 된다(或無脈). 이는 물론 과잉 염이 에너지인 자유전자를 모두 숨겨버렸기 때문이다(陰盛隔陽). 이를 다른 말로 표현하자면, 자유전자인 에너지가 크게(大) 부족(虛)한 증상(證)이 된다(大虛證也). 이때는 마땅히 벽력산을 처방한다(宜霹靂散). 이때 다른 말도 있다(又曰). 즉, 궐증이 있으면서 동시에 번과 조가 공존한다면(厥逆煩躁者), 이때는 치료가 불가하다는 것이다(不治).

論曰 此證 當用 官桂附子理中湯 吳茱萸附子理中湯 或用 霹靂散. 藏厥與陰盛隔陽 病情 大同小異 俱在極危 如存一髮 措手難及. 若論此病之可治 上策 莫如此證 未成之前 早用 官桂附子理中湯 吳茱萸附子理中湯. 凡 觀少陰人病 泄瀉初證者 當觀於心煩與不煩也. 心煩則 口渴而 口中不和也. 心不煩則 口不渴而 口中和也. 觀少陰人病 危證者 當觀於躁之有定無定也. 欲觀 躁之有定無定則 必占 心之範圍 有定無定也. 心之範圍 綽綽者 心之有定而 躁之有定也. 心之範圍 耿耿者 心之無定而 躁之無定也. 心 雖耿耿忽忽 猶有一半時刻 綽綽卓卓則 其病 可治 可治者 用 薑附而 可效也. 凡 少陰人 泄瀉 日三度 重於一二度也 四五度 重於二三度也而 日四度泄瀉則 太重也. 泄瀉一日 輕於二日也 二日 輕於三四日也而 連三日 泄瀉則 太重也. 少陰人 平人 一月間 或泄瀉二三(一二)次則 不可謂輕病人也. 一日間 乾便三四度則 不可謂輕病人也. 下利淸穀者 雖日數十行 口中必不燥乾而 冷氣外解也. 下利靑水者 腹中 必有靑水也. 若 下利黃水則 非靑水而 又必雜穢物也.

이제마는 다음과 같이 주장한다(論曰). 이 증상에는(此證), 당연히 관계부자이중탕(當用 官桂附子理中湯), 오수유부자이중탕(吳茱萸附子理中湯), 또는(或用), 벽력산을 처방한다(霹靂散). 음궐과 더불어 음성 격양은(藏厥與陰盛隔陽), 병의 성질이(病情), 대동소이하고(大同小異), 둘 다 모두 극한적인 위험한 상황이므로(俱在極危), 이때 지극히 사소한 실수라도 범하게 되면(如存一髮), 곧바로 위험에 빠질 수 있어서 손 쓰기가 어렵게 된다(措手難及). 만약에 이 병에 대한 치료 가능한 방법을 논하자면(若論此病之可治), 상책은(上策), 이 증상이 만들어지기 전에 미리(莫如此證未成之前), 조기에 관계부자이중탕이나(早用 官桂附子理中湯), 오수유부자이중탕을 처방하면 된다(吳茱萸附子理中湯). 일반적으로(凡), 소음인 병에서 설사라는 초기 증세를 살필 때는(觀少陰人病 泄瀉初證者), 당연히 심번인지 아닌지를 살펴야 한다(當觀於心煩與不煩也). 심번이 있게 되면(心煩則), 입이 마르면서 갈증이 생기며(口渴而), 당연히 구강에서 문제가 발생한다(口中不和也). 그리고 심번이 없으면(心不煩則), 구강이 마르지 않고 갈증이 없으며(口不渴而), 이때는 당연히 구강도 문제를 만들지 않는다(口中和也). 소음인 병에서 심장의 문제는 이미 앞에서 살펴보았다. 그리고 심장이 문제인 심번에서 구강이 문제를 만드는 이유는 심장과 구강의 핵심인 혀의 관계 때문이다. 혀의 세포 종류와 심장의 세포 종류는 서로 같다. 그래서 혀의 세포와 심장의 세포는 서로 생리를 공유한다. 그래서 심장이 심번에 걸려서 열을 만들면, 자동으로 혀 세포도 열을 만들게 되고, 이는 구강 문제를 만든다. 그래서 혀를 심장의 문제를 측정할 때 이용한다. 다시 본문을 보자. 그래서 소음인의 병이 위증인지 아닌지를 살필 때는(觀少陰人病 危證者), 당연히 열이 나는 조증이 안정되었는지 아닌지를 살펴야 한다(當觀於躁之有定無定也). 그리고 이때 열을 만들어내는 조증이 안정되었는지 가부를 살피려면(欲觀 躁之有定無定則), 이때는 반드시 열을 만들어내는 심장의 안정 상태를 점쳐봐야 한다(必占 心之範圍 有定無定也). 심장의 안정 상태가(心之範圍), 여유작작하면(綽綽者), 이때는 당연히 열을 만드는 심장이 안정을 찾으면서(心之有定而), 열을 만드는 조증도 안정을 찾게 된다(躁之有定也). 즉, 조증이 열을 만드는 정도를 심장이 열을 만드는 정도로 판단하라는 뜻이다. 즉, 조증 문제는 심장 문제

소음인 위수한 이한병론

와 연결된다는 뜻이다. 그리고 이 가운데에는 열(熱)이 자리하고 있다. 심장은 인체 최대의 열기관이라는 사실을 상기해보자. 다시 본문을 보자. 그러나 심장의 안정 상태가(心之範圍), 한계에 와 있게 되면(耿耿者), 이때는 심장이 안정을 찾지 못하게 되고(心之無定而), 이는 자동으로 조증의 불안정으로 이어진다(躁之無定也). 그리고 심장의 안정 정도가(心), 비록 한계에 와 있더라도(雖耿耿忽忽), 잠시만이라도 심장에 여유가 생긴다면(猶有一半時刻 綽綽卓卓則), 이때 병은 이 잠깐의 틈을 이용해서 치료가 가능해진다(其病 可治). 이때는(可治者), 건강과 부자를 쓰게 되면(用薑附而), 효험을 볼 수 있다(可效也). 일반적으로(凡), 소음인이(少陰人), 설사할 때(泄瀉), 한두 번에서 세 번으로 가게 되면, 이는 한두 번보다 중증이 되고(日三度 重於一二度也). 두세 번에서 네 번으로 가게 되면, 이는 두세 번보다 중증이 된다(四五度 重於二三度也而). 그리고 하루에 네 번의 설사는(日四度泄瀉則), 큰 중증이 된다(太重也). 설사 문제가 중증이 되는 이유는 설사로 인한 체액의 손실 때문이다. 체액의 손실 과다는 체액 순환의 장애를 말하기 때문이다. 다시 본문을 보자. 그래서 하루에 한 번 하는 설사는 하루에 두 번 하는 설사보다 경증이 되고(泄瀉一日 輕於二日也), 하루에 두 번 하는 설사는 하루에 서너 번 하는 설사보다 경증이 되고(二日 輕於三四日也而), 연이어 삼 일간 하는 설사는(連三日 泄瀉則), 체액의 대량 손실로 인해서 큰 중증이 된다(太重也). 그래서 소음인이나 일반인이나(少陰人 平人), 일 개월에 걸쳐서(一月間), 때로(或) 설사를 두세 차례 하게 되면(泄瀉二三(一二)次則), 이는 경증 환자라고 부르기가 어렵게 만든다(不可謂輕病人也). 그리고 하루에(一日間), 마른 변을 삼사 차례 본다면(乾便三四度則), 이도 역시 경증 환자라고 보기는 어렵다(不可謂輕病人也). 그리고 먹은 음식물이 그대로 나오는 물 설사를(下利淸穀者), 하루에 수십 번 해서 체액의 대량 손실이 일어났음에도 불구하고(雖日數十行), 이때 체액의 대량 손실로 인한 갈증 때문에, 목이 말라야 하는데, 반드시 입 안이 건조하지 않게 되면(口中必不燥乾而), 이는 냉기가 외부에서 해결된 것이다(冷氣外解也). 이 부분은 설명이 좀 필요하다. 설사 때는 수분의 배출을 동반한다. 그런데 수분이 배출되려면, 이때는 반드시 수분을 끌어안고 있는 삼투압 기질이 필요하다. 그래서 설사는 자동으로 삼투압 기질인 염의 배출을 동반한다. 그리고 이때 배출된 염(塩)은 한(寒)인 냉기(冷氣)이다. 그리고 삼투압 기질인 이 염이 인체 안에서 체류하게 되면, 이때는 자동으로 물을 요구하게 된다. 그래서 이때는 자동으로 구강이 건조해지게 된다. 그리고 이때는 자동으로 물을 찾게 된다. 이의 좋은 예는 염(塩)인 소금을 과잉 섭취해서 소금이 인체 안에 체류할 때 나타난다. 이때는 갈증이 오면서 목이 마르게 되고, 입안이 건조해진다. 이는 삼투압 기질인 소금이 인체 안에서 물을 끌어안고 있기 때문이다. 그래서 정리를 해보자면, 설사를 많이 했는데도 불구하고(雖日數十行), 입안이 건조하지 않는 이유(口中必不燥乾而)는 삼투압 기질로서 냉기(冷氣)인 염이 설사를 통해서 인체 외부(外)에서 적체가 해소(解)되었기 때문이다(冷氣外解也). 이는 물을 요구하는 삼투압 기질인 염이 인체 안에 없으므로 너무나 당연한 일일 것이다. 다시 본문을 보자. 그리고 물 설사를 하면(下利靑水者), 이때는 반드시 복부에(腹中), 물이 존재하고 있게 된다(必有靑水也). 설사는 물과 함께 염을 배출한다. 그리고 이 염은 복부에서 물을 붙잡고 있었으므로, 이때는 자동으로 복부에 물이 존재할 수밖에 없다. 그리고 만약에(若), 설사할 때 맑은 물이 아닌 황수가 나온다면(下利黃水則), 이는 분명히 맑은 물이 아니므로(非靑水而), 여기에는 반드시 물 외에 다른 내용물이 섞여 있게 된다(又必雜穢物也).

張仲景 曰 傷寒七八日 身黃如梔子色 小便不利 腹微滿 屬太陰 宜茵蔯蒿湯. 傷寒 但頭汗出 餘無汗 劑頸而還 小便不利 身必發黃. 李梴 曰 天行疫癘 亦必發黃 謂之溫黃 殺人最急 宜瘴疸丸.

　장중경은 다음과 같이 말하고 있다(張仲景 曰). 상한에 걸려서(傷寒), 7∼8일이 지났을 때(七八日), 몸이 노란 치자처럼 황색으로 변하고(身黃如梔子色), 소변이 잘 안 나오고(小便不利), 복부가 약간 그득하다면(腹微滿), 이는 태음병이다(屬太陰). 태음인 비장은 폐기 적혈구를 처리하므로, 이때 반드시 노란 색소를 보유한 빌리루빈을 만들어내게 되고, 이때 비장이 과부하에 걸리게 되면, 이 빌리루빈을 제대로 처리하지 못하게 되면서, 이들이 체액 순환에 합류하게 되고, 이어서 몸이 노랗게 변한다. 그러면 이 빌리루빈의 일부는 자동으로 염의 형식이 되어서 신장으로도 가서 배출되는데, 이들이 너무 많게 되면, 소변도 잘 안 나오게 되고, 이는 염이므로 당연히 수분을 붙잡고 있게 되고, 당연히 복부가 그득해지게 만든다. 다시 본문을 보자. 이때는 우선 인진호탕을 처방한다(宜茵蔯蒿湯). 그리고 이런 상한에 걸려서(傷寒), 이때는 단지 머리에서만 땀이 나고(但頭汗出), 신체의 나머지 부분에서는 땀이 나지 않고(餘無汗), 목을 경계로 둘러서 땀이 나고(劑頸而還), 소변까지 잘 안 나오고 있으면(小便不利), 이때 신체는 반드시 황달을 만들고 만다(身必發黃). 지금 상황은 신장이 전문으로 처리하는 염(塩)의 과잉으로 인해서 상한(傷寒)에 걸린 상태이다. 그러면 이는 자동으로 신장을 과부하로 몰고 만다. 그리고 신장은 뇌척수액을 통제한다. 그러면 이때는 자동으로 뇌척수액이 산성으로 기울면서, 이때 산성 뇌척수액에 존재하는 자유전자가 중화되면서 머리에서만 땀이 나게 된다. 그런데, 신장은 빌리루빈이 염 형식으로 처리되면, 이를 배출해주는 기관이다. 그런데 지금 소변이 잘 안 나오고 있다(小便不利). 그러면 노란 색소를 보유한 염 형태의 빌리루빈은 자동으로 체외로 배출이 안 되면서, 몸은 황달을 만들게 된다. 다시 본문을 보자. 의학입문의 저자 이천은 다음과 같이 주장한다(李梴 曰). 하늘이 운행시키는 계절의 에너지로 인해서 발생하는 전염병도(天行疫癘), 역시 반드시 황달을 만들 수가 있다(亦必發黃). 이를 온황이라고 부른다(謂之溫黃). 이 상태가 최고조에 달해서 사람이 죽을 정도로 급하게 되면(殺人最急), 이때는 마땅히 장달환을 처방한다(宜瘴疸丸). 이는 조금의 설명이 요구된다. 이 부분은 전자생리학의 정수를 요구한다. 하늘이 운행시키는 계절의 에너지로 인해서 전염병이 발생한다(天行疫癘)는 논리를 최첨단 현대의학으로 해석하게 되면 전형적인 미신(迷信)이 되고 만다. 이 부분은 본 연구소가 발행한 소책자 "침은 백신이고, 한의학은 면역의학이다"를 참고하면 된다. 이 구문은 인체를 포함해서 생체의 에너지가 ATP가 아닌 자유전자라는 사실을 정확히 인식하고 있어야만 풀리게 된다. 이 개념은 본 연구소가 발행한 전자생리학 중에서 ATP를 다룬 부분을 참고하면 된다. 자유전자가 생체의 에너지라는 개념은 최첨단 현대의학이 치료 생리의학에 도입하지 않고 있는 양자역학의 개념이다. 계절이 주는 에너지는 열과 냉이다. 그리고 과잉 열은 자동으로 인체를 심하게 자극해서 산성인 호르몬을 과잉 분비하게 만든다. 그러면, 인체의 오장은 이들을 모두 처리하지 못하게 되고, 인체는 자동으로 산성화(酸性化)된다. 그리고 모든 전염병은 인체의 산성화(酸性化)가 핵심이 된다. 그래서 전염병이 돌 때 인체를 알칼리로 유지한 사람은 전염병에 걸리지 않고 살아남게 된다. 그러나 인체 산성화(酸性化)가 심한 사람은 곧바로 전염병에 전염되어서 죽고 만다. 그 이유는 인체의 산성화는 병을 만드는 바이러스나 세균의 에너지원이 되어주기 때문이다. 세균이나 바이러스나 이들도 엄연한 생명체이므로, 항상 에너지를 요구한다. 그래서 인체는 이런 세균을 회피하기 위해서 체액을 항상 pH7.45라는 알칼리로 유지한다. 인체는 한마디로 한순간도 쉬지 않고 산(酸)과의 전쟁을 벌이고 있다. 이것이 전자생리학의 개념이다. 그리고 냉에너지는 인체 안에서 과잉 자유전자의 활동을 막게 되고, 이는 과잉 자유전자의 산소를 통한 중화를 막아버린다. 그러면, 자유전자는 인체 안에 과잉으로 쌓이게 되고, 이는 자동으로 인체를 산성화(酸性化)시키고 만다. 이는 곧 전염병의 전염으로 이어진다. 이것이 하늘이 준 에너지가 전염병을 전염시키는 원리이다. 그런데, 전염병에 걸리게 되면, 이 세균들이나 바이러스들은 이들이 쓰고 남은 자유전자라는 에너지를 산소로 중화하게 된다. 그래야 자기들도 과잉 자유전자의 횡포를 회피할 수가 있으니까! 그런데 전염병을 일으키는 세균류는 증식이 엄청나게 빠르다. 즉, 전염병에 걸리게 되면, 세균은 엄청난 산소를 소비하게 되고, 인체의 산소를 고갈시켜버린다. 그러면, 나머지 자유전자는 자동으로 적혈구를 환원해서 중화된다. 적혈구는 강알칼리라는 사실을 상기해보자. 그리고 이 과정에서 자동으로 노란 색소를 보유한 빌리루빈이 대량으로 만들어지게 된다. 이는 자동으로 황달로 이어진다.

論曰 右證 當用 茵蔯橘皮湯 茵蔯附子湯 茵蔯四逆湯 瘴疸丸 或用 巴豆丹.

이제마는 다음과 같이 주장한다(論曰). 앞에서 말한 병증에는(右證), 당연히 인

소음인 위수한 이한병론

진귤피탕(當用　茵蔯橘皮湯), 인진부자탕(茵蔯附子湯), 인진사역탕(茵蔯四逆湯), 장달환(瘴疸丸) 또는(或用), 파두단을 처방한다(巴豆丹).

醫學綱目 曰 但結胸 無大熱者 此爲水結　但頭汗出 名曰　水結胸 小半夏湯主之. 龔信 曰 寒實結胸 無熱證者 宜三物白散.

　의학강목은 다음과 같이 말하고 있다(醫學綱目 曰). 단지 명치 부근에서 체액이 막히는 결흉만 있고(但結胸), 큰 열은 없다면(無大熱者), 이는 삼투압 기질을 보유한 체액(水)이 명치 부근에서 뭉친(結) 것이다(此爲水結). 이때 단지 머리에서만 땀이 나고 있으면(但頭汗出), 이를 이르러(名曰), 수결흉이라고 부른다(水結胸). 이때는 소반하탕으로 처방한다(小半夏湯主之). 여기서 명치 부근에 체액이 뭉쳐서 수결이 생겼는데, 왜 머리 부분에서만(但) 땀이 날까? 이의 원리는 림프액의 처리 방식에 있다. 체액의 점도가 높은 림프액은 인체 하부에서는 유미조에 모인 다음에 흉관을 거쳐서 횡격막 구멍이 있는 명치 부근까지 올라온다. 그리고는 우 심장을 통과해서 폐에서 최종 처리된다. 그리고 머리에 있는 뇌를 감싸고 있는 뇌척수액도 림프액이다. 그리고 이들도 폐에서 최종 처리된다. 그런데, 흉관에서 올라온 림프액이 너무 많아서 폐에서 처리되지 못하고, 이들이 밀리면서 명치 부근에서 수결을 만들게 되면, 이때는 자동으로 뇌에서 내려오는 산성 림프액은 처리되지 못하고, 그대로 뇌에 정체하고 만다. 그러면, 이때는 이 산성 림프액에 든 자유전자는 자동으로 산소로 중화되면서 머리에서만 땀을 만들게 된다. 이를 최첨단 현대의학에게 묻게 되면, 이는 자동으로 미신(迷信)으로 변모한다. 다시 본문을 보자. 공신은 다음과 같이 말한다(龔信 曰). 한(寒)으로서 삼투압 기질인 염이 너무 과도(實)해서 결흉을 만들면서도(寒實結胸), 열이 나는 증상이 동반되지 않으면(無熱證者), 이때는 마땅히 삼물백산을 처방한다(宜三物白散).

論曰 右證 當用 桂枝半夏生薑湯 赤白何烏寬中湯 三物白散 或用 巴豆丹. 少陽人 病 心下結硬者 名曰 結胸(病) 其病 可治也. 少陰人病 心下結硬者 名曰 藏結(病) 其病 不治也. 醫學綱目 醫鑑所論 水結胸 寒實結胸證藥 俱是少陰人 太陰病而 與 張仲景 茵蔯蒿湯證 相類則 此病 想必非眞結硬於心下而 卽 痞滿於心下者也. 張仲 景瀉心湯證 傷寒下利 心下痞硬 汗解後 心下痞硬云者 亦 皆痞滿於心下(者) 或 臍 上近處結硬也而 非眞結硬於心下者也. 若 少陰人病而 心下右邊 結硬則 不治.

　이제마는 다음과 같이 주장한다(論曰). 앞에서 말한 증상에는(右證), 당연히 계 지반하생강탕(當用 桂枝半夏生薑湯), 적하수오관중탕(赤白何烏寬中湯), 삼물백산 (三物白散), 때로는(或用), 파두단을 처방한다(巴豆丹). 그리고 비장이 크고 신장 이 작은 소양인에서 발생하는 병에서(少陽人病), 이 둘이 처리하는 림프액이 명치 부근에서 뭉쳐서 딱딱하게 되면(心下結硬者), 이를 결흉이라고 부른다(名曰 結胸 (病)). 이 병은(其病), 뭉친 림프액만 처리해주면 되므로, 당연히 치료가 가능하다 (可治也). 그리고 신장이 크고 비장이 작은 소음인에서 발생하는 병에서(少陰人 病), 이 둘이 처리하는 림프액이 명치 부근에서 뭉쳐서 딱딱하게 되면(心下結硬 者), 이는 장결이라고 부른다(名曰 藏結(病)). 이는 이제마가 음과 양으로 체질을 구분했기 때문이다. 즉, 소음인(陰)에서 음(陰)은 오장(臟)을 말하기 때문이다. 여 기서 핵심은 신장이 처리하지 못한 림프액을 말하게 된다. 이 병은(其病), 치료가 불가하다(不治也). 왜? 이는 소음인의 구성 장기의 체액 처리 특성 때문이다. 소 음인은 신장이 크고, 비장이 작다. 그리고 이 둘은 모두 산성 림프액을 처리한다. 그리고 지금은 소음인을 주도하는 신장이 문제가 되면서 신장이 처리하는 림프액 이 문제로 작용해서 결흉이 생겼다. 그런데, 결흉을 만든 림프액은 비장이 전문으 로 처리한다. 그리고 비장은 이를 처리하다가 과부하에 걸리게 되면, 이를 신장으 로 보내버린다. 그런데, 지금은 비장이 과부하에 걸려서 결흉이 되고 있고, 동시에 신장도 과부하에 걸려있다. 그러면, 비장의 현재 과부하는 비장이 신장을 이용할 수가 없게 되고, 결흉을 만든 산성 림프액은 처리가 요원해지게 되고, 이는 자동으 로 치료가 불가하게 된다는 것이다. 체액 이론을 잘 알아야만 풀 수 있는 구문이

소음인 위수한 이한병론

다. 다시 본문을 보자. 의학강목의 의람에서는 다음과 같이 주장하고 있다(醫學綱目 醫鑑所論). 수결흉과(水結胸), 염인 한이 과도해서 만들어지는 결흉의 증상과 약은(寒實結胸證藥), 모두 이는 결흉으로서 소음인에서 나타나는 태음병이며(俱是 少陰人 太陰病而), 이는 장중경이 말하는(與張仲景), 인진호탕 증세와 서로 비슷한 종류이다(茵蔯蒿湯證 相類則). 여기서 태음은 비장을 말하는데, 비장은 명치 부근에서 문제를 자주 만드는 산성 림프액을 처리하는 기관이다. 그리고 이때 뭉친 림프액이 결흉(結胸)을 만들어낸다. 그리고 이 명치 부근은 횡격막의 구멍 때문에, 다른 체액도 잘 뭉쳐서 정체되면서 결흉(結胸)을 만들어낸다. 그래서 결흉을 기준으로 보면, 결흉은 자동으로 서로 비슷한 증상이 된다. 그러나 이제마는 이를 다른 시각으로 바라본다. 즉, 이 병은(此病), 생각건대(想), 반드시 명치 부근에서 진짜(眞)로 어떤 물질이 뭉쳐서 굳어진 것이 아니라(必非眞結硬於心下而), 다시 말하자면(卽), 이는 명치 부근이 막히면서 비증이 일어나고, 이어서 그득해진 것이다(痞滿於心下者也). 즉, 이제마는 뭉친(結) 사실을 부인하고 있다. 그 이유를 장중경의 처방을 빌려서 설명하고 있다. 즉, 장중경의 사심탕의 증세는(張仲景瀉心湯證), 삼투압 기질인 염의 과잉으로 인해서 발생하는 상한에 걸려서 설사할 때(傷寒下利), 명치 부근이 결리면서 굳었거나(心下痞硬), 땀을 빼서 문제를 해결한 후에(汗解後), 명치 부근이 결리면서 굳었다고 말하는 것(心下痞硬云者), 역시(亦), 모두 명치 부근이 결리면서 그득한 것이다(皆痞滿於心下(者)). 이때 문제가 된 인자들을 살펴보게 되면, 설사와 땀으로서 체액을 체외로 빼내는 경우들이다. 그러면 이는 체액이 뭉치는(結) 증상을 만들어내는 것이 아니라, 체액의 순환이 막혀서 답답한(痞) 증상을 만들어낼 것이다. 이는 이제마의 말도 맞는 말이 되게 한다. 단, 설사와 땀이라는 전제를 달고 있다. 이 부분은 연구를 심도 있게 하면 아주 재미나는 일이 만들어질 수도 있을 것이다. 다시 본문을 보자. 때로는(或), 배꼽 위 근처에서 뭉쳐서 딱딱해지는 것 때문에(臍上近處結硬也而), 명치 부근에서 진짜로 어떤 물질이 뭉쳐서 굳어지게 한 것이 아닐 수도 있다(非眞結硬於心下者也). 배꼽 위 근처는 산성 림프액이 모이는 유미조가 있다. 그래서 이 부분에서는 점성이 아주 높은 산성 림프액이 뭉쳐서 굳어질 확률이 아주 높게 된다. 이는 이제마가 문제가 된 체액을 어떤 체액으로 보느냐가 문제로 떠오르게 한다. 즉, 복부의 정중앙을 따라서 올라가는 체액관은 산성 정맥혈을 실은 정맥혈관과 산성 림프액을 실은 흉관이 있다. 이때 흉관을 제외하고, 정맥혈관을 보게 되면, 정맥혈관은 절대로 뭉쳐서(結) 굳어지는(硬) 일은 없다. 만일에 이런 일이 일어나게 되면, 인체는 혈액 순환을 실행하지 못하게 되고, 이어서 생명은 끝나고 말기 때문이다. 그러나 정맥혈관에 든 산성 정맥혈은 순환이 정체해서 인체를 답답하게(痞) 만들 수는 있다. 그러면 자동으로 명치 부근이 그득한(滿) 증상도 따라올 것이다. 이는 설사와 땀이라는 전제를 달게 되면, 이제마의 주장이 정확히 맞게 된다. 체액에서 수분의 문제는 림프액보다는 정맥혈에 관계하기 때문이다. 설사와 땀을 상기해보자. 체액 이론을 정확히 모르게 되면, 해석이 상당히 어려운 곳이다. 이는 또한 이제마의 체액에 대한 지식의 정도를 나타내고 있기도 하지만, 거꾸로 지식의 한계도 보여주고 있다. 즉, 이때 정확한 주장을 하려면, 림프액을 실어 나르는 흉관과 정맥혈을 실어 나르는 정맥혈관을 동시에 언급했어야만 했다는 뜻이다. 다시 본문을 보자. 만약에(若), 소음인의 병에서(少陰人病而), 명치 부근의 우측 주변에서(心下右邊), 결경이 발생한다면(結硬則), 이는 불치병이 된다(不治). 왜? 이는 명치 부근에서 체액의 흐름을 보면 된다. 명치 부근의 우측 주변에는 산성 림프액과 산성 정맥혈을 모두 대정맥을 통해서 받는 우 심장이 자리하고 있기 때문이다. 여기에서 결경이 발생한다는 말은 심근경색을 말하게 된다. 이는 지금도 불치병이다.

張仲景 曰 病有結胸 有藏結 其狀如何 曰 按之痛 寸脈浮 關脈沈 名曰 結胸也. 何謂藏結 曰 如結胸狀 飮食如故 時(時)下利 寸脈浮 關脈細小沈緊 名曰 藏結 舌上白胎滑者 難治. 病人胸中 素有痞 連在臍傍 引入小腹 入陰筋者 此名 藏結 死. 朱宏 曰 藏結 狀如結胸 飮食如故 時時下利 舌上白胎 歌曰飮食如常 時下利 更加舌上白胎 時連臍腹痛引陰筋 此疾 元來死 不醫.

장중경은 다음과 같이 말하고 있다(張仲景 曰). 병 중에 결흉과 장결이 있는데

(病有結胸 有藏結), 그 상태는 어떻게 나타날까요(其狀如何)? 이는 다음과 같다 (曰). 누르면 통증이 있고(按之痛), 촌부에서 맥상은 부맥이 나오고(寸脈浮), 관부에서 맥상은 침맥이 나오면(關脈沈), 이를 결흉이라고 부른다(名曰 結胸也). 먼저 결흉의 정의를 보게 되면, 사기(邪氣)가 가슴속에 몰려서 명치 밑이 그득하고 아프며, 만지면 딴딴한 감이 있는 증상으로써 사기가 가슴속에 몰려 뭉친 것을 말한다. 결흉은 앞에서 보았지만, 흉관의 점성도 높은 산성 림프액의 문제이다. 그리고 이는 이 림프액이 횡격막 구멍이 있는 명치 부근에서 정체한 상태이다. 그 이유는 이 림프액이 우 심장이 통제하는 대정맥 안으로 들어가야만 하는데, 들어가지 못한 상태이기 때문이다. 그러면 이 문제는 단지, 우 심장의 문제로만 치부할 수 있을까? 아니다. 이는 우 심장에서 다시 폐로 들어간다. 그러면 자동으로 결흉의 문제는 우 심장과 폐의 문제가 된다. 그리고 우 심장이 대정맥을 통해서 받는 산성 정맥혈은 간이 보내기도 한다. 이때 림프액은 비장이 통제한다. 그러면 결흉의 최종 문제는 간, 림프액을 통제하는 비장, 우 심장, 폐가 모두 개입된다. 그리고 이들을 맥상으로 표현하면, 비장과 간의 맥상은 관부(關)에서 표현되고, 폐와 심장의 맥상은 촌부(寸)에서 표현된다. 이 부분은 본 연구소가 발행한 맥경을 참고하면 된다. 아니면 본 연구소가 발행한 상한잡병론을 참고해도 된다. 그래서 이 네 개의 오장이 모두 문제가 있는 상태이므로, 맥상도 당연히 이를 표현해준다. 그래서 관부에서 표현되는 비장과 간의 맥상은 침체된 상태의 침맥이 나오게 되고, 촌부에서 표현되는 폐와 심장의 맥상은 힘이 없는 부맥으로 나오게 된다. 이는 이 네 개의 오장이 모두 과부하에 걸려있다는 사실을 말하고 있다. 이때 체액이 정체한 핵심 지점인 명치 끝을 눌러보면, 당연히 통증이 만들어진다(按之痛). 다시 본문을 보자. 그러면 장결은 어떠한가(何謂藏結)? 이는 다음과 같다(曰). 장결은 결흉과 증상은 같고(如結胸狀), 음식을 섭취하는 것도 예전(故)과 다르지 않으나(飮食如故), 때때로 설사하고(時(時)下利), 촌부의 맥상은 부맥으로 나오고(寸脈浮), 관부의 맥상은 힘이 없는 침맥과 긴맥이 나온다(關脈細小沈緊). 이를 이르러서 장결이라고 부른다(名曰 藏結). 이 문장에서 말하고 있듯이, 결흉과 장결은 거의 비슷하다. 그런데, 특이한 점은 설사 문제이다. 그리고 설사 문제는 오장(臟)과 연결된

다. 그래서 아마도 이를 장결(臟結)이라고 한 것 같다. 그리고 혀에 백태가 끼면서 미끄러우면(舌上白胎滑者), 이는 난치병이 되고 만다(難治). 왜? 여기서 혀(舌)를 주목할 필요가 있다. 혀는 심장의 상태를 표현하는 도구이다. 이는 심장 세포와 혀 세포가 같기 때문이다. 그래서 심장의 생리가 변하게 되면, 혀의 생리도 변하게 된다. 즉, 심장과 혀는 생리가 동기화된다는 뜻이다. 그러면 혀를 알기 위해서는 심장을 알아볼 필요가 있다. 심장은 지방산을 에너지로 이용해서 작동한다. 그래서 심장은 중성지방도 많이 만들어낸다. 이는 단백질 생리학을 이용한 해답이다. 그러나 이를 전자생리학을 이용해서 더 정확히 말하자면, 심장은 자유 지방산이 수거해다 준 자유전자를 중화하는 오장이다. 심장은 자유전자인 전기로 작동하는 기관이라는 사실을 상기해보자. 그래서 심장은 자동으로 자유전자도 많이 취급한다. 이를 기반으로 혀를 살펴보자. 그러면 혀 위의 백태(白胎)는 다름 아닌 하얗게 보이는 중성지방이 된다. 그리고 미네랄은 자유전자를 환원받게 된 상태에서 물속에 있게 되면, 미끄러운(滑) 성질을 보유하게 된다. 그래서 혀 위에서 활(滑)이라는 말은 자유전자를 환원받은 염(塩)을 말한다. 그러면 혀에 백태가 끼면서 미끄럽다는 말은(舌上白胎滑者), 심장의 상태를 말하게 된다. 즉, 지금 심장은 자유 지방산이 수거해다 준 자유전자를 제대로 중화하지 못해서 자유 지방산은 중성지방으로 변하고 있고, 자유전자는 심장이 산소로 중화하지 못하면서 염에 환원되고 있다는 뜻이다. 이를 다시 표현하자면, 심장에 심각한 문제가 있다는 사실을 말하고 있다. 이는 자동으로 치료가 불가능한 불치병이 되고 만다. 다시 본문을 보자. 환자의 흉중에(病人胸中), 원래(素) 존재하던 비증이(素有痞), 배꼽 근처까지 연장되고(連在臍傍), 추가로 하복부까지 들어와서 당기게 만들고(引入小腹), 이어서 고환이 붙은 근육까지 침범하게 되면(入陰筋者), 이를 이르러서(此名), 장결이라고 말하며(藏結), 이때는 죽게 된다(死). 이 부분의 기전은 앞에서 장결은 불치병이라는 사실을 설명하면서 이미 설명했다. 여기서 설명을 하나만 더 추가하자면, 이 장결에는 신장과 비장이 개입한다. 그리고 비장은 면역의 핵심인 림프를 통제하고, 신장도 면역의 핵심인 골수를 통제한다. 그러면, 장결 때 면역의 핵심 두 개가 모두 과부하에 걸리게 되면, 자동으로 인체는 죽을 수밖에 없다. 다시 본

소음인 위수한 이한병론

문을 보자. 주굉은 다음과 같이 주장한다(朱宏 曰). 장결은(藏結), 결흉의 증상과 같으며(狀如結胸), 음식도 예전처럼 섭취하고(飲食如故), 때때로 설사하면서(時時下利), 혀 위에 백태가 끼게 되면(舌上白胎), 이때는 다음과 같이 읊게 된다(歌曰). 즉, 장결에 걸리게 되면, 음식 섭취는 예전과 같으나(飲食如常), 때때로 설사하고(時下利), 이때 추가로 혀에 백태까지 끼게 되면서(更加舌上白胎), 이 문제가 때때로 배꼽까지 이어져서 복부에서 통증이 있고(時連臍腹痛), 추가로 고환에 붙은 근육까지 당기게 만들면(引陰筋), 이 질병은(此疾), 원래 죽음을 불러오는 질병이 되고 말므로(元來死), 이때는 의사도 어떻게 해볼 도리가 없다(不醫).

論曰 嘗見少陰人 一人 心下右邊結硬 百藥無效 與巴豆如意丹 反劇 搖頭動風 有頃而止 數月後 死. 其後 又有少陰人一人 有此證者 用巴豆丹 面上身上有汗而 獨上唇人中穴 左右邊 無汗 此人 一周年後 亦死. 凡 少陰人 心下結硬 有此證者 目睹四五人 或半年 或一年 針灸醫藥 無不周至而 個個 無回生之望 此 卽 藏結病而 少陰人病也.

이제마는 다음과 같이 주장한다(論曰). 일찍이 어떤 소음인이(嘗見少陰人 一人), 명치 우측 주변이 뭉쳐서 딱딱하게 된 경우를 봤었는데(心下右邊結硬), 백약이 무효였고(百藥無效), 그래서 이때 파두여의단을 투여했더니(與巴豆如意丹), 반대로 병세가 극단으로 치달았고(反劇), 머리가 요동치면서 풍기가 발동했고(搖頭動風), 이는 잠깐의 시간이 지난 뒤에 그쳤다(有頃而止). 그러나 이 환자는 몇 개월 뒤에 죽고 말았다(數月後 死). 이런 일이 있은 후에(其後), 또 어떤 소음인을 보았는데(又有少陰人一人), 그도 이 질환을 앓고 있길래(有此證者), 파두단을 투여했더니(用巴豆丹), 얼굴과 몸에서 땀이 났으나(面上身上有汗而), 유독(獨), 윗입술과(上唇), 인중혈 좌우 주변에서는(人中穴左右邊), 땀이 나지 않았다(無汗). 이는 뇌척수액을 받는 인체 부위에서 땀이 나지 않았다는 뜻이다. 그러면 자동으로 뇌는 망가질 것이고, 이는 자동으로 수명을 단축시킬 것이다. 그리고 아니나 다를까 이 사람도 역시 일 년 뒤에 죽었다(此人 一周年後 亦死). 일반적으로(凡), 소음인에서(少陰人), 명치 부근이 뭉치고 굳어지는(心下結硬), 이 증상을 앓고 있는 사람을(有此證者), 네다섯 명을 직접 목도했는데(目睹四五人), 이때마다 혹은 반 년 동안(或半年), 혹은 일 년 동안(或一年), 침과 뜸 그리고 의술과 약을 모두 써 봤으나(針灸醫藥), 이 병을 조절할 수는 없었고(無不周至而). 결국에 모두(個個), 회생의 희망을 가질 수가 없었다(無回生之望). 이것이(此) 곧(卽) 장결이라는(藏結病而), 소음인의 병이다(少陰人病也). 장결은 면역이 모두 죽은 경우이다.

張仲景 曰 黃疸之病 當以十八日 爲期 十日以上 宜差 反劇 爲難治. 發於陰部 其 人 必嘔 發於陽部 其人 振寒而發熱. 諸疸 小便黃赤色者 爲濕熱 當作濕熱治 小 便色白 不可除熱者 無熱也. 若有虛寒證 當作虛勞治. 腹脹滿 面萎黃 躁不得睡, 黃家 日晡時 當發熱 反惡寒. 此爲女勞得之 膀胱急 小腹滿 一身盡黃 額上黑 足 下熱 因作黑疸 腹脹如水狀 大便黑 或時溏. 此 女勞之病 非水也 腹滿者 難治. 朱 肱 曰 陰黃 煩躁 喘嘔不渴 宜用 茵蔯橘皮湯 一人 傷寒發黃 脈微弱 身冷 次第用 藥 至茵蔯四逆湯 大效 一人 傷寒發黃 脈沈細遲無力 次第用藥 至茵蔯附子湯 大 效. 醫學綱目 曰 濕家之黃 色暗不明 一身不痛 熱家之黃 如橘子(色) 一身盡痛. 王好古 曰 凡病 當汗而不汗 當利小便而不利 亦生黃. 朱震亨 曰 黃疸 因食積者 下其食積 其餘 但利小便 小便利白 其黃自退. 李梴 曰 黃疸十日以上 入腹 喘滿 煩渴 面黑者 死. 王叔和 脈經 曰 黃家 寸口脈 近掌無脈 口鼻冷黑色 竝不可治.

장중경은 다음과 같이 말하고 있다(張仲景 曰). 황달이라는 병은(黃疸之病), 당 연히 18일이라는 시간이 걸린다(當以十八日 爲期). 그리고 이는 당연히 10일 이 상이면 차도를 보여야 한다(十日以上 宜差). 그렇지 않고 상황이 악화하면(反劇), 이는 난치병이 되고 만다(爲難治). 만일에 이런 황달이 음부에서 발생하면(發於陰 部), 이 환자는(其人), 반드시 구토한다(必嘔). 그리고 황달이 양부에서 발생하면 (發於陽部), 이 환자는(其人), 추워서 떨며 동시에 열이 난다(振寒而發熱). 즉, 오 한에 시달리게 된다. 설명이 조금 필요하다. 황달은 인체 안에 자유전자를 과잉으

소음인 위수한 이한병론

로 보유한 과잉 산이 적체할 때 생긴다. 인체 안에 과잉 산이 적체하면, 이는 자동으로 자유전자를 과잉으로 공급한다. 그런데, 이 자유전자는 적혈구가 공급하는 산소로 중화된다. 문제는 적혈구가 공급하는 산소의 양이 제한적이라는 사실이다. 그러면 산소로 중화되지 못한 여분의 자유전자는 자동으로 적혈구를 환원(還元)해서 분해해버린다. 그러면, 이 과정에서 노란 색소를 보유한 빌리루빈이 만들어진다. 그러면 이 빌리루빈의 일부는 염이 되어서 신장으로 가서 배출되고, 일부는 담즙이 되어서 간으로 가서 배출된다. 그래서 노란 색소를 보유한 빌리루빈을 체외로 배출해버리는 이 두 개의 간과 신장이라는 음부(陰部)가 문제가 되면, 이 빌리루빈은 체외로 배출되지 못하고 결국에 체액 순환에 참여하게 되고, 이때는 자동으로 황달이 생기게 된다. 이때 만일에 신장이 문제가 심각해지게 되면, 방광도 자동으로 문제가 된다. 그리고 이때 방광으로 배출되는 빌리루빈은 염의 형태를 띠고 있다. 그래서 방광이 배출하지 못한 빌리루빈이라는 염은 자동으로 비장을 거쳐서 위장으로 가게 된다. 즉, 이때 빌리루빈은 상한이 된다. 즉, 이때는 상한이 방광에서 위장으로 전이한 것이다. 이를 이제마는 태양병양명증이라고 표현했다. 즉, 병(病)은 방광에서 발병했고, 증상(證)은 위장에서 나타난다는 뜻이다. 그러면 이때 구토는 자동이 된다. 그래서 황달이 음부에서 발생하면(發於陰部), 이 환자는(其人), 반드시 구토한다(必嘔)고 한 것이다. 이는 체액 이론의 정수를 요구하고 있다. 이번에는 황달과 양부의 관계를 살펴보자. 황달이 만들어지는 최초의 단계는 간질이다. 즉, 간질에 자유전자를 과잉으로 보유한 과잉 산이 존재하게 되면, 이때 과잉 산은 간질로 자기가 보유한 자유전자를 공급하게 된다. 이때 적혈구도 동시에 간질로 산소를 공급하게 된다. 그러면 간질에서 산소와 자유전자가 서로 만나서 물이 되고, 이어서 열과 빛이 만들어진다. 이 과정에서 산소와 자유전자의 양이 1:2로 맞으면 문제는 깨끗이 끝난다. 그러나 이때 산소가 부족하게 되면, 이때 산소를 통해서 중화되지 못한 자유전자는 적혈구 자체를 환원(還元)해서 분해해버린다. 이때 분해된 적혈구에서 자동으로 노란 색소를 보유한 빌리루빈이 만들어진다. 그리고 이들은 분자 크기가 커서 자동으로 정맥혈이 아닌 림프로 진입한다. 그런데, 이들의 양이 과잉되면, 이들은 자동으로 간질에 정체하고 만다. 그러면 이제 간질은 막히고 만다. 그러면 간질은 피부와 인접해있으므로, 빌리루빈은 자동으로 피부를 통해서 황달을 만들고 만다. 이제 간질이 막히면서 간질에는 열의 원천인 자유전자를 보유한 과잉 산이 쌓이기 시작한다. 그러면 이들이 산소로 중화되면서 열을 만들기 시작한다. 이때 간질과 접한 피부에서는 열이 난다. 즉, 이때 만들어진 열은 피부를 통해서 체외로 날아가 버린다. 문제는 이 열이 체온을 가지고 날아간다는 사실이다. 그러면 인체는 자동으로 체온이 내려가면서 추워서 덜덜 떨게 된다. 즉, 피부라는 몸에서 열은 나는데, 인체 안은 추워서 떨게 된다. 이를 오한(惡寒)이라고 부른다. 이때 간질을 양부(陽部)라고 부른다. 그래서 황달이 양부에서 발생하면(發於陽部), 이 환자는(其人), 추워서 떨며 동시에 열이 난다(振寒而發熱)고 한 것이다. 이 부분은 체액 이론의 정수를 요구하고 있으므로, 체액 이론을 개무시하는 최첨단 현대의학으로 이 부분을 풀게 되면 자동으로 미신(迷信)으로 전락하고 만다. 다시 본문을 보자. 여러 황달에서(諸疸), 소변이 황색과 적색으로 나오게 되면(小便黃赤色者), 이때는 습열이 만들어진다(爲濕熱). 왜? 황달은 빨간(赤) 색소를 보유한 적혈구가 깨지면서, 동시에 노란(黃) 색소를 보유한 빌리루빈이 만들어진다. 그래서 황달에 걸리게 되면, 자동으로 이들이 소변으로 배출되면서 소변의 색깔이 붉은색과 노란색이 섞이게 되는 경우가 나타날 수가 있게 된다. 그리고 황달에 걸렸다는 말은 간질이 막힌 상태이므로, 이때는 간질에 과잉 산이 적체하면서 열(熱)을 만드는 일은 너무나 당연한 사실이 된다. 그리고 자유전자를 환원해서 보유한 빌리루빈은 자동으로 삼투압 기질이 되어서 수분(濕)을 붙잡고 있게 된다. 그래서 여러 황달에서(諸疸), 소변이 황색과 적색으로 나오게 되면(小便黃赤色者), 이때는 습열이 만들어진다(爲濕熱)고 한 것이다. 이 부분도 역시 체액 이론의 정수를 요구하고 있다. 이 부분은 본 연구소가 발행한 황제내경 소문이나 전자생리학을 참고하면 된다. 다시 본문을 보자. 이때는 당연히 습열을 치료하도록 해야 한다(當作濕熱治). 그러나 이때 소변의 색이 백색이면(小便色白), 이때는 열을 제거하기가 불가능해진다(不可除熱者). 왜? 열이 없으니까(無熱也). 이도 역시 체액 이론의 정수를 요구한다. 여기서 열이란 열 자체를 말하는 것이 아니라 열을 만드는 자유전자를 말한다. 그러면 열의 원천인 자유전자만 제거하면 열은 없게 된다(無熱也). 그래서 열이 없으려면, 자동으로 누군가가 열의 원천인 자유전자를 수거해서 제거해줘야만 한다. 그 비밀은 백색의 소변에 있다. 이는 알부민(Albumin)이라는 단백질(蛋白質)이 열의 원천인 자유전자로 환원되어서 분해되었기 때문에, 만들어진 소변이다. 그래서 알부민이 열의 원천인 자유전자를 가지고 소변으로 배출되게 되면, 자동으로 열의 원천인 자유전자가 없어지게 되고, 이어서 열은 없게 된다. 그래서 소변의 색이 백색이면(小便色白), 이때는 열을 제거하기가 불가능해진다(不可除熱者)고 한 것이다. 왜? 열의 원천이 없으니까(無熱也). 이도 역시 체액 이론의 정수를 요구한다. 여기서 단백질(蛋白質)이 백색(白)이라는 사실도 더불어 상기해보자. 이는 단백질인 달걀 흰자위(白)를 보면 쉽게 이해가 갈 것이다. 다시 본문을 보자. 이때 만약에 과잉 염을 중화하는 알칼리 기운이 허약해서 과잉 염이 적체하면서 한증이 생겼다면(若有虛寒證), 이때는 당연히 허로가 치료되도록 만들어야 한다(當作虛勞治). 즉, 알칼리가 부족해서 허한이 생긴 이유는 허로 때문이므로, 이때는 허로를 치료하라는 뜻이다. 여기서 허로는 과잉 노동으로 인해서 알칼리를 고갈시키는 질환을 말한다. 인체에서 질병은 99%가 알칼리 부족 때문에 생긴다는 사실을 상기해보자. 이때 삼투압 기질인 빌리루빈이 인체 안에 적체하게 되면, 이때는 자동으로 복부에 수분이 정체하면서 그득해지게 된다(腹脹滿). 그러면 자동으로 얼굴의 안색도 노랗게 변하게 된다(面萎黃). 이때 열이 나면서 조증이 있게 되면, 자동으로 잠도 잘 수가 없게 된다(躁不得睡). 그리고 황달에 걸리게 되면(黃家), 체액의 순환이 막히게 되면서, 스테로이드와 CRY(Cryptochrome)가 작동을 멈추기 시작하는 해가 질 때쯤 되면(日晡時), 이때는 당연히 인체에 과잉 산이 적체하면서 열이 나게 되고(當發熱), 이때 간질의 정체가 너무 심해서 오한까지 나게 되면(反惡寒), 이는 황달이 걸린 상태에서 성생활을 너무 심하게 할 때 얻게 된다(此爲女勞得之). 성생활을 하면 사정하게 되는데, 이때 나온 사정액은 강알칼리이다. 그래서 그렇지 않아도 알칼리가 부족해서 황달에 걸렸는데, 성생활을 과도하게 해서 추가로 알칼리를 잃어버리게 되면, 당연히 간질은 더 막히게 되고, 이는 자동으로 오한(惡寒)을 불러오게 된다. 그리고 이때 방광이 강하게 수축하고(膀胱急), 이어서 하복부가 그득해지게 되고

(小腹滿), 방광 때문에 신장도 문제가 되면서 신장이 노란 색소를 보유한 빌리루빈을 배출하지 못하게 되고, 이어서 온몸이 완전히 누렇게 변하고(一身盡黃), 신장이 배출하는 검은 색소를 보유한 유로빌린을 배출하지 못해서 이마가 검게 변하고(額上黑), 체액 순환이 막히면서 체액 순환에 제일 취약한 발에 과잉 산이 정체하면서 발아래에서 이들이 중화되면서 열이 나고(足下熱), 이렇게 되면, 신장으로 인해서 흑단 즉, 유로빌린이라는 검은 색소가 인체 안에 체류하는 검은 활달에 걸리게 된다(因作黑疸). 그러면 흑단을 만든 검은 색소를 보유한 유로빌린은 삼투압 기질이 되어서 물을 잔뜩 끌어안고 있게 되면서, 복부는 마치 물병처럼 팽창하게 된다(腹脹如水狀). 이때는 당연히 대변도 대장이 흡수하지 못한 검은 색소를 보유한 유로빌린이 배출되면서 검게 된다(大便黑). 이때 때로는 삼투압 기질이 된 유로빌린이 설사를 유도해서 당설(溏)이 나타나기도 한다(或時溏). 이것은(此), 여로 때문에 얻은 병이지(女勞之病), 체액이 보유한 수분(水) 때문에 얻은 병이 아니다(非水也). 즉, 이때 수분이 적체한 이유는 삼투압 기질인 유로빌린 때문이라는 뜻이다. 여기에는 또 하나의 변수가 숨어있다. 바로 부신에서 분비되는 스테로이드이다. 성생활을 과도하게 되면, 스테로이드 고갈은 불을 보듯이 뻔하게 된다. 그리고 이 스테로이드는 유로빌린과 같은 염을 체외로 배출할 때 필수 물질이다. 그런데, 이를 과도한 성생활로 고갈시키게 되면, 유로빌린은 자동으로 인체 안에 적체하게 되고, 이어서 흑달이 발생하게 된다. 그래서 흑달은 과도한 성생활로 인해서 알칼리의 소모와 스테로이드 소모가 공동으로 만들어내게 된다. 그러면 대책은 없을까? 있다. 즉, 인체 외부에서 스테로이드를 추가로 공급해주는 것이다. 이는 달걀에 든 노른자위가 대표적인 스테로이드이다. 그리고 이 스테로이드는 새우에도 아주 많이 들어있다. 보통은 이를 새우 콜레스테롤이라고 부른다. 콜레스테롤은 스테로이드의 재료가 되기 때문이다. 이 문제는 본 연구소가 발행한 전자생리학의 스테로이드 부분을 참고하면 된다. 다시 본문을 보자. 이런 상태에서 복부가 그득해지게 되면(腹滿者), 너무나 많은 유로빌린의 정체 때문에 병은 치료가 쉽지 않게 된다(難治). 주굉은 다음과 같이 주장한다(朱肱 曰). 오장이 문제가 되어서 생긴 음황은(陰黃), 번조를 만들고(煩躁), 기침하면서 구토까지 유발하는데, 갈증

은 없게 된다(喘嘔不渴). 이때는 당연히 인진귤피탕으로 처방한다(宜用 茵蔯橘皮湯). 갈증은 양(陽)인 간질 문제라는 사실을 상기해보자. 어떤 사람이든(一人), 과잉 염이 간질을 막아서 생기는 상한이 황달을 유발하게 되면(傷寒發黃), 이때 맥상은 간질이 막혀서 체액 흐름이 막히면서 아주 미약하게 나오게 되고(脈微弱), 당연히 체액 흐름이 막히면서 몸은 차갑게 되는데(身冷), 이때는 즉시(次第) 약을 써야만 하는데(次第用藥), 인진사역탕을 쓰면(至茵蔯四逆湯), 크게 효험을 볼 수 있게 된다(大效). 그리고 어떤 사람이든(一人), 과잉 염이 간질을 막아서 생기는 상한이 황달을 유발하게 되면(傷寒發黃), 이때는 맥상이 아주 약하게 나오면서 지체하고 무기력하게 된다(脈沈細遲無力). 이때는 즉시(次第) 약을 써야만 되고(次第用藥), 인진 부자탕을 쓰면(至茵蔯附子湯), 크게 효험을 볼 수 있게 된다(大效). 의학강목에서는 다음과 같이 주장한다(醫學綱目 曰). 간질에 삼투압 기질인 과잉 산이 정체하면서 체액의 정체를 만들고, 이어서 수분이 정체하는 습(濕)을 만들게 되면, 이때도 당연히 습가로 인한 황달이 만들어진다(濕家之黃). 그리고 안색이 어둡고 밝지 않으면서(色暗不明), 온몸에는 통증이 없다면(一身不痛), 이는 열가가 만든 황달이다(熱家之黃). 이때 핵심은 통증이 없다는 사실이다. 이는 자동으로 열과 연결된다. 즉, 통증을 만들어내는 자유전자를 산소로 중화하면서 열이 나게 되면, 대신에 통증은 없을 것이다. 그래서 이 황달은 안색을 엄청나게 변화시키지는 않게 된다(色暗不明). 그래서 열가는 열이 통증의 원인인 과잉 자유전자를 중화해주므로, 마치 귤껍질처럼 안색이 노랗게 변하는 활달로 변하더라도(如橘子(色)), 몸에서 통증은 없게 된다(一身盡痛). 해석이 만만하지 않은 부분이다. 왕호고는 다음과 같이 주장한다(王好古 曰). 일반적으로 황달이라는 병은(凡病), 간질에서 산성 체액이 정체하면서 시작하므로, 황달이라는 병이 날 때는 당연히 간질에서 산성 체액이 중화되면서 땀이 있느냐 없느냐와(當汗而不汗), 이 산성 간질 체액을 체외로 버리는 소변이 있느냐 없느냐로 나타나게 된다(當利小便而不利). 즉, 이때는 당연히 땀이 나야 하는데 땀이 없고(當汗而不汗), 당연히 소변이 나와야 하는데 소변이 나오지 않으면(當利小便而不利), 이때도 역시(亦) 땀과 소변으로 산성 간질 체액을 제거하지 못하게 되면서, 황달이 발생하게 된다(亦生

黃). 주진형은 다음과 같이 주장한다(朱震亨 曰). 황달이(黃疸), 간질에서 영양소가 적체하는 식적으로 인해서 생기게 될 때(因食積者), 이 간질에 정체한 식적을 설사를 이용해서 빼 내주게 되면(下其食積), 그 나머지는(其餘), 소변이 잘 나온다는 전제하에서(但利小便), 그 나머지가 알부민을 통해서 소변으로 나오면서 소변 색이 하얗게 되면(小便利白), 이때 황달은 자동으로 퇴화된다(其黃自退). 즉, 이때 황달은 자동으로 낫게 된다. 의학입문의 저자 이천은 다음과 같이 주장한다(李梴 曰). 간질에서 만들어지는 황달은 10일 이상이 되면(黃疸十日以上), 자동으로 복부로 침입하고(入腹), 이는 삼투압 기질이므로, 자동으로 몸을 그득하게 하면서 인체를 번거롭게 만들게 된다(喘滿煩渴). 그런데, 이때 황달을 만드는 빌리루빈을 체외로 배출하는 신장에 심각한 문제가 있어서 신장이 처리하는 검은 색소를 보유한 유로빌린을 처리하지 못하게 되면서, 안색이 검게 변한다면(面黑者), 이는 신장의 기능이 죽었다는 뜻이 되고, 그러면 자동으로 죽을 수밖에 없다(死). 왕숙화는 맥경에서 다음과 같이 주장한다(王叔和 脈經 曰). 황달에 걸렸을 때(黃家), 손목에서 맥상을 측정했을 때(寸口脈), 손바닥 근처까지 맥상의 힘이 다가가지 못할 만큼 약한 맥상이 측정되는 상태에서(近掌無脈) 즉, 맥상이 아주 약한 상태에서, 안면에 냉기가 돌면서 안색이 흑색이 되면(口鼻冷黑色), 이는 신장의 기능이 완벽하게 죽었다는 뜻이 되고, 이는 자동으로 이들을 함께 치료할 수가 없게 된다(竝不可治). 즉, 환자가 죽는다는 뜻이다. 체액 이론의 정수를 요구하고 있다.

論曰 陰黃 卽 少陰人病也 當用 朱氏茵蔯橘皮湯 茵蔯四逆湯 女勞之黃 熱家之黃 利小便之黃 想或非少陰人病而 余所經驗 未嘗一遇(週)黃疸而治之故 未得仔細裏許. 然 痞滿·黃疸·浮腫 同出一證而 有輕重. 若 欲利小便則 乾薑(干) 良薑(干) 陳皮 靑皮 香附子 益智仁 能利少陰人小便 荊芥 防風 羌活 獨活 茯苓 澤瀉 能利少陽人小便

이제마는 다음과 같이 주장한다(論曰). 음황인 즉슨(陰黃 卽), 신장이 크고, 비장은 작은 소음인의 병이다(少陰人病也). 왜? 이는 황달의 기전을 보면 된다. 황달은 적혈구가 깨지면서 만들어지게 되는데, 이때 깨진 적혈구는 분자 크기가 커서 림프로 들어가게 되고, 자동으로 이 깨진 적혈구를 처음 처리하는 오장은 비장이 된다. 그리고 이를 배출하는 오장 중에 하나가 신장이 된다. 즉, 이때 황달은 소음인에 속하는 비장과 신장의 문제가 된다. 물론 이 가운데에는 간도 관여한다. 다시 본문을 보자. 그래서 이때는 당연히 주굉의 인진귤피탕이나(當用 朱氏茵蔯橘皮湯), 인진사역탕을 써야 한다(茵蔯四逆湯). 그리고 여로로 생긴 황달이나(女勞之黃), 열가로 생긴 황달이나(熱家之黃), 소변 문제로 생긴 황달은(利小便之黃), 생각건대(想), 때로는(或), 소음인의 병이 아닌 것 같다(非少陰人病而). 나는 일찍이 한 번도 황달 환자를 만나서 치료해본 경험이 없어서(余所經驗 未嘗一遇(週)黃疸而治之故), 이 자세한 내용은 모르겠다(未得仔細裏許). 그러나 이치적(然)으로 보게 되면(然), 비만(痞滿), 황달(黃疸), 부종(浮腫)은 출처가 동일한 하나의 증상이며(同出一證而), 다만 이들의 경중이 다를 뿐이다(有輕重). 이는 묘한 여운을 남기는 대목이다. 이 셋의 공통점은 모두 삼투압 기질이어서 간질에서 체액 흐름을 막아버린다는 점이다. 그래서 이 셋의 공통(同) 출처(出)는 삼투압 기질이 되고, 하나의 증상(一證)은 간질이 막히는 증상이다. 그리고 여로, 열가, 소변 문제는 모두 간질이 주도한다. 그러나 황달은 어떤 황달이 되었든지 간에 노란 색소를 보유한 빌리루빈의 미배출 때문에 발생한다. 그런데, 이 배출은 반드시 오장인 간과 신장이 배출이 잘되도록 만들어줘야만 담과 방광에서 배출되고, 이어서 황달이 없어진다. 그러나 또한 아무리 간과 신장이 빌리루빈을 배출이 쉽도록 만들어줄지라도, 담과 방광에 문제가 있게 되면, 이도 역시 황달을 만들게 된다. 그런데 소음인의 핵심은 비장과 신장이다. 그리고 비장과 신장은 둘 다 똑같이 림프액을 처리한다. 그리고 분자 크기가 큰 빌리루빈은 무조건 처음에는 림프로 들어간다. 그러면 이는 자동으로 이제마의 말이 문제가 있다는 결론으로 다가간다. 이 부분을 깊게 연구하면 아주 재미있는 현상들이 튀어나올 것이다. 다시 본문을 보자. 만약에(若), 소변을 잘 나오게 하려면(欲利小便則), 건강(乾薑(干)), 양강(良薑(干)), 진피(陳皮), 청피(靑皮), 향부자(香附子), 익지인(益智仁)을 쓰게 되면, 소음인에서 소변이 잘 나오게 만든다(能利少陰人小便). 그리고 형개(荊芥), 방풍(防風), 강활

(羌活), 독활(獨活), 복령(茯苓), 택사(澤瀉)는 소양인의 소변을 잘 나오게 한다
(能利少陽人小便).

소음인 위수한 이한병론

(소음인) 범론

(少陰人) 泛論

(소음인) 범론 ((少陰人) 泛論)

論曰 發熱惡寒者 爲太陽病. 發熱不惡寒者 爲陽明病. 太陽陽明之發熱形證一也而
惡寒不惡寒之間 相去遠甚而 陽氣之進退 强弱泰山之 比丘陵也. 自利而不渴者 爲太
陰病. 自利而渴者 爲少陰病. 太陰少陰之自利形證一也而 渴不渴之間 相去遠甚而
冷氣之聚散輕重 雲夢之比瀦澤也. 是故 藿香正氣散・香砂養胃湯之證勢 平地駿馬
之病勢也. 獨蔘八物湯・桂附理中湯之證勢 太行短節之病勢也. 若使一天下少陰人
稟賦者 自知其病之陽明少陰證 如太行之險路 得之可畏 救之不易 攝身療養 戒懼
謹愼之道 有若大路然而不迷則 其庶幾乎.

이제마는 다음과 같이 주장한다(論曰). 열이 나고 오한이 있게 되면(發熱惡寒
者), 이는 태양병이다(爲太陽病). 그리고 열이 나고 오한이 없으면(發熱不惡寒者),
이는 양명병이다(爲陽明病). 지금 말하고 있는 증상은 상한이다. 그 이유는 삼양
삼음은 상한론을 위해서 만든 구조이기 때문이다. 그리고 상한 문제는 자유전자를
보유한 염(塩)의 문제이다. 그리고 염을 전문으로 처리하는 기관은 신장과 방광이
다. 즉, 신장이 염을 배출하기 좋게 처리해서 방광으로 보내면, 방광은 이를 체외
로 배출한다. 그러면 상한 문제는 깨끗이 끝나게 된다. 그런데 방광인 태양이 문
제가 되어서 신장이 여과해준 염을 처리하지 못하게 되면, 간질에 정체한 염은 자
동으로 신장으로 가지 못하고 간질에 그대로 정체하고 만다. 이제 간질에 정체한
자유전자를 보유한 염은 간질에서 산소로 중화되면서 자동으로 열을 만들어낸다.
그리고 이 열이 심할 경우에는 이 열이 체온을 가지고 체외로 날아가 버린다. 그
러면 자동으로 피부에서 열은 나는데, 거꾸로 인체 안쪽은 추워서 떤다. 이 현상
을 오한(惡寒)이라고 부른다. 그래서 여기서 오한(惡寒)은 한을 싫어하는 현상이
아니다. 이는 하나의 증상이다. 이렇게 방광인 태양이 문제가 되면, 염(塩) 일부는
자동으로 양명인 위장으로 전이(轉移)된다. 그런데, 이때 위장도 문제가 되면, 이
때 위장으로 온 염도 자동으로 간질에 정체하고 만다. 그러나 이때 간질에 정체한
염은 방광에서 이미 한 번 중화가 된 상태이므로, 양이 많이 준 상태가 된다. 그

래서 이때는 간질에서 단지 적은 열만 만들어내고, 오한이 만들어질 정도로 많은 열은 만들지 못하게 된다. 그래서 오한(惡寒)을 가지고 태양병과 양명병을 구별하게 된다. 그러나 열의 원천인 자유전자를 보유한 염이 간질에 정체하는 현상은 태양에서나 양명에서나 똑같으므로, 이때 나타나는 열증의 형태는 하나같이 똑같을 수밖에 없다(太陽陽明之發熱形證一也而). 그래서 오한과 불오한 사이의 간극을 만드는(惡寒不惡寒之間), 염(塩)의 정체 정도가 상당한 차이를 보이게 되는데(相去遠甚而), 이는 염이 보유한 열을 만드는 양기인 자유전자의 진퇴로 나타나게 된다(陽氣之進退). 즉, 태양에서는 염이 보유한 자유전자로서 양기가 상당히 진전되어서 많은 상태이고, 양명에서는 퇴조한 상태가 된다. 즉, 염의 시발점인 태양에서는 염이 많은 상태이고, 염이 전이된 양명에서는 염이 적은 상태가 된다는 뜻이다. 이때 염의 많고 적음의 정도를 산에 비유하자면, 태양에 정체한 염은 태산이고(强弱泰山之), 양명에 정체한 염은 구릉이다(比丘陵也). 즉, 위장과 방광에 정체한 염의 차이는 이렇게 크다는 뜻이다. 그리고 이는 오한의 차이로 나타나게 된다. 체액 생리를 아주 잘 알아야만 풀 수 있는 구문이다. 다시 본문을 보자. 체액을 외부로 배출하는 설사를 스스로 했는데, 갈증이 나지 않는다면(自利而不渴者), 이는 태음병이다(爲太陰病). 그리고 체액을 외부로 배출하는 설사를 스스로 하고서, 갈증이 난다면(自利而渴者), 이는 소음병이다(爲少陰病). 이는 염(塩)의 차이 때문이다. 염은 신장이 전문으로 처리한다. 그래서 과잉 염 때문에, 신장이 문제가 되었을 때는 설사를 통해서 염을 체외로 빼냈을지라도 삼투압 기질인 염은 여전히 인체 안에 많이 체류할 수밖에 없고, 이는 삼투압 기질의 성질로 인해서 수분을 요구하게 되고, 이어서 설사해서 염을 체외로 빼냈어도 갈증을 유발할 수밖에 없다. 그러나 비장이 신장에서 받은 염의 양은, 신장이 이미 한 번 처리했으므로, 적은 양이 되고, 이를 설사를 통해서 체외로 버리게 되면, 자동으로 삼투압 기질인 염은 인체 안에 존재할 가능성이 거의 없어지게 되고, 자동으로 갈증이 날 리가 없다. 체액 생리의 정수를 요구하고 있다. 그러나 이때 태음병에서나 소음병에서 설사의 형태는 당연히 똑같게 된다(太陰少陰之自利形證一也而). 그래서 갈증이 있고 없는 사이의 간극을 만드는(渴不渴之間), 염(塩)의 잔류 정도가 상당한 차이를 보이게 되는데(相去遠甚而), 이는 한(寒)으로서 염이라는 냉기가 얼마나 정체(聚散)했느냐는 경중을 말하게 된다(冷氣之聚散輕重). 즉, 물을 요구하는 삼투압 기질인 염의 잔류 정도(輕重)가 갈증의 여부를 결정한다는 뜻이다. 이를 자연 현상에 비유하자면, 큰 호수에 깔린 안개와 작은 물웅덩이에 깔린 안개로 비유된다(雲夢之比 瀦澤也). 즉, 인체 안에 잔류하는 염의 양의 정도 차이를 말하고 있다. 그래서(是故) 곽향정기산이나(藿香正氣散), 향사양위탕을 쓰는 병증의 세기는(香砂養胃湯之證 勢), 평지를 달리는 준마의 병세가 되고(平地駿馬之病勢也), 독삼팔물탕이나(獨蔘 八物湯), 계부이중탕의 병증의 세기는(桂附理中湯之證勢), 태산을 짧은 지팡이 하 나에 의지해서 넘는 것과 같다(太行短筇之病勢也). 즉, 전자 두 처방은 염이 적은 태음에 쓰고, 후자 두 처방은 염이 많은 소음에 쓴다는 뜻이다. 그리고 병이라는 문제를 만드는 염의 양을 평지와 태산으로 표현하고 있다. 즉, 염이 적은 전자는 병을 다스리기가 쉽고, 염이 많은 후자는 병을 다스리기가 어렵다는 뜻이다. 다시 본문을 보자. 만약에(若), 하늘로부터 소음인으로 인체를 부여받은 어떤 한 사람으 로 하여금(使一天下少陰人稟賦者), 소음인(其)이 병(病)에 걸렸을 때 양명소음증 은(自知其病之陽明少陰證), 태산을 넘을 때 지팡이 하나에 의지해서 넘는 일과 같다(如)는 사실을 스스로(自) 알게(知) 하여야 한다(如太行之險路). 즉, 소음인에 서 양명소음증은 상당히 어려운 질환이라는 뜻이다. 그 이유는 신장인 소음에서 과잉 염을 제대로 처리하지 못하고 위장까지 전이된 병증이 양명소음증이기 때문 이다. 즉, 과잉 염이 만드는 상한이 염을 전문으로 처리하는 신장에서 위장까지 전이해왔기 때문이다. 그래서 소음인은 양명소음증을 얻게 되면 당연히 두려움을 갖게 되고(得之可畏), 또한 이를 치료(救)하기도 쉽지 않다(救之不易). 그래서 소 음인은 신체의 병을 치료하고 보양하는 일에(攝身療養), 항상 경계하고 신중해야 만 한다(戒懼謹愼之道). 이는 마치(有若), 군자가 대로를 택하게 되면 자연스럽게 길을 잃지 않는 것처럼(大路然而不迷則), 자기의 뜻을 이루지 않겠는가 말이다(其 庶幾乎). 즉, 소음인은 자기의 건강을 지키기 위해서는 항상 경계하고 조심하라는 뜻이다. 여기서 보면, 소음인의 원래 정의는 작은 비장과 큰 신장인데, 이 구문은 주로 소음인 신장을 위주로 소음인 문제를 다루고 있다. 즉, 소음인에서 주요 장 기는 크기가 큰 신장이 주(主)가 된다는 뜻이다.

太陽病汗出 熱氣却寒氣之汗出也. 陽明病汗出 寒氣犯熱氣之汗出也.

太陰病下利 溫氣逐冷氣之泄瀉(下利)也. 少陰病下利 冷氣逼溫氣之泄瀉(下利)也.

태양병에서 땀은(太陽病汗出), 뜨거운 기운이 찬 기운을 물리치면서 나오는 땀이다(熱氣却寒氣之汗出也). 양명병에서 땀은(陽明病汗出), 한기가 열기를 만나(犯)면서 나오는 땀이다(寒氣犯熱氣之汗出也). 체액 생리학의 정수를 요구하고 있다. 또한 전자생리학을 요구하고 있기도 하다. 지금은 과잉 염이 만드는 상한을 논하고 있다. 그리고 염은 열의 원천인 자유전자를 끌어안고 있으므로, 한기(寒氣)가 된다. 그러나 염이 보유한 자유전자는 열기가 된다. 그래서 열이 난다는 사실은 염이라는 한기에서 자유전자를 빼내서 없애버린다는 뜻이다. 그러면 이때 염은 자유전자를 뺏기게 되면서 한기(寒氣)로서 기능을 잃어버리게 된다. 이를 보고, 뜨거운 기운이 찬 기운을 물리쳤다(熱氣却寒氣)고 말하고 있다. 즉, 간질로 공급된 산소가 간질에 정체한 염에서 자유전자를 빼내서 물로 중화하면서 과잉 염을 무력화시킨 것이다. 그러면 이때 만들어진 열기는 자동으로 땀구멍을 열면서 땀을 흘리게 만든다. 염이 무서운 이유는 염이 보유한 자유전자라는 사실을 상기해보자. 그래서 염은 자유전자를 잃게 되면, 사고를 칠 수가 없게 된다. 이때 산소를 공급하는 혈액의 중요성이 등장하게 된다. 그래서 자동으로 염이 보유한 과잉 자유전자는 만병(萬病)의 근원이 되고, 산소를 공급하는 알칼리 동맥혈은 만병통치약(萬病通治藥)이 될 수가 있다. 그리고 양명병에서도 똑같은 말을 반복하고 있다. 여기서 핵심은 범(犯)의 해석이다. 범(犯)의 뜻 중에는 만난다(犯)는 뜻도 있다. 즉, 열기와 한기의 만남(寒氣犯熱氣)이란 한기인 염에 든 자유전자가 산소를 만나서(犯) 열을 만든다는 뜻이다. 그러면 이때 열기는 자동으로 땀구멍을 열면서 땀을 흘리게 만든다. 여기서 양(陽)과 땀(汗)의 관계를 잘 보기 바란다. 그리고 다음에서는 음(陰)과 설사(下)의 관계를 잘 보기 바란다. 다시 본문을 보자. 태음병에서 설사는(太陰病下利), 온기가 냉기를 축출하면서 만들어진 설사이다(溫氣逐冷氣之泄瀉(下利)也). 그리고 소음병에서 설사는(少陰病下利), 냉기가 온기로 쪼그라들면서 만들어진 설사이다(冷氣逼溫氣之泄瀉(下利)也). 설사는 한기인 염이 체외로

(소음인) 범론

배출되는 것이다. 그런데, 태음인 비장이 만들어내는 설사는 대장이 주도한다. 그리고 소음인 신장이 주도하는 설사는 위장이 위산을 통해서 주도하게 된다. 이는 이미 전에 논의한 내용이다. 그래서 태음으로 인해서 대장에서 만들어지는 설사는 열의 원천인 자유전자를 환원받은 음식물인 온기가 냉기인 염을 흡수해서 체외로 버려지는 것이 설사가 된다. 이를 온기가 냉기를 체외로 축출(逐)했다고 표현하고 있다(溫氣逐冷氣). 그리고 소음으로 인해서 위장이 주도하는 설사는 위산이라는 염을 통해서 만들어지는 설사이다. 이때 위산은 염산(塩酸)으로서 염(塩)이다. 그래서 이때 설사는 냉기라는 염이 음식물을 온기로 만들고 쪼그라(逼)들면서 만들어진 설사이다. 냉기라는 염으로서 위산은 자유전자를 품고 있는 물질이다. 그리고 이 위산은 음식물에 자유전자를 환원하면서 분해되어서 쪼그라들게(逼) 된다. 대신에 음식물은 열의 원천인 자유전자를 환원받았으므로, 이는 온기로 변하게 된다. 이를 보고, 냉기가 온기로 쪼그라들었다(冷氣逼溫氣)고 말하고 있다. 그리고 이 온기인 음식물은 설사가 되어서 체외로 배출된다. 해석이 만만치 않은 곳이다.

少陰人病 有二吉證 人中汗 一吉證也, 能飲水 一吉證也.

少陰人病 有二急證 發熱汗多 一急證也. 下利淸水 一急證也.

少陰人病 有六大證 一曰 少陰病. 二曰 陽明病. 三曰 太陰病 陰毒證也.

四曰 太陽病 厥陰證也. 五曰 太陰病 黃疸證也. 六曰 太陽病 胃家實證也.

소음인 병은(少陰人病), 두 가지의 좋은 증상이 있는데(有二吉證), 하나는 인중에서 땀이 나는 증상이고(人中汗 一吉證也), 또 하나는 물을 잘 마실 수 있는 증상이다(能飲水 一吉證也). 앞에서 보았지만, 소음인의 문제는 주로 신장의 문제이다. 그리고 신장은 염의 통제를 통해서 뇌척수액을 통제한다. 그리고 염의 최종 통제는 소변 배출을 통해서 한다. 그래서 신장이 소변으로 과잉 염을 배출하려면 당연히 수분이 필요하다. 그러려면 당연히 물을 잘 마실 수 있어야만 한다(能飲水). 그리고 신장이 통제하는 뇌척수액은 얼굴에 존재하는 체액도 삼차신경을 통해서 통제한다. 여기에는 외약동맥분지(外顎動脈分支)와 상순동맥(上脣動脈)이 순환하고, 하안신경, 안면신경분지가 분포되어 있다. 그래서 인중에서 땀이 난다는 말은 이곳에 혈액 순환이 잘 되고 있다는 뜻이 되고, 그러면 신장이 통제하는 뇌척수액도 문제가 없다는 사실을 말하게 된다. 그러면 자동으로 뇌도 문제가 없다는 뜻이 된다. 그러면 소음인의 핵심인 신장도 문제가 없다는 뜻이 된다. 땀은 만병의 근원인 과잉 자유전자를 산소로 중화한 결과물이라는 사실을 상기해보자. 다시 본문을 보자. 그리고 소음인 병에는(少陰人病), 급한 증상 두 가지가 있는데(有二急證), 하나는 열이 나면서 땀을 과도하게 흘리는 것이고(發熱汗多 一急證也), 또 하나는 물 설사를 하는 것이다(下利淸水 一急證也). 이 두 증상의 특징은 체액의 손실 과다이다. 이는 소음인의 핵심인 신장이 과잉 염을 체외로 배출할 때 필요한 수분의 부족을 유발해서 신장을 망쳐 놓게 된다. 그래서 이런 증상들은 신장에 치명적이다. 다시 본문을 보자. 소음인 병에는 6가지 큰 증상이 있다(少陰人病 有六大證). 첫째는(一曰), 신장 자체의 문제인 소음병이고(少陰病), 둘째는(二曰), 신장의 문제가 방광을 통해서 전이한 위장의 문제인 양명병이고(陽明病). 셋째는(三曰), 신장과 산성 림프액을 서로 교환할 수 있는 비장의 문제인 태음병인데(太陰病), 이는 산성 림프액이라는 음독증이 된다(陰毒證也). 넷째는(四曰), 신장이 만들어준 염을 배출하는 방광의 문제로서 태양병인데(太陽病), 이는 암모니아라는 염을 만들어서 신장으로 보내는 간이 만들어내는 증상이다(厥陰證也). 다섯째는(五曰), 폐기 적혈구를 처리하는 비장병인데(太陰病), 이는 비장이 폐기 적혈구에서 나온 노란 색소를 보유한 빌리루빈을 제대로 처리하지 못해서 나타나는 황달 증상이다(黃疸證也). 여섯째는(六曰), 방광의 문제인 태양병인데(太陽病), 이는 방광이 처리하지 못한 염이 위장으로 전이되어서 위장을 과부하로 모는 증상인 위가실 증상이 된다(胃家實證也).

發熱汗出則 病必解也而 發熱汗出而 病益甚者 陽明病也. 通滯下利則 病必解也而 通滯下利而 病益甚者 少陰病也. 陽明 少陰 以邪犯正之病 不可不急用藥也. 惡寒汗出則 病必盡解也而 惡寒汗出而 其病半解半不解者 厥陰之漸也. 腹痛下利則 病

必盡解也而 腹痛下利而 其病半解半不解者 陰毒之漸也. 厥陰 陰毒 正邪相傾之病 不可不預用藥也. 發熱一汗而 病卽解者 太陽之輕病也. 食滯一下而 病卽解者 太陰之輕病也. 太陽 太陰之輕病 不用藥而 亦自愈也. 發熱三日 不得汗解者 太陽之尤病也. 食滯三日 不能化下者 太陰之尤病也. 太陽 太陰之尤病 已不可謂輕證而 用藥二三貼 亦自愈也. 發熱六日 不得汗解 食滯六日 不能化下者 太陽 太陰之胃家實 黃疸病也. 太陽 太陰之胃家實 黃疸 正邪壅錮之病 不可不大用藥也.

병에 걸렸을 때 열이 나고 땀을 흘리면(發熱汗出則), 이때 병은 반드시 해결된다(病必解也而). 이는 만병의 근원이 땀과 열의 근원인 자유전자라는 사실을 알아야만 이해되는 부분이다. 여기에는 또한 인체를 작동시키는 에너지가 ATP가 아니라 자유전자라는 사실을 아는 것도 포함한다. 그 이유는 병의 근원은 인체의 에너지 문제이기 때문이다. 그래서 인체의 에너지 정의는 병을 정의할 때 엄청나게 중요하다. 다시 본문을 보자. 그리고 병에 걸려서 열이 나고 땀을 흘렸는데(發熱汗出而), 병이 낫기는커녕, 병이 더 깊어진다면(病益甚者), 이는 양명병으로 전이된 것이다(陽明病也). 열과 땀은 과잉 염이 보유한 과잉 자유전자가 중화된 결과물이다. 그리고 염의 최종 처리는 방광이 한다. 그래서 방광이 염을 처리하면서 문제에 봉착하게 되면, 자동으로 간질에 염이 정체하면서 열과 땀을 만들어낸다. 그런데, 간질에 정체한 과잉 염을 땀과 열로 모두 처리하지 못하게 되면서 병이 더 심해지게 되면, 이 염은 위산이라는 염이 되어서 양명인 위장으로 떠넘겨지게 되고, 이는 양명병을 만들게 된다. 다시 본문을 보자. 과잉 염으로 인해서 간질이 막힌 것을 통하게 하는 설사를 하게 되면(通滯下利則), 병은 반드시 해결된다(病必解也而). 설사는 간질에 정체하고 있는 과잉 염을 체외로 배출하는 과정이다. 그러면 자동으로 간질이 막힌 문제는 해결된다. 모든 병은 간질에서 시작한다는 사실을 상기해보자. 그 이유는 간질에서 영양소와 산성 노폐물이 서로 교환되기 때문이다. 다시 본문을 보자. 이렇게 했는데도 불구하고(通滯下利而), 병이 더 깊어진다면(病益甚者), 이는 소음병이다(少陰病也). 설사는 신장이 처리하는 과잉 염을 체외로 제거해주는 과정이다. 그러나 신장이 제대로 기능하지 못하게 되면, 이때 과잉 염은 계속해서 쌓이게 되고, 이는 설사로 해결되지 않게 된다. 그러면 설사를 계속하게 되고, 병은 자동으로 더 심해지게 된다. 그러면 이는 자동으로 소음병인 신장병의 문제가 된다. 다시 본문을 보자. 양명 소음병은(陽明 少陰), 신장이 처리하지 못한 과잉 염이 위장으로 전이했다는 뜻이 되고, 이는 과잉 염이라는 사기(邪)가 이를 중화하는 정기(正)를 침범해서 병이 되었다는 뜻이 되고(以邪犯正之病), 이를 방치하게 되면, 신장을 영원히 망칠 수도 있으므로, 이때는 서둘러서 약을 처방해야만 한다(不可不急用藥也). 그리고 오한이 들면서 땀을 흘리게 되면(惡寒汗出則), 이는 엄청난 열이 발생하면서 땀을 통해서 체온을 뺏어갔다는 뜻이 되므로, 이때 병은 반드시 모두 해결된다(病必盡解也而). 열의 근원인 과잉 자유전자는 만병의 근원이라는 사실을 상기해보자. 그리고 오한은 엄청난 열이 피부에서 빠져나갈 때 나타난다는 사실도 더불어 상기해보자. 그리고 땀은 인체의 열기를 싣고 증발한다는 사실도 상기해보자. 이는 곧 오한으로 발전하게 만든다. 다시 본문을 보자. 땀을 통해서 이렇게 과잉 자유전자를 아주 많이 중화했는데도 불구하고(惡寒汗出而), 병이 반 정도밖에는 해결이 안 되었다면(其病半解半不解者), 이는 간 문제로 번지게 된다(厥陰之漸也). 지금 간질에서 문제를 일으키는 과잉 염의 문제는 첫째는 신장의 문제이다. 그리고 이를 신장이 처리하지 못하게 되면, 이는 비장으로 가서 위장 문제를 만든다. 즉, 지금 상황은 비장과 신장이 모두 문제를 안고 있다는 뜻이 된다. 그런데, 간은 이 사이에 끼이게 된다. 즉, 간은 산성 림프액을 만들어서 비장으로 보내고, 암모니아를 만들어서 신장으로 보낸다. 그래서 비장과 신장이 동시에 문제가 되면, 이 문제는 자동으로 간(厥陰)으로 번지게(漸) 될 수밖에 없다(厥陰之漸也). 다시 본문을 보자. 복부에서 과잉 자유전자를 중화하면서 복부 통증이 있고, 동시에 과잉 자유전자를 보유한 염을 체외로 배출하는 설사가 있으면(腹痛下利則), 이는 두 가지를 통해서 만병의 근원인 과잉 자유전자를 모두 중화했다는 뜻이 되므로, 이때 병은 반드시 모두 해결된다(病必盡解也而). 이는 너무나도 당연한 사실이다. 이렇게 했는데도 불구하고(腹痛下利而), 병이 절반밖에 해결이 안 되었다면(其病半解半不解者), 이는 음독증으로 전이한다(陰毒之漸也). 복부 통증은 오장이라는 음이 자리하고 있는 장소인 복부에서 일어나는 통증이고, 설사는 오장의 문제를 해결하는 수단이다. 그래서 이 두 수단을 통해서도 병이 해결이 안 되면, 이때는 자동으로 오장을 망치는 음독증으로 전이(漸)하고 만다. 다시 본문을 보자. 간이 독을 받는 문제인 궐음 음독은(厥陰 陰毒), 간에서 병을 만드는 사기와 이를 중화하는 정기가 서로(相) 다툴(傾) 때 생기는 병이다(正邪相傾之病). 이때는 서둘러서 치료해야만 한다(不可不預用藥也). 그리고 과잉 염이 제공하는 과잉 자유전자를 중화하면서 발생하는 열이 나서 땀이 한 번 났을 뿐인데(發熱一汗而), 병이 즉시 해결되었다면(病卽解者), 이는 과잉 염을 최종 배출하는 방광에 경증이 존재했다는 뜻이 된다(太陽之輕病也). 즉, 방광에 땀을 한 번 흘릴 정도의 적은(輕) 염만 정체하고 있었다는 뜻이다. 그리고 간질에 음식으로 섭취한 영양소가 정체하고 있을 때 이를 배출하는 설사가 딱 한 번 있었는데(食滯一下而), 병이 즉시 해결되었다면(病卽解者), 이는 태음이 만든 가벼운 병증이다(太陰之輕病也). 이는 태음인 비장이 주도하는 대장 설사를 말한다. 비장은 산성 정맥혈을 소화관의 동맥혈로 보내서 설사를 유도한다. 그래서 설사 한 번으로 문제가 해결되었다면, 이는 비장에 얼마 안 되는(輕) 산성 체액이 정체하면서 병을 만들었다는 뜻이 된다. 다시 본문을 보자. 그래서 앞에서 본 태양이나 태음에서 나타나는 경증은(太陽 太陰之輕病), 약을 쓰지 않아도(不用藥而), 모두 스스로 치유된다(亦自愈也). 이는 방광과 비장이 서로 나누어서 중화할 수 있는 적은 양의 염만 정체하고 있기 때문이다. 그리고 열이 나고 3일이 지났는데(發熱三日), 땀을 내서도 문제가 해결되지 못하면(不得汗解者), 병의 근원인 과잉 염을 전문으로 배출하는 방광을 힐책(尤)해야만 하는 병이다(太陽之尤病也). 그리고 영양소가 간질에 정체해서 문제가 된 지 3일이 지나서도(食滯三日), 여전히 소화도 안 되고, 먹은 것이 내려가지 않고 있다면(不能化下者), 이는 비장을 힐책(尤)해야만 하는 병이다(太陰之尤病也). 비장은 림프를 통제해서 간질에 정체한 분자 크기가 큰 영양소를 소통시키는 역할을 한다. 그리고 비장은 위장을 통해서 소화관의 소화를 통제한다. 그래서 여전히 소화도 안 되고, 먹은 것이 내려가지 않고 있다면(不能化下者), 이는 당연히 비장을 힐책(尤)해야만 하는 병(太陰之尤病也)이 된다. 그리고 태양 태음을 힐책(尤)해야만 하는 병은(太陽 太陰之尤

病), 이는 이미 병이 방광에서 비장으로 전이했다는 뜻이 되고, 이때는 이를 이미 경증으로 보기는 어려우나(已不可謂輕證而), 약을 두세 첩 쓰게 되면(用藥二三貼), 모두 자연스럽게 치유된다(亦自愈也). 그리고 열이 나고서 6일이 지났는데도 불구하고(發熱六日), 땀으로 문제를 해결하지 못하고 있고(不得汗解), 식체가 발생해서 6일이 지났는데도 불구하고(食滯六日), 소화나 연동 운동 문제가 해결이 안 되고 있고(不能化下者), 방광이 병을 비장으로 전이시키고, 이어서 위장 문제로 만들어서 위가실을 만들게 되면(太陽 太陰之胃家實), 이는 황달 병을 만들고 만다(黃疸病也). 여기서 핵심은 식체(食滯)이고, 이를 이어받는 문제는 간질의 문제이다. 식체는 간질의 체액 흐름을 막고서 간질에 과잉 산이 쌓이게 하고, 이어서 열을 만들게 한다. 여기에 위가실에 걸려서 위장까지 과부하에 시달리게 되고, 이어서 간질에 쌓인 과잉 염을 위산을 통해서 배출하지 못하게 되면, 이는 자동으로 간질에 쌓인 과잉 산은 자기가 보유한 과잉 자유전자를 간질로 쏟아내게 되고, 이어서 강알칼리인 적혈구까지 환원해서 분해하게 되고, 이어서 이는 노란 색소를 보유한 빌리루빈을 과다 생성하게 되고, 이를 비장이 제대로 처리하지 못하게 되면서 이는 자동으로 황달로 발전한다. 이 구문은 지금 이 과정을 기술하고 있다. 다시 본문을 보자. 앞에서 본 것처럼 태양과 태음이 문제가 되어서 위가실이 될 때는(太陽 太陰之胃家實), 자동으로 황달에 걸리게 되는데(黃疸), 이는 정기와 사기가 서로 막아서면서 싸울 때 만들어지는 병이다(正邪壅錮之病). 이는 상당히 심각한 문제이므로, 약을 크게 써야만 한다(不可不大用藥也).

太陽 太陰之病 六七日 或成危證 或成重證而 十日(以)內 必有險證. 陽明 少陰之病 自始發 已爲重證而 二三日內 亦致險證. 是故 陽明 少陰之病 不可不察於始發也. 太陽 太陰之病 不可不察於四五日間也.

태양 태음병에 걸려서(太陽 太陰之病), 6~7일이 지났을 때(六七日), 때로(或), 위증이 만들어지거나(成危證), 때로(或), 중증이 만들어지면(成重證而), 10일 이내에(十日(以)內), 반드시 험증이 나타난다(必有險證). 이제마는 병증의 정도를 경증(輕證), 중증(重證), 험증(險證), 위증(危證)으로 나눈다. 그러면 위증이 이미 나타난 상태에서 험증은 자동으로 나타나게 된다. 또한 중증에서 험증으로 갈 수도 있다. 다시 본문을 보자. 양명 소음병에서(陽明 少陰之病), 병이 처음에 시작되었을 때(自始發), 이미 중증이었다면(已爲重證而), 이는 2~3일 안에(二三日內), 역시 험증으로 발전할 수도 있게 된다(亦致險證). 이는 이미 병이 신장에서 위장으로 전이가 된 상태이기 때문이다. 그래서(是故), 양명 소음병일 때는(陽明 少陰之病), 병이 처음에 발병했을 때 잘 관찰하지 않으면 안 된다(不可不察於始發也). 태양 태음병일 때도(太陽 太陰之病), 마찬가지로 병이 방광에서 비장으로 전이된 상태이므로, 이때도 4~5일간은 잘 관찰하지 않으면 안 된다(不可不察於四五日間也).

太陽 太陰之病 病勢緩而 能曠日持久故 變證 多也.

陽明 少陰之病 病勢急而 不能曠日持久故 變證 少也.

蓋 陽明 少陰病 過一日而 至二日則 不可不用藥也.

太陽 太陰病 過四日而 至五日則 不可不用藥也.

太陽 太陰之厥陰 陰毒 皆六七日之死境也 尤不可不謹也.

태양 태음병에 걸리면(太陽 太陰之病), 이 병세는 상당히 진전이 늦어서(病勢緩而), 오랜 시간을 허비(曠)할 때도 있으므로(能曠日持久故), 이 사이에 증상의 다양한 변화가 올 수 있다(變證 多也). 태양 태음병은 방광이 처리하지 못한 과잉 염이 간질로 다시 진입해서 림프로 들어간 경우를 말한다. 그러면 림프를 처리하는 비장은 과부하에 시달리게 된다. 그러면 이때 방광이 처리하지 못한 과잉 염은 간질과 림프에서 일부는 중화된다. 이러는 사이에 병의 발전은 많은 시간을 허비하게 되고, 이어서 병세의 변화도 다양하게 나타날 수밖에 없다. 다시 본문을 보자. 양명 소음병은(陽明 少陰之病), 병세가 급변하므로(病勢急而), 이때는 병세의 진전이 오랜 시간을 요구하지 않으므로(不能曠日持久故), 병증의 변화가 상대적으로 적을 수밖에 없다(變證 少也). 이는 신장에서 시작된 문제가 비장을 거쳐서 위장까지 왔다. 이때는 과잉 염이 위장에서 위산으로 배출되면 문제는 깨끗이 끝난다. 그러나 지금은 위장이 문제가 있다. 이는 당연히 전이가 상당히 진전된 상태에 와 있으므로, 당연히 병세의 진전은 빠르게 되고, 병증의 변화도 적어지게 된다. 다시 본문을 보자. 그래서 대개(蓋), 양명 소음병에 걸려서(陽明 少陰病), 하루 정도가 지나서(過一日而), 이틀 정도까지 가게 되면(至二日則) 이때는 약을 쓰지 않으면 안 된다(不可不用藥也). 그리고 병세의 진전이 느린 태양 태음병에 걸려서(太陽 太陰病), 4일 정도가 지나서(過四日而), 5일 정도에 이르면(至五日則), 이때도 약을 쓰지 않으면 안 된다(不可不用藥也). 그리고 태양 태음병이 궐음으로 전이되어서(太陽 太陰之厥陰), 음독을 만들고 있을 때는(陰毒), 6~7일이 되면 모든 환자는 사경을 헤매게 된다(皆六七日之死境也). 궐음으로 생기는 음독 기전은 앞에서 이미 설명했다. 그래서 이병에 걸리게 되면, 더욱더(尤), 세심한 관찰이 필요해진다(不可不謹也). 이는 전이가 이미 너무 멀리까지 왔으므로, 이때는 당연히 환자가 쉽게 위험에 빠지게 된다. 그리고 간은 인체의 최대 해독 기관이다.

陽明 太陽之危者 獨蔘八物湯 補中益氣湯 可以解之而 病勢危時 若非日三四服而 又連日服則 難解也. 少陰 太陰之危者 獨蔘附子理中湯 桂附藿陳理中湯 可以解之而 病勢危時 若非日三四服而 又連日服則 難解也. 病勢極危時 日四服. 病勢半危時 日三服. 病勢不減則 日二服. 病勢少減則 二日三服而 一日則一服 一日則二服. 病勢大減則 日一服. 病勢又大減則 (間)二三四五日一服. 蓋 有病者 可以服藥 無病者 不可以服藥 重病 可以重藥 輕病 不可以重藥 若 輕病 好用重藥 無病者 好服藥 臟氣脆弱 益招病矣.

양명 태양병이 위증으로 발전할 때는(陽明 太陽之危者), 독삼팔물탕이나(獨蔘八物湯), 보중익기탕을 처방하게 되면(補中益氣湯), 충분이 해결이 가능하다(可以解之而). 그러나 병세가 위증이 되었을 때(病勢危時), 만약에(若), 약을 3~4일간 복용하지 않다가(非日三四服而), 다시 연일 복용하게 되면(又連日服則), 이때 병의 치유는 어렵게 된다(難解也). 그리고 소음 태음병에 걸려서 위증까지 갔을 때는(少陰 太陰之危者), 독삼부자이중탕이나(獨蔘附子理中湯), 계부곽진이중탕을 처방하면(桂附藿陳理中湯), 충분이 해결이 가능하다(可以解之而). 그러나 병세가 위증이 되었을 때(病勢危時), 만약에(若), 약을 3~4일간 복용하지 않다가(非日三四服而), 다시 연일 복용하게 되면(又連日服則), 이때 병의 치유는 어렵게 된다(難解也). 그리고 병세가 극도로 위증일 때는(病勢極危時), 하루에 약을 4번 복용하고(日四服), 병세의 위증 상태가 절반 정도 잡혔을 때는(病勢半危時), 약을 하루에 3번 복용하고(日三服), 이때 병세가 감소하지 않게 되면(病勢不減則), 약을 하루에 2번 복용하고(日二服), 이때 병세가 약간 감소하면(病勢少減則), 약을 2일에 3복하거나(二日三服而), 하루에 1복하거나(一日則一服), 하루에 2복 하거나 하고(一日則二服), 병세가 크게 감소하면(病勢大減則), 약을 하루에 1복하고(日一服), 또다시 병세가 크게 감소하게 되면(病勢又大減則), 이삼사오 일에 1복한다(間)二三四五日一服). 대개는(蓋), 병이 있으면(有病者), 약을 복용하는 것이 정상이나(可以服藥), 병이 없을 때는(無病者), 약은 독이므로, 약을 복용하면 안 된다(不可以服藥). 그리고 병이 중증일 때는(重病), 당연히 중증에 쓰는 약을 처방하고(可以重藥), 병이 경증일 때는(輕病), 당연히 중증에 쓰는 약을 써서는 안 된다(不可以重藥). 만약에(若), 병이 경증일 때(輕病), 중증 약을 쓰기를 좋아하거나(好用重藥), 병이 없을 때(無病者), 약을 복용하기를 좋아하게 되면(好服藥), 약은 독이므로, 이 약을 해독하는 오장의 기운은 당연히 위태로워지고 약해져서(臟氣脆弱), 자동으로 없던 병도 불러들이게 된다(益招病矣). 병은 오장이 중화하는 과잉 산의 문제이기 때문이다. 그래서 오장은 해독의 중심에 서게 된다.

膏粱 雖則 助味 常食則 損味 羊裘 雖則 禦寒 常着則 攝寒. 膏粱 羊裘 猶不可以常食常着 況藥乎. 若論常服藥之有害則 反爲百倍於全不服藥之無利也. 蓋 有病者 明知其證則 必不可不服藥. 無病者 雖明知其證 必不可服藥 歷觀於世之服鴉片煙 水銀 山蔘 鹿茸者 屢服則 無不促壽者 以此占之則 可知矣.

고량진미가 비록(膏粱 雖則), 맛을 돋우어서(助味) 좋기는 하지만, 이를 상식하게 되면(常食則), 거꾸로 다른 맛을 손상시키게 된다(損味). 즉, 이때는 고량진미만 음식으로 알고, 고량진미에 중독되고 만다. 그리고 양털로 만든 갑옷이 비록(羊裘 雖則), 한기를 잘 막아주기는 하지만(禦寒), 이를 항상 착용하게 되면(常着則), 한기에 당하고 만다(攝寒). 즉, 이때는 양털로 된 갑옷 이외에는 입지를 못해서 추위에 취약하게 된다. 그래서 고량진미와 양구도(膏粱 羊裘), 상식하거나 항상 착용해서는 안 되거늘(猶不可以常食常着), 하물며 약은 어찌하겠는가(況藥乎)! 즉, 약에 중독되지 말라는 뜻이다. 즉, 약은 꼭 써야만 할 때 쓰라는 뜻이다. 만약에(若), 약을 늘 먹어서 생기는 해악을 논하자면(論常服藥之有害則), 반대로 약을 먹지 않아서 해로운 경우보다 백배는 더 나쁘다(反爲百倍於全不服藥之無利也). 대개는(蓋), 병이 있으면(有病者), 그 증상을 명확히 밝힌 상태에서(明知其證則), 반드시 약을 복용하지 않으면 안 된다(必不可不服藥). 그리고 병이 없을 때(無病者), 비록 그 증상을 명확히 밝혔을지라도(雖明知其證), 이때는 약을 복용하면 안 된다(必不可服藥). 이런 사실을 두고 봐서(歷觀於世之服), 아편을 피우거나(鴉片煙), 수은(水銀), 산삼(山蔘), 녹용을(鹿茸者), 자주 복용했지만(屢服則), 이들이 독으로 작용해서 수명 단축을 재촉하지 않은 경우는 없었다(無不促壽者). 이런 사실을 가지고 추론하게 되면(以此占之則), 앞에서 약에 대해서 말한 문제를 충분히 알 수 있을 것이다(可知矣). 즉, 약은 어떤 약이 되었든지 간에 될 수 있으면, 회피하라는 뜻이다. 약은 병을 다스리는 독이기 때문이다.

少陰人 吐血 當用 獨蔘八物湯 咽喉痛 當用 獨蔘官桂理中湯

소음인이(少陰人), 토혈하게 되면(吐血), 이때는 당연히 독삼팔물탕을 처방하고(當用 獨蔘八物湯), 인후통이 있으면(咽喉痛), 이때는 당연히 독삼관계이중탕을 처방한다(當用 獨蔘官桂理中湯).

(소음인) 범론

嘗見 少陰人 飮食倍常 口味甚甘 不過一月 其人 浮腫而死. 少陰人 食消 卽 浮腫之屬而 危證也. 不可不急治 當用 芎歸蔥蘇理中湯. 嘗見 少陰人浮腫 獐肝一部 切片作膾 一服盡 連用五部 其病 卽效. 又有 少陰人 服獐肝一部 眼力倍常 眞氣 湧出. 少陽人 虛勞病 服獐肝一部 其人 吐血而死. 嘗見 少陰人 浮腫 有醫 敎以 服海鹽自然汁 日半匙 四五日服 浮腫大減 一月服 永爲完健 病不再發. 嘗見 少陰人 咽喉痛 經年不愈 有醫 敎以服金蛇酒 卽效. 金蛇酒 卽 金色黃章蛇釀酒者 也. 嘗見 少陰人 痢疾 有醫 敎以服項赤蛇煎湯 卽效. 項赤蛇 去頭斷尾 納二疊紬 囊中 藥缸內 別設橫木 懸空掛之 用水五碗 煎取一碗服 二疊紬囊 懸空掛煎者 恐 犯蛇骨故也 蛇骨有毒. 嘗見 少陰人 痢疾 有醫 敎以大蒜三顆 淸蜜半匙 同煎 三 日服 卽效. 嘗見 少陰人 乳傍近脇 有漏瘡 歷七八月 瘡口不合 惡汁常流 有醫 敎以山蔘 熊膽末 各一分 傅之 卽效. 又 少陰人一人 滿身有瘡 以人蔘末 塗傅 卽效. 嘗見 少陰人 乳傍近脇 發內癰 有醫 敎以火針取膿. 醫曰 內癰 外證 惡寒 發熱 似傷寒而 有痛處也 察其痛處 明知有膿則 不可不用火針. 嘗見 少陰人 背 癰 有醫 敎以火刀裂瘡. 醫曰 火刀裂瘡 宜早也 若 疑訝而緩不及事則 全背堅硬 悔之無及. 嘗見 少陰人 半身不遂病 有醫 敎以服鐵液水 得效.

일찍이 나는(嘗見), 어떤 소음인이(少陰人), 음식을 항상 곱빼기로 먹고(飮食倍 常), 먹고 싶은 충동(口味)을 심하게 만족(甘)시키더니(口味甚甘), 불과 1개월 후 에(不過一月), 그 사람은(其人), 부종으로 죽고 만 것을 보았다(浮腫而死). 과식의 문제는 위산의 문제와도 연결된다. 위산은 우리가 먹은 음식물을 환원해서 분해하 는 역할을 한다. 그런데 위산도 양이 한정되어있다. 그래서 과식하게 되면, 소화가 안 된 음식물은 분자 크기가 커서 림프를 통해서 인체 안으로 흡수된다. 그리고 분자 크기가 큰 이들은 자동으로 간질에 정체해서 체액의 소통을 막아버린다. 이 결과는 자동으로 부종으로 나타나게 된다. 부종이 문제가 큰 이유는 인체는 부종 이 만들어지는 간질에서 영양소와 산성 노폐물이 서로 교환되기 때문이다. 그래서 부종이 존재하게 되면, 간질에 쌓인 산성 노폐물은 제거되지 못하고 그대로 간질 에 정체하고 만다. 그러면 자동으로 혈액 순환이 막혀버린다. 이때 나머지 수순은 죽음뿐이다. 이는 소화가 얼마나 중요한지를 말하고 있고, 또한 미리 소화된 발효 음식이 얼마나 중요한지도 말해주고 있다. 다시 본문을 보자. 소음인이(少陰人), 식사를 마치고 나서(食消), 즉시(卽), 부종에 시달리게 되면(浮腫之屬而), 이는 위 증이 된다(危證也). 이는 음식물이 전혀 소화가 안 되고 그대로 인체 안으로 흡수 된다는 뜻도 되고, 또한, 흡수된 영양소가 간질에 정체하면서 체액 순환을 막고 있 다는 뜻도 된다. 이는 자동으로 위험한 증상이 된다. 다시 본문을 보자. 그래서 이 때는 서둘러서 치료해야 하는데(不可不急治), 당연히 궁귀총소이중탕을 처방하면 된다(當用 芎歸蔥蘇理中湯). 그리고 예전에(嘗見), 소음인이 부종에 걸렸을 때(少 陰人浮腫), 노루의 간 일부를(獐肝一部), 잘라내고 회를 떠서(切片作膾), 한 번에 모두 먹기를(一服盡), 연이어 5번을 시켰더니(連用五部), 그 병에(其病), 즉효가 있었다(卽效). 이 문제는 노루 고기의 문제가 아니라 노루 간(肝)의 문제이다. 간 은 담즙을 만든다. 그리고 간의 주성분 중에는 타우린과 콜레스테롤이 있다. 그리 고 이 타우린과 스테로이드 구조물을 보유한 콜레스테롤이 분자 크기가 큰 물질들 을 수거해서 체외로 배출한다. 그래서 노루의 생간에는 콜레스테롤이라는 쓰레기 청소부와 타우린이라는 쓰레기 수거 영양물질이 들어있다. 이는 인체 안에 그대로 흡수되어서 그대로 기능하게 된다. 그러면 부종을 만들던 분자 크기가 큰 물질들 은 자동으로 콜레스테롤이나 타우린에 붙잡혀서 체외로 배출된다. 이 문제는 본 연구소가 발행한 전자생리학에서 스테로이드 부분을 참고하면 된다. 이 부분은 최 첨단 현대의학이 미신(迷信)이라고 조롱하는 전형적인 곳이다. 이는 이곳에서 기 술한 내용이 진짜 미신(迷信)이 아니라 미신(美神)이므로, 최첨단 현대의학은 돈을 벌 수 없을까 봐서 미신(迷信)으로 호도한 것이다. 요즘에는 큰 병원에 가면, 간이 안 좋은 사람에게 간을 먹으라고 하는 의사들도 가끔 있기는 하다. 이는 우리가 순대를 먹는 이유를 설명하고 있기도 하다. 다시 본문을 보자. 이런 경우는 또 있 었는데(又有), 어떤 소음인이(少陰人), 노루의 간을 먹더니(服獐肝一部), 시력이 배가되고(眼力倍常), 힘이 솟아났다(眞氣湧出). 간에 든 담즙은 인체의 산성 쓰레 기 청소부이기 때문이다. 특히 눈은 산성 쓰레기에 엄청나게 민감하다. 이런 이유 로 간과 눈은 연계된다. 이 산성 쓰레기가 만병의 근원이 되기 때문이다. 이 문제는 본 연구소가 발행한 황제내경 소문이나 전자생리학을 참고하면 된다. 다시 본문을 보자. 소양인이(少陽人), 중노동을 너무 심하게 해서 허로라는 병에 걸렸을 때는(虛勞病), 인체 안에 자동으로 산성 쓰레기가 넘쳐나게 되는데, 이때 노루의 간을 먹더니(服獐肝一部), 그 사람은(其人), 토혈하고 죽었다(吐血而死). 허로(虛勞)는 몸의 정기(正氣)와 기혈(氣血)이 허약해진 병증이다. 여기서 정기란 음식물을 분해해서 흡수하는 기운이고, 기혈은 인체를 돌리는 에너지와 혈액을 말한다. 그런데, 허로 환자는 이런 요소들이 거의 고갈된 상태이다. 이런 상태에서 노루 간을 먹게 되면, 노루 간은 소화가 전혀 안 되고, 설사 노루 간이 소화관 정맥혈을 통해서 간문맥으로 들어가더라도 이는 간문맥을 과부하로 몰고 만다. 지금 간은 정기가 부족한 상태이기 때문이다. 그러면 이때 산성 정맥혈을 통제하는 간은 자기가 통제하지 못한 산성 정맥혈을 우 심장을 우회하는 우회로인 기정맥을 통해서 폐로 직접 보내버린다. 그리고 이 과정에서 식도 정맥총이 개입하게 되고, 이는 즉시 식도 정맥총의 과부하를 유도하고, 이는 곧바로 식도 정맥총이 터지게 만든다. 이것이 토혈이다. 그래서 토혈의 문제는 간 문제가 된다. 이는 자동으로 온몸 정맥혈의 통제 상실을 말하게 되고, 인체는 혈액 순환 장애로 인해서 죽을 수밖에 없게 된다. 여기서 중요한 사실은 몸 상태에 따라서 똑같은 물질이라도 약이 되기도 하고 독이 되기도 한다는 점이다. 그리고 여기서는 비장이 크고 신장이 작은 소양인을 말하고 있는 사실도 중요하다. 그리고 신장과 비장 사이에 간이 있다는 사실도 상기해보자. 다시 본문을 보자. 일찍이(嘗見), 소음인이(少陰人), 부종에 걸렸을 때(浮腫), 어떤 의사는(有醫), 바닷물 소금으로 만든 즙인 간수를 복용하라고 했다(教以服海鹽自然汁). 날마다 반 스푼씩(日半匙), 사오일을 복용하자(四五日服), 부종이 크게 빠졌고(浮腫大減), 이를 1개월을 복용하자(一月服), 부종이 완치되었고(永爲完健), 다시 재발하지 않았다(病不再發). 이를 설명하기 위해서는 두부를 만들 때 쓰는 간수의 특징을 살펴봐야만 한다. 이를 화학 용어사전을 통해서 살펴보자. 간수는 바닷물에서 식염을 석출한 후의 액으로, **마그네슘염**을 **다량** 함유하며 **쓴맛**이 난다. **염화마그네슘이 가장 많고, 기타 황산마그네슘, 염화나트륨, 염화칼륨, 브롬화마그네슘** 등이 함유되어 있다. 두부 제조시의 응고제, 마그네슘염, 브롬 등의 원료가 된다. 제1차 세계 대전 이후 간수에 관한 연구가 진행되어, 현재는 **무기 약품의 중요한 자원으로 이용**된다. 간수 처리공업은 칼륨 공업 및 칼륨비료 제조 공업 등 하나의 부문이 되어 있다. 간수는 직접적으로 두부 제조와 마그네시아시 멘트 등에 쓰이고, 그 밖에 정미용(精米用)·씨가리기(選種) 등에도 소량이지만 옛 날부터 이용되고 있다. 여기서 보면 알겠지만, 간수의 핵심은 미네랄이다. 그리고 이 미네랄들은 염(塩)의 재료이다. 특히 마그네슘은 그 기능이 유명하다. 특히 마 그네슘은 쓴맛을 내면서 심장에서 아주 큰 역할을 하게 된다. 그래서 심장에서 마 그네슘은 엄청나게 중요하다. 그 이유는 심장이 염에 흡수되는 자유전자를 전문으 로 중화하기 때문이다. 이때 마그네슘이 자유전자 완충제가 된다. 그리고 부종은 반드시 삼투압 기질이 수분을 끌어안고 있어야만 생긴다. 그리고 이때 삼투압 기 질은 반드시 자유전자를 포함하고 있다. 그래서 염은 자동으로 삼투압 기질이 된 다. 그러면 마그네슘과 같은 염의 재료는 부종을 만든 자유전자를 흡수해서 신장 을 통해서 체외로 배출된다. 그러면 마그네슘과 같은 염의 재료가 부종의 근원인 자유전자를 배출시켰으므로, 부종은 자동으로 사라지게 된다. 그리고 이들은 부종 의 근원인 과잉 자유전자를 완충해주므로, 부종은 다시 재발하지 않게 된다. 그래 서 여기서 간수를 최첨단 현대의학으로 표현하자면 미네랄제제이다. 다시 본문을 보자. 일찍이(嘗見), 어떤 소음인의(少陰人), 인후통이(咽喉痛), 여러 해가 지나도 록 낫지 않고 있었는데(經年不愈), 어떤 의사가(有醫), 금사주를 권해서 먹었더니 (敎以服金蛇酒), 즉효가 있었다(卽效). 금사주란(金蛇酒 卽), 금빛이 나는 구렁이 를 술에 담근 것이다(金色黃章蛇釀酒者也). 뱀은 냉혈 동물이다. 그리고 사람은 온혈 동물이다. 그러면, 이 차이는 뭘까? 이는 인체 체액의 산도(酸度) 차이다. 이 문제는 생체의 에너지가 ATP가 아닌 자유전자라는 사실을 인식하고 있어야만 풀 리는 문제이다. 생체는 항상 자유전자라는 에너지를 많이 필요로 한다. 그러나 이 에너지가 과잉되면, 생체는 이 과잉 에너지로 인해서 갈기갈기 찢겨서 죽고 만다. 이 기전은 본 연구소가 발행한 전자생리학을 참고하면 된다. 이 사실이 온혈 동물 과 냉혈 동물의 차이를 만들어낸다. 즉, 인체는 자유전자라는 에너지가 과잉되면, 이를 산소에 환원(還元)시켜서 과잉 자유전자가 부리는 횡포를 막게 된다. 그러면 이때 자동으로 열(熱)이 만들어진다. 즉, 온혈 동물은 열을 만들지 못하면, 곧바로 과잉 자유전자로 인해서 갈기갈기 찢겨서 죽게 된다. 이는 자유전자를 완충하는 능력으로 나타나게 된다. 이를 다시 표현하면, pH로 나타나게 된다. 그래서 온혈 동물은 자유전자를 완충할 수 있는 범위가 아주 좁다. 즉, 인간을 보자면, 인간의 체액 산도는 pH7.45로서 겨우 중성을 약간 넘게 된다. 즉, 인간의 체액은 아주 약한 알칼리이다. 이는 자유전자를 중화할 수 있는 능력이 겨우 0.45밖에 안 된다는 뜻이다. 그러나 냉혈 동물들의 체액 산도는 보통 pH8.5가 된다. 이는 자유전자를 중화할 수 있는 능력이 엄청나게 큰 1.5나 된다는 뜻이다. 냉혈 동물의 완충 산도 크기(1.5)를 온혈 동물인 인간의 완충 산도 크기(0.45)와 비교해보면, 3배 이상 과잉 자유전자를 완충할 수 있는 능력을 보유하게 된다. 즉, 인간은 무시무시한 과잉 자유전자를 중화 처리하기 위해서는 반드시 산소를 이용해서 열을 만들어야만 한다. 그래야만 살아남을 수 있다. 그러나 냉혈 동물들은 자유전자의 완충 능력이 크므로, 과잉 자유전자를 꼭 산소로 중화할 필요가 없다. 그냥 자기들이 보유한 알칼리 염에 보관해두면 된다. 그리고 이를 필요할 때 빼서 쓰면 된다. 그래서 뱀은 산소를 공급하는 숨을 쉬지 않고서도 몇 년씩 생존이 가능하게 된다. 이는 생체가 산소를 필요로 하는 이유는 과잉 자유전자를 중화하기 위함이기 때문이다. 그래서 과잉 자유전자를 완충할 수만 있다면, 굳이 산소가 필요하지 않게 된다. 이는 아주 웃지 못할 비극을 만들어내기도 한다. 중국 사람들은 뱀술을 많이 담가 먹는다. 특히 독이 강한 뱀을 잡아서 뱀술을 담근다. 그리고 이를 보통은 1년 정도 되면 열어서 먹는다. 그런데, 한 신문 기사를 보면, 1년 된 뱀술을 먹으려고 병을 열었더니, 뱀이 나와서 인간을 물어서 죽였다는 것이다. 이는 뱀이 산소를 많이 필요로 하지 않으므로, 산소가 없는 술병 속에서 살아남을 수가 있었던 것이다. 그리고 생체의 에너지는 ATP가 아니라 자유전자이므로, 1년 동안 먹이를 먹지 않고도 뱀은 생명을 유지할 수 있었던 것이다. 즉, 뱀은 자기가 보유한 풍부한 알칼리에 생체의 에너지인 자유전자를 저축하고 있었던 것이다. 결국에 이 문제는 생체의 에너지가 ATP가 아니라 자유전자라는 사실을 인식할 때만 풀리는 문제이다. 그래서 바다거북과 같은 생명체는 먹이를 거의 먹지 않고도 수년까지 버틸 수가 있게 된다. 그리고 심해 열수공에 사는 생명체는 아예 먹이를 먹지 않는다. 그래서 이들은 입도 없고, 소화기관도 없고, 배설 기관도 없다. 그러나 아주 잘살고 있다. 이들은 주로 발효를 통해서 자유전자라는 에너지를 얻는다. 이 기전은 본 연구소가 발행한 전자생리학의 발효 부분을 참고하면 된다. 이는 결국에 생체의 에너지는 ATP가 아니라는 뜻이 된다. 그러면, 여기서 자동으로 뱀술의 약효가 나오게 된다. 즉, 뱀술은 뱀의 강알칼리 성분을 먹기 위함이다. 뱀의 체액 산도가 보통 강알칼리인 pH8.5라는 사실을 상기해보자. 그러면 여기서 의문은 왜 이를 술에 담궈서 먹을까이다. 이는 술이 산성 그 자체이기 때문이다. 즉, 뱀의 강알칼리 성분은 인간에게는 독으로 작용하므로, 이 강알칼리를 술이라는 산성으로 중화하는 것이다. 한의학은 이를 법제라고 부른다. 그래서 뱀의 독성도 강알칼리에서 나오게 된다. 강알칼리가 인체에 독이 되는 이유는 신경과 경락 때문이다. 경락은 항상 자유전자인 전기가 흐르는 도선이고, 신경은 자유전자가 없으면 바보가 되어버린다. 그래서 강알칼리가 자유전자를 모두 흡수하게 되면, 경락도 멈춰버리고, 신경도 멈춰버리면서 인체는 자동으로 죽게 된다. 이것이 강알칼리를 보유한 뱀독이다. 그리고 인체는 항상 인체의 산성화와 매 순간 전쟁을 벌이고 있다. 그래서 인체는 항상 적당한 알칼리가 요구된다. 즉, 인체는 항상 체액의 산도를 pH7.45로 맞추기 위해서 전쟁을 벌이고 있다. 여기서 뱀술의 효능이 나오게 된다. 그래서 앞에서 말한 인후통(咽喉痛)은 과잉 자유전자의 문제이므로, 과잉 자유전자를 알칼리인 뱀술로 중화해버리면, 인후통은 자동으로 사라지게 된다. 이는 최첨단 현대의학의 조롱거리이지만, 양자역학을 기반으로 한 전자생리학으로 풀게 되면, 완벽한 과학이 된다. 이 기전을 최첨단 현대의학의 기반인 단백질 생리학으로 풀게 되면, 이 기전의 어디에도 단백질은 없게 되고, 이는 자동으로 미신(迷信)이 되고 만다. 이는 또한 최첨단 현대의학은 무늬만 최첨단이지 실제로는 얼마나 무식한지도 적나라하게 보여주기도 한다. 다시 본문을 보자. 일찍이(嘗見), 소음인이(少陰人), 이질에 걸렸을 때(痢疾), 어떤 의사가(有醫), 목이 붉은 뱀을 달여서 탕으로 먹게 되면(教以服項赤蛇煎湯), 즉효가 있다고 했다(卽效). 이질이라는 병도 결국에는 산성 체액의 문제이므로, 이를 뱀의 알칼리 성분으로 중화하자는 전략이다. 이때 제법을 보면, 목이

(소음인) 범론

붉은 뱀의(項赤蛇), 머리와 꼬리는 자르고(去頭斷尾), 두 겹의 행주 속에 넣고(納二疊紬囊中), 약탕기 안에(藥缸內), 별도로 가로대를 만들고(別設橫木), 거기에 주머니를 단다(懸空掛之). 그리고는 이에 물 다섯 사발을 붓고(用水五碗), 한 사발이 되게 졸여서 마시면 된다(煎取一碗服). 그리고 두 겹 주머니에 뱀을 넣고(二疊紬囊), 허공에 띄워서 달이는 이유는(懸空掛煎者), 뱀의 뼈가 바닥에 닿을까 두렵기 때문이다(恐犯蛇骨故也). 그 이유는 뱀의 뼈에는 독이 있기 때문이다(蛇骨有毒). 이는 상당히 어려운 이야기이다. 여기서 독은 환원 미네랄을 말한다. 환원 미네랄은 자유전자를 보유하고 있다. 이들이 인체 안에 적체하면, 자유전자를 보유한 염이 된다. 그리고 이 염은 자기가 보유한 자유전자를 통해서 인체를 괴롭히게 된다. 이것은 상한의 근원이 된다. 그리고 이들이 뱀에서 자유전자를 완충하는 도구로 작용한다. 이는 인간도 마찬가지로서 뼈에 미네랄을 많이 보관한다. 그러나 인체의 산도는 pH7.45로 약알칼리라서 인체가 보유한 뼈는 많은 자유전자를 보유한 상태는 아니다. 그러나 뱀은 체액의 산도가 pH8.5라서 뱀 뼈는 엄청난 양의 자유전자를 보유하게 된다. 이것이 인체로 그대로 흡수되면, 이것은 인체 안에서 그대로 독성을 발휘하게 된다. 이를 납과 같은 중금속 독성으로 표현해도 될 것이다. 다시 본문을 보자. 일찍이(嘗見), 소음인이(少陰人), 이질에 걸렸을 때(痢疾), 어떤 의사가 말하기를(有醫), 큰 마늘 세 통과(敎以大蒜三顆), 꿀 반 스푼을(淸蜜半匙), 같이 달여서(同煎), 3일간 복용하면 즉효를 본다고 했다(三日服 卽效). 꿀에는 자유전자라는 에너지가 아주 많이 들어있는데, 이 자유전자가 마늘의 알리신에 환원된다. 그리고 이 알리신은 알칼리로 작용하게 된다. 이는 동종요법에서 잘 쓰는 치료 기법이다. 다시 본문을 보자. 일찍이(嘗見), 소음인의(少陰人), 유방 근처 갈비뼈 부근에서 (乳傍近脇), 고름이 나오기를(有漏瘡), 육칠 개월 정도 되었고(歷七八月), 여전히 고름 부위가 봉합되지 않고(瘡口不合), 악성 진물이 항상 흐르고 있을 때(惡汁常流), 어떤 의사가 말하기를(有醫), 산삼과(敎以山蔘), 곰 쓸개의 가루를(熊膽末), 각 한 푼씩 붙이면(各一分 傅之), 즉효가 나타난다고 했다(卽效). 이는 최첨단 현대의학이 말하는 스테로이드 연고 치료이다. 산삼이나 인삼에는 스테로이드 사포닌이 들어있는데, 이것이 스테로이드이다. 그리고 쓸개에는 당연히 콜레스테롤이라는 스테로이드가 들어있다. 이들 대신에 돼지비계를 붙여도 된다. 대신에 이때 돼지비계는 거세하지 않고 키운 돼지에서 나온 돼지비계이어야 한다. 여기에는 스테로이드 호르몬이 아주 많이 들어있다. 그래서 이도 역시 스테로이드 연고를 바르는 이치와 똑같게 된다. 하나만 더 예를 들자면, 여기에 된장을 발라도 된다. 대신에 이때 된장은 발효가 아주 잘 된 된장을 말한다. 메주를 만들어서 된장을 만드는 콩에는 이소플라본이라는 유사 에스트로겐이 많이 들어있는데, 이것이 바로 스테로이드이다. 다시 본문을 보자. 또한(又), 어떤 소음인이(少陰人一人), 온몸에 부스럼이 가득한데(滿身有瘡), 이때 스테로이드 사포닌이 듬뿍 든 인삼 가루를 도포하자(以人蔘末 塗傅), 즉효를 보았다(卽效). 너무나 당연한 일이다. 일찍이(嘗見), 소음인의(少陰人), 유방 근처 갈비뼈 부근에서(乳傍近脇), 안쪽에 옹종이 발생했는데(發內癰), 어떤 의사가 말하기를(有醫), 불에 달군 화침으로 농을 빼내라고 했다(敎以火針取膿). 농을 만든 인자는 과잉 자유전자이다. 그리고 침은 상온에 두면, 공기 중의 용매화 전자를 흡수해서 산성 침(Fe^{2+})이 된다. 그리고 이 산성 침을 불에 달궈서 화침으로 만들면, 산성 침에서 전자가 산화되면서, 이 산성 침은 알칼리 침(Fe^{3+})으로 바뀌게 된다. 그리고 이 알칼리 화침으로 옹종이 있는 곳에서 고름을 빼내게 되면, 알칼리 화침은 고름 안에 있던 자유전자를 흡수해서 빼내면서 옹종은 쉽게 제거된다. 다시 본문을 보자. 의사가 말하기를(醫曰), 인체 안쪽에서 발병하는 옹종은(內癰), 주로 산성 체액이 정체하는 간질에서 발병하므로, 이는 당연히 외증이 되고(外證), 그러면 이 옹종이 간질의 체액 흐름을 막으면서, 자동으로 열과 오한을 만들어내게 되는데(惡寒發熱), 이는 과잉 염이 간질의 흐름을 막으면서 나타나는 상한과 유사하다(似傷寒而). 이때는 통증이 있는 곳을 찾아내서(有痛處也), 그 장소를 잘 관찰한 다음에(察其痛處), 그 농을 정확히 파악한 다음에(明知有膿則), 화침을 써야만 한다(不可不用火針). 옹종이 있는 이때는 화침이 의무 사항이 된다. 이때 만일에 알칼리 화침이 아닌 일반 산성 침을 쓰게 되면, 옹종은 산성 체액이 만들므로, 산성 침이 자유전자를 옹종에 추가로 공급하면서, 옹종은 더욱더 악화하고 만다. 이는 침의 기본 상식이다. 이는 침(針)에서 신(神)이라는 개념을 알아야만 알 수 있는 문제이다. 이 문제는 본 연구소가 발행

(소음인) 범론

한 황제내경 영추를 참고하면 된다. 다시 본문을 보자. 일찍이(嘗見), 소음인이(少陰人), 등에 옹종이 발병했는데(背癰), 어떤 의사가 말하기를(有醫), 불에 달군 작은 칼로 옹종을 째는 것이 좋다고 했다(敎以火刀裂癰). 이는 화침의 원리와 똑같다. 이는 의사들이 수술하면서 수술칼을 소독하는 원리와 똑같다. 의사가 말하기를(醫曰), 불에 달군 칼로 옹종의 창을 제거하는 일은(火刀裂癰), 옹종이 더 넓게 번지기 전에 마땅히 빨리해야만 한다(宜早也). 만약에(若), 이런 일을 괴상하게 여겨서 치료할 시기를 놓치게 되면(疑訝而緩不及事則), 등 전체가 옹종 때문에, 모두 딱딱하게 굳을 것이고(全背堅硬), 결국에는 뒤늦게 뉘우쳐봐도 아무 소용도 없게 된다(悔之無及). 일찍이(嘗見), 소음인이(少陰人), 반신불수에 걸려있을 때(半身不遂病), 어떤 의사가 말하기를(有醫), 철액수를 복용하면(敎以服鐵液水), 효과를 본다고 했다(得效). 이는 철 미네랄제제를 말한다. 이때 철은 대장간에서 막 떨어진 철 가루를 쓴다. 대장간은 철을 불에 달궈서 쓰므로, 이때 철은 알칼리 철이 된다.

嘗見 少陰人小兒 腹瘧病 有醫 敎以瘧病將發之早朝 用火煅金頂砒 (極)細末六厘 生甘草湯 調下 卽效. 醫曰 砒藥 必金頂砒然後 可用而 又火煅然後 可用也. 必不可過六厘而 又不可不及六厘也. 過六厘則 藥毒太過也. 不及六厘則 瘧不愈也. 此藥 屢試屢驗而 有一服愈後 瘧又再發者 又用之則 其病 益甚而危. 蓋 此藥 可以一服 不可再服云 聽醫言而 究其理則 一服愈而 瘧不再發者 皆少陰人兒也. 一服愈而 瘧又再發者 皆非少陰人兒也. 惟 少陰人兒 腹瘧病 難治者 用此藥 尋常瘧 不必用 此不祥之藥. 少陰人 尋常間日瘧 惡寒時 用川芎桂枝湯 二三貼則 亦無不愈. 又 腹中實滿而 大便硬 瘧發者 亦可用巴豆.

일찍이(嘗見), 소음인 어린 아이가(少陰人小兒), 자라 배로 불리는 복학병에 걸렸을 때(腹瘧病), 어떤 의사가 말하기를(有醫), 학질이 일어나려고 하는 이른 아침에(敎以瘧病將發之早朝), 불로 달구어낸 금정비상 6리를 아주 곱게 갈아서(用火煅金頂砒 (極)細末六厘), 생감초탕에 넣어서 마시면(生甘草湯 調下), 즉효가 있다고 했다(卽效). 의사가 말하기를(醫曰), 비소가 든 약은(砒藥), 반드시 금정비상만 쓸 수가 있고(必金頂砒然後 可用而), 추가로 이를 불로 달구어야만 쓸 수 있다(又火煅然後 可用也). 이는 반드시 6리를 넘어서도 안 되고(必不可過六厘而), 6리에 모자라도 안 된다(又不可不及六厘也). 6리를 넘게 되면(過六厘則), 약의 독성이 너무 심하게 되고(藥毒太過也), 모자라게 되면(不及六厘則), 학질이 치유되지 않게 된다(瘧不愈也). 이 약은(此藥), 여러 번 시험해봤는데(屢試屢驗而), 한 번 복용하고 완치된 후에(有一服愈後), 학질이 또 재발하게 되었을 때(瘧又再發者), 또 복용하게 되면(又用之則), 이때 병은(其病), 더 심해져서 위급하게 된다(益甚而危). 대개(蓋), 이 약은(此藥), 한 번 복용은 가능하나(可以一服), 두 번 복용이 불가하다고 말하는 이유를(不可再服云), 의사의 말을 빌려서(聽醫言而), 그 이치를 연구해보게 되면(究其理則), 한 번 복용으로 병이 완치되고(一服愈而), 학질의 재발이 없었던 경우는(瘧不再發者), 모두 소음인 아이였다(皆少陰人兒也). 그리고 한 번 복용 후에 완치되고(一服愈而), 또 학질이 재발한 경우는(瘧又再發者), 모두 소음인 아이가 아니었다(皆非少陰人兒也). 이 약은 오로지(惟), 소음인 아이가(少陰人兒), 복학병에 걸려서(腹瘧病), 난치병이 되고 있을 때(難治者), 써야만 한다(用此藥). 그래서 보통 학질과 같은 경우에는(尋常瘧), 반드시 복용해서는 안 되는데(不必用), 이는 상서롭지 못한 약이기 때문이다(此不祥之藥). 소음인의(少陰人), 그냥 평범한 간일 발작하는 학질에(尋常間日瘧), 추가로 오한이 있으면(惡寒時), 이때는 천궁계지탕을(用川芎桂枝湯), 두세 첩 쓰게 되면(二三貼則), 역시 치유되지 않을 때가 없었다(亦無不愈). 또한(又), 배가 그득하고(腹中實滿而), 대변이 굳는(大便硬), 학질이 발병하면(瘧發者), 역시 파두를 처방하면 된다(亦可用巴豆). 이 부분은 학질 문제를 다루고 있다. 대표적인 학질은 가을에 일어난다. 이는 과잉 산이 너무나 많이 몸에 쌓이면서 일어난다. 이 문제는 본 연구소가 발행한 황제내경을 참고하면 된다. 대개는 학질의 기전을 잘 모른다. 그 이유는 학질이 자유전자라는 인체 에너지의 과잉 때문에 일어나기 때문이다. 그러나 지금 우리는 인체 에너지가 ATP라고 잘못 배우고 있다. 그리고 학질은 오운육기를 모르면 절대로 풀 수가 없다. 이도 역시 현대 천문학으로는 풀리지 않는다. 현대천문학은 오직 눈에 보이는 천체 현상만 연구할 뿐이지 눈에 보이지 않는 천체 에너지는 연구하지 않기 때문이다. 이는 아인슈타인이 우주 공간은 휘어져 있다고 했을 때 전 세계가 경악한 이유가 된다. 이는 태양계 아래 모든 공간은 에너지로 가득하므로 일어나는 일이다. 그리고 이는 완벽한 양자역학의 개념이다. 그러나 양자역학은 이제 겨우 태동하고 있다. 그러나 오운육기는 완벽한 양자역학이다. 이는 자동으로 학질의 기전을 밝힐 때 필수가 된다. 다시 학질 문제를 보자면, 학질은 여름에 우리 몸에 가득한 과잉 에너지를 땀으로 배출하지 못해서 생긴 질병이다. 여름에 우리 몸 안에 든 과잉 에너지를 땀으로 제거하고 나면, 이때는 가을부터 시작되는 추위 때 만들어지는 과잉 에너지를 채울 수 있는 공간이 확보된다. 이 문제는 너무 긴 이야기라서 반드시 본 연구소가 발행한 황제내경을 참고하길 바란다. 그래서 여름에 가을과 겨울에 과잉 에너지가 축적될 수 있는 공간을 땀을 통해서 확보하는 것이 학질의 핵심이 된다. 이렇게 하지 못하게 되면, 쌀쌀한 가을이 오면서 인체 안에 과잉 에너지가 쌓이게 되는데, 이를 저장할 공간이 없게 되고, 이 과잉 에너지는 인체 안에서 산소로 중화되거나 신경을 과잉 흥분시켜서 학질을 만들어내게 된다. 그래서 일반적인 학질은 가을의 쌀쌀한 날씨가 시작을 알리게 된다. 결국에 학질 문제는 과잉 에너지로서 과잉 산의 문제이다. 그리고 산은 자유전자를 포함하고 있으므로, 학질은 과잉 자유전자의 문제가 된다. 여기서 학질의 치료법이 도출된다. 즉, 인체 안에 쌓인 과잉 자유전자를 알칼리를 통해서 수거하고 이를 체외로 배출하면 된다. 이는 자동으로 신장의 기능을 요구한다. 그래서 신장이 큰 소음인에게 앞에서 말한 비상의 약제가 잘 작동하는 것이다. 비상은 비소로서 독약이다. 비소는 질소 이중 결합이 3개나 붙어있어서 엄청나게 강한 강알칼리이다. 이 엄청난 강알칼리가 과잉 자유전자를 모조리 흡수해버리는 것이다. 이는 또한 비소가 독약이 되게 한다. 즉, 비소는 경락과 신경이 밥으로 쓰는 자유전자를 몽땅 수거해버려서 신경과 경락을 무용지물로 만들어서 생체를 죽이게 된다. 그래서 지독하게 많은 과잉 자유전자로 인해서 생긴 학질 치료에 비소를 쓰는 것이다. 즉, 이는 지독하게 강한 산성을 지독하게 강한 알칼리로 중화하는 것이다. 이렇게 과잉 자유전자를 환원받은 비소는 자동으로 신장으로 배출된다. 그래서 이런 약을 쓰는 환자는 자동으로 신장의 좋은 기능을 요구한다. 그리고 신장의 기능이 좋은 사람이 바로 소음인(少陰人)이다. 그래서 이 문장에서 보면, 소음인(少陰人)에게 이 약이 통한다고 한 것이다. 여기서 또 핵심은 비상을 불에 달군다는 사실이다. 이는 비상에 붙은 자유전자를 산화(酸化)시켜서 비상을 완벽한 강알칼리로 만들려는 것이다. 이런 비상을 박테리아는 산소가 없을 때 자유전자 산화제(酸化劑)로 이용하기도 한다. 즉, 어떤 박테리아는 호흡 사슬에서 자유전자를 환원받을 때 산소 대신에 비소를 이용한다는 뜻이다. 이만큼 비소는 자유전자를 잘 환원받는다. 그래서 비소는 경락과 신경을 마비시키는 독성 물질이라서 함부로 쓰면 안 된다. 이는 너무나 많은 분량을 요구하므로, 이 문제는 여기서 마친다.

百藥 莫非善藥而 惟 少陰人 信砒藥 太陰人 瓜蔕(蔕)藥 最爲惡藥也 何哉. 少陰人 信砒藥 百病用之 皆殆而 祇有治瘧之一能者 亦有名無實 不無危慮 萬不如 桂枝 人蔘 白芍藥 三四服之 治瘧則 此 非天下萬害無用之藥乎. 太陰人 瓜蔕藥 百病用之 皆殆而 祇有治痰涎壅塞之一能者 亦有名無實 不無危慮 萬不如 桔梗 麥門冬 五味子 三四服之 治痰涎壅塞則 此 非天下萬害無用之藥乎. 此二藥 外治 可用 內服 不可用.

모든 약은(百藥), 잘 쓰게 되면, 좋지 않은 약이란 없다(莫非善藥而). 그러나(惟), 소음인이(少陰人), 비소 약을 맹신하거나(信砒藥), 태음인이(太陰人), 참외 꼭지로 만든 약을 맹신하면(瓜蔕(蔕)藥), 이보다 더 나쁜 약은 없게 만들고 만다(最爲惡藥也). 그 이유는 뭘까(何哉)? 소음인이(少陰人), 비소 약을 맹신해서(信砒藥), 이를 백병에 모두 쓰게 되면(百病用之), 이는 독약이므로, 모두 환자를 위태롭게 만들고 만다(皆殆而). 이 비소 약은 오직 학질 치료라는 한 가지 효능만 있을 뿐이다(祇有治瘧之一能者). 그래서 다른 소음인 병에 이를 쓰게 되면, 이 효과는 역시 유명무실할 수밖에 없고(亦有名無實), 당연히 위험의 우려를 낳게 되며(不無危慮), 이렇게 되면, 학질을 치료할 때 다음의 처방을 쓰는 것보다 못하게 된다(萬不如). 즉, 계지(桂枝), 인삼(人蔘), 백작약(白芍藥)을 서너 번 복용해서(三

四服之), 학질을 치료하는 것 말이다(治瘧則). 이는(此), 천하에 모든 해악을 만드는 쓸모없는 약이 아니다(非天下萬害無用之藥乎). 지금은 비소를 학질의 약으로 쓰는 문제를 말하고 있다. 즉, 비소는 학질에만 쓰라는 것이다. 그 이유는 학질은 엄청난 산성으로 인해서 발병했으므로, 이는 엄청난 알칼리로 치료해야만 하기 때문이다. 그래야 엄청난 산성을 엄청난 알칼리로 중화해서 학질이라는 병을 낫게 할 수 있기 때문이다. 그러나, 학질 이외의 병도 산성으로 인해서 발병하지만, 학질만큼 엄청난 산성은 아니므로, 이때 비소와 같은 엄청난 강알칼리로 이를 치료하게 되면, 이 산성을 중화하고 남은 강알칼리는 신경과 경락을 공격해서 인체에 심각한 타격을 주기 때문이다. 이것이 비소의 독이다. 다시 본문을 보자. 태음인에서(太陰人), 참외 꼭지로 만든 약을(瓜蔕藥), 태음인의 모든 병에 쓰게 되면(百病用之), 이때는 모두 환자를 위태롭게 만든다(皆殆而). 이 참외 꼭지로 만든 약은 다만 막힌 가래를 뚫는 데는 특효약이다(祇有治痰涎壅塞之一能者). 그래서 다른 태음인 병에 이를 쓰게 되면, 이 효과는 역시 유명무실할 수밖에 없고(亦有名無實), 당연히 위험의 우려를 낳게 되며(不無危慮), 이렇게 되면, 막힌 가래를 치료할 때 다음의 처방을 쓰는 것보다 못하게 된다(萬不如), 즉, 길경(桔梗), 맥문동(麥門冬), 오미자를(五味子), 서너 번 복용해서(三四服之), 막힌 가래를 치료하는 것 말이다(治痰涎壅塞則). 이는(此), 천하에 모든 해악을 만드는 쓸모없는 약이 아니다(非天下萬害無用之藥乎). 이 두 가지 약은(此二藥), 간질(外) 문제를 다스릴 때 쓰는 약으로는 가능하지만(外治 可用), 오장(內)을 다스릴 때 쓰는 약으로는 불가하다(內服 不可用). 먼저 한약재감별도감을 통해서 참외 꼭지의 성미부터 알아보면, 참외 꼭지는 성질은 차고 맛은 쓰며 독이 있다. 온몸이 부은 것을 치료하는데 물을 빠지게 하며 고독(蠱毒)을 죽인다. 코안에 생긴 군살을 없애고 황달을 치료하며, 여러 가지 음식을 지나치게 먹어서 체했을 때, 토하게 하거나 설사하게 한다. 참외 꼭지의 독은 앞에 나온 비소의 독과는 정반대(正反對)이다. 비소는 엄청난 강알칼리라서 문제가 되었는데, 참외 꼭지는 정반대(正反對)로 엄청난 강산(強酸)이라서 문제가 된다. 엄청난 강산(強酸)은 엄청난 양의 자유전자를 신경에 공급해서 신경을 과흥분시키면서 신경이 경련(痙攣)을 일으키게 만든다. 만일에 이런 현상이 심장에서 일어난다면 심장 근육은 경련(痙攣)을 일으키게 되고, 이는 자동으로 심근경색증(心筋梗塞症)으로 가고 만다. 즉, 심장에 쥐가 나서 심장이 멈춰버린 것이다. 이는 보통 쓴맛으로 표현된다. 그래서 가래가 뭉쳐있다는 말은 가래가 에스터로 축합되어있다는 뜻이다. 그러면 이 에스터를 분해(分解)하기 위해서는, 이 에스터에 자유전자를 공급해서 분해(分解)하면 된다. 에스터로 된 물체의 분해(分解)는 반드시 자유전자의 환원(還元)이 요구되기 때문이다. 그리고 이때 필요한 자유전자를 참외 꼭지가 공급한다. 그리고 이 가래가 얼마나 강하게 뭉쳐있느냐에 따라서 얼마나 강하게 자유전자를 공급해야 하는가가 결정된다. 그래서 막힌 가래는 강하게 뭉친 가래에 속하므로, 이때는 당연히 엄청난 양의 자유전자의 공급을 요구한다. 그러나 일반적인 가래를 분해하기 위해서 이렇게 자유전자를 과잉으로 공급하게 되면, 남은 자유전자는 다른 인체까지 분해해서 인체를 위태롭게 만들고 만다. 그래서 인체에는 강알칼리도 독이 되고, 강산도 독이 된다. 그래서 강알칼리인 비소도 독이 되고, 강산인 참외 꼭지도 독이 된다. 그리고 자유전자 문제는 항상 간질(外)에서 먼저 발생하므로, 이 두 가지 약은 자동으로 간질 문제인 외증(外證) 치료에 쓰이게 된다. 그리고 오장(內)이 만든 내증(內證)은 감초의 스테로이드 사포닌처럼 산성 물질을 수거해서 체외로 버릴 때 발생하는 문제를 말한다. 오장은 고유로 처리하는 물질이 정해져 있다는 사실을 상기해보자. 이 문제는 본 연구소가 발행한 황제내경 소문을 참고하면 된다.

嘗見 少陰人 中氣病 舌卷不語 有醫 針合谷穴而 其效如神. 其他諸病之藥 不能速效者 針能速效者 有之. 蓋 針穴 亦有太少陰陽四象人 應用之穴而 必有升降緩束(速)之妙 繫是不可不察 敬俟 後之謹厚而好活人者.

일찍이(嘗見), 소음인이(少陰人), 중기병에 걸려서(中氣病), 혀가 꼬여서 말을 못하는 경우를 보았다(舌卷不語). 이때 어떤 의사가 말하기를(有醫), 합곡혈에 침을 놓으면(針合谷穴而), 그 효과가 귀신처럼 나타난다고 했다(其效如神). 다른 경우에서도(其他), 모든 약을 써도(諸病之藥), 효과가 빠르게 나타나지 않았는데(不能速效者), 침은 효과가 아주 빠르게 나타난 경우가(針能速效者), 있었다(有之). 대개(蓋), 침을 놓는 혈자리에도(針穴), 역시 사상인에(亦有太少陰陽四象人), 응용할 수 있는 혈자리가 있고(應用之穴而), 이때는 반드시 다양한 효과가 나타날 수 있으므로(必有升降緩束(速)之妙), 이를 이용할 수는 있지만, 항상 잘 살펴서 자침해야만(繫是不可不察), 놀라운 효과를 볼 수 있다. 후에 아주 근면하게 공부해서 사람을 잘 살리는 의사가 나오기를 삼가 기다리고 싶다(敬俟 後之謹厚而好活人者). 합곡혈(合谷穴)은 수양명대장경(手陽明大腸經)의 원혈(原穴)로서 엄지와 검지 손가락 사이에 있다. 여기서 핵심은 원혈이다. 원혈은 만병통치약(萬病通治藥)인 스테로이드를 자극하는 혈자리이다. 이 문제는 본 연구소가 발행한 전자생리학을 참고하면 된다. 중기병의 문제를 한의학대사전을 통해서 보게 되면, 옛 의학서에 비기가 허해서 위로 끌어올리는 기능이 장애가 되면서 탈항, 자궁하수증 등이 생기는데 이것을 중기하함(中氣下陷)이라 한다고 하였다. 여기서 핵심은 뇌의 문제이다. 그리고 뇌는 엄청난 양의 스테로이드를 이용한다. 여기서 보면, 아주 재미있는 현상도 보인다. 즉, 이제마는 침법을 자세히 설명하지 않고 있다는 사실이다. 즉, 침법은 천하의 이제마도 쉽게 접근할 수 없었을 것이다. 그 이유는 이제마의 사상이론이 실제로는 상한론의 재편집이기 때문이다. 그래서 상한론을 논한 장중경이 많이 나오게 된다. 즉, 이제마의 동의수세보원은 이제마의 상한론이라는 뜻이다. 이는 별수가 없다. 질병을 깊게 공부하다가 보면, 모든 병은 과잉 자유전자가 되고, 이 과잉 자유전자의 담체가 염(塩)이 된다. 그리고 이 염이 과잉되면 상한이 된다. 그래서 이제마도 상한 이론을 들고 나올 수밖에 없다. 이제마는 한마디로 장중경에 버금가라면 서러울 정도로 상한론에 관해서 대가(大家)이다. 그리고 이는 체액 이론의 완성을 요구하므로, 이제마는 체액 이론의 대가(大家)이기도 하다. 이는 또한 양자역학(量子力學)의 개념을 완벽하게 알고 있어야만 가능한 일이다. 이런 요인들을 보고 이제마를 살펴보게 되면, 이제마는 참으로 대단한 사람이다.

장중경 상한론중 소음인병 경험설방 이십삼방

(張仲景 傷寒論中 少陰人病 經驗設方 二十三方)

장중경 상한론중 소음인병 경험설방 이십삼방
(張仲景 傷寒論中 少陰人病 經驗設方 二十三方)

桂 枝 湯 : 桂枝 3錢 白芍藥 2錢 甘草 1錢 生薑 3片 大棗 2枚

① 계지(桂枝) 12g, 백작약(白芍藥) 8g, 감초(甘草) 4g, 생강(生薑) 3쪽, 대조(大棗) 2개. [《동의보감(東醫寶鑑)》] 태양병(太陽病)으로 오싹오싹 춥고 바람을 싫어하며 열이 나고 머리가 아프며 때없이 저절로 땀이 나고 코가 메며 팔다리가 아픈 데 쓴다. 감기, 신경통, 류머티스성 관절염, 자율 신경 실조증 등 때 쓸 수 있다. 위의 약을 1첩으로 하여 물에 달여서 빈속에 먹은 다음 따뜻한 죽을 먹고 땀을 낸다. ② 지각(枳殼: 덖은 것) 40g, 桂枝 20g. [《동의보감(東醫寶鑑)》] 갑자기 놀라서 기가 통하지 못하여 옆구리가 아픈 데 쓴다. 늑간신경통, 담석증, 담낭담도염 등 때 쓸 수 있다. 위의 약을 가루 내어 한 번에 8g씩 생강(生薑) · 대조(大棗) 달인 물에 타서 먹는다.

[네이버 지식백과] 계지탕 [桂枝湯] (한의학대사전, 2001. 6. 15., 한의학대사전 편찬위원회)

理 中 湯 : 人蔘 白朮 乾薑 各 2錢 甘草炙 1錢

달리 이중환(理中丸) · 인삼이중탕(人參理中湯)이라고도 함. 인삼(人參) · 백출(白朮) · 포건강(炮乾薑) 각 8g, 자감초(炙甘草) 4g. [《동의보감(東醫寶鑑)》] 비위(脾胃)가 허한(虛寒)하여 배가 그득하고 아프며 자주 설사하는 데 쓴다. 만성 위염, 위무력증, 위십이지장 궤양, 만성 위장염 등에 쓸 수 있다. 위의 약을 1첩으로 하여 물에 달여서 먹는다. 또한 가루 내어 꿀로 1g 되게 환약을 만든다. 한 번에 10~15환씩 먹는다.

[네이버 지식백과] 이중탕 [理中湯] (한의학대사전, 2001. 6. 15., 한의학대사전 편찬위원회)

薑 附 湯 : 炮乾薑 1兩 炮附子 1枚   剉取5錢   水煎服 附子生用 名曰 白通湯

① 포건강(炮乾薑) 40g, 포부자(炮附子) 1개. [《동의보감(東醫寶鑑)》] 상한음증(傷寒陰證)으로 팔다리가 싸늘하고 음식을 먹지 못하며 배가 땅기고 설사를 하는 데, 그리고 중한(中寒)으로 오한과 열이 나고 손발이 차며 온 몸이 아프고 정신을 잃고 넘어지는 데 쓴다. 위의 약을 거칠게 가루 내어 한 번에 20g씩 물에 달여서 먹는다. ② 강활(羌活) · 포부자(炮附子) · 백출(白朮) · 감초(甘草) 각 6g, 생강(生薑) 5쪽. [《동의보감(東醫寶鑑)》] 풍습사(風濕邪)로 팔다리와 온몸이 땅기면서 아프고 붓는 데 쓴다. 위의 약을 1첩으로 하여 물에 달여서 먹는다.

[네이버 지식백과] 강부탕 [薑附湯] (한의학대사전, 2001. 6. 15., 한의학대사전 편찬위원회)

四順理中湯 : 人蔘 白朮 乾薑 炙甘草 各 2錢

사순이중환(四順理中丸)이라고도 함. 포건강(炮乾薑) · 자감초(炙甘草) 각 8g, 인삼(人蔘) · 백출(白朮) 각 4g. [《급유방(及幼方)》] 이중탕(理中湯)에 자감초의 양을 곱으로 넣은 것이다. 속이 차서 배가 아프고 토하고 설사하며 손발이 찬 데 쓴다. 저산성 만성 위염, 위무력증 등에 쓸 수 있다. 위의 약을 1첩으로 하여 물에 달여서 먹는다. 또는, 위의 약을 가루 내어 꿀로 5g 되게 환약을 만든다. 한 번에 3환씩 먹기도 한다.

[네이버 지식백과] 사순이중탕 [四順理中湯] (한의학대사전, 2001. 6. 15., 한의학대사전 편찬위원회)

人蔘桂枝湯 : 炙甘草 桂枝 各 1錢8分 白朮 人蔘 乾薑 各 1錢5分

① 계지(桂枝) · 감초(甘草) 각 8g, 인삼(人蔘) · 백출(白朮) · 건강(乾薑) 각

4g. [《동의보감(東醫寶鑑)》] 상한병(傷寒病) 때 명치 밑이 그득하고 답답한 데 쓴다. 위의 약을 1첩으로 하여 물에 달여서 먹는다. ② 계지(桂枝)·자감초(炙甘草) 각 7.2g, 백출(白朮)·인삼(人參)·건강(乾薑) 각 6g. [《동의보감(東醫寶鑑)》] 태양표증(太陽表證) 때 잘못 설사시켜 설사가 멎지 않고 명치 밑이 그득하면서 단단한 데 쓴다. 계지를 제외한 나머지 약을 1첩으로 하여 물에 달여서 절반이 되면 계지를 넣고 다시 달여서 따뜻하게 하여 하루 2번에 나누어 먹는다.

　[네이버 지식백과] 계지인삼탕 [桂枝人參湯] (한의학대사전, 2001. 6. 15., 한의학대사전 편찬위원회)

四逆湯 : 炙甘草 6錢 炮乾薑 5錢 生附子 1枚 剉分二貼 水煎服

　자감초(炙甘草) 24g, 포건강(炮乾薑) 20g, 생부자(生附子) 큰 것 1개. [《동의보감(東醫寶鑑)》] 양기부족(陽氣不足)으로 속에 음한(陰寒)이 성하고 몸이 차며 손발이 싸늘한 데, 온 몸이 아프고 소화되지 않은 설사를 하는 데, 상한병(傷寒病) 때 땀을 많이 냈거나 설사를 몹시 한 탓으로 망양증(亡陽證)이 되어 손발이 싸늘해지고 기운이 없으며 냉한(冷汗)을 흘리고 맥이 잘 느껴지지 않는 데 쓴다. 감기, 만성 위염, 식중독, 여러 가지 원인으로 피를 흘렸을 때 쓸 수 있다. 위의 약을 2첩으로 나누어 물에 달여서 먹는다.

　[네이버 지식백과] 사역탕 [四逆湯] (한의학대사전, 2001. 6. 15., 한의학대사전 편찬위원회)

厚朴半夏湯 : 厚朴 3錢 人蔘 半夏 各 1錢 5分 甘草 7分 5厘 生薑 7片

　후박(厚朴) 12g, 인삼(人參)·반하(半夏) 각 6g, 감초(甘草) 3g, 생강(生薑) 7쪽. [《동의보감(東醫寶鑑)》] 상한(傷寒) 때 땀을 내어 표증(表證)은 없어졌으나 기가 허해져

배가 그득하고 불러오르는 데 쓴다. 위의 약을 1첩으로 하여 물에 달여서 먹는다.

[네이버 지식백과] 후박반하탕 [厚朴半夏湯] (한의학대사전, 2001. 6. 15., 한의학대사전 편찬위원회)

半 夏 散 : 製半夏 炙甘草 桂枝 各 2錢

① 반하(半夏 법제한 것) · 계지(桂枝) · 자감초(炙甘草) 각 8g. [《동의보감(東醫寶鑑)》] 소음병(少陰病) 때 목이 아픈 데 쓴다. 위의 약을 1첩으로 하여 물에 달여서 조금씩 먹는다. ② 반하(半夏: 끓는 물에 담가 진을 빼서 생강즙에 법제하여 불에 말린 것) · 포건강(炮乾薑) 각 20g, 녹반(綠礬) 4g. [《향약집성방(鄕藥集成方)》] 오한이 심하면서 열이 나며 토하고 허리와 등이 아프며 손발이 차고 대변이 잘 나오지 않는 데 쓴다. 위의 약을 가루 내어 한 번에 2g씩 식초를 넣어서 끓인 물에 타서 먹는다. ③ 반하(半夏: 끓는 물에 7번 씻어 진을 뺀 것) · 지각(枳殼: 밀기울과 함께 덖아서 속을 없앤 것) · 적복령(赤茯苓) · 전호(前胡) · 목통(木通) · 인삼(人參) 각 12g. [《향약집성방(鄕藥集成方)》] 상한병(傷寒病)을 앓고 난 뒤에 각기(脚氣)가 생겨 가슴이 그득하고 답답하며 소화가 안 되고 구역질이 나며 가래가 많이 나오는 데 쓴다. 위의 약을 가루 내어 한 번에 12g씩 생강 5g과 함께 물에 달여서 아무 때나 따뜻하게 하여 먹는다. ④ 반하(半夏: 끓는 물에 여러 번 씻어 진을 뺀 것) · 해조(海藻: 짠맛을 뺀 것) · 용담(龍膽) · 곤포(昆布: 짠맛을 뺀 것) · 왕과근(王瓜根) · 사간(射干) · 밀가루 각 10g. [《향약집성방(鄕藥集成方)》] 어린아이가 영기(癭氣)로 가슴이 몹시 답답해하는 데 쓴다. 위의 약을 가루 내어 한 번에 2g씩 하루 3~4번 생강술에 타서 먹이는데, 양은 어린아이의 나이에 따라 조절해서 쓴다.

[네이버 지식백과] 반하산 [半夏散] (한의학대사전, 2001. 6. 15., 한의학대사전 편찬위원회)

赤石脂禹餘粮湯 : 赤石脂 禹餘粮 各 2錢5分

적석지, 우여량 각 8.5g. 상한(傷寒)에 설사가 그치지 않고 가슴이 답답하여 막힌 듯 하고 누르면 단단한 것을 치료하는 처방이다. 또한, 이질(痢疾)이 오래되어 그치지 않는 것과 대장(大腸)이 허하여서 탈항(脫肛)된 경우에 쓰이는 처방이다. 또한, 오랜 기간 설사하여 대변을 흘리는 증상을 치료하는 처방이다. 또한, 심하비경(心下痞硬), 하리(下痢)를 치료하는 처방이다.

[네이버 지식백과] 적석지우여량탕 [赤石脂禹餘粮湯] (한국전통지식포탈, 한국전통지식포탈)

附 子 湯 : 白朮 4錢 白芍藥 白茯苓 各 3錢 附子炮 人蔘 各 2錢

① 백출(白朮) 16g, 백복령(白茯苓) · 백작약(白芍藥) 각 12g, 인삼(人參) · 포부자(炮附子) 각 8g. [《동의보감(東醫寶鑑)》] 소음병(少陰病)으로 양(陽)이 손상되어 기운이 없어 누워 있으려 하고 손발이 싸늘하면서 온 관절이 아픈 데, 또는 열감은 없이 등에 오한이 나는 데 쓴다. 위의 약을 2첩으로 나누어 한 번에 1첩씩 물에 달여서 따뜻한 것을 먹는다. ② 부자(附子) · 백작약(白芍藥) · 계피(桂皮) · 인삼(人參) · 백복령(白茯苓) · 감초(甘草) 각 4g, 백출(白朮) 6g, 생강(生薑) 7쪽. [《동의보감(東醫寶鑑)》] 풍한습사(風寒濕邪)로 비증(痺證)이 생겨 관절이 아프고 피부 지각 이상이 있으면서 온 몸이 무겁고 팔다리에 힘이 없는데 쓴다. 허약자의 감기, 신경통, 류머티스성 관절염 등 때 쓸 수 있다. 위의 약을 1첩으로 하여 물에 달여서 먹는다. ③ 부자(附子) 3g, 숙지황(熟地黃) · 현삼(玄參) · 당삼(黨參) · 마황(麻黃) · 방풍(防風) · 기생목(寄生木) 각 6g, 당귀(當歸) · 계지(桂枝) · 건강(乾薑) · 강황(薑黃) · 도인(桃仁) · 감초(甘草) 각 4g, 적작약(赤芍藥) 10g. [《동의처방집(東醫處方集)》] 특발성 괴저, 레이노병(Raynaud's disease) 등에 쓴다. 위의 약을 1첩으로 하여 물에 달여서 먹는다.

하루 2첩을 쓴다.

[네이버 지식백과] 부자탕 [附子湯] (한의학대사전, 2001. 6. 15., 한의학대사전 편찬위원회)

麻黃附子細辛湯 : 麻黃 細辛 各 2錢 炮附子 1錢

마황(麻黃)·세신(細辛) 각 8g, 포부자(炮附子) 4g. [《동의보감(東醫寶鑑)》] 소음병(少陰病) 때 자려고만 하고 열이 나며 맥박 상태는 침(沈)한데, 평소에 양기가 부족한 사람이 풍한사(風寒邪)로 오한이 심하고 열은 그리 심하지 않은 데 쓴다. 위의 약을 1첩으로 하여 물에 달여서 먹는다.

[네이버지식백과]마황부자세신탕[麻黃附子細辛湯](한의학대사전 2001.6.15.,)

麻黃附子甘草湯 : 麻黃 甘草 各 3錢 炮附子 1錢

마황(麻黃)·감초(甘草) 각 8g, 포부자(炮附子) 4g. [《동의보감(東醫寶鑑)》] 마황부자세신탕(麻黃附子細辛湯)에서 세신(細辛)을 빼고 감초를 더 넣은 것이다. 소음병(少陰病) 때 오히려 열이 있고 토하지도 설사도 하지 않으면서 팔다리가 싸늘해지는 데 쓴다. 위의 약을 1첩으로 하여 먼저 마황을 물에 달여서 거품을 걷어 버리고 나머지 약을 넣고 달여 먹는다.

[네이버 지식백과] 마황부자감초탕 [麻黃附子甘草湯] (한의학대사전, 2001. 6. 15.,)

當歸四逆湯 : 白芍藥 當歸 各 2錢 桂枝 1錢5分 細辛 通草 甘草 各 1錢

① 당귀(當歸)·백작약(白芍藥) 각 8g, 계지(桂枝) 6g, 세신(細辛)·통초(通草)·감초(甘草) 각 4g, 대조(大棗) 2개. [《동의보감(東醫寶鑑)》] 상한궐음병(傷寒厥陰病)으로 손발이 싸늘하고 맥이 미약하면서 멎으려는 듯한 데, 한증(寒證)으로 월경이 고르지 못한 데, 배·허리·다리·팔 등이 차고 아픈 데 쓴다. 좌골신경통, 특발성 괴저, 레이노병(Raynaud's disease), 장통(腸痛), 자궁 부속기 질병 등 같은 것에 쓸 수 있다. 위의 약을 1첩으로 하여 물에 달여서 먹는다. ② 당귀(當歸) 4.8g, 부자(附子)·육계(肉桂)·회향(茴香) 각 4g, 백작약(白芍藥)·시호(柴胡) 각 3.6g, 연호색(延胡索)·천련자(川楝子)·백복령(白茯苓) 각 2.8g, 택사(澤瀉) 2g. [《동의보감(東醫寶鑑)》] 궐산(厥疝), 한산(寒疝)으로 음낭이 차고 단단하면서 아프고 아랫배가 차며 또한 아픈 데 쓴다. 위의 약을 1첩으로 하여 물에 달여서 먹는다.

[네이버 지식백과] 당귀사역탕 [當歸四逆湯] (한의학대사전, 2001. 6. 15., 한의학대사전 편찬위원회)

半夏瀉心湯 : 製半夏 2錢 人蔘 甘草 黃芩 各1錢5分 乾薑 1錢 黃連 5分 生薑 3片 大棗2枚

반하(半夏: 법제한 것) 8g, 황금(黃芩)·인삼(人參)·감초(甘草) 각 6g, 건강(乾薑) 4g, 황련(黃連) 2g, 생강(生薑) 3쪽, 대조(大棗) 2개. [《동의보감(東醫寶鑑)》] 명치 밑이 막힌 것 같은 감이 있으면서 식욕이 부진하고 메슥메슥하거나 토하며 때로 배가 끓고 물소리가 나며 설사하는 데 쓴다. 주로 급·만성 위염, 위확장증, 위십이지장 궤양, 위장염 등 때 쓸 수 있다. 위의 약을 1첩으로 하여 물에 달여서 먹는다.

[네이버 지식백과] 반하사심탕[半夏瀉心湯](한의학대사전, 2001. 6. 15.,)

生薑瀉心湯 : 生薑 半夏 各2錢 人蔘 乾薑 各1錢5分 黃連 甘草 各1錢 黃芩 5分 大棗3枚

생강(生薑)·반하(半夏) 각 8g, 인삼(人蔘)·건강(乾薑) 각 6g, 황련(黃連)·감초(甘草) 각 4g, 황금(黃芩) 2g, 대조(大棗) 3개. [《동의보감(東醫寶鑑)》] 가슴이 답답하고 명치 끝이 트적지근하며 배에서 물소리가 나고 메스꺼우며 배가 끓고 설사하는 데 쓴다. 위의 약을 1첩으로 하여 물에 달여서 먹는다.

[네이버 지식백과] 생강사심탕 [生薑瀉心湯] (한의학대사전, 2001. 6. 15., 한의학대사전 편찬위원회)

甘草瀉心湯 : 甘草 2錢 乾薑 黃芩 各 1錢 5分 製半夏 人蔘 各 1錢 大棗 3枚

감초(甘草) 8g, 황금(黃芩)·건강(乾薑) 각 6g, 반하(半夏: 법제한 것)·인삼(人蔘) 각 4g, 황련(黃連) 2g, 대조(大棗) 3개. [《동의보감(東醫寶鑑)》] 감초 대신 자감초(炙甘草)를 넣은 감초사심탕도 있다. 상한중풍(傷寒中風) 때에 설사시켜서 비기(痞氣)가 되어 자주 설사를 하고 배가 끓으며 명치 밑이 더부룩하고 단단하며 소화가 안 되고 헛구역질이 나면서 가슴이 답답한 데와 호혹병(狐惑病) 등에 쓴다. 위의 약을 1첩으로 하여 물에 달여서 먹는다.

[네이버 지식백과] 감초사심탕 [甘草瀉心湯] (한의학대사전, 2001. 6. 15., 한의학대사전 편찬위원회)

茵蔯蒿湯 : 茵蔯 1兩 大黃 5錢 梔子 2錢　先煎茵蔯 減半 納二味煎 又減半
　　　　　　服日二 小便當利 色正赤 腹漸減 黃從小便去也.

인진호(茵蔯蒿) 40g, 대황(大黃) 20g, 치자(梔子) 8g. [《동의보감(東醫寶鑑)》] 태음병(太陰病)으로 온 몸이 귤색처럼 누렇게 되고 소변이 잘 나오지 않으며 배가 그득하고 가슴이 답답하며 변이 굳은 데 쓴다. 유행성 간염 때 쓸 수 있다. 위의 약에서 먼저 인진호를 물에 달이다가 나머지 약을 넣고 다시 달여 따뜻하게 해서 하루 2번 먹는다(先煎茵蔯 減半 納二味煎 又減半 服日二). 그러면 소변을 제대로 볼 수 있고(小便當利), 소변 색깔이 붉게 되면(色正赤), 배에 찬 수분이 점점 줄어들어서(腹漸減), 황달을 만든 빌리루빈이 소변을 따라서 체외로 배출된다(黃從小便去也).

[네이버 지식백과] 인진호탕 [茵蔯蒿湯] (한의학대사전, 2001. 6. 15., 한의학대사전 편찬위원회)

抵 當 湯 : 水蛭炒 虻蟲炒去足翅 桃仁留尖 各 10枚 大黃蒸 3錢

수질(水蛭: 덖은 것) · 맹충(虻蟲: 덖어서 발과 날개를 없앤 것) · 도인(桃仁: 끝이 있는 것) 각 10개, 대황(大黃: 찐 것) 12g. [《동의보감(東醫寶鑑)》] 어혈로 결흉(結胸)이 되어 헛소리하며 입이 마르나 물은 마시고 싶지 않은 등 증상이 있는데, 하초(下焦)에 축혈(蓄血)이 있으나 몸에 열은 없고 아랫배가 단단하고 소변은 순조로우면서 대변이 굳은 데 쓴다. 위의 약을 1첩으로 하여 물에 달여서 먹는다. 이 약은 임신부에게는 쓰지 않는다.

[네이버 지식백과] 저당탕 [抵當湯] (한의학대사전, 2001. 6. 15., 한의학대사전 편찬위원회)

桃仁承氣湯 : 大黃 3錢 桂心 芒硝 各 2錢 甘草 1錢 桃仁留尖 10枚

① 대황(大黃) 12g, 계심(桂心) · 망초(芒硝) 각 8g, 감초(甘草) 4g, 도인(桃仁) 10알. [《방약합편(方藥合編)》] 하초(下焦)의 축혈증(蓄血證)으로 아랫배가 불러오르고 단단하며 대변색이 검고 소변은 맑으며 번갈(煩渴)이 있고 때로 헛소리를 하는 데 쓴다. 자궁내막염, 부속기염, 불임증, 신경쇠약, 고혈압증 등 때 쓸 수 있다. 위의 약을 1첩으로 하여 물에 달여 망초를 넣어 녹여서 2~3번에 나누어

따뜻하게 하여 먹는다. 도핵승기탕(桃核承氣湯)이라고도 한다. ② 도인(桃仁) · 당귀(當歸) · 적작약(赤芍藥) · 모란피(牡丹皮) 각 12g, 대황(大黃) 20g, 망초(芒硝) 8g. [기타] 적응증과 쓰는 법은 ①과 같다.

[네이버 지식백과] 도인승기탕 [桃仁承氣湯] (한의학대사전, 2001. 6. 15., 한의학대사전 편찬위원회)

麻 仁 丸 : 大黃蒸 4兩 枳實 厚朴 赤芍藥 各 2兩 麻子仁 1兩5錢
杏仁 1兩2錢5分 爲末蜜丸 梧子大 空心 溫湯下 50 丸

달리 비약환(脾約丸)이라고도 함. 대황(大黃: 찐 것) 160g, 지실(枳實) · 후박(厚朴) · 적작약(赤芍藥) 각 80g, 화마인(火麻仁) 60g, 행인(杏仁) 50g. [《동의보감(東醫寶鑑)》] 위(胃) · 장(腸)에 사열(邪熱)이 있어 대변이 굳고 소변을 자주 누는 데 쓴다. 허약자나 노인의 습관성 변비, 야뇨증, 빈뇨(頻尿), 위축신, 치질 때에 변이 굳은 데 쓸 수 있다. 위의 약을 가루 내어 꿀로 0.3g 되게 환약을 만든다. 한 번에 50환씩 빈속에 먹는다.

[네이버 지식백과] 비약환 [脾約丸] (한의학대사전, 2001. 6. 15., 한의학대사전 편찬위원회)

蜜 導 法 : 老人虛人 不可用藥者 用蜜熬 入皂角末少許 稔作錠子 納肛門卽通

달리 밀전도법(蜜煎導法) · 밀태법(蜜兌法)이라고도 함. 도변법(導便法)의 하나. 꿀을 엉기게 졸여서 손가락 굵기만 하게 대를 만든 뒤 5~6㎝ 정도의 길이로 잘라서 항문에 꽂아 넣어 대변이 통하게 하는 방법이다. 대약[餠子]에 조각(皂角) 가루를 묻혀 쓰기도 한다.

[네이버 지식백과] 밀전도법 [蜜煎導法] (한의학대사전, 2001. 6. 15., 한의학대사전 편찬위원회)

大承氣湯 : 大黃 4錢 厚朴 枳實 芒硝 各 2錢. 水二大盞 先煎枳朴 至一盞 乃下

大黃煎至7分 去滓入芒硝 再一沸 溫服.

대황(大黃) 16g, 후박(厚朴) · 지실(枳實) · 망초(芒硝) 각 8g. [《동의보감(東醫寶鑑)》]양명부실증(陽明腑實證)으로 열이 몹시 나고 배가 더부룩하게 불러오르며 단단하고 아프면서 심하면 헛소리를 하며 대변을 누지 못하는 데 쓴다. 먼저 지실과 후박을 물에 달여서 절반으로 줄면 다시 대황을 넣고 달이며 나중에 망초를 넣고 녹인 다음 따뜻하게 해서 먹는다.

[네이버 지식백과] 대승기탕 [大承氣湯] (한의학대사전, 2001. 6. 15., 한의학대사전 편찬위원회)

小承氣湯 : 大黃 4錢 厚朴 枳實 各 1錢 5分 剉作一貼 水煎服

대황(大黃) 16g, 후박(厚朴) · 지실(枳實) 각 6g. [《동의보감(東醫寶鑑)》] 대승기탕(大承氣湯)에서 망초(芒硝)를 뺀 것이다. 상한양명부증(傷寒陽明腑證)으로 열이 나고 헛소리를 하며 가슴과 배가 그득하고 단단하며 대변이 잘 나오지 않는 데, 이질 초기에 배가 아프고 뒤무직증이 있는데 쓴다. 위의 약을 1첩으로 하여 물에 달여서 먹는다.

[네이버 지식백과] 소승기탕 [小承氣湯] (한의학대사전, 2001. 6. 15., 한의학대사전 편찬위원회)

송원명 삼대의가 저술중

소음인병 경험행용요약 십삼방

파두약 육방

(宋元明 三代醫家 著述中

少陰人病 經驗行用要藥 十三方

巴豆藥 六方)

송원명 삼대의가 저술중 소음인병 경험행용요약 십삼방 파두약 육방
(宋元明 三代醫家 著述中 少陰人病 經驗行用要藥 十三方 巴豆藥 六方)

十全大補湯 : 人蔘 白朮 白芍藥 灸甘草 黃芪 肉桂 當歸 川芎 白茯苓

熟地黃 各 1錢 生薑3片 大棗2枚. 此方 出於王好古海藏書中

治虛勞. 今考更定 此方 當去白茯苓 熟地黃 當用砂仁 陳皮.

달리 십보탕(十補湯) · 십전산(十全散)이라고도 함. 인삼(人參) · 백출(白朮) · 백복령(白茯苓) · 감초(甘草) · 숙지황(熟地黃) · 당귀(當歸) · 백작약(白芍藥) · 천궁(川芎) · 황기(黃耆) · 육계(肉桂) 각 4g, 생강(生薑) 3쪽, 대조(大棗) 2개. [《동의보감(東醫寶鑑)》] 기혈부족(氣血不足)으로 몸이 허약하고 기운이 없으며 때로 기침을 하고 땀을 흘리며 식욕이 부진하고 소화가 안 되는 데 쓴다. 철 부족성 빈혈, 병이 나은 뒤, 만성 소모성 질병, 만성 소화기 질병 등에 쓸 수 있다. 위의 약을 1첩으로 하여 물에 달여서 먹는다. (**이제마 주** : 이 처방은(此方), 왕호고의 해장서에 나오는 처방이다(出於王好古海藏書中). 이 처방은 정기가 허약하고 기혈이 손상된 상태에서 나타나는 허로에 쓴다(治虛勞). 지금 다른 출처를 참고하여 이 처방을 수정한다(今考更定). 이 처방에서(此方), 백봉령과(當去白茯苓), 숙지황을 빼고(熟地黃), 당연히 사인과(當用砂仁), 진피를 넣는다(陳皮).

[네이버 지식백과] 십전대보탕 [十全大補湯] (한의학대사전, 2001. 6. 15., 한의학대사전 편찬위원회)

補中益氣湯 : 黃芪 1錢5分 甘草灸 人蔘 白朮 各 1錢 當歸 陳皮 各7分

升麻 柴胡 各3分 生薑3片 大棗2枚. 此方 出於李杲東垣書中

治勞倦虛弱 身熱而煩 自汗倦怠. 今考更定 此方 黃芪 當用3錢

而 當去升麻 柴胡 當用 藿香 紫蘇葉.

① 황기(黃耆) 6g, 인삼(人參) · 백출(白朮) · 감초(甘草) 각 4g, 당귀(當歸) · 진피(陳皮) 각 2g, 승마(升麻) · 시호(柴胡) 각 1.2g. [《동의보감(東醫寶鑑)》] 기허발열(氣虛發熱)로 온 몸이 노곤하고 오후마다 미열이 나며 식은땀이 나고 머리가 아프며 식욕이 부진하고 추위를 몹시 타는 데, 또는 중기하함(中氣下陷)으로 상술한 증상과 함께 아랫배가 무직하고 자주 묽은 변을 보는 데, 탈항, 자궁 탈출 등에 쓴다. 결핵성 질병을 비롯한 만성 소모성 질병, 위하수증을 비롯한 내장하수, 여름타기, 만성 대장염, 허약자의 음위(陰痿), 일련의 출혈 등에 쓸 수 있다. 위의 약을 1첩으로 하여 물에 달여서 먹거나 가루 내어 꿀로 환제를 만들어 한 번에 8~12g씩 하루 3번 먹기도 한다. ② 인삼(人參) · 생지황(生地黃) · 황기(黃耆) · 당귀(當歸) · 천궁(川芎) · 시호(柴胡) · 진피(陳皮) · 강활 (羌活) · 백출(白朮) · 방풍(防風) 각 2.8g, 세신(細辛) · 감초(甘草) 각 2g, 생강(生薑) 3쪽, 대조(大棗) 2개. [《동의보감(東醫寶鑑)》] 기혈(氣血)이 부족한 데, 감기에 걸려 열이 나고 머리가 아프며 식은땀이 나고 오슬오슬 추우며 온몸이 몹시 피곤하고 기운이 없는데 쓴다. 위의 약을 1첩으로 하여 물에 달여서 먹는다. 도씨보중익기탕(陶氏補中益氣湯)이라고도 한다. ③ 인삼(人參) · 황기(黃耆) 각 12g, 백출(白朮) · 당귀(當歸) · 진피(陳皮) · 감초(甘草) 각 4g, 자소엽(紫蘇葉) · 곽향(藿香) 각 2g. [《사상진료의전(四象診療醫典)》] 소음인(少陰人) 처방으로서 태양증(太陽證)의 망양(亡陽) 초기와 몸이 몹시 피곤하고 기운이 없는데, 몸이 허약하면서 열이 나고 가슴이 답답하며 저절로 식은땀이 나는데, 태동불안(胎動不安), 산증(疝症), 치질 등에 쓴다. 위의 약을 1첩으로 하여 물에 달여서 먹는다. (이제마 주 : 이 처방은(此方), 이고의 동원서가 출처이다(出於李杲東垣書中). 이 처방은 늘 피곤해하고 허약하여(治勞倦虛弱), 몸에서 열이 나고 힘들어하며(身熱而煩), 스스로 땀이 나고 권태감을 느낄 때 처방한다(自汗倦怠). 지금 다른 출처를 참고하여 이 처방을 수정한다(今考更定). 이 처방에(此方), 황기는 당연히 3전을 써야 하며(黃芪當用3錢而), 당연히 승마와(當去升麻), 시호는 빼고(柴胡), 당연히 곽향과 자소엽을 넣는다(當用 藿香 紫蘇葉).

[네이버 지식백과] 보중익기탕 [補中益氣湯] (한의학대사전, 2001. 6. 15., 한의학대사전 편찬위원회)

香砂六君子湯 : 香附子 白朮 白茯苓 半夏 陳皮 厚朴 白豆蔲 各1錢 人蔘 甘草 木香 縮砂 益智仁 各5分 生薑3片 大棗2枚. 此方 出於龔信醫鑑 書中 治 不思飮食 食不下 食後倒飽. 今考更定 此方 當去白茯苓 當用白何首烏.

① 향부자(香附子) · 사인(砂仁) · 후박(厚朴) · 진피(陳皮) · 인삼(人參) · 백출(白朮) · 백작약(白芍藥: 덖은 것) · 창출(蒼朮: 덖은 것) · 산약(山藥: 덖은 것) 각 4g, 자감초(炙甘草) 2g, 생강(生薑) 3쪽, 오매(烏梅) 1알. [《동의보감(東醫寶鑑)》] 비설(脾泄)로 몸과 팔다리가 무겁고 명치 밑이 무직하며 배가 약간 그득하고 식후에 헛배가 부르다가 설사를 하면 좀 시원한 데 쓴다. 위의 약을 1첩으로 하여 물에 달여서 먹는다. ② 향부자(香附子) · 백출(白朮) · 백복령(白茯苓) · 반하(半夏) · 진피(陳皮) · 백두구(白豆蔲) · 후박(厚朴) 각 4g, 사인(砂仁) · 인삼(人參) · 목향(木香) · 익지인(益智仁) · 감초(甘草) 각 2g, 생강(生薑) 3쪽, 대조(大棗) 2알. [《동의보감(東醫寶鑑)》] 비(脾)가 허하여 음식 생각이 없고 소화가 안 되며 식사한 뒤에 배가 불러올 때 쓴다. 위의 약을 1첩으로 하여 물에 달여 먹는다. ③ 인삼(人參) · 백복령(白茯苓) · 백출(白朮) · 반하(半夏: 법제한 것) 각 8g, 자감초(炙甘草) · 진피(陳皮) 각 4g, 목향(木香) · 사인(砂仁) 각 3.2g, 생강(生薑) 3쪽, 대조(大棗) 2알. [기타] 육군자탕(六君子湯)에 목향 · 사인을 더 넣은 것이다. 비위기허(脾胃氣虛)로 인하여 한습사(寒濕邪)가 중초(中焦)에 머물러서 명치 밑과 배가 불러오르고 아프며 입맛이 없고 트림하며 때로 토하고 설사할 때 쓴다. 만성 위염, 위십이지장 궤양에 쓸 수 있다. 위의 약을 1첩으로 하여 물에 달여서 먹는다. (이제마 주 : 이 처방은(此方), 공신의 의감이 출처이다(出於龔信醫鑑書中). 이 처방은 음식 생각이 없고(治不思飮食), 먹은 음식이 내려가지 않고(食不下), 신트림하는 증상을 치료한다(食後倒飽). 지금 다른 출처를 참고하여 이 처방을 수정한다(今考更定). 이 처방에서(此方), 당연히 백봉령은 빼고(當去白茯苓), 당연히 백하수오를 넣는다(當用白何首烏).

[네이버 지식백과] 향사육군자탕 [香砂六君子湯] (한의학대사전, 2001. 6. 15.)

木香順氣散 : 烏藥 香附子 靑皮 陳皮 厚朴 枳殼 半夏 各1錢 木香 縮砂 各5分
桂皮 乾薑 灸甘草 各3分 生薑 3片 大棗 2枚. 此方 出於龔信萬病
回春書中 治中氣病 中氣者 與人相爭 暴怒氣逆 而暈倒也.
先以薑湯救之 甦後用此藥.

오약(烏藥) · 청피(靑皮) · 향부자(香附子) · 진피(陳皮) · 반하(半夏: 법제한 것) · 후박(厚朴) · 지각(枳殼) 각 4g, 목향(木香) · 사인(砂仁) 각 2g, 계피(桂皮) · 건강(乾薑) · 자감초(炙甘草) 각 1.2g, 생강(生薑) 3쪽. [《동의보감(東醫寶鑑)》] 중기(中氣)로 갑자기 기절해 넘어지면서 이를 악물고 몸이 싸늘해지는 데 쓴다. 위의 약을 1첩으로 하여 물에 달여서 먹는다. (**이제마 주** : 이 처방은(此方), 공신의 만병회춘이 출처이다(出於龔信萬病回春書中). 이 처방은 중기병을 치료한다(治中氣病). 중기란(中氣者), 타인과 서로 다투어서(與人相爭), 갑자기 성내는 기운이 북받쳐 오르고(暴怒氣逆), 이때 어지러워서 넘어지는 증상이다(而暈倒也). 이럴 때는 먼저 생강탕으로 치료하고(先以薑湯救之), 이어서 정신을 차리면, 이 약을 처방하면 된다(甦後用此藥).

[네이버 지식백과] 목향순기산 [木香順氣散] (한의학대사전, 2001. 6. 15., 한의학대사전 편찬위원회)

蘇合香元 : 白朮 木香 沈香 麝香 丁香 安息香 白檀香 訶子皮 香附子 蓽撥
犀角 朱砂 各 2兩 朱砂半爲衣 蘇合油 入安息香膏內 乳香 龍腦
(藿香 茴香 桂皮 五靈脂) 各 1兩, 右細末 用安息香膏竝煉蜜
搜和千搗 玄胡索 各 2兩 每一兩 分作 40丸 每取2-3丸 井華水
或溫水下. 此方 出於局方 治一切氣疾 中氣 上氣 氣逆 氣鬱 氣痛.
許叔微本事方曰 凡人 暴喜傷陽 暴怒傷陰 憂愁怫意 氣多厥逆 當用
此藥. 若 槪作中風治 多致殺人. 危亦林得效方曰 中風 脈浮身溫
口多 痰涎 中氣 脈沈身凉 口無痰涎. 今考更定 此方 當去 麝香 犀角
朱砂 龍腦 乳香 當用 藿香 茴香 桂皮 五靈脂 玄胡索.

달리 용뇌소합원(龍腦蘇合元)이라고도 함. 백출(白朮)·목향(木香)·침향(沈香)·사향(麝香)·정향(丁香)·안식향(安息香)·단향(檀香)·주사[朱砂: 수비(水飛)한 것. 절반은 겉에 입힌다]·서각(犀角)·가자피(訶子皮)·향부(香附)·필발(蓽茇) 각 80g, 소합향유(蘇合香油: 안식향 고약 안에 넣고)·유향(乳香)·빙편(冰片) 각 40g. [《동의보감(東醫寶鑑)》] 중풍·중악(中惡)으로 갑자기 정신을 잃고 넘어져 이를 악물면서 가슴과 배가 불러오고 아프며 목에서 가래 끓는 소리가 나는데, 갑자기 토하고 설사하는데, 기중(氣中), 기역(氣逆), 기울(氣鬱), 기통(氣痛) 등 기(氣)로 생긴 여러 가지 증상 때, 소아 경풍(驚風), 간질 등에 쓴다. 위의 약을 가루내어 안식향과 바짝 끓여서 정제한 벌꿀을 섞어 1g 되게 환약을 만들고 겉에 주사(朱砂)를 입힌다. 한 번에 2~3환씩 더운물이나 데운 술, 생강을 달인 물로 먹는다. (이제마 주 : 이 처방은 주진형의 국방이 출처이다(此方 出於局方). 이 처방은 기질(治一切氣疾), 중기(中氣), 상기(上氣), 기역(氣逆), 기울(氣鬱), 기통(氣痛)과 같은 모든 질환을 치료할 때 쓴다. 허숙미는 본사방에서 다음과 같이 말하고 있다(許叔微本事方曰). 일반적으로(凡), 사람이란(人), 지나치게 기뻐하면, 심장을 너무 자극해서, 심장이 중화하는 자유전자인 양기를 손상시키고(暴喜傷陽), 지나치게 분노하면, 분노를 담당하는 음기인 간 기운을 손상시키고(暴怒傷陰), 지나치게 근심하면 근심을 담당하는 폐를 상하게 해서 생각을 제대로 하지 못하게 만들고(憂愁怫意), 그러면 인체의 기운이 너무나 많이 막히게 된다(氣多厥逆). 그러면 이때 당연히 이 처방을 쓴다(當用 此藥). 만약에(若), 중풍을 이 약으로 치료하게 하면(槪作中風治), 대다수는 죽게 될 것이다(多致殺人). 그리고 위역림은 득효방에서 다음과 같이 말했다(危亦林得效方曰). 중풍일 때는(中風), 맥상이 부맥이 되고(脈浮), 몸이 더우며(身溫), 입 안에 가래가 많게 된다(口多痰涎). 그리고 중기일 때는(中氣), 맥상은 침맥으로 나오고(脈沈), 몸은 차갑고(身凉), 입 안에 가래가 없다(口無痰涎). 지금 다른 출처를 참고하여 이 처방을 수정한다(今考更定). 이 처방에서(此方), 당연히 사향(當去麝香), 서각(犀角), 주사(朱砂), 용뇌(龍腦), 유향은 빼고(乳香), 당연히 곽향(當用 藿香), 회향(茴香), 계피(桂皮), 오령지(五靈脂), 현호색을 넣는다(玄胡索).

[네이버 지식백과] 소합향원 [蘇合香元] (한의학대사전, 2001. 6. 15., 한의학대사전 편찬위원회)

藿香正氣散 : 藿香 1錢5分 紫蘇葉 1錢 厚朴 大腹皮 白朮 陳皮 半夏 甘草 桔梗

白芷 白茯苓 各 5分 生薑 3片 大棗 2枚. 此方 出於龔信醫鑑書中

治傷寒. 今考更定 此方 當去 桔梗 白芷 白茯苓 當用 桂皮 乾薑 益智仁

① 곽향(藿香) 6g, 자소엽(紫蘇葉) 4g, 백지(白芷)·대복피(大腹皮)·백복령(白茯苓)·후박(厚朴)·백출(白朮)·진피(陳皮)·반하(半夏: 법제한 것)·길경(桔梗)·자감초(炙甘草) 각 2g, 생강(生薑) 3쪽, 대조(大棗) 2개. [《동의보감(東醫寶鑑)》] 풍한사(風寒邪)에 상한 데다 음식을 잘못 먹고 체하여 오슬오슬 춥다가 열이 나면서 머리가 아프고 명치 아래가 그득하며 배가 아프면서 토하며 배에서 소리가 나고 설사하는 데 쓴다. 여름철 감기, 더위, 급성 위장염, 위십이지장궤양(gastroduodenal ulcer), 오조(惡阻) 등 때에도 쓸 수 있다. 위의 약을 1첩으로 하여 물에 달여서 먹는다. ② 곽향(藿香) 6g, 자소엽(紫蘇葉) 4g, 창출(蒼朮)·백출(白朮)·반하(半夏)·진피(陳皮)·청피(靑皮)·대복피(大腹皮)·계피(桂皮)·건강(乾薑)·익지인(益智仁)·자감초(炙甘草) 각 2g, 생강(生薑) 3쪽, 대조(大棗) 2개. [《동의수세보원(東醫壽世保元)》] 소음인(少陰人)이 땀이 나지 않는데, 아랫배가 단단하고 불러오는데, 태양병(太陽病)이 있으면서 대장이 찬 증상이 있는데, 양명병(陽明病) 증상이 있으면서 표증(表證) 증상이 풀리지 않는데, 태음병(太陰病) 때 소화되지 않은 것을 설사하는 데 쓴다. 해산하고 난 뒤에 태반이 나오지 않는 데는 오배자(五倍子)·진피(陳皮) 각 4g을 더 넣어 쓴다. 위의 약을 1첩으로 하여 물에 달여서 한 번에 먹는다. (**이제마 주** : 이 처방은(此方), 공신의 의감이 출처이다(出於龔信醫鑑書中). 이 처방은 상한을 치료할 때 쓴다(治傷寒). 지금 다른 출처를 참고하여 이 처방을 수정한다(今考更定). 이 처방에서(此方), 당연히 길경(當去 桔梗), 백지(白芷), 백복령은 빼고(白茯苓), 당연히 계피(當用 桂皮), 건강(乾薑), 익지인을 쓴다(益智仁).

[네이버 지식백과] 곽향정기산 [藿香正氣散] (한의학대사전, 2001. 6. 15.,)

香蘇散 : 香附子 3錢 紫蘇葉 2錢5分 陳皮 1錢 5分 蒼朮 甘草 各 1錢 生薑
3片 蔥白 2莖. 此方 出於危亦林得效方書中 治四時瘟疫. 局方曰 昔有
一老人 授此方 與一人 令其合施 城中大疫 服此皆愈.

향부자(香附子) · 자소엽(紫蘇葉) 각 8g, 창출(蒼朮) 6g, 진피(陳皮) 4g, 자감
초(炙甘草) 2g, 생강(生薑) 3쪽, 총백(蔥白) 2대. [《동의보감(東醫寶鑑)》] 풍한사
(風寒邪)에 상하여 오슬오슬 춥고 열이 나며 머리와 온 몸이 아프고 땀은 나지
않는 데 쓴다. 감기, 물고기 중독, 음식에 체하여 명치 밑이 그득하고 입맛이 없으
며 소화가 안 되는데도 쓴다. 위의 약을 1첩으로 하여 물에 달여서 먹는다. (이제
마 주 : 이 처방은(此方), 위역림의 득효방이 출처이다(出於危亦林得效方書中).
이 처방은 사계절 온역을 치료한다(治四時瘟疫). 주진형의 국방에서는 다음과 같
이 말한다(局方曰). 옛날에 어느 노인이(昔有 一老人), 이 처방을 전수해줬는데
(授此方 與一人), 모두 쓰게 되면서(令其合施), 역내의 모든 돌림병 환자들이(城
中大疫), 이 약을 복용하고 모두 완치되었다(服此皆愈).

[네이버 지식백과] 향소산 [香蘇散] (한의학대사전, 2001. 6. 15., 한의학대사전 편찬위원회)

桂枝附子湯 : 炮附子 桂枝 各 3錢 白芍藥 2錢 炙甘草 1錢 生薑 3片 大棗 2枚.
此方 出於李梴醫學入門書中 治汗漏不止 四肢拘急 難以屈(伸).

① 계지(桂枝) · 포부자(炮附子) 각 12g, 백작약(白芍藥) 8g, 자감초(炙甘草)
4g, 생강(生薑) 5쪽, 대조(大棗) 2개. [《동의보감(東醫寶鑑)》] 상한(傷寒)으로 오
싹오싹 춥고 열이 나며 머리가 아프면서 땀이 많이 나며 바람을 싫어하고 팔다리가
땅기면서 아픈 데 쓴다. 위의 약을 1첩으로 하여 물에 달여서 먹는다. 계지가부자
탕(桂枝加附子湯)이라고도 한다. ② 포부자(炮附子) · 계지(桂枝) 각 12g, 백작약
(白芍藥) 8g, 자감초(炙甘草) 4g. [《사상진료의전(四象診療醫典)》] 소음인이 땀이
멎지 않고 계속 흐르면서 팔다리에 경련이 일어나는 데 쓴다. 위의 약을 1첩으로

하여 물에 달여서 먹는다. (**이제마 주** : 이 처방은(此方), 이천의 의학입문이 출처이다(出於李梴醫學入門書中). 이 처방은 땀이 너무 많이 나와서 멎지 않고(治汗漏不止), 사지가 경련을 일으키고(四肢拘急), 굴신이 어려울 때 쓴다(難以屈(伸))).

[네이비 지식백과] 계지부자탕 [桂枝附子湯] (한의학대사전, 2001. 6. 15., 한의학대사전 편찬위원회)

茵蔯四逆湯 : 茵蔯 1兩 炮附子 炮乾薑 炙甘草 各 1錢. 治陰黃病 冷汗不止.

인진호(茵陳蒿)·포부자(炮附子)·포건강(炮乾薑)·자감초(炙甘草) 각 4g [《동의보감(東醫寶鑑)》] 음황(陰黃)으로 손발과 몸이 차고 식은땀이 나며 온몸이 노곤하고 누렇게 될 때 쓴다. 위의 약을 1첩으로 하여 물에 달여서 먹는다. (**이제마 주** : 이 처방은 음황병이 들어서(治陰黃病), 식은땀이 멎지 않을 때 쓴다(冷汗不止).

[네이버 지식백과] 인진사역탕 [茵陳四逆湯] (한의학대사전, 2001. 6. 15., 한의학대사전 편찬위원회)

茵蔯附子湯 : 茵蔯 1兩 炮附子 炙甘草 各 1錢. 治陰黃病 身冷.

몸이 누렇게 되고 몸이 차가우며 땀이 그치지 않는 것을 치료하는 처방이다. 또한, 한출부지(汗出不止), 황달(黃疸), 몸이 찬 것을 치료하는 처방이다. 또한, 음황(陰黃)에 몸의 한쪽만 차가운 병을 치료하는 처방이다. (**이제마 주** : 음황에 걸려서 몸이 차가울 때 쓴다(治陰黃病 身冷).

[네이버 지식백과] 인진부자탕 茵蔯附子湯 (한국전통지식포탈, 한국전통지식포탈)

茵蔯橘皮湯 : 茵蔯 1兩 陳皮 白朮 半夏 生薑 各 1錢. 治陰黃病 喘嘔不渴

황달을 치료하는 데 사용하는 처방이다. 특히, 소음인(少陰人)이 음증황달(陰症

黃疸)에 걸렸을 때 쓴다. 얼굴과 온몸이 노랗고 명치 밑이 답답하며 누르면 딴딴하고 가만히 있어도 저절로 땀이 나며 온몸이 아프고 얼음같이 차다. 이와 같은 증세를 음황증(陰黃症: 음증황달이 된 증세)이라 하는데, 이는 찬 데 오래 거처하거나 또 습(濕)한 데서 생활하여 양(陽)의 기운이 소모되고 음(陰)의 기운이 과잉(過剩)되어 생기는 증세이다. 황달의 원인은 여러 가지가 있지만 대개 습열(濕熱)이 상충되어 생기고 음식 관계에서도 발생한다. 음주(飮酒)·유행성감모·천행역려(天行疫癘: 유행악성전염병)에서도 생긴다. 처방은 인진·백출·반하(半夏)·생강 각 3.75g으로 되어 있으며 인진이 주약(主藥)이 된다. 인진은 단종(單種)으로 써도 황달을 치료할 수 있다. 이 처방은 중국 명나라 때 사람 주굉(朱肱)이 지은 『남양활인서(南陽活人書)』에 실려있는 것으로, 거의 비슷한 처방에 인진 37.50g, 부자포(附子炮)·건강포(乾薑炮)·감초 각 3.75g으로 된 것을 인진사역탕(茵蔯四逆湯)이라 하고, 인진 37.50g, 부자포·감초 각 3.75g으로 된 것을 인진부자탕이라고 한다. 음증황달은 황달 중 가장 중한 증세에 속한다. (**이제마 주** : 이 처방은 음황병에 걸려서(治陰黃病), 기침하고 구토하는데 갈증이 없을 때 쓴다(喘嘔不渴).

[네이버 지식백과] 인진귤피탕 [茵蔯橘皮湯] (한국민족문화대백과, 한국학중앙연구원)

三味蔘萸湯 : 吳茱萸 3錢 人蔘 2錢 生薑 4片 大棗 2枚.

治厥陰證 嘔吐涎沫 少陰證 厥冷煩躁 陽明證 食穀欲嘔 皆妙.

달리 오수유탕(吳茱萸湯)이라고도 함. 오수유(吳茱萸) 12g, 인삼(人蔘) 8g, 생강(生薑) 4쪽, 대조(大棗) 2개. [《동의보감(東醫寶鑑)》] 위(胃)가 허약하고 차서 명치 밑이 아프고 신물이 올라오거나 조잡감(嘈雜感)이 있으면서 음식을 먹으면 곧 메스껍고 토하려고 하는 데, 궐음두통(厥陰頭痛)으로 머리가 아프고 헛구역질을 하며 멀건 침을 흘리는 데, 소음병(少陰病)으로 토하고 설사하면서 가슴이 답답하고 안타까워하며 손발이 차올라오는 데 쓴다. 만성 위염, 요독증, 자간(子癎), 신경성 두통, 메니에르 증후군 등 때 쓸 수 있다. 위의 약을 1첩으로 하여 물에 달여서 먹는다. (**이제마 주** : 이 처방은 간 문제인 궐음증으로 인해서(治厥陰證), 구토하고 포말을 쏟아낼 때 처방하며(嘔吐涎沫), 소음증으로 인해서(少陰證), 궐증에 걸려서 냉하고 번조한 증상에도 처방하며(厥冷煩躁), 양명증으로 인해서(陽明證), 먹은 음식을 토하고 싶을 때도 처방해서(食穀欲嘔), 이 처방은 이 모든 증상에서 묘수를 발휘한다(皆妙).

[네이버 지식백과] 삼미삼유탕 [三味參萸湯] (한의학대사전, 2001. 6. 15., 한의학대사전 편찬위원회)

霹靂散 : 附子 1箇 炮過 以冷灰 培半時取出 切半箇 細剉 入臘茶 1錢
　　　　 水一盞 煎至六分 去渣 入熟蜜半匙 放冷服之 須臾躁止 得睡 汗出 差
　　　　 治陰盛隔陽證. 右二方 出於李梴醫學入門書中.

소음인(少陰人) 체질을 가진 사람이 오랜 설사로 인하여 몸이 차고 가슴이 답답하며 조갈이 나는 데 사용하는 처방이다. 우리나라의 『동의수세보원(東醫壽世保元)』과 중국의 이천(李梴)이 지은 『의학입문(醫學入門)』에 수록되어 있다. 처방은 부자포(附子炮) 1개로 구성된 간단한 처방이지만, 독성이 심하므로 사용에 주의가 필요하다. 그리고 반드시 소음인에 한하여 사용하여야 한다. 부자는 구근(球根)으로 된 식물성 약재이다. 약을 만드는 방법은 큰 뿌리 한 개를 불에 구워서 재(灰)에 30분간 묻어 두었다가 꺼내서 반으로 쪼개고 가늘게 썰어서 녹차(綠茶) 한 숟가락과 함께 한 공기의 물을 붓고 끓여 3분의 1쯤 되면 부자는 건져 버리고 꿀(蜜) 한 숟가락을 타서 마신다. 그러면 번조증(煩燥證: 가슴이 답답하고 편안치 않아서 팔다리를 가만히 두지 못하는 증상)이 없어지고, 잠이 오면서 몸에서 땀이 촉촉이 나며 병이 낫게 된다. (**이제마 주** : 이 처방은 음성격양증에 처방한다(治陰盛隔陽證). 그리고 앞에 나온 2개의 처방은 모두 이천의 의학입문에서 인용한 처방이다(右二方 出於李梴醫學入門書中).

[네이버 지식백과] 벽력산 [霹靂散] (한국민족문화대백과, 한국학중앙연구원)

溫白元 : 川烏炮 2兩 5錢 吳茱萸 桔梗 柴胡 石菖蒲 紫菀 黃連 乾薑炮 肉桂
川椒炒 赤茯苓 皂角炙 厚朴 人蔘 巴豆霜 各 5錢. 右爲末 煉蜜和丸
梧子大 薑湯下 3丸 或 5丸 至 7丸. 此方 出於局方 治積聚 癥癖 黃疸
鼓脹 十種水氣 九種心痛 八種痞塞 五種淋疾 遠年瘧疾. 龔信醫鑑曰
婦人 腹中積聚 有似懷孕 羸瘦困弊 或歌哭如邪祟 服此藥 自愈
久病服之則 皆瀉出蟲蛇 惡膿之物.

달리 만병자완환(萬病紫菀丸)이라고도 한다. 천오두(川烏頭: 구운 것) 100g, 오
수유(吳茱萸) · 길경(桔梗) · 시호(柴胡) · 석창포(石菖蒲) · 자완(紫菀) · 황련
(黃連) · 포건강(炮乾薑) · 육계(肉桂) · 화초(花椒: 닦은 것) · 파두상(巴豆霜)
· 적복령(赤茯苓) · 조협(皂莢: 닦은 것) · 후박(厚朴) · 인삼(人參) 각 20g.
[《동의보감(東醫寶鑑)》] 적취(積聚), 징가(癥瘕), 현벽(懸癖), 황달, 고창(鼓脹),
복수(腹水), 부종, 임증(淋證), 흉복통, 모든 풍병(風病) 등에 쓴다. 위의 약을 가
루 내어 바짝 끓여서 정제한 벌꿀에 반죽하여 0.3g 되게 환약을 만든다. 한 번에
3~7환씩 생강 달인 물로 먹는다. (이제마 주 : 이 처방은(此方), 주진형의 국방이
출처이다(出於局方). 이 처방은 적취(治積聚), 징벽(癥癖), 황달(黃疸), 고창(鼓
脹), 10가지 부종(十種水氣), 9가지 심통(九種心痛), 8가지 비색증(八種痞塞), 5
가지 임질(五種淋疾), 오래된 학질(遠年瘧疾)에 처방한다. 그리고 공신은 의감에
서 다음과 같이 말했다(龔信醫鑑曰). 부인이(婦人), 복중에 적취가 있어서(腹中積
聚), 마치 임신한 것과 유사하고(有似懷孕), 여위고 피곤해하면(羸瘦困弊), 때로는
슬퍼서 멍한 상태에서 울기도 하고 흐느껴서 노래하기도 하면(或歌哭如邪祟), 이
처방을 쓴다. 이때, 이 약을 복욕하면(服此藥), 자동으로 치유된다(自愈). 이 처방
에 따라서 오래된 병에도 처방하게 되면(久病服之則), 모든 기생충과 나쁜 농을
배출한다(皆瀉出蟲蛇 惡膿之物).

[네이버 지식백과] 온백원 [溫白元] (한의학대사전, 2001. 6. 15., 한의학대사전 편찬위원회)

瘴疸丸 : 茵蔯 梔子 大黃 芒硝 各 1兩 杏仁 6錢 常山 鱉甲 巴豆霜 各 4錢
豆豉 2錢. 右爲末 蒸餠和丸 梧子大 每 3丸 或 5丸 溫水送下. 此方
出於危亦林得效方書中 一名 茵蔯丸. 治時行瘟疫 及 瘴瘧 黃疸 濕熱病

　　장달환(瘴疸丸)은 전염성 사기(邪氣)로 인해서 갑자기 장학(瘴瘧)에 걸려 황달
(黃疸)이 생긴 것을 치료하는 처방이다. 인진, 치자, 대황, 망초 각각 1냥, 행인 6
전, 상산, 별갑, 파두상 각각 4전, 두시 2전을 준비해서, 이 약재들을 가루로 만들
고, 찐 떡에 반죽하여, 오동나무 씨 크기로 환을 만들어서, 매번 3알 혹은 5알씩
따뜻한 물과 함께 먹는다. (**이제마 주** : 이 처방은(此方), 위역림의 득효방이 출처
이다(出於危亦林得效方書中). 이는 일명 인진환이라고도 부른다(一名 茵蔯丸).
이 처방은 사계절에 나타나는 온역을 비롯해(治時行瘟疫 及), 장달(瘴瘧), 황달
(黃疸), 습열병을 치료하는데 처방한다(濕熱病).

　　　[네이버 지식백과] 장담보심탕 [壯膽補心湯] (한국전통지식포탈, 한국전통지식포탈)

三稜消積丸 : 三稜 蓬朮 神麯 各 7錢 巴豆和皮入米同炒黑去米 靑皮 陳皮 茴香
各 5錢 丁香皮 益智仁 各 3錢. 右爲末 醋糊和丸 梧子大 薑湯下
30~40丸. 此方 出於李杲東垣書中 治生冷物不消滿悶.

　　삼릉(三稜) · 봉아출(蓬莪朮) · 신국(神麯) 각 28g, 파두(巴豆: 껍질째로 쌀과
함께 타게 덖어 껍질과 쌀을 없앤 것) · 청피(靑皮) · 진피(陳皮) · 회향(茴香)
각 20g, 정향피(丁香皮) · 익지인(益智仁) 각 12g. [《동의보감(東醫寶鑑)》] 날것
이나 찬 것, 굳은 음식을 먹고 체해서 소화가 안 되고 명치 밑이 그득하고 답답한
데 쓴다. 위의 약을 가루 내어 식초를 넣어서 쑨 풀에 반죽하여 0.3g 되게 환약을
만든다. 한 번에 30~40환씩 생강 달인 물로 먹는다. 파두는 독성이 세므로, 양을
주의하여 써야 한다. (**이제마 주** : 이 처방은(此方), 이고의 동원서가 출처이다(出
於李杲東垣書中). 이 처방은 찬 음식을 먹고 나서, 그로 인해서 소화가 안 되면서

속이 더부룩하고 답답한 질환에 처방한다(治生冷物不消滿悶).

[네이버 지식백과] 삼릉소적환 [三稜消積丸] (한의학대사전, 2001. 6. 15., 한의학대사전 편찬위원회)

秘方化滯丸 : 三稜 蓬朮垃煨 各 4錢 8分 半夏麴 木香 丁香 靑皮 陳皮垃去

白 黃連 各 2錢5分 巴豆肉醋浸一宿熬乾 6錢 右爲末 以烏梅末

入麵少許 煮作糊和丸 黍米大 每服 5-7 丸 至 10 丸 欲通利則

以熱湯下 欲磨積則 陳皮湯下 欲止泄則 飮冷水. 此方 出於朱震亨

丹溪心法書中 理一切氣 化一切積 久堅沈痼 磨之自消 暴積乍留

導之立去 奪造化 有通塞之功 調陰陽 有補瀉之妙.

삼릉(三稜: 싸서 구운 것) · 봉아출(蓬莪朮: 싸서 구운 것) 각 19.2g, 반하국(半夏麴) · 목향(木香) · 정향(丁香) · 청피(靑皮: 안쪽 면의 흰 부분을 긁어 버린 것) · 진피(陳皮: 안쪽 면의 흰 부분을 긁어 버린 것) · 황련(黃連) 각 10g, 파두(巴豆: 식초에 하룻밤 담갔다가 졸여서 말린 것) 24g, 오매육(烏梅肉: 불에 말려 가루 낸 것) 20g. [《동의보감(東醫寶鑑)》] 기가 울체(鬱滯)되어 생긴 여러 가지 병과 적(積)이 오래되어 단단한 데 쓴다. 위의 약을 가루 내어 오매육가루과 밀가루를 섞은 것을 넣어서 쑨 풀에 반죽하여 0.03g 되게 환약을 만든다. 한 번에 5~10환씩 먹는데 설사하게 하려면 더운물로, 멈추려면 찬물로, 적을 삭이려면 진피(陳皮) 달인 물로 먹는다. (**이제마 주** : 이 처방은(此方), 주진형의 단계심법이 출처이다(出於朱震亨丹溪心法書中). 이 처방은 모든 기를 다스리며(理一切氣), 모든 적을 소화시키고(化一切積 오래된 고질병이 삭아서 스스로 없어지게 하며(久堅沈痼 磨之自消), 갑자기 생긴 적취를(暴積乍留), 유도해서 없애줘서(導之立去 奪造化), 막힌 것을 통하게 해주고(有通塞之功), 음양을 조화롭게 해서(調陰陽), 보법과 사법의 묘미를 만들어낸다(有補瀉之妙).

[네이버 지식백과] 비방화체환 [秘方化滯丸] (한의학대사전, 2001. 6. 15., 한의학대사전 편찬위원회)

三物白散 : 桔梗 貝母 各3錢 巴豆去皮心熬研如脂 1錢 右爲末 和勻白湯

　　　　　 和服半錢 弱人減半 或吐 或利 不利 進熱粥一碗 利不止 進冷粥一碗

길경, 패모 각각 3전, 껍질을 제거하고 속을 볶아서 기름처럼 간 파두 1전을 준비하고, 이들을 분말로 만들고, 따뜻한 물에 고루 섞어서, 반 전씩 복용하고, 약한 사람은 이를 절반으로 줄여서 복용하고, 이때 혹은 구토하거나 혹은 설사하지 않으면, 따뜻한 죽을 한 사발 먹이고, 설사가 그치지 않으면, 이때는 냉죽을 한 사발 먹인다.

如意丹 : 川烏炮 8錢 檳榔 人蔘 柴胡 吳茱萸 川椒 白茯苓 白薑 黃連

　　　　 紫菀 厚朴 肉桂 當歸 桔梗 皂角 石菖蒲 各 5錢 巴豆霜 2錢5分.

　　　　 右爲末 煉蜜和丸 梧子大 朱砂爲衣 每 5丸 或 7丸 溫水下. 專治瘟疫

　　　　 及 一切鬼祟. 右二方 出於李梴醫學入門書中.

온역(瘟疫)과 일체의 귀주(鬼疰)나 사수(邪祟), 복시(伏尸), 노채(勞瘵), 전광(癲狂), 산람장기(山嵐瘴氣), 음독(陰毒), 양독(陽毒), 오학(五瘧), 오감(五疳), 팔리(八痢)와 동철금석(銅鐵金石)의 약물을 잘못 먹어 생긴 약 중독, 수토(水土)가 맞지 않아 생긴 병 등을 치료하는 처방이다. 천오포 8전, 빈랑, 인삼 시호, 오수유, 천초, 백복령, 백강, 황련, 자원, 후박, 육계, 당귀, 길경, 조각, 석창포, 각각 5전, 파두상 2전 5푼을 준비하고, 이들을 분말로 만들고, 달인 꿀에 반죽해서 오동나무 씨 크기로 환을 만들고, 여기에 주사로 옷을 입히고, 매번 5알이나 7알씩 따뜻한 물에 마신다. 이 처방은 전적으로 급성 열병과 모든 귀신병에 처방한다. (**이제마 주** : 앞에 나온 2가지 처방은 이천의 의학입문이 출처이다(右二方 出於李梴醫學入門書中).

[네이버 지식백과] 여의단 [如意丹] (한국전통지식포탈, 한국전통지식포탈)

.

論曰 右巴豆六方 卽 古人之各自置方 各自經驗而. 此六方 同是一巴豆之力則 所用

亦無異而 同歸於一也. 蓋 巴豆 少陰人病之 必不可不用而 又不可輕用 必不可浪用而 又不可疑用之藥. 故 聯錄六方 備述經驗 昭明其理者 欲其用之必中而 不敢輕忽也

이제마는 다음과 같이 주장한다(論曰). 앞에 나온 파두로 구성된 6가지 처방은(右巴豆六方), 곧(卽), 옛날 우리 조상들이 스스로 경험한 처방이다(古人之各自置方 各自經驗而). 이 6가지 처방은(此六方), 모두 똑같이 파두의 약력에 의지하며(同是一巴豆之力則), 이들이 소용되는 이유도 역시 다르지 않아서(所用 亦無異而), 모두 똑같이 같은 병소로 들어간다(同歸於一也). 대개(蓋), 파두는(巴豆), 소음인 병에 쓴다(少陰人病之). 이는 소음인 병에 반드시 써야만 한다(必不可不用而). 또한(又), 이는 가벼운 병증에는 쓰지 않으며(不可輕用), 반드시 함부로 써서도 안 된다(必不可浪用而). 또한(又), 이는 정확히 알고 쓰는 처방이지, 의심하면서 쓰는 처방은 아니다(不可疑用之藥). 그래서(故), 파두에 관한 6가지 처방을 연이어(聯錄六方), 경험을 소개했다(備述經驗). 그래서 이 처방의 이치를 명확히 알고 쓰면(昭明其理者), 처방자가 원하는 효과에 적중하여 반드시 목표를 달성하겠지만(欲其用之必中而), 이는 모르고 감히 경솔하게 써서는 안 된다(不敢輕忽也).

신정 소음인병 응용요방 이십사방

(新定 少陰人病 應用要藥 二十四方)

신정 소음인병 응용요방 이십사방
(新定 少陰人病 應用要藥 二十四方)

黃芪桂枝附子湯 : 桂枝 黃芪 各3錢 白芍藥 2錢 灸甘草 當歸 各1錢 炮附子 1錢
또는 或2錢 生薑3片 大棗2枚

   황기(黃耆) · 계지(桂枝) 각 12g, 백작약(白芍藥) 8g, 당귀(當歸) · 자감초(灸甘草) · 포부자(炮附子) 4~8g, 생강(生薑) 3쪽, 대조(大棗) 2알. [《사상진료의전(四象診療醫典)》] 소음인(少陰人)의 망양증(亡陽證)에 쓴다. 위의 약을 1첩으로 하여 달여서 먹는다.

[네이버 지식백과] 황기계지부자탕 [黃耆桂枝附子湯] (한의학대사전, 2001. 6. 15.,)

人蔘桂枝附子湯 : 人蔘 4錢 桂枝 3錢 白芍藥 黃芪 各2錢 當歸 灸甘草 各1錢
炮附子 1錢或2錢 生薑3片 大棗2枚

   인삼(人參) 16g, 계지(桂枝) 12g, 백작약(白芍藥) · 황기(黃耆) 각 8g, 당귀(當歸) · 자감초(灸甘草) 각 4g, 포부자(炮附子) 4~8g, 생강(生薑) 3쪽, 대조(大棗) 2개. [《사상진료의전(四象診療醫典)》] 소음인(少陰人)의 망양증(亡陽證)에 쓴다. 위의 약을 1첩으로 하여 물에 달여서 먹는다.

[네이버 지식백과] 인삼계지부자탕 [人蔘桂枝附子湯] (한의학대사전, 2001. 6. 15.,)

升陽益氣附子湯 : 人蔘 桂枝 白芍藥 黃芪 各2錢 白何首烏 官桂 當歸 灸甘草
各1錢 炮附子 1錢 或2錢 生薑 3片大棗 2枚

   인삼(人參) · 계지(桂枝) · 백작약(白芍藥) · 황기(黃耆) 각 8g, 백하수오(白何

首烏) · 육계(肉桂) · 당귀(當歸) · 감초(甘草) · 부자(附子) 각 4g. [《사상진료의전(四象診療醫典)》] 소음인(少陰人)의 망양증(亡陽證)에 쓴다. 위의 약을 1첩으로 하여 물에 달여서 먹는다.

[네이버 지식백과] 승양익기부자탕 [升陽益氣附子湯] (한의학대사전, 2001. 6. 15.)

人蔘官桂附子湯 : 人蔘 5錢 或一兩 官桂 黃芪 各3錢 白芍藥 2錢 當歸 灸甘草 各1錢 炮附子 2錢或2錢5分 生薑 3片 大棗 2枚

소음인의 망양증(亡陽證)에 쓰이는 처방이다. 소음인은 신장이 크고 비장이 작은 체질적 특수성 때문에 신장의 음액(陰液)이 왕성하여 대장(大腸)의 양기(陽氣)가 작용하지 못하고 맺혀 있으므로 신수열표열병(腎受熱表熱病)이 생긴다. 이때 밖에서 감기가 침범하면 이 사기(邪氣)를 없애기 위한 생리적 반응 과정에서 오한이 나는 증상이 생긴다. 이 시기에 양기의 상승하는 힘이 부족하면 표음(表陰)이 순행(順行)하지 못하고 맺히게 된다. 이렇게 표음이 맺히고 양기가 상승하지 못하면 신양곤열(腎陽困熱: 양기가 열 때문에 돌지 못함)이 되어 영양을 공급하는 활동이 약해지므로 양기 부족증이 되는 것이다. 인삼관계부자탕은 바로 이 망양증을 치료하는 처방이다. 처방은 인삼 18.75~37.5g, 관계·황기 각 11.25g, 백작약 7.5g, 당귀·감초 각 3.75g, 부자포(附子炮) 7.5~9.375g, 생강 세 쪽, 대추 두 개로 되어 있다. 이 처방은 승양익기부자탕(升陽益氣附子湯)에서 계지·백하수오(白何首烏)를 빼고 인삼·관계·황기를 주된 약으로 사용한 것으로, 사기를 발산시키고 음(陰)을 돕는 것보다는 부족한 양기를 보충하고 남아 있는 양기를 더 이상 부족해지지 않도록 보호하는 데 치중한 처방이다.

[네이버 지식백과] 인삼관계부자탕 [人蔘官桂附子湯] (한국민족문화대백과, 한국학중앙연구원)

右四方 皆亡陽危病藥也. 亡陽病人 小便白而多 危有餘地則 用附子 1錢 日再服

小便赤而少 危無餘地則 用附子 2錢 日二三服. 病在將危用 1錢 病在免危用 1
錢 病在調理亦 1錢 日再服.

앞에서 살펴본 4가지 처방은(右四方), 모두 망양이 발병해서 위증이 될 때 쓰는
처방이다(皆亡陽危病藥也). 그리고 망양병 환자가(亡陽病人), 소변이 희고 많을
때는(小便白而多), 위태로운 지경에 빠진다고 해도 치료할 수 있는 여지는 있는데
(危有餘地則), 이때는 부자 1전을 탕으로 만들어서(用附子 1錢), 매일 두 번씩 복
용하면 된다(日再服). 그리고 이때 소변이 붉게 나오고 소변의 양이 적으면(小便
赤而少), 이때는 위태로우면서 아예 치료할 여지가 없게 된다(危無餘地則). 이때
도 처방을 하자면, 부자 2전을 탕으로 만들어서(用附子 2錢), 매일 두세 번 복용
하면 된다(日二三服). 이때 병이 장래에 더 위태로워질 것 같으면(病在將危), 부
자 1전을 더 쓴다(用 1錢). 그리고 이때 위태로운 지경을 넘기면(病在免危), 부자
1전을 쓴다(用 1錢). 그리고 병이 나아서 조리하는 단계에 들어왔어도(病在調理),
역시(亦), 부자 1전을 달여서(1錢), 매일 두 번씩 복용한다(日再服).

升陽益氣湯 : 人蔘 桂枝 黃芪 白芍藥 各2錢 白何首烏 官桂 當歸 灸甘草 各1錢
生薑 3片 大棗 2枚

소음인 체질을 가진 사람의 망양증 예방이나 초기에 치료가 필요할 때 사용하는
처방이다. 『동의수세보원(東醫壽世保元)』에 첫 기록이 보이며 처방은 인삼(人蔘)·
계지(桂枝)·황기(黃芪)·백작약(白芍藥) 각각 7.5g, 백하수오(白何首烏)·관계(官
桂)·당귀(當歸)·감초(甘草) 각각 3.75g, 생강 3쪽, 대추 2개로 구성되어 있다. 이는
승양익기부자탕(升陽益氣附子湯)에서 부자(附子)를 빼낸 것으로서 승양익기부자
탕은 이미 망양증이 발생해서 땀이 나는 데 사용하는 처방이지만, 이 처방은 아직
망양증이 발생하지 않았거나 망양증이 발생할 염려가 있을 때 사용한다. 망양증은
양기를 잃어 원기가 손모되어 나타나는 증상으로 땀이 지나치게 많이 나거나 땀이

좀처럼 나지 않는 두 가지 증상으로 나타난다. 구성된 약재 가운데 보기작용(補氣作用)의 대표약인 인삼(人蔘), 승양작용(升陽作用)을 하는 황기와 계지, 이를 도와주는 육계(肉桂), 보음작용(補陰作用)이 있는 당귀·백작약·하수오 등으로 구성되어있어, 망양증이 생길 염려가 있을 때 밖으로는 양기를 강화시켜 주고 안으로는 보음시켜줌으로써 미연에 방지할 수 있도록 조처한 처방이다. 망양증의 대표적인 치료 방법은 고표지한(固表止汗)시키는 방법과 승양익기(升陽益氣)시키는 방법이 있는데, 이 처방은 승양익기시키는 대표적 처방이다. 이 밖에도 망양초증(亡陽初證)을 치료하는 황기계지탕(黃芪桂枝湯)·보중익기탕(補中益氣湯) 등의 처방이 있다.

[네이버 지식백과] 승양익기탕 [升陽益氣湯] (한국민족문화대백과, 한국학중앙연구원)

補中益氣湯 : 人蔘 黃芪 各3錢 灸甘草 白朮 當歸 陳皮 各1錢 藿香 蘇葉 各3分
      或各5分 生薑 3片大棗 2枚

① 황기(黃芪) 6g, 인삼(人參) · 백출(白朮) · 감초(甘草) 각 4g, 당귀(當歸) · 진피(陳皮) 각 2g, 승마(升麻) · 시호(柴胡) 각 1.2g. [《동의보감(東醫寶鑑)》] 기허발열(氣虛發熱)로 온 몸이 노곤하고 오후마다 미열이 나며 식은땀이 나고 머리가 아프며 식욕이 부진하고 추위를 몹시 타는 데, 또는 중기하함(中氣下陷)으로 상술한 증상과 함께 아랫배가 무직하고 자주 묽은 변을 보는 데, 탈항, 자궁 탈출 등에 쓴다. 결핵성 질병을 비롯한 만성 소모성 질병, 위하수증을 비롯한 내장하수, 여름타기, 만성 대장염, 허약자의 음위(陰痿), 일련의 출혈 등에 쓸 수 있다. 위의 약을 1첩으로 하여 물에 달여서 먹거나 가루 내어 꿀로 환제를 만들어 한 번에 8~12g씩 하루 3번 먹기도 한다. ② 인삼(人參) · 생지황(生地黃) · 황기(黃芪) · 당귀(當歸) · 천궁(川芎) · 시호(柴胡) · 진피(陳皮) · 강활 (羌活) · 백출(白朮) · 방풍(防風) 각 2.8g, 세신(細辛) · 감초(甘草) 각 2g, 생강(生薑) 3쪽, 대조(大棗) 2개. [《동의보감(東醫寶鑑)》] 기혈(氣血)이 부족한 데, 감기에 걸려 열이 나고 머리가 아프며 식은땀이 나고 오슬오슬 추우며 온몸이 몹시 피곤하고 기운이 없는데 쓴다. 위의 약을 1첩으로 하여 물에 달여서 먹는다. 도씨보중익기탕(陶氏

補中益氣湯)이라고도 한다. ③ 인삼(人參) · 황기(黃耆) 각 12g, 백출(白朮) · 당귀(當歸) · 진피(陳皮) · 감초(甘草) 각 4g, 자소엽(紫蘇葉) · 곽향(藿香) 각 2g. [《사상진료의전(四象診療醫典)》] 소음인(少陰人) 처방으로서 태양증(太陽證)의 망양(亡陽) 초기와 몸이 몹시 피곤하고 기운이 없는데, 몸이 허약하면서 열이 나고 가슴이 답답하며 저절로 식은땀이 나는데, 태동불안(胎動不安), 산증(疝症), 치질 등에 쓴다. 위의 약을 1첩으로 하여 물에 달여서 먹는다.

[네이버 지식백과] 보중익기탕 [補中益氣湯] (한의학대사전, 2001. 6. 15., 한의학대사전 편찬위원회)

黃芪桂枝湯 : 桂枝 3錢 白芍藥 黃芪 各2錢 白何首烏 當歸 灸甘草 各1錢
生薑 3片 大棗 2枚

달리 계지황기탕(桂枝黃耆湯) · 계지고주탕(桂枝苦酒湯)이라고도 부름. 황기(黃耆) 10g, 계지(桂枝) · 백작약(白芍藥) 각 6g, 감초(甘草) 4g. [《동의보감(東醫寶鑑)》] 온몸에 황달이 오면서 누런 땀이 나며 몸이 붓고 열이 나며 갈증이 있는데 쓴다. 위의 약을 1첩으로 하여 술을 섞은 물에 달여서 먹는다.

[네이버 지식백과] 계지황기탕 [桂枝黃耆湯] (한의학대사전, 2001. 6. 15., 한의학대사전 편찬위원회)

川芎桂枝湯 : 桂枝 3錢 白芍藥 2錢 川芎 蒼朮 陳皮 灸甘草 各1錢
生薑 3片 大棗 2枚

계지(桂枝) 12g, 백작약(白芍藥) 8g, 천궁(川芎) · 창출(蒼朮) · 진피(陳皮) · 자감초(炙甘草) 각 4g, 생강(生薑) 3쪽, 대조(大棗) 2개. [《동의수세보원(東醫壽世保元)》] 소음인(少陰人)이 신수열표열병(腎受熱表熱病) 때 땀이 없으면서 날뛰는 데 쓴다. 위의 약을 1첩으로 하여 물에 달여서 한 번에 먹는다.

[네이버 지식백과] 천궁계지탕 [川芎桂枝湯] (한의학대사전, 2001. 6. 15., 한의학대사전 편찬위원회)

芎歸香蘇散 : 香附子 2錢 紫蘇葉 川芎 當歸 蒼朮 陳皮 灸甘草 各1錢

　　　　　　 葱白5莖 生薑3片 大棗2枚

　향부자(香附子) 8g, 자소엽(紫蘇葉) · 천궁(川芎) · 당귀(當歸) · 창출(蒼朮) · 진피(陳皮) · 자감초(灸甘草) 각 4g, 총백(葱白) 5개, 생강(生薑) 3쪽, 대조(大棗) 2개. [《동의수세보원(東醫壽世保元)》] 소음인(少陰人)의 온역(瘟疫)과 태양병증(太陽病證)에 쓴다. 위의 약을 1첩으로 하여 물에 달여서 한 번에 먹는다.

[네이버 지식백과] 궁귀향소산 [芎歸香蘇散] (한의학대사전, 2001. 6. 15., 한의학대사전 편찬위원회)

藿香正氣散 : 藿香 1錢5分 紫蘇葉 1錢 蒼朮 白朮 半夏 陳皮 靑皮 大腹皮 桂皮

　　　　　　 乾薑 益智仁 灸甘草 各5分 生薑3片 大棗2枚

　① 곽향(藿香) 6g, 자소엽(紫蘇葉) 4g, 백지(白芷) · 대복피(大腹皮) · 백복령(白茯苓) · 후박(厚朴) · 백출(白朮) · 진피(陳皮) · 반하(半夏: 법제한 것) · 길경(桔梗) · 자감초(灸甘草) 각 2g, 생강(生薑) 3쪽, 대조(大棗) 2개. [《동의보감(東醫寶鑑)》] 풍한사(風寒邪)에 상한 데다 음식을 잘못 먹고 체하여 오슬오슬 춥다가 열이 나면서 머리가 아프고 명치 아래가 그득하며 배가 아프면서 토하며 배에서 소리가 나고 설사하는 데 쓴다. 여름철 감기, 더위, 급성 위장염, 위십이지장궤양(gastroduodenal ulcer), 오조(惡阻) 등 때에도 쓸 수 있다. 위의 약을 1첩으로 하여 물에 달여서 먹는다. ② 곽향(藿香) 6g, 자소엽(紫蘇葉) 4g, 창출(蒼朮) · 백출(白朮) · 반하(半夏) · 진피(陳皮) · 청피(靑皮) · 대복피(大腹皮) · 계피(桂皮) · 건강(乾薑) · 익지인(益智仁) · 자감초(灸甘草) 각 2g, 생강(生薑) 3쪽, 대조(大棗) 2개. [《동의수세보원(東醫壽世保元)》] 소음인(少陰人)이 땀이 나지 않는데, 아랫배가 단단하고 불러오는데, 태양병(太陽病)이 있으면서 대장이 찬 증상이 있는데, 양명병(陽明病) 증상이 있으면서 표증(表證) 증상이 풀리지 않는데, 태음병(太陰病) 때 소화되지 않은 것을 설사하는 데 쓴다. 해산하고 난 뒤에 태반

이 나오지 않는 데는 오배자(五倍子)·진피(陳皮) 각 4g을 더 넣어 쓴다. 위의 약을 1첩으로 하여 물에 달여서 한 번에 먹는다.

[네이버 지식백과] 곽향정기산 [藿香正氣散] (한의학대사전, 2001. 6. 15., 한의학대사전 편찬위원회)

八物君子湯 : 人蔘 2錢 黃芪 白朮 白芍藥 當歸 川芎 陳皮 灸甘草 各1錢
生薑3片 大棗2枚. 本方 以白何首烏 易人蔘則 名曰 白何烏君子湯.
本方 用蔘芪 各 1錢 加白何首烏 官桂 各 1錢則 名曰 十全大補湯.
本方 用人蔘 1兩 黃芪 1錢則 名曰 獨蔘八物湯.

인삼(人參) 8g, 황기(黃耆)·백출(白朮)·백작약(白芍藥)·당귀(當歸)·천궁(川芎)·진피(陳皮)·자감초(灸甘草) 각 4g, 생강(生薑) 3쪽, 대조(大棗) 2알. [《사상진료의전(四象診療醫典)》] 소음인(少陰人)이 양명병(陽明病)으로 열이 몹시 나고 발광하는 초기에 쓴다. 위의 약을 1첩으로 하여 물에 달여서 먹는다. (이제마 주 : 이 처방에서(本方), 백하수오로(以白何首烏), 인삼을 바꿔주면(易人蔘則), 이때는 백하오군자탕으로 불린다(名曰 白何烏君子湯). 그리고 이 처방에(本方), 인삼과 황기를 각 1전씩 쓰고(用蔘芪 各 1錢), 여기에 백하수오(加白何首烏), 관계(官桂) 각각을 1전씩 추가하면(各 1錢則), 이때는 십전대보탕으로 불리게 된다(名曰 十全大補湯). 그리고 이 처방에(本方), 인삼 1냥(用人蔘 1兩), 황기 1전을 쓰게 되면(黃芪 1錢則), 이때는 독삼팔물탕으로 불린다(名曰 獨蔘八物湯).

[네이버 지식백과] 팔물군자탕 [八物君子湯] (한의학대사전, 2001. 6. 15., 한의학대사전 편찬위원회)

香附子八物湯 : 香附子 當歸 白芍藥 各 2錢 白朮 白何首烏 川芎 陳皮
灸甘草 各1錢 生薑3片 大棗2枚

향부자(香附子)·당귀(當歸)·백작약(白芍藥) 각 8g, 백출(白朮)·백하수오

(白何首烏) · 천궁(川芎) · 진피(陳皮) · 자감초(炙甘草) 각 4g. [《사상진료의전(四象診療醫典)》] 소음인(少陰人) 여성이 생각을 지나치게 한 탓으로, 비(脾)가 상하여 목 안과 혀가 마르고 머리가 은근히 아픈 데 쓴다. 위의 약을 1첩으로 하여 물에 달여서 식간(食間)에 먹는다.

[네이버 지식백과] 향부자팔물탕 [香附子八物湯] (한의학대사전, 2001. 6. 15.,)

嘗治 婦人 思慮傷脾 咽乾舌燥 隱隱有頭痛 神效.

일찍이(嘗治), 어떤 부인이(婦人), 많은 고민으로 인해서 스트레스를 담당하는 비장을 상하게 되었을 때(思慮傷脾), 인후부가 건조하고, 혀가 건조하고(咽乾舌燥), 은은히 두통이 있을 때(隱隱有頭痛), 이 처방이 귀신처럼 통했다(神效).

桂枝半夏生薑湯 : 生薑 3錢 桂枝 半夏 各 2錢 白芍藥 白朮 陳皮 炙甘草 各1錢. 治虛寒嘔吐 水結胸等證.

생강(生薑) 12g, 계지(桂枝) · 반하(半夏) 각 8g, 백작약(白芍藥) · 백출(白朮) · 진피(陳皮) · 자감초(炙甘草) 각 4g. [《사상진료의전(四象診療醫典)》] 소음인(少陰人)이 허한(虛寒)으로 토하거나 결흉증(結胸證)이 생긴 데 쓴다. 위의 약을 1첩으로 하여 물에 달여서 먹는다. (**이제마 주** : 허한, 구토, 수결흉 등을 치료한다).

[네이버 지식백과] 계지반하생강탕 [桂枝半夏生薑湯] (한의학대사전, 2001. 6. 15.,)

香砂養胃湯 : 人蔘 白朮 白芍藥 甘草炙 半夏 香附子 陳皮 乾薑 山査肉 砂仁 白豆蔲 各 1錢 生薑 3片 大棗 2枚

① 백출(白朮) 4g, 사인(砂仁) · 창출(蒼朮) · 후박(厚朴) · 진피(陳皮) · 백복령(白茯苓) 각 3.2g, 백두구(白豆蔻) 2.8g, 인삼(人參) · 목향(木香) · 감초(甘草) 각 2g, 생강(生薑) 3쪽, 대조(大棗) 2알. [《동의보감(東醫寶鑑)》] 위(胃)가 차서 입맛이 없으면서 속이 트적지근하고 답답하며 소화가 안 되는 데 쓴다. 위의 약을 1첩으로 하여 물에 달여서 먹는다. ② 백출(白朮) · 진피(陳皮) · 반하(半夏) · 백복령(白茯苓) 각 4g, 향부자(香附子) · 사인(砂仁) · 목향(木香) · 지실(枳實) · 곽향(藿香) · 후박(厚朴) · 백두구(白豆蔻) 각 2.8g, 감초(甘草) 1.2g, 생강(生薑) 3쪽, 대조(大棗) 2알. [《동의보감(東醫寶鑑)》] 가슴과 명치 밑이 트적지근하고 부어오르며 소화가 안 되는 데 쓴다. 위의 약을 1첩으로 하여 물에 달여서 먹는다. ③ 백복령(白茯苓) 4g, 진피(陳皮) · 반하(半夏) · 후박(厚朴) · 창출(蒼朮: 덖은 것) · 사인(砂仁) · 곽향(藿香) 각 2g, 인삼(人參) 1.6g, 자감초(炙甘草) 1.2g, 생강(生薑), 대조(大棗) 적량. [《의림촬요(醫林撮要)》] 여름철에 생것, 찬 것을 지나치게 먹어서 토하고 설사하며 목이 마르는 데 쓴다. 위의 약을 1첩으로 하여 물에 달여서 먹는다. ④ 인삼(人參) · 백출(白朮) · 백작약(白芍藥) · 자감초(炙甘草) · 반하(半夏) · 향부자(香附子) · 진피(陳皮) · 건강(乾薑) · 산사육(山樝肉) · 사인(砂仁) · 백두구(白豆蔻) 각 4g. [《사상진료의전(四象診療醫典)》] 소음인(少陰人)이 태양병(太陽病) 때 찬 것을 꺼리는 데나 또는 양명병(陽明病)에 열이 몹시 나는데, 태음병(太陰病)으로 위기(胃氣)가 약해진 데, 식체(食滯), 황달 등에 쓰게 된다. 소화되지 않은 물 같은 설사를 할 때는 곽향(藿香)을 더 넣어 쓴다. 위의 약을 1첩으로 하여 물에 달여서 먹는다.

[네이버 지식백과] 향사양위탕 [香砂養胃湯] (한의학대사전, 2001. 6. 15., 한의학대사전 편찬위원회)

赤白何烏寬中湯 : 白何首烏 赤何首烏 良薑 乾薑 靑皮 陳皮 香附子 益智仁
各 1錢 大棗 2枚. 治四體倦怠 小便不快 陽道不興 將有浮腫之漸者 用之. 本方 加 厚朴 枳實 木香 大腹皮 各 5分則 又有通氣脈之功力 (十二味寬中湯) 雖浮腫已成者 安心靜慮一百日而 日再服則 自無不效之理. 本方 以

人蔘 易赤何首烏則 名曰 人蔘白何烏寬中湯 以當歸 易赤何首烏則 名曰 當歸白何烏寬中湯. 古方 有乾薑 良薑 靑皮 陳皮 等分 作湯丸 名曰 寬中湯. 嘗治 少陰人 小便不快 陽道不興 四體倦怠 無力者 用之 必效 百發百中. 又 寬中丸 本方 加 五靈脂 益智仁 各 1錢則 治腹痛 神效.

백하수오(白何首烏) · 적하수오(赤何首烏) · 고량강(高良薑) · 건강(乾薑) · 청피(靑皮) · 진피(陳皮) · 향부자(香附子) · 익지인(益智仁) 각 4g, 대조(大棗) 2개. [《동의수세보원(東醫壽世保元)》] 소음인(少陰人)이 온 몸이 나른하며 소변이 시원하게 나오지 않고 음위(陰痿)가 있으면서 점차 몸이 붓는 데 쓴다. 몸이 몹시 붓는 데는 후박(厚朴) · 지실(枳實) · 목향(木香) · 대복피(大腹皮) 각 2g을 더 넣어 쓴다. 위의 약을 1첩으로 하여 물에 달여서 한 번에 먹는다. (이제마 주 : 이 처방은 온몸이 권태롭고(治四體倦怠), 소변이 시원하지 않고(小便不快), 발기 부전이 일어나고(陽道不興), 장래에 부종이 예상되면(將有浮腫之漸者), 쓴다(用之). 이 처방에(本方), 후박(加 厚朴), 지실(枳實), 목향(木香), 대복피(大腹皮)를 각각(各) 5푼씩을 추가하면(5分則), 이 처방은 또한(又), 기맥을 통하게 하는 효력을 갖는다(有通氣脈之功力). (이는 십이미관중탕이 된다(十二味寬中湯). 비록(雖), 이미 부종이 만들어진 상태에서도(浮腫已成者), 이 처방을 쓰면서, 마음을 고요히 정돈하고(安心靜慮), 100일에 걸쳐서(一百日而), 매일 두 번씩 복용하게 되면(日再服則), 부종은 자동으로 다스려지게 된다(自無不效之理). 그리고 이 처방에서(本方), 인삼으로(以人蔘), 적하수오를 바꾸게 되면(易赤何首烏則), 이때는 인삼백하오관중탕으로 불린다(名曰 人蔘白何烏寬中湯). 그리고 당귀로(以當歸), 적하수오를 바꾸게 되면(易赤何首烏則), 당귀백하오관중탕으로 불린다(名曰 當歸白何烏寬中湯). 옛날 처방을 보게 되면(古方), 건강(有乾薑), 양강(良薑), 청피(靑皮), 진피를(陳皮) 등분해서(等分), 탕이나 환을 만들었는데(作湯丸), 이는 관중탕이라고 불렀다(名曰 寬中湯). 일찍이(嘗治), 소음인이(少陰人), 소변이 시원하지 않고(小便不快), 발기 부전에 걸려있고(陽道不興), 온몸이 노곤하고(四體倦怠), 무기력할 때(無力者), 이 처방을 쓰면(用之), 반드시 효과가 있었는데(必效), 이는 백발백중이었다(百發百中). 또한(又), 관중환은(寬中丸), 이 처방에(本方), 오령지(加 五靈脂), 익지인(益智仁)을 각각(各), 1전씩 추가한 처방인데(1錢則), 이를 처방해서 복통을(治腹痛), 치료하게 되면, 귀신과 같은 효과가 있다(神效).

[네이버 지식백과] 적백하오관중탕 [赤白何烏寬中湯] (한의학대사전, 2001. 6. 15.,)

蒜蜜湯 : 白何首烏 白朮 白芍藥 桂枝 茵蔯 益母草 赤石脂 罌粟殼 各1錢
　　　　生薑3片 大棗2枚 大蒜 5根 淸蜜半匙. 治痢疾.

백하수오(白何首烏)·백출(白朮)·백작약(白芍藥)·계지(桂枝)·산인진(山茵陳)·익모초(益母草)·적석지(赤石脂)·앵속각(罌粟殼) 각 4g, 대산(大蒜) 5쪽, 봉밀(蜂蜜) 반 숟가락, 생강(生薑) 3쪽, 대조(大棗) 2개. [《사상진료의전(四象診療醫典)》] 소음인(少陰人)의 이질에 쓴다. 위의 약을 1첩으로 하여 물에 진하게 달여서 먹는다. (**이제마 주** : 이 처방은 이질을 치료한다(治痢疾).

[네이버 지식백과] 산밀탕 [蒜蜜湯] (한의학대사전, 2001. 6. 15., 한의학대사전 편찬위원회)

鷄蔘膏 : 蔘 1兩 桂皮 1錢 鷄 1首. 濃煎服 或以胡椒 淸蜜 助滋味 無妨.
　　　　此方 自古有方. 治瘧疾·痢疾 神效 嘗治久瘧 先用 巴豆 通利大便 後
　　　　數三日連用 鷄蔘膏 快效 桂皮 或以桂心 代用.

인삼(人蔘) 40g, 계피(桂皮) 4g, 닭 1마리. [《동의수세보원(東醫壽世保元)》] 소음인(少陰人)의 이질과 학질에 쓴다. 물로 진하게 달여서 3일 동안에 나누어 먹는다. (**이제마 주** : 이 처방은 푹 고아서 먹는다(濃煎服). 후추나 꿀로(或以胡椒 淸蜜), 맛을 조절해도 무방하다(助滋味 無妨). 이 처방은(此方), 옛날부터 전해 내려온 처방이다(自古有方). 이 처방은 주로 학질(治瘧疾), 이질(痢疾)에 귀신처럼 효과가 있다(神效). 일찍이(嘗), 오래된 학질을 치료하면서(治久瘧), 먼저 파두를 써서(先用 巴豆), 대변을 통하게 한 후에(通利大便 後), 수삼 일 연속해서 먹게 되면(數三日連用), 계삼고는(鷄蔘膏), 효과가 아주 좋게 나타난다(快效). 계피를(桂皮), 때로는 계심으로 바꿔서(或以桂心), 대용하기도 한다(代用).

[네이버 지식백과] 계삼고 [鷄蔘膏] (한의학대사전, 2001. 6. 15., 한의학대사전 편찬위원회)

巴豆丹 : 巴豆 1粒 去殼取粒 溫水呑下 全粒 或半粒 仍煎湯藥.
　　　　　以煎藥時刻 巴豆 獨行腹胃間 太半用力 然後 服湯藥則 湯藥 可以與
　　　　　巴豆 同行 通快腹胃 升提其氣也. 再煎湯藥 大便通後 又連服之.
　　　　　巴豆 全粒 下利 半粒 化積.

　파두 한 알을 껍질을 벗겨 따뜻한 물과 함께 복용한다(巴豆一粒 去殼取粒 溫水呑下). 아니면 한 알이나 반 알을 볶아서 먹거나 탕약으로 만들어 먹는다(全粒 或半粒 仍煎湯藥). 파두를 볶아서 먹으면(以煎藥時刻), 파두는(巴豆), 혼자서 내장 사이를 지나면서(獨行腹胃間), 이때 대부분이 약력을 발휘하며(太半用力), 이렇게 한 후에(然後), 다시 파두를 탕약으로 만들어서 복용하게 되면(服湯藥則), 탕약은(湯藥), 여기에 추가로 효과를 발휘하게 되고(可以與), 이때 두 종류의 파두는 동행하면서(巴豆 同行), 내장을 시원하게 통과해서(通快腹胃), 그 기운을 끌어올리게 된다(升提其氣也). 다시 한번 볶은 것과 탕으로 만든 것을 복용하게 되면(再煎湯藥), 대변이 통하게 되는데(大便通), 이후에(後), 다시 연속해서 복용하면 된다(又連服之). 파두 한 알은 설사를 만들고(巴豆 全粒 下利), 반 알은 적을 깨뜨린다(半粒 化積).

人蔘陳皮湯 : 人蔘 1兩 生薑 砂仁 陳皮 各1錢 大棗2枚. 本方 以炮乾薑 易生薑
　　　　　　又加桂皮 1錢則 尤有溫胃逐冷之力 以本方嘗治未周年小兒 陰毒
　　　　　　慢風 連服數日 病快癒矣 病愈後 更不服藥 再發不治.

인삼(人參)·생강(生薑)·사인(砂仁)·진피(陳皮) 각 4g. [《사상진료의전(四象診療醫典)》] 소음인(少陰人) 어린아이가 음독(陰毒)으로 토하고 설사하면서 때때로 경련이 일어나는 만경풍(慢驚風), 두드러기 등에 쓴다. 위의 약을 1첩으로 하여 물에 달여서 먹인다. (이제마 주 : 이 처방에서(本方), 구운 건강으로(以炮乾薑), 생강을 대체해도 된다(易生薑). 또한(又), 여기에 계피 1전을 추가하면(加桂皮 1錢則), 위장에 체류하는 냉기를 온기로 더욱더 잘 추방할 수 있는 힘을 만들게 된다(尤有溫胃逐冷之力). 이 처방을 써서(以本方), 일찍이(嘗), 돌이 지나지 않은 소아의 음독으로 인한(治未周年小兒 陰毒), 경풍을(慢風), 수일 연속 복용시켜서(連服數日), 병을 완전히 치유한 적이 있다(病快癒矣). 이렇게 병이 치유된 후에(病愈後), 다시 약을 복용시키지 않았더니(更不服藥), 병이 재발해서 치료되지 않았다(再發不治).

[네이버 지식백과] 인삼진피탕 (한의학대사전, 2001. 6. 15., 한의학대사전 편찬위원회)

人蔘吳茱萸湯 : 人蔘 1兩 吳茱萸 生薑 各3錢 白芍藥 當歸 官桂 各1錢

인삼(人參) 40g, 오수유(吳茱萸)·생강(生薑) 각 12g, 백작약(白芍藥)·당귀(當歸)·육계(肉桂) 각 4g. [《동의수세보원(東醫壽世保元)》] 소음인(少陰人)이 태음병(太陰病) 때 설사하면서 배는 아프지 않는 데와 설사한 뒤 갑자기 손발이 차지는 데 쓴다. 위의 약을 1첩으로 하여 물에 달여서 한 번에 먹는다.

[네이버 지식백과] 인삼오수유탕 [人參吳茱萸湯] (한의학대사전, 2001. 6. 15.,)

官桂附子理中湯 : 人蔘 3錢 白朮 炮乾薑 官桂 各2錢 白芍藥 陳皮 灸甘草
　　　　　　　 各1錢 炮附子 1錢或2錢

달리 인삼부자관계탕(人參附子官桂湯)이라고도 부름. 인삼(人參) 12g, 백출(白朮)·포건강(炮乾薑)·육계(肉桂)각 8g, 백작약(白芍藥)·진피(陳皮)·자감초

(炙甘草) 각4g, 포부자(炮附子) 4~8g. [《동의수세보원(東醫壽世保元)》] 소음인 (少陰人)이 기침을 하는 데, 소화되지 않은 변을 설사하며 배가 불러오르고 입이 마르며 팔다리가 찬 데, 음성격양증(陰盛格陽證)으로 가슴이 답답하고 메스꺼우며 의식이 혼미한 데 쓴다. 위의 약을 1첩으로 하여 물에 달여서 한 번에 먹는다.

[네이버 지식백과] 관계부자이중탕 [官桂附子理中湯] (한의학대사전, 2001. 6. 15.)

吳茱萸附子理中湯 : 人蔘 白朮 炮乾薑 官桂 各2錢 白芍藥 陳皮 炙甘草 吳茱萸
小茴香 破故紙 各1錢 炮附子 1錢或2錢

인삼(人參) · 백출(白朮) · 포건강(炮乾薑) · 육계(肉桂) 각 8g, 백작약(白芍藥) · 진피(陳皮) · 자감초(炙甘草) · 오수유(吳茱萸) · 소회향(小茴香) · 보골지(補骨脂) 각 4g, 포부자(炮附子) 4~8g. [《사상진료의전(四象診療醫典)》] 소음인 (少陰人)이 장궐(臟厥)로 손발이 싸늘해지는 데와 진한가열(眞寒假熱) 등에 쓴다. 위의 약을 1첩으로 하여 물에 달여서 먹는다.

[네이버 지식백과] 오수유부자이중탕 [吳茱萸附子理中湯] (한의학대사전, 2001. 6. 15.)

白何烏附子理中湯 : 白何首烏 白朮炒 白芍藥微炒 桂枝 乾薑炮 各2錢 陳皮
甘草炙 附子炮 各1錢

백하수오(白何首烏) · 백출(白朮: 닦은 것) · 백작약(白芍藥: 닦은 것) · 계지(桂枝) · 포건강(炮乾薑) 각 12g, 진피(陳皮) · 부자(附子) · 자감초(炙甘草) 각 4g. [《사상진료의전(四象診療醫典)》] 소음인(少陰人)이 태음병(太陰病)이나 소음병(少陰病)으로 위급한 데 쓴다. 위의 약을 1첩으로 하여 물에 달여서 먹는다.

[네이버 지식백과] 백하오부자이중탕 [白何烏附子理中湯] (한의학대사전, 2001. 6. 15.)

白何首烏理中湯 : 白何首烏 白朮 白芍藥 桂枝 炮乾薑 各2錢 陳皮 炙甘草

　　　　　　　各1錢. 有人蔘則 用人蔘 無人蔘則 用白何首烏 白何首烏 與

人蔘 性味相近而 淸越之力 不及 溫補之力 過之 不無異同之處. 險病 危證 人蔘

二錢以上 不可全恃 白何首烏代用 古方 經驗不多 藥材生疎 故也. 然 此一味 必

不可遺棄於補藥中而 古方 何人飮 用白何首烏五錢 治瘧病.

　　백하수오(白何首烏) · 백출(白朮: 덖은 것) · 백작약(白芍藥: 덖은 것) · 계지

(桂枝) · 포건강(炮乾薑) 각 12g, 진피(陳皮) · 부자(附子) · 자감초(炙甘草) 각

4g. [《사상진료의전(四象診療醫典)》] 소음인(少陰人)이 태음병(太陰病)이나 소음

병(少陰病)으로 위급한 데 쓴다. 위의 약을 1첩으로 하여 물에 달여서 먹는다. (이

제마 주 : 이때 인삼이 있으면(有人蔘則), 인삼을 쓰고(用人蔘), 인삼이 없으면(無

人蔘則), 백하수오를 쓴다(用白何首烏). 백하수오와 인삼은(白何首烏 與 人蔘),

성미가 서로 근접하므로(性味相近而), 열을 내리게 하는 백하수오의 능력은(淸越

之力), 인삼을 따라가지 못하고(不及), 온기를 보충해주는 백하수오의 능력은(溫補

之力), 인삼보다 훨씬 크다(過之). 그래서 이 둘은 같기도 하고 다르기도 하다(不

無異同之處). 험증이나 위증에서 처방할 때는(險病 危證), 인삼을 2전 이상을 써

야만 하는데(人蔘二錢以上), 이때 전적으로(不可全恃), 백하수오를 모두 쓸 수는

없다(白何首烏代用). 즉, 이때 백하수오가 인삼을 완전히 대체하지는 못한다는 뜻

이다. 옛 처방에서는(古方), 처방 경험이 많지 않고(經驗不多), 약재에 대한 상식

도 생소해서(藥材生疎), 이 둘을 서로 대체해서 썼었다(故也). 그러나 이런 연유가

있어도(然), 이 한 가지 성미는(此一味), 보약 중에서 반드시 버릴 수가 없을 것이

다(必不可遺棄於補藥中而). 즉, 옛 처방에서 보면(古方), 하인음은(何人飮), 백하

수오 5전을 처방해서(用白何首烏五錢), 학질을 치료한 사실 말이다(治瘧病).

　　[네이버 지식백과] 백하오부자이중탕 [白何烏附子理中湯] (한의학대사전, 2001. 6. 15.)

右 少陰人藥 諸種 附子 炮用 甘草 炙用 乾薑 炮用 或 生用 黃芪 炙用 或 生用

앞(右)에서 말한 처방을(右), 소음인 약으로 쓸 때는(少陰人藥), 모든 종류의 처방에서(諸種), 부자는 구워서 쓰고(附子 炮用), 감초는 덖어서 쓰고(甘草 炙用), 건강은 구워서 쓰고(乾薑 炮用), 때로는(或), 생으로 쓰고(生用), 황기는 덖어서 쓰거나(黃芪 炙用), 때로는(或), 생으로 쓴다(生用).

窮港僻村 病起倉卒 雖單方 猶百勝於束手無策. 陽明病 雖單黃芪 桂皮 人蔘 芍藥 亦可用. 少陰病 雖單附子 芍藥 人蔘 甘草 亦可用. 太陽病 雖單蘇葉 蔥白 黃芪 桂枝 亦可用. 太陰病 雖單白朮 乾薑 陳皮 藿香 亦可用. 爲先用單方而 一邊求得 全方則 必無救病失機之理. 然 當用 全方中 所有之藥 不當用 全方中 所無之藥.

가난하고 외진 촌구석에서(窮港僻村), 갑자기 병이 발병하게 되면(病起倉卒), 이때는 비록 단 방이라도 쓰는 편이(雖單方), 속수무책으로 당하는 것보다 백배는 낫다(猶百勝於束手無策). 이때 양명병에서(陽明病), 어쩔 수 없이 단 방을 쓰는데(雖單), 황기(黃芪), 계피(桂皮), 인삼(人蔘), 작약(芍藥), 역시 사용이 가능하다(亦可用). 그리고 소음병에서(少陰病), 어쩔 수 없이 단 방을 쓰는데(雖單), 부자(附子), 작약(芍藥), 인삼(人蔘), 감초(甘草), 역시 사용이 가능하다(亦可用). 그리고 태양병에서(太陽病), 어쩔 수 없이 단 방을 쓰는데(雖單), 소엽(蘇葉), 총백(蔥白), 황기(黃芪), 계지(桂枝), 역시 사용이 가능하다(亦可用). 그리고 태음병에서(太陰病), 어쩔 수 없이 단 방을 쓰는데(雖單), 백출(白朮), 건강(乾薑), 진피(陳皮), 곽향(藿香), 역시 사용이 가능하다(亦可用). 이때는 먼저 단 방을 써서 급한 불을 끄고 나서(爲先用單方而), 그다음에 온전한 약을 찾아서 쓰게 되면(一邊求得全方則), 병을 치료할 때 실기하지 않게 된다(必無救病失機之理.). 이런 연유가 있다고 해도(然), 당연히 온전한 처방 안에 있는 단 방을 써야지(當用 全方中 所有之藥), 온전한 처방 안에 없는 단 방을 써서는 안 된다(不當用 全方中 所無之藥).

신정 소음인병 응용요방 이십사방

추가 : 舊本에 依據한 補遺方

(이는 옛날 판본에 있었으나, 새로 발간된 판본에서는 삭제된 처방이다).

桂附藿陳理中湯 : 人蔘 白朮 白芍藥 乾薑 官桂 各 2錢 灸甘草 炮附子 藿香
砂仁 陳皮 各1錢 大棗2枚(或倍用 附子)

인삼(人蔘) 12g, 백출(白朮) · 포건강(炮乾薑) · 육계(肉桂) 각 8g, 백작약(白芍藥) · 진피(陳皮) · 자감초(甘草)(灸甘草) · 곽향(藿香) · 사인(砂仁) 각 4g, 포부자(炮附子) 4~8g. [《사상진료의전(四象診療醫典)》] 관계부자이중탕(官桂附子理中湯)에 곽향 · 사인을 더 넣은 것이다. 소음인(少陰人)이 곽란으로 토하고 설사하는 데 쓴다. 위의 약을 1첩으로 하여 물에 달여서 먹는다.

[네이버 지식백과] 계부곽진이중탕 [桂附藿陳理中湯] (한의학대사전, 2001. 6. 15)

獨蔘官桂理中湯 : 人蔘 5錢 白朮 乾薑 白芍藥 官桂 各2錢 陳皮 甘草灸 各1錢
大棗 2枚 本方 加附子 2錢 名曰獨蔘附子理中湯

인삼 5전, 백출(白朮), 건강(乾薑), 백작약(白芍藥), 관계 각 2전, 진피(陳皮), 자감초(灸甘草) 각 1전, 대추 2개. 여기에 부자를 2전 추가하게 되면, 독삼부자이중탕이라고 부르게 된다.

芎歸蔥蘇理中湯 : 人蔘 白芍藥 白朮 乾薑 各2錢 官桂 甘草灸 附子 川芎 當歸
桂枝 紫蘇葉 各1錢 葱白 3莖 棗 2枚

인삼, 백작약, 백출, 건강 각각 2전, 관계 자감초, 부자. 천궁, 당귀, 계지, 자소엽, 각각 1전, 총백 3줄기. 대추 2개.

獨蔘湯 : 人蔘 1兩 乃至 5～6兩 水煎去滓 安新汲水中取冷服 功難盡述

인삼(人參) 40～80g. [《동의보감(東醫寶鑑)》] 머리가 무겁고 띵하면서 의식이 뚜렷하지 못하고 숨이 차며 기운이 없고 맥이 몹시 약한 데 쓴다. 급성 실혈성 허탈, 쇼크, 심한 빈혈증, 자반병 등 때 쓸 수 있다. 위의 약을 1첩으로 하여 물에 진하게 달여서 식힌 다음 한 번이나 2번에 나누어 빈속에 먹는다

[네이버 지식백과] 독삼탕 [獨參湯] (한의학대사전, 2001. 6. 15., 한의학대사전 편찬위원회)

제3권(卷之三)

소양인 비수한 표한병론

(少陽人 脾受寒 表寒病論)

소양인 비수한 표한병론(少陽人 脾受寒 表寒病論)

張仲景 曰 太陽病 脈浮緊 發熱 惡寒 身痛 不汗出而 煩躁者 大靑龍湯主之

　　장중경은 다음과 같이 말한다(張仲景 曰). 방광이 문제인 태양병에 걸리면(太陽病), 이때 맥상은 부맥과 긴맥이 나오고(脈浮緊), 열이 나고(發熱), 오한이 있고(惡寒), 신통이 있으면서(身痛), 땀을 흘리지 않게 되면(不汗出而), 이는 당연히 번조로 발전하게 되고(煩躁者), 이때는 대청룡탕으로 주치하면 된다(大靑龍湯主之). 방광은 신장이 배출하기 좋게 만들어준 자유전자를 보유한 염을 체외로 배출하는 역할을 행한다. 그래서 방광이 자유전자를 보유한 염을 체외로 배출하지 못하게 되면, 이 염은 삼투압 기질이 되어서 자동으로 간질에서 부종(浮)을 만들게 되고, 이때 맥상은 자동으로 부맥(浮)이 된다. 또한 이때는 자동으로 염에서 나온 자유전자가 신경에 공급되면서 근육이 흥분해서 긴장(緊)하게 되고, 이어서 이때 맥상은 긴맥(緊)이 나오게 된다. 이 문제는 본 연구소가 발행한 맥경이나 상한잡병론을 참고하면 된다. 그리고 이때 방광이 배출하지 못한 과잉 염이 간질에 정체하게 되면서, 자동으로 발열, 오한, 신통이 유발된다. 이때 이들 문제를 만든 염을 중화하면서 열을 만들고, 이어서 땀을 만들게 되면, 염에 든 자유전자는 깨끗이 중화되고, 문제는 해결된다. 이때 강제로 땀을 빼는 방법이 땀법이다. 그러나 반대로 체온을 가지로 체외로 날아가는 땀이 나지 않게 되면(不汗出而), 이때 열은 인체 안에 축적되면서 당연히 열로 인해서 나타나는 번조(煩躁)가 일어난다. 그래서 이때 문제는 염이 보유한 자유전자의 문제이므로, 이 자유전자를 위산을 통해서 배출하면 된다. 이 방법이 바로 구토법이다. 그리고 이 처방이 청룡탕(靑龍湯) 처방이다. 그러나 이제마는 이 처방을 부정한다. 이제 이제마의 말을 들어보자.

論曰 發熱 惡寒 脈浮緊 身痛 不汗出而 煩躁者 卽 少陽人 脾受寒 表寒病也. 此

證 不當用 大靑龍湯 當用 荊防敗毒散.

이제마는 다음과 같이 주장한다(論曰). 방광이 처리하지 못한 과잉 염으로 인해서 간질에서 열이 나고(發熱), 오한이 발생하고(惡寒), 맥상이 부맥과 긴맥이 나오고(脈浮緊), 신통이 있고(身痛), 이때 땀이 나지 않는다면(不汗出而), 당연히 번조가 발생하고 만다(煩躁者). 이때(卽), 비장이 크고 신장이 작은 소양인은(少陽人), 비장이 염(塩)인 한기(寒)를 받고(脾受寒), 이때는 표한증이 된다(表寒病也). 그래서 이 병증에는(此證), 대청룡탕을 써서는 안 되고(不當用 大靑龍湯), 당연히 형방패독산을 써야 한다(當用 荊防敗毒散). 여기서 이제마가 말하는 핵심은 비수한(脾受寒)이다. 이는 먼저 소양인의 장기 구성을 봐야 한다. 소양인은 큰 비장과 작은 신장으로 구성된 체질이다. 그리고 비장과 신장은 산성 림프액을 서로 교환할 수 있는 짝이다. 그리고 과잉 염을 처리하는 신장은 크기가 작아서 기능도 떨어진다. 그래서 이때는 자동으로 크기가 커서 기능도 좋은 비장을 이용하게 된다. 그리고 지금은 방광의 문제이므로, 이는 자동으로 신장의 문제로 확장되고, 이어서 이는 비장 문제로 확장된다. 이 시점에서 장중경과 이제마의 시각이 서로 달라진다. 일단 방광의 문제가 비장으로 왔다. 여기서 장중경은 비장에 쌓인 과잉 염의 문제를 위장을 통해서 구토로 해결하자는 전략이다. 이는 정확히 맞는 치료법이다. 그런데, 이제마는 이를 표증으로 본다. 그러면 체액의 대가(大家)인 이제마는 이를 왜 간질 문제인 표증으로 봤을까? 이는 체액의 순환 과정을 볼 필요가 있다. 일단 방광이 처리하지 못한 염은 간질로 온 다음에 이어서 림프를 통해서 비장으로 진입하게 된다. 그러면 이 시점에서 간질에 정체한 염을 표증으로 보고, 여기서 처리해도 된다. 그러면 이 문제는 자동으로 비장의 문제로 비화되지 않게 된다. 이는 장중경처럼 이제마도 정확히 본 것이다. 그러나 여기서 이제마의 문제는 장중경의 처방을 부정한다(不當用)는 사실이다. 다시 말하면, 장중경의 처방도 옳은데, 이를 이제마는 부정하고 있다(不當用)는 뜻이다. 그러고서는 형방패독산(荊防敗毒散)을 처방한다. 이 처방을 한국민족문화대백과를 통해서 개요를 보면, 우선 사심화(瀉心火)하고 청폐금(淸肺金)함으로써 상역(上逆)하는 심비(心脾)의 혈(血)을 다스리면서 해울화(解鬱火)하는 생지황으로 흉격(胸膈 : 가슴과 배 사이)의 화(火)를 평정하고, 폐간(肺肝)의 풍열(風熱)을 방광으로 내보내면서 고정익음(固精益陰 : 정력을 강하게 하고 음기를 도움)하는 차전자를 써서 화를 내보내도록 하고, 또 폐중(肺中)의 복화(伏火)와 간신(肝腎)의 허열(虛熱)과 내외조열(內外潮熱)을 물리치는 지골피를 써서 보음강화(補陰降火)하도록 한 것이다. 이는 아주 복잡한 것처럼 보인다. 그러나 여기서 핵심은 화(火)와 음기(陰)의 문제이다. 그리고 화는 열을 만드는 과잉 자유전자를 말하고, 음기는 이 과잉 자유전자를 중화하는 알칼리(陰)로서 산소를 말한다. 그래서 결국에는 열을 만드는 자유전자의 과잉이 하도 심해서 인체가 공급하는 알칼리인 산소로 이를 중화하지 못하고 문제가 되고 있는 상황을 말하고 있다. 여기서 산소를 공급하는 폐는 자동으로 등장하게 되고, 염을 림프를 통해서 받는 비장도 자동으로 등장하고, 이 림프액은 우 심장을 통해서 폐로 들어가므로, 심장도 당연히 등장한다. 그리고 간은 인체 안에서 자유전자가 붙은 산성 물질을 최고로 많이 중화하므로, 이때 간도 자동으로 등장한다. 그래서 한국민족문화대백과의 형방패독산에 대한 설명은 복부에서 폐를 향해서 올라가는 체액의 흐름을 설명하고 있을 뿐이다. 여기서 비수한표한병(脾受寒表寒病)의 개념이 나오게 된다. 이를 풀어보게 되면, 비장(脾)이 방광을 통해서 받은(受) 염인 한(寒)이 간질인 표(表)에서 한증(寒)이라는 병(病)을 만든 것이다. 결국에 이 문제는 한인 염을 어떤 단계(段階)에서 어떤 방법(方法)으로 처리하느냐의 문제일 뿐이다. 즉, 장중경은 이를 위장을 이용해서 구토로 처리했고, 이제마는 이를 양승음강(陽升陰降)의 작용으로 처리한 것이다. 즉, 열을 만드는 양기(陽)가 너무 강(升)하고, 이를 중화하는 음기(陰)가 너무 약(降)하다고 판단한 것이다. 그래서 이제마는 이런 문제를 만드는 자유전자를 보유한 염을 처리하는 오장의 치료에 중점을 두게 된다. 그래서 약재의 구성을 보게 되면, 모두 오장을 도와주게 된다. 어차피 간질에 정체하면서 중화되지 못한 과잉 염은 결국에는 오장으로 들어가서 중화되기 때문이다. 그러나 이 처방은 문제가 될 수도 있다. 즉, 장중경은 비장이 받은 과잉 염을 위장을 통해서 시간의 지체 없이 곧바로 구토로 신속하고 간단히 처리해버렸다. 그러나 이제마는 간질로 온 염이 오장으로 들어오기를 기다리는 형국이 되고 만다. 그래서 처방도 여러 오장에 효과가 있는 약재로 구성된다. 물론 이를 체액 이론으로 다시 풀 수가 있다. 이는 이제마가 이 문제를 표증(表證)으로 보면서도, 치료는 정작 이증(裏證) 문제를 다루는 오장을 치료한 처방에서 그 핵심을 볼 수 있다. 즉, 간질에 정체하면서 문제를 만든 과잉 염은 결국에는 간질로 공급되는 알칼리 동맥혈을 통해서 중화되므로, 이때 심장을 도와주는 처방을 하게 되면, 간질에 정체한 과일 염은 건강한 심장이 간질로 힘차게 뿜어내준 알칼리 동맥혈로 깨끗이 중화되게 된다. 이때 물론 폐도 알칼리 동맥혈의 핵심인 산소를 공급하므로, 심장만큼 중요하게 된다. 그러나 핵심적인 문제는 여기서 끝나지 않는다. 즉, 간질에 정체하면서 산소로 중화되지 못한 산성 쓰레기 체액인 산성 정맥혈과 산성 림프액의 소통이 더 큰 문제가 된다. 정맥과 림프라는 하수구가 막히게 되면, 알칼리 동맥혈을 공급하는 동맥은 무용지물이 되고 만다. 그래서 이제마는 결국에 모든 오장을 도와서 문제의 핵심인 과잉 염을 간질에서 처리하자는 전략을 세운다. 그래서 이를 표증(表證)으로 본 것이다. 그리고 이 표증(表證)을 다스리기 위해서 이증(裏證)의 핵심인 오장을 도와준 처방을 한 것이다. 그래서 처방을 보면, 분명히 이증(裏證) 처방인데, 말은 표증(表證) 치료를 앞세우고 있다. 이는 분명히 겉으로는 잘 이해가 안 가는 부분이다. 그러나 체액 이론의 대가(大家)인 이제마는 이를 정확히 파악하고 있었던 것이다. 그래서 표증(表證) 치료에 이증(裏證) 처방을 한 것이다. 이제마는 참으로 대단한 사람이다. 이에 관한 나머지 판단은 독자 여러분의 몫이다. 이 문제는 동의수세보원 전체를 관통하고 있다. 이는 자동으로 동의수세보원을 풀 때 엄청난 오류와 혼란을 유도하고 만다. 그리고 이런 상황은 지금도 여전히 진행 중이다. 이의 핵심은 체액 이론에 있다. 말이 나온 김에 이제마의 이론을 조금만 더 살펴보자. 이제마의 사상의학은 장중경이 쓴 상한론을 응용한 이론이다. 차이가 있다면, 장중경은 질병을 만드는 염인 한을 체외로 배출해버리는 삼음삼양으로 상한론을 기술하고 있는데, 이제마는 체액의 흐름을 이용하고 있다. 둘 다 실세 역할을 하는 실체는 체액이다. 장중경의 이론은 병의 근원으로서 염인 한을 간이 담즙염으로 만들어주면, 이를 담이 체외로 배출해서 문제를 해결하고, 신장이 이를 요산염 등등으로 만들어주면, 이를 방광이 체외로 배출해서 문제를 해결하고, 비장이 이를 위산염으로 만들어주면, 이를 위장이 체외로 배출해서 문제를 해결한다. 소화관은 인체 입장으로 보면, 체외라는 사실을 상기해보자. 그래서 상한론에서는 삼음삼양이 등장할 수밖에 없다. 이는 병의 근원을 체외로 버려서 문제를 해결하자는 전략이 주요 핵심이다. 물론 여기에 가미해서 땀법도 쓴다. 그러면, 이때 인체는 체액 순환에서 장애물이 제거되면서, 체액 순환은 아주 원활해진다. 이와 비교해서 이제마의 사상의학을 보게 되면, 이제마는 산성 림프액과 산성 정맥혈이라는 체액을 이용한다. 앞에서 말했지만, 림프와 정맥은 하수구이다. 체액에서 하수구가 막히게 되면, 체액 순환은 막히게 되고, 이어서 만병이 발병하게 된다. 이때 심장이 아무리 발버둥을 치면서 알칼리 동맥혈을 밀어내봤자 아무짝에도 쓸모가 없게 된다. 그래서 이제마는 사상(四象)을 만들 때도 정맥혈에서 폐와 간을 이용해서 두 개의 사상을 만들고, 림프액에서 비장과 신장을 이용해서 두 개의 사상을 만든다. 이 여러 가지 문제는 본 연구소가 발행한 황제내경 소문과 상한론을 참고하면 이해가 쉬울 것이다. 간은 간 문맥을 통해서 인체의 산성 정맥혈을 통제하고, 폐는 동맥혈을 통해서 우 심장이 공급해주는 산성 정맥혈을 통제한다. 그래서 간과 폐는 산성 정맥혈을 통제한다. 그리고 비장은 림프를 통제해서 림프액을 통제하고, 신장은 림프액인 뇌척수액을 통제해서 림프액을 통제한다. 그래서 신장과 비장은 산성 림프액을 통제한다. 즉, 사상의학은 산성 림프액과 산성 정맥혈을 통제해서 체액 순환을 유도하고 있다. 그러면 이때 체액 순환은 아주 원활해진다. 그래서 이제마는 장중경이 쓰는 염의 체외 배출은 언급하지 않고 있다. 대신에 형방패독산(荊防敗毒散)의 처방에서 본 것처럼, 인체 안에서 체액 순환을 강조하고 있다. 이는 형방패독산의 설명을 보면, 확연히 보인다.

형방패독산(荊防敗毒散)은 소양인의 소양상풍증에 사용하는 처방이다. 1894년 이제마(李濟馬)가 지은 『동의수세보원(東醫壽世保元)』의 「소양인비수한표한병론 (少陽人脾受寒表寒病論)」에 수록되어 있다. 소양인은 비대신소(脾大腎小)한 체질적인 특성이 있다. 또한 표음(表陰)이 하강하지 못하고 배려(背膂 : 등뼈)의 사이에 몰려 울체(鬱滯 : 쌓임)되기 쉬우므로 이때에 외부로부터 한사(寒邪)가 침범하면 비수한표한병이 생긴다. 이처럼 표음이 배려의 사이에 울체된 것을 소양상풍증이라 하고, 또한 병이 심해져 대장에까지 영향이 미치면 망음증(亡陰症)이 된다. 처방의 구성은 강활(羌活) · 독활(獨活) · 시호(柴胡) · 전호(前胡) · 형개(荊芥) · 방풍(防風) · 복령(茯苓) · 지골피(地骨皮) · 생지황(生地黃) · 차전자(車前子) 각 3.75g으로 되어 있으며, 적응증은 소양인의 태양병증(太陽病症)이나 소양병증(少陽病症)으로 오는 두통, 한열왕래(寒熱往來)한 증세 및 풍비(風痺) · 어해적(魚蟹積) · 과채적(果菜積) · 학질 · 풍담(風痰) · 한담(寒痰) · 치통 · 족병(足病) · 치루(痔瘻) · 옹저초증(癰疽初症) · 구흉(龜胸) · 구배(龜背) · 오경(五硬) 등이 있다. 이 처방은 원래 원나라 때 공신(龔信)이 시기한열(時氣寒熱 : 때에 따라 뜨거웠다 차가웠다 함) 두통을 치료하기 위하여 만든 처방인데, 이제마가 여기서 인삼 · 지각(枳殼) · 길경(桔梗) · 천궁(川芎)을 빼고 생지황 · 지골피 · 차전자를 첨가하여 만든 것이다. 이제마가 이처럼 처방을 변화시킨 것은 소양인은 비대신소하므로 왕성한 화(火)의 세력 때문에 음기(陰氣)가 하강하지 못하고 배려간에 응체(凝滯)하여 있으므로 만병(萬病)을 일으키게 되고, 목적이 외적인 사기(邪氣)를 제거하는 데 있다고 하더라도 양승음강(陽升陰降)의 작용을 정상적으로 해결하지 않고서는 사기가 물러갈 수 없는 것으로 본 것이다. 따라서, 우선 사심화(瀉心火)하고 청폐금(淸肺金)함으로써 상역(上逆)하는 심비(心脾)의 혈(血)을 다스리면서 해울화(解鬱火)하는 생지황으로 흉격(胸膈 : 가슴과 배 사이)의 화(火)를 평정하고, 폐간(肺肝)의 풍열(風熱)을 방광으로 내보내면서 고정익음(固精益陰 : 정력을 강하게 하고 음기를 도움)하는 차전자를 써서 화를 내보내도록 하고, 또 폐중(肺中)의 복화(伏火)와 간신(肝腎)의 허열(虛熱)과 내외조열(內外潮熱)을 물리치는 지골피를 써서 보음강화(補陰降火)하도록 한 것이다.

[네이버 지식백과] 형방패독산 [荊防敗毒散] (한국민족문화대백과, 한국학중앙연구원)

그래서 이제마의 이론은 분명히 장중경의 상한론을 이용하지만, 독특하게 자기

소양인 비수한 표한병론

만의 체계를 구축하고 있다. 물론 둘 다 체액 이론이 핵심이다. 이는 결국에 이제마의 사상이론을 정확히 이해하기 위해서는 상한론을 제대로 정확히 이해해야만 한다는 전제를 요구한다. 그런데, 지금 한의학의 현실은 상한이 뭔지도 모른다. 이는 상한이라는 개념이 양자역학을 기반으로 하고 있기 때문이다. 그리고 한의학이 의지하는 최첨단 현대의학은 양자역학보다 수준이 한참이나 떨어지는 고전물리학을 기반으로 하고 있다. 그러면 이를 한의학에 대입해보면, 자동으로 고전물리학으로 양자역학을 해석하는 해괴망측할 일이 만들어지고 만다. 그러면 이제마의 사상의학을 이해하기 위해서는 먼저 양자역학을 완벽하게 이해하고, 이어서 상한론을 완벽하게 이해하면, 이제 겨우 이제마의 동의수세보원을 볼 수 있는 기반이 마련된다. 그러면, 이제마의 사상이론에서 주역(周易)이 등장하는 해괴망측한 일은 벌어지지 않게 된다. 미안한 이야기이지만, 동의수세보원에서 주역(周易)은 전혀 쓸모가 없다. 다만, 약간의 개념을 비유적(比喻的)으로 이용하고 있을 뿐이다. 여기서 또한 이제마는 앞에서 보았지만, 표증을 표증 약으로 해결하는 것이 아니라, 표증을 음증 약으로 해결하니, 동의수세보원의 해석자는 미치고 환장할 노릇이다. 이 미치고 환장할 노릇에 한 줄기 빛이 되어준 게 주역(周易)이었다. 그러나 이는 동의수세보원을 풀기는커녕 아예 보이지 않은 나락으로 밀어 넣고 말았다. 그래서 지금 시중에 난무하고 있는 사상의학에 관한 책들을 보고 있노라면 가관도 그런 가관이 없다. 한마디로 사상의학이 무주공산(無主空山)이 되어버린 것이다.

張仲景 曰 少陽之爲病 口苦 咽乾 目眩. 眩而 口苦 舌乾者 屬少陽. 口苦 耳聾 胸滿者 少陽傷風證也. 口苦 咽乾 目眩 耳聾 胸脇滿 或 往來寒熱而嘔 屬少陽 忌吐下 宜小柴胡湯和之

장중경은 다음과 같이 말한다(張仲景 曰). 담이 문제가 되면서 만들어지는 병은(少陽之爲病), 쓰디쓴 담즙이 구강으로 역류하면서 입안이 쓰게 되고(口苦), 담으로 인해서 간이 문제가 되고, 이어서 간이 만들어낸 열기가 위쪽으로 올라오면서 인후부가 건조해지고(咽乾), 간이 신경을 통해서 통제하는 눈에 문제가 일어나면서 목현이 온다(目眩). 그래서 목현이 오고(眩而), 입안이 쓰고, 혀가 건조해지면(口苦 舌乾者), 이는 당연히 소양인 담의 문제가 된다(屬少陽). 그리고 이때 담으로 인해서 입안이 쓰고(口苦), 간이 통제하는 신경이 잘 발달한 귀의 문제로 인해서 귀가 잘 안 들리고(耳聾), 이때 비대해진 간으로 인해서 가슴이 그득하게 되면(胸滿者), 이는 소양인 담이 간(風)을 상하게 한 증상이다(少陽傷風證也). 여기서 풍(風)은 간(肝)을 상징한다. 그래서 입안이 쓰고(口苦), 인후부가 건조하고(咽乾), 목현이 오고(目眩), 이롱이 있고(耳聾), 흉협이 그득하고(胸脇滿), 때로는(或), 한열이 왔다 갔다 하면서 구토하면(往來寒熱而嘔), 이때는 담인 소양의 문제가 된다(屬少陽). 그러면, 이때는 구토시키거나 설사시키지 말고(忌吐下), 마땅히 간 문제를 해결하는 소시호탕으로 담과 간의 생리 균형(和)을 잡아주면 된다(宜小柴胡湯和之). 여기서 간 문제를 푸는 소시호탕으로 처방하는 이유는 풍(風) 때문이다. 즉, 이는 소양인 담이 풍(風)인 간(肝)을 상하게 한 증상이기 때문이다(少陽傷風證也). 여기서 풍(風)은 간(肝)을 상징한다는 사실을 상기해보자. 이 문제는 본 연구소가 발행한 황제내경 소문을 참고하면 된다.

論曰 此證 不當用 小柴胡湯. 當用 荊防敗毒散 荊防導赤散 荊防瀉白散. 張仲景所論 少陽病 口苦 咽乾 胸脇滿 或 往來寒熱之證 卽 少陽人 腎局陰氣 爲熱邪所陷而 脾局陰氣 爲熱邪所壅 不能下降連接於腎局而 凝聚膂間 膠固囚滯之病也. 此證 嘔者 外寒 包裡熱而 挾疾上逆也. 寒熱往來者 脾局陰氣 欲降未降而 或降故 寒熱 或往或來也. 口苦 咽乾 目眩 耳聾者 陰氣囚滯膂間 欲降未降故 但寒無熱而 至於耳聾也. 口苦 咽乾 目眩者 例證也 耳聾者 重證也. 胸脇滿者 結胸之漸也 脇滿者 猶輕也 胸滿者 重證也. 古人之於此證 用汗吐下三法則 其病輒生譫語(於)壞證 病益危險故 仲景變通之而 用小柴胡湯 淸痰燥痰 溫冷相雜 平均和解 欲其病不轉變而自愈. 此法 以汗吐下三法 論之則 可謂近善而巧矣. 然 此小柴胡湯 亦非平均和解病不轉變之藥則 從古斯今 得此病者 眞是寒心矣. 耳聾 脇滿傷風之病 豈可以小柴胡湯 擬之乎. 噫 後來龔信所製 荊防敗毒散 豈非少陽人表寒

소양인 비수한 표한병론

病 三神山不死藥乎. 此證 淸裡熱而 降表陰則 痰飮自散而 結胸之證 預防不成也. 淸痰而燥痰則 無益於陰降痰散 延拖 結胸將成而 或別生奇證也.

이제마는 다음과 같이 주장한다(論曰). 이 증상에는(此證), 당연히 소시호탕을 처방하면 안 되고(不當用 小柴胡湯), 당연히 형방패독산이나(當用 荊防敗毒散), 형방도적산이나(荊防導赤散), 형방사백산을 써야 한다(荊防瀉白散). 여기서 보면 장중경의 처방을 이제마는 부정하고 있다. 이제 이제마의 사연을 들어보자. 장중경의 이론에 따르면(張仲景所論), 소양병은(少陽病), 입안이 쓰고(口苦), 인후부가 건조하고(咽乾), 흉협이 그득하고(胸脇滿), 때로는(或), 한열이 왕래하는 증상인데(往來寒熱之證), 이는 곧(卽), 소양인 입장으로 보면(少陽人), 신장에서 작동하는 음기가(腎局陰氣), 열사 때문에 문제를 만들면서(爲熱邪所陷而), 이는 신장과 산성 림프액으로 서로 소통하는 비장의 문제로 가게 되고, 이어서 이는 비장에서 작동하는 음기 문제로 비화되고(脾局陰氣), 이는 열사가 비장의 기능을 막아버리면서(爲熱邪所壅), 이제 신장이 통제하는 뇌척수액의 문제로 비화된다. 즉, 신장이 처리하지 못하고 보유한 림프액으로서 산성 뇌척수액이 문제를 만든다. 그러면, 이 산성 뇌척수액은 신장 근처로 내려오지 못하고(不能下降連接於腎局而), 척추 사이에서 뭉치게 된다(凝聚脊間). 모든 산성 체액은 점성이 높아서 잘 뭉친다는 사실을 상기해보자. 이는 마치 아교처럼 굳어서(膠固), 붙잡혀서 꼼짝하지 못하는 죄인과도 같은 질병이다(囚滯之病也). 조금만 설명을 추가해보자. 여기서 열사(熱邪)는 열의 원천인 자유전자를 보유한 염을 말한다. 지금 문제는 장중경의 상한론을 말하고 있으므로, 이는 과잉 염의 문제가 된다. 그리고 이 과잉 염은 신장에서 비장으로 온 상태가 된다. 그래서 과잉 염이 만든 열사는 신장과 비장에서 모두 문제를 만들고 있다. 그래서 과잉 염인 열사를 신장이 제대로 처리하지 못하자, 이는 곧장 비장으로 가버린다. 그리고 이는 비장의 기능을 막아(壅)버린다. 그러면, 비장은 자동으로 신장이 주는 뇌척수액인 산성 림프액을 받을 수가 없게 되고, 그러면 산성 림프액인 뇌척수액은 중화되기 위해서 신장으로 들어오지 못하고(不能下降連接於腎局而), 자동으로 척추 근처에 정체하고 만다. 그런데, 이때 정체한 뇌척수액은 산성이라서 점성이 아주 높다. 그러면 이는 자동으로 척추(脊) 사이에서 응고해서 뭉쳐버리게 된다(凝聚脊間). 그리고 이 모습은 마치 점성이 높은 아교가 굳어 있는 모습을 연상케 한다(膠固). 이는 또한 죄수가 붙잡혀서 꼼짝도 하지 못하는 모습을 연상케 한다(囚滯之病也). 이제 장중경의 처방과 이제마의 처방을 비교해보자. 소양(少陽)인 담이 만든 이 증상을 장중경은 간(風)의 문제로 보았다. 즉, 과부하에 걸린 간(風)이 산성 담즙을 너무 많이 만들어서 담으로 보내버리니까 담은 갑자기 날벼락을 맞으면서 소양병을 만들어낸 것이다. 그래서 장중경은 간을 도와주는 시호탕(柴胡湯)을 처방한다. 여기서는 소시호탕이지만 별문제는 없다. 그러면 문제는 깨끗이 끝난다. 그런데, 이를 체액 이론의 대가(大家)인 이제마는 간단히 부정해버린다. 즉, 이제마가 보기에는 장중경의 처방이 틀렸다는 것이다. 그리고서는 자기의 이론을 꺼내놓는다. 체액 이론의 대가(大家)인 이제마는 이런 소양병(少陽病)은 소양인(少陽人)의 문제라는 것이다. 그러면, 담의 문제인 소양병과 비장과 신장의 문제인 소양인(少陽人)의 병은 어떻게 연결될까? 답은 간(風)이다. 즉, 담의 문제는 간의 문제인데, 이는 간에 문제가 있어서가 아니라 간이 문제를 만들게 한 장기의 문제라는 것이다. 즉, 간은 비장으로 산성 림프액을 보내는데, 소양인이 병에 걸려서 비장이 문제가 되고 있고, 이런 비장의 문제를 신장이 만들면서 신장도 문제가 되고 있다. 소양인(少陽人)은 비장이 크고, 신장이 작다는 사실을 상기해보자. 그런데, 간은 암모니아 염을 만들어서 신장으로 보낸다. 그리고 간은 이도 저도 아니면 산성 정맥혈을 만들어서 우 심장으로 보내게 된다. 그런데, 지금은 신장이 좋은 상태가 아니라서 신장은 우 심장을 상극하고 있다. 그러면 지금은 간이 우 심장으로 산성 정맥혈조차도 보낼 수가 없게 된다. 이제 간은 고립무원(孤立無援)이 되고 말았다. 즉, 이때 간은 하수구 세 개가 동시에 막히면서 자동으로 과부하에 걸릴 수밖에 없다. 그러면 이때 간은 오로지 하나의 남은 선택지인 담을 선택할 수밖에 없다. 그러면 이 문제는 자동으로 담인 소양의 문제로 가버린다. 그러면 소양(少陽)인 담(膽)의 문제는 자동으로 소양인(少陽人)의 병이 되고 만다. 그 원인을 소양인(少陽人)의 장기를 구성하고 있는 비장과 신장이 제공했기 때문이다. 그러면 이제마의 처방도 틀린 처방은 아니다. 그러나 이제마의 주장에서 조금 아쉬운 점은 이제마는 장중경의 처방도 옳다는 사실을 적시

소양인 비수한 표한병론

했어야만 했다는 사실이다. 이는 자기의 독특한 이론을 강조하고자 했기 때문이다. 그 이유는 이 정도의 논리에 도달할 정도의 체액 이론을 보유한 이제마가 장중경의 처방을 정확히 해석하지 못할 이유가 없기 때문이다. 이제마는 보면 볼수록 참으로 대단한 사람이다. 여기서 보면, 이제마의 이론에 하나의 빈틈조차도 안 보인다. 다시 본문을 보자. 이제마의 설명은 계속해서 이어진다. 비장의 문제로 생긴 이 증상은(此 證), 비장이 자기가 보유한 과잉 염을 위산으로 처리하려고 하면서 구토를 유발하게 되는데(嘔者), 이는 간질에 정체하던 염(塩)인 한이(外寒), 자기 안(裡)에 열 (熱)의 원천인 자유전자를 안고(包) 있기 때문이다(包裡熱而). 염은 열의 원천인 자유전자를 보유하고 있다는 사실을 상기해보자. 그리고 비장은 이런 염을 위산으로 내보내려고 하면서 구토가 유발된다. 그리고 이런 자유전자를 보유한 염이 위장으로 빠르게 상역한 것이다(挾疾上逆也). 이 결과가 구토가 된다. 이때는 구토할 정도가 되면, 염이 상당히 많이 정체하고 있다는 뜻이 되므로, 당연히 한열이 왔다 갔다 하게 된다(寒熱往來者). 이는 당연히 비장이 보내는 염인 음기가(脾局 陰氣), 오르락내리락하거나(欲降未降而), 또는(或), 내려왔기 때문이다(降故). 즉, 비장이 과잉 염을 위장으로 보냈기 때문이다. 이는 비장이 위산을 만들어서 보내는 원리를 말하고 있다. 그리고 이 위산이 과잉되면, 위장은 이를 구토를 통해서 체외로 버리게 된다. 그래서 염의 과잉이 발생하면, 한열이(寒熱), 때때로 오갈 수밖에 없다(或往或來也). 그래서 담으로 인해서 생긴 구고(口苦), 인건(咽乾), 목현 (目眩), 이롱은(耳聾者), 신장이 통제하는 산성 뇌척수액에 든 염인 음기가 척추 (脊) 사이에서 마치 죄인(囚)처럼 붙잡혀서 정체하고 있으면서(陰氣囚滯脊間), 오르락내리락하고 있기 때문이다(欲降未降故). 이때 담으로 인해서 생긴 구고(口 苦), 인건(咽乾), 목현(目眩), 이롱은(耳聾者), 모두 뇌척수액의 통제를 받는다는 사실을 상기해보자. 그리고 담과 간은 뇌척수액이 담고 있는 뇌 신경을 담즙을 통해서 통제한다는 사실도 상기해보자. 이는 아주 재미있는 현상을 만들어낸다. 즉, 신장과 담이 뇌척수액과 신경으로 교묘히 연결된다는 사실이다. 그러면, 위에 열거된 질환들은 자동으로 신장을 원인으로 해석해도 되고, 담을 원인으로 해석해도 된다. 그리고 이제마는 이를 정확히 꿰뚫고 있었다. 여기서 또 재미있는 현상이 나타나게 되는데, 이 원리는 이제마가 탐탁하지 않게 생각했던 황제내경을 기반으로 한 원리라는 사실이다. 다시 본문을 보자. 그리고 이때 염이라는 한은 있는데, 이 한을 중화하면서 열을 만들지 못한다면(但寒無熱而), 이 염은 내이(內耳)의 림프액을 건드려서 이롱을 만들어낼 수도 있다(至於耳聾也). 이 내이(內耳)는 염이 보유한 자유전자가 통제하는 신경이 아주 잘 발달해있다는 사실도 상기해보자. 그리고 이는 이롱 외에도 구고(口苦), 인건(咽乾), 목현이라는(目眩者), 증상도 예증이 될 수 있다(例證也). 즉, 과잉 염에 든 자유전자를 열로 중화하지 못하게 되면, 이 3가지 증상이 나타날 수도 있다는 뜻이다. 그리고 산성 뇌척수액이 귀를 자극해서 이롱이 나타났다는 말은(耳聾者), 뇌의 산성화 정도가 심각하다는 뜻이 되고, 이는 자동으로 중증이 된다(重證也). 그러면 자동으로 간과 담이 문제가 되고, 이어서 간이 산성 정맥혈을 보내는 우 심장도 문제가 되면서, 이때는 자동으로 체액이 흉협에 정체하게 되고, 이어서 이는 흉협을 그득하게 만들고(胸脇滿者), 이는 자동으로 결흉으로 발전(漸)하고 만다(結胸之漸也). 간과 담이 자리하고 있는 갈비뼈 근처가 그득한 협만은(脇滿者), 아직 간과 담만 문제가 되고 있으므로, 이는 비교적 경증이 된다(猶輕也). 그러나 이 문제가 우 심장까지 번져서 흉만이 되면(胸滿者), 이는 자동으로 중증이 된다(重證也). 그리고 이 증상을 다스릴 때 옛날 선조들은(古人之於此證), 땀법, 구토법, 설사법이라는 3가지 치료법을 사용했는데(用汗吐下三法則), 이처럼 특별한 대책이 없이 무분별하게 이 3가지 치료법을 쓰게 되면, 인체의 생리는 엉망이 되고 만다. 그러면 뇌는 더욱더 문제가 되고 만다. 그 결과로 이 병은 어느 날 갑자기 치료의 부작용인 괴증(壞證)을 만들게 되고, 이는 결국에 뇌를 극단으로 과부하시켜서 헛소리하는 섬어까지 만들고 만다(其病輒生譫語(於)壞證). 이는 병증을 더욱더 자극해서 괴증을 만들고, 이어서 위험증으로 만들었기 때문이다(病益危險故). 이때 장중경은 처방을 변통해서(仲景變通之而), 시호탕을 변통한 소시호탕을 쓴다(用小柴胡湯). 그리고 냉으로 생긴 가래와 열로 생긴 가래는(清痰燥痰), 온기와 냉기가 서로 섞이면서 생긴 것인데(溫冷相雜), 이는 온기와 냉기를 평균 체온으로 조정해줘서 해결해주면(平均和解), 이때 병은 전이가 없이 자동으로 치유된다(欲其病不轉變而自愈). 너무나 당연한 말이다. 이는 인체 생리가 지극히 정상으로 복귀했다는 뜻이기 때문이다. 이와 같은 치료법은(此法), 앞에서 선조들이 썼던 3법으로(以汗吐下三法), 논하는 것과 비교해서 보면(論之則), 이 방법이 더 좋고 정교한 치료법이다(可謂近善而巧矣). 이도 무분별한 3법의 남용과 비교해보게 되면, 너무나 당연한 말이다. 그러면 자연스럽게(然), 이때 쓰는 간을 돌보는 소시호탕도(此小柴胡湯), 역시 온기와 냉기를 평균 체온으로 조정해줘서 해결해주고, 이어서 병이 전이가 없이 자동으로 치유하게 만드는 처방은 아니게 된다(亦非平均和解病不轉變之藥則). 이는 약간의 문제 소지를 안고 있다. 즉, 소양인의 문제는 담인 소양의 문제가 된다. 그리고 소양의 문제는 자동으로 간의 문제로 간다. 그리고 간은 엄청난 열을 만들어낸다. 간은 복부의 체온을 책임지는 장기라는 사실을 상기해보자. 그러면, 소양인 병에서 담이 문제가 되면, 자동으로 간도 문제가 되고, 이어서 간은 엄청난 양의 열을 만들게 된다. 이때 간을 소시호탕으로 치료하게 되면, 열은 자동으로 체온 수준(平均和解)으로 내려오게 된다. 그러나 이제마는 이를 부인하면서 자동으로 동시에 소시호탕도 부정하고 있다. 다시 본문을 보자. 그래서 옛날이나 지금이나(從古斯今), 이 병에 걸리는 진짜(眞) 이유는(得此病者), 방광이 처리하는 이(是) 염인 한(寒)이 핵심(心)이 된다(眞是寒心矣). 이 구문은 바로 뒤 구문에 따라서 다르게 해석할 수도 있다. 즉, 옛날이나 지금이나(從古斯今), 이 병에 걸린 사람들은(得此病者), 아직도 장중경의 처방에 따라서 이(是) 소시호탕을 처방하고 있다니, 참으로 한심(寒心)할 지경이다(眞是寒心矣). 이롱과 협만은 태양인 방광이 간(風)을 다치게 해서 만들어진 병인데(耳聾 脇滿傷風之病), 간을 돌보는 소시호탕으로 치료가 가능하다고 하니(豈可以小柴胡湯), 당연히(豈) 의심이 갈 수밖에요(擬之乎)! 이는 장중경과 이제마의 병 근원(根源)의 인식 차이다. 장중경은 간이 산성 담즙을 너무나 많이 만들어서 담으로 보내서 소양병이 만들어졌으므로, 이때 병의 근원(根源)은 간이므로, 처방은 간을 돌보는 시호탕으로 한다. 그러나 이제마는 방광이 염을 처리하지 못하면서, 이 문제가 간으로까지 와서 문제를 만들었으므로, 이때는 병의 근원(根源)이 방광이라는 것이다. 그래서 이때 담의 문제인 소양병은 방광이 근원(根源)이라는 것이다. 이 사이에는 간이 만들어내는 암모니아 염이 있다. 그러면, 이는 장중경의 분석이 맞게 된다. 물론 방광은 여러 가지 근원에서 염을 받는다. 즉, 방광은 폐가 보낸 중조라는 염도 받아서 처리한다. 그러나 지금은 간과 연계된 담이 문제이므로, 이때 방광이 처리하는 염의 문제는 암모니아 염으로 보는 것이 옳다. 그러면, 자동으로 이제마의 이론보다 장중경의 이론이 더 설득력이 있다. 그러면 체액 이론의 대가(大家)인 이제마는 왜 이런 실수를 했을까? 사실 이는 실수가 아니다. 이는 방광과 사상의학을 엮어야만 하므로, 일어난 현상이다. 그래서 염으로 인해서 생긴 병의 근원을 간이 아니라 방광으로 해야만 자기의 사상이론이 더 강화되기 때문이다. 이도 방광이 염을 처리하므로, 이를 겉으로 아무 생각 없이 보게 되면, 정확히 맞는 이론이다. 그러나 이 사이에는 간이 만들어내고 방광이 처리하는 암모니아 염(塩)이 있다. 그러나 이를 가려내기란 보통 어려운 문제가 아니다. 이는 이제마의 능력이 얼마나 출중했는지도 말하고 있다. 즉, 지금까지 이에 관해서 꼭 집어서 반론(反論)을 제기한 사람이 아무도 없었다는 뜻이다. 다시 본문을 보자. 아(噫)! 후세에 와서 공신이 만든(後來龔信所製), 형방패독산이야말로(荊防敗毒散), 어찌 소양인의 표한증에 적중하는(豈非少陽人表寒病), 삼신산의 불사약이 아니리요(三神山不死藥乎)! 여기서 아주 재미있는 사실은, 이미 앞에서도 말했지만, 이제마는 표한증이라는 표증(表證)을 형방패독산이라는 음증(陰證) 치료 처방으로 다스리고 있다는 점이다. 즉, 이는 장중경의 처방을 응용하고 있다. 그리고 이는 이제마의 독자 영역을 만드는 기반이 된다. 다시 본문을 보자. 이 증상에(此證), 오장을 다스리는 이 처방을 써서, 인체의 안쪽(裡)에 있는 오장을 통해서 과잉 염이 보유한 열(熱)의 원천인 자유전자를 중화(淸)해 버리게 되면(淸裡熱而), 자동으로 표(表)인 간질에서 과잉 염(塩)은 제거된다(降表陰則). 간질인 표에 존재하는 과잉 염은 결국에 오장으로 들어가기 때문이다. 그래서 오장에서 과잉 염을 제거해버리게 되면, 간질인 표에는 과잉 염이 남아 있을 리가 없게 된다. 그러면, 이는 자동으로 간질에서 과잉 염으로 인해서 생기는 담음이 사라지게 만들면서(痰飮自散而), 이런 담음들이 올라가서 만든 결흉이라는 질병은(結胸之證), 자동으로 예방되면서 결흉은 만들어지지(成) 않게 된다(預防不成也). 여기서 담음은 주로 점성이 아주 높은 림프액을 말한다. 이 림프액은 유미조에서 모여서 흉관을 타고 우 심장으로 가서 결국에 폐로 합류한다. 그래서 점성이 높은 림프액이 우 심장과 폐에서 막히게 되면, 이는 자동으로 결흉이 된다. 이는 점도가 높아서 잘 뭉치게 된다. 그리고 이 점도가 높은 산성 림프액도 결국은 과잉 염이 만들어내게 된다. 이 문제는 본 연구소가 발행한 황제내경 소문이나 전자생리학을 참고하면 된다. 다시 본문을 보자. 그리고 어떤 담음이 되었든지 간에(淸痰而燥痰則), 오장인 음(陰)이 이들(痰)을 제거(降)해서 없애는(散)데 무익하게 된다(無益於陰降痰散). 담음은 결국에 음인 오장이 처리한다는 사실을 상기해 보자. 그리고 이런 담음을 제거하지 못하고 질질 끌면서 방치하게 되면(延拖), 이는 자동으로 장래에 결흉을 만들거나(結胸將成而), 때로는(或), 별도로 기이한 증상을 만들어낼 수 있다(別生奇證也).

朱肱 曰 凡發汗 腰以上 雖淋漓而 腰以下至足 微潤則 病終不解

주굉은 다음과 같이 주장한다(朱肱 曰), 일반적으로(凡), 강제로 땀을 뺄 때(發汗), 허리 이상은 땀이 줄줄 흘러내리는데(腰以上 雖淋漓而), 거꾸로 허리 이하에서 발까지는(腰以下至足), 땀이 거의 나지 않아서 약간의 물기만 있게 되면(微潤則), 이때는 병이 끝나지 않아서 문제가 해결되지 않게 된다(病終不解). 이는 너무나 당연한 일이다. 허리 이하 하체는 평소에도 체액 순환에 제일 취약한 부분으로서, 항상 체액 순환 장애를 안고 있기가 아주 쉽다. 그런데, 땀은 간질에 정체한 염이 보유한 자유전자가 혈액이 가져다준 산소로 중화되면서 나오는 현상이다. 그래서 혈액 순환이 안 되면, 자동으로 산소 공급이 부족해지면서 땀이 날 수가 없게 된다. 그러면 간질에 정체한 염에서 나온 자유전자는 인체를 갈기갈기 찢어버린다. 이 현상을 우리는 염증(炎症)이라고 부른다. 이는 당연히 병증의 해결은커녕 더욱더 병을 부채질하게 된다. 그래서 땀법을 실행했는데, 땀이 나지 않는다면, 이는 혈액 순환 장애를 말하게 되고, 이는 자동으로 병의 악화를 말하게 된다.

論曰 少陽人病 無論表裏病

手足掌心 有汗則 病解. 手足掌心 不汗則 雖全體皆汗而 病不解.

　이제마는 다음과 같이 말한다(論曰). 소양인이 병에 걸렸을 때(少陽人病), 병의 해결 여부를 판단할 때는, 표증과 이증을 따지지 않고(無論表裏病), 수족의 손발바닥 한가운데에서 땀이 나면(手足掌心 有汗則), 병 문제가 해결되고(病解), 아니면(手足掌心 不汗則), 비록 다른 몸 전체에서 모두 땀이 난다고 할지라도(雖全體皆汗而), 이때는 병 문제가 해결이 안 된다(病不解). 이는 주괵의 논리를 다르게 설명하고 있을 뿐이다. 즉, 손발바닥 한가운데는 체액 순환에 제일 취약한 곳이기 때문이다. 나머지 논리는 앞에서 본 바와 똑같다.

少陽人 傷寒病 有再痛三痛發汗而愈者 此病 非再三感風寒而 再痛發汗 三痛發汗也. 少陽人 頭痛腦(項)强 寒熱往來 耳聾 胸滿 尤甚之病 元來如此 表邪深結 至於三痛然後 方解也. 無論初痛再痛三痛 用 荊防敗毒散 或 荊防導赤散 荊防瀉白散 每日二貼(式) 至病解而用之. 病解後 又用十餘貼 如此則 自無後病而完健.

　소양인이(少陽人), 상한병에 걸렸을 때(傷寒病), 통증이 두세 번 있은 다음에 강제로 땀을 빼서 상한병이 치유되었다면(有再痛三痛發汗而愈者), 이때 말하는 상한병은(此病), 상한의 근원인 풍한에 두세 번 감응해서 상한병에 걸렸을 때(非再三感風寒而), 두 번 통증이 있을 때 강제로 땀을 빼고(再痛發汗), 통증이 세 번 있을 때 강제로 땀을 빼서(三痛發汗也), 병이 나았다는 이야기가 아니다. 즉, 이때는 땀만이 상한병을 낫게 한 이유가 아니라는 뜻이다. 이 연유를 조금만 더 들어보자. 그래서 소양인이(少陽人), 두통이 있고 목이 강직되고(頭痛腦(項)强), 한열이 왔다 갔다 하고(寒熱往來), 이롱이 있고(耳聾), 흉만이 있으면서(胸滿), 병이 더욱더 심해지게 되면(尤甚之病), 이는 원래(元來如此), 병의 근원인 사기가 표에 깊이 맺혀서 만들어지므로(表邪深結) 즉, 이런 증상들이 나타나는 이유는 원래 간질인 표에 과잉 염이 엄청나게 축적되었을 때 나타나므로, 이때는 세 번 정도의 통증이 있은 연후에나(至於三痛然後), 바야흐로(方), 문제가 해결된다(解也). 여기서는 통증의 개념을 정확히 알아야만 한다. 즉, 통증의 개념을 모르게 되면, 이 부분의 해석은 물 건너가게 된다. 즉, 이 부분의 해석을 정확히 하기 위해서는 통증의 개념이 엄청나게 중요하다는 뜻이다. 통증이란 염에 붙은 과잉 자유전자를 생살이 받아서 환원(還元)할 때 나타나는 고통이다. 이는 통증이라는 존재가 상한병을 만든 병의 근원을 해소(解消)하는 과정이라는 뜻이다. 이는 최첨단 현대의학이 통증을 바라보는 시각과 정반대의 시각을 말하고 있다. 그래서 통증이 있게 되면, 이때는 자동으로 병의 근원인 과잉 자유전자가 중화되면서 병은 자동으로 낫게 된다. 그래서 이 구문의 앞에서 통증이 두세 번 있은 연후에 땀을 빼서 병이 나았다면, 이는 땀만이 효력을 발휘해서 병이 나온 것이 아니라, 두세 번의 통증이 병을 낫게 하는 원동력이 되었다는 뜻이다. 이 부분도 최첨단 현대의학의 통증 개념 때문에 해석의 오류가 나오는 전형적인 곳이다. 그래서 통증은 당장은 고통이 따르지만, 이는 병을 낫게 하기 위한 필수 과정이 된다. 이는 자동으로 통증을 멈추게 하는 진통제는 독약이라는 뜻도 되고, 병을 뒤로 미루는 꼴이 되게 한다는 뜻도 된다. 그래서 병의 근원인 사기가 표에 깊이 맺히게 되면(表邪深結), 이때는 강제로 발한만 시킨다고 해서 해결되는 문제가 아니라, 이때는 적어도 세 번 정도의 통증이 있은 연후에나(至於三痛然後), 바야흐로(方), 문제가 해결되게 된다(解也). 이는 의사에게 많은 영감을 주게 된다. 즉, 환자가 통증을 호소하게 되면, 의사는 이 통증을 어떻게 바라봐야 하는지를 말하고 있다. 즉, 이때 통증을 막으면, 이는 병을 뒤로 미루게 되나, 환자는 안정을 찾게 된다. 반대로 이때 통증을 방치하게 되면, 환자는 미치고 환장하게 되나, 병은 뒤로 미뤄지지 않고 자동으로 치료가 된다. 이는 의사의 판단이 굉장히 중요함을 말하고 있다. 그리고 진통제의 무분별한 처방은 병을 더 키우거나 연장시킨다는 사실을 명확히 말하고 있다. 이 부분은 해석이 의외로 어려운 곳이다. 다시 본문을 보자. 이때는 초통, 재통, 삼통을 논하지 말고(無論初痛再痛三痛), 형방패독산이나(用 荊防敗毒散) 또는(或) 형방도적산이나(荊防導赤散), 형방사백산을(荊防瀉白散), 매일 두 첩씩 복용시켜서(每日二貼(式)), 병이 해결될 때까지 복용시켜야만 한다(至病解而用之). 이렇게 해서 병이 해결된 후에도(病解後), 추가로 십여 첩을 더 써서(又用十餘貼), 이처럼 해주게 되면(如此則), 자동으로 이후에 병은 재발하지 않고 완치되면서 건강을 되찾게 된다(自無後病而完健). 그런데 여기서 아주 재미있는 사실은 초통, 재통, 삼통 따지지 말고 약을 계속해서 복용시키라고 한다. 그런데 앞에서는 분명히 통증이 두세 번 있어야 병이 낫는다고 했다. 이는 겉으로 보게 되면, 앞뒤가 잘 안 맞는다. 특히 이를 최첨단 현대의학으로 풀게 되면, 이 부분은 한마디로 엉망진창이다. 왜 그럴까? 답은 대증(對症) 치료와 근원(根源) 치료에 그 답이 있다. 이 문제는 엄청나게 중요한 문제이므로, 반드시 본 연구소가 발행한 전자생리학을 필독하길 바란다. 대증(對症) 치료는 병의 근원이 되는 인자를 잠깐 숨겨 놓아서 통증을 막아준다. 그러나 시간이 조금만 지나게 되면, 잠깐 숨겨 논 통증 인자는 다시 나와서 인체를 괴롭힌다. 그러면 대증 치료 철학이 기본 철학인 최첨단 현대의학은 다시 약을 써서 통증 인자를 잠시 숨겨준다. 이 일은 환자가 죽을 때까지 계속해서 반복된다. 이런 이유로 당뇨약, 고혈압약, 고지혈증은 죽는 그날까지 계속해서 복용해야만 한다. 이는 최첨단 현대의학을 자동으로 수탈(收奪) 내지는 약탈(掠奪) 의학으로 변모시키게 된다. 이것이 최첨단 현대의학의 전 인류 사기극(詐欺劇)의 실상이다. 그러나 한의학은 근원(根源) 치료가 기본 철학이므로, 한의학 처방은 통증의 근원을 차곡차곡 제거해준다. 그래서 이제마는 초통, 재통, 삼통 따지지 말고, 통증이 있게 되면 무조건 약을 처방해서 복용시키라고 한 것이다. 이곳은 깊은 치료 철학이 담긴 부분이다.

張仲景 曰 少陽證 漐漐汗出 心下痞硬滿 引脇下痛 乾嘔 短氣 不惡寒 表解裡未和也. 宜十棗湯. 若 合下不下 令人脹滿 遍身浮腫. 傷寒 表未解 醫反下之 膈內拒痛 手不可近 心下滿而硬痛 此爲結胸 宜大陷胸湯. 渴欲飮水 水入卽吐 名曰水逆 五苓散 主之. 杜壬 曰 裏未和者 蓋 痰與燥氣 壅於中焦 故 頭痛 乾嘔 汗出 痰隔也 非十棗湯 不治. 龔信 曰 心下硬痛 手不可近 燥渴譫語 大便實 脈沈實有力 爲大結胸 大陷胸湯下之 反加煩躁者 死. 小結胸 正在心下 按之則痛 宜小陷胸湯.

　　장중경은 다음과 같이 말한다(張仲景 曰). 담이 문제인 소양증에 걸렸는데(少陽證), 땀이 비처럼 흘러내리고(漐漐汗出), 명치 부근에 간이 통제하는 산성 정맥혈이 정체하면서 비증이 생기고, 간으로 인해서 림프를 통제는 비장이 문제가 되면서 점성이 높은 림프액으로 인해서 경증이 생겨서 그득하게 되고(心下痞硬滿), 이 덕분에 갈비뼈 부분이 당기면서 통증이 있고(引脇下痛), 이는 자동으로 명치 부근 횡격막을 자극하면서 구역질이 유도되고(乾嘔), 횡격막은 폐를 자극하면서 숨이 짧아지고(短氣), 이때 간질인 표에서 만들어지는 오한이 없다면(不惡寒), 이는 당연히 간질인 표에서 발생하는 표증은 이미 해결된 상태가 되고(表解), 간질에 정체한 과잉 염은 오장인 이(裡)로 몰려와서 아직 중화(和)가 안(未) 된 상태가 된다(裡未和也). 이때 보면, 표인 간질 문제를 해결하는 땀이 비처럼 흘렀으므로(漐漐汗出), 자동으로 간질인 표의 문제는 해결되었다. 그런데, 간질에서 오장으로 흘러든 과잉 염의 문제가 해결되지 않으면서, 심하비경만(心下痞硬滿)이 만들어진 것이다. 이 덕분에 횡격막이 존재하는 명치 부근에서 각종 문제가 발생한 것이다. 횡격막의 영향권은 하복부에서 머리 정수리까지 이어진다는 사실을 상기해보자. 그리고 횡격막에는 간, 위장, 폐, 심장 등등 아주 중요한 인체 장기가 매달려있다. 이런 이유로 횡격막 구멍이 있는 명치 부근이 문제가 되면, 각종 문제가 발생하게 된다. 특히 횡격막 구멍은 정맥, 동맥, 림프관이 모두 지나는 통로이다. 그래서 명치 부근에서 만들어지는 심하비경만(心下痞硬滿)은 횡격막 구멍을 통과하는 체액의 문제가 핵심이 된다. 그래서 황제내경 소문에서는 횡격막을 작은 심장이라는 의미에서 소심(小心)이라고 부르게 된다. 다시 본문을 보자. 이때는 당연히 십조탕을 처방하면 된다(宜十棗湯). 그리고 만약에(若), 설사를 시켜야만 할 때 설사시키지 않게 되면(合下不下), 인체 안에 과잉 염이 정체하면서, 자동으로 환자(人)는 속이 그득한 창만증에 걸리게 되고(令人脹滿), 과잉 염은 삼투압 기질이므로, 이때는 자동으로 전신(遍身) 부종에 시달리게 된다(遍身浮腫). 그리고 상한에 걸려서(傷寒), 표인 간질에 정체한 과잉 염의 문제가 해결되지 않으면서 표의 문제가 해결되지 않고 있을 때(表未解), 이의 해결을 위해서는 땀법을 써야만 하는데, 의사가 잘못해서 반대로 설사법을 쓰게 되면(醫反下之), 정맥과 림프관에 존재하는 수분이 빠지게 되면서, 정맥혈과 림프액의 점성이 자동으로 높아지게 된다. 이는 설사를 주도한 소화관에 정맥과 림프가 아주 잘 발달해있기 때문이다. 소화관이 흡수한 영양소는 산성 정맥혈이 되어서 간문맥으로 진입하고, 분자 크기가 큰 영양소는 림프관으로 흡수된다는 사실을 상기해보자. 그러면, 이들 체액은 높은 점성으로 인해서 횡격막 구멍을 통과할 때 자동으로 막히게 된다. 그러면 자동으로 이들 체액은 횡격막 안쪽에서 막히면서 통증을 만들어내고 만다(膈內拒痛). 그러면, 이는 횡격막을 강하게 수축시키면서, 통증으로 인해서 횡격막 근처에 손을 댈 수가 없게 만들어버린다(手不可近). 추가로 심하비경만으로 인해서 자동으로 통증이 만들어지게 되고(心下滿而硬痛), 이는 자동으로 횡격막에 붙은 장기에 문제를 만들게 되고, 이어서 자동으로 결흉이 만들어진다(此爲結胸). 이는 결국에 설사로 만든 체액의 수분 부족이 결흉까지 발전한 것이다. 이때는 당연히 대함흉탕을 처방한다(宜大陷胸湯). 이 문제는 뒤에서 다시 보자. 이때는 자동으로 수분 부족으로 인해서 갈증이 나게 되는데, 이때 물을 먹게 되면(渴欲飮水), 경직된 횡격막이 식도를 막고 있는 바람에 자동으로 구토로 이어지고 만다(水入卽吐). 이를 물이 거꾸로 넘어온다고 해서 수역이라고 부른다(名曰水逆). 이때는 오령산으로 주치한다(五苓散 主之). 그리고 두임은 다음과 같이 주장한다(杜壬 曰). 이때 오장(裏) 문제가 해결되지 않은 환자는(裏未和者), 대개(蓋), 점성이 높은 체액이 자동으로 담음을 만들고, 체액에 수분이 부족해서 건조한 기운이 만들어지고(痰與燥氣), 이는 자동으로 횡격막 구멍을 막으면서 점성이 높은 체액은 상초에 자리한 우 심장과 폐로 진입하지 못하고, 결국에는 중초에서 막히고 만다(壅於中焦). 그러면(故), 이는 자동으로 혈액 순환을 막게 되면서 두통(頭痛), 건구(乾嘔), 한출(汗出)은 보너스로 주어지게 되고, 점성이 높은 체액은 횡격막 구멍 근처에서 담음(痰)을 만들고 만다(痰隔也). 이때는 십조탕이 아니면(非十棗湯), 치료가 불가하다(不治). 그리고 공신은 다음과 같이 말한다(龔信 曰). 이렇게 점성이 높은 체액의 문제로 인해서 심하경통이 만들어지게 되면(心下硬痛), 횡격막 부근에 손을 대지 못할 정도로 통증이 있게 되고(手不可近), 이때는 당연히 수분 부족으로 인해서 갈증이 나면서 몸은 건조해지고(燥渴譫語), 대변이 굳는 증상은 보너스로 주어지고(大便實), 이는

소양인 비수한 표한병론

자동으로 체액의 흐름을 막으면서, 맥상은 침체되어서 강한 반동의 힘을 받게 되고(脈
沈實有力), 이쯤 되면, 결흉을 넘어서 대결흉을 만들고 만다(爲大結胸). 만일에 이때
대흉함탕으로 설사시키게 되면(大陷胸湯下之), 이때는 더욱더 수분 부족을 유발하게
되고, 도리어 인체의 건조함을 가속화시키고 만다(反加煩躁者). 그러면 체액 부족이
극단에 이르면서 남은 여정은 하나뿐이다(死). 그리고 소결흉이(小結胸), 명치 바로
부근에 존재하고 있고(正在心下), 이곳을 누를 때 통증이 유발되면(按之則痛), 이
때는 소함흉탕을 처방한다(宜小陷胸湯). 그리고 앞에서 나온 장중경의 처방에서
설사로 문제가 되었는데, 또다시 설사를 만드는 대함흉탕을 당연히 처방한다(宜大
陷胸湯)는 부분이 나온다. 이는 이제마가 인용을 잘못한 것 같다. 아니면, 인쇄하
면서 잘못 삽입된 것 같다. 이제마는 체액 이론의 대가(大家)인데, 이런 오류를
잡아내지 않을 리가 없다. 이를 뒤 문장에서 보면, 이제마는 이 처방을 언급하지
않고 있다. 대신에 대함흉탕은 언급이 없고, 대승기탕을 말하고 있다. 이는 대승기
탕도 설사 처방이기는 하지만, 이는 병증이 하복부에 머물 때 쓴다. 그러면, 이 구
문에서 대함흉탕의 언급은 뭔가 잘못된 것일 것이다. 이제 이 구문에 관한 이제마
의 주장을 다음에 나오는 구문들을 통해서 들어보자.

論曰 右張仲景所論三證 皆結胸病而 膈內拒痛 手不可近 燥渴譫語者 結胸之最尤甚
證也. 飮水 水入卽吐 心下痞硬滿 乾嘔 短氣者 次證也. 凡結胸病 皆 藥湯入口 輒還
吐 惟 甘遂末 入口 口涎含(呑)下 因以溫水 漱口而下則 藥不還吐. 嘗治結胸 用甘遂
散 溫水調下 五次輒還吐 至六次不還吐而 下利一度. 其翌日 又水還吐 又用甘遂
一次快通利而 病愈. 凡結胸 無非險證 當先用 甘遂 仍煎 荊防導赤散 以壓之. 乾
嘔 短氣而 藥不還吐者 不用甘遂 但用荊防導赤散 加茯苓 澤瀉 各一錢 二三服 又
連日服而 亦病愈. 燥渴譫語者 尤極險證也 急用甘遂 仍煎地黃白虎湯 三四貼 以
壓之. 又 連日服 地黃白虎湯. 張仲景 曰 傷寒 表未解 醫反下之云者 以大承氣湯
下之之謂也 非十棗(湯)下之之謂也. 然 十棗陷胸 不如單用甘遂 或用甘遂天一丸
結胸 甘遂末 例用三分 大結胸 用五分. 龔信所論 燥渴譫語 煩躁死者 若 十棗湯下

後 因以譫語證治之. 連用白虎湯則 煩躁者 必無不治之理. 甘遂 表寒病 破水結之
藥也. 石膏 裡熱病 通大便之藥也. 表病 可用甘遂而 不可用石膏 裡病 可用石膏
而 不可用甘遂. 然 揚手擲足 引飮泄瀉證 用石膏. 痺風膝寒 大便不通證 用甘遂.
少陰人 傷寒病 有小腹硬滿之證. 少陽人 傷寒病 有心下結胸之證. 此二證 俱是 表
氣 陰陽虛弱 正邪相爭 累日不決之中 裡氣 亦秘澁不和而 變生此證也.

이제마는 다음과 같이 주장한다(論曰). 앞(右)에서 장중경이 말한 3가지 증상은
(右張仲景所論三證), 모두 결흉에 걸리면서 나타나는 병이다(皆結胸病而). 그리고
이는 횡격막 안에서 체액의 흐름을 막게 되고, 이어서 통증을 만들어내게 되고(膈內
拒痛), 이어서 이곳은 손으로 만질 수가 없을 만큼 통증을 만들어내게 되고(手不可
近), 이때 갈증이 나면서 몸이 건조해지고, 추가로 섬어까지 있게 되면(燥渴譫語者),
이때 결흉은 최고로 심한 증상으로 발전하고 만다(結胸之最尤甚證也). 이때는 식도
가 통과하는 횡격막에 문제가 있으므로, 물을 마시게 되면(飮水), 물이 들어가자마자
인체는 물을 자동으로 즉시 토하게 된다(水入卽吐). 이렇게 횡격막이 자리하고 있
는 명치 부근에서 점성이 높은 체액이 막히고 굳어지게 되면서 그득하게 되면(心
下痞硬滿), 횡격막에 매달린 위장 덕분에 건구가 나오게 되고(乾嘔), 횡격막에 의
지하는 폐 덕분에 숨이 짧아지게 되는데(短氣者), 이들은 모두 결흉증의 2차(次)
증상들이다(次證也). 그래서 일반적으로(凡), 횡격막의 문제를 안고 있는 결흉증에
걸리게 되면(結胸病), 모두(皆), 탕약이 입으로 들어가자마자(藥湯入口), 구토가 일어
날 수밖에 없다(輒還吐). 그래서 이때는 오직(惟), 감수 분말만(甘遂末), 입으로 넣어
서(入口), 이를 침으로 연화시켜서 삼키고(口涎合呑下), 이때 입을 따뜻한 물로 헹
구어서 넘기면 된다(因以溫水 漱口而下則). 그러면 이때는 약을 구토로 내뱉지 않게
된다(藥不還吐). 그래서 일찍이(嘗), 결흉을 치료할 때는(治結胸), 감수산을 쓰게 된
다(用甘遂散). 그리고 나서 따뜻한 물로 입을 헹구어서 넘기면 된다(溫水調下). 그
러나 이때조차도 5차까지 약을 토하게 되면(五次輒還吐), 6차 때는 토하지 않게
되고(至六次不還吐而), 이어서 설사를 한 번 하게 된다(下利一度). 그리고 나서도
그다음 날(其翌日), 다시 마신 물을 토하게 되면(又水還吐), 또다시 감수산을 복용

시켜서(又用甘遂), 1차로 설사가 시원하게 나오게 되면(一次快通利而), 병은 드디어 치유된다(病愈). 일반적으로(凡), 결흉은(結胸), 점성이 높은 산성 체액을 받는 우 심장이 문제에 개입하게 되므로, 험증이 된다(無非險證). 이때는 당연히 먼저 감수를 쓰고(當先用 甘遂), 이어서 형방도적산을 탕으로 만들어서 복용시키고(仍煎 荊防導赤散), 병을 제압해야만 한다(以壓之). 그런데, 만일에 건구가 있고(乾嘔), 단기가 있음에도 불구하고(短氣而), 탕약을 토하지 않는다면(藥不還吐者), 감수를 꼭 쓸 필요는 없다(不用甘遂). 이때는 그냥 형방도적산에(但用荊防導赤散), 복령(加茯苓), 택사(澤瀉)를 각각 1전씩 추가해서(各一錢), 두세 번 복용시키면 된다(二三服). 또한(又), 이를 연일 복용하면(連日服而), 역시 병은 치유된다(亦病愈). 이때 만일에 갈증이 나고 몸이 건조해지면서 섬어를 하게 되면(燥渴譫語者), 이는 자동으로 극험증으로 이어지게 된다(尤極險證也). 이때는 당연히 급하게 감수를 처방한다(急用甘遂). 그러고 나서 지황백호탕을 달여서(仍煎地黃白虎湯), 서너 첩 먹이게 되면(三四貼), 병은 제압된다(以壓之). 또한(又), 지황백호탕을 연일 복용해도 된다(連日服 地黃白虎湯). 장중경은 다음과 같이 말했다(張仲景 曰). 상한에 걸려서(傷寒), 표증이 해결이 안 된 상태에서는(表未解), 땀법을 써서 표증을 해결해야만 하는데, 의사가 착각해서 반대로 이증에 쓰는 설사를 썼다고 말할 때(醫反下之云者), 이때 쓴 처방은 설사 때 쓰는 대승기탕을 말한다(以大承氣湯下之之謂也). 즉, 이때는 대승기탕을 써서 설사시켰다는 뜻이다. 이 부분은 앞에서 지적한 부분이다. 즉, 이때는 십조탕을 써서 설사시켰다는 말이 아니다(非十棗(湯)下之之謂也). 그래서(然), 이때 십조탕이나 함흉탕의 효과는(十棗陷胸), 감수라는 단 방을 쓰는 효과나(不如單用甘遂), 감수천일환을 쓰는 효과와 같지 않게 된다(或用甘遂天一丸). 그리고 결흉에서 쓰는 감수 분말은(結胸 甘遂末), 통상 3푼을 쓰나(例用三分), 대결흉에서는 5푼을 쓴다(大結胸 用五分). 그리고 공신의 주장에 따르면(龔信所論), 갈증이 나서 몸이 건조해지고, 추가로 섬어까지 하게 되면(燥渴譫語), 몸은 더욱더 번조해지다가 죽게 된다(煩躁死者). 만약에 이때(若), 십조탕으로 설사시킨 후에(十棗湯下後), 그로 인(因)해서 섬어가 치료되고(因以譫語證治之), 뒤이어 연속해서 백호탕을 처방하면(連用白虎湯則), 번조는(煩躁者) 반드시 다스려지게 된다(必無不治之理). 여기서 감수는(甘遂), 표(表)인 간질에 한(寒)인 염이 정체하면서 병을 만들면(表寒病), 이때는 삼투압 기질인 염이 수분을 응결시키게 되는데, 이를 감수가 깨뜨리므로, 감수는 응결된 수분을 깨뜨리는 약이 된다(破水結之藥也). 이는 감수가 대소변을 통하게 해서, 이때 삼투압 기질로서 수분을 붙잡고 있는 과잉 염이 체외로 빠져나가게 하기 때문이다. 즉, 소변과 대변은 수분을 붙잡고 있는 삼투압 기질인 염의 체외 배출 도구이기 때문이다. 다시 본문을 보자. 그리고 석고는(石膏), 황산칼슘의 이수화물(二水化物)로 이루어진 석회질 광물로서 강알칼리이므로, 인체 안쪽에서 열을 만드는 자유전자를 흡수해서, 이열병이 있을 때(裡熱病), 이 열로 인해서 마른 대변을 통하게 해주는 약이다(通大便之藥也). 열이 제거되면 수분의 부족 문제를 해결할 수 있기 때문이다. 그리고 과잉염으로 인한 간질 문제인 표병이 있을 때(表病), 감수를 사용할 수 있는데(可用甘遂而), 이는 감수가 염을 배출하는 대소변을 통하게 해주기 때문이다. 그러나 이때는 단지 염 안에 든 자유전자만을 흡수하는 석고로는 이 효과를 거둘 수가 없게 된다(不可用石膏). 즉, 감수와 석고는 쓰이는 용도가 다르다는 뜻이다. 반대로 이병이 있을 때는(裡病), 석고를 써서 해결이 가능하지만(可用石膏而), 감수를 써서는 해결이 안 된다(不可用甘遂). 그래서(然), 손발을 버둥거리면서(揚手擲足), 물을 찾고 설사하게 되면(引飮泄瀉證), 이때는 석고를 쓴다(用石膏). 설사는 이병 문제이기 때문이다. 그리고 비풍이나 무릎이 차고(痺風膝寒), 대변이 나오지 않으면(大便不通證), 이때는 감수를 쓴다(用甘遂). 비풍이나 무릎이 찬 증세는 표증이기 때문이다. 그리고 소음인이(少陰人), 상한병에 걸리게 되면(傷寒病), 하복부가 굳어서 그득하게 된다(有小腹硬滿之證). 소음인에서 핵심은 큰 신장인데, 신장은 하복부에 있는 방광을 통제하고, 또한 신장에 붙은 부신은 스테로이드를 통해서 하복부에 존재하는 성 기관들을 통제하기 때문이다. 그리고 소양인이(少陽人), 상한병에 걸리게 되면(傷寒病), 이때는 심하에 결흉이 만들어진다(有心下結胸之證). 결흉은 점성이 높은 산성 림프액이 주요 원인으로 작용하므로, 비장이 큰 소양인이 상한에 걸리게 되면, 자동으로 비장이 통제하는 점성이 높은 산성 림프액 정체하게 되고, 이는 자연스럽게 결흉으로 가고 만다. 이 두 가지 증상은(此二證), 모두(俱

是), 표기와 음양이 허약하여(表氣 陰陽虛弱), 정기와 사기가 서로 싸우면서(正邪相爭), 이런 현상이 며칠간 누적되었음에도, 불구하고 해결이 안 나서(累日不決之中), 간질인 표에 정체한 과잉 염이 오장으로 들어가게 되고, 이어서 이기까지도(裡氣), 역시 이 과잉 염의 문제를 해결하지 못하게 되고(亦秘澁不和而), 결국에 과잉 염은 변화를 일으켜서 이런 증상을 만들어낸다(變生此證也).

李子建 傷寒十勸論 曰 傷寒腹痛 亦有熱證 不可輕服溫煖(暖)藥. 又曰 傷寒自利 當觀陰陽證 不可例服溫煖(暖)及止瀉藥.

이자건은 상한십권론에서 다음과 같이 주장한다(李子建 傷寒十勸論 曰). 상한에 걸려서 복통이 있고(傷寒腹痛), 역시 열증도 있다면(亦有熱證), 이때는 너무 생각 없이 몸을 따뜻하게 하는 탕약을 복용시켜서는 안 된다(不可輕服溫煖(暖)藥). 이때 잘못하면 열병으로 죽을 수도 있기 때문이다. 이자건은 또 다른 말도 한다(又曰). 상한에 걸렸을 때 스스로 설사한다고 해서(傷寒自利), 무조건 처방을 할 것이 아니라, 이때는 당연히 음증인가 양증인가를 정확히 관찰하고 나서(當觀陰陽證), 이에 따라서 처방해야지, 바로 앞에서 보았듯이, 열이 나는 양증에서 온약을 써서는 안 되는 예(例)처럼, 설사증인 음증에서도 무조건 설사를 멈추는(止) 약을 써서는 안 된다(不可例服溫煖(暖)及止瀉藥). 이때 만일에 강제로 설사를 멈추게(止) 하면, 인체 안에서 설사를 통해서 배출되던 병의 근원인 과잉 염은 그대로 인체 안에 정체하면서 더 큰 사고를 치게 된다. 이는 많은 영감을 준다. 특히 소리만 요란한 최첨단 현대의학은 설사할 때면, 무조건 설사를 멈추게 하는 것이 최상의 치료라고 생각한다. 이는 대증 치료를 기반으로 하면서 나타나는 의학의 무지이다. 이때 대증 치료는 설사라는 증상만 제거하면 되기 때문이다. 그러면, 설사를 만든 병의 근원은 건재하게 되고, 이어서 다시 병은 재발한다. 그러면, 다시 증상만 제거해준다. 그리고 이 과정은 무한정 계속된다. 문제는 이때 잔존하는 병의 근원은 다른 증상으로 바뀌어서 나타나게 된다. 이것이 최첨단 현대의학이 돈을 쓸어 담는 원리이다. 그래서 돈에 환장한 최첨단 현대의학은 대증 치료를 고집할 수밖에 없고, 근원 치료를 기본 철학으로 삼고 있는 한의학을 미신이라고 깎아내릴 수밖에 없다. 이는 의사와 대중을 완벽하게 세뇌시켜버리고 말았다.

朱震亨 曰 傷寒陽證 身熱 脈數 煩渴引飮 大便自利 宜柴苓湯

주진형은 다음과 같이 주장한다(朱震亨 曰). 상한에 걸려서 양증이 있고(傷寒陽證), 그로 인해서 신열이 있고(身熱), 맥상이 빨라지고(脈數), 갈증이 생기면서 물을 먹고 싶고, 이어서 몸은 건조한데(煩渴引飮), 대변은 스스로 나온다면(大便自利), 이때는 마땅히 시령탕을 처방한다(宜柴苓湯).

盤龍山老人 論曰 少陽人 身熱頭痛泄瀉 當用猪苓車前子湯 荊防瀉白散. 身寒腹痛泄瀉 當用滑石苦參湯 荊防地黃湯. 此病 名謂之 亡陰病. 少陽人 身熱頭痛泄瀉 一二日 或 三四日而 泄瀉無故自止 身熱頭痛不愈 大便反秘者 此 危證也. 距譫語不遠. 泄瀉後 大便 一晝(週)夜間 艱辛一次滑利 或 三四五次 小小滑利 身熱頭痛因存者 此 便秘之兆也. 譫語前 有此證則 譫語當在數日 譫語後 有此證則 動風必在咫尺. 少陽人 忽然有吐者 必生奇證也 當用 荊防敗毒散 以觀動靜而 身熱 頭痛 泄瀉者 用石膏無疑. 身寒 頭痛 泄瀉者 用黃連·苦參 無疑.

반룡산 노인은 다음과 같이 주장한다(盤龍山老人 論曰). 소양인이(少陽人), 상한에 걸려서 신열(身熱), 두통(頭痛), 설사가 있으면(泄瀉), 이때는 당연히 저령차전자탕이나(當用猪苓車前子湯), 형방사백산(荊防瀉白散)을 처방한다. 그리고 이때 신한(身寒), 복통(腹痛), 설사가 있으면(泄瀉), 이때는 당연히 활석고삼탕이나(當用滑石苦參湯), 형방지황탕을 처방한다(荊防地黃湯). 이 병은(此病), 망음병이라고 부른다(名謂之 亡陰病). 지금 이 두 가지 병에서 공통은 설사이다. 설사는 만병의 근원인 과잉 자유전자를 보유한 염을 체외로 버리는 도구이다. 그리고 이 염(塩)을 음(陰)이라고 부른다. 그래서 한의학에서는 설사를 과하게 하고 나면, 반드시 음(陰)인 미네랄(塩)이 든 처방을 하게 된다. 이때 미네랄은 자유전자가 없는 알칼리 미네랄이다. 이는 본 연구소가 발행한 상한잡병론을 참고하면 된다. 미네랄은 염(塩)의 재료라는 사실을 상기해보자. 다시 본문을 보자. 소양인이 상한에 걸려서(少陽人), 신열(身熱), 두통(頭痛), 설사가 있는 상태로(泄瀉), 하루 이틀이나(一二日), 때로는(或), 삼사일이 지나서(三四日而), 아무 이유(故)도 없이(無) 설사가 스스로 멈추고(泄瀉無故自止), 신열과 두통이 치유되지 않은 상태에서(身熱頭痛不愈), 설사가 그치면서 대변은 반대로 변비로 변하게 되면(大便反秘者), 이는(此), 위증이 된다(危證也). 왜? 이는 설사가 신열과 두통을 만들어내는 자유전자를 염을 통해서 체외로 배출하는 도구이기 때문이다. 그래서 신열과 두통이 치유되지 않고 존재하고 있는 상태에서 설사가 멈추게 되면, 이때 신열과 두통은 몇 배로 더 심해지게 되고, 이는 자동으로 위증(危證)으로 갈 수밖에 없게 된다. 다시 본문을 보자. 그러면 이때는 자동으로 뇌를 심하게 자극하게 되고, 이어서 헛소리하는 섬어는 보너스로 주어지게 된다(距譫語不遠). 그리고 설사한 후에(泄瀉後), 대변을 하루 동안(大便 一晝(週)夜間), 겨우 한 번 쉽게 보거나(艱辛一次滑利) 혹은(或) 삼사오 회(三四五次), 아주 조금씩 쉽게 보고(小小滑利), 그로 인(因)해서 신열과 두통이 존재하게 되면(身熱頭痛因存者), 이는(此), 변비가 올 조짐이 된다(便秘之兆也). 대변은 신열과 두통의 근원인 자유전자를 염을 통해서 체외로 배출하는 도구라는 사실을 상기해보자. 그래서 대변의 양이 적어지거나, 대변을 보는 횟수가 적어지면서 그로 인(因)해서 신열과 두통이 생긴다면, 변비는 자동으로 오게 된다. 다시 본문을 보자. 그리고 섬어가 나타나기 전에(譫語前), 이런 증상이 나타나게 되면(有此證則), 설사나 대변은 섬어를 만드는 과잉 자유전자를 염을 통해서 체외로 배출하는 도구이므로, 수일 안에 자동으로 당연히 섬어가 존재하게 된다(譫語當在數日). 그리고 뇌가 과부하에 걸려서 나타나는 섬어가 있은 후에도(譫語後), 이런 증상이 나타나게 되면(有此證則), 이때는 인체 안에 엄청나게 많은 자유전자를 적체시키게 되고, 이는 자동으로 아주 짧은 시간(咫尺:지척) 안에 풍을 작동시키게 된다(動風必在咫尺). 그리고 소양인이(少陽人), 상한에 걸려서, 갑자기 구토하게 되면(忽然有吐者), 이때는 반드시 기이한 병증을 만들어낸다(必生奇證也). 왜? 지금까지 보면, 소양인의 병이 발생하는 핵심은 담즙을 배출하는 담이다. 이때 위장에서 구토가 발생하려면, 담이 처리하는 담즙이 위장으로 역류해야만 한다. 이는 인체 안에 만병의 근원인 과잉 자유전자가 엄청나게 축적되어있다는 뜻이기도 하다. 그러면 자동으로 이때는 어떤 기이한 병이 발병할지는 가늠할 수가 없게 된다. 다시 본문을 보자. 이때는 당연히 형방패독산을 처방한다(當用 荊防敗毒散). 그리고 나서 병세의 동정을 관찰했을 때(以觀動靜而), 신열(身熱), 두통(頭痛), 설사가 존재한다면(泄瀉者), 이때는 무조건(無疑) 석고를 쓴다(用石膏無疑). 그러나 신한(身寒), 두통(頭痛), 설사가 있게 되면(泄瀉者), 이때는 의심할 필요도 없이(無疑), 황련과 고삼을 쓴다(用黃連・苦參 無疑).

嘗見 少陽人兒 生未一周年 忽先一吐而 後泄瀉 身熱 頭痛 揚手擲足 轉輾其身 引飲泄瀉 四五六次 無度數者 用荊防瀉白散 日三貼 兩日六貼 然後 泄瀉方止 身熱頭痛清淨 又 五六貼而 安.

　일찍이(嘗見), 소양인 아이가(少陽人兒), 태어난 지 1년도 안 되어서(生未一周年) 어느 날 갑자기 먼저 구토하더니(忽先一吐而), 뒤에 설사(後泄瀉), 신열(身熱), 두통(頭痛)이 있었고, 이어서 발버둥을 치더니(揚手擲足), 몸을 뒤척이고(轉輾其身), 물을 찾더니 설사하고(引飲泄瀉), 이런 설사를 사오륙 차례 하더니(四五六次), 계속해서 수도 없이 했다(無度數者). 그래서 형방사백산을(用荊防瀉白散), 매일 3첩 처방해서(日三貼), 이틀간 6첩을 처방한 후에(兩日六貼 然後), 설사가 방지되었다(泄瀉方止). 그리고 신열(身熱), 두통(頭痛)도 안정되었다(清淨). 또한(又), 이 처방을 오륙 첩 더 처방했더니(五六貼而), 이 아이는 안정을 찾았다(安).

少陽人 身熱頭痛 揚手擲足 引飮者 此 險證也. 雖泄瀉 必用石膏 無論泄瀉有無 當用
荊防瀉白散 加 黃連 瓜蔞 各一錢 或 地黃白虎湯. 凡 少陽人 有身熱頭痛則 已非輕證而
兼有泄瀉則 危險證也. 必用 荊防瀉白散 日二三服 又連日服 身熱頭痛 淸淨然後 可免
危險. 少陽人 身寒 腹痛 泄瀉 一晝夜間 三四五次者 當用 滑石苦蔘湯. 身寒 腹痛
二三晝夜間 無泄瀉 或艱辛一次泄瀉者 當用 滑石苦蔘湯 或用 熟地黃苦蔘湯.

　소양인이(少陽人), 신열(身熱)과 두통(頭痛)이 있고, 발버둥을 치더니(揚手擲
足), 물을 찾는다면(引飮者), 이 병증은(此), 험증이 된다(險證也). 이는 인체 안에
병의 근원인 과잉 염의 적체가 아주 심해서 갈증이 아주 심하다는 뜻이기 때문이
다. 이때는 비록 설사하고 있지만(雖泄瀉), 열의 원천인 자유전자 문제를 해결하
기 위해서 이를 수거해주는 석고를 반드시 써야만 한다(必用石膏). 앞에서 설명한
감수 처방을 상기해보자. 이때는 설사 여부를 따질 필요가 없다(無論泄瀉有無).
그래서 이때는 당연히 석고가 포함된 형방사백산에(當用 荊防瀉白散), 황련(加
黃連)과 과루(瓜蔞)를 각각 1전씩 추가한 처방을 실행하거나(各一錢), 때로는(或),
지황백호탕을 처방한다(地黃白虎湯). 일반적으로(凡), 소양인이(少陽人), 주로 신
경을 담즙을 통해서 통제하는 담 문제 때문에, 신열과 두통이 있게 되면(有身熱頭
痛則), 이는 이미 담의 굉장한 과부하를 말하므로, 이때는 이미 경증이 아니게 된
다(已非輕證而). 여기에 간이 통제하는 소화관 때문에, 설사까지 겸한다면(兼有泄
瀉則), 이는 자동으로 위험증이 된다(危險證也). 소화관에서 일어나는 설사는 영
양소와 수분을 동시에 체외로 빼 내버리기 때문이다. 이때는 반드시 형방사백산을
(必用 荊防瀉白散), 매일 한두 첩씩 복용시키고(日二三服), 이렇게 해서 이를 연
일 복용시키게 되면(又連日服), 신열과 두통은(身熱頭痛), 깨끗이 처리되고(淸淨
然後), 드디어 위험증을 면하게 된다(可免危險). 그리고 소양인이(少陽人), 신한
(身寒), 복통(腹痛), 설사가(泄瀉), 하루 내내(一晝夜間), 삼사오 차례 반복되면(三
四五次者), 이때는 당연히 활석고삼탕을 처방한다(當用 滑石苦蔘湯). 그리고 신열
(身寒)과 복통(腹痛)이 이삼일 간 있고(二三晝夜間), 설사가 없거나(無泄瀉), 때로는(或),
겨우 한 차례 설사했다면(艱辛一次泄瀉者), 이때는 당연히 활석고삼탕을 처방하거나(當用

滑石苦參湯), 때로는(或), 숙지황고삼탕을 처방한다(用 熟地黃苦參湯).

嘗見 少陽人 恒有腹痛患苦者 用 六味地黃湯 六十貼而 病愈. 又見 少陽人 十餘
年 腹痛患苦 一次起痛則 或五六個月 或三四個月 一二個月 叫苦者 每起痛臨時
急用 滑石苦參湯 十餘貼 不痛時 平心靜慮 恒戒哀心怒心 如此 延拖一周年而 病
愈. 又見 少陽人小年兒 恒有滯證痞滿 間有腹痛 腰痛 又有口眼喎斜初證者 用獨
活地黃湯 一百日內 二百貼服 使之平心靜慮 恒戒哀心怒心 一百日而 身健病愈.

　일찍이(嘗見), 소양인이(少陽人), 항상 복통으로 고생하고 있으면(恒有腹痛患苦
者), 이때는 육미지황탕을(用 六味地黃湯), 60첩을 복용시키게 되면(六十貼而),
병은 치유된다(病愈)고 한다. 또한 일찍이(又見), 소양인이(少陽人), 10여 년에 걸
쳐서(十餘年), 복통으로 고생하면서(腹痛患苦), 한 번 복통이 일어나면(一次起痛
則), 때로는(或), 오륙 개월(五六個月), 때로는(或), 삼사 개월(三四個月), 때로는
일이 개월을(一二個月), 지독하게 괴롭힌다(叫苦者)고 했다. 그래서 복통이 일어
날 때마다(每起痛臨時), 급히 활석고삼탕을(急用 滑石苦參湯), 10여 첩씩 처방했
다(十餘貼). 그리고 통증이 없을 때는(不痛時), 마음의 평정심을 찾고(平心靜慮),
슬픔과 화를 항상 경계하고(恒戒哀心怒心), 이처럼(如此), 1년 정도를 계속하자
(延拖一周年而), 병은 치유되었다(病愈). 또한 일찍이(又見), 소양인 소년 어린애
가(少陽人小年兒), 항상 체증과 비만이 있었고(恒有滯證痞滿), 간간이 복통과 요
통이 있고(間有腹痛 腰痛), 또한(又) 구안와사 초기 증상이 있길래(有口眼喎斜初
證者), 독활지황탕을(用獨活地黃湯), 100일간(一百日內), 200첩을 처방했고(二百
貼服), 추가로 마음의 평정심을 찾게 했고(使之平心靜慮), 슬픔과 화를 항상 경계
하라고 시켰더니(恒戒哀心怒心), 치료한 지 100일이 되자(一百日而), 몸은 건강
해지고 병은 치유되었다(身健病愈). 여기에 나오는 마음의 평정심(使之平心靜慮)
과 슬픔과 화의 경계(恒戒哀心怒心)는 스트레스 방지용이다. 스트레스는 엄청난
양의 산성인 호르몬의 분비를 유도해서 인체를 산성화(酸性化)시켜버린다. 그리고
인체의 산성화(酸性化)는 자동으로 만병의 근원이 된다. 이때 발병하는 병을 최첨

　　　　소양인 비수한 표한병론

단 현대의학은 대사증후군(Metabolic Syndrome)이라고 부른다.

古醫 有言 頭無冷痛 腹無熱痛 此言 非也. 何謂然耶 少陰人 元來 冷勝則 其頭痛 亦自非熱痛而 卽 冷痛也. 少陽人 元來 熱勝則 其腹痛 亦自非冷痛而 卽 熱痛也. 古醫 又言 汗多亡陽 下多亡陰 此言 是也. 何謂然耶. 少陰人 雖則冷勝 然 陰盛格陽 敗陽外遁則 煩熱而 汗多也 此之謂 亡陽病也. 少陽人 雖則熱勝 然 陽盛格陰 敗陰內遁則 畏寒而 泄下. 此之謂 亡陰病也. 亡陽亡陰病 非用藥 必死也 不急治 必死也. 亡陽者 陽 不上升而 反爲下降則 亡陽也. 亡陰者 陰 不下降而 反爲上升 則 亡陰也. 陰盛格陽於上則 陽爲陰抑 不能上升於胸膈 下陷大腸而 外遁膀胱故 背表煩熱而 汗出也. 煩熱而 汗出者 非陽盛也. 此 所謂內氷外炭 陽 將亡之兆也. 陽盛格陰於下則 陰爲陽壅 不能下降於膀胱 上逆背膂而 內遁膈裡故 腸胃畏寒而 泄下也. 畏寒而 泄下者 非陰盛也 此 所謂內炭外氷 陰 將亡之兆也. 少陰人病 一 日發汗 陽氣上升 人中穴先汗則 病必愈也而 二日三日 汗不止 病不愈則 陽不上升 而 亡陽 無疑也. 少陽人病 一日滑利 陰氣下降 手足掌心先汗則 病必愈也而 二日 三日 泄不止 病不愈則 陰不下降而 亡陰 無疑也. 凡 亡陽亡陰證 明知醫理者 得 病前 可以預執證也. 得病一二日 明白易見也. 至于三日則 雖愚者 執證 亦明若觀 火矣. 用藥 必無過二三日矣 四日則 晩矣 五日則 臨危也. 少陰人 平居 裡煩汗 多者 得病則 必成亡陽也. 少陽人 平居 表寒下多者 得病則 必成亡陰也. 亡陽亡陰 人 平居 預治 補陰補陽 可也. 不可 至於亡陽亡陰 得病臨危 然後 救病也.

　옛날 고대 의사들의 다음과 같은 말씀이 있었다(古醫 有言). 즉, 머리에는 냉통 이 없고(頭無冷痛), 복부에는 열통이 없다(腹無熱痛). 그러나 이 말은(此言), 사실 이 아니다(非也). 어찌하여 그럴까(何謂然耶)? 설명을 조금만 추가해보자. 냉통의 특징은 몸을 차게 하면 통증이 더하고, 따뜻하게 하면 감소한다는 점이다. 이는 너 무나 당연한 말이다. 통증이란 열의 원천인 자유전자가 만들어낸다. 그리고 이 자 유전자는 산소에 환원되면서 열을 만들고 중화되면서 통증을 만들지 못하게 된다.

그리고 열을 만드는 자유전자는 열에너지가 주어지지 않게 되면, 활동성이 줄면서, 산소에 환원되지 않게 된다. 그러면 이를 거꾸로 풀게 되면, 이런 자유전자에 냉에너지가 주어지게 되면, 자유전자는 활동성을 잃고서 열을 만들지 못하게 된다. 이는 곧 통증의 근원인 자유전자의 잔류를 말하게 되고, 이는 자동으로 통증을 자극하게 된다. 그런데, 머리는 신경의 집합체이므로, 신경을 따라서 흐르는 자유전자는 머리로 엄청나게 몰려든다. 그러면, 머리는 이 엄청난 양의 자유전자를 중화하기 위해서 엄청난 양의 산소를 소비하게 된다. 그래서 겨우 1.5Kg밖에 안 되는 뇌는 평소에도 인체 전체 산소의 20~30%를 소비한다. 이는 뇌에 얼마나 많은 자유전자가 집중하는지를 말하고 있기도 하다. 그러면, 이때는 자동으로 과잉 자유전자가 산소로 중화되면서 열을 만들고 동시에 산소로 중화되지 못한 자유전자는 통증을 만들게 된다. 이것이 바로 열통(熱痛)이다. 그러나 이때 뇌로 산소가 적게 공급되게 되면, 문제는 달라진다. 이때는 통증의 근원인 자유전자가 최소로 중화되면서 열은 아주 적게 만들어지게 되고, 많이 남은 자유전자로 인해서 통증은 더욱 더 심해지게 된다. 이것이 바로 냉통(冷痛)이다. 즉, 열이 거의 없으면서 통증이 있는 상태를 냉통이라고 한다. 그러면, 자유전자의 입장으로 봐서 머리와 복부의 특징은 뭘까? 자유전자는 열의 원천도 되지만, 이는 인체의 에너지이면서 영양소를 구성하는 인자이기도 하다. 그래서 영양소를 흡수해서 간이나 림프로 보내버리는 복부의 소화관은 기본적으로는 열을 만들지 못하게 되므로, 자동으로 복부에서는 열통이 없고, 냉통만 있다는 뜻이 된다. 이들을 종합해보게 되면, 자유전자를 많이 중화하는 머리에서는 열통만 있고, 자유전자를 중화하지 않고 흡수해서 간이나 림프로 보내는 복부에서는 냉통만 있게 된다. 그러나 이는 인체 생리가 정상으로 작동할 때만의 일이지, 비정상으로 흐르게 되면, 이와 정반대의 현상을 만들게 된다. 이를 이제마는 정확히 지적하고 있다. 이제마는 체액 이론의 대가(大家)라는 사실을 상기해보자. 다시 본문을 보자. 염(塩)을 전문으로 처리하는 신장이 핵심인 소음인은(少陰人), 원래(元來), 냉이 승리하게 되면(冷勝則) 즉, 냉으로 표시되는 염이 너무나 과잉(勝)되게 되면, 이때는 자동으로 뇌척수액을 통제하는 신장은 과부하에 걸리게 되고, 이어서 뇌척수액은 산성으로 기울게 되고, 이어서 이 산성 뇌

소양인 비수한 표한병론

척수액에 있던 자유전자는 자동으로 두통을 만들게 된다. 그러나 이때 뇌로 산소가 적게 공급된다면, 이때는 자동으로 열은 적게 나게 되고, 이때 발생하는 머리의 통증은(其頭痛), 역시 자동으로 열통이 아닌(亦自非熱痛而) 즉(卽) 냉통이 된다(冷痛也). 이는 통증과 열의 원천이 자유전자라는 사실을 알아야만 풀 수 있는 문제이다. 추가로, 이 문장은 자유전자의 특성을 정확히 알아야만 풀 수 있다. 다시 본문을 보자. 복부의 체온을 책임지는 간이 보내는 산성 담즙을 체외로 배출하는 책임을 지는 담이 병인이 되는 소양인은(少陽人), 원래(元來), 열이 승리하게 되면(熱勝則) 즉, 열의 원천인 자유전자가 과잉(勝)되게 되면, 이때 복부에서 일어나는 통증은(其腹痛), 역시 냉통이 아니라(亦自非冷痛而) 즉(卽), 열통이 된다(熱痛也). 이는 소화관에서 산성 정맥혈에 실린 영양소를 받는 간의 특성 때문에, 간은 언제라도 많은 자유전자를 받아서 열을 많이 만들 수 있기 때문이다. 이도 역시 산소가 개입한다. 간은 산소를 보유한 혈액이 엄청나게 많은 곳이라는 사실을 상기해보자. 그래서 간은 언제라도 열을 과잉으로 만들어서 열통을 만들 수가 있게 된다. 다시 본문을 보자. 옛날 고대 의사들은 또 다음과 같은 말도 했다(古醫 又言). 자유전자라는 양(陽)을 산소로 중화하면서 만들어진 땀을 과도하게 많이 흘리게 되면, 이때는 자동으로 많은 자유전자인 양이 산소로 중화되면서 자유전자인 양을 잃게 되는데(汗多亡陽), 이를 망양(亡陽)이라고 부른다. 거꾸로 자유전자를 보유한 음(陰)인 염을 체외로 버리는 설사를 과도하게 되면, 설사는 음인 염을 체외로 버리므로, 이때는 자동으로 염인 음을 잃게 되는데(下多亡陰), 이를 망음(亡陰)이라고 부른다. 이 말들은(此言), 모두 정확히 맞는 사실이다(是也). 그러면 어째서 그럴까(何謂然耶)? 냉인 염을 처리하는 신장이 핵심인 소음인에서(少陰人), 염인 냉이 과도(勝)하게 되면(雖則冷勝), 자연스럽게(然), 염인 음이 과도(盛)하게 되면서(陰盛), 이 염은 양인 자유전자를 흡수해서 격리(格)해버린다(格陽). 그러면, 자유전자인 양을 흡수해서 패퇴(敗)시킨 염은 자동으로 간질(外)에 숨어서(遁) 체류하게 되고(敗陽外遁則) 즉, 과잉 염이 간질에 정체하게 되고, 그러면, 이 과잉 염에 든 자유전자는 자동으로 산소로 중화되면서 과잉 열인 번열을 만들어내게 되고(煩熱而), 그러면 이 번열은 자동으로 땀구멍을 열어서 땀을 많이 흘리게 만든다(汗

多也). 그러면 이때는 자동으로 많은 자유전자라는 양(陽)이 소모(亡)된다. 그래서 이때 나타나는 병을(此之謂), 망양병(亡陽病)이라고 부르게 된다(亡陽病也). 그리고 담이 문제가 된 소음인에서(少陽人), 열이 승리하게 되면(雖則熱勝) 즉, 열의 원천인 자유전자가 과도(勝)하게 되면, 이때는 자연스럽게(然), 과도한 양인 자유전자는 음인 염에 격리(格)되게 되고(陽盛格陰), 이때 과도하게 만들어진 양을 패퇴시킨 염은 인체 안쪽에 숨어서 정체하게 되고(敗陰內遁則), 이 과도(畏)한 염인 외한은(畏寒而), 인체 안에서 골칫거리이므로, 인체는 이를 체외로 배출하기 위해서 설사를 유도하게 된다(泄下也). 이때는 염인 음(陰)을 설사를 통해서 체외로 많이 버려서 잃어(亡)버렸으므로, 이를 이르러(此之謂), 망음병(亡陰病)이라고 부른다(亡陰病也). 그리고 망양망음병에 걸렸을 때(亡陽亡陰病), 만약에 약을 쓰지 않게 되면(非用藥), 이때 환자는 반드시 죽게 된다(必死也). 그리고 이를 급하게 치료하지 않게 되어도(不急治), 환자는 반드시 죽게 된다(必死也). 이는 원래 양인 자유전자는 인체의 에너지이기 때문이고, 자유전자를 보유한 음도 인체의 에너지를 담고 있기 때문이다. 그래서 양을 잃건 음을 잃건 간에 이는 무조건 인체의 에너지를 잃게 된다. 그리고 인체는 에너지로 작동하는 초정밀 컴퓨터 기계이다. 다시 본문을 보자. 양인 자유전자가 산소에 환원되면서 만들어지는 망양은(亡陽者), 양인 자유전자가 과잉되어서(陽), 신경이나 체액을 따라서 자유전자를 전문으로 중화하는 우 심장에서 중화되기 위해서 모두 상승하지 못하고(不上升而), 일부는 반대로 염에 환원되어서 신장이 있는 아래쪽으로 내려가게 되면 발생하게 되는데(反爲下降則), 이때는 자동으로 간질에 과잉 염이 정체하면서 간질에서 산소로 과잉 염이 중화되고, 이어서 열이 나고, 이어서 땀이 나면서 망양이 발생하게 된다(亡陽也). 거꾸로 설사를 통해서 과잉 염을 소모해버리는 망음은(亡陰者), 염인 음이 과잉되었을 때(陰), 염을 전문으로 처리하는 신장으로 모두 내려가서, 신장에서 체외로 모두 배출되지 못하고(不下降而), 반대로 일부가 체액에 합류해서 인체 위쪽으로 올라갈 때 발생하게 되는데(反爲上升則), 이때 인체는 과잉 염을 체외로 배출하기 위해서 설사하게 되고, 이때 자동으로 망음이 발생하게 된다(亡陰也). 그리고 염인 음이 과잉(盛)되어서 우 심장이 있는 위쪽(上)으로 올라가는 자유전자인 양을 환원해서 격리(格)해버리면(陰盛格陽於上則), 자유전자인 양은 염인 음에 의해서 우 심장 쪽으로 상승이 억제(抑)되고 만다(陽爲陰抑). 그리고 우 심장이 자리하고 있는 흉격 부분에서 상승하지 못한 양인 자유전자의 일부는(不能上升於 胸膈), 별수 없이 염에 환원되어서 대장을 통해서 체외로 배출(下陷)되게 된다(下 陷大腸而). 그리고 이들의 일부는 간질(外)에 숨어서(遁) 정체했다가 자동으로 염을 배출하는 방광으로 모인다(外遁膀胱故). 이때 방광이 이들을 모두 처리하지 못하게 되면, 방광이 통제하는 뇌척수액에서 정체가 발생한다. 그러면 자동으로 척수를 둘러싼 체액은 정체하게 되고, 그러면 등에서 강한 열인 번열(煩熱)이 만들어지고(背表煩熱而), 이 열은 자동으로 땀구멍을 열어서 땀을 배출시키게 된다(汗出 也). 그래서 이때 과잉 염을 처리하는 방광의 과부하에 의해서 만들어지는 강한 열인 번열은(煩熱而), 땀을 만들어낼지라도(汗出者), 이는 양인 자유전자의 과잉(盛) 때문이 아니라(非陽盛也), 자유전자를 보유한 염의 과잉 때문이다. 방광은 자유전자를 보유한 염을 처리한다는 사실을 다시 한번 상기해보자. 이를 다른 말로 하자면(此 所謂), 안쪽에 쌓인 얼음이 바깥쪽에서 숯이 되었다고 한다(內氷外炭). 즉, 인체 안쪽에 정체한 냉(氷)인 염이 간질인 바깥쪽(外)에서 자기가 보유한 열의 원천인 자유전자를 내놓으면서 숯(炭)처럼 열을 만들었다는 뜻이다. 이는 전자 생리학의 정수(精髓)를 넘어서서 극치(極致)를 말하고 있다. 이 덕분에 이 문장은 안타깝게도 미신(迷信)으로 폄하되고 만다. 이는 또한 문병인인 현대의 우리가 미개인으로 조롱받던 우리 조상들보다 얼마나 무식하고 멍청한지도 말하고 있다. 그냥 생각하면 얼음이 숯이 될 수는 없지 않은가! 다시 본문을 보자. 이는 자동으로 장차 양(陽)인 자유전자가 산소로 중화되면서 양(陽)이 소실(亡)될 징조(兆)로 말하기도 한다(陽 將亡之兆也). 즉, 염에 보관된 자유전자가 조만간에 산소로 중화되어서 자기 능력을 상실한다는 뜻이다. 이번에는 자유전자인 양이 과잉(盛)되어서 우 심장이 이들을 모두 중화하지 못하게 되면, 나머지는 자동으로 염에 환원되고, 이는 자동으로 염의 과잉을 만들어내게 되고, 이어서 음인 과잉 염의 일부는 방광이 있는 아래쪽으로 내려가지 못하고 막히게(格) 되고(陽盛格陰於下則), 이는 또한 염인 음이 양을 막는(壅) 꼴도 된다(陰爲陽壅). 즉, 과잉 자유전자를 염이 환원해서 이들의 활동을 막아버린(壅) 것이다. 이때 과잉 염 일부가 방광이 자리하고 있는 아래쪽으로 내려가지 못하게 되면(不能下降於膀胱), 이들은 자동으로 체액의 순환에 합류하게 되고, 그러면 자동으로 방광이 통제하는 뇌척수액에 정체하게 되고, 이어서 이들은 척수를 따라서 올라가면서 정체하게 되면(上逆背膂而), 안쪽에 숨어서 흐르다가 장간막을 통해서 횡격막이 있는 안쪽까지 내려오게 되고(內遁膈裡故), 그러면, 이 과잉 염은 장간막을 타고 드디어 소화관에 도달하게 된다. 즉, 이때는 한(寒)인 염이 소화관인 장위에 무서울(畏) 정도로 많이 축적된다(腸胃畏寒而). 염은 위산염이나 담즙산염으로 변해서 소화관을 통해서 배출된다는 사실을 상기해보자. 그러면 인체는 이 과잉 염을 자동으로 설사를 통해서 체외로 배출시킨다(泄下也). 그래서 이때 과잉 염인 외한은(畏寒而), 설사를 유발했지만(泄下者), 이 설사의 근원을 거꾸로 추적해보면, 양인 자유전자의 과잉이 설사를 만들어낸 것이지, 과잉 염인 음이 과잉되어서 설사를 만든 것은 아니다(非陰盛也). 이는 이 문장의 첫 문장을 참고하면 이해가 갈 것이다. 즉, 설사는 과잉 염을 체외로 버리는 행위이지만, 이 근원은 과잉 염을 만든 과잉 자유전자라는 뜻이다. 이는 전자생리학의 정수(精髓)를 넘어서서 극치(極致)를 말하고 있다. 다시 한번 말하지만, 이제마는 참으로 대단한 사람이다. 이제마는 한마디로 찬탄을 자아내게 만든다. 이를 다른 말로 하자면(此 所謂), 안쪽에서 열을 만들던 숯이 바깥쪽에서 얼음이 된 것이다(內炭外氷). 즉, 인체 안쪽에 과잉으로 존재하던 열의 근원인 자유전자가 얼음처럼 냉으로 표현되는 염에 환원된 것이다. 이 표현은 거의 예술에 가깝다. 이는 자동으로 설사를 만들어내므로, 장래에 음인 염이 소모(亡)될 징조이다(陰 將亡之兆也). 그리고 소음인이 병에 걸렸을 때(少陰人病), 첫째 날 강제로 발한시키고 나서(一日發汗), 이때 만들어진 양기인 열이 상승하면서(陽氣上升), 인중혈에서 먼저(先) 땀이 났다면(人中穴先汗則), 이때 병은 반드시 치유된다(病必愈也而). 왜? 소음인의 핵심은 신장이다. 그래서 소음인이 병에 걸리게 되면, 자동으로 신장이 통제하는 뇌척수액이 산성으로 기울게 된다. 그래서 이때 치료하면서 발한시켰는데, 뇌척수액이 통제하는 인중혈에서 먼저 땀이 났다면, 이는 신장이 통제하는 뇌척수액에 든 산성 체액이 중화된다는 뜻이 된다. 그리고 이는 신장의 정상화를 말하게 되고, 이어서 신장이 중추인 소음인도 정상으로 돌아가게 되고, 이는 병의 완치를 말하게 된다. 다시 본문을 보자. 그러나 이때 이삼일 동안 땀이 그치지 않게 되면(二日三日 汗不止), 이때는 인체 안에 엄청난 양의 자유전자가 염에 정체하고 있다는 뜻이 되고, 이때는 당연히 병은 여전하게 된다(病不愈則). 그러면, 이때는 땀이 만든 양기인 열은 상승하지 못하게 되고(陽不上升而), 그러면, 이때는 계속해서 과잉 자유전자를 중화해야만 하므로, 자유전자가 땀으로 소모되는 망양은(亡陽), 의심할 여지가 없게 된다(無疑也). 그리고 담즙산염을 처리하는 담이 문제를 많이 일으키는 소양인이 병에 걸렸을 때(少陽人病), 첫날 대변을 잘 보고(一日滑利), 염인 음기도 체외로 잘 빠지면서(陰氣下降), 체액 순환에 아주 취약한 손발의 한 가운데에서 땀이 난다면(手足掌心先汗則), 이때 병은 반드시 치유된다(病必愈也而). 왜? 이 구문에서 핵심 문장은 이 문장(手足掌心先汗則)이다. 즉, 간은 산성 정맥혈을 통제해서 체액 순환을 주도한다는 사실을 상기해보라는 뜻이다. 그러면, 담, 간, 소양인, 손발의 체액 순환 문제가 서로 연결된다는 사실을 알 수 있게 된다. 그리고 이는 병의 치유로 연결된다는 사실도 알 수 있게 한다. 그런데, 이삼일이 지나서도(二日三日), 설사가 멈추지 않게 되면(泄不止), 병은 치유되지 않는다(病不愈則). 간은 소화관에서 올라오는 산성 정맥혈을 간문맥을 통해서 받으므로, 간이 문제가 되면, 자동으로 소화관의 문제로 이어지고, 이어서 이는 설사로 이어진다. 그리고 담은 간이 준 산성 담즙을 받아서 처리한다. 그래서 지금 상황에서는 자동으로 병의 치유는 어렵게 된다. 그래서 담즙산염인 음(陰)이 간에서 담으로 내려가지 못하게 되면(陰不下降而), 이는 자동으로 간을 통해서 소화관에서 설사를 유도하면서, 염을 소모하는 망음이 만들어지는 일은(亡陰), 의심할 이유가 없게 된다(無疑也). 일반적으로(凡), 망양망음의 질환은(亡陽亡陰證), 의학의 이론을 명확히 알고 있게 되면(明知醫理者), 이런 병을 얻기 전에(得病前), 미리 예방해서 이런 증상을 막을 수 있게 된다(可以預執證也). 그리고 의학의 이론을 명확히 알고 있게 되면, 이런 병을 얻고 나서 하루나 이틀이 지나면(得病一二日), 이 증상을 명백히 그리고 아주 쉽게 알 수 있게 된다(明白易見也). 그리고 이런 상태가 3일 정도 되면(至于三日則), 아무리 멍청한(遇) 의사일지라도(雖愚者), 증상을 집어보면(執證), 이는 역시 불을 보듯이 명약관화하게 된다(亦明若觀火矣). 이때 약을 쓸 때는(用藥), 반드시 병이 나고 이삼일 안에 써야만 부작용이 없게 된다(必無過二三日矣). 그러나 만일에 4일 정도가 되면(四日則), 이때는 이미 늦게 된다(晚矣). 그리고 이 상태가 5일이 되면(五日則), 이때는 이 병이 위증이 될 각오를 해야만 한다(臨危也). 그리고 신장이 핵심인 소음인이(少陰人), 평상시에도(平居), 속에서 열이 나고, 그로 인해서 땀이 많이 날 때(裡煩汗多者), 병을 얻게 되면(得病則), 이때는 반드시 자유전자를 많이 소모하는 망양증이 만들어진다(必成亡陽也). 땀이 많이 난다면, 이는 자동으로 망양증을 얻게 된다. 그리고 소음인의 핵심인 신장은 양인 자유전자를 보유한 염을 처리한다는 사실을 상기해보면 된다. 그리고 담이 문제를 많이 일으키는 소양인이(少陽人), 평소에도(平居), 간질인 표에 염인 한이 많이 정체하면서 설사를 너무 많이 할 때(表寒下多者), 병을 얻게 되면(得病則), 이때는 반드시 망음병을 만들게 된다(必成亡陰也). 설사는 염인 음을 체외로 배출한다는 사실을 상기해보면 된다. 그리고 망양망음이라는 이런 증상을 보유한 사람은(亡陽亡陰人), 평소에(平居), 미리 치료하게 되면(預治), 음과 양의 보충이 기능하게 된다(補陰補陽 可也). 즉, 양을 보충하기 위해서는 발효 음식처럼 에너지인 양이 많은 음식을 먹으면 되고, 음을 보충하기 위해서는 미네랄이 많이 든 음식을 먹으면 된다. 미네랄은 겨울 채소에 듬뿍 들어있다. 이런 병에 걸렸을 때(不可 至於亡陽亡陰), 병에 걸려서 위증이 되었을 때가 되어서야(得病臨危 然後), 병을 치료하려고 하면(救病也), 이때는 병의 치료는 불가(不可)하게 되고 만다. 이 구문은 전자생리학을 모르게 되면, 아예 손을 댈 수가 없는 곳이다. 또한 이 부분은 이제마의 능력이 얼마나 출중한지고 명확히 말해주고 있다. 즉, 이제마는 완벽한 양자역학 학자라는 뜻이다. 사실 이 문장은 이를 염두에 둔다면, 무서울 만큼 소름을 돋게 하는 곳이다.

少陰人 病愈之汗 人中先汗而 一次發汗 胸膈壯快而 活潑. 亡陽之汗 人中 或汗 或不汗 屢次發汗 胸膈悶燥而 下陷也. 少陽人 病愈之泄 手足掌心先汗而 一次滑泄 表氣淸寧

소양인 비수한 표한병론

而 精神爽明. 亡陰之泄 手足掌心不汗 屢次泄利 表氣溯(遡)寒而 精神鬱冒. 少陰人 胃家實病 少陽人 結胸病 正邪陰陽 相敵而相格 故 日久而後危證始見也. 少陰人 亡陽病 少陽人 亡陰病 正邪陰陽 不敵而相格 故 初證 已爲險證 繼而因爲危證矣. 譬如用兵 合戰交鋒 初一日 合戰 正兵 爲邪兵所敗 折正兵幾許兵數. 二日 又戰 又敗 又折幾許數. 三日 又戰 又敗 又折幾許數. 以三日交鋒 觀之則 將愈益戰而 愈益敗 愈益折矣. 若 四日復戰 五日復戰則 正兵之全軍 覆沒 可知矣. 所以用藥 必無過三日也.

　　소음인이 상한에 걸려서(少陰人), 병이 강제 발한으로 치유될 때는(病愈之汗), 먼저 인중에서 땀이 나고(人中先汗而), 1차 발한이 있은 뒤에(一次發汗), 가슴은 후련해지게 되고(胸膈壯快而), 생활은 활기차게 된다(活潑). 그러나 망양이 된 상태에서 추가로 땀을 빼게 되면(亡陽之汗), 이때 땀이 인중에서 나 건 안 나 건 간에(人中 或汗 或不汗), 이때 강제로 흘린 땀은(屢次發汗), 당연히 체액의 부족을 유발하고, 에너지 부족까지 유발해서 몸이 건조해지면서 가슴을 답답하게 만들고 (胸膈悶燥而), 이는 환자를 힘이 없어서 축 처지게 만들고 만다(下陷也). 그리고 소양인이 상한에 걸렸을 때(少陽人), 이를 치료하기 위해서 설사시키게 되면(病愈 之泄), 체액의 순환이 일어나면서 체액 순환에 제일 취약한 손발의 한 가운데서 먼저 땀이 나게 되고(手足掌心先汗而), 그러면 1차 강제 설사를 통해서(一次滑 泄), 간질에 정체하던 과잉 염은 설사로 빠졌으므로, 당연히 간질의 기운인 표기는 깨끗해지게 되고(表氣淸寧而), 이어서 정신은 맑아지게 된다(精神爽明). 그러나 염을 많이 잃은 망음 상태에서 염을 버리는 설사를 시키게 되면(亡陰之泄), 손발 의 한 가운데서 땀이 나 건 안 나 건 간에(手足掌心不汗), 이때 실행한 설사는 (屢次泄利), 인체의 체액 부족을 유발해서 간질의 기운인 표기를 막히게 하고, 이 어서 열을 만들지 못하게 해서 한기를 만들고(表氣溯(遡)寒而), 이때는 당연히 체 액 순환 장애로 인해서 정신이 몽롱해진다(精神鬱冒). 그리고 신장이 핵심인 소음 인이 상한에 걸려서 상한이 위장까지 전이 되면(少陰人), 이는 자동으로 위장이 과부하에 걸리는 위가실병으로 변한다(胃家實病). 담이 문제를 일으키는 소양인이 상한에 걸리게 되면(少陽人), 간이 문제가 되면서, 간이 보낸 산성 정맥혈을 받은 가슴은 당연히 결흉병을 만들게 된다(結胸病). 지금까지 말한 상태는 정기와 사기 그리고 음과 양이(正邪陰陽), 서로 적이 되어서 서로 공격하기 때문인데(相敵而相格 故), 만일에 이런 상태를 오래 유지하면 뒤에 위증의 시작을 말하게 된다(日久而後危證始見也). 그래서 소음인에서(少陰人), 망양증과(亡陽病), 소양인에서(少陽人), 망음증은(亡陰病), 정기와 사기 그리고 음과 양이(正邪陰陽), 서로 적은 아니지만 서로 공격하기 때문이다(不敵而相格 故). 설명을 조금 덧붙이자면, 평소에도 자유전자를 보유한 염을 체외로 배출하는 신장은 과잉 자유전자로 인해서 땀을 통해서 만들어지는 망양증과는 서로 다툴 일이 없으므로, 서로 적이 아니다. 그러나 과잉 자유전자는 과잉 염을 만들어서 신장을 괴롭히므로, 이때는 서로 적은 아니지만 싸우는 형국이 되고 만다. 소양인에서는 과잉 자유전자로 인한 망양증이 주요 문제이므로, 이때 망음증은 서로 적이 아니다. 그러나 염은 자유전자를 보유하고 있으므로, 염이 과잉되면, 자동으로 자유전자의 과잉을 만들면서 이때는 서로 적은 아니지만 싸우는 형국이 되고 만다. 다시 본문을 보자. 상한에 걸려서 초증일 때(初證), 이미 험증이 된 상태라면(已爲險證), 이를 계속해서 방치하게 되면, 그로 인(因)해서 당연히 위증이 발생하게 된다(繼而因爲危證矣). 이는 그냥 상식이다. 이를 전쟁에서 쓰는 용병술에 비유해서 묘사해보자면(譬如用兵), 전쟁에서 전투가 벌어졌을 때(合戰交鋒), 첫째 날(初一日), 교전에서 정병을 내세워서 싸움을 했는데(合戰 正兵), 이때 상대편인 사병에 패했다면(爲邪兵所敗), 이는 정병을 잃는 결과로 나타나게 된다(折正兵幾許兵數). 여기에서는 병을 극복하는 정사를 정병(正兵)으로 표현하고, 병을 일으키는 사기를 적인 사병(邪兵)으로 표현하고 있다. 이런 상태에서 다시 둘째 날 교전에서 다시 패하게 되면(二日 又戰 又敗), 이때는 다시 정병을 잃게 된다(又折幾許數). 이런 상태에서 다시 셋째 날 교전에서 다시 패하게 되면(三日 又戰 又敗), 이때는 다시 정병을 잃게 된다(又折幾許數). 이때 사흘간의 교전을 관찰해보게 되면(以三日交鋒 觀之則), 전쟁을 장차 승리(愈)하기 위해서 싸움을 하면 할수록(將愈益戰而), 승리는커녕 패배만 더 가중될 뿐이다(愈益敗). 그러면 자동으로 승리하려고 싸운 전쟁에서 정병을 더 많이 잃고 만다(愈益折矣). 만약에(若), 이런 상태에서 네 번째 전쟁을 다시 치르고(四日復戰), 다섯 번째 전쟁을 다시 치

소양인 비수한 표한병론

른다면(五日復戰則), 이때는 정병으로서 전군이 모두 전멸하고 말 것이라는 사실은 아주 쉽게 추측이 가능해진다(正兵之全軍 覆沒 可知矣). 그래서 앞에서 본 질환에서 약을 쓸 때는(所以用藥), 반드시 3일을 넘겨서는 안 된다(必無過三日也).

盤龍山老人者 李翁所居地 有盤龍山 故 李翁 自謂盤龍山老人也. 此書中 論曰二字 無非盤龍山老人之論而 此章 特擧盤龍山老人者. 蓋 亡陽亡陰 最是險病而 人必尋常視之 易於例治故 別以盤龍山老人 提擧驚呼而 警覺之也.

반룡산 노인은(盤龍山老人者), 반룡산 거주지에서 이씨 성을 가졌기 때문에(李翁所居地 有盤龍山 故), 이씨 노인은(李翁), 자기를 스스로 반룡산 노인이라고 칭한다(自謂盤龍山老人也). 이 책 안에 나오는(此書中), 논왈이라는 두 글자는(論曰二字), 반룡산 노인의 논리가 아닌 것이 없다(無非盤龍山老人之論而). 이 장은(此章), 특히 반룡산 노인을 거론한 내용이다(特擧盤龍山老人者). 대개(蓋), 망양망음이라는(亡陽亡陰), 이 병이 험증이 되었을 때조차도(最是險病而), 사람들은 그냥 보통의 병으로 본다(人必尋常視之). 그래서 이도 역시 의례적으로 쉽게 치료될 것으로 보기 때문에(易於例治故), 반룡산 노인은 이를 특별히 논의한 것이다. 그래서 이 병의 심각성 때문에, 별도로 반룡산 노인을(別以盤龍山老人), 지목해서 말하고(提擧驚呼而), 이 병에 대한 경각심을 일깨울 수밖에 없다(警覺之也).

亡陰證 古醫 別無經驗 用藥頭話而 李子建 朱震亨書中 若干論及之. 然 自無明的快驗 蓋 此病 從古以來 殺人孟浪甚速 未暇經驗獵得裡許故也.

망음증에 관해서(亡陰證), 고대 의사들은(古醫), 약을 쓰고 이를 논한 별도의 경험이 없었다(別無經驗 用藥頭話而). 그리고 이자건과 주진형에 이르러서 이들 책에서(李子建 朱震亨書中), 이를 약간(若干) 논할 뿐이다(若干論及之). 그래서

(然), 이 병에 관해서 자동으로 명확한 경험이 없게 된다(自無明的快驗). 대개 (蓋), 이 병은(此病), 옛날부터 지금까지(從古以來), 사람을 쉽게 죽이고 빠르게 진전되는 바람에(殺人孟浪甚速), 이 병에 대한 경험을 기록하고 깊이 논의할 여유 조차도 허락하지 않았기 때문이다(未暇經驗獵得裡許故也).

張仲景 曰 太陽病不解 轉入少陽者 脇下硬滿. 乾嘔不能食 往來寒熱者 尙未吐下 脈沈緊者 與小柴胡湯. 若 已吐下發汗 譫語 柴胡證 證罷 此爲壞病 依壞法治之. 傷寒 脈弦細 頭痛 發熱者 屬少陽 不可發汗 發汗則 譫語.

장중경은 다음과 같이 주장한다(張仲景 曰). 방광이 문제인 태양병이 해결되지 않게 되면(太陽病不解), 이는 간이 만들어내는 암모니아를 가교로 해서 담으로 전 이한다(轉入少陽者). 그러면 간과 담이 비대해지면서, 이들이 자리한 갈비뼈 밑이 자극받게 되고, 그러면 자동으로 이곳이 굳어지면서 그득해지게 된다(脇下硬滿). 그러면, 이는 간과 담이 붙은 횡격막을 심하게 자극하게 되고, 이어서 횡격막에 붙은 위장을 자극하면서 자동으로 토하지 않는 구역질이 나게 만들고 자동으로 식도가 막히면서 음식을 섭취할 수가 없게 만들고 만다(乾嘔不能食). 이때 만일에 간질에 염이 과잉으로 정체하면서, 한열이 오락가락하면서(往來寒熱者), 토하거나 설사하지 않았는데(尙未吐下), 맥상이 신장의 맥상인 침맥과 간의 맥상인 긴맥이 나오게 되면(脈沈緊者), 지금 문제는 간 문제이므로, 이때는 간을 도와주는 소시 호탕을 처방하면 된다(與小柴胡湯). 이때 만약에(若), 이미 토하고 설사했는데, 추 가로 강제 발한을 시키게 되면(已吐下發汗), 이때는 체액의 부족이 유발되고, 이 어서 체액 순환이 막히게 되고, 이어서 뇌가 이상해지면서 섬어가 발생하게 되는 데(譫語), 이는 간을 돌보는 시호탕으로 해결할 증세를 망쳐 논 것이다(柴胡證 證 罷). 이는 자동으로 발한 약의 부작용으로 인해서 괴병을 만들게 된다(此爲壞病). 이때는 별수 없이 시호탕이 아닌 괴병을 다스리는 처방으로 다스려야만 한다(依 壞法治之). 그리고 상한에 걸렸을 때(傷寒), 맥상이 약한 간맥으로 나온다면(脈弦

소양인 비수한 표한병론

細), 이때는 자동으로 간이 다스리는 신경이 문제가 되면서 두통이 나게 되고(頭痛), 이어서 열이 나게 되는데(發熱者), 이는 간이 만들어준 산성 담즙을 담이 체외로 배출하지 못하게 되면서 발병했으므로, 이는 담 문제가 된다(屬少陽). 그리고 지금은 체액의 부족으로 인해서 간의 맥상이 약(細)하게 나오고 있으므로, 이때 체액을 체외로 배출하는 발한을 강제로 시킬 수가 없게 된다(不可發汗). 그래서 이때 강제로 발한시켜서(發汗則), 체액 부족을 유발하게 되면, 이때 뇌는 직격탄을 맞게 되고, 이어서 앞에서 본 것처럼 자동으로 섬어가 발생한다(譫語).

嘗治 少陽人 傷寒 發狂譫語證 時則 乙亥年 淸明節候也. (乙亥年 東武 39歲). 少陽人 一人 得傷寒 寒多熱少之病 四五日後 午未辰刻 喘促短氣. 伊時 經驗未熟 但知少陽人應用藥 六味湯 最好之理故 不敢用他藥而 祇用六味湯一貼 病人喘促 卽時頓定. 又數日後 病人 發狂譫語 喘促 又發 又用六味湯一貼則 喘促雖少定而 不如前日之頓定矣. 病人 發狂連三日 午後喘促又發 又用六味湯 喘促 略不少定 有頃 舌卷動風 口噤不語 於是而 始知六味湯之無能爲也. 急煎白虎湯一貼 以竹管 吹入病人鼻中 下咽而 察其動靜則 舌卷口噤之證 不解而 病人 腹中微鳴 仍以兩 爐煎藥 荏苒灌鼻 數三貼後 病人 腹中大鳴 放氣出焉. 三人 扶持病人 竹管吹鼻灌 藥而 病人 氣力益屈强 三人扶持之力 幾不能支當矣. 又 荏苒灌鼻 自未申時 至亥 子時 凡用石膏 八兩. 末境 病人 腹中大脹 角弓反張之證 出焉 角弓反張後 少頃 得汗而 睡. 翌日平明 病人 又服白虎湯一貼 日出後 滑便一次而 病快愈. 愈後 有 眼病 用石膏 黃柏(末) 各一錢 日再服 七八日後 眼病 亦愈. 伊時 未知大便驗法 故 不察大便之秘閉幾日. 然 想必此病人 先自表寒病得病後 有大便秘閉而 發此證 矣. 其後 又有少陽人 一人 得傷寒 熱多寒少之病 有人 敎服雉肉湯 仍成陽毒發 斑. 余 敎服白虎湯 連三貼而 其人 只服半貼 數日後 譫語而病重 病家恕急 顚倒 往觀則 病人 外證 昏憒 已有動風之漸而 耳聾 譫語 舌上白胎 藥囊 祇有石膏一 斤 滑石一兩而 無他藥 故 急煎石膏一兩 滑石一錢 頓服而 其翌日 又服石膏一兩 滑石一錢. 此兩日則 大便(秘閉) 皆不過一晝夜 至于第三日 病家 以過用石膏 歸

咎故 一日 不用石膏矣. 至于第四日 病家恝急 顚倒往觀則 病人 大便秘閉 兩夜一

晝而 語韻不分明 牙關緊急 水飮不入 急煎石膏二兩 艱辛下咽而 半吐半下咽 少

頃 牙關開而 語韻則 不分明如前 又連用石膏一兩. 其翌日則 以午後動風 藥不下

咽之慮故 預爲午前用藥 以備動風而 又五六日 用之. 前後 用石膏 凡十四兩而 末

境 發狂數日 語韻宏壯而 病愈 數月然後 方出門庭. 其後 又有少陽人 一人 初得

頭痛 身熱 表寒病 八九日. 其間 用黃連 瓜蔞 羌活 防風 等屬 病勢少愈而 永不

快袪矣. 仍爲發狂三日 病家 以尋常例證視之而 祗用黃連·瓜蔞等屬. 又 譫語數

日 始用 地黃白虎湯一貼 其翌日午後 動風 急煎地黃白虎湯 連三貼 救急而 艱辛

下咽 其翌日則 白虎湯 加石膏一兩 午前用之 以備動風而 連三日 用之. 病人 自

起坐立 能大小便 病勢比前 快蘇快壯矣. 不幸 病加於少愈 慮不周於完治 此人 竟

不救 恨則 午前 祗用白虎湯二(三)貼 以備動風而 午後 全不用藥以繼之也. 以此

三人病 觀之則 發狂譫語證 白虎湯 非但午前用藥 以備動風而已矣. 日用 五六貼

七八貼 十餘貼 以晝繼夜則 好矣. 不必待譫語後而用藥 發狂時 當用藥 可也. 不

必待發狂後而用藥 發狂前 早察發狂之漸 可也. 其後 又有一少陽人 十七歲 女兒

素證 間有悖氣 食滯腹痛矣. 忽一日 頭痛 寒熱 食滯 有醫 用蘇合元三箇(個) 薑

湯調下 仍爲泄瀉 日數十行 十餘日不止 引飮不眠 間有譫語證 時則 己亥年 冬十

一月 二十三日也. (己亥 東武 63歲, 24년후). 卽夜 用生地黃 石膏 各六兩 知母

三兩 其夜 泄瀉度數 減半. 其翌日 用荊防地黃湯 加石膏四錢 二貼連服 安睡而

能通小便 荊防地黃湯 二貼藥力 十倍於 知母白虎湯 可知矣. 於是 每日 用此藥

四貼 晝 二貼連服 夜 二貼連服 數日用之. 泄瀉永止 頭部兩鬢 有汗而 病兒 譫語

證 變爲發狂證. 病家驚惑 二晝夜 疑不用藥 病勢遂危 頭汗不出 小便秘結 口噤氷

片 不省人事 爻象 可惡矣 勢無奈何 以不得已之計 一夜間 用荊防地黃湯 加石膏

一兩 連十貼 灌口. 其夜 小便通三碗 狂證不止 然 知人看面 稍有知覺. 其翌日 又

用六貼 連五日 日用四五六貼 發狂始止 夜間 或曇時就睡 然不能久睡 便覺. 又

日用三四貼 連五日 頭頂兩鬢 有汗而 能半時刻就睡 稍進粥飮少許. 其後 每日 荊

防地黃湯 加石膏一錢 日二貼用之 大便 過一日則 加四錢 至于十二月 二十三日

始得免危 能起立房室中 一朔內 凡用石膏 四十五兩. 新年 正月 十五日 能行步一

里地而 來見我 其後 又連用 荊防地黃湯 加石膏一錢 至于新年 三月.

　일찍이 다음과 같은 치료를 해본 적이 있다(嘗治). 소양인이(少陽人), 상한에 걸려서(傷寒), 발광하면서 섬어를 하는 증상이 있었는데(發狂譫語證), 때는(時則), 을해년이었고(乙亥年), 절기는 청명이었다(淸明節候也). (참고로 이때 이제마의 나이는 39세였다). 어떤 소양인이(少陽人 一人), 상한병에 걸려서(得傷寒), 몸에서 한기는 많고 열기는 적은 병이 발병했고(寒多熱少之病), 이 상태로 사오일이 지난 후에(四五日後), 오시와 진시 정도에(午未辰刻), 기침하면서 숨이 차오르고 있었는데(喘促短氣), 이때만 해도(伊時), 경험이 별로 없던지라(經驗未熟), 단지 소양인에 반응하는 약만 알고 있어서(但知少陽人應用藥), 이때는 육미탕이(六味湯), 제일 좋은 처방으로 알고 있었기 때문에(最好之理故), 감히 다른 처방은 쓸 생각을 못했다(不敢用他藥而), 그래서 육미탕 1첩을 쓰니(祇用六味湯一貼), 환자의 숨찬 증상은 즉시 안정이 되었다(病人喘促 卽時頓定). 또한 며칠이 지나서(又數日後), 환자는(病人), 발광과 섬어를 하면서(發狂譫語), 숨이 차는 증상이(喘促), 또 발생하길래(又發), 또다시 육미탕 1첩을 처방했다(又用六味湯一貼則). 그러자 숨이 찬 증상이 조금은 안정되었다(喘促雖少定而). 그러나 이때는 이 증상이 일전에처럼 안정되지는 않았다(不如前日之頓定矣). 이때 환자는(病人), 광증이 연 3일 동안 발병했고(發狂連三日), 오후에는 숨찬 증상이 재발했고(午後喘促又發), 그래서 또다시 육미탕을 처방했더니(又用六味湯), 이때는 숨찬 증상이(喘促), 전혀 가라앉지 않았다(略不少定). 이러고 있는 잠깐 사이에(有頃), 혀가 꼬이고 풍이 발동하고(舌卷動風), 구금이 와서 말을 하지 못했고(口噤不語), 이때 서야(於是而), 육미탕이 이런 증상에는 듣지 않는다는 사실을 알기 시작했다(始知六味湯之無能爲也). 그래서 급히 백호탕 1첩을 달여서(急煎白虎湯一貼), 이를 죽관을 이용해서(以竹管), 환자의 코로 주입시켜서 내려가게 했다(吹入病人鼻中 下咽而). 그러고 나서 환자의 동정을 살폈는데(察其動靜則), 설권과 구금증은 여전히 해결이 안 되었지만(舌卷口噤之證 不解而), 환자의(病人), 뱃속에서는 약이 약간의 반응을 일으키면서 약한 소리가 났고(腹中微鳴), 이때 다시 화로 두 개를 이용해서 약을 다리고(仍以兩爐煎藥), 이를 코를 관으로 삼아서 조금씩(荏苒灌鼻), 3첩을 투여한 후에 보니까(數三貼後), 드디어 환자의(病人), 뱃속에서 약이 강하게 반응하면서 큰 소리가 나면서(腹中大鳴), 방귀가 나오기 시작했다(放氣出焉). 그래서 다시 세 사람을 동원해서(三人), 환자를 부축해서(扶持病人), 약을 대롱을 통해서 코로 흘려보냈다(竹管吹鼻灌藥而). 그랬더니 이때 환자는(病人), 점점 기력이 강해져서(氣力益屈强), 이때는 세 사람이 이 환자에게 약을 코로 흘려보내기 위해서 이 환자를 억지로 잡아야 했는데(三人扶持之力), 환자의 힘이 세져서 감당이 안 되었다(幾不能支當矣). 또(又), 점점 조금씩 코로 탕약을 흘려보냈는데(荏苒灌鼻), 이를 미시에서 신시까지(自未申時), 해시에서 자시까지 했다(至亥子時). 그래서 이때까지 쓴 석고의 양은 총 8량이었다(凡用石膏 八兩). 그리고 이때 마지막 시각 무렵에는(末境), 환자의(病人), 배가 엄청나게 부풀었고(腹中大脹), 머리와 발이 활처럼 뒤로 굽는 증상이 나타났다(角弓反張之證 出焉). 이런 증상이 나타난 뒤에(角弓反張後), 얼마 안 되어서 땀이 났고(少頃得汗而), 환자는 잠들었다(睡). 그리고 다음 날 새벽에(翌日平明), 환자에게(病人), 또 백호탕 1첩을 복용시키고(又服白虎湯一貼), 그리고 나서 해가 뜬 후에(日出後), 시원한 변을 한 차례 보았고(滑便一次而), 병은 아주 깨끗이 치유되었다(病快愈). 그리고 병이 치유된 후에(愈後), 눈병이 있어서(有眼病), 이때는 석고와 황백 각각 1전씩으로 분말을 만들어서(用石膏 黃柏(末) 各一錢), 하루에 2번씩 복용시켰더니(日再服), 칠팔일 후에(七八日後), 눈병 역시 치유되었다(眼病 亦愈). 이때만 해도(伊時), 대변을 검사하는 방법을 몰라서(未知大便驗法故), 대변이 변비로 막혀서 며칠이 지났는지도 살피지 못했다(不察大便之秘閉幾日). 그래서(然), 이때 나타난 증상을 보고 상상해보건대(想), 이 환자는 반드시(必此病人), 먼저 표한증을 얻고 나서(先自表寒病), 이후에(得病後), 대변이 변비로 막히면서(有大便秘閉而), 이 증상이 일어났을 것이다(發此證矣). 이 환자의 일을 겪고 난 후에(其後), 다시 어떤 소양인이(又有少陽人 一人), 상한병을 얻은 사례를 보았는데(得傷寒), 열이 많고 한이 적은 증상을 보이고 있었다(熱多寒少之病). 그래서 이 환자에게 물으니, 이 환자는 말하기를(有人), 꿩고기탕을 먹고(敎服雉肉湯), 양독에 걸려서 피부에 반점이 생겼다고 했다(仍成

소양인 비수한 표한병론

陽毒發斑). 그래서 나는(余), 백호탕을 처방해서(敎服白虎湯), 연이어 3첩을 줬더니(連三貼而), 이 환자는(其人), 이 약을 단지 반 첩만 복용했다(只服半貼). 그러고 나서 며칠 후에는(數日後), 섬어를 하면서 병은 중증이 되었고(譫語而病重), 이때 환자의 집안에서 급하게 연락이 와서(病家悤急), 허둥지둥 달려가서 보니까(顚倒往觀則), 환자는(病人), 외증인 표증이(外證), 이증인 혼궤로 발전해서(昏憒), 이미 풍이 발동하려고 하고 있었다(已有動風之漸而). 그리고 환자의 상태를 보니까 이롱(耳聾), 섬어(譫語)가 있었고, 추가로 설상에 백태까지 끼어있었다(舌上白胎). 이때 내가 보유한 약의 재료 주머니를 보니까(藥囊), 석고 1근과(祗有石膏一斤), 활석 1량만 있고(滑石一兩而), 다른 약의 재료는 없길래(無他藥 故), 급하게 석고 1량과(急煎石膏一兩), 활석 1전을 달여서(滑石一錢), 단번에 먹였다(頓服而). 그리고 그다음 날(其翌日), 또 똑같이 처방해서 복용시켰다(又服石膏一兩 滑石一錢). 이렇게 이틀간에 걸쳐서 약을 복용시켰더니(此兩日則), 이틀에 걸쳐서 막힌 대변이 나왔는데(大便(秘閉), 이들 모두를 합쳐봤자 하루에 나온 대변의 양도 안 되었다(皆不過一晝夜). 이런 상태에서 3일 차가 되어서(至于第三日), 환자의 집안에서(病家), 석고를 너무 과하게 쓴다고 해서(以過用石膏 歸咎故), 이날은 석고를 쓰지 않았다(一日 不用石膏矣). 이렇게 해서 4일 차가 되었고(至于第四日), 다시 환자의 집안에서 급하게 연락이 와서(病家悤急), 허둥지둥 가봤더니(顚倒往觀則), 환자는(病人), 대변이 막혀있었는데(大便秘閉), 이 상태가 이틀이 지났고(兩夜一晝而), 말이 어눌했고(語韻不分明), 관자놀이의 근육이 심하게 굳어서(牙關緊急), 입을 벌리지 못하니까 물조차도 먹을 수가 없었고(水飮不入), 그래서 급하게 석고 2냥을 달여서(急煎石膏二兩), 간신히 목구멍으로 내려보냈는데(艱辛下咽而), 이때 입이 굳어서 반은 토하고 반은 넘어갔다(半吐半下咽). 그리고 나서 곧바로(少頃), 관자놀이 근육이 풀렸지만(牙關開而), 말은 여전히 불분명했고(語韻則 不分明如前), 그래서 다시 석고 한 량을 연달아서 복용시켰다(又連用石膏一兩). 그리고 나서 다음 날이 되어서 생각해보니까(其翌日則), 분명히 오후가 되면 풍이 발동할 것이고(以午後動風), 그러면, 약을 넘길 수가 없을 것이라는 사실을 염려해서(藥不下咽之慮故), 미리 오전에 약을 복용시켜서(預爲午前用藥), 오후에

풍을 대비시켰다(以備動風而). 또한, 오륙일을 이렇게 했다(又五六日 用之). 이때 앞뒤로 쓴 석고의 양을 계산해보니까(前後 用石膏), 총 14냥이었다(凡十四兩而). 이때 마지막 무렵에는(末境), 며칠간 발광하고(發狂數日), 섬어도 엄청나게 하더니(語韻宏壯而), 마침내 병은 치유되었다(病愈). 그리고 몇 달 후에는(數月然後), 방에서 나와서 뜰도 거닐게 되었다(方出門庭). 이 일이 있고 난 뒤에(其後), 또 어떤 소양인이 상한에 걸려서(又有少陽人 一人), 처음부터 두통이 있고(初得頭痛), 신열이 있는(身熱), 표한병에 걸리고 나서(表寒病), 팔구일이 되었다(八九日). 이 사이에(其間), 황련(用黃連), 과루(瓜蔞), 강활(羌活), 방풍(防風) 등등에 속하는(等屬), 약재로 처방해서 병세가 조금 나아졌다(病勢少愈而). 그러나 이 효과는 길게 가지 않았다(永不快袪矣). 결국에 3일째 되는 날 발광했고(仍爲發狂三日), 이때 환자의 집안에서는(病家), 이를 예전의 병증처럼 생각해서(以尋常例證視之而), 단지 황련(祇用黃連), 과루(瓜蔞) 등등에 속하는 약제를 처방했다(等屬). 그러자 또 섬어가 수일 동안 발생했고(又 譫語數日), 이때는 지황백호탕 1첩을 처방했다(始用 地黃白虎湯一貼). 그리고 그다음 날 오후에(其翌日午後), 풍이 발동했고(動風), 그래서 급히 지황백호탕을 처방해서(急煎地黃白虎湯), 위급한 상황을 벗어나려고, 이를 연이어 3첩을 복용시켰고(連三貼 救急而), 약을 간신히 넘기게 했다(艱辛下咽). 그리고 그다음 날(其翌日則), 백호탕에(白虎湯), 석고 1냥을 추가로 처방해서(加石膏一兩), 오전에 복용시켰다(午前用之). 그리고 풍을 대비해서(以備動風而), 이를 연달아서 3일간(連三日), 복용시켰다(用之). 그러자 환자는(病人), 스스로 일어나 앉을 수 있었고(自起坐立), 대소변도 잘 봤으며(能大小便), 병세는 이전과 비교해서(病勢比前), 아주 좋아졌다(快蘇快壯矣). 그러나 불행히도(不幸), 병세가 조금 좋아지나 싶더니 다시 더해져서(病加於少愈), 완치까지는 가지 않을 것이라는 염려가 생겼다(慮不周於完治). 아니나 다를까 이 환자는(此人), 결국에 죽었다(竟不救). 이때 후회스러운 점은(恨則), 오전에 다만 백호탕 두세 첩을 처방해서(午前 祇用白虎湯二(三)貼), 풍에 대비했지만(以備動風而), 오후에는(午後), 전혀 약을 쓰지 않은 상태가 계속되었다는 점이다(全不用藥以繼之也). 이 세 사람의 병을 관찰해보았을 때(以此三人病 觀之則), 발광하고 섬어를 하는 증상이 있을 때는(發狂譫語證), 백호탕을(白虎湯), 단지 오전에만 처방해서(非但 午前用藥), 풍을 대비하는 것이 아니었다(以備動風而已矣). 즉, 이럴 때는 매일 (日用), 백호탕을 오륙 첩(五六貼) 또는 칠팔 첩(七八貼) 또는 십여 첩을 처방해 서(十餘貼), 주야 모두에 계속해서 처방하는 것이 좋다(以晝繼夜則 好矣). 즉, 섬 어가 있을 때까지 기다린 뒤에 약은 쓰는 일은 불필요하고(不必待譫語後而用藥), 섬어가 있기 전 발광 때(發狂時), 당연히 약을 쓰는 것이 좋다(當用藥 可也). 즉, 발광이 일어난 후까지 기다려서 약을 쓰는 것보다(不必待發狂後而用藥), 발광 전 에(發狂前), 조기에 발광의 섬어로 전이 가능성을 살펴서(早察發狂之漸), 약을 써 야만 한다(可也). 이런 사건이 있고 난 뒤에(其後), 또 어떤 소양인을 만났는데(又 有一少陽人), 이 사람은 17세 여아였다(十七歲 女兒). 이 환자의 기본 증세를 보 니(素證), 간간이 기운이 어그러지게 되면(間有悖氣), 식체가 오면서 복통이 찾아 왔다(食滯腹痛矣). 그리고 어느 날 갑자기(忽一日), 두통(頭痛), 한열(寒熱), 식체 (食滯)가 있었다. 그런데 이때 어느 의사가(有醫), 소합원 3개에(用蘇合元三箇 (個)), 생강을 달인 물을 섞어서 먹으라고 했다(薑湯調下). 그런데, 이를 먹고 나 서 설사가 났는데(仍爲泄瀉), 하루에도 설사를 수십 번했고(日數十行), 이런 상태 가 10여 일간 멈추지 않았다(十餘日不止). 결국에 체액이 고갈되면서 물을 먹고 싶어졌고, 몸이 불편해서 잠을 자지 못했다(引飮不眠). 이때 간간이 섬어증이 있 을 때도 있었다(間有譫語證). 이때 시기는(時則), 기해년(己亥年), 겨울 11월 23 일 이었다(冬十一月 二十三日也). (참고로 이때 이제마의 나이는 63세였다). 이때 즉시 당일 밤에 처방을 했는데(卽夜), 생지황(用生地黃), 석고(石膏) 각각 6냥(各 六兩), 지황 3냥(知母三兩)을 사용해서 탕약을 만들어서 복용시켰다. 그리고 이날 밤에(其夜), 설사하는 빈도가 반으로 줄었다(泄瀉度數 減半). 그리고 그다음 날 (其翌日), 형방지황탕에(用荊防地黃湯), 석고 4전을 추가해서(加石膏四錢), 두 첩 을 연달아 복용시켰더니(二貼連服), 환자는 편안하게 잠들었다(安睡而). 또한 대 소변도 잘 봤다(能通小便). 그리고 형방지황탕 두 첩의 약효는(荊防地黃湯 二貼 藥力), 지모백호탕의 약효보다 10배 더 강하다는 사실도 알게 되었다(十倍於 知 母白虎湯 可知矣). 이를 발판으로 삼아서(於是), 매일(每日), 이 약을 처방했는데

(用此藥), 네 첩을 주간에(四貼 晝) 처방하는데, 두 첩씩 연이어 처방하고(二貼連服), 밤에는 두 첩을 연이어 처방했다(夜 二貼連服). 이런 식으로 이 처방을 수일간 했다(數日用之). 그랬더니 설사는 영구히 멈췄고(泄瀉永止), 머리 양쪽 귀밑머리에서 땀이 났고(頭部兩鬢 有汗而), 이때 환자의 증세는(病兒), 섬어증은 없어지고(譫語證), 섬어보다 한 단계 낮은 발광으로 변했고(變爲發狂證), 그런데 갑자기 환자의 집안에서 이를 이상하게 여긴 나머지(病家驚惑), 이틀 동안(二晝夜), 약을 의심해서 쓰지 않았고(疑不用藥), 자동으로 병세는 위증으로 가버렸고(病勢遂危), 혈액 순환이 막히면서 머리에서는 땀이 나지 않았고(頭汗不出), 소변도 막혔고(小便秘結), 입은 얼음 조각을 물고 있는 것처럼 굳어있었고(口嚙氷片), 이는 곧바로 인사불성으로 이어지고 말았다(不省人事). 이때 점괘를 보아도 불길하게 나왔다(爻象 可惡矣). 이때 어쩔 수 없이 머리를 쥐어짜서 계책을 만들었는데(勢無奈何以不得已之計), 이날 밤에(一夜間), 형방지황탕에(用荊防地黃湯), 석고 1냥을 추가해서(加石膏一兩), 연이어 10첩을(連十貼), 입으로 흘러서 보냈다(灌口). 이 결과로 이날 밤(其夜), 소변이 통해서 소변을 세 사발 정도 봤고(小便通三碗), 광기는 멈추지 않았지만(狂證不止), 그 결과로 자연스럽게(然), 사람 얼굴을 알아봤으며(知人看面), 조금씩 각성하기 시작했고(稍有知覺), 그다음 날(其翌日), 또 이 약을 6첩 처방해서(又用六貼), 연이어 5일을 복용시켰고(連五日), 또한 이 약을 매일 사오륙 첩 복용시키자(日用四五六貼), 발광 증세도 멈추기 시작했다(發狂始止). 그러나 야간에(夜間), 잠시 잠이 들긴 했지만(或霎時就睡), 잠을 오래 자지는 못했고(然不能久睡), 곧 깨곤 했다(便覺). 또한(又), 매일 이 약을 서너 첩씩(日用三四貼), 연이어 5일간 복용시켰더니(連五日), 머리 꼭대기와 양쪽 귀밑머리에서 땀이 났고(頭頂兩鬢 有汗而), 이때는 한 시간 정도 숙면을 취할 수 있었다(能半時刻就睡). 이때는 식사도 죽을 조금씩 먹을 수 있었고(稍進粥飮少許), 이후에(其後), 매일(每日), 형방지황탕에(荊防地黃湯), 석고 1전을 추가해서(加石膏一錢), 매일 2첩씩 복용시켰다(日二貼用之). 이때 대변이 하루에 한 번씩 나오지 않을 때만(大便 過一日則), 이 처방에 석고 4전을 추가해서 처방해줬다(加四錢). 이때가 12월 23일이었다(至于十二月 二十三日). 그리고 이때가 위증을 벗어나기 시작

소양인 비수한 표한병론

한 때이기도 하다(始得免危). 이때는 당연히 방안에서 일어나 앉을 수 있었다(能起立房室中). 이때 한 달 동안 쓴 석고가 총 45냥이었다(一朔內 凡用石膏 四十五兩). 그리고 해가 바뀌어서 다음 해 1월 15일에(新年 正月 十五日), 드디어 이 환자는 1리를 걸을 수 있었고(能行步一里地而), 걸어서 나를 보러왔다(來見我). 이후에(其後), 또 연이어서(又連用), 형방지황탕에(荊防地黃湯), 석고 1전을 추가해서(加石膏一錢), 그해 3월까지 복용시켰다(至于新年 三月).

論曰 少陽人病 以火熱爲證 故 變動甚速 初證 不可輕易視之也. 凡 少陽人 表病 有頭痛 裏病 有便秘則 已爲 重病也. 重病 不當用之藥 (一)二三貼 誤投則 必殺人. 險病 危證 當用之藥 一二三貼 不及則 亦不救命.

이제마는 다음과 같이 주장한다(論曰). 소양인 병에서(少陽人病), 불처럼 뜨거운 열이 증상을 만들게 되면(以火熱爲證), 이때는 이런 이유로(故), 병의 변동이 심하고, 빠르게 되므로(變動甚速), 이때는 초증일 때(初證), 이를 가벼이 봐서는 안 된다(不可輕易視之也). 일반적으로(凡), 소양인에서(少陽人), 표증이 있게 되면(表病), 이때는 당연히 두통이 있게 되고(有頭痛), 이증이 있게 되면(裏病), 변비가 있게 되는데(有便秘則), 이 변비가 이미 형성되면(已爲), 이때는 중증이 된다(重病也). 설사는 오장의 문제를 해결하기 위해서 실행하는데, 이는 보통 변비를 해결하기 위해서도 쓴다. 이를 거꾸로 말하자면, 변비는 오장의 문제라는 뜻도 된다. 설사가 행해지는 소화관은 오장과 연결되어있다. 이 문제는 본 연구소가 발행한 황제내경 소문을 참고하면 된다. 아니면 본 연구소가 발행한 상한잡병론이나 상한론을 참고해도 된다. 다시 본문을 보자. 그리고 병이 중병이 되었을 때는(重病), 약을 쓸 때 약을 한두 첩이라도 잘못 쓰게 되면(不當用之藥 (一)二三貼 誤投則), 이는 반드시 사람을 죽게 만든다(必殺人). 이는 약도 독이고, 병도 독이 만들기 때문이다. 그리고 험증이나 위증에서(險病 危證), 당연히 써야 할 약을(當用之藥), 한두서너 첩이라도 덜 쓰게 되면(一二三貼 不及則), 이때도 역시 목숨을 건져내지 못하게 된다(亦不救命).

소양인 비수한 표한병론

소양인 위수열 이열병론

(少陽人 胃受熱 裡熱病論)

소양인 위수열 이열병론(少陽人 胃受熱 裡熱病論)

張仲景 曰 太陽病 八九日 如瘧狀 發熱惡寒 熱多寒少 脈微而惡寒者 此 陰陽俱虛 不可更 發汗更下更吐 面色 反有熱色者 未欲解也 不能得小汗出 身必痒 宜桂麻各半湯. 太陽病 似瘧 發熱惡寒 熱多寒少 脈微弱者 此 亡陽也 身不痒 不可發汗 宜桂婢(麻)各半湯.

　　장중경은 다음과 같이 말한다(張仲景 曰), 방광이 문제인 태양병에 걸려서(太陽 病), 팔구일이 지났는데(八九日), 증상이 학질처럼(如瘧狀), 열이 나고 오한이 들 고(發熱惡寒), 이때 보니까 열은 많고 한기는 적었다(熱多寒少). 이때 맥상이 미 약하면서 오한이 든다면(脈微而惡寒者), 이는(此), 음양이 모두 허약해서 발생했으 므로(陰陽俱虛), 이때는 땀도, 설사도, 구토도 자주 강제로 실행할 수가 없게 된다 (不可更發汗更下更吐). 일단 방광의 문제는 자유전자를 보유한 염(塩)의 문제가 된다. 방광은 염 처리 전문가라는 사실을 상기해보자. 그리고 학질은 인체 안에 자 유전자를 보유한 염이 과잉 축적된 상태에서, 열에너지가 주어지면, 과잉 염에서 과잉 자유전자가 튀쳐나오면서 열과 오한을 만들게 된다. 학질 문제는 본 연구소 가 발행한 황제내경 소문의 학질 부분을 참고하면 된다. 이도 결국에는 염이 만들 어내는 상한의 한 종류일 뿐이다. 그리고 염에 보관된 자유전자는 한편으로는 맥 상을 만드는 에너지이기도 하다. 그래서 에너지가 부족하게 되면, 맥상(脈)은 자동 으로 미약(微)하게 나올 수밖에 없다. 그런데, 이때 자유전자가 모두 에너지로 쓰 이지 않는다는 사실을 아는 것이 엄청나게 중요해진다. 즉, 에너지로 쓰이는 자유 전자가 있고, 에너지로 쓰이지 못하는 자유전자가 있다는 뜻이다. 이 문제는 전문 적인 내용이라서 본 연구소가 발행한 전자생리학을 참고할 수밖에 없다. 그래서 에너지를 구분할 때는 자유전자를 기준으로 하지만, 에너지로 쓰이는 자유전자와 에너지로 쓰이지 못해서 병을 만들어내는 에너지 쓰레기인 자유전자로 구분할 수 있어야만 한다. 그래서 병이 났다는 말은 에너지 쓰레기인 자유전자가 많다는 뜻 이다. 이들은 대개 염(塩)의 형식을 취하고 있다. 그래서 지금은 과잉 염에 에너지 쓰레기 자유전자는 많지만, 맥상을 만들어내는 에너지로서 자유전자는 부족한 상황이다. 그리고 에너지 쓰레기는 산소와 같은 과잉 자유전자 쓰레기를 중화하는 알칼리를 통해서 중화된다. 그리고 이를 음(陰)이라고 표현한다. 그래서 음이 부족하게 되면, 에너지 쓰레기 자유전자를 중화 처리하지 못해서 질병이 만들어진다. 그리고 산소와 같은 알칼리는 맥상을 만드는 에너지로서 자유전자가 맥박을 만들어서 간질로 공급된다. 그리고 이때 에너지를 양(陽)이라고 부른다. 여기서 양의 개념이 엄청나게 중요하다. 즉, 에너지 쓰레기도 자유전자를 포함하고 있으므로, 양(陽)이 되고, 맥상을 돌리는 에너지로서 자유전자도 양(陽)이 된다. 그래서 이때 는 양(陽)의 구분도 엄청나게 중요해진다. 다시 본문을 보자. 그래서 맥상이 미약하면서 오한이 든다면(脈微而惡寒者), 이는(此), 음양이 모두 허약해서 발생했으므로(陰陽俱虛), 이때는 땀도, 설사도, 구토도 자주 강제로 실행할 수가 없게 된다(不可更發汗更下更吐)는 개념을 정확히 풀려면, 에너지로서 양의 개념을 정확히 알아야만 한다. 즉, 간질에 에너지 쓰레기 자유전자를 담고 있는 염이 과잉되면서 만들어지는 오한이 존재한다면, 이는 자동으로 산소를 간질로 공급하는 자유전자로서 에너지인 양(陽)이 만드는 맥박(脈)이 미약(微)해서 간질로 음(陰)인 산소의 공급이 허약(虛)하게 된 것이다. 이를 다른 말로 하자면, 음양이 모두 허약한 상태가 된다(陰陽俱虛). 그런데, 땀을 빼든, 설사를 시키든, 구토를 시키든지 간에, 이때는 무조건 에너지가 요구된다. 그러나 지금은 양(陽)인 에너지가 부족하다. 그러면 결국에 이때는 땀도, 설사도, 구토도 자주 강제로 실행할 수가 없게 된다(不可更發汗更下更吐). 이는 사실 엄청난 분량을 요구한다. 이를 정확히 이해하기 위해서는 황제내경 소문과 상한론을 요구한다. 지금 우리는 장중경이 쓴 상한론을 논하고 있다는 사실을 상기해보자. 다시 본문을 보자. 이때 안색을 봤더니(面色), 반대로 열이 올라오면서 안색이 열색이 되었다면(反有熱色者), 이는 아직도 인체가 간질에 쌓인 과잉 염에 든 과잉 자유전자를 중화하고 있다는 뜻이 되므로, 이때 병증은 해결될 리가 없다(未欲解也). 이때 조금이라도 땀을 뺄 수가 없을 정도가 되면(不能得小汗出), 이는 간질에 자유전자를 보유한 염이 엄청나게 과잉으로 적체하고 있다는 뜻이 되므로, 이때 간질로 공급되는 에너지 쓰레기 자유전자는 반드시 그리고 자동으로 몸을 가렵게 만들고 만다(身必痒). 이때는 마땅히 계마각반탕으로 처방한다(宜桂麻各半湯). 그리고 방광이 문제인 태양병에 걸려서(太陽病), 학질과 유사한 증상을 보이고 있다면(似瘧), 이때는 당연히 열이 나고 오한이 있게 되는데(發熱惡寒), 이때 오한을 보니까 열은 많지만, 한기는 적고(熱多寒少), 에너지가 부족해서 맥상이 미약하다면(脈微弱者), 이는(此), 맥상의 핵심인 맥박을 만드는 에너지로서 양(陽)이 고갈(亡)되었다는 뜻이 된다. 이를 망양이라고 부른다(亡陽也). 이때 다행히 간질에 염이 너무나 많이 쌓이면서 나타나는 소양증이 없고(身不痒), 그러나 땀은 강제로 뺄 수 없다면(不可發汗), 이때는 마땅히 석고가 들어가는 계비각반탕이나 석고가 없는 계마각반탕을 처방한다(宜桂婢(麻)各半湯).

論曰 此證 大便 不過一晝夜而通者 當用 荊防瀉白散.
大便 過一晝夜而不通者 當用 地黃白虎湯.

이제마는 다음과 같이 주장한다(論曰). 이 병증에서(此證), 대변이(大便), 불과 하루만 통했다면(不過一晝夜而通者), 이때는 당연히 형방사백산을 처방한다(當用 荊防瀉白散). 그리고 이때 대변이(大便), 하루 동안 나오지 않고 있다가 다음 날도 통하지 않는다면(過一晝夜而不通者), 이때는 당연히 지황백호탕을 처방한다(當用 地黃白虎湯).

張仲景 曰 陽明證 小便不利 脈浮而渴 猪苓湯主之. 三陽合病 頭痛面垢 譫語遺尿 中外俱熱 自汗煩渴 腹痛身重 白虎湯主之..

장중경은 다음과 같이 말한다(張仲景 曰). 위장이 문제인 양명증에 걸려서(陽明證), 소변이 잘 안 나오고(小便不利), 맥상이 간질에 삼투압 기질인 염이 정체하면서 부종을 만들고 이어서 부맥이 나오면서 삼투압 기질 때문에 갈증이 난다면(脈浮而渴), 이때는 저령탕을 처방한다(猪苓湯主之). 지금 양명병은 태양병이 전이해서 왔으므로, 이때는 소변이 잘 안 나오게 된다(小便不利)는 점을 상기해보

자. 그리고 삼음삼양에 속하는 삼양이 모두 문제가 되어서 합병증이 왔다면(三陽合病), 이때는 온몸이 성한 곳이 없고, 아프지 않은 곳이 없을 것이다. 그래서 두통이 오고, 얼굴에 기미가 끼고(頭痛面垢), 섬어가 있고, 요실금이 있고(譫語遺尿), 간질에 쌓인 과잉 자유전자 때문에, 인체 안쪽(中)과 바깥쪽(外)인 피부에서 모두 열이 나고(中外俱熱), 이는 자동으로 땀을 만들어내서 몸을 불편하게 만들고 이어서 체액이 부족해지면서 갈증이 오고(自汗煩渴), 복부에서 통증이 오고, 간질에 쌓인 삼투압 기질인 염이 수분을 붙잡고 있으므로, 몸은 천근만근 무겁게 된다(腹痛身重). 한마디로 아프지 않은 곳이 없게 된다. 이때는 상한병의 전형적인 처방인 백호탕을 처방한다(白虎湯主之). 백호탕은 삼양삼음 모두에서 작동한다.

論曰 陽明證者 但熱無寒之謂也. 三陽合病者 太陽少陽陽明證 俱有之謂也. 此證 當用 猪苓湯 白虎湯. 然 古方 猪苓湯 不如新方 猪苓車前子湯之俱備. 古方 白虎湯 不如新方 地黃白虎湯之全美矣. 若 陽明證 小便不利者 兼 大便秘燥則 當用 地黃白虎湯.

이제마는 다음과 같이 주장한다(論曰). 양명병의 증상은(陽明證者), 단지 열만 있고 한이 없는 경우를 말한다(但熱無寒之謂也). 양명병은 방광인 태양에서 전이해서 만들어진다. 그리고 태양인 방광은 염인 한(寒)을 전문적으로 배출하는 기관이다. 그리고 이 한인 염에는 열의 원천인 자유전자가 들어있다. 그리고 과잉 자유전자는 만병의 근원이 된다. 그래서 방광에서 위장으로 전이하는 병인은 자동으로 열의 원천인 자유전자가 된다. 그러면 자동으로 병인이 방광에서 위장으로 올 때는 자유전자만 이동해서 오게 된다. 그러면 위장으로 병인이 옮겨진 상태에서 보면, 이때는 염인 한이 아니라 자유전자를 품은 위산으로 변하게 된다. 물론 위산(HCl)도 염이기는 하지만, 염을 만드는 토금속이 붙어있지 않고, 프로톤이 붙어있다는 사실을 상기해보자. 그래서 위산은 방광이 처리는 토금속이 붙은 한(寒)으로서 염(塩)인 염화나트륨(NaCl) 종류와는 구분된다. 그래서 양명병의 증상은(陽明證者), 단지 열만 있고, 한이 없는 경우를 말한다(但熱無寒之謂也)고 한 것이다. 다시 본문을 보자. 삼양이 모두 문제가 되어서 합병증이 생기게 되면(三陽合病者), 이때는 당연히 삼양인 위장, 방광, 담이 모두 문제가 되는 증상이 발병한다(太陽少陽陽明證 俱有之謂也). 이 증상에는(此證), 당연히 저령탕이나(當用 猪苓湯), 전형적인 상한병 약인 백호탕을 쓴다(白虎湯). 그러나(然), 고대 처방에 있는(古方), 저령탕은(猪苓湯), 새로 만들어진 처방인(不如新方), 저령차전자탕이 구비한 효과를 내지 못한다(猪苓車前子湯之俱備). 또, 고대 처방인(古方), 백호탕도 마찬가지로(白虎湯), 새로 만들어진 처방인(不如新方), 지황백호탕의 완전한 아름다운 약효를 따라가지 못한다(地黃白虎湯之全美矣). 만약에(若), 양명증에 걸려서(陽明證), 소변이 잘 나오지 않고(小便不利者), 추가로(兼), 대변까지 변비로 바뀌어서 마른다면(大便秘燥則), 이때는 당연히 지황백호탕을 쓴다(當用 地黃白虎湯).

朱肱 曰 陽厥者 初得病 必身熱頭痛 外有陽證 至四五日 方發厥 厥至半日 却身熱 蓋 熱氣深 方能發厥 若 微厥 却發熱者 熱甚故也. 其脈 雖伏 按之滑者 爲裏熱 或飮水 或揚手擲足 或煩躁 不得眠 大便秘 小便赤 外證 多昏憒 用白虎湯.

주굉은 다음과 같이 말한다(朱肱 曰). 간질인 양이 막혀서 생기는 양궐에 걸리게 되면(陽厥者), 첫 증상은(初得病), 당연히 간질에 정체한 과잉 염이 중화되면서, 반드시 신열이 있게 되고(必身熱), 간질에 쌓인 과잉 염은 자기가 보유한 자유전자를 신경에 과잉 공급하면서 두통을 만들게 되고(頭痛), 이렇게 간질(外)인 양에서는 양증이 있게 된다(外有陽證). 이런 양증이 사오일이 되면(至四五日), 비로소 체액의 흐름이 막히는 궐증이 발발하게 되고(方發厥), 이런 궐증이 반나절 정도 되면(厥至半日), 막힌 체액에 정체한 염이 중화되면서 도리어(却), 신열이 발생하게 된다(身熱). 대개(蓋), 몸에서 열기가 심해지게 되면(熱氣深), 비로소(方), 궐증이 발발하게 된다(能發厥). 열기가 심하다는 말은 그만큼 간질에 삼투압 기질인 염이 과잉으로 정체하고 있다는 뜻이 되고, 이는 자동으로 수분을 끌어모으게 되고, 그러면 자동으로 체액의 흐름이 막히(厥)면서 궐증(厥)이 발생하게 된다. 그리고 만약에(若), 체액의 흐름이 약간(微)만 막혀서 약한(微) 궐증이 있을 때(微厥), 이 궐증을 제거하기 위해서 도리어(却), 땀으로 발열을 시키게 되면(發熱者), 체액의 부족이 유발되면서, 체액의 흐름은 더욱더 막히게 되고, 이는 간질에 염을 더욱더 정체하게 만들게 되고, 자동으로 열이 더 심해지게 하는 이유가 되고 만다(熱甚故也). 이때 맥상을 측정해서 보면(其脈), 막힌 체액의 흐름 때문에 맥상은 자연스럽게 흐르지 못하고 숨어(伏)있게 되는데, 이때 맥상이 비록 체액 흐름이 약해서 복맥(伏)으로 나온다고 할지라도(雖伏), 맥상을 측정하는 곳을 손가락으로 눌러봐서 미끄럽게(滑) 나오게 되면(按之滑者), 이는 체액을 타고 흐르는 염의 미끄러운 성질 때문이므로, 이는 염을 처리하는 간, 비장, 간이라는 이(裏)인 오장의 문제가 되고, 이때는 당연히 오장이 자리한 안쪽(裏)에서 이열(裏熱)이 만들어지게 된다(爲裏熱). 이때는 열 때문에, 때로는 물을 들이키기도 하고(或飮水), 때로는 열 때문에 허우적대기도 하고(或揚手擲足), 때로는 몸이 힘들어하는 번조가 나타나기도 하고(或煩躁), 이 덕분에 잠을 자지 못하기도 하고(不得眠), 열 때문에 수분이 부족해져서 대변이 굳기도 하고(大便秘), 과잉 염이 제공한 자유전자가 적혈구를 환원해서 깨뜨리면서 소변이 붉게 나오기도 한다(小便赤). 그리고 추가로 외증으로 인해서(外證), 신경이 과잉 자극되고, 이어서 정신이 심하게 몽롱해지게 되면(多昏憒), 이때는 상한 처방인 백호탕을 쓴다(用白虎湯).

論曰 少陽人 裡熱病 地黃白虎湯 爲聖藥而 用之者 必觀於大便之通不通也. 大便 一晝夜有餘而不通則 可用也. 二晝夜不通則 必用也. 凡 少陽人 大便 一晝夜不通則 胃熱已結也. 二晝夜不通則 熱重也. 三晝夜不通則 危險也. 一晝夜 八九辰刻 二晝夜 恰好用之 無至三晝夜之危險. 若 譫語證 便秘則 不可過一晝夜. 少陽人 胃受熱則 大便燥也. 脾受寒則 泄瀉也. 故 亡陰證 泄瀉 二三日而 大便秘 一晝夜則 淸陰將亡而 危境也. 胃熱證 大便 三晝夜不通而 汗出則 淸陽將渴而 危境也. 少陽人 大便不通病 用白虎湯三四服 當日 大便不通者 將爲融會貫通 大吉之兆也. 不必疑惑而 翌日 又服二三貼則 必無不通. 少陽人 表裏病結解 必觀於大便而 少

陽人大便 頭燥尾滑 體大而疏通者 平時無病者之大便也. 其次 大便滑 一二次 快滑泄 廣多而止者 有病者之病快解之大便也. 其次 一二次 尋常滑便者 有病者 病勢不加之大便也. 其次 或 過一晝夜有餘不通 或 一晝夜間 三四五次 小小滑利者 將澁之候也 非好便也 宜預防. 少陰人 裡寒病 臍腹冷證 受病之初 已有腹鳴泄瀉之機驗而 其機 甚顯則 其病執證易見而 用藥可早也. 少陽人 裡熱病 胸膈熱證 受病之初 雖有胸煩悶燥之機驗而 其機 不甚顯則 執證難見而 用藥太晚也. 若使 少陽人病 胸煩悶燥之驗 顯然露出 使人可覺則 其病已險而 難爲措手矣. 凡 少陽人 表病 有頭痛則 自是表病明白 易見之初證也. 若復引飮 小便赤(澁)則 可畏也. 泄瀉 揚手擲足則 大畏也. 少陽人 裡病 大便 過一晝夜有餘而不通則 自是裡病明白 易見之初證也. 若復 大便 過三晝夜 不通則 危險矣. 背癰·腦疽·脣瘇·纏喉風·咽喉 等病 受病之日 已爲危險證也. 陽毒發斑·流注丹毒·黃疸 等病 受病之日 已爲險證也. 面·目·口·鼻·牙齒之病 成病之日 皆爲重證也. 凡 少陽人 表病 有頭痛證則 必用 荊防敗毒散 裡病 有大便過一晝夜不通證則 用 白虎湯.

이제마는 다음과 같이 주장한다(論曰). 소양인에서(少陽人), 이열병이 있으면(裡熱病), 이때는 지황백호탕을 쓰게 되는데(地黃白虎湯), 이 약이 특효약이 되게 만들려면(爲聖藥而), 이 약을 쓸 당시에(用之者), 반드시 대변의 소통 여부를 관찰해봐야 한다(必觀於大便之通不通也). 그래서 대변을 하루 정도 못 보게 되면(大便 一晝夜有餘而不通則), 이때는 이 처방을 쓸 수 있다(可用也). 그리고 대변을 이틀 정도 못 보게 되면(二晝夜不通則), 이때는 이 처방을 반드시 써야만 한다(必用也). 일반적으로(凡), 담이 문제를 많이 일으키는 소양인에서(少陽人), 대변을 하루 정도 보지 못했다면(大便 一晝夜不通則), 이는 담에 산성 담즙을 공급하는 간에 문제가 있게 되고, 그러면 간이 통제하는 소화관의 산성 정맥혈은 정체하고 만다. 그러면 자동으로 위산의 분비는 막히게 되고, 이어서 위장에는 자동으로 위산이 보유한 자유전자의 과잉이 유발되고, 이는 자동으로 위장에 열기가 이미(已) 맺히게 하고 만다(胃熱已結也). 위산이 보유한 자유전자는 열의 원천이라는 사실을 상기해보자. 그리고 대변이 이틀 정도 막히게 되면(二晝夜不通則), 이때는 열의 원천인 자유전자가 더욱더 많이 산성 체액에 축적되면서 열 중증이 만들어진다(熱重也). 그리고 대변이 사흘 정도 막히게 되면(三晝夜不通則), 이때는 위험증이 만들어진다(危險也). 그리고 대변을 보지 못한지가 하루를 지나서(一晝夜), 거의 이틀에 가까워지거나(八九辰刻), 이틀이 되면(二晝夜), 이때는 이 처방을 쓰기가 아주 좋은 때이다(恰好用之). 그리고 대변을 못 봐서 사흘이 되고, 이어서 위험증에 가게 해서는 안 된다(無至三晝夜之危險). 즉, 대변을 못 본 지가 사흘이 되었는데, 그제야 이 처방을 써서는 늦게 된다는 뜻이다. 만약에 상태가 심각해져서 섬어증까지 있으면서(若 譫語證), 변비까지 있다면(便秘則), 이때는 하루도 넘겨서는 안 된다(不可過一晝夜). 즉, 이때는 이 처방을 곧바로 써야만 한다. 여기서 보면, 대변이 얼마나 중요한지를 말하고 있다. 그러면 왜 그럴까? 이는 결국에 상한의 근원인 염 때문이다. 자유전자를 보유한 염이 인체 안에서 과잉되면, 이때 인체 안에 정체한 염은 자동으로 삼투압 기질이 되어서 수분을 붙잡고 놓아주지 않게 된다. 그러면, 자동으로 소화관의 수분은 모조리 인체 안으로 흡수되고 만다. 그 대가가 변이 말라서 생긴 변비이다. 그래서 변비가 있다는 말은 인체 안에 염이 과잉으로 정체하고 있다는 뜻이 된다. 그리고 이 과잉 염은 자동으로 자기가 보유한 자유전자를 과잉으로 공급해서 인체를 괴롭히게 된다. 과잉 자유전자는 만병의 근원이 된다는 사실을 상기해보자. 그래서 변비는 만병의 근원을 측정하는 도구가 된다. 결국에 변비는 상한의 측정 도구이다. 그래서 변비는 만병의 근원을 알게 하는 도구가 된다. 즉, 변비가 있다는 말은 만병이 있다는 뜻이다. 그래서 변비가 있을 때, 이 변비를 없애기 위해서 설사를 통해서 염을 대변이 있는 소화관으로 배출하는 것이 아니라, 실제로는 변비를 만든 과잉 염을 체외로 배출하기 위해서 설사시키는 것이다. 그러면, 이 와중에 변비는 자동으로 해결된다. 그리고 이 과잉 염은 비장이 위산으로 위장을 통해서 체외로 배출시키고, 간이 담즙으로 담을 통해서 체외로 배출시키고, 신장이 요산 등등으로 방광을 통해서 체외로 배출시키게 된다. 그리고 이 기능들이 제대로 작동하지 않게 되면, 드디어 설사를 통해서 이들 오장이 처리하지 못한 과잉 염을 체외로 배출시키게 된다. 이것이 상한론의 핵심 기전이다. 그래서 설사는 자동으로 오장과 연결될 수밖에 없다. 그래서

소양인 위수열 이열병론

오장 문제를 해결할 때 설사를 이용하게 된다. 이 기전은 본 연구소가 발행한 상한론이나 상한잡병론을 참고하면 된다. 다시 본문을 보자. 소양인에서(少陽人), 이렇게 위장이 열의 원천인 자유전자를 받게 되면(胃受熱則), 이때는 자동으로 대변이 말라서 건조해지게 된다(大便燥也). 그리고 비장이 신장으로부터 한인 염을 받게 되면(脾受寒則), 이때 비장은 자동으로 과부하에 시달리게 되고, 그러면 과부하에 걸린 비장은 소화관의 동맥혈에 자기가 만든 산성 정맥혈을 보내게 되고, 이는 자동으로 소화관에 너무나 많은 산성 정맥혈이 모이게 되고, 이는 자동으로 소화관에서 많은 염이 만들어지게 하고, 이는 자동으로 설사로 이어진다(泄瀉也). 그래서 이때는(故), 자동으로 염이 체외로 배출되는 망양증이 된다(亡陰證). 이렇게 설사로 인해서(泄瀉), 망양증이 이삼일 이어지게 되면(二三日而), 더는 설사할 체액이 남아 있지 않게 되고, 이어서 변비가 생기게 된다. 그리고 이 변비가 하루 정도 계속되면(大便秘 一晝夜則), 이때는 자동으로 설사할 음이 많이 고갈(亡)되었다는 사실을 말하게 되고(淸陰將亡而), 그러면 자동으로 체액의 심한 고갈로 인해서 병세는 위험한 지경으로 발전하게 된다(危境也). 그리고 위장에 열증이 있고(胃熱證), 대변까지 삼일 정도 불통하고 있으면(大便 三晝夜不通而), 이때는 자동으로 인체 안에 체액이 부족한 상태인데, 이때 땀까지 흘리게 되면(汗出則), 더는 땀을 만들 수 있는 에너지인 양은 고갈되고(淸陽將渴而), 그러면 에너지의 부족과 체액의 부족이 함께하면서, 병세는 위험한 지경에 이르고 만다(危境也). 여기서 에너지로서 양은 이미 열을 만들면서 소모했다는 사실을 상기해보자. 여기서 청음(淸陰)은 설사를 만들 수 있는 음이 되고, 청양(淸陽)은 땀을 만들 수 있는 양이 된다. 그러면 청음은 자유전자를 흡수할 수 있는 염인 토금속이 되고, 청양은 염에 흡수된 자유전자를 빼내서 중화할 때 이용되는 에너지로서 자유전자를 말한다. 염에 흡수되어서 중화 대상이 된 자유전자는 에너지 쓰레기가 되고, 이 자유전자를 중화할 때 쓰이는 자유전자는 에너지가 된다는 사실을 상기해보자. 이 개념은 이미 앞에서 간단히 설명했다. 다시 본문을 보자. 그리고 소양인이(少陽人), 변비에 걸리게 되면(大便不通病), 이때는 백호탕을 서너 번 복용시키면 된다(用白虎湯三四服). 그리고 나서도 당일(當日), 여전히 대변이 통하지 않으면(大便不通者),

이는 장차 소화관 안에 든 모든 대변을 녹여서(融會) 소화관을 관통시킬(將爲融會貫通), 아주 좋은 징조가 된다(大吉之兆也). 즉, 이 처방을 받고 나서 바로 당일에 설사가 나오지 않는다고 해도 걱정할 필요가 없다는 뜻이다. 이때 의심을 무용지물로 만들고 싶으면(不必疑惑而), 다음 날 다시(翌日 又), 이 처방으로 두세 첩을 더 복용시키게 되면(服二三貼則), 이때는 말이 필요 없게 된다(必無不通). 즉, 이때는 즉시 대변이 통하게 된다는 뜻이다. 그리고 소양인이 병에 걸렸을 때(少陽人), 표리에 든 병이 해결되었는지를 알려면(表裏病結解), 이때는 반드시 대변을 관찰해보면 된다(必觀於大便而). 그래서 소양인의 대변을 보게 되면(少陽人大便), 대변이 처음 나올 때는 건조한 상태인데, 나중에 나온 대변이 묽게 나온다면(頭燥尾滑), 이는 온몸에서 체액이 제대로 소통하고 있다는 증거가 되고(體大而疏通者), 이 대변은 평상시에 병이 없다는 사실을 말해주는 대변이다(平時無病者之大便也). 그다음에(其次), 묽은 대변이 한두 차례 나오다가(大便滑 一二次), 시원하게 설사하면서(快滑泄), 몽땅 싸버리고 설사가 중지된다면(廣多而止者), 이때 대변은 환자가 쾌차할 것이라는 사실을 알려주는 대변이다(有病者之病快解之大便也). 그다음에(其次), 한두 차례(一二次), 평상시처럼 묽은 대변을 보면(尋常滑便者), 이 환자의 대변은(有病者), 병세가 더는 나빠지지 않을 것이라는 사실을 말해주게 된다(病勢不加之大便也). 그다음에(其次), 때로는(或), 대변이 하루 정도 불통되거나(過一晝夜有餘不通), 때로는(或), 하루에(一晝夜間), 서너댓 차례(三四五次), 조금씩 묽은 변을 보게 되면(小小滑利者), 이는 장차 대변이 막힐 징조이다(將澁之候也). 그래서 이런 대변은 좋은 대변이 아니다(非好便也). 이때는 마땅히 처방을 써서 미리 예방해야만 한다(宜預防). 그리고 소음인이(少陰人), 속이 찬 이한증에 걸려서(裡寒病), 복부가 이미 냉증을 앓고 있다면(臍腹冷證), 이때는 병을 받은 초기에(受病之初), 이미 복부에서 소리가 나면서 설사할 기미를 경험했을 것이다(已有腹鳴泄瀉之機驗而). 설사는 복부가 냉할 때 나온다는 사실을 상기해보자. 이 기미가(其機), 아주 심하게 나타나게 되면(甚顯則), 이때는 이 병의 상태를 아주 쉽게 잡아낼 수 있으므로(其病執證易見而), 이때는 약을 조기에 쓸 수 있게 된다(用藥可早也). 그리고 소양인이(少陽人), 이열병에 걸려서(裡熱病), 흉부

소양인 위수열 이열병론

에 이미 열증이 있었고(胸膈熱證), 그래서 이때 병을 받은 초기에(受病之初), 흉부에 문제가 있는 기미를 경험했지만(雖有胸煩悶燥之機驗而), 이 기미가(其機), 그다지 심하게 표출되지 않게 되면(不甚顯則), 이때는 증세를 잡아내기가 매우 어렵게 되고(執證難見而), 당연한 결과로 약도 늦게 쓸 수밖에 없게 된다(用藥太晚也). 그리고 만약에(若使), 이런 소양인 병에서(少陽人病), 흉부에 문제가 있는 사실을 경험할 때(胸煩悶燥之驗), 증세가 너무나 뚜렷하게 노출되어서(顯然露出), 대부분 사람이 이를 지각할 정도가 되면(使人可覺則), 이 병은 이미 험증이 되게 되고(其病已險而), 이때는 당연히 손을 쓸 방도가 없게 된다(難爲措手矣). 일반적으로(凡), 소양인이 표병에 걸렸을 때(少陽人 表病), 두통이 있게 되면(有頭痛則), 이 두통은 표병이므로, 이는 자동으로 명백히 표병이라고 말해주는 꼴이 된다(自是表病明白). 그래서 이때는 초증을 쉽게 인지할 수 있게 된다(易見之初證也). 그리고 이때 만약에(若), 거듭해서 물이 당기게 되면서(復引飮), 소변이 붉거나 막히게 되면(小便赤(澁)則), 이는 말할 필요도 없이 두려워야 할 병이 된다(可畏也). 그리고 이때 설사까지 하면서(泄瀉), 정신이 없어서 허우적대면(揚手擲足則), 이는 당연히 크게 두려워야 할 병이 된다(大畏也). 그리고 소양인이 오장이 안 좋은 이병에 걸렸을 때(少陽人 裡病), 대변이(大便), 하루를 넘겨서 불통되고 있다면(過一晝夜有餘而不通則), 이때는 자동으로 명백히 이병(裡病) 초기라는 사실을 말해준다(自是裡病明白易見之初證也). 그리고 만약에 이때(若), 거듭해서(復), 대변을 삼 일이 넘도록 못 보고 있다면(大便 過三晝夜 不通則), 이는 당연히 오장에서 심각한 문제가 있다는 뜻이 되므로 위험증이 된다(危險矣). 그리고 등창(背癰), 후발치(腦疽), 입술 뾰루지(脣瘇), 목젖이 부어오르는 전후풍(纏喉風), 목구멍병(咽喉) 등등(等病)을 받게 되면, 이는 병을 받은 그날이(受病之日), 이미 위험증이 되는 날이다(已爲危險證也). 그리고 양독이 발발해서 피부에서 반점이 생겨나고(陽毒發斑), 멍울이 체액을 따라서 흐르는 유주단독(流注丹毒), 황달(黃疸), 등등의 병을 받게 되면(等病), 이는 병을 받은 그날이(受病之日), 이미 험증이 되는 날이다(已爲險證也). 그리고 얼굴과 이목구비(面目口鼻) 그리고 치아에서 병이(牙齒之病), 완성되는 그날은(成病之日), 모두 중증이 되는 날이다(皆爲重證也).

일반적으로(凡), 소양인이 표병에 걸렸을 때(少陽人 表病), 두통이 있다면(有頭痛證則), 이때는 반드시 형방패독산을 처방하고(必用 荊防敗毒散), 이병에 걸렸을 때(裡病), 대변을 하루 정도 보지 못하고 있으면(有大便過一晝夜不通證則), 이때는 백호탕을 쓰면 된다(用 白虎湯).

王好古 曰 渴病有三 曰消渴 曰消中 曰消腎. 熱氣上騰 胸中煩躁 舌赤脣紅 此渴引飮常多 小便數而少 病屬上焦 謂之消渴. 熱蓄於中 消穀善飢 飮食倍常 不生肌肉 此渴 亦不甚煩 小便數而甛 病屬中焦 謂之消中. 熱伏於下 腿膝枯細 骨節痠(痰)疼 飮水不多 隨卽尿下 小便多而濁 病屬下焦 謂之消腎. 又有五石過度之人 眞氣旣盡 石勢獨留 陽道興强 不交精泄 謂之强中. 消渴 輕也 消中 甚焉 消腎 尤甚焉 若 强中則 其斃可立而待也. 朱震亨 曰 上消者 舌上赤裂 大渴引飮 白虎湯主之. 中消者 善食而瘦 自汗 大便硬 小便數 黃連猪肚丸主之. 下消者 煩躁引飮 小便如膏 腿膝枯細 六味地黃湯主之. 醫學綱目 曰 渴而多飮 爲上消. 消穀善飢 爲中消, 渴而尿數 有膏油 爲下消. 危亦林 曰 因耽嗜色慾 或服丹石 眞氣旣脫 熱邪獨盛 飮食如湯消雪 肌膚日削 小便如膏油 陽强興盛 不交精泄 三消之中 最爲難治.

왕호고는 다음과 같이 주장한다(王好古 曰). 과잉 산을 중화하는 알칼리를 소모해서 고갈(渴)시키는 갈병(渴)은 3가지 유형이 있는데(渴病有三), 하나는 소갈이고(曰消渴), 하나는 소중이고(曰消中), 하나는 소신이다(曰消腎). 여기서 소(消)는 알칼리를 소모한다는 뜻이다. 그리고 알칼리를 소모하는 인자는 과잉 염에 든 자유전자이므로, 갈병의 문제는 결국에 자유전자를 과잉으로 보유한 과잉 염의 문제가 된다. 그러면 인체 안에 적체한 과잉 염이 자기가 보유한 과잉 자유전자를 간질로 쏟아내면서 인체는 이를 알칼리로 중화하게 되고, 이때는 자동으로 열이 나게 된다. 그러면 자동으로 그 열기는 위쪽으로 상승하게 되고(熱氣上騰), 그러면 이 열기를 받은 흉부는 자동으로 불편해지면서 번조하게 되고(胸中煩躁), 그러면 자동으로 심장도 영향을 받게 되고, 그러면 심장과 세포 종류가 같은 혀에서도 반응이 일어나게 되면서,

자동으로 혀는 열을 받아서 붉어지게 되고(舌赤), 이는 입술까지 번져서 입술도 붉게 된다(脣紅). 그래서 과잉 염을 중화하면서 열을 발생시키는 이런 갈병은(此渴), 자동으로 수분이 증발하게 되고, 이어서 갈증이 생겨나므로, 항상 물이 당기게 되고, 이어서 물을 많이 먹게 된다(引飮常多). 그런데 이때 수분을 배출하는 소변을 자주 보기는 하지만, 적게 보면(小便數而少), 이때 갈병은 상초에 속하게 되고(病屬上焦), 이를 이르러 소갈이라고 말한다(謂之消渴). 왕호고는 갈병을 3가지로 나누고 있다. 참고로 한의학은 갈병을 5가지로 나누고 있다. 그 이유는 오장이 갈병의 근원이 되는 자유전자를 중화하기 때문이다. 그래서 자동으로 오장의 숫자에 따라서 갈병의 숫자도 5가지가 된다. 그런데, 왕호고는 갈병을 상한론에 비추어서 분류하고 있다. 상한론에서 핵심 장기는 간과 담 그리고 비장과 위장 그리고 신장과 방광이다. 그리고 간(肝)은 엄청난 열(熱)을 만들어낸다. 그래서 간은 복부의 체온을 유지시키게 된다. 그리고 비장(脾)은 위장을 통해서 위산을 분비시키므로, 소화(消穀)에 개입하게 된다. 그리고 신장은 뇌척수액을 통해서 뼈(骨)와 관절(節)을 통제하고, 소변도 방광을 통해서 통제하게 된다. 그래서 왕호고의 갈병이 상초(上焦)에서 문제를 만들 때는 열(熱氣)이 문제가 되는데, 이는 자동으로 간에서 만든 열이 되고, 이는 간에서 엄청난 알칼리를 소모(消)해서 고갈(渴)시키게 되므로, 이를 소갈(消渴)이라고 부른다. 산소와 자유전자가 만나서 만들어내는 열은 산소라는 알칼리를 소모한 결과라는 사실을 상기해보자. 그리고 비장이 위장을 통해서 위산으로 만들어내는 배고픔은 당연히 열을 아주 적게 만들므로, 이때는 열이 위쪽으로 올라가서 만들어내는 흉부의 번조는 거의 일어나지 않게(不甚煩) 된다. 그리고 비장이 통제하는 위장은 음식에 든 에스터(Ester) 당을 환원해서 당뇨의 근원이 되는 포도당을 만들게 되므로, 이때 소변은 달게(甛) 된다. 그리고 이 과정은 모두 비장과 위장이 자리한 중초에서 일어난다. 그래서 이때 갈병을 중초에서 발생한다고 해서 소중(消中)이라고 부른다. 그리고 신장은 열의 원천인 자유전자를 환원해서 보관하는 염을 취급하므로, 신장이 문제가 되면 자동으로 이런 염이 축적된다. 그리고 이런 염을 왕호고는 열(熱)이 잠복(伏)하고 있다고 표현한다. 이는 정확히 맞는 표현이다. 그리고 신장은 소변을 만들어서 내보내는 기관이다. 그래서 신장이 문제가 되면 물을 먹는 족족 소변으로 배출해버린다. 그래서 신장이 문제가 된 갈병은 소변을 자주 보게 된다. 그리고 이 소변은 하초에 자리한 방광이 통제하는데, 방광은 신장이 통제하므로, 이때 갈병을 소신(消腎)이라고 부른다. 즉, 신장이 주도하는 갈병이 소신이라는 뜻이다. 그리고 여기서 핵심은 자유전자를 보유한 염(塩)이다. 그리고 이 염은 자기가 보유한 자유전자를 과잉 공급해서 이를 중화하는 알칼리를 과잉 소모(消)해서 고갈(渴)시키게 된다. 그래서 이때 전체 병증을 말할 때는 갈(渴)이라고 표현하고, 개별 병증을 말할 때는 소(消)라고 표현한다. 그러면 왕호고의 기준에 따르면, 간이 만들어내는 갈병은 소갈(消渴)이 되고, 비장이 만들어내는 갈병은 소중(消中)이 되고, 신장이 만들어내는 갈증은 소신(消腎)이 된다. 이를 기반으로 위아래 문장을 이해하면 된다. 다시 본문을 보자. 그리고 중초에 열이 축적되고(熱蓄於中) 즉, 중초에 열을 만들어내는 자유전자를 보유한 염이 축적되고, 이 염에 축적된 자유전자는 위산이 되어서 위장에서 과잉 분비되고 즉, 소화시키는 위산이 과잉 분비되고, 이어서 소화를 너무 잘 시켜서 자주 배가 고파지게 되면서(消穀善飢), 항상 음식을 곱빼기로 먹게 되나(飲食倍常), 이때 나온 영양소는 과잉 염을 중화하는 데 소모되면서, 이것이 살로 가지 못하고(不生肌肉), 이 갈병은(此渴), 비장과 위장의 문제이므로, 역시 흉부에서 일어나는 번조는 심하지 않게 되고(亦不甚煩), 과잉 염을 배출하면서 당연히 소변은 자주 나오면서 위장이 만든 포도당 때문에 소변의 맛이 달게(甛) 되는데(小便數而甛), 이는 비장과 위장이 있는 중초에 속하는 갈병으로서(病屬中焦), 이를 이르러 중초에서 일어났다고 해서 소중이라고 부른다(謂之消中). 그리고 열이 하초에 잠복하고(熱伏於下) 즉, 열의 원천인 자유전자를 보유한 염이 방광이 있는 하초에 축적되고, 염을 통제하는 신장은 뼈와 관절도 통제하므로, 신장 때문에 다리와 무릎이 말라서 가늘고(腿膝枯細), 뼈와 관절이 저리고 아프며(骨節痠(痰)疼), 물은 많이 마시지도 않는데(飲水不多), 과잉 염을 배출하느라 물을 마시게 되면 즉시 소변으로 배출되고(隨卽尿下), 그래서 소변이 자주 나오게 되고, 이때 소변은 신장이 통제하는 염이 배출되면서 탁하게 되는데(小便多而濁), 이 갈병은 방광이 있는 하초에 속하게 되고(病屬下焦), 이 갈병을 이르러 신장이 만들었다고 해서 소신이라고 부른다(謂之消腎). 또한(又), 광물성 약재를 너무 과도하게 쓴 사람은(有五石過度之人), 진기가 이미 고

소양인 위수열 이열병론

갈되며(眞氣旣盡), 이때는 이 광물성 약재의 기운이 홀로 남아서(石勢獨留), 정액관을 강하게 만들어서(陽道興强), 성교하지 않았는데도 불구하고 정액을 분비하는데(不交精泄), 이를 강중이라고 부른다(謂之强中). 이 문제는 상당히 어려운 문제이다. 여기서 광물성 약재는 미네랄을 말한다. 그리고 이 미네랄제제는 자동으로 자유전자를 흡수해서 보관하게 되고, 그러면, 미네랄제제인 광물성 약제를 많이 쓴 사람은 진기(眞氣)인 자유전자의 고갈(盡)을 자동으로 유도하게 되고, 이렇게 자유전자를 보유한 미네랄제제가 신장을 통해서 체외로 배출되지 않고 체내에 그대로 머물게 되면(石勢獨留), 이는 자동으로 스테로이드 호르몬과 반응해서 염이 된다. 스테로이드는 미네랄과 반응성이 아주 좋다는 사실을 상기해보자. 그러면 염이 된 스테로이드는 자동으로 정액관을 강하게 자극해서(陽道興强), 성교하지 않았는데도 불구하고 정액을 분비하게 만든다(不交精泄). 정액이 분비되는 과정에 성호르몬인 스테로이드가 개입한다는 사실을 상기해보자. 그래서 이를 강제(强)로 정액을 분비(中)시킨다고 해서 강중(强中)이라고 부른다(謂之强中). 다시 본문을 보자. 이때 소갈은 경증이고(消渴 輕也), 소중은 심증이고(消中 甚焉), 소신은 더욱더 심증이다(消腎 尤甚焉). 그 이유는 소갈을 만들어내는 간은 원래 열을 만드는 기관이기 때문이고, 소중을 만들어내는 비장은 원래 소화를 책임지고 있는 기관이기 때문이다. 그런데, 신장은 뇌척수액을 통해서 뇌를 통제하고 있으므로, 소신은 더 심한 증상을 만들게 된다. 다시 본문을 보자. 만약에(若), 이때 강중이 있게 되면(强中則), 이는 죽음을 기다리게 할 수 있다(其斃可立而待也). 강중은 스테로이드의 문제인데, 이 문제의 스테로이드를 총지휘하는 기관이 신장에 붙은 부신이다. 그리고 부신은 스트레스를 관리하는 코티졸이라는 스테로이드를 분비해서 스트레스로부터 생명(命)을 보호한다. 이런 이유로 한의학은 부신을 생명을 좌지우지하는 명문(命門)이라고 부른다. 그런데, 강중을 만드는 미네랄제제가 너무 많이 인체 안에 체류하게 되면, 이는 자동으로 스테로이드를 고갈시키고 만다. 그러면 인체는 스테로이드 부족으로 인해서 스트레스 대응 호르몬인 코티졸을 만들 수가 없게 되고, 이는 자동으로 목숨을 부지하지 못하게 만들고 만다. 이 설명은 스테로이드 기능을 아주 잘 알아만 쉽게 할 수 있게 된다. 이 문제는 실제로는 아주 복잡한 문제이다. 이는 본 연구소가 발행한 전자생리학을 참고하면 된다. 다시 본문을 보자. 주진형은 다음과 같이 주장한다(朱震亨 曰), 상초에 영향을 미치는 소갈은(上消者), 혀 위가 붉게 되면서 찢어지고(舌上赤裂), 열 때문에 갈증이 심하게 나서 물을 많이 찾게 되는데(大渴引飮), 이는 결국에 염의 과잉 문제가 되고, 이는 또한 상한의 문제가 되므로, 이때는 전형적인 상한병 처방인 백호탕을 처방하면 된다(白虎湯主之). 중초에 영향을 미치는 소중은(中消者), 음식은 많이 먹으나 살이 안 찌고(善食而瘦), 적체한 과잉 염을 중화하면서 자동으로 땀을 흘리고(自汗), 과잉 염이 수분을 끌어안고 있는 바람에 대변은 굳게 되고(大便硬), 과잉 염을 체외로 배출하느라고 소변은 자주 나오게 되는데(小便數), 이때는 황련저두환을 처방하면 된다(黃連猪肚丸主之). 그리고 하초에 영향을 미치는 소신은(下消者), 신장이 문제의 핵심이므로, 이 신장은 심장을 상극하면서 번조를 만들고(煩躁), 과잉 염 때문에, 물을 자주 찾게 되고(引飮), 소변은 농도가 짙어서 마치 지방이 나온 것과 같고(小便如膏), 신장으로 인해서 다리와 무릎이 말라서 가늘게 되는데(腿膝枯細), 이때는 육미지황탕으로 처방하면 된다(六味地黃湯主之). 그리고 의학강목은 다음과 같이 기술하고 있다(醫學綱目 曰). 과잉 염 때문에, 갈병에 걸리게 되면 물을 많이 마시게 되는데(渴而多飮), 이는 상초에서 소갈을 만들게 되고(爲上消), 음식을 너무나 빨리 소화시키는 바람에 자주 배가 고파지게 되면(消穀善飢), 이는 중초에서 소중을 만들게 되고(爲中消), 과잉 염 때문에, 갈병에 걸려서 과잉 염을 배출하느라 소변을 자주 보게 되고(渴而尿數), 이때 소변의 점도가 높아서 마치 기름과 같게 되면(有膏油), 이는 하초에서 소신을 만들게 된다(爲下消). 그리고 위역림은 다음과 같이 주장한다(危亦林 曰). 스테로이드를 고갈시키는 색욕을 심하게 밝히면서(因耽嗜色慾), 때로는(或), 스테로이드를 소모하는 광물성 약제를 복용하게 되면(服丹石), 이때는 자동으로 이미 진기는 광물성 약제에 탈취당하게 되고(眞氣旣脫), 그러면, 자동으로 과잉 염을 수거하는 스테로이드의 부족이 유발되고, 그러면 인체 안에 과잉 염이 쌓이게 되고, 그러면 이 과잉 염은 열을 만드는 자유전자를 과잉 공급하게 되면서 자동으로 열사를 홀로 과잉되게 만들고 만다(熱邪獨盛). 그리고 눈이 끓는 물에 녹듯이 음식의 소화는 잘하는데(飮食如湯消雪), 매일 살은 빠지고(肌膚日削), 소변은 농도가 짙어서 마치 기름과 같고(小便如膏油), 정액관은 자극되

소양인 위수열 이열병론

어서(陽强興盛), 성교가 없는데도 불구하고 정액이 분비되면(不交精泄), 이는 3가지 갈병 중에서(三消之中), 최고로 치료가 어려운 갈병이 된다(最爲難治).

論曰 消渴者 病人胸次 不能寬遠闊達而 陋固膠小 所見者 淺 所欲者 速 計策鶻突 意思艱乏則 大腸淸陽 上升之氣 自不快足 日月耗困而 生此病也. 胃局淸陽 上升而 不快足於頭面四肢則 成上消病 大腸局淸陽 上升而 不快足於胃局則 成中消病 上消 自爲重證而 中消 倍重於上消 中消 自爲險證而 下消 倍險於中消 上消 宜用 凉膈散火湯 中消 宜用 忍冬藤地骨皮湯 下消 宜用 熟地黃苦參湯. 尤宜 寬闊其心 不宜 膠小其心 寬闊則 所欲必緩 淸陽上達 膠小則 所欲必速 淸陽下耗. 平心靜思則 陽氣上升 輕淸而 充足於頭面四肢也 此 元氣也 淸陽也. 勞心焦思則 陽氣下陷 重濁而 鬱熱於頭面四肢也 此 火氣也 耗陽也.

이제마는 다음과 같이 주장한다(論曰). 상초에 영향을 주는 소갈은(消渴者), 환자의 가슴 속이(病人胸次), 막혀서 답답하고(不能寬遠闊達而), 체액이 정체해서 굳고(陋固膠小), 이때 보이는 소견은(所見者), 폐가 있는 가슴이 답답하므로, 당연히 호흡이 얕게 되고(淺), 이때 뭘 좀 하려고 하면(所欲者), 심장과 폐가 있는 가슴 문제 때문에, 당연히 자주(速), 대책이 없어서(計策鶻突), 말도 하지 못하게 되는데(意思艱乏則), 이는 대장에서 만들어지는 청양의(大腸淸陽), 상승 기운이(上升之氣), 자동으로 만족하게 상승하지 못하고(自不快足), 항상 소모되는 곤란을 겪으면(日月耗困而), 이때 생기는 병이다(生此病也). 앞에서 이미 살펴보았지만, 소갈이 있을 때는 간에서 열기를 만들어서 흉부 쪽으로 올려보내는 바람에 흉부가 문제를 안고 있게 된다. 그러면, 이는 간의 과부하를 말하게 되고, 또한 이는 자동으로 간이 산성 정맥혈을 우 심장과 폐로 보내서 흉부를 자극하면서 가슴을 막히게 만든다. 산성 체액은 점도가 높다는 사실을 상기해보자. 이 흉부 문제는 이미 많이 다뤘다. 이때 제일 문제가 되는 체액은 산성 정맥혈과 산성 림프액이다. 그리고 간은 산성 림프액을 처리하는 통로가 3개나 존재한다는 사실도 상기해보자. 그래서 간이 문제가 되어서 소갈이 만들어지게 되면, 우 심장과 폐는 직격탄을 맞게 된다. 그러면 자동으로 호흡은 짧아져서 얕아(淺)지고, 우 심장까지도 문제가 되고, 이어서 혈액 순환도 문제가 되면서, 뭘 좀 하려고 하면(所欲者), 호흡과 혈액 순환 문제로 인해서 당연히 자주(速), 대책이 없게 만들어 버리고(計策鶻突), 이는 어디에 하소연도 할 수 없게 만들어버린다(意思艱乏則). 이 문제는 대장의 문제로 비화된다. 대장은 폐와 음양으로 관계를 맺게 되는데, 그 이유 중에서 하나는 폐가 처리하지 못한 이산화탄소 때문이다. 폐가 과부하에 걸려서 이산화탄소를 처리하지 못하게 되면, 이 이산화탄소는 물과 반응해서 중조(HCO_3^-)로 바뀌게 되고, 이어서 이 중조 안에 이산화탄소(CO_2)가 적재된다. 그리고 이산화탄소를 적재한 이 중조는 대장에서 체외로 배출된다. 그런데 이런 중조가 대장 공간이라는 체외로 배출될 때 중조는 음이온이므로, 대신에 대장 공간에 있던 음이온과 교환된다. 즉, 대장에서 중조라는 음이온이 대장 공간으로 배출되고, 다른 음이온은 대장 공간에서 대장으로 흡수되면서 음이온끼리 서로 교환된다. 그리고 이때 교환되는 음이온이 바로 대장 발효 때 만들어지는 음이온인 단쇄지방산(Short Chain Fatty acid:SCFA)이다. 이렇게 대장에서 만들어진 음이온에는 자동으로 자유전자가 포함된다. 이 문장에서 이제마는 이 자유전자를 포함하고 있는 단쇄지방산을 청양(淸陽)이라고 표현하고 있다. 여기서 청(淸)은 깨끗이 청소(淸)한다는 뜻이다. 이는 이산화탄소를 청소한다는 뜻도 되고, 또 다른 뜻도 있다. 그 또 다른 뜻은 이 단쇄지방산(SCFA)은 휘발성이라서 간을 거쳐서 폐가 있는 위쪽으로 상승해서 폐에 모인다는 사실을 말한다. 그리고 이를 이제마는 상승 기운(上升之氣)이라고 표현하고 있다. 그런데, 이 단쇄지방산은 간을 거치면서 자기가 보유한 자유전자를 간에 공여해버린다. 그러고서는 이들은 자유전자가 없이 폐로 모여서 폐에 과잉으로 존재하는 과잉 자유전자를 흡수해서 호흡을 따라서 체외로 휘발해버린다. 그러면 폐는 과잉 자유전자 문제를 깨끗이 처리하게 된다. 그래서 폐의 입장으로 대장을 바라보게 되면, 대장은 폐에 엄청나게 중요한 존재가 된다. 이는 또한 청양(淸陽)을 만드는 대장 발효의 중요성도 말해준다. 그래서 폐가 있는 흉부에서 산성 체액에 실린 과잉 자유전자가 존재하게 되면, 이때는 자동으로

소양인 위수열 이열병론

단쇄지방산인 청양이 항상 소모(耗)되는 곤란(困)을 겪게 된다(日月耗困而). 이는 자동으로 폐의 과부하를 말하게 되고, 이는 자동으로 호흡이 얕아(淺)지게 만든다. 그러면 이는 자동으로 산소 공급의 저하를 말하게 되고, 또한 이는 자동으로 혈액의 문제를 말하게 되고, 이 둘이 문제가 되면, 자동으로 흉부는 답답해지면서 어디다 말도 하지 못하고(意思艱乏則), 대책도 없어서 혼자 미치고 환장하게 된다(計策鶻突). 이는 흉부에 영향을 미치는 소갈(消渴)이 만든 결과이다. 다시 한번 말하지만, 이제마는 역시 체액 생리의 대가(大家)이다. 이제마는 참으로 대단한 사람이다. 이는 자유전자의 움직임을 정확히 파악하는 양자역학 개념의 완벽한 이해를 기반으로 한다. 참고로 이제마는 현대 양자역학의 태동 시기인 서기 1900에 세상을 떠났다. 이제마는 참으로 대단하지 않은가! 그래서 이 문장은 해석이 굉장히 어려운 곳이다. 다시 본문을 보자. 이번에는 소중(消中)으로 가보자. 소중은 이미 앞에서 살펴본 대로 비장과 위장이 개입된다. 위장에서도 역시 청양(淸陽)이 등장하게 되는데, 이는 위장에서 소화를 만들어내는 위산(胃酸)을 말한다. 그래서 위장이 자리하고 있는 중초에서 소중이 일어나게 되면, 위장에서 만들어진 위산인 청양(淸陽)은 자기가 보유한 자유전자를 신경을 통해서 상승시키게 되고(胃局淸陽 上升而), 그러면, 결국에 머리와 얼굴에서는 불쾌감이 만들어지게 되고, 이는 자동으로 신경을 통해서 사지에서도 불쾌감이 만들어진다(不快足於頭面四肢則). 이때는 자동으로 위장이 위산으로 배출하지 못한 과잉 자유전자는 이를 전문으로 중화하는 심장으로 가서 산소를 통해서 중화되면서, 상초(上)에서도 산소라는 알칼리를 고갈시키면서 소갈병(消)을 만든다(成上消病). 이때 대장에서 만들어진 단쇄지방산인 청기가(大腸局淸陽), 상승해서(上升而), 위장이 위산으로 배출하지 못한 과잉 자유전자를 제대로 처리하지 못하게 되면(不快足於胃局則), 이때는 별도리가 없이 중초(中)에서 소중(消)이 만들어지게 된다(成中消病). 그러면, 이때는 상초도 영향을 받았으므로, 이때 상초에 영향을 미치는 소갈이 있었다면(上消), 이때는 자동으로 소중의 영향을 받은 소갈은 중병이 되고 만다(自爲重證而). 이는 중초에서 만들어진 소중이(中消), 상초에 영향을 미치는 소갈의 문제도 배가시키게 되고(倍重於上消), 소중 자체도(中消), 험증이 되고 만다(自爲險證而). 그러면,

하초에서 신장이 만들어내는 소신은(下消), 신장이 비장과 서로 산성 림프액을 교환하는 관계로 인해서, 소신은 소중의 문제를 배가시키게 된다(倍險於中消). 이때 소갈에는(上消), 당연히 량격산화탕을 처방하고(宜用 凉膈散火湯), 소중에는(中消), 당연히 인동등지골피탕을 처방하고(宜用 忍冬藤地骨皮湯), 소신에는(下消), 당연히 숙지황고삼탕을 처방한다(宜用 熟地黃苦參湯). 이는 약을 처방하는 것으로만 끝낼 일이 아니다. 갈병은 스트레스가 병인의 많은 부분을 차지하기 때문이다. 그래서 이때는 약을 처방하고 추가로 당연히(尤宜), 환자는 마음을 너그러이 가지고(寬闊其心), 산성인 호르몬의 분비를 줄여서 갈병을 미리 막아야 하며, 어떤 일에 심하게 집착(膠)하는 행동은 금해야 한다(不宜 膠小其心). 그리고 마음을 너그러이 가지게 되면(寬闊則), 당연히 그리고 반드시 욕심은 적어지게 되고(所欲必緩), 그러면 단쇄지방산과 같은 청양은 위로 올라가게 되면서(淸陽上達) 갈병은 해결이 쉬워진다. 그러나 무엇에 집착(膠)하게 되면(膠小則), 이때는 반드시 욕심에 가속도가 붙게 되고(所欲必速), 그러면 자동으로 단쇄지방산과 같은 청양은 소모되어서 약해지고 만다(淸陽下耗). 그래서 마음의 평정심을 유지하게 되면(平心靜思則), 단쇄지방산과 같은 양기는 상승하게 된다(陽氣上升). 그러면, 이런 단쇄지방산과 같은 휘발성 청기(輕淸)의 활동으로 인해서(輕淸而), 온몸에서 작동하는 인체 생리는 충족된다(充足於頭面四肢也). 이때 인체 생리를 충족시키는 인자를 원기라고도 하고(此 元氣也), 청양이라고도 한다(淸陽也). 즉, 단쇄지방산과 같은 기운을 원기(元氣) 또는 청양(淸陽)이라고 한다는 뜻이다. 그러나 노심초사하면서 매일 스트레스를 받고 생활하게 되면(勞心焦思則), 이는 자동으로 산성인 호르몬의 폭증을 불러오게 되고, 이는 자동으로 대사증후군(metabolic Syndrome)을 만들고 만다. 그러면 갈병을 만들어내는 과잉 염을 중화할 때 쓰이는 양기는 과잉 염에 파묻혀서 힘을 쓰지 못하고 만다(陽氣下陷). 그러면, 이때 산성 에너지 쓰레기(濁)는 가중되고(重濁而), 이는 자동으로 산성 에너지 쓰레기가 공급한 자유전자는 열을 만들어서 온몸에서 열울(鬱熱)을 만들게 되고 만다(鬱熱於頭面四肢也). 이때 만들어진 열을 화기라고 말하며(此 火氣也), 이는 당연히 과잉 염을 중화할 때 쓰이는 에너지인 양을 소모(耗)해서 고갈시키고 만다(耗陽也).

소양인 위수열 이열병론

危亦林 曰 消渴 預防發癰疽 忍冬藤 不拘多少 根莖花葉 皆可服.

李杲 曰 消渴之疾 能食者 末傳 必發腦疽背瘡. 不能食者 必傳 中滿鼓脹.

東醫醫方類聚 曰 消渴之病 變成發癰疽 或成水病 或雙目失明.

　위역림은 다음과 같이 주장한다(危亦林 曰). 자유전자를 보유한 염의 과잉으로 인해서 소갈병에 걸리게 되면(消渴), 이때는 옹저를 만드는 근원인 과잉 자유전자가 정체하게 되므로, 이때는 반드시 옹저를 미리 예방해야만 한다(預防發癰疽). 그래서 이때는 이를 위해서 흔히 금은화(金銀花)로 알고 있는 인동등(忍冬藤)을 쓰게 되는데(忍冬藤), 이는 다소를 불구하고(不拘多少), 이 약재의 모든 부분을 약제로 쓸 수 있으므로(根莖花葉), 이 모두를 약재로 만들어서 복용하면 된다(皆可服). 이고는 다음과 같이 주장한다(李杲 曰). 소갈이라는 병에 걸렸을 때(消渴之疾), 밥을 잘 먹으나(能食者), 이의 영양소가 소갈로 인해서 전달이 안 되어서 문제가 되면(末傳), 이때는 반드시 후발치나 등창이 발발하게 된다(必發腦疽背瘡). 반대로 밥을 제대로 먹지 못하는 소갈에 걸리게 되면(不能食者), 이때는 거꾸로 영양소가 반드시 과잉 전달되어서(必傳), 이들은 자동으로 삼투압 기질이 되고, 이어서 복부에 쌓이게 되면서 속이 그득하게 되고, 배는 북처럼 불러 오른다(中滿鼓脹). 그리고 동의의방유취에서는 다음과 같이 주장한다(東醫醫方類聚 曰). 소갈이라는 병은(消渴之病), 치료가 늦어지게 되면, 자동으로 변성되어서 옹저를 만든다(變成發癰疽). 그리고 때로는 소갈을 만드는 인자인 염은 삼투압 기질이므로 인해서 수병을 만들기도 한다(或成水病). 그리고 소갈에 걸리게 되면, 간을 과부하로 몰고 가서, 간에서 만들어지면서 눈 건강에 필수 인자인 비타민A인 레티놀(Retinol)을 고갈시켜서 잘못하면 양쪽 눈의 시력을 모두 잃을 수도 있다(或雙目失明). 눈에서는 CRY(Cryptochrome:CRY)가 작동하는데 이때 필수 인자가 레티놀이다. 여기서는 갈병을 따로따로 구분하지 않고 싸잡아서 소갈로 표현하고 있다. 그리고 소갈을 당뇨로 잘못 알고 있는데, 당뇨는 소갈의 한 종류일 뿐이다. 그리고 상한에 따라서 구분되고 만들어진 소중(消中)을 당뇨라고 한다.

論曰 癰疽 眼病 皆是中消之變證也.
中消 自爲險證則 上消 當早治也 中消 必急治也 下消則 濱死.

이제마는 다음과 같이 주장한다(論曰). 옹저와 눈병은(癰疽 眼病), 모두 이 소중의 변증이다(皆是中消之變證也). 그 이유는 옹저와 눈병의 근원이 되는 과잉 자유전자를 소중을 책임지는 위장이 위산을 통해서 체외로 버리기 때문이다. 위산의 양은 엄청나다는 사실을 상기해보자. 그래서 소중은(中消), 자동으로 험증을 만들게 되고(自爲險證則), 이 소중은 소갈에도 영향을 미치므로(上消), 당연히 조기에 치료해야만 하고(當早治也). 그것도(中消), 반드시 급하게 빨리 치료해야만 한다(必急治也). 그리고 소중은 비장의 문제이기도 하며, 비장은 신장과 산성 림프액을 통해서 서로 소통하므로, 이때 만일에 소신이 만들어지게 되면(下消則), 죽음을 예약하게 된다(濱死). 왜? 소신이 만들어지게 되면, 이때는 소갈과 소중도 이미 만들어진 상태가 된다. 그러면, 자동으로 소갈을 만든 간, 소중을 만든 비장, 소신을 만든 신장이 모두 망가졌다는 뜻이 되고, 이 세 오장은 상한병을 치료하는 핵심이 된다. 그래서 이 세 오장이 망가지게 되면, 만병의 근원인 상한을 치료할 장기가 없어져 버린다. 그리고 이의 결과는 너무나 뻔하게 된다.

王好古 曰 一童子 自嬰至童 盜汗七年 諸藥不效 服凉膈散三日 病已.

왕호고는 다음과 같이 주장한다(王好古 曰). 어느 한 아이가(一童子), 갓난아이 때부터 아이가 되기까지(自嬰至童), 도한을 7년간 흘리면서(盜汗七年), 너무나 힘들어서 만사가 귀찮게 되었는데(諸藥不效), 양격산을 3일간 복용하고서(服凉膈散三日), 병이 완치되었다(病已).

論曰 少陽人 大腸淸陽 快足於胃 充溢於頭面四肢則 汗必不出也.

少陽人汗者 自是陽弱也而 服凉膈散 病已則 此病卽 上消而 其病 輕也

이제마는 다음과 같이 주장한다(論曰). 비장이 크고 신장이 작은 소양인에서(少陽人), 대장에서 만들어지는 청양인 단쇄지방산이(大腸淸陽), 자기 역할을 잘해서 위장을 도와준다면(快足於胃), 자동으로 위장은 전신으로 갈 영양소를 제대로 소화시켜서 충분히 공급하게 되므로(充溢於頭面四肢則), 이때는 자동으로 간질에 염이 정체할 이유가 없게 되면서, 반드시 염에서 만들어지는 땀이 나지 않게 된다(汗必不出也). 이때 대장이 만든 청양인 단쇄지방산이 위장을 도와주는 기전은 소화관에 정체한 염인 중조를 단쇄지방산이 교환해서 대장 공간이라는 체외로 빼내주는 것이다. 그러면 중조라는 염은 소화관에 정체하지 않게 된다. 이는 자동으로 위장이 주도하는 연동 운동을 활발히 하게 해서 영양소의 공급이 원활하게 만들어준다. 그러면 자동으로 염이 정체하면서 간질에서 만들어지는 땀은 자동으로 나지 않게 된다(汗必不出也). 다시 본문을 보자. 그래서 소양인이 땀을 흘린다는 말은(少陽人汗者), 자동으로 이는 청양(陽)이 약하다는 사실을 뜻하게 된다(自是陽弱也而). 이때 량격산을 복용하고서(服凉膈散), 병이 나았다는 말은(病已則), 이 병이(此病卽), 소갈이었고(上消而), 이 병은(其病), 증세가 가벼웠을 것이다(輕也). 량격산은 가슴이 답답할 때 하는 처방이다. 그리고 이는 흉부가 문제인 소갈(上消) 때도 나타나는 증상이다. 여기서는 청양의 개념을 아는 것이 아주 중요하다.

東醫醫方類聚 曰 夫渴者 數飮水 其人 必頭面眩 背寒而嘔 因虛故也. 龔信 曰 凡陰虛證 每日午後 惡寒發熱 至晚 亦得微汗而解 誤作瘧治 多致不救. 孫思邈 千金方書 曰 消渴 宜愼者 有三 一飮酒 二房勞 三鹹食及麵 能愼此三者 雖不服藥 亦可自愈.

동의의방유취에서는 다음과 같이 말하고 있다(東醫醫方類聚 曰). 일반적으로(夫), 삼투압 기질인 염이 정체하면서 만들어지는 갈병이라는 것은(渴者), 정체한 염이 수분을 붙잡고 있는 바람에, 인체는 계속해서 수분을 요구하게 되고, 이는 자동으로 많은 물을 먹게 만들게 되고(數飮水), 그러면 이 환자는(其人), 간질에 과잉 정체한 염이 신경에 자유전자를 과잉 공급하게 되고, 이어서 뇌가 과부하에 시달리게 되고, 이어서 반드시 어지럽게 되고(必頭面眩), 이는 자동으로 뇌척수액의 소통을 막게 되고, 이는 뇌척수액이 통제하는 등에서 체액 순환이 막히면서 한기(寒)가 돌게 만들고, 이때 인체는 과잉 염에 든 과잉 자유전자를 체외로 버리기 위해서 구토를 유도하게 되는데(背寒而嘔), 이는 갈병으로 인(因)해서 과잉 염을 중화하는 기운이 허약해졌기 때문이다(因虛故也). 그리고 공신은 다음과 같이 말한다(龔信 曰). 일반적으로(凡), 과잉 염을 중화하는 알칼리인 음이 부족한 증상인 음허증에 걸리게 되면(陰虛證), 이때는 매일 오후만 되면(每日午後), 오한과 발열이 생기게 된다(惡寒發熱). 왜 그럴까? 이는 햇빛과 CRY의 관계에 있다. 이 문제는 본 연구소가 발행한 황제내경 소문이나 전자생리학을 참고하면 된다. CRY는 낮에 청색광을 받아서 작동하면서 과잉 염에 든 과잉 자유전자를 중화해준다. 그런데, 오후가 되면 서서히 햇빛의 양이 줄게 되고, CRY의 기능도 줄게 되고, 이는 자동으로 과잉 자유전자의 중화가 덜 되게 만들고, 과잉 염은 간질에 정체하면서 열을 만들고, 때로는 오한도 만들어낸다. 그리고 여기에는 스테로이드 호르몬의 일주기도 포함된다. 이 문제는 상당히 복잡한 문제이므로, 황제내경 소문이나 전자생리학을 참고해야만 한다. 다시 본문을 보자. 그러다가 해가 지면(至晚), 이때는 햇빛이 사라지면서 CRY의 작동이 멈춘다. 그러면 이때는 간질에 과잉 자유전자는 더 쌓이게 되고, 자동으로 땀이 조금 나면서 과잉 자유전자가 중화되고 문제는 해결된다(亦得微汗而解). 물론, 이는 병증이 중증이 아닐 때를 말한다. 이때 발열과 오한 때문에, 잘못하면 발열과 오한이 있는 학질로 착각해서 치료를 잘못하게 되면(誤作瘧治), 이때는 모두 치료(救)가 안 되게 된다(多致不救). 그리고 손사막은(孫思邈), 천금방에서 다음과 같이 말하고 있다(千金方書 曰). 소갈은(消渴), 마땅히 신중하게 다뤄야만 하는데(宜愼者), 이때 신중하게 해야 할 문제가 3가지가 있다(有三). 하나는 음주이고(一飮酒), 하나는 성생활이고(二房勞), 하나는 짠 음식부터 면 음식까지이다(三鹹食及麵). 이 세 가지를 아주 신중하게 다루게 되면(能愼此三者), 비록 약을 먹지 않더라도(雖不服藥), 역시 스스로 자가 치유가 가능하

소양인 위수열 이열병론

게 된다(亦可自愈). 손사막의 이 문장은 찬탄을 자아내게 만든다. 이 문장은 최첨단이라고 소리만 요란한 최첨단 현대의학에 아주 강력하게 한 방 먹이고 있다. 일단 소갈이라는 자체가 과잉 염에 든 과잉 자유전자의 문제이다. 그리고 이 과잉 자유전자는 자동으로 인체의 알칼리로 중화된다. 이때 대표적인 알칼리가 산소이다. 그다음에 중요한 알칼리가 인체가 만든 스테로이드와 멜라토닌이다. 그리고 자유전자를 알콜기 형태로 보유한 술은 해독되는 과정에서 자동으로 많은 알칼리를 소모해버린다. 이는 자동으로 그렇지 않아도 알칼리가 부족해서 소갈에 걸렸는데, 더욱더 알칼리 부족을 유발해서 소갈을 더 심하게 만들게 된다. 그리고 과도한 성생활은 사정할 때 많은 알칼리를 정액의 형태로 체외로 배출하게 된다. 그러면, 이때는 그렇지 않아도 알칼리가 부족해서 소갈에 걸렸는데, 더욱더 알칼리 부족을 유발해서 소갈을 더 심하게 만들게 된다. 추가로 과도한 성생활은 스테로이드라는 알칼리를 고갈시키게 된다. 그리고 소금은 염소에 자유전자를 보유한 상태이므로, 짜게 먹게 되면, 자동으로 자유전자를 과잉 공급하게 된다. 그리고 소갈은 과잉 자유전자가 만든다는 사실을 상기해보게 되면, 소갈 환자가 짜게 먹는다는 말은 소갈을 더욱더 심하게 만든다는 뜻이 된다. 이번에는 면(麵) 음식이다. 여기서 면(麵) 음식은 꼭 밀가루에 한정되지 않는다. 이때는 메밀가루처럼 특별한 경우를 제외하면, 모든 가루음식이 된다. 가루라는 말은 자유전자가 환원되어서 알콜기(수산기)가 만들어졌다는 사실을 뜻한다. 이는 곧 알콜기를 보유한 술과 똑같은 효과를 내게 된다는 뜻이다. 이는 설탕을 생각해보면 쉽게 이해가 간다. 설탕에는 자유전자를 환원받은 알콜기가 아주 많다. 이는 설탕을 가루로 만들면서 만들어진 알콜기이다. 그러나 손사막은 지금부터 약 1,300년 전 사람이므로, 이때는 설탕이 지금처럼 흔하지 않아서 설탕은 말하지 않고 있다. 이는 손사막이 최첨단 현대의학의 뺨을 힘차게 후려갈기고 있는 형국이다. 이 사람은 참으로 대단하다.

論曰 上消 中消 裡陽升氣 雖則虛損 表陰降氣 猶恃完壯故. 其病雖險 猶能歲月支撑者 以此也. 若 夫陰虛午熱 飲水 背寒而嘔者 表裏陰陽 俱爲虛損 所以爲病

尤險 與下消 略相輕重. 然能善攝身心服藥則 十之六七 尙可生也. 不善攝身心服藥則 百之百 必死也. 此證 當用 獨活地黃湯 十二味地黃湯.

　　이제마는 다음과 같이 주장한다(論曰). 간이 만들어내는 소갈이나(上消), 비장이 만들어내는 소중은(中消), 정체한 염이 만들어내는 과도한 오장(裡)의 에너지(陽) 쓰레기가 갈병의 기운을 부추겨서(裡陽升氣), 비록 간과 비장의 알칼리를 손상시키고, 이어서 간과 비장을 허약하게 만들었지만(雖則虛損), 그래도 인체가 버틸 수 있는 이유는 다행히 간질(表)에 있는 알칼리(陰)가 갈병을 만드는 기운을 제압해서(表陰降氣), 그나마 인체가 완고하게 버텨줬기 때문이다(猶恃完壯故). 그래서 환자가 이 병에 걸려서 비록 험증이 되었을지라도(其病雖險), 많은 시간을 버틸 수 있는 이유는 이 때문이다(猶能歲月支撐者 以此也). 즉, 갈병에 걸려서 간이나 비장과 같은 오장이 허약해졌을 때, 그나마 간질인 표에 음인 알칼리가 존재해서 정체한 과잉 염을 중화해줬기 때문에, 갈병에 걸린 인체는 그래도 많은 시간을 버틸 수 있게 된다는 뜻이다. 다시 본문을 보자. 만약에(若), 정체한 과잉 염을 중화할 알칼리가 없어져서(夫陰虛), CRY의 작동이 서서히 줄어드는 오후만 되면 열이 나는 경우에는(午熱), 자동으로 물이 당기고(飮水), 앞에서 이미 설명했다시피, 등에서 한기가 돌고, 구토가 유발되면(背寒而嘔者), 이 경우는 이미 표리에 있는 음양이(表裏陰陽), 모두 파괴된 상태이므로(俱爲虛損), 이때는 당연히 병은 더욱 더 험증이 되고(所以爲病尤險), 그러면, 상한을 책임지는 간과 비장이 문제가 된 상태가 되었으므로, 이때 상한을 구성하는 한 축인 신장도 문제가 되면서 자동으로, 더불어(與), 소신을 만들어내게 되고(下消), 그러면 이때는 간, 비장, 신장이 개략적으로 서로 병의 무게(輕重)를 다투게 된다(略相輕重). 즉, 이때는 이 세 개의 오장이 서로 병적으로 비슷한 처지가 된다는 뜻이다. 그리고 이때 갈병 환자가 섭생을 잘해서 심신을 잘 돌보고, 추가로 약까지 잘 복용하게 되면(然能善攝身心服藥則), 6~70%는 살아남게 된다(十之六七 尙可生也). 그러나 섭생을 잘못하고, 약도 제대로 복용하지 않게 되면(不善攝身心服藥則), 이때 환자는 100% 죽게 된다(百之百 必死也). 그리고 이 증상에는(此證), 당연히 독활지황탕이나(當用 獨活

　　　　　　소양인 위수열 이열병론

地黃湯), 십이미지황탕을 처방한다(十二味地黃湯).

易之需九三爻辭 曰 需于泥 致寇至. 象曰 需于泥 災在外也 自我致寇 敬愼不敗
也. 以此意而 倣之曰 陰虛午熱 背寒而嘔 其病雖險然 死尙在外也. 能齋戒其心
恭敬其身 又服好藥 不死也.

　　주역에서 기다림을 말하는 구삼 효사는 다음과 같이 말한다(易之需九三爻辭
曰). 버티기 힘든 진흙 속에서 버텨냈더니(需于泥), 갑자기 웬 도적을 다시 만나
게 되었다(致寇至). 이를 상으로 풀어보면(象曰), 버티기 힘든 진흙 속에서 기다
린다는 말은(需于泥), 이때는 재앙이 내가 아닌 외부에 있다는 뜻이 되고(災在外
也), 내부인 자신에게 도적이 올 때(自我致寇), 경외하고 신중하면(敬愼), 자신이
패하지 않는다(不敗也)는 뜻이다. 이는 내가 만든 내 안에 든 마음의 도적을 말하
고 있다. 이 주역의 뜻을 이용해서(以此意而), 빗대서 말하자면(倣之曰), 갈병의
근원인 과잉 염을 중화하는 음으로서 알칼리가 고갈되어서(陰虛), 오후만 되면 열
이 날 때(午熱), 등에서는 한기가 돌고, 구역질이 나오면서(背寒而嘔), 이 병이 비
록 험증이 되었을지라도(其病雖險然), 이 병으로 인한 죽음이 자기 밖에 존재하도
록 하려면(死尙在外也) 즉, 이 병으로 인해서 죽지 않고 살려면, 몸을 산성화시키
는 스트레스를 받지 않게 하도록 마음을 잘 다스리고(能齋戒其心), 몸까지 잘 간
수하면서(恭敬其身), 게다가(又), 약까지 잘 챙겨 먹게 되면(服好藥), 절대로 죽지
는 않게 된다(不死也). 즉, 병에서 벗어나는 길은 마음을 잘 다스리는 것이다. 추
가로 약과 몸을 챙기는 것이다. 즉, 병에서 주요 적은 자신이다.

(소양인) 범론

((少陽人) 泛論)

(소양인) 범론((少陽人) 泛論)

少陽人病 中風·吐血·嘔吐·(腹痛)·食滯痞滿 五證 同出一屬而 自有輕重. 浮腫·喘促·結胸·痢疾·寒熱往來 胸脇滿 五證 同出一屬而 自有輕重.

소양인 병에는(少陽人病), 중풍(中風), 토혈(吐血), 구토(嘔吐), 복통(腹痛), 식체비만이라는(食滯痞滿), 5가지 증상이 있는데(五證), 이는 증상의 출처가 하나이다(同出一屬而). 그리고 이 병증들은 그냥 증상의 정도(輕重)에서 차이가 있을 뿐이다(自有輕重). 그리고 부종(浮腫), 천촉(喘促), 결흉(結胸), 이질(痢疾), 한열왕래(寒熱往來) 또는 흉협만이라는(胸脇滿), 이 5가지 증상은(五證), 증상의 출처가 하나이다(同出一屬而). 그리고 이 병증들은 그냥 증상의 정도(輕重)에서 차이가 있을 뿐이다(自有輕重). 추가 설명이 요구된다. 이미 앞에서 살펴본 바와 같이, 비장이 크고, 신장은 작은 소양인(少陽人)에게는 간의 하수구인 비장과 신장 때문에, 간이 담즙을 버리는 담(少陽)의 역할이 강조된다. 그래서 앞에 열거된 10가지 증상은 모두 결국에 담(少陽)의 문제가 된다. 그리고 담 문제는 간 문제가 되고, 이어서 간 문제는 비장과 신장의 문제가 된다. 그리고 간과 비장은 직접 소화관을 간섭한다. 즉, 간은 소화관에서 산성 정맥혈을 간 문맥을 통해서 받는다. 그래서 간과 담이 문제가 되면, 소화관은 직격탄을 맞는다. 그러면, 소화관의 동맥으로 산성 정맥혈을 보내는 비장도 문제를 안게 된다. 그러면 이때 위장은 자동으로 개입된다. 그리고 간이 문제가 되면, 간이 우 심장으로 보내는 산성 정맥혈이 정체하면서, 간은 이 산성 정맥혈을 기정맥이라는 우회로를 통해서 폐로 직접 보내버린다. 이때 목구멍에 있는 식도 정맥총을 자극하게 되고, 이 상태가 심해지면 토혈로 이어진다. 즉, 토혈은 간과 담의 문제라는 뜻이다. 그리고 간과 담은 산성 담즙을 통제해서 신경과 근육을 통제하므로, 뇌의 문제인 중풍 등등에 개입한다. 그리고 간과 연을 맺은 신장도 뇌척수액을 통해서 뇌 신경을 통제한다. 그리고 비장은 신장과 함께 림프액을 통제한다. 그래서 이제마는 소양인(少陽人)에서 핵심을 담(少陽)에 둔다. 담은 소양인의 중심에 있는 간의 마지막 선택지가 되기 때문이다.

그 이유는 담은 산성 담즙을 체외로 직접 버리기 때문이다. 그러면 중풍(中風)은 당연히 간과 담의 문제가 되고, 토혈(吐血)은 간과 담의 문제가 되고, 구토(嘔吐)는 간과 담이 통제하는 소화관의 문제가 되고, 복통(腹痛)도 소화관의 문제이므로 간과 담의 문제가 되고, 식체비만(食滯痞滿)도 소화관의 문제이므로, 간과 담의 문제가 되면서, 아 5가지 증상(五證)은 모두 간과 담의 문제로 귀결한다. 그래서 이들 증상의 출처는 담으로서 하나가 된다(同出一屬而). 그리고 담이 간이 보내는 산성 담즙을 처리하지 못하게 되면, 간은 자동으로 과부하에 걸리면서 간이 통제하는 산성 정맥혈의 정체가 생기면서 자동으로 부종(浮腫)이 유발된다. 그리고 간이 산성 정맥혈을 기정맥을 통해서 폐로 직접 보내버리면, 이때 폐가 문제인 천촉(喘促)은 자동으로 발병한다. 이때는 자동으로 흉부에 체액이 정체하면서 결흉(結胸)은 보너스로 주어진다. 이질(痢疾)은 소화관에 산성 체액이 정체하면서 발생하는데, 이는 자동으로 소화관의 산성 정맥혈을 통제하는 간과 담의 문제로 귀결한다. 그리고 부종이 생겨서 간질의 체액이 막혀버리면, 한열왕래(寒熱往來)는 자동으로 따라온다. 이도 결국에는 간과 담의 문제가 된다. 또한 흉협만(胸脇滿) 문제는 간과 담이 자리하고 있는 갈비뼈 근처와 간이 산성 정맥혈을 보내는 폐와 우심장이 자리하고 있는 흉부의 문제이므로, 이도 역시 간과 담의 문제가 된다. 그래서 이들 증상의 출처는 자동으로 담으로서 하나가 된다(同出一屬而). 그래서 이들 10가지 질환은 모두 간과 담으로 연결된다. 이를 기반으로 다음 문장들을 해석하면 된다. 이는 병증을 이제마만의 방식으로 독특하게 분류한 것이다.

少陽人 中風 半身不遂 一臂不遂 末如何之疾也. 重者 必死 輕者 猶生 間以服藥 安而復之 待其自愈而 不可期必治法之疾也.

　소양인에서 발생하는(少陽人), 중풍에서(中風), 반신불수나(半身不遂), 한쪽 팔을 쓰지 못하는 일부 불수 질환은(一臂不遂), 어떻게 해볼 도리가 없는 병증이다(末如何之疾也). 이때 중증이면(重者), 신경마비로 반드시 죽는다(必死). 그리고 이때 경증이 되어서(輕者), 비록 살아남는다고 해도(猶生), 간간이 약을 복용하면서(間以服藥), 마음의 안정을 취하고 회복되기를 바랄 뿐이다(安而復之). 이렇게 끈기를 가지고, 이 병이 스스로 치유되기를 기다려야지(待其自愈而), 이 병이 치료법이 있어서 반드시 일정 기한(期) 안에 치유된다고 믿어서는 안 된다(不可期必治法之疾也). 반신불수나 일부 불수는 이미 신경이 망가진 상태이다.

少陽人 吐血者 必蕩滌剛愎偏急 與人並驅爭塗之, 淡食服藥 修養如釋道 一百日則 可以少愈. 二百日則 可以大愈. 一周年則 可以快愈. 三周年則 可保其壽. 凡吐血 調養失道則 必再發 再發則 前功 皆歸於虛地. 若 再發者則 又 自再發日計數 一百日 少愈 一周年 快愈. 若 十年 二十年 調養則 必得高壽.

　담이 문제일 때 소양인은(少陽人), 토혈하게 되는데(吐血者), 이때는 반드시 마음을 조급하게 먹거나, 무슨 일을 급하게 처리하려고 하거나(必蕩滌剛愎偏急), 건강한 다른 사람들과 똑같이 경쟁하려고 하면(與人並驅爭塗之), 절대로 안 되므로, 이런 생각을 마음속에서 완전히 털어내야만 한다(蕩滌). 설명을 조금만 추가해보자. 담이 문제가 되었다는 말은 간이 그만큼 기능을 잘하지 못해서 담이 개고생하고 있다는 뜻이므로, 이 문제는 결국에 간이 핵심을 쥐고 있다. 그리고 간은 담즙을 통해서 신경을 통제한다. 그래서 마음을 조급하게 먹거나 무슨 일을 급하게 처리하려고 들면, 자동으로 신경이 과잉 자극되고, 이는 산성 담즙을 과잉으로 만들어서 간을 괴롭히게 된다. 또한 남들과 경쟁도 똑같은 효과를 만들어낸다. 결국에 간과 담이 문제가 되어서 식도 정맥총이 터지면서 토혈을 했다는 말은 간이 극단적으로 과부하에 걸려있다는 뜻이므로, 이때는 간이 많이 쉬어야만 한다는 사실을 말해주고 있다. 그래서 지금은 간이 쉴 수 있도록 신경을 덜 쓰게 하라는 것이다. 다시 본문을 보자. 이번에는 마음에 이어서 음식을 보자. 이때 음식은 될 수 있는 한 싱겁게 먹어야만 한다(淡食). 소금에 든 염소는 자유전자를 보유하고 있기 때문이다. 그리고 과잉 자유전자는 만병의 근원이 된다. 물론 이때 약도 충실히 복용해야만 한다(服藥). 결국에 이때 토혈하는 소양인은 스님이 만물의 도를 깨닫기 위해서 수양을 하듯이 몸과 마음 그리고 음식까지 조심해야만 한다(修養如釋道). 이는 간이 핵심인데, 간은 상처를 입는다고 해도 스스로 재생하는 능력을 보유하고 있다. 그래서 오랜 시간 동안 양생하게 되면, 간은 더욱더 건강해지게 된다. 이런 이유로 100일을 수양하면(一百日則), 간은 약간 치유되고(可以少愈), 200일을 수양하면(二百日則), 간은 많이 치유되고(可以大愈), 1년 동안 수양하면(一周年則), 간은 쾌유된다(可以快愈). 그리고 3년 수양하면(三周年則), 지금은 토혈하고 있으나, 이 환자는 장수를 보장받게 된다(可保其壽). 간은 인체의 최대 해독 기관이라는 사실을 상기해보자. 그리고 모든 병은 해독의 문제가 된다. 그래서 일반적으로(凡), 소양인의 토혈에서(吐血), 토혈이 나았다고 해도, 양생을 잘못하게 되면(調養失道則), 이 토혈은 반드시 재발하게 되고(必再發), 그러면(再發則), 이전에 쌓아온 공은(前功), 모두 무위로 돌아가고 만다(皆歸於虛地). 만약에(若), 토혈이 재발하면(再發者則), 다시(又), 그날부터(自再發日), 수양하면 되는데, 이때도 역시 걸리는 시간은(計數), 100일 수양하면(一百日), 조금 낫고(少愈), 1년이면(一周年), 쾌유한다(快愈). 결국에 이는 간의 재생 능력을 말한다. 만약에(若), 이때라도 10년(十年), 20년(二十年), 양생법을 잘 지키게 되면(調養則), 이때는 반드시 장수라는 복을 얻게 된다(必得高壽). 너무나 당연한 말이다. 건강도 공짜는 없다.

凡 少陽人 間有鼻血少許 或 口鼻間痰涎中有血 雖細微 皆吐血之屬也. 又 口中暗有冷涎 逆上者 雖不嘔吐 亦嘔吐之屬也. 少年 有此證者 多致夭折 以其等閒(閑)任置故也. 此二證 必在重病險病之列 不可不預防服藥 永除病根 然後 可保無虞.

일반적으로(凡), 소양인이(少陽人), 간간이(間), 코피를 조금씩 흘리거나(有鼻血少許) 또는(或) 입과 코 사이에서 나오는 가래 속에 미세하게나마 혈흔이 보이면(口鼻間痰涎中有血 雖細微), 이는 모두 토혈과 같은 종류에 해당한다(皆吐血之屬也). 소양인의 문제는 기본적으로 비장과 신장 그리고 담과 간이 서로 얽히고설키게 된다. 그리고 코피 문제나 입과 코 사이에서 흐르는 가래의 문제는 모두 뇌척수액의 통제를 받는 얼굴의 문제이다. 그러면 신경을 통해서 뇌를 통제하는 간과 담 그리고 뇌척수액을 통제하는 신장은 자동으로 얼굴 문제에 개입하게 된다. 그러면 이는 자동으로 토혈처럼 하나같이 소양인의 담 문제로 귀결한다(皆吐血之屬也). 다시 본문을 보자. 또한(又), 입 안에서 자기도 모르게 냉침이 넘어오게 되면 (口中暗有冷涎 逆上者), 이것은 겉으로는 구토처럼 안 보이지만(雖不嘔吐), 이것 역시 구토와 같은 종류가 된다(亦嘔吐之屬也). 구토의 경우는 식도가 막히면서 자주 일어난다. 그리고 침은 하루에도 엄청난 양이 분비되는데, 이는 모두 식도를 따라서 위장으로 내려간다. 그래서 구토 때처럼 식도가 막히게 되면, 이때 침은 자동으로 구토 때처럼 역류할 수밖에 없다. 이는 당연히 구토와 다를 바가 없다. 다시 본문을 보자. 어린 청소년들에서(少年), 이런 증상이 있게 되면(有此證者), 대다수가 요절하게 되는데(多致夭折), 이는 이러한 병증들을 방치하고 치료하지 않았기 때문이다(以其等閒(閑)任置故也). 식도 부분에 문제가 있다는 말은 많은 의미를 부여한다. 이 부분을 통해서 머리로 올라가는 신경과 혈관들이 통과하기 때문이다. 그래서 식도 문제는 곧바로 뇌 문제로 이어진다. 그래서 이 두 증상은 (此二證) 즉, 토혈과 구토라는 이 두 가지 증상은, 반드시 중병과 험병으로 존재한다는 사실을 인식해야만 한다(必在重病險病之列). 이때는 반드시 이를 예방하는 약을 처방해야 한다(不可不預防服藥). 그래서 이 두 증상이 있다면, 이때는 병의 뿌리를 영원히 제거해야만(永除病根 然後), 걱정을 안 하게 된다(可保無虞).

中風 受病太重故 治法 不可期必. 吐血 受病猶輕故 治法 可以期必. 中風 吐血 調養爲主 服藥次之. 嘔吐以下 腹痛・食滯痞滿 服藥調養則 其病易愈. 中風 嘔吐 宜用 獨活地黃湯. 吐血 宜用 十二味地黃湯.

　중풍은(中風), 최고로 큰 중병을 받았기 때문에 발병한 증상이다(受病太重故). 그래서 이때 이 증상을 치료하는 법칙을 논할 때는(治法), 반드시 치료되는 기한을 정하기가 불가능하다(不可期必). 그러나 토혈은(吐血), 경중을 받아서 발병했으므로(受病猶輕故), 이 증상을 치료하는 법칙을 논할 때는(治法), 반드시 치료되는 기한을 정하기가 가능해진다(可以期必). 그리고 중풍과 토혈을 치료할 때는(中風 吐血), 양생을 하는 것이 우선이 되고(調養爲主), 약을 복용하는 것은 그다음이 된다(服藥次之). 이는 둘 다 간과 연결되는데, 간은 신경을 통제하므로, 신경 문제는 곧 양생 문제이기 때문이다. 즉, 이때는 웬만한 세상일에는 신경을 쓰지 말고 살라는 뜻이다. 구토에서부터(嘔吐以下), 복통(腹痛), 식체비만(食滯痞滿)까지 치료할 때는 약을 복용하면서 동시에 양생도 하게 되면(服藥調養則), 이들 병은 쉽게 치유된다(其病易愈). 중풍과 구토를 치료할 때는(中風 嘔吐), 당연히 독활지황탕을 처방한다(宜用 獨活地黃湯). 그리고 토혈 때는(吐血), 당연히 십이미지황탕을 처방한다(宜用 十二味地黃湯).

浮腫爲病 急治則 生 不急治則 危. 用藥早則 (容)易愈也 用藥不早則 孟浪死也. 此病 外勢平緩 似不速死故 人必易之. 此病 實是急證 四五日內 必治之疾 謾不可以十日論之也. 浮腫 初發 當用 木通大安湯 或 荊防地黃湯 加 木通 日再服則 六七日內 浮腫必解. 浮腫 解後 百日內 必用 荊防地黃湯 加 木通 二三錢 每日 一二貼用之. 以淸小便 以防再發 再發難治. 浮腫 初解 飮食 尤宜忍飢而 小食 若 如平人大食則 必不免再發. 大畏 小便赤也 小便淸則 浮腫解. 小便赤則 浮腫結.

　부종은 병을 만든다(浮腫爲病). 부종은 사실 만병의 근원이 된다. 그 이유는 부종은 간질에 삼투압 기질인 과잉 염이 정체하면서 만들어내기 때문이다. 이는 자동으로 간질의 흐름을 막아버린다. 그런데 간질은 영양소와 산성 노폐물이 교환되는 장소이다. 그래서 간질의 흐름이 막혀버리면, 영양소의 공급도 막혀버리고, 만병의 근원인 산성 노폐물은 쌓여만 간다. 그래서 부종은 자동으로 만병의 근원이 될 수밖에 없다. 다시 본문을 보자. 이런 부종이 발병했을 때는 급하게 곧바로 치료하게 되면(急治則), 생명을 건질 수가 있으나(生), 아니면(不急治則), 생명은 위태로워질 수밖에 없다(危). 그래서 약을 조기에 처방하면(用藥早則), 이는 쉽게 해결되나(容)易愈也), 그렇지 않으면(用藥不早則), 사람을 엄청나게 괴롭히다가 죽이고 만다(孟浪死也). 부종이라는 이 병은(此病), 겉으로 나타나는 병세를 보면, 특별히 아픈 곳도 없이 평온할 것처럼 보이므로(外勢平緩), 환자가 빨리 죽을 것 같이 보이지는 않아서(似不速死故), 사람들은 부종을 반드시 쉽게 보고 넘긴다(人 必易之). 그러나 부종이라는 이 병은(此病), 실제로는 급한 증상이라서(實是急證), 사오일 안에(四五日內), 반드시 치료해야지(必治之疾), 이미 늦어버린 10일을 논 해서는 안 된다(謾不可以十日論之也). 부종이(浮腫), 처음 발병했을 때는(初發), 당연히 목통대안탕을 처방한다(當用 木通大安湯). 혹은(或), 형방지황탕에(荊防地 黃湯), 목통을 추가해서 처방하고(加 木通), 이를 하루에 2번씩 복용하게 되면(日 再服則), 육칠일 안에(六七日內), 부종은 반드시 해결된다(浮腫必解). 그리고 부종 이 해결된 뒤에도(浮腫 解後), 100일 정도 안에(百日內), 반드시 형방지황탕에(必 用 荊防地黃湯), 목통 이삼 전을 추가해서(加 木通 二三錢), 매일 한두 첩을 복 용시키면 된다(每日 一二貼用之). 그러면 자동으로 소변이 맑아지게 되고(以淸小 便), 재발은 방지된다(以防再發). 그러나 이런 대책을 세우지 않아서 부종이 재발 하면, 이는 난치병이 되고 만다(再發難治). 이때는 신장이 망가져 버리기 때문이 다. 간을 제외하면, 한번 망가진 인체 기관은 재생이 어렵다. 그리고 부종이(浮腫), 초기에 해결되었을 때는(初解), 음식을 섭취할 때(飮食), 최우선이 배고픔을 참고 서(尤宜忍飢而), 소식하는 것이다(小食). 이는 그럴만한 이유가 있다. 부종은 불필 요한 영양소로서 분자 크기가 큰 물질이 간질에서 림프로 들어가지 못하고 간질 에 정체할 때 일어난다. 이는 곧바로 소화 문제로 간다. 즉, 우리가 섭취한 음식물 은 소화관에서 소화가 완벽하게 되면 산성 정맥혈이 되어서, 이는 간 문맥으로 들 어간다. 그러면 이는 자동으로 인체의 필수 영양소로 이용된다. 그러나 소화가 덜 된 음식 영양소는 분자 크기가 커서 자동으로 소화관의 림프를 통해서 흡수된다. 그리고 이 양이 많게 되면, 자동으로 림프를 막아버린다. 그런데 림프는 간질에서 보내는 분자 크기가 큰 물질을 소통시킨다. 그래서 부종이 있는 사람이나 부종에 자주 걸리는 사람은 되도록 소식을 해서 최대한 소화가 완벽하게 되도록 유도해야만 한다. 이를 다른 표현으로 하자면, 과식은 부종의 적이라는 뜻이다. 다시 본문을 보자. 만약에(若), 소화를 아주 잘 시키는 보통 사람들처럼 대식하게 되면(如平人大食則), 이때 이 사람은 반드시 부종의 재발을 막지 못하게 된다(必不免再發). 이때 만일에 신장이 망가지면서 소변이 붉게 나오게 되면, 이는 엄청나게 두려운(畏) 일이 된다(大畏 小便赤也). 그러나 부종 환자의 소변이 맑게 되면(小便淸則), 이는 부종이 해결되었다는 뜻이 된다(浮腫解). 그리고 부종 환자의 소변이 붉게 되면(小便赤則), 이는 부종을 만든 삼투압 기질인 염이 신장의 세뇨관에서 뭉쳐서(結) 축적되고, 세뇨관에 상해를 입혔다는 뜻이 된다(浮腫結). 이는 생명을 좌지우지하게 되는 무서운 상태를 말하게 된다.

少陽人 中消者 腹脹則 必成鼓脹 鼓脹不治. 少陽人 鼓脹病 如少陰人 藏結病 皆經歷五六七八月 或 周年而 竟死. 蓋 少陰人 藏結 表陽溫氣 雖在幾絶 裡陰溫氣 猶恃完壯. 少陽人 鼓脹 裡陽淸氣 雖在幾絶 表陰淸氣 猶恃完壯故 皆經歷久遠而 死也.

비장이 큰 소양인이(少陽人), 비장이 문제가 되면서 발병하는 소중이 발병했는데(中消者), 이때 복부가 심하게 부풀어 오르게 되면(腹脹則), 이는 반드시 배가 북처럼 엄청나게 부풀어 오르는 고창을 만들게 되는데(必成鼓脹), 이때 고창은 불치병이 된다(鼓脹不治). 왜? 이는 비장의 기능을 보면 된다. 비장은 잘 알다시피 산성 림프액을 통제한다. 이런 비장이 문제가 되면, 림프액을 처리하는 통로가 3개나 되는 간은 곧바로 직격탄을 맞게 된다. 간은 이만큼 많은 림프액을 만들어서 위기를 모면하게 된다는 뜻이다. 그리고 심장은 장쇄지방산을 이용해서 운용되는 기관이다. 그래서 심장은 과부하에 걸리게 되면, 이 장쇄지방산을 중성지방으로 만들어서 림프로 보내버린다. 그래서 비장이 문제가 되면, 곧바로 심장도 직격탄을 맞는다. 그런데, 이때 과부하에 걸려서 미치고 환장한 간은 림프액을 못 만들고 대신에 산성 정맥혈을 만들어서 우 심장으로 보내버린다. 그러면, 비장이 문제가 되면, 심장은 이중 공격을 받게 된다. 이 문제는 여기서 끝나지 않는다. 비장은 신

(소양인) 범론

장과 산성 림프액을 서로 교환한다. 그러면 폐는 멀쩡할까? 아니다. 비장은 간질을 림프를 통해서 통제하는데, 이런 간질은 피부와 접해있으면서 피부를 통제한다. 그래서 비장 문제가 간질 문제가 되고, 이어서 피부 문제가 되면, 피부는 피부 호흡을 통해서 이산화탄소를 체외로 버리지 못하게 되고, 이 이산화탄소는 곧바로 폐를 공격하게 된다. 이 정도가 되면, 온몸의 체액은 모두 정체하고 만다. 그리고 그 결과로 배가 엄청나게 불러오게 된다. 그리고 이 극단이 배가 마치 북처럼 불러오는 고창이다. 이때 고창은 당연히 불치병이 될 수밖에 없다. 다시 본문을 보자. 소양인에서 고창병은(少陽人 鼓脹病), 소음인에서처럼(如少陰人), 장결병으로서(藏結病), 소양인에서나 소음인에서나 모두 이 병에 걸려서 오륙칠팔 개월이 지나거나(皆經歷五六七八月 或), 1년이 되면(周年而), 죽을 지경에 이르게 된다(竟死). 그 이유는 이 정도가 되면, 인체의 체액 흐름은 거의 90%가 막힌 상태가 되기 때문이다. 대개(蓋), 소음인에서 생기는 장결은(少陰人 藏結), 간질에서 양기의 부족으로 인해서 온기가(表陽溫氣), 비록 끊긴 상태가 되어도(雖在幾絶), 오장에 든 이음이 온기를 만들므로(裡陰溫氣), 이때 소음인은 상당히 잘 버티게 된다(猶恃完壯). 장결은 체액의 소통 문제가 핵심이므로, 이는 자동으로 체액을 소통시키는 간질 문제가 핵심이 된다는 사실을 상기해보면 된다. 그리고 소양인이 고창에 걸리면(少陽人 鼓脹), 앞에서 이미 구구절절 설명했듯이, 오장에서 이양청기가 끊어졌을 지라도(裡陽淸氣 雖在幾絶), 간질에 있는 표음청기는 여전하므로(表陰淸氣), 이것이 소양인이 잘 버티는 이유(故)가 된다(猶恃完壯故). 그러나, 이런 도구들도 시간이 가면 결국에는 망가지게 되므로, 이런 상태가 오래 계속되면(皆經歷久遠而), 환자는 당연히 죽을 수밖에 없게 된다(死也).

少陽人 傷寒 喘促 宜先用 靈砂一分 溫水調下. 因煎荊防瓜蔞等藥 用之則 必無煎藥時刻遲滯救病. 靈砂 藥力急迫 可以一再用而 不可屢用. 蓋 救急之藥 敏於救急而已 藥必湯服 然後 充滿腸胃 能爲補陰補陽.

소양인이(少陽人), 상한에 걸려서(傷寒), 숨을 헐떡이면(喘促), 당연히 먼저 영사 한 푼을(宜先用 靈砂一分), 따뜻한 문에 섞어서 복용하고(溫水調下), 추가로 형방과루와 같은 약을 달여서 복용한다(因煎荊防瓜蔞等藥 用之則). 그러면, 먼저 영사를 복용해서 시간을 벌었으므로, 약을 달이느라고 시간을 지체해서 병을 고치지 못하는 일을 막을 수 있게 된다(必無煎藥時刻遲滯救病). 그래서 영사는(靈砂), 약력이 강해서 병이 급박하게 돌아갈 때 쓴다(藥力急迫). 그래서 영사는 단지 한두 번 쓸 뿐이지 자주 쓰는 약이 아니다(可以一再用而 不可屢用). 대개(蓋), 위급한 증상에 쓰는 약은(救急之藥), 위급할 때만 빠르게 작용한다(敏於救急而已). 원래 약은 반드시 끓여서 복용하는 것이 원칙이고(藥必湯服), 그래야 탕약을 복용한 후에(然後), 소화관에서 충분히 흡수되고(充滿腸胃), 이어서 이렇게 흡수된 약성 성분이 음양의 기운을 충분히(能) 보충해주게 된다(能爲補陰補陽).

痢疾之比結胸則 痢疾 爲順證也而 痢疾之謂重證者 以其 (與)浮腫 相近也.
嘔吐之比腹痛則 嘔吐 爲逆證也而 嘔吐之謂惡證者 以其 距中風 不遠也.
少陽人 痢疾 宜用 黃連淸腸湯.

습열독(濕熱毒)이 핵심인 이질을 결흉과 비교해보게 되면(痢疾之比結胸則), 이질은(痢疾), 순한 질병이다(爲順證也而). 즉, 그만큼 결흉은 골치 아픈 증상이다. 그러나 이질을 중증이라고 말할 때는(痢疾之謂重證者), 이질(其)로 인해서(以其), 더불어 부종이(與浮腫), 서로 가까워질 때이다(相近也). 즉, 이질과 부종이 동시에 발병할 때이다. 이질이 부종을 동반하는 이유는 습열독(濕熱毒) 때문이다. 습열독(濕熱毒)이란 삼투압 기질인 염이 수분을 잔뜩 끌어모으게 되면 습(濕)이 만들어지는데, 이 염은 또한 자기가 보유한 자유전자를 간질로 내놓게 되면, 이 자유전자가 산소로 중화되면서 열(熱)을 만들게 된다. 그리고 이 정도가 되면 자동으로 간질은 막히고 만다. 그리고 간질은 체액 순환의 핵심이 된다. 그래서 이때 염은 자동으로 체액의 순환을 막으면서 독성(毒)을 발휘하게 된다. 이를 종합해서

(소양인) 범론

습열독(濕熱毒)이라고 부른다. 그리고 이 상태가 소화관에서 일어난다. 그러면, 이는 자동으로 부종을 동반하게 된다. 그래서 습열독(濕熱毒) 때문에, 이질에 걸리게 되면, 부종에 걸릴 확률이 아주 높게 된다. 이는 이질에 걸려서 시간을 끌면 끌수록 부종이 생길 확률은 더욱더 커지게 된다는 뜻이다. 그리고 부종의 무서움은 이미 앞에서 살펴보았다. 그러면, 이때 이질은 자동으로 중증이 되고 만다. 다시 본문을 보자. 구토는 복통과 비교해서 보게 되면(嘔吐之比腹痛則), 과잉 자유전자를 체외로 배출하는 구토는(嘔吐), 과잉 자유전자 때문에 어떤 병으로 번질지를 모르는 역증이다(爲逆證也而). 그런데, 이런 구토를 악증이라고 부를 때는(嘔吐之謂惡證者), 구토(其) 때문에(以其), 중풍과 거리가 멀지 않을 때이다(距中風不遠也). 즉, 이는 구토가 심해져서 중풍을 만들 때이다. 이는 위장이 구토할 때 배출하는 위산의 기능을 알면 쉽게 이해가 된다. 위산(HCl)은 프로톤을 빼면 실제로는 자유전자의 담체이다. 그래서 위산이 분비되는 이유는 인체가 과잉 자유전자를 체외로 배출하려고 하기 때문이다. 그리고 이때 이 자유전자는 신경의 밥이 된다. 그리고 중풍은 신경의 과부하 문제이다. 그리고 위산을 몽땅 분비해서 구토를 만드는 과잉 자유전자는 신경을 과잉 자극해서 중풍을 만들게 된다. 그래서 구토가 멎지 않게 되면, 이는 자동으로 자유전자의 과잉을 말하게 되고, 자유전자의 과잉은 자동으로 신경의 과부하를 말하게 되고, 신경의 과부하는 자동으로 중풍을 말하게 된다. 그래서 구토가 중풍과 연계된다. 다시 본문을 보자. 소양인이 이질에 걸렸을 때는(少陽人 痢疾), 당연히 황련청장탕을 처방한다(宜用 黃連淸腸湯).

少陽人 瘧病 有間兩日發者 卽 勞瘧也 可以緩治 不可急治. 此證 瘧不發日 用 獨活地黃湯 二貼 朝暮服. 瘧發日 預煎 荊防敗毒散 二貼 待惡寒發作時 二貼連服. 一月之內 以獨活地黃湯 四十貼 荊防敗毒散 二十貼 爲準的則 其瘧 必無不退之理.

소양인이 학질에 걸렸을 때(少陽人 瘧病), 이틀간 연속 발작하게 되면(有間兩日發者), 이는 곧(卽), 자유전자의 과잉이 쌓이고 쌓인 오래된 노학이다(勞瘧也).

이는 인체 안에 과잉 자유전자를 보유한 염의 과잉이 엄청나게 심하다는 뜻이므로, 이를 하루아침에 해결하기란 불가능하다. 그래서 노학을 치료할 때는 시간을 가지고 천천히(緩) 치료해야지(可以緩治), 급하게 치료해서는 안 된다(不可急治). 이 노학을 치료할 때는(此證), 학질이 발작을 일으키지 않은 날에는(瘧不發日), 독활지황탕(用 獨活地黃湯), 두 첩을(二貼), 아침저녁으로 복용시키면 된다(朝暮服). 그리고 학질이 발작을 일으킨 날에는(瘧發日), 미리 달여둔(預煎), 형방패독산(荊防敗毒散), 두 첩을 처방하고(二貼), 또한 오한 발작이 일어나는 시간까지 기다렸다가(待惡寒發作時), 이를 연이어 두 첩을 복용시키면 된다(二貼連服). 그러고 나서 1개월 안에(一月之內), 독활지황탕(以獨活地黃湯), 40첩(四十貼)과 형방패독산(荊防敗毒散) 20첩을(二十貼), 표준으로 삼아서 처방하게 되면(爲準的則), 이 노학은(其瘧), 반드시 치료된다(必無不退之理).

少陽人 內發咽喉 外腫項頰者 謂之纏喉風 二三日內 殺人 最急. 又 上脣 人中穴瘇 謂之 脣瘇. 凡 人中左右 逼近處 一指許 發瘇 雖微如粟粒 亦危證也. 此二證 始發而 輕者 當用 凉膈散火湯 陽毒白虎湯. 重者 當用 水銀熏鼻方 一炷 熏鼻而 項頰汗出則 愈. 若 倉卒 無熏鼻藥則 輕粉末 一分五里 乳香 沒藥 甘遂末 各五分. 和勻糊丸 一服盡.

소양인이 상한에 걸려서(少陽人), 안쪽에서는 인후에서 문제가 생기고(內發咽喉), 바깥쪽에서는 목과 뺨에 부종이 있을 때는(外腫項頰者), 이를 전후풍이라고 부른다(謂之纏喉風). 이 증상을 방치하면, 이삼일 안에(二三日內), 사람을 죽이게 되므로(殺人), 이 증상은 엄청나게 급한 증상이 된다(最急). 이는 머리 전체에 문제가 있다는 암시를 준다. 또한(又), 윗입술 인중혈에 난 뾰루지를(上脣 人中穴瘇), 순종이라고 부른다(謂之 脣瘇). 일반적으로(凡), 인중을 좌우로 해서(人中左右), 손가락 하나 거리로 떨어진 곳에서(逼近處 一指許), 이런 뾰루지가 발생하게 되면(發瘇), 이는 비록 크기가 아주 작아서 별 볼 일이 없을 것이라고 생각할 수도 있지만(雖微如粟粒), 이것 역시 위험증의 신호이다(亦危證也). 이는 인중의 생

(소양인) 범론

리를 보면 된다. 인중을 살펴보자면, 안면 정맥(facial vein)이 이 부분에서 해면정맥동(Cavernous sinus)과 서로 문합을 이루게 되는데, 이 해면정맥동이라는 것은 뇌 안쪽에 자리하고 있는 뇌의 정맥들이 한데 모이는 공간 중 하나이며, 중요한 뇌 신경들이 그 벽을 타고 지나가고 있다. 쉽게 말하자면, 얼굴 표면의 정맥과 뇌 안쪽의 정맥이 연결되는 부위가 인중이다. 실제로 이 부분이 인간의 얼굴 중에는 급소, 즉 통점이 가장 집중된 부위인데, 그만큼 이 부위가 중요한 부위이기 때문에, 가급적 자극을 주지 않게 진화하게 된다 그러므로 이 부분에 상처를 입힌다든지, 뾰루지가 나게 되면, 치명적인 위험이 초래된다. 인중을 또한 동맥 측면에서 살펴보게 되면, 인중은 코와 윗입술 사이 가운데를 가리키는데, 이곳에는 외약동맥분지(外顎動脈分支)와 상순동맥(上脣動脈)이 순환하고 있고, 하안신경과 안면신경 분지가 분포되어 있다. 즉, 뇌와 연결된 동맥과 정맥이 인중에서 군집을 이루고 있다. 그래서 인중에서 뾰루지가 난다는 말은 뇌척수액이 극도로 산성으로 기울었다는 뜻이 된다. 이는 조만간에 혼수상태를 예고한다. 그래서 인중에서 나는 뾰루지는 아주 작지만, 그가 주는 신호 암시는 아주 크게 된다. 다시 본문을 보자. 이 두 증상이(此二證), 처음 발병해서(始發而), 경증일 때는(輕者), 당연히 량격산화탕(當用 凉膈散火湯) 또는 양독백호탕을 처방한다(陽毒白虎湯). 그리고 이 두 증상이 중증일 때는(重者), 당연히 수은을 훈증해서 콧속으로(當用 水銀熏鼻方), 한 대를 넣는데(一炷 熏鼻而), 이때 목과 뺨에서 땀이 나게 되면(項頰汗出則), 이 두 증상은 치유된다(愈). 수은은 은보다도 더 강한 과잉 자유전자 흡수제이다. 이는 인중으로 모이는 과잉 자유전자를 신경을 통해서 흡수하게 만들 것이다. 만약에(若), 갑자기(倉卒), 이런 훈증제가 없다면(無熏鼻藥則), 이때는 경분이라고 하는 염화제일수은 분말(輕粉末), 일 푼 오 리에(一分五里), 유향(乳香)과 몰약(沒藥) 그리고 감수 분말(甘遂末)을 각각 오 푼씩해서(各五分), 풀로 반죽해서 환으로 만들고(和匀糊丸), 이를 한 번에 모두 복용하면 된다(一服盡).

少陽人 小兒 食多肌瘦 宜用 蘆薈肥兒丸 忍冬藤地骨皮湯.

소양인 어린애가(少陽人 小兒), 밥은 많이 먹는데 살이 찌지 않고 말라 있게 되면(食多肌瘦), 이때는 당연히 로회비아환이나(宜用 蘆薈肥兒丸), 인동등지골피 탕을 처방한다(忍冬藤地骨皮湯). 이는 소화관을 책임지고 있는 비장의 문제인 소 중을 말하고 있다. 즉, 영양분을 소화관에서 뺏겨버리는 것이다.

嘗見 少陽人 肩上 有毒瘤 火熬香油灌瘡 肌肉焦爛而 不知其熱. 有醫 敎以牛角片 置火炭上 燒而熏之 煙入瘡口 毒汁自流 其瘤立愈. 嘗見 少陽人 七十老人 發腦疽. 有醫 敎以河豚卵 作末傅之 其疽立愈. 河豚卵 至毒 彘犬 食之則 立死 掛於林木間 烏鵲 不敢食. 嘗治 少陽人 蛇頭瘡 河豚卵 作末少許 點膏藥上 傅之而 一日一次 易以 新末. 傅藥五六日 病效而 新肉急生而有妬肉 因以磨刀砥末 傅之 妬肉立消而 病愈. 又 用之於連珠痰 多日傅之者 必效. 用之於爲炭火所傷 與狗咬 蟲咬 無不得效. 嘗治 少陽人 六十老人 中風 一臂不遂病 用 輕粉五里 其病 輒加. 少陽人 二十歲 少年 一脚微 不仁 痺風 用 輕粉甘遂龍虎丹 二三次用之 得效. 嘗治 少陽人 咽喉 水醬不入 大便不通 三日 病至危境 用甘遂天一丸 卽效. 嘗治 少陽人 七十老人 大便 四五日不 通 或六七日不通 飮食如常 兩脚 膝寒無力 用輕粉甘遂龍虎丹 大便卽通. 後數日 大 便 又秘則 又用 屢次用之 竟以大便 一日一度 爲準而 病愈. 此老(人) 竟得八十壽. 嘗見少陽人 當門二齒齦縫血出頃刻間數碗 將至危境. 有醫敎以火熬香油 以新綿點 油乘熱灼齒縫 仍爲血止. 嘗見 少陽人 一人 每日 一次梳頭 數月後 得口眼喎斜病. 其後 又見 少陽人日梳 得喎斜病者 凡三人 蓋 日梳 少陽人 禁忌也. 嘗見 太陰人 八十老人 日梳者 老人 自言曰 日梳極好 我之日梳 已爲四十年云.

일찍이 다음과 같은 사실을 본적이 있다(嘗見). 소양인의(少陽人), 어깨 위에 (肩上), 독한 옹저가 있어서(有毒瘤), 이곳 종창이 있는 곳에 뜨거운 기름을 부어 서(火熬香油灌瘡), 살이 타서 짓무르는데도 불구하고(肌肉焦爛而), 그 열기를 느 끼지 못하고 있었다(不知其熱). 이는 독한 옹저 부근이 이미 썩어서 신경이 모두 끊어졌기 때문이다. 이때 어떤 의사가 말하기를(有醫), 쇠뿔의 조각을(敎以牛角

(소양인) 범론

片), 불타는 숯 위에 올려서(置火炭上), 그 연기로 옹저 부위를 훈증하면(燒而熏之), 이 연기가 창으로 들어가서(煙入瘡口), 진물이 스스로 나오게 되고(毒汁自流), 그러면 그 옹저는 낫는다고 했다(其癰立愈). 코뿔소 뿔을 분말로 만든 것을 서각(犀角)이라 하며, 이는 한방약의 해열제(解熱劑)이다. 열은 과잉 자유전자가 만들므로, 해열제는 열을 만드는 자유전자를 수거하는 자유전자 수거제가 된다. 그리고 옹저의 창은 살이 자유전자의 환원으로 인해서 분해된 상태를 말한다. 즉, 옹저의 근원이 과잉 자유전자라는 뜻이다. 그러면 옹저를 낫게 하기 위해서는 과잉 자유전자를 수거해주면 된다. 그리고 그 수거제가 코뿔소의 뿔이다. 이는 사슴 뿔을 보고 추정해 볼 수 있다. 사슴은 뿔을 갈게 되는데, 그 뿔을 가는 시기가 스테로이드인 성호르몬의 분비 시기가 된다. 그래서 사슴뿔에는 스테로이드가 듬뿍 들어있게 된다. 그래서 근육을 키우는 보디빌더들이 녹용 가루를 몽땅 먹는 이유가 된다. 그리고 스테로이드는 전형적인 해열제이다. 즉, 스테로이드는 전형적인 과잉 자유전자 중화제이다. 이 문제는 본 연구소가 발행한 전자생리학을 참고하면 된다. 이 구절은 최첨단 현대의학의 눈으로 보게 되면, 전형적인 미신이 되지만, 전자생리학으로 보게 되면, 최첨단 현대의학이 전형적인 미신이 된다. 다시 본문을 보자. 일찍이 다음과 같은 사실을 본적이 있다(嘗見). 소양인으로서 70살이 된 노인이(少陽人 七十老人), 후발치에 걸렸는데(發腦疽), 어떤 의사가 말하기를(有醫), 복어알을 분말로 만들어서 붙이라고 했다(教以河豚卵 作末傅之). 모든 알에는 보통 콜레스테롤이 아주 많이 들어있다. 그래서 달걀에 있는 노른자위에도 콜레스테롤이 아주 많이 들어있다. 그리고 이는 스테로이드 구조를 보유하고 있다. 그래서 이때 콜레스테롤은 스테로이드 기능을 한다. 그래서 후발치라는 옹저에 복어알의 분말을 마른다는 말은 최첨단 현대의학이 옹저에 스테로이드 연고를 마르는 것과 똑같게 된다. 그리고 원래 복어에 풍부하게 들어있는 타우린과 메티오닌 성분은 과잉 자유전자 쓰레기 청소부이다. 그래서 복어는 해독에 아주 좋은 생선이 된다. 그래서 복어의 독은 강알칼리로서 인체의 에너지인 자유전자를 모조리 수거해서 인간을 죽이게 된다. 그리고 옹저는 강산성이 만들어낸다. 그러면 복어알은 자동으로 산성 중화제가 된다. 이 구절도 역시 최첨단 현대의학의 눈으로 보게 되면, 전형적인 미신이 되지만, 전자생리학으로 보게 되면, 최첨단 현대의학이 전형적인 미신이 된다. 다시 본문을 보자. 이렇게 복어알 분말을 옹저에 바르게 되면, 자동으로 스테로이드 효과로 인해서, 이 옹저는 치유된다(其疽立愈). 복어알은(河豚卵), 상당히 독해서(至毒), 개나 돼지가 이를 먹게 되면(彘犬 食之則), 그 자리에서 죽게 된다(立死). 그 이유는 앞에서 이미 설명했다. 그래서 복어알을 나무에 걸어놓게 되면(掛於林木間), 새들도 이의 독을 알아차리고(鳥鵲), 감히 먹으려고 하지 않는다(不敢食). 이 개념은 강알칼리가 독이 된다는 사실을 알아야만 이해가 간다. 일찍이 다음과 같은 질병을 치료해 본적이 있다(嘗治). 소양인의(少陽人), 손가락 끝에 종기(腫氣)가 나서 곪는 병(病)인 사두창에(蛇頭瘡), 복어알을 분말로 만들어서 조금을(河豚卵 作末少許), 고약 위에 뿌려(點膏藥上), 붙이고(傅之而), 이를 하루에 한 번씩(一日一次), 새 분말로 갈아주고(易以新末), 붙이기를 오륙일 했더니(傅藥五六日), 병이 나았다(病效而). 그런데 이곳에서 새살이 급하게 생겨나더니 군살도 만들어졌다(新肉急生而有胬肉). 그런데 이때 칼을 가는 숫돌 가루를 붙이자(因以磨刀砥末 傅之), 군살이 없어지면서(胬肉立消而), 병은 치유되었다(病愈). 운동 선수들이 스테로이드가 듬뿍 든 녹용 가루를 몽땅 먹는 이유는 근육의 생성을 위함이다. 즉, 스테로이드 성분은 새살을 만드는 기능을 한다. 이는 스테로이드인 여성 호르몬이 아이를 성장시킨다는 사실에서도 스테로이드의 기능을 알 수 있다. 이는 스테로이드가 든 복어알이 왜 새살을 돋게 했는지 그 이유를 말해준다. 이때 성장인자는 자유전자가 된다. 그리고 숫돌에 칼을 갈면, 칼이 마모되면서 칼은 날카롭게 된다. 여기서 마모란 분해를 말하는데, 분해는 무조건 자유전자가 물질의 공유결합을 환원해서 풀어줘야만 가능해진다. 그래서 칼의 마모는 숫돌이 공급하는 자유전자의 환원력에서 비롯된다. 그래서 이런 숫돌 가루를 군살에 붙이게 되면, 숫돌 가루가 자유전자를 공급해서 군살을 환원해서 분해하게 된다. 이 구절도 역시 최첨단 현대의학의 눈으로 보게 되면, 전형적인 미신이 되지만, 전자생리학으로 보게 되면, 최첨단 현대의학이 전형적인 미신이 된다. 다시 본문을 보자. 이는 또한(又), 목에서 곪는 연주담에도 쓰면 되는데(用之於連珠痰), 이를 며칠 붙이게 되면(多日傅之者), 반드시 효과를 보게 된다(必效). 이는 또한 숯불

(소양인) 범론

에 데었을 때나(用之於爲炭火所傷), 개에 물렸을 때나(與狗咬), 벌레에게 물렸을 때나(蟲咬), 쓰게 되면, 무조건 효과를 본다(無不得效). 일찍이 다음과 같은 질병을 치료해 본적이 있다(嘗治). 소양인으로서(少陽人), 육십 살 노인이(六十老人), 중풍에 걸려서(中風), 한쪽 팔을 쓰지 못하고 있을 때(一臂不遂病), 염화제일수은인 경분 오리를 쓰자(用 輕粉五里), 오히려 그 병이 더 악화되었다(其病 輒加). 수은은 신경의 밥인 자유전자를 수거해서 병을 낫게 한다. 그런데 지금은 신경의 자극이 안 되어서 한쪽 팔을 못 쓰고 있다. 이때 경분으로 신경의 자극을 줄이게 되면, 자동으로 팔의 불수는 더욱더 심해지게 된다. 이때는 거꾸로 신경을 더욱더 자극해줘야만 한다. 다시 본문을 보자. 소양인으로서(少陽人), 20세 소년이(二十歲少年), 한쪽 다리가 약간(一脚微), 문제가 있는(不仁), 비풍에 걸려있을 때(痺風), 경분감수용호단을(用 輕粉甘遂龍虎丹), 두세 차례 썼더니 효과를 봤다(二三次用之 得效). 일찍이 다음과 같은 질병을 치료해 본적이 있다(嘗治). 소양인으로서(少陽人), 목구멍이 부어서(咽喉), 물도 제대로 넘기지 못하고(水醬不入), 대변도 불통된 지가(大便不通), 3일이 되었고(三日), 결국에 병은 위급한 지경까지 갔는데(病至危境), 이때 감수천일환을 처방했더니(用甘遂天一丸), 즉시 효과가 있었다(卽效). 일찍이 다음과 같은 질병을 치료해 본적이 있다(嘗治). 소양인으로서(少陽人), 70살 노인이(七十老人), 대변을 사오일 보지 못하고(大便 四五日不通), 때로는 육칠일까지도 보지 못하고 있었는데(或六七日不通), 음식은 예전처럼 먹었고(飮食如常), 양다리와 무릎에 한기가 있어서 무력화되고 있었고(兩脚 膝寒無力), 그래서 이때 경분감수용호탕을 처방했더니(用輕粉甘遂龍虎丹), 대변이 즉시 통했고(大便卽通), 며칠 후에 보니까(後數日), 대변이(大便), 다시 변비가 되어있었고(又秘則), 그래서 이때 다시 이 처방을 여러 번 썼다(又用 屢次用之). 그랬더니 대변을(竟以大便), 하루에 한 번 보게 되는 일이(一日一度), 마치 표준처럼 되었고(爲準而), 병은 자동으로 치유되었다(病愈). 이렇게 해서 이 노인은(此老(人)), 결국에 80세까지 사는 지경까지 갔다(竟得八十壽). 일찍이 다음과 같은 사실을 본적이 있다(嘗見). 소양인으로서(少陽人), 당시에 앞니 두 개의 잇몸에서 피가 흐르고 있었는데, 잠깐 사이에 두 사발의 피를 흘리고 있어서(當門二齒齦縫血出

頃刻間數碗), 이를 방치하면, 위급한 지경까지 갈 수 있었다(將至危境). 이때 어떤 의사가 말하기를(有醫), 불에 달군 참기름을 쓰라고 했다(敎以火熬香油). 즉, 이 참기름을 새 솜에 찍어서 잇몸을 뜨겁게 지져대자(以新綿點油乘熱灼齒縫), 결국에 피가 멈추었다(仍爲血止). 참기름에도 리그난(lignan)이라는 스테로이드 기능을 하는 성분이 엄청나게 많이 들어있다. 일찍이 다음과 같은 사실을 본적이 있다(嘗見). 어떤 소양인이(少陽人 一人), 매일(每日), 한 번씩 머리 빗질을 하는데(一次梳頭), 수개월 후에 보니까(數月後), 구안와사가 와있었다(得口眼喎斜病). 그 후에 다시 봤더니(其後 又見), 소양인으로서(少陽人), 매일 빗질을 해서(日梳), 구안와사에 걸린 사람이(得喎斜病者), 모두 3명이 있었다(凡三人). 대개(蓋), 매일 빗질하는 일은(日梳), 소양인에게는(少陽人), 금기 사항이다(禁忌也). 소양인에서 제일 문제를 많이 일으키는 장기는 담이다. 그리고 담은 신경을 통해서 뇌를 통제한다. 즉, 빗질을 너무나 자주해서 뇌 신경을 자극하게 되면, 이는 자동으로 담즙을 너무 많이 만들게 되고, 그러면 이때는 자동으로 담의 과부하를 유도한다. 그러면 담은 담즙을 통해서 뇌척수액의 알칼리화를 시키지 못하게 되고, 그러면 뇌척수액은 자동으로 산성화되고, 그러면 뇌척수액의 통제를 받는 눈과 얼굴은 자동으로 근육(筋肉)의 강한 수축을 경험하게 되고, 이는 구안와사를 만들게 된다. 추가로 간과 담은 신경을 통해서 근육(筋肉)을 통제한다는 사실도 더불어 상기해보자. 다시 본문을 보자. 일찍이 다음과 같은 사실을 본적이 있다(嘗見). 간이 크고 폐는 작은 태음인으로서(太陰人), 80세가 된 노인은(八十老人), 매일 빗질하고 있었는데(日梳者), 이 노인이 스스로 말하기를(老人 自言曰), 매일 빗질하면 기분이 너무 좋아서(日梳極好), 나는 매일 빗질하는 일을(我之日梳), 이미 40년이 되었다고 자랑하고 있었다(已爲四十年云). 이는 소양인은 담이 문제를 일으키는 체질이고, 그래서 소양인은 담이 문제를 안고 있다. 그러나 간이 큰 태음인은 소양인처럼 담을 과부하로 몰고 가지 않는다. 이는 당연히 빗질에서 정반대의 효과로 나타나게 된다.

(소양인) 범론

장중경 상한론중 소양인병 경험설방 십방

(張仲景 傷寒論中 少陽人病 經驗設方 十方)

장중경 상한론중 소양인병 경험설방 십방
(張仲景 傷寒論中 少陽人病 經驗設方 十方)

白 虎 湯 : 石膏 5錢 知母 2錢 甘草 7分 粳米 半合

석고(石膏) 20g, 지모(知母) 8g, 감초(甘草) 2.8g, 멥쌀[갱미(粳米)] 반 홉. [《동의보감(東醫寶鑑)》] 몸에 열이 몹시 나고 땀을 흘리며 가슴이 답답하고 입이 말라 물을 많이 마시며 혀가 벌겋고 누런 설태(舌苔)가 끼며 맥박 상태가 홍대(洪大)한 데 쓴다. 당뇨병, 여름에 발작하는 기관지 천식 등 때 쓸 수 있다. 위의 약을 1첩으로 하여 물에 달여서 먹는다.

[네이버 지식백과] 백호탕 [白虎湯] (한의학대사전, 2001. 6. 15., 한의학대사전 편찬위원회)

猪 苓 湯 : 猪苓 赤茯苓 澤瀉 滑石 阿膠 各 1錢

① 저령(猪苓)·목통(木通)·택사(澤瀉)·활석(滑石)·지각(枳殼)·황백(黃柏: 술에 담근 것)·우슬(牛膝)·맥문동(麥門多)·구맥(瞿麥)·편축(萹蓄)·차전자(車前子) 각 2.8g, 감초(甘草) 1.2g, 등심초(燈心草). [《동의보감(東醫寶鑑)》] 방광에 습열사(濕熱邪)가 몰려 소변이 잘 나오지 않고 소변 눌 때 아랫배와 요도가 아픈 데 쓴다. 급·만성 방광염, 신우방광염 등 때 쓸 수 있다. 위의 약을 1첩으로 하여 물에 달여서 먹는다. ② 적복령(赤茯苓)·저령(猪苓)·아교(阿膠)·택사(澤瀉)·활석(滑石) 각 4g. [《동의보감(東醫寶鑑)》] 열에 음(陰)이 상하여 소변이 잘 나오지 않고 갈증이 나며 가슴이 답답하고 안타까워 잠들지 못하는 데 쓴다. 급·만성 방광염, 신우방광염 등 때 쓸 수 있다. 먼저 아교를 제외한 나머지 약을 물에 달여 찌끼를 짜 버린 다음 아교를 넣고 다시 달여 따뜻하게 해서 먹는다.

[네이버 지식백과] 저령탕 [猪苓湯] (한의학대사전, 2001. 6. 15., 한의학대사전 편찬위원회)

五 苓 散 : 澤瀉 2錢 5分 赤茯苓 猪苓 白朮 各 1錢 5分 肉桂 5分

택사(澤瀉) 10g, 적복령(赤茯苓)·백출(白朮)·저령(猪苓) 각 6g, 육계(肉桂) 2g. [《동의보감(東醫寶鑑)》] 상한태양병(傷寒太陽病) 때 열이 속으로 들어가 머리가 아프고 열이 나며 가슴이 답답하고 갈증이 나면서 소변이 잘 나오지 않는 데, 몸이 붓고 무거우며 소변이 잘 나오지 않는 데, 위장에 수습(水濕)이 몰려 몸이 붓거나 설사를 하며 소변이 잘 나오지 않고 때로 토하고 설사하는 데 등에 쓴다. 급성 위장염, 위무력증, 위확장증, 급·만성 신염, 신장 질환, 급성 방광염, 유행성 간염, 간경화, 차멀미 등에 쓸 수 있다. 위의 약을 1첩으로 하여 물에 달여 먹는다. 혹은 산제를 만들어 한 번에 6~8g씩 더운물로 먹을 수도 있다.

[네이버 지식백과] 오령산 [五苓散] (한의학대사전, 2001. 6. 15., 한의학대사전 편찬위원회)

小柴胡湯 : 柴胡 3錢 黃芩 2錢 人蔘 半夏 各 1錢 5分 甘草 5分

달리 삼금탕(三禁湯)이라고도 함. 시호(柴胡) 12g, 황금(黃芩) 8g, 인삼(人蔘)·반하(半夏) 각 4g, 감초(甘草) 2g, 생강(生薑) 3쪽, 대조(大棗) 2개. [《동의보감(東醫寶鑑)》] 반표반리증(半表半裏證)으로 추웠다 열이 났다 하면서 가슴과 옆구리가 답답하고 단단한 감이 있으며 식욕이 부진하고 때로 구역질을 하며 입이 쓰고 마르며 현기증이 나는 데 쓴다. 임신부 감기에도 쓴다. 담낭염, 간염, 담석증, 만성 위염, 결핵성 림프절염, 편도선염, 중이염, 신우신염, 자율 신경 부조화증 등 때 쓸 수 있다. 위의 약을 1첩으로 하여 물에 달여서 먹는다.

[네이버 지식백과] 소시호탕 [小柴胡湯] (한의학대사전, 2001. 6. 15., 한의학대사전 편찬위원회)

大靑龍湯 : 石膏 4錢 麻黃 3錢 桂枝 2錢 杏仁 1錢5分
　　　　　 甘草 1錢 生薑 3片 大棗 2枚

마황(麻黃) 12g, 계지(桂枝) 8g, 행인(杏仁) 6g, 석고(石膏) 16g, 감초(甘草) 4g, 생강(生薑) 3쪽, 대조(大棗) 2개. [《동의보감(東醫寶鑑)》] 감초 대신 자감초(炙甘草)를 넣은 대청룡탕도 있다. 오싹오싹 춥고 열이 몹시 나며 땀은 나지 않으면서 온몸이 무겁고 아프며 입이 마르며 가슴이 답답하고 숨이 찬 데 쓴다. 유행성 감기, 기관지 천식, 급성 폐렴, 급성 기관지염 등 때와 류머티스성 관절염 때 쓸 수 있다. 위의 약을 1첩으로 하여 물에 달여서 먹는다. 땀이 날 때까지 쓴다.

[네이버 지식백과] 대청룡탕 [大靑龍湯] (한의학대사전, 2001. 6. 15., 한의학대사전 편찬위원회)

桂婢各半湯 : 石膏 2錢 麻黃 桂枝 白芍藥 各 1錢 甘草 3分 生薑 3片 大棗 2枚

석고(石膏) 8g, 계지(桂枝) · 백작약(白芍藥) · 마황(麻黃) 각 4g, 감초(甘草) 1.2g, 생강(生薑) 3쪽, 대조(大棗) 2개. [《동의보감(東醫寶鑑)》] 태양병(太陽病)으로 오한이 있으며 열이 몹시 나고 머리가 아프며 목덜미가 뻣뻣한 증상이 있으면서 맥이 미약한 데 쓴다. 위의 약을 1첩으로 하여 물에 달여서 먹는다.

[네이버 지식백과] 계비각반탕 [桂婢各半湯] (한의학대사전, 2001. 6. 15., 한의학대사전 편찬위원회)

小陷胸湯 : 半夏製 5錢 黃連 2錢 5分 瓜蔞 大者 4分의 1

반하(半夏: 법제한 것) 20g, 황련(黃連) 10g, 괄루(栝樓: 큰 것) 1/4[《동의보감(東醫寶鑑)》] 소결흉(小結胸)으로 명치 밑이 그득하고 단단하며 누르면 아프고 설태가 누런 데, 상한(傷寒)에 땀을 잘못 내서 결흉증(結胸證)이 되어 가슴과 명치 밑이 그득하고 답답하며 아픈 데 쓴다. 삼출성 늑막염, 기관지 폐렴 등 때 쓸 수 있다. 위의 약을 1첩으로 하여 먼저 괄루를 물에 넣고 절반으로 졸도록 달인 다음 나머지 약을 넣고 달여 따뜻하게 해서 먹는다. 설사할 때까지 먹는다.

[네이버 지식백과] 소함흉탕 [小陷胸湯] (한의학대사전, 2001. 6. 15., 한의학대사전 편찬위원회)

大陷胸湯 : 大黃 3錢 芒硝 2錢 甘遂末 5分

대황(大黃) 12g, 망초(芒硝) 8g, 감수(甘遂) 가루 2g. [《동의보감(東醫寶鑑)》] 가슴에서 배꼽까지 단단하고 아프며 배에서 물소리가 나고 대변이 굳으며 잘 나오지 않으면서 오후마다 조열(潮熱)이 나는 데 쓴다. 상한태양병(傷寒太陽病)으로 가슴이 답답하고 아프며 숨이 차고 명치 아래가 무직한 증상이 있는데 쓴다. 위의 약을 2첩으로 하여 한 번에 1첩씩 쓴다. 먼저 대황을 달이다가 망초를 넣고 1~2번 끓어오르게 달여서 찌끼를 짜 버리고 감수 가루를 타서 먹는다. 약을 먹은 뒤 설사하면 쓰지 않는다.

[네이버 지식백과] 대함흉탕 [大陷胸湯] (한의학대사전, 2001. 6. 15., 한의학대사전 편찬위원회)

十 棗 湯 : 芫花微炒 甘遂 大戟炒 等分爲末 別取大棗十枚 水一盞 煎至半盞
　　　　　去棗 調藥末 强人一錢 弱人半錢服. 大便利下水 以粥補之.

원화(芫花: 덖은 것) · 감수(甘遂) · 대극(大戟: 덖은 것) 각 같은 양. [《동의보감(東醫寶鑑)》] 현음(懸飮)으로 기침하면서 가슴과 옆구리가 땅기고 아프며 명치 아래가 그득하고 단단하며 때로 구역질하기도 하고 숨이 찬 데, 복수(腹水)에 쓴다. 삼출성 늑막염, 여러 가지 원인에 의한 복수, 부종 등에 쓸 수 있다. 위의 약을 가루 내어 체격이 좋은 사람은 한 번에 4g씩 약한 사람은 2g씩 대추 10개를 달인 물에 타서 먹는다. 설사가 날 정도로 먹으며 지나치게 설사를 하게 되면, 감초나 콩 달인 물을 먹는다. (**이제마 주** : 죽을 먹는다).

[네이버 지식백과] 십조탕 [十棗湯] (한의학대사전, 2001. 6. 15., 한의학대사전 편찬위원회)

腎 氣 丸 : 六味地黃湯 加五味子一味

① 숙지황 320g, 산약(山藥) · 산수유(山茱萸) · 오미자(五味子) 각 160g, 백

복령(白茯苓) · 택사(澤瀉) · 모란피(牡丹皮) 각 120g. [《동의보감(東醫寶鑑)》]
육미환(六味丸)에 오미자를 더 넣은 것이다. 음(陰)이 허하여 미열이 나면서 기침
을 하고 숨이 찬 데, 유정(遺精)이 있는 데, 어린아이가 숫구멍이 제대로 닫히지
않는 데 쓴다. 위의 약을 가루 내어 벌꿀에 반죽하여 0.3g 되게 환약을 만든다.
한 번에 50~70환씩 데운 술이나 연한 소금물로 먹는다. 제생신기환(濟生腎氣丸)
이라고도 한다. ② 포부자(炮附子) 2개, 백복령(白茯苓) · 택사(澤瀉) · 산수유
(山茱萸) · 산약(山藥: 덖은 것) · 자소자(紫蘇子: 술에 찐 것) · 모란피(牡丹皮)
각 40g, 육계(肉桂) · 우슬(牛膝: 술에 담근 것) · 숙지황(熟地黃) 각 20g. [기
타] 신양부족(腎陽不足)으로 허리가 무겁고 온몸이 부으면서 소변이 잘 나오지
않는 데 쓴다. 만성 신염 때에 쓸 수 있다. 위의 약을 가루 내어 바짝 끓여서 정
제한 벌꿀에 반죽하여 0.3g 되게 환약을 만든다. 한 번에 70환씩 빈속에 미음으로
먹는다. 자생신생환(資生腎生丸)이라고도 한다.

[네이버 지식백과] 신기환 [腎氣丸] (한의학대사전, 2001. 6. 15., 한의학대사전 편찬위원회)

원명 이대의가 저술중 소양인병 경험행용요약 구방

(元明 二代醫家 著述中 少陽人病 經驗行用要藥 九方)

원명 이대의가 저술중 소양인병 경험행용요약 구방
(元明 二代醫家 著述中 少陽人病 經驗行用要藥 九方)

凉膈散 : 連翹 2錢 大黃 芒硝 甘草 各 1錢 薄荷 黃芩 梔子 各 5分

① 연교(連翹) 8g, 대황(大黃)·망초(芒硝)·감초(甘草) 각 4g, 박하(薄荷)·황금(黃芩)·치자(梔子) 각 2g, 죽엽(竹葉) 7잎, 봉밀(蜂蜜) 약간. [《동의보감(東醫寶鑑)》] 장부(臟腑)에 열이 몰려 목이 마르고 입술이 타고 입과 혀가 헐며 눈과 얼굴이 벌겋고 어지러우며 가슴이 답답하고 때로 코피가 나며 대소변이 잘 나오지 않는 데 쓴다. 증후성 구내염이나 얼굴에 화농성 염증성 변화가 있을 때 쓸 수 있다. 위의 약을 1첩으로 하여 물에 달여서 절반이 되면 망초를 넣어 녹인 다음 찌끼를 짜 버리고 먹는다. ② 연교(連翹) 8g, 대황(大黃)·망초(芒硝)·감초(甘草)·박하(薄荷)·황금(黃芩) 각 4g. [《사상진료의전(四象診療醫典)》] 소양인(少陽人)이 열이 성하여 번조증(煩躁症)이 있고 입이 쓰며 입 안이 헐고 눈이 충혈되며 머리가 아픈 데 쓴다. 위의 약을 1첩으로 하여 물에 달여서 먹는다.

[네이버 지식백과] 양격산 [凉膈散] (한의학대사전, 2001. 6. 15., 한의학대사전 편찬위원회)

此方 出於局方 治積熱煩躁 口舌生瘡 目赤頭昏. 今考更定 此方 當去 大黃 甘草 黃芩

이 처방은 국방이 출처인데(此方 出於局方), 열이 쌓여서 번조가 있을 때 쓰고(治積熱煩躁), 또한, 입과 혀가 헐 때도 쓰고(口舌生瘡), 눈이 붉어지고 어지러울 때도 처방한다(目赤頭昏). 지금 이 처방을 다른 서적을 참고해서 수정한다(今考更定). 즉, 이 처방에서(此方), 당연히 대황, 감초, 황금은 빼야 한다(當去 大黃 甘草 黃芩).

黃連猪肚丸：雄猪肚 1個 黃連 小麥炒 各 5兩 天花粉 白茯神 各 4兩 麥門冬 2兩
右爲末 入猪肚中 封口 安甑中蒸 爛搗 作丸 梧子大.

① 저두(猪肚) 1개, 황련(黃連) 200g, 맥문동(麥門冬)·지모(知母)·천화분(天花粉) 각 160g. [《동의보감(東醫寶鑑)》] 중소(中消)로 갈증이 나서 물을 마시고 음식을 많이 먹으나 점차 몸은 여위고 변이 굳으며 소변량이 많은 데 쓴다. 위의 약을 가루 내어 저두(猪肚) 속에 넣은 다음 잘 봉하여 시루에 넣고 쪄서 짓찧는다. 여기에 바짝 끓여서 정제한 벌꿀을 조금 넣고 0.3g 되게 환약을 만든다. 한 번에 100환씩 미음으로 먹는다.

② 저두(猪肚) 1개, 황련(黃連)·소맥(小麥: 닦은 것) 각 200g, 천화분(天花粉)·복신(茯神) 각 160g, 맥문동(麥門冬) 8g. [《동의보감(東醫寶鑑)》] 강중증(强中症)에 쓴다. 위의 약을 가루 내어 저두 속에 넣은 다음 잘 봉하여 시루에 쪄서 짓찧은 것으로 0.3g 되게 환약을 만든다. 한 번에 70~90환씩 미음으로 먹는다.

[네이버 지식백과] 황련저두환 [黃連猪肚丸] (한의학대사전, 2001. 6. 15., 한의학대사전 편찬위원회)

此方 出於危亦林得效方書中 治强中證. 今考更定 此方中 麥門冬一味 肺藥也. 肺與腎 一升一降 上下貫通 腎藥五味中 肺藥一味 雖爲贅材 亦自無妨 不必苛論.

이 처방의 출처는(此方), 위역림의 득효방이다(出於危亦林得效方書中). 이 처방은 성교가 없음에도 불구하고 발기하여 정액을 배설하는 증상에 쓴다(治强中證). 지금 이 처방을 다른 서적을 참고해서 수정한다(今考更定). 이 처방 중에서(此方中), 맥문동 하나는(麥門冬一味), 폐를 위한 처방이다(肺藥也). 폐와 더불어 신장은 함께 체액을 교환하는데(肺與腎), 신장에 붙은 부신이 만든 스테로이드는 폐로 올라가서 호흡을 돕고(一升), 폐가 이산화탄소를 처리하면서 만든 중조라는 염은 신장으로 내려가서 처리된다(一降). 그래서 신장과 폐는 상하로 서로 교통한다(上下貫通). 난경(難經)에서 부신은 호흡의 문이라고 한 이유가 여기에 있다. 이 처방에서 보면, 신장의 약은 5가지이고(腎藥五味中), 폐의 약은 1가지이다(肺藥一

味). 여기서 폐의 처방이 군더더기처럼 보일지라도(雖爲贅材), 이는 역시 스스로 다른 약을 방해하지는 않으므로(亦自無妨), 이유를 따질 필요는 없다(不必苟論). 이 부분은 이제마의 설명에 따르면, 이 처방은 오직 강중(强中)에만 신경을 집중 하고 있다. 이 강중은 성호르몬인 스테로이드 문제이므로, 이때는 물론 부신이 붙 은 신장만 돌보면 되는 것처럼 보일 것이다. 그러나 신장으로 중조라는 염을 보내 서 신장을 괴롭히고, 더불어 부신이 만든 스테로이드를 이용하는 폐는 이중으로 신장을 괴롭히므로, 이때 폐를 위한 맥문동 처방은 군더더기 처방이 아니다. 이런 이유로 여기서 폐를 위한 약인 맥문동의 처방은 지극히 적절하다.

六味地黃湯 : 熟地黃 4錢 山藥 山茱萸 各 2錢 澤瀉 牧丹皮 白茯苓 各 1錢 5分

숙지황(熟地黃) 16g, 구기자(枸杞子) · 산수유(山茱萸) 각 8g, 택사(澤瀉) · 모란피(牡 丹皮) · 백복령(白茯苓) 각 6g. [《사상진료의전(四象診療醫典)》] 소양인(少陽人)의 허로(虛勞)에 쓴다. 위의 약을 1첩으로 하여 물에 달여서 식간에 먹는다.

[네이버 지식백과] 육미지황탕 [六味地黃湯] (한의학대사전, 2001. 6. 15., 한의학대사전 편찬위원회)

此方 出於虞搏醫學正傳書中 治虛勞. 今考更定 此方中 山藥一味 肺藥也.

이 처방의 출처는(此方), 우단의 의학정전이다(出於虞搏醫學正傳書中). 이 처방은 허로를 치료하는데 쓴다(治虛勞). 지금 이 처방을 다른 서적을 참고해서 수정한다(今考更 定). 이 처방에 포함된(此方中), 산약 하나는(山藥一味), 폐를 위한 약이다(肺藥也)

生熟地黃丸 : 生乾地黃 熟地黃 玄參 石膏 各 1兩 糊丸 梧子大
　　　　　　空心 茶淸下 50～70丸.

건지황(乾地黃) · 숙지황(熟地黃) · 현삼(玄參) · 석고(石膏) 각 40g. [《동의보감(東醫寶鑑)》] 간혈 부족(肝血不足)으로 눈이 잘 보이지 않으면서 가슴이 답답하고 안타까워하며 잠을 이루지 못하는 데 쓴다. 위의 약을 가루 내어 꿀로 0.3g 되게 환약을 만든다. 한 번에 50~70환씩 빈속에 찬물이나 더운물로 먹는다.

[네이버 지식백과] 생숙지황환 [生熟地黃丸] (한의학대사전, 2001. 6. 15., 한의학대사전 편찬위원회)

此方 出於李梴醫學入門書中 治眼昏. 導赤散 木通 滑石 黃柏 赤茯苓 生地黃 山梔子 甘草梢 各 1錢 枳殼 白朮 各 5分. 此方 出於龔信萬病回春書中 治尿如米泔色 不過二服 愈. 今考更定 此方 當去 枳殼 白朮 甘草.

이 처방의 출처는(此方), 이천의 의학입문이다(出於李梴醫學入門書中). 이 처방은 눈이 흐릿한 병증을 치료한다(治眼昏).

導赤散 : 木通 滑石 黃柏 赤茯苓 生地黃 山梔子 甘草梢 各 1錢 枳殼 白朮 各 5分.

① 생지황(生地黃) · 목통(木通) · 감초(甘草) 각 4g, 죽엽(竹葉) 7잎. [《동의보감(東醫寶鑑)》] 심(心) · 소장(小腸)의 사열(邪熱)이 왕성하여 얼굴이 벌겋고 가슴이 답답하며 갈증이 나서 물을 켜는데, 또는 입 안과 혀가 헐며 소변이 잘 나오지 않고 색이 벌거며 요도가 아픈 데 쓴다. 급성 신우신염, 구내염 등 때 쓸 수 있다. 위의 약을 1첩으로 하여 물에 달여서 빈속에 먹는다. ② 생지황(生地黃) · 목통(木通) · 감초(甘草) 각 4g, 등심초(燈心草) 2g. [《방약합편(方藥合編)》] 심(心) · 소장(小腸)에 사열이 왕성하여 가슴이 답답하고 입이 마르며 소변이 잘 나오지 않는 데, 그 밖에 혈림(血淋), 열림(熱淋) 등으로 소변이 잘 나오지 않고 때로 요혈이 나오면서 요도가 아픈 데 쓴다. 위의 약을 1첩으로 하여 물에 달여서 빈속에 먹는다.

[네이버 지식백과] 도적산 [導赤散] (한의학대사전, 2001. 6. 15., 한의학대사전 편찬위원회)

원명 이대의가 저술중 소양인병 경험행용요약 구방

此方 出於龔信萬病回春書中 治尿如米泔色 不過二服 愈.
今考更定 此方 當去 枳殼 白朮 甘草.

　이 처방의 출처는(此方), 공신의 만병회춘이다(出於龔信萬病回春書中). 이 처방은 소변이 쌀뜨물처럼 뿌옇게 나올 때 처방한다(治尿如米泔色). 그러면 불과 두 번 복용으로 병은 완치된다(不過二服 愈). 지금 이 처방을 다른 서적을 참고해서 수정한다(今考更定). 이 처방에서(此方), 당연히 지각, 백출, 감초는 빼야만 한다(當去 枳殼 白朮 甘草).

荊防敗毒散 : 羌活 獨活 柴胡 前胡 赤茯苓 荊芥穗 防風
　　　　　　枳殼 桔梗 川芎 人蔘 甘草 各 1錢 薄荷 少許.

　① 강활(羌活) · 독활(獨活) · 시호(柴胡) · 전호(前胡) · 적복령(赤茯苓) · 인삼(人參) · 지각(枳殼) · 길경(桔梗) · 천궁(川芎) · 형개(荊芥) · 방풍(防風) 각 4g, 감초(甘草) 2g. [《동의보감(東醫寶鑑)》] 인삼패독산(人參敗毒散)에서 생강(生薑) · 박하(薄荷)를 빼고 형개 · 방풍을 넣은 것이다. 창양(瘡瘍) 초기에 표증(表證) 증상이 있는데, 온역(瘟疫) 초기 등에 쓴다. 위의 약을 1첩으로 하여 물에 달여서 먹는다. ② 강활(羌活) · 독활(獨活) · 시호(柴胡) · 전호(前胡) · 형개(荊芥) · 방풍(防風) · 적복령(赤茯苓) · 지골피(地骨皮) · 생지황(生地黃) · 차전자(車前子) 각 4g. [《사상진료의전(四象診療醫典)》] 소양인이 머리가 아프고 추웠다 열이 났다 하는데, 태양증(太陽證)과 소양증(少陽證) 등에 쓴다. 위의 약을 1첩으로 하여 물에 달여서 식간(食間)에 먹는다. 하루 2첩을 쓴다.

[네이버 지식백과] 형방패독산 [荊防敗毒散] (한의학대사전, 2001. 6. 15., 한의학대사전 편찬위원회)

此方 出於醫鑑書中 治傷寒 時氣發熱 頭痛項强 肢體煩疼.
今考更定 此方 當去 枳殼 桔梗 川芎 人蔘 甘草.

이 처방은(此方), 공신의 의감이 출처이다(出於醫鑑書中). 이 처방은 상한이나 (治傷寒), 계절병인 시기가 발병해서(時氣發熱), 두통이 있고(頭痛), 목이 뻣뻣하고(項强), 사지가 불편하고 쑤실 때 쓴다(肢體煩疼). 지금 이 처방을 다른 서적을 참고해서 수정한다(今考更定). 이 처방에서(此方), 당연히 지각, 길경, 천궁, 인삼, 감초는 빼야만 한다(當去 枳殼 桔梗 川芎 人蔘 甘草).

肥兒丸 : 胡黃連 5錢 使君子肉 4錢 5分 人蔘 黃連 神麴 麥芽 山査肉

　　　　各 3錢 5分 白茯苓 白朮 炙甘草 各 3錢 蘆薈煆 2錢 5分.

　　　　右爲末 黃米糊丸 綠豆大 米飮下 20~30 丸.

① 호황련(胡黃連) 20g, 사군자육(使君子肉) 18g, 인삼(人蔘)·황련(黃連: 생강 즙에 담갔다가 덖은 것)·신국(神麴: 덖은 것)·맥아(麥芽: 덖은 것)·산사육(山 楂肉) 각 14g, 백출(白朮)·백복령(白茯苓)·자감초(炙甘草) 각 12g, 노회(蘆薈: 그릇에 넣고 진흙으로 아가리를 꼭 막아 구운 것) 10g. [《동의보감(東醫寶鑑)》] 어린아이가 체기(滯氣)를 받은 것이 오래 끌거나 만성병으로 비위(脾胃)가 상하여 몸이 여위고 맥이 없어하며 얼굴빛은 창백하거나 핏기가 없고 누러며 가슴이 답답 해 하고 잘 먹으려 하지 않으며 배가 더부룩하게 불러오르고 잠잘 때 식은땀이 나 며 목과 입이 마르는 등 증상이 있는데 쓴다. 소아의 만성 소화 불량증, 소장염과 대장염, 기생충증 등에 쓸 수 있다. 위의 약을 가루 내어 쌀풀로 1g 되게 환약을 만든다. 한 번에 2~3환(2~4살)씩 하루 3번 미음으로 먹인다. ② 백출(白朮) 40g, 황련(黃連: 생강즙에 담갔다가 덖은 것)·사군자(使君子: 싸서 구운 것)·신국(神 麴: 덖은 것)·맥아(麥芽: 덖은 것)·육두구(肉豆蔲) 각 20g, 목향(木香) 4g, 빈 랑(檳榔) 1알, 합마(蛤蟆: 태운 것) 1마리. [《급유방(及幼方)》] 어린아이가 몸이 여위고 맥이 없어 하며 배가 더부룩하게 불러오고 먹으려 하지 않으며 자주 설사하 는 등의 증상이 있는데 쓴다. 위의 약을 가루 내어 쌀풀로 0.2g 되게 환약을 만든 다. 한 번에 2~4환(2~3살)씩 하루 3번 미음으로 먹인다. ③ 황련(黃連: 생강즙에

담갔다가 덖은 것) · 신국(神麴: 덖은 것) 각 40g, 맥아(麥芽: 덖은 것) · 육두구 (肉豆蔲: 싸서 구운 것) · 사군자(使君子) 각 20g, 빈랑(檳榔) · 목향(木香) 각 8g. [《동의처방집(東醫處方集)》] 어린아이가 얼굴이 누렇고 몸이 여위며 맥이 없어하 고 배가 더부룩하게 불러오르며 잘 먹으려 하지 않고 옆구리가 땅기는 등 증상이 있는데 쓴다. 위의 약을 가루 내어 쌀풀에 저담즙(豬膽汁)을 섞은 것으로 0.2g 되 게 환약을 만든다. 한 번에 2~3환(2~4살)씩 하루 3번 미음으로 먹인다.

[네이버 지식백과] 비아환 [肥兒丸] (한의학대사전, 2001. 6. 15., 한의학대사전 편찬위원회)

此方 出於醫鑑書中 治小兒疳積. 今考更定 此方 當去 人蔘 白朮 山査肉 甘草而 使君子一味 未能經驗的知藥性故 不敢輕論.

이 처방은(此方), 공신의 의감이 출처이다(出於醫鑑書中). 이 처방은 소아의 감 적을 치료한다(治小兒疳積). 지금 이 처방을 다른 서적을 참고해서 수정한다(今考 更定). 이 처방에서 당연히 인삼, 백출, 산사육, 감초는 빼야 한다(此方 當去 人蔘 白朮 山査肉 甘草而). 그리고 사군자 하나는(使君子一味), 아직 경험이 미숙해서 약성을 제대로 알지 못하므로(未能經驗的知藥性故), 사군자에 관해서는 감히 경 솔하게 말할 수 없는 실정이다(不敢輕論).

消毒飮 : 牛蒡子 2錢 荊芥穗 1錢 生甘草 防風 各 5分

① 조각자(皂角刺) · 금은화(金銀花) · 방풍(防風) · 당귀(當歸) · 대황(大黃) · 괄루자(栝樓子) · 감초(甘草) 각 5.2g. [《동의보감(東醫寶鑑)》] 변독(便毒)으로 자개미 부위에 멍울이 생겨 커지면서 단단하고 아픈 데 쓴다. 화농성 서혜 림프절 염 때 쓸 수 있다. 위의 약을 1첩으로 하여 물과 술을 절반씩 섞은 데에 달여서 먹는다. ② 우방자(牛蒡子) 8g, 형개수(荊芥穗) 4g, 방풍(防風) · 감초(甘草) 각

2g. [《동의보감(東醫寶鑑)》] 어린아이의 모든 창독(瘡毒), 단독(丹毒)에 쓰며 홍역 때 발진이 시원히 내 돋지 않는 데 쓴다. 인후두염, 편도선염, 성홍열, 이하선염 등 때 쓸 수 있다. 위의 약을 1첩으로 하여 물에 달여서 먹인다. ③ 대황(大黃: 싸서 구운 것) · 형개수(荊芥穗) 각 8g, 우방자(牛蒡子) · 감초(甘草) 각 4g. [《동의보감(東醫寶鑑)》] 검생풍속(瞼生風粟)으로 결막에 좁쌀알과 같은 것이 생기고 눈이 깔깔하며 눈곱이 끼는 데 쓴다. 트라코마에 쓸 수 있다. 위의 약을 1첩으로 하여 물에 달여서 먹는다. 가미형황탕(加味荊黃湯)이라고도 한다.

[네이버 지식백과] 소독음 [消毒飮] (한의학대사전, 2001. 6. 15., 한의학대사전 편찬위원회)

此方 出於醫鑑書中 治痘不快出 及 胸前稠密 急用三四服 快透 解毒神效
今考更定 此方 當去 甘草.

이 처방의 출처는(此方), 공신의 의감이다(出於醫鑑書中). 이 처방은 천연두에서 발진이 시원하게 나오지 않을 때나(治痘不快出), 가슴 앞에서 발진이 촘촘하게 돋아나올 때 쓴다(及 胸前稠密). 이때 이 처방을 급하게 서너 첩을 처방하게 되면(急用三四服), 약효가 아주 빠르게 침투해서(快透), 해독에 신기하리만큼 잘 듣는다(解毒神效). 지금 이 처방을 다른 서적을 참고해서 수정한다(今考更定). 이 처방에서(此方), 당연히 감초는 뺀다(當去 甘草).

水銀熏鼻方 : 黑鉛 水銀 各 1錢 朱砂 乳香 沒藥 各 5分 血竭 雄黃 沈香 各 3分.
　　　　右爲末 和勻 捲作紙燃七條 用香油點燈 放床上 令病人 放兩脚包住 上用單被 通身蓋之 口噙凉水 頻換則 不損口 初日 用三條 後日 每用一條 熏鼻.

소양인(少陽人) 체질을 가진 사람의 매독·마마 [痘瘡, 天包瘡] ·전후풍(纏喉風: 디프테리아)·악성종양과 같은 세균성으로 오는 질병에 사용하는 처방이다. 코에다

원명 이대의가 저술중 소양인병 경험행용요약 구방

수은의 연기를 쐬어 치료하는 외과적 방법이다. 이 처방은 중국 금·원대(金元代) 명의(名醫)인 주단계(朱丹溪)가 지은 『단계심법(丹溪心法)』에 있는 것인데, 이 처방의 주약(主藥)은 수은이고, 기타 약들은 보조 구실을 할 따름이다. 수은은 소양인의 약이기 때문에, 소양인의 외과 질환에 응용한 것이다. 처방은 납·수은이 각 3.75g, 주사(朱砂)·유황(硫黃)·몰약(沒藥) 각 2g, 혈갈(血竭)·웅황(雄黃)·침향(沈香) 각 1.20g으로 구성되었다. 그런데 수은은 독성이 많으므로, 반드시 납이나 유황이 들어가야만 독성이 감소한다. 위의 약들을 함께 가루로 만들어서 일곱 등분을 하여 뜸 쑥[艾灸]에 섞어서 일곱 등분의 가루를 각각 한지(韓紙)로 담배처럼 심지를 만드는데, 이것을 훈비(熏鼻)라고 하며, 일곱 개의 훈비를 한 제라고한다. 이 훈비를 태울 때 환자는 다리를 뻗고 홑이불을 뒤집어쓰고 자주 냉수를 입에 물었다 뱉었다 해야 하는데, 그 까닭은 수은독이 구감(口疳)을 일으키기 때문이다. 첫날에는 세 대를 피우고 다음 날부터는 매일 한 대씩 피운다. 훈비를 피울 때는 절대로 춥게 하거나 찬 바람을 쐬어서는 안 된다.

[네이버 지식백과] 수은훈비방 [水銀熏鼻方] (한국민족문화대백과, 한국학중앙연구원)

此方 出於朱震亨丹溪心法書中 治楊梅天疱瘡 甚奇

이 처방은(此方), 주진형의 단계심법이 출처이다(出於朱震亨丹溪心法書中). 이 처방은 양매와 천포창에(治楊梅天疱瘡), 아주 기가 막히게 잘 듣는다(甚奇).

論曰 水銀 破積熱 淸頭目 制陽回陰於下焦 爲少陽人抑陽扶陰藥中 無敵之藥而 祇可用之於當日救急之用 不可用之於連日補陰之用者 以其拔山扛鼎之力 一擧而 直搗大敵之巢穴 再擧則 敵已解散 反有倒戈之患故也 纏喉風 必用之藥. 少陽人 一脚不遂 兩脚不遂者 輕粉末 五厘 或一分 連三日服 無論病之瘥不瘥 必不過三日服 又不過日服五厘 或一分 謹風冷 愼禁忌. 一臂不遂 半身不遂 口眼喎斜 不可用 用之必危. 急病

可以急治 緩病 不可以急治 輕粉 劫藥 不可銳意用之 以望速效. 緩病 緩愈然後 可謂眞
愈 緩病 速效則 終必更病 難治 有連三日用之者 有間一二三日連服 連三次用之者.

　이제마는 다음과 같이 주장한다(論曰). 수은은(水銀), 쌓인 열을 격파한다(破積
熱). 수은은 불에 녹이기 때문에, 이때는 당연히 수은에 든 자유전자는 산화되어서
공중으로 휘발해버린다. 그러면 이때 수은은 자동으로 자유전자를 수거할 수 있는
강알칼리가 된다. 그래서 과잉 자유전자로 인해서 몸이 산성화되었을 때, 수은을
흡입하게 되면, 이는 몸에 쌓인 열의 원천인 자유전자를 그대로 수거해버려서 열
이 나는 일을 원천적으로 봉쇄해버린다. 이 구문에서는 이 사실을 쌓인 열을 격파
한다(破積熱)고 표현하고 있다. 그래서 간질에 존재하는 이런 과잉 자유전자를 수
은이 수거해버리면, 과잉 자유전자는 신경을 통해서 머리로 올라가서 머리를 괴롭
히지도 못하고, 뇌척수액을 통해서 눈을 괴롭히지도 못하게 된다. 즉, 이런 수은은
머리와 눈을 맑게 해준다(淸頭目). 그러면, 자동으로 체액 순환은 잘 된다. 그래서
수은은 하초에서 과잉 자유전자라는 양을 억제시켜서 자동으로 알칼리인 음을 회
복시켜준다(制陽回陰於下焦). 이는 수은이 염을 만들기 때문이다. 하초에는 염을
체외로 배설하는 방광이 있다. 즉, 수은이 과잉 자유전자를 염으로 만들어서 체외
로 버릴 수 있게 자유전자 담체를 제공한 것이다. 방광은 이런 담체가 없다면, 인
체를 괴롭히는 과잉 자유전자를 염을 통해서 체외로 버릴 수가 없게 된다. 그리고
방광이 자리하고 있는 하초에는 간이 통제하는 하복부 정맥총이 엄청나게 많이
자리하고 있다. 그래서 방광이 자기 역할을 잘 해주게 되면, 이 정맥총은 과부하
에 걸리지 않게 되고, 간은 건강한 상태가 되고, 이어서 소양인에게서 엄청나게
중요한 담도 안정화된다. 그래서 수은은 결과적으로 담에서 소양인을 괴롭히는 산
성인 양은 억제시키고, 알칼리인은 음은 부양시키는 약이 된다(爲少陽人抑陽扶陰
藥中). 그래서 수은은 소양인의 담을 보호하는데 따라올 자가 없는 무적의 약이
된다(無敵之藥而). 그러나 수은은 중금속이라서 몸에 축적되기가 쉬운데, 만일에
수은이 몸에 축적되면, 거꾸로 인체에 자기가 수거한 자유전자를 과잉으로 공급해
버린다. 그러면, 이때 인체는 자동으로 난리가 난다. 그래서 수은을 처방할 때는

배출이 좋게 유황을 함께 처방한다. 그래서 수은은 당일에 한 번만 쓰는 응급약으로 써야지(祇可用之於當日救急之用), 음인 알칼리를 보충한답시고 연이어서 며칠간 쓰는 약재가 아니다(不可用之於連日補陰之用者). 그리고 수은은 단기 효과가 아주 크므로, 수은으로 병이라는 적으로 물리치기 위해서 수은의 커다란 산을 뽑아버리고, 큰 솥도 엎어버리는 힘을 이용해서(以其拔山扛鼎之力), 일거에(一擧而), 병이라는 적을 쓸어버리는 도구이다(直搗大敵之巢穴). 그러나 이를 두 번 이상 사용하게 되면(再擧則), 인체 안에 축적되면서, 마치 흩어진 적이 다시 모여서(敵已解散), 반기를 들고 창을 아군에게 겨누는 우환의 이유가 된다(反有倒戈之患故也). 이는 앞에서 설명한 수은의 문제를 비유적으로 표현하고 있다. 그리고 수은은 목구멍이 막히고 뺨에 멍울이 생기는 전후풍에는(纏喉風), 반드시 처방해야만 하는 약이기도 하다(必用之藥). 그리고 소양인에서(少陽人), 한쪽 다리를 못 쓰거나(一脚不遂), 양쪽 다리를 못 쓸 때는(兩脚不遂者), 염화제일수은인 경분 가루(輕粉末), 오 리 또는 일 푼을(五厘 或一分), 연 3일간 복용한다(連三日服). 이때 주의 사항은 경분 가루를 복용한 뒤에 병이 차도가 있든 없든 따지지 말고(無論病之瘥不瘥), 반드시 3일을 넘겨서 복용하면 안 된다(必不過三日服). 또한 하루에 복용하는 경분 가루의 양을(又不過日服), 오리 또는 일 푼을 넘겨서도 안 된다(五厘 或一分). 그리고 찬 바람과 냉기를 잘 살펴서(謹風冷), 이를 삼가 금기 사항으로 지켜야만 한다(愼禁忌). 냉기와 찬바람은 수은이 수거한 자유전자의 활성을 죽인다. 그러면, 수은이 수거한 자유전자는 산소로 중화되지 못하고, 수은이 몸에 축적되게 만들어버린다. 이는 곧바로 수은 중독을 만들고 만다. 그리고 한쪽 팔이 불수가 되었거나(一臂不遂), 반신불수가 되었을 때나(半身不遂), 구안와사가 왔을 때는(口眼喎斜), 수은의 사용이 불가하게 된다(不可用). 이때는 수은을 사용하게 되면 반드시 위험한 상황을 만들고 만다(用之必危). 지금 이 상황들은 신경이 통하지 않아서 생긴 병증들이다. 그래서 이때는 어떻게 해서든지 간에 자유전자를 공급해서 신경을 자극해서 근육이 작동하게끔 만들어야만 한다. 그런데, 수은은 강알칼리로서 신경을 자극하는 자유전자를 모조리 흡수해서 가져가 버린다. 이는 당연히 재앙을 만들게 된다. 이 병증들에서 얻을 수 있는 교훈은, 전후풍(纏喉

風)과 같은 급한 병은(急病), 급하게 치료해야만 하고(可以急治), 반신불수(半身
不遂)와 같이 진전이 느린 병은(緩病), 급하게 치료해서는 안 된다(不可以急治)는
사실이다. 그래서 자유전자를 몽땅 수거하는 강알칼리인 수은이 포함된 경분은(輕
粉), 양인 과잉 자유전자를 모조리 흡수해서 강하게 억제하는 약이다(劫藥). 그래
서 경분을 쓸 때는 마음을 단단히 먹고(銳意), 주의해서 속효를 바라면서 쓰는 약
외에는 쓰면 안 된다(不可銳意用之 以望速效). 즉, 수은이라는 약은 약효가 빨리
나는 응급약이라는 뜻이다. 그래서 자동으로 응급 질환이 아닌 병은(緩病), 천천히
치유된 연후에야(緩愈然後), 이를 진짜로 치유되었다고 말할 수 있게 된다(可謂眞
愈). 아니면 이런 병을(緩病), 응급으로 치료해서 속효를 본다고 해도(速效則), 결
국에 이 병은 반드시 다시 재발하게 되고(終必更病), 치료 시기를 놓치면서 난치
병이 되고 만다(難治). 이런 수은을 쓸 때는, 연달아 3일간을 쓸 때도 있고(有連
三日用之者), 하루씩 걸러서(間) 3일간 연이어 써서(有間一二三日連服) 연이어 3
차례를 쓰기도 한다(連三次用之者). 그래서 지금은 수은을 약에는 거의 안 쓴다.

嘗見 少陽人 咽喉病 眼鼻病 脚痺病 用水銀 連三四日 或熏鼻 或內服 病愈者 病愈後
一月之內 必不可 內處冷 外觸風 尤不可 任意洗手洗面 更着新衣梳頭也. 犯此禁者
必死 又不可冷室 冷室則 觸冷而猝死 又不可燠室 燠室則 煩熱開牖觸風 而亦猝死
此皆目擊者也. 一人 病愈十餘日 更着新衣而猝死 一人 病愈二十日後 梳頭而猝死
一人 咽喉病 熏鼻 初日二條 翌日一條 當夜 燠室觸風而猝死 時俗 服水銀者 忌鹽醬者
以醬中 有豆豉 能解水銀毒故也. 然 毒藥解毒 容或無妨則 不必苛忌鹽醬.

　일찍이 다음과 같은 사실을 본적이 있다(嘗見). 소양인이(少陽人), 인후병(咽喉
病), 눈과 콧병(眼鼻病), 각비병(脚痺病)에 걸렸을 때는 수은을(用水銀), 연이어 3
일간 쓰거나(連三四日), 또는 훈증시켜서 코로 들어가게 하거나(或熏鼻), 또는 내
복시켜서(或內服), 병을 치유한다(病愈者). 병이 치유된 후에(病愈後), 일 개월 안
에(一月之內), 반드시 해서는 안 되는 일이 있다(必不可). 즉, 인체를 허하게 해서

냉하게 하거나(內處冷), 외부에서 찬 바람을 쐬어서는 안 된다(外觸風). 이때는 수은이 수거한 자유전자의 활성을 죽여서 수은이 수거한 자유전자가 산소로 중화되지 못하고 인체 안에 쌓이게 만들어버리기 때문이다. 더욱더 해서는 안 되는 일은(尤不可), 몸을 차갑게 하는 일로서 임의로 손을 씻고 세수하고(任意洗手洗面), 옷을 갈아입거나 빗질해서는 안 된다(更着新衣梳頭也). 그러면 환자는 왜 이런 행동을 할까? 이때는 수은이 수거한 자유전자가 중화되면서 열이 나고, 이어서 땀이 나기 때문이다. 만일에 이런 금기 사항을 어기게 되면(犯此禁者), 이때는 반드시 수은이 인체 안에 축적되면서 자동으로 황천길로 가게 된다(必死). 이런 연유로 환자가 거주하는 방을 절대로 차갑게 해서도 안 되고(又不可冷室), 이때 만일에 방을 차갑게 하게 되면(冷室則), 환자가 냉에 감촉되면서 환자는 갑자기 수은 중독으로 죽게 된다(觸冷而猝死). 즉, 수은이 방광으로 빠져나갈 때까지는 몸을 계속해서 따뜻하게 해주라는 뜻이다. 이때는 또한 거꾸로 환자가 거주하는 방을 너무 덥게 하면 안 된다(又不可燠室). 이때 환자가 거주하는 방을 너무 덥게 하면(燠室則), 몸의 열과 외부 열로 인해서 환자는 미치고 환장하게 되면서, 자동으로 더위를 식히려고, 창문을 열게 되고, 그러면 자동으로 차가운 바람에 감촉되고(煩熱開牖觸風), 이어서 역시 수은 중독으로 인해서 갑자기 죽게 된다(而亦猝死). 이 일들은 모두 직접 목격(目擊)한 일들이다(此皆目擊者也). 어떤 한 사람은(一人), 병이 치유되고 나서 10여 일 후에(病愈十餘日), 옷을 새것으로 갈아입고 나서 갑자기 죽었다(更着新衣而猝死). 그리고 어떤 한 사람은(一人), 병이 치유된 20일 후에(病愈二十日後), 빗질하더니 갑자기 죽었다(梳頭而猝死). 그리고 어떤 한 사람은(一人), 인후병이 있어서(咽喉病), 수은을 훈증해서 코로 쏘였는데(熏鼻), 첫날은 2대를 쏘이고(初日二條), 그다음 날은 1대를 쏘였는데(翌日一條), 당일 밤에(當夜), 방이 더워서 창문을 열고 찬 바람을 쐬고서 갑자기 죽었다(燠室觸風而猝死). 그리고 세간의 풍속에는(時俗), 수은을 복용하고서(服水銀者), 소금으로 담은 간장을 못 먹게 하는 풍속이 있는데(忌鹽醬者), 이는 간장을 만들 때 쓴(以醬中), 메주 때문인데(有豆豉), 이 메주는 수은의 독성을 제거하기 때문이다(能解水銀毒故也). 이런 연유는(然), 독약으로 독을 풀기 때문이다(毒藥解毒). 이는 물론 무방할 수 있으므로(容或無妨則), 반드시 금할 일은 아닐 수도 있다(不必苛忌鹽醬). 이 부분은 제대로 해석하게 되면, 찬탄을 자아내게 하는 곳이다. 이는 정말로 대단한 분석이다. 이 구문은 최첨단 현대의학이 감히 범접할 수 없는 부분이다. 수은은 금속에 속하므로 염의 재료이다. 그리고 이런 염과 제일 반응을 잘하는 물질이 신장에 붙은 부신에서 분비되는 스테로이드이다. 이는 부신에서 분비되는 스테로이드인 알도스테론(Aldosterone)을 보면 곧바로 이해된다. 이를 다른 말로 금속 스테로이드(Mineralcorticoid)라고 한다. 이는 스테로이드가 자유전자를 수거한 미네랄을 수거한다는 뜻이다. 즉, 스테로이드와 자유전자를 환원받은 미네랄이 서로 반응한다는 뜻이다. 그러고서는 이들은 그대로 소변을 통해서 체외로 배출된다. 그런데 메주를 만드는 대두에는 이소플라본(Iso-Flavone)이라는 스테로이드 유사 물질로서 스테로이드 기능을 하는 성분이 엄청나게 많이 들어있다. 그래서 수은 처방을 받고 나서 메주로 담은 간장을 섭취하게 되면, 이때는 자동으로 이소플라본이 수은을 붙잡아서 체외로 나가버린다. 그러면 수은이 하는 일은 방해받게 되고, 수은의 치료 효과는 떨어지게 된다. 그러나 수은이 너무 오래 인체 안에 존재할 때는 간장이 수은의 독을 푸는 데는 아주 좋은 도구가 된다. 이는 또한 우리 조상들이 왜 발효 메주로 간장을 담아서 상식했는지도 말해주고 있으며, 더불어 조상들의 엄청난 지혜도 엿볼 수 있는 대목이다. 그리고 원래 수은은 독이다. 그리고 병도 독이다. 이는 자동으로 독약으로 병이라는 독을 푸는 개념으로 간다(毒藥解毒). 이 부분은 전자생리학의 정수를 요구하고 있다. 이는 또한 양자역학의 정수를 요구하기도 한다.

신정 소양인병 응용요약 십칠방

(新定 少陽人病 應用要藥 十七方)

신정 소양인병 응용요약 십칠방
(新定 少陽人病 應用要藥 十七方)

荊防敗毒散 : 羌活 獨活 柴胡 前胡 荊芥 防風 赤茯苓 生地黃 地骨皮
車前子 各1錢. 右方 治**頭痛 寒熱往來者** 宜用.

① 강활(羌活) · 독활(獨活) · 시호(柴胡) · 전호(前胡) · 적복령(赤茯苓) · 인삼(人參) · 지각(枳殼) · 길경(桔梗) · 천궁(川芎) · 형개(荊芥) · 방풍(防風) 각 4g, 감초(甘草) 2g. [《동의보감(東醫寶鑑)》] 인삼패독산(人參敗毒散)에서 생강(生薑) · 박하(薄荷)를 빼고 형개 · 방풍을 넣은 것이다. 창양(瘡瘍) 초기에 표증(表證) 증상이 있는데, 온역(瘟疫) 초기 등에 쓴다. 위의 약을 1첩으로 하여 물에 달여서 먹는다. ② 강활(羌活) · 독활(獨活) · 시호(柴胡) · 전호(前胡) · 형개(荊芥) · 방풍(防風) · 적복령(赤茯苓) · 지골피(地骨皮) · 생지황(生地黃) · 차전자(車前子) 각 4g. [《사상진료의전(四象診療醫典)》] **소양인이 머리가 아프고 추웠다 열이 났다 하는데**, 태양증(太陽證)과 소양증(少陽證) 등에 쓴다. 위의 약을 1첩으로 하여 물에 달여서 식간(食間)에 먹는다. 하루 2첩을 쓴다.

[네이버 지식백과] 형방패독산 [荊防敗毒散] (한의학대사전, 2001. 6. 15., 한의학대사전 편찬위원회)

荊防導赤散 : 生地黃 3錢 木通 2錢 玄參 瓜蔞仁 各1錢5分 前胡 羌活 獨活
荊芥 防風 各1錢. 右方 治頭痛 胸膈煩熱者 宜用.

생지황(生地黃) 12g, 목통(木通) 8g, 현삼(玄參) · 괄루자(栝樓子) 각 6g, 전호(前胡) · 강활(羌活) · 독활(獨活) · 형개(荊芥) · 방풍(防風) 각 4g. [《사상진료의전(四象診療醫典)》] 소양인의 소양두통(少陽頭痛), 결흉증(結胸證), 번조증(煩躁症)이 있는데 쓴다. 위의 약을 가루 내어 한 번에 4g씩 식간에 먹는다.

[네이버 지식백과] 형방도적산 [荊防導赤散] (한의학대사전, 2001. 6. 15., 한의학대사전 편찬위원회)

荊防瀉白散 : 生地黃 3錢 茯笭 澤瀉 各 2錢 石膏 知母 羌活 獨活 荊芥
防風 各1錢. 右方 治頭痛 膀胱熒躁者 宜用.

　　소양상풍증과 망음증을 치료하는 데에 사용하는 처방이다. 일명 형방도백산(荊防導白散)이라고도 한다. 1894년 이제마(李濟馬)가 지은 『동의수세보원(東醫壽世保元)』 소양인 비수한표한병론(少陽人脾受寒表寒病論)에 이 처방에 관한 내용이 있다. 소양인은 표음(表陰)이 하강하지 못하고 배려간(背膂間)에 몰려 울체(鬱滯)되기 쉬우므로 여기에 외부로부터 한사(寒邪)가 침범하면 비수한표한병이 생기게 된다. 이처럼 표음이 울체된 것을 소양상풍증이라고 하고 ,이것이 심해지면 망음증이 된다. 이 처방은 이러한 병증에 사용하여 내려가지 못하는 표음을 하강시켜줌으로써 음양 순환의 균형을 이루어 병증이 치료되는 것으로 본 것이다. 처방의 구성은 생지황(生地黃) 11.75g, 복령(茯笭) · 택사(澤瀉) 각 7.5g, 석고(石膏) · 지모(知母) · 강활(羌活) · 독활(獨活) · 형개(荊芥) · 방풍(防風) 각 3.75g으로 되어 있다. 적응증으로는 소양인의 두통 · 표열실증(表熱實症) · 장감병(長感病)의 반표반리증(半表半裡症) · 해수 · 육울(六鬱) · 황달(黃疸) · 학질 · 습담(濕痰) · 주담(酒痰) · 비치(鼻痔) · 악조(惡阻) · 반장통(盤腸痛) · 신전(囟塡) 등이 있다. 군약(君藥)이 되는 생지황은 심(心)과 신(腎)에 들어가 사화청금(瀉火淸金)하는 작용이 있고, 지모는 윤신자음(潤腎滋陰)하면서 신의 사기(邪氣)를 사(瀉)하게 하여주며, 석고는 생지황의 보음사화(補陰瀉火)하는 작용을 돕는다. 여기에 청기(淸氣)를 상승시키는 택사, 패열(敗熱)을 소변으로 배설시키는 복령, 신과 방광의 사기를 승산(升散)시키는 강활 · 독활, 비(脾)와 폐(肺)의 사기를 발산시키는 형개 · 방풍 등이 보완됨으로써 진화(眞火)는 상승하고 표음의 울결은 풀리게 되어 음(陰)은 하강하고 양(陽)은 상승하는 정상적인 기혈의 순행을 되찾게 되는 것이다. 이 처방에 황련(黃連)과 과루인(瓜蔞仁)을 첨가하면 황련도백산(黃連導白散)이 되는데, 이 처방은 위열(胃熱)이나 이열(裡熱)로 대변이 불통하는 경우나 담궐(痰厥) · 치루(痔瘻) 등의 증세에 사용한다.

[네이버 지식백과] 형방사백산 [荊防瀉白散] (한국민족문화대백과, 한국학중앙연구원)

猪苓車前子湯 : 澤瀉 茯苓 各2錢 猪苓 車前子 各1錢5分 知母 石膏 羌活

獨活 荊芥 防風 各1錢. 右方 治頭腹痛 有泄瀉者 宜用.

택사(澤瀉) · 적복령(赤茯苓) 각 8g, 저령(猪苓) · 차전자(車前子) 각 6g, 지모(知母) · 석고(石膏) · 강활(羌活) · 독활(獨活) · 형개(荊芥) · 방풍(防風) 각 4g. [《사상진료의전(四象診療醫典)》] 소양인(少陽人)이 망음증(亡陰證)으로 몸에 열이 있고 설사하는데, 삼양합병(三陽合病) 때 머리와 배가 아픈 데 등에 쓴다. 위의 약을 1첩으로 하여 물에 달여서 먹는다.

[네이버 지식백과] 저령차전자탕 [猪苓車前子湯] (한의학대사전, 2001. 6. 15.)

滑石苦蔘湯 : 澤瀉 茯苓 滑石 苦蔘 各2錢 川黃連 黃柏 羌活 獨活 荊芥

防風 各1錢. 右方 治腹痛 無泄瀉者 宜用.

저령(猪苓) · 적복령(赤茯苓) · 활석(滑石) · 고삼(苦參) 각 8g, 황련(黃連) · 황백(黃柏) · 강활(羌活) · 독활(獨活) · 형개(荊芥) · 방풍(防風) 각 4g. [《동의수세보원(東醫壽世保元)》] 소양인(少陽人)이 설사는 하지 않으면서 배가 아픈 데, 망음증(亡陰證) 때 몸이 차고 설사는 없으면서 2~3일, 또는 하루에 4~5번씩 배가 아픈 데 쓴다. 위의 약을 1첩으로 하여 물에 달여서 한 번에 먹는다.

[네이버 지식백과] 활석고삼탕 [滑石苦參湯] (한의학대사전, 2001. 6. 15., 한의학대사전 편찬위원회)

獨活地黃湯 : 熟地黃 4錢 山茱萸 2錢 茯苓 澤瀉 各1錢5分 牧丹皮 獨活

防風 各1錢. 右方 治食滯痞滿者 宜用.

숙지황(熟地黃) 16g, 산수유(山茱萸) 8g, 백복령(白茯苓) · 택사(澤瀉) 각 6g, 모란피(牡丹皮) · 방풍(防風) · 독활(獨活) 각 4g. [《사상진료의전(四象診療醫

典)》] 소양인(少陽人)이 체기(滯氣)를 받아 명치 밑이 트적지근하고 그득한 데, 음이 허하여 오후마다 열이 나는 데, 중풍으로 토하거나 멀건 침을 흘리고 눈과 입이 한쪽으로 틀어진 초기에 쓴다. 위의 약을 1첩으로 하여 물에 달여서 먹는다.

[네이버 지식백과] 독활지황탕 [獨活地黃湯] (한의학대사전, 2001. 6. 15., 한의학대사전 편찬위원회)

荊防地黃湯 : 熟地黃 山茱萸 茯苓 澤瀉 各2錢 車前子 羌活 獨活 荊芥 防風 各1錢. 咳嗽 加前胡. 血證 加玄參 牧丹皮. 偏頭痛 加黃連 牛蒡子 食滯痞滿者 加牧丹皮. 有火者 加石膏 加石膏者 去山茱萸 頭痛煩熱 與 血證者 用生地黃. 荊芥 防風 羌活 獨活 俱是補陰藥. 荊防 大淸胸膈散風. 羌獨 大補膀胱眞陰. 無論 頭腹痛 痞滿 泄瀉 凡虛弱者 數百貼用之 無不必效 屢試屢驗.

숙지황(熟地黃) · 산수유(山茱萸) · 백복령(白茯苓) · 택사(澤瀉) 각 8g, 차전자(車前子) · 강활(羌活) · 독활(獨活) · 형개(荊芥) · 방풍(防風) 각 4g. [《사상진료의전(四象診療醫典)》] 소양인(少陽人)이 망음증(亡陰證)으로 인하여 몸이 차면서 설사하는 데, 부종 초기에 쓰며 몸을 조리하는 약으로도 쓴다. 허약한 사람이 머리와 배가 아프고 명치 밑이 그득하고 트적지근하며 또한 설사하는 데도 쓴다. 위의 약을 1첩으로 하여 물에 달여서 식간에 먹는다. 하루 2첩을 쓴다.

[네이버 지식백과] 형방지황탕 [荊防地黃湯] (한의학대사전, 2001. 6. 15., 한의학대사전 편찬위원회)

이 처방에서 기침할 대는(咳嗽), 전호를 추가하고(加前胡), 혈증이 있을 때는(血證), 현삼과 목단피 추가하고(加玄參 牧丹皮), 편두통이 있을 때는(偏頭痛), 황련과 우방자를 추가하고(加黃連 牛蒡子), 식체비만이 있을 때는(食滯痞滿者), 목단피를 추가하고(加牧丹皮), 화가 있을 때는(有火者), 석고를 추가하고(加石膏), 이때 석고를 추가했으면(加石膏者), 산수유를 뺀다(去山茱萸). 두통번열과 더불어 혈증이 있으면(頭痛煩熱 與 血證者), 생지황(用生地黃), 형개(荊芥), 방풍(防風),

강활(羌活), 독활을 쓰게 되는데(獨活), 이들 모두는 음을 보강해주는 약이다(俱是 補陰藥). 그리고 형개와 방풍은(荊防), 흉격산풍을 아주 깨끗하게 정리해주며(大 淸胸膈散風), 강활은(羌獨), 방광의 진음을 크게 보충해주며(大補膀胱眞陰), 이 처방은 두통, 복통, 비만, 설사는 막론하고(無論 頭腹痛 痞滿 泄瀉), 일반적인 허 약 체질에(凡虛弱者), 수백 첩을 쓰게 되면(數百貼用之), 반드시 효과가 나타나게 된다(無不必效). 이는 여러 번 시험해서 얻은 지식이다(屢試屢驗).

十二味地黃湯 : 熟地黃 4錢 山茱萸 2錢 白茯苓 澤瀉 各1錢5分 牧丹皮 地骨皮
玄參 枸杞子 覆盆子 車前子 荊芥 防風 各1錢

또한 십이미귀신탕(十二味歸神湯)이라고도 함. 숙지황(熟地黃) 16g, 산수유(山 茱萸) 12g, 백복령(白茯苓) · 택사(澤瀉) 각 8g, 모란피(牧丹皮) · 지골피(地骨 皮) · 현삼(玄參) · 구기자(枸杞子) · 복분자(覆盆子) · 차전자(車前子) · 형개 (荊芥) · 방풍(防風) 각 4g. [《사상진료의전(四象診療醫典)》] 소양인(少陽人)이 피를 토하는데, 음(陰)이 허하여 오후마다 열이 나는데, 산증(疝症)과 간증(癎症) 등에 쓴다. 위의 약을 1첩으로 하여 물에 달여서 먹는다.

[네이버 지식백과] 십이미지황탕 [十二味地黃湯] (한의학대사전, 2001. 6. 15.)

地黃白虎湯 : 石膏 5錢 或1兩 生地黃 4錢 知母 2錢 防風 獨活 各1錢

석고(石膏) 20~40g, 생지황(生地黃) 16g, 지모(知母) 8g, 방풍(防風) · 독활 (獨活) 각 4g. [《동의수세보원(東醫壽世保元)》] 소양인(少陽人)의 결흉(結胸)과 망음(亡陰)으로 헛소리하는 데, 태양병(太陽病) 증상이 학질과 비슷한 데, 양명병 (陽明病) 때 안절부절못하는 데, 변비, 이열증(裏熱證) 등에 쓴다. 위의 약을 1첩 으로 하여 물에 달여서 한 번에 먹는다.

[네이버 지식백과] 지황백호탕 [地黃白虎湯] (한의학대사전, 2001. 6. 15., 한의학대사전 편찬위원회)

陽毒白虎湯 : 石膏 5錢 或1兩 生地黃 4錢 知母 2錢 荊芥 防風 牛蒡子 各1錢

右方 治陽毒發斑 便秘者 宜用.

석고(石膏) 20~40g, 생지황(生地黃) 16g, 지모(知母) 8g, 형개(荊芥) · 방풍(防風) · 우방자(牛蒡子) 각 4g. [《동의수세보원(東醫壽世保元)》] 소양인(少陽人)의 양독발반(陽毒發斑), 변비, 전후풍(纏喉風), 입술이 붓고 또한 아픈 데 쓴다. 위의 약을 1첩으로 하여 물에 달여서 한 번에 먹는다. 풍사(風邪)가 성하면 강활(羌活) · 독활(獨活) 각 4g, 시호(柴胡) · 현삼(玄參) · 치자(梔子) · 인동등(忍冬藤) · 박하(薄荷) 각 2g을 위의 약에 더 넣고 방풍을 빼고 쓰면 더 좋다.

[네이버 지식백과] 양독백호탕 [陽毒白虎湯] (한의학대사전, 2001. 6. 15., 한의학대사전 편찬위원회)

凉膈散火湯 : 生地黃 忍冬藤 連翹 各2錢 山梔子 薄荷 知母 石膏 防風 荊芥

各1錢. 右方 治上消者 宜用.

생지황(生地黃) · 인동등(忍冬藤) · 연교(連翹) 각 8g, 치자(梔子) · 박하(薄荷) · 지모(知母) · 석고(石膏) · 방풍(防風) · 형개(荊芥) 각 4g. [《사상진료의전(四象診療醫典)》] 소양인(少陽人)의 상소(上消), 전후풍(纏喉風)으로 목이 붓고 아프며 넘기지 못하는 데 쓴다. 위의 약을 1첩으로 하여 물에 달여서 먹는다.

[네이버 지식백과] 양격산화탕 [凉膈散火湯] (한의학대사전, 2001. 6. 15., 한의학대사전 편찬위원회)

忍冬藤地骨皮湯 : 忍冬藤 4錢 山茱萸 地骨皮 各2錢 川黃連 黃栢 玄蔘 苦蔘

生地黃 知母 山梔子 枸杞子 覆盆子 荊芥 防風 金銀花 各1錢.

右方 治中消者 宜用.

인동등(忍冬藤) 16g, 산수유(山茱萸) · 지골피(地骨皮) 각 8g, 황련(黃連) · 황백(黃

신정 소양인병 응용요약 십칠방

柏)·현삼(玄參)·고삼(苦參)·생지황(生地黃)·지모(知母)·치자(梔子)·구기자(枸杞
子)·복분자(覆盆子)·형개(荊芥)·방풍(防風)·금은화(金銀花) 각 4g [《동의수세보원
(東醫壽世保元)》] 소양인(少陽人)의 중소증(中消證), 몸이 차면서 배가 아프고 설사하
는 데 쓴다. 위의 약을 1첩으로 하여 물에 달여서 한 번에 먹는다.

[네이버 지식백과] 인동등지골피탕 [忍冬藤地骨皮湯] (한의학대사전, 2001. 6. 15.)

熟地黃苦蔘湯 : 熟地黃 4錢 山茱萸 2錢 白茯苓 澤瀉 各 1錢半 知母 黃栢 苦蔘
各1錢. 右方 治下消者 宜用.

소양인(少陽人) 체질을 가진 사람의 하소(下消)를 치료하는 데 사용하는 처방
이다. 하소는 소갈병(消渴病: 당뇨병)의 말기 증상으로 혹은 색욕 과다로 하초(下
焦)에 열이 축적되어 다리에 힘이 없고, 골절(骨節)이 아프고 마르며, 소변이 잦고
탁하며 기름과 같은 증세를 말한다. 하소는 신음(腎陰)이 쇠약되어 양기를 발생하
는 근원이 고갈되어 대장의 양기(陽氣)가 상승하지 못하는 까닭에 병이 발생하는
것으로 삼소(三消: 상소·중소·하소) 중에서 가장 위험하다. 따라서 하소는 자보신
수(滋補腎水)하면서 대장의 청양(淸陽)을 상승시키는 것이 가장 주된 치료 방향
이며, 이 경우에 숙지황고삼탕이 적당하다. 처방의 구성은 숙지황 15g, 산수유
7.5g, 복령(茯苓)·택사(澤瀉) 각 5.625g, 지모(知母)·황백(黃柏)·고삼(苦參) 각
3.75g으로 되어 있다. 적응증에는 소양인의 하소 외에도 부인의 포의불하(胞衣不
下: 출산 후 태반이 나오지 않음)나 사태불하(死胎不下: 태아가 죽어서 자궁 안에
오래 머물러 있음) 등이 있다. 이 처방은 숙지황·산수유·복령·택사의 육미지황탕
(六味地黃湯) 재료로 보음호양(補陰護陽)하고, 침강입신(沈降入腎)하는 고삼, 윤
신자음(潤腎滋陰)하는 지모, 침음하강(沈陰下降)하는 황백 등 세 가지 약물로 신
(腎)의 사화(邪火)를 물리치도록 함으로써 생명의 근원이 되는 신장의 기능을 정
상화하고 아울러 그 부(腑)에 해당하는 대장의 청양(淸陽)을 상승하도록 한 것이
다. 그러나 병증이 위중하면 약의 힘만 가지고는 부족한 경우가 많으므로 항상 평

심정려(平心靜慮)하는 마음의 수양을 병행하는 것이 필요하다.

木通大安湯 : 木通　生地黃　各5錢　赤茯苓　2錢　澤瀉　車前子　川黃連　羌活　防風
荊芥　各1錢.　右方　治浮腫者　宜用.　險病　始終用藥　當至百餘貼
黃連　澤瀉　爲貴材則　貧者　或去連澤.

　　소양인(少陽人) 체질을 가진 사람의 부종(浮腫)을 치료하는 데 사용하는 처방
이다. 소양인은 체질적으로 성질이 급하고 항상 심장에 열화(熱火)가 타고 있으므
로 무슨 병이든지 급히 진행되며 증상의 변화가 빠르다. 겉으로 보기에 완만한 것
같아도 급히 다스리지 않으면 위험을 초래한다. 이 처방은 『동의수세보원(東醫壽
世保元)』에 수록되어있는 이제마(李濟馬)의 독창적 처방이다. 처방은 목통(木通)·
생지황(生地黃) 각각 20g, 적복령(赤茯苓) 8g, 택사(澤瀉)·차전자(車前子)·천황련
(川黃連)·강활(羌活)·방풍(防風)·형개(荊芥) 각각 4g으로 구성되어 있다. 이 처방
은 강력한 소염작용과 이뇨작용을 나타낸다. 소양인의 부종은 급히 다스리면 살고
그렇지 않으면 죽는다. 약을 써서 부종이 빠지고 오줌 색깔이 맑아지면 병이 나은
증거이나, 재발의 염려가 있으므로 오래 약을 사용함이 좋다. 치료된 뒤도 소양인
에 한정된 음식물만 먹고 과식은 절대로 삼가야 한다.

　　이 처방은(右方), 부종을 치료할 때 우선적으로 쓴다(治浮腫者　宜用). 험병에는
(險病), 당연히 시종일관 이 약을(始終用藥), 백여 첩을 써야 한다(當至百餘貼).
그리고 황련과 택사는(黃連　澤瀉), 아주 귀한 약재라서(爲貴材則), 돈이 없는 가
난한 사람들은(貧者), 이 두 약재를 빼고 쓰기도 한다(或去連澤).

黃連淸腸湯 : 生地黃 4錢 木通 茯苓 澤瀉 各2錢 猪苓 車前子 川黃連 羌活 防風 各1錢. 右方 治痢疾者 宜用. 去木通二錢 加荊芥一錢 淋疾者 宜用

생지황(生地黃) 16g, 목통(木通)·적복령(赤茯苓)·택사(澤瀉) 각 8g, 저령(猪苓)·차전자(車前子)·황련(黃連)·강활(羌活)·방풍(防風) 각 4g [《사상진료의전(四象診療醫典)》] 소양인(少陽人)의 이질에 쓴다. 위의 약을 1첩으로 하여 물에 달여서 먹는다.

[네이버 지식백과] 황련청장탕 [黃連淸腸湯] (한의학대사전, 2001. 6. 15., 한의학대사전 편찬위원회)

朱砂盆元散 : 滑石 2錢 澤瀉 1錢 甘遂 5分 朱砂 1分. 右方 爲末 溫水 或 井華水 調服. 夏月滌暑 宜用.

활석(滑石) 8g, 택사(澤瀉) 4g, 감수(甘遂) 2g, 주사(朱砂) 0.4g. [《동의수세보원(東醫壽世保元)》] 소양인(少陽人)이 여름철에 더위를 먹은 데 쓴다. 위의 약을 가루 내어 물에 타서 먹는다.

[네이버 지식백과] 주사익원산 [朱砂盆元散] (한의학대사전, 2001. 6. 15., 한의학대사전 편찬위원회)

甘遂天一丸 : 甘遂末 1錢 輕粉末 1分. 和勻糊丸 分作 10 丸 朱砂爲衣.

소양인(少陽人) 체질을 가진 사람의 흉막염(늑막염) 증세와 같은 담(痰)에 사용하는 처방이다. 상한(傷寒) 열성병(熱性病)이 오래되어 변증(變症)이 되면 가슴에서 가래가 끓고 아프며 명치 밑이 답답하고 또 단단하여 물도 마시면 식도로 넘어가지 않고 토해내는 증세이다. 이를 수결흉(水結胸)이라고 하며, 매우 급하고 중한 증세이다. 이는 소양인 특유의 병증이며 가슴에 열화가 있어 담이 맺혀 있는 것이다. 이 처방은 감수(甘遂) 3.75g, 경분(輕粉) 0.375g으로 구성되었으며, 감수는 담을 삭히고 이뇨 작용을 행하며, 경분은 살충·치담(治痰)을 하므로, 담을 없애는 작용을 한다. 경분의 약력은 0.375g이면 족하고 감수의 약력은 0.55g이면 족하며 경분·감수는 모두 독성이 있기 때문에 비록 적은 분량이라도 정확히 정량을 사용하여야 하며 병의 경중에 따라 용약(用藥)을 조절해야 한다. 머리 속에 화기가 있으면 경분을 위주로 하고 흉격(胸隔)에 담이 있으면 감수를 위주로 처방해야 한다. 소양인의 담(痰)을 치료하는 처방은 여러 가지가 있어 감수 3.75g, 경분 2.00g으로 환약을 만들면 경분감수용호단(輕粉甘遂龍虎丹), 경분·감수를 같은 비율로 환약을 만들면 경분감수자웅단(輕粉甘遂雌雄丹), 경분 3.75g, 유향(乳香)·몰약(沒藥)·감수를 각 2.00g을 20개로 환약을 만들면 유향몰약경분환(乳香沒藥輕粉丸)이라 한다. 감수는 반드시 수치(修治)를 해서 써야 한다. 수치법은 밀가루를 반죽하여 감수말(甘遂末)을 싸서 불에 굽는다.

[네이버 지식백과] 감수천일환 [甘遂天一丸] (한국민족문화대백과, 한국학중앙연구원)

作丸乾久則 堅硬難和 每用時 以紙二三疊包裹 以杵搗碎 作麤末. 三四五片 口含末 因飲井華水和下 候三四辰刻內 不下利則 再用二丸. 下利三度 爲適中 六度 爲快過 預煎米飮 下利二三度 因進米飮. 否則 氣陷而 難堪耐. 治結胸 水入還吐.

환약을 만들고, 이를 건조해서 오래 두게 되면(作丸乾久則), 굳고 딱딱해져서 풀리기 어렵게 된다(堅硬難和). 그래서 환약은 사용할 때 마다(每用時), 종이로 두세 겹을 싸서(以紙二三疊包裹), 절구에 굵게 찧어서(以杵搗碎 作麤末), 삼사오 편으로 만들어서(三四五片), 이를 입에 머금은 상태에서(口含末), 정화수와 서로 섞이게 해서 녹여 넘긴다(因飲井華水和下). 그리고 이후 6~8시간 안에(候三四辰刻內), 설사가 나오지 않는다면(不下利則), 다시 환 2개를 복용하고(再用二丸), 그래서 설사가 3번 나오게 되면(下利三度), 이는 약효가 적중한 것이다(爲適中). 그리고 설사가 6번 나오게 되면(六度), 이는 아주 시원하게 약효를 만든다(爲快過). 그리고 설사 전에 미리 미음을 쑤어 두었다가(預煎米飮), 설사를 두세 번 하게 되면(下利二三度), 미음을 먹으면 된다(因進米飮). 이렇게 하지 않게 되면(否

신정 소양인병 응용요약 십칠방

則), 설사로 인해서 인체의 에너지가 빠지는 바람에 기가 극도로 약해져서(氣陷 而), 환자는 견디기가 어렵게 된다(難堪耐). 이 처방은 결흉에 걸려서(治結胸), 식 도가 막히는 바람에 물을 먹자마자 토하는 증상을 치료할 때 쓴다(水入還吐).

甘遂一錢 輕粉五分 分作十丸則 名曰 輕粉甘遂龍虎丹.

輕粉 甘遂 各等分 作十丸則 名曰 輕粉甘遂雌雄丹.

輕粉一錢 乳香 沒藥 甘遂 各五分 分作三十丸則 名曰 乳香沒藥輕粉丸.

감수 1전(甘遂一錢), 경분 5푼(輕粉五分)을 분말로 만들어서 10개의 환을 만들 면(分作十丸則), 이를 경분감수용호단이라고 부른다(名曰 輕粉甘遂龍虎丹). 그리 고 경분(輕粉), 감수(甘遂)를 각각 등분해서(各等分), 10개의 환을 만들면(作十丸 則), 이를 경분감수자웅단이라고 부른다(名曰 輕粉甘遂雌雄丹). 그리고 경분 1전 (輕粉一錢), 유향(乳香), 몰약(沒藥), 감수(甘遂)를 각각 5푼씩 해서(各五分), 분 말로 만들어서 이를 10개의 환으로 만들면(分作三十丸則), 이를 유향몰약경분환 이라고 부른다(名曰 乳香沒藥輕粉丸).

輕粉 發汗 甘遂 下水. 輕粉藥力 一分則 快足 五厘則 無不及. 甘遂藥力 一分五厘則 快足 七八厘則 無不及. 輕粉 甘遂 自是毒藥 俱不可輕易過一分用之 斟酌輕重. 病欲頭 腦滌火則 輕粉 爲君. 病欲胸膈下水則 甘遂 爲君. 少陽人藥 諸種 不可炮 灸 炒 煨用.

수은이 섞인 경분은(輕粉), 땀을 내고(發汗), 설사를 만드는 감수는(甘遂), 설사 를 통해서 체액을 체외로 빼낸다(下水). 경분의 약효를 보면(輕粉藥力), 일 푼이 면 충분하고(一分則 快足), 오 리면 부족하게 된다(五厘則 無不及). 감수의 약효 를 보면(甘遂藥力), 일 푼 오 리이면 충분하고(一分五厘則 快足), 칠팔 리이면(七 八厘則), 부족하지 않다(無不及). 경분과 감수는(輕粉 甘遂), 이 자체가 독약이다

(自是毒藥). 이런 이유로 이 둘은 모두 가볍게 생각해서 일 푼이라고 초과해서 쓰면 안 된다(俱不可輕易過一分用之). 즉, 이 둘은 질병의 경중을 고려해서 신중히 써야만 한다(斟酌輕重). 자유전자로 움직이는 신경이 집중되는 머리에 자유전자 과잉이 생기면서, 열을 만들 때는(病欲頭腦滌火則), 자유전자를 잘 수거하는 강알칼리로서 경분이(輕粉), 최고의 약이 된다(爲君). 그리고 흉부에 체액이 정체하면서 문제가 될 때는 설사로 해결해야만 하는데(病欲胸膈下水則), 이때는 설사제인 감수가(甘遂), 최고의 약이 된다(爲君). 그리고 소양인의 치료를 위한 모든 약 종류는(少陽人藥 諸種), 잿불에 묻어서 통째로 굽거나(不可炮), 직접 불에 굽거나(炙), 볶거나(炒), 종이나 반죽에 싸서 굽거나 해서는 안 된다(煨用). 즉, 이때는 화제가 불필요하다. 앞에서 말한 소양인 약제 중에서 수은과 감수를 살펴보면 된다. 즉, 수은은 강알칼리이고, 감수는 강산이다. 특히 수은은 대표적인 강알칼리이고, 감수는 대표적인 강산이다. 그런데, 수은을 더 강한 알칼리로 만드는 화제는 더욱더 강알칼리로 만들어버리고, 감수의 강산을 산화시켜서 알칼리로 만들어버리는 화제는 감수의 약성을 없애버린다. 즉, 불이 만든 열은 두 약재에서 자유전자를 모조리 산화시켜버린다. 그러면, 이들을 화제하면, 너무나 강한 알칼리로 변한 수은은 신경의 밥인 자유전자를 너무나 많이 수거해버려서 독약으로 작용하고, 이는 자동으로 신경의 마비를 유도해서 환자를 즉사하게 만든다. 그리고 알칼리로 변한 감수는 자유전자를 잃으면서 동시에 설사 약성을 잃어버린다. 그러면, 감수는 설사약의 기능을 잃어버린다. 다시 한번, 불이 만들어내는 열기는 자유전자를 산화시켜서 약재를 강알칼리로 만든다는 사실을 상기해보자. 이 부분은 상당한 내공을 요구한다. 그리고 이 부분을 최첨단 현대의학으로 바라보게 되면, 이 부분은 전형적인 미신의 표본으로 전락하게 된다. 그 이유는 아주 간단한데, 무식한 최첨단 현대의학은 세상의 모든 질병이 단백질에서 시작해서 단백질로 끝난다고 생각하기 때문이다. 그러나 앞의 분석에서 보다시피, 이 분석에 단백질이 끼어들 여지는 아무리 눈을 씻고 찾아봐도 어디에도 없다. 이는 자동으로 미신으로 가는 지름길이 되고 만다. 돈으로 뒤틀리고 무식한 지식이 세상을 지배하면, 이런 결과를 통해서 순진한 대중만 농락당하고 만다.

舊本에 依據한 補遺方 (舊本에 있었으나 新本에서 削除된 處方)

　구판에는 있었으나 신판에서 빠진 처방.

猪苓白虎湯 : 石膏 生地黃 各4兩 荊芥 牛蒡子 羌活 各1錢 獨活 玄蔘

　　　　　山梔子 忍冬藤 薄荷 各5分

　석고, 생지황 각각 4냥, 형개, 우방자, 강활 각각 1전, 독활, 현삼,

산치자, 인동등, 박하 각각 5푼.

제4권(卷之四)

태음인 위완수한 표한병론

(太陰人 胃脘受寒 表寒病論)

태음인 위완수한 표한병론(太陰人 胃脘受寒 表寒病論)

張仲景 曰 太陽傷寒 頭痛發熱 身疼腰痛 骨節皆痛 惡寒無汗而 喘 麻黃湯 主之.
註曰 傷寒 頭痛身疼腰痛 以至牽連百骨節俱痛者 此 太陽傷寒 榮血不利故也.

　장중경은 다음과 같이 말한다(張仲景 曰). 뇌척수액을 통제해서 뇌를 통제하는 방광에서 상한이 문제를 일으키게 되면(太陽傷寒), 이때는 당연히 두통이 오게 되고(頭痛), 상한을 일으킨 과잉 염에 든 자유전자가 중화되면서 열이 나고(發熱), 이 자유전자는 당연히 온몸에서 통증을 만들어내고(身疼), 신장과 신경으로 연결된 허리에서도 통증이 오고(腰痛), 뇌척수액이 통제하는 골절 모두에서도 통증이 발생하고(骨節皆痛), 간질에 쌓인 과잉 염이 오한을 만들고 있지만, 염이 중화되면서 나는 열이 나지 않으면서(惡寒無汗而), 기침하게 되면(喘), 이때는 마황탕으로 주치한다(麻黃湯 主之). 이 내용을 설명한 주석에서는 다음과 같이 말하고 있다(註曰). 상한에 걸려서(傷寒), 두통, 신동, 요통이 있고(頭痛身疼腰痛), 이것이 확장되어서 모든 골절에서 통증이 있게 되면(以至牽連百骨節俱痛者), 이는(此), 방광이 문제가 되어서 생긴 태양상한이며(太陽傷寒), 이는 영양소와 이를 싣고 다니는 혈액이 상한으로 인해서 제대로 순환하지 못하기 때문이다(榮血不利故也).

論曰 此 卽 太陰人 傷寒 背頴表病 輕證也.
此證 麻黃湯 非不當用而 桂枝 甘草 皆爲蠹材. 此證 當用 麻黃發表湯.

　이제마는 다음과 같이 주장한다(論曰). 이 증상인즉(此 卽), 태음인이 상한에 걸려서(太陰人 傷寒), 문제가 될 때 나타나는 등과 목덜미(頴:내민 이마 추)에서 나타나는 표증으로서(背頴表病), 경증에 속한다(輕證也). 이 증상에는(此證), 당연히 마황탕을(麻黃湯), 쓸 수밖에 없다(非不當用而). 그러나 이때 계지나 감초는(桂枝 甘草), 모두 안 좋은 약재이다(皆爲蠹材). 이 증상에는(此證), 당연히 마황발표탕을 써야 한다(當用 麻黃發表湯). 이 부분은 논란의 여지를 안고 있다고 볼 수 있다. 계지도 땀을 낸다. 그리고 특히 감초는 자기가 보유한 스테로이드인 글리시리진(glycyrrhizin)을 통해서 염을 만들어서 방광을 괴롭히는 과잉 염을 체외로 배출한다. 그리고 지금은 방광에서 과잉 염이 문제인 태양상한(太陽傷寒)이다. 그러면, 감초가 꼭 나쁜 약재라고 할 수는 없다. 물론 이는 이 병을 바라보는 관점에 따라서 바뀔 수가 있다. 즉, 지금은 방광이 문제라서 염을 제대로 배출하지 못하는 상황이다. 그러면, 이 염 문제는 당연히 간질을 통해서 땀으로 해결하면 된다. 그래서 이제마는 감초 문제를 이런 시각으로 바라본 것 같다. 그래도 계지 문제는 조금은 아쉬운 면을 남긴다. 추가 분석은 독자 여러분의 몫이다.

張仲景 曰 傷寒 四五日而厥者 必發熱 厥深者 熱亦深 厥微者 熱亦微.

傷寒 厥四日 熱反三日 復厥五日 厥多熱少 其病 爲進.

傷寒 發熱四日 厥反三日 厥少熱多 其病 當自愈.

　장중경은 다음과 같이 말한다(張仲景 曰). 과잉 염으로 인해서 상한에 걸렸는데(傷寒), 사오일이 지나서 보니까 궐증(厥)이 발병했다면(四五日而厥者), 궐증은 과잉 염으로 인해서 체액의 흐름이 막히(厥)면서 나타나므로, 이때는 당연히 간질에 정체한 과잉 염에 든 자유전자가 중화되면서 반드시 열이 나게 된다(必發熱). 그리고 체액의 막힘 정도가 너무 심해서 궐증이 심해지게 되면(厥深者), 이때 중화되는 자유전자의 양도 자동으로 많아지므로, 이때는 역시 열도 자동으로 심해지게 된다(熱亦深). 그러면, 궐증이 미약한 상태라면(厥微者), 자동으로 역시 열도 미약할 것이다(熱亦微). 그리고 정체한 과잉 염으로 인해서 상한에 걸려서(傷寒), 궐증이 발병한 지가 4일이 되었고(厥四日), 이때 열이 난지는 반대로 3일밖에 안 되었는데(熱反三日), 다시 궐증이 생겨서 5일을 보냈고(復厥五日), 이때 궐증이 많이 발생하고 열은 적게 난다면(厥多熱少), 이때 병은(其病), 당연히 더 진행될 것이다(爲進). 설명이 조금 필요하다. 일단 상한에 걸리게 되면, 이때는 자동으로 염이 과잉으로 몸 안에 쌓이게 된다. 즉, 인체 안에 쌓인 한(寒)인 염(塩)이 상한 (傷寒)의 원인이 된다는 뜻이다. 이때 쌓인 염은 삼투압 기질이므로, 수분을 잔뜩 붙잡고 있게 되고, 그러면 자동으로 체액이 막힐(厥) 때 일어나는 궐증은 자동으로 발병한다. 그러나 이때 간질에 쌓인 상한의 근원인 염이 산소를 통해서 중화된 다면 즉, 염에 보관된 병의 근원인 자유전자가 산소로 중화된다면, 이때 궐증은 자동으로 치유된다. 그래서 과잉 염으로 인해서 궐증이 하루 동안 발생했다면, 이에 따라서 과잉 염을 중화하는 열도 하루 정도 나 준다면, 궐증은 사라지게 된다. 그래서 위 문장에서 보면, 궐증이 4일간 있었고(厥四日), 열은 3일간 났다(熱反三日). 그러면 이때는 자동으로 궐증을 만든 과잉 염은 하루치가 남게 된다. 그래서 다시 5일간 궐증을 앓게 된다(復厥五日). 그래서 결국에 궐증에 걸려서 아픈 시간과 열이 나는 시간의 차이에서 병의 치유 여부가 결정된다. 그래서 궐증의 기간은 많고, 열의 기간은 적게 되면(厥多熱少), 이때 병은(其病), 자동으로 더 진행될 수밖에 없게 된다(爲進). 이는 궐증을 만든 과잉 염이 열로 중화되지 않았으므로, 별도리가 없다. 이 문제는 본 연구소가 발행한 상한론이나 상한잡병론을 참고하면 된다. 다시 본문을 보자. 그래서 과잉 염이 문제인 상한에 걸려서(傷寒), 열은 4일간 났고(發熱四日), 반대로 궐증은 3일간 있었다면(厥反三日), 이때는 자동으로 궐증이 있는 날보다 열이 난 날이 더 많게 되므로(厥少熱多), 더는 궐증을 만들 과잉 염은 존재하지 않게 되고, 이때 궐증이라는 병은(其病), 당연히 자동으로 치유된다(當自愈). 이 문제는 에너지의 정의 문제이다. 그래서 이때는 에너지의 정의가 엄청나게 중요하게 된다. 그러나 최첨단 현대의학은 인체를 포함해서 생체의 에너지를 ATP로 본다. 그러면, 지금 기술한 궐증과 열의 관계는 영원히 풀리지 않게 된다. 이 문제는 오직 인체를 포함해서 생체의 에너지가 자유전자라는 사실을 인식할 때만 정확히 풀리게 된다. 이는 또한 자동으로 미신을 예약하게 된다. 생체의 에너지 문제는 본 연구소가 발행한 전자생리학을 참고하면 된다.

論曰 此謂之厥者 但惡寒不發熱之謂也 非手足厥逆之謂也. 太陰人 傷寒表證 寒

厥四五日後 發熱者 重證也. 此證 發熱 其汗 必自髮際而 始通於額上. 又 數日後 發熱而 眉稜通汗. 又 數日後 發熱而 顴上通汗. 又 數日後 發熱而 唇頤通汗. 又 數日後 發熱而 胸臆通汗也而. 額上之汗 數次而後 達於眉稜. 眉稜之汗 數次而後 達於顴上. 顴上之汗 數次而後 達於唇頤. 唇頤之汗 不過一次而 直達於胸臆矣. 此證 首尾幾近 二十日 凡 寒厥六七次而後 病解也. 此證 俗謂之 長感病. 凡 太陰人病 先額上眉稜 有汗而 一汗病不解 屢汗病解者 名曰 長感病.

이제마는 다음과 같이 주장한다(論曰). 여기서 말하는 궐증은(此謂之厥者), 단지 오한만 있고, 열이 나지 않는 경우를 말한다(但惡寒不發熱之謂也). 이는 약간의 오해를 불러올 수도 있다. 오한은 피부에서 열은 나지만 인체 안쪽은 추워서 떨게 되는 경우이다. 그러나 열은 인체 안쪽이 춥지 않은 경우이다. 다시 본문을 보자. 즉, 여기서 궐증은 수족에서 체액 순환이 막혀서 일어나는 궐역을 말하는 것이 아니다(非手足厥逆之謂也). 즉, 여기서 말하는 궐증은 수족 궐역보다 단계가 낮은 궐증을 말한다. 그리고 정맥혈을 통제하는 간이 핵심인 태음인이(太陰人), 간질에 염이 정체하면서 상한 표증에 걸렸을 때는(傷寒表證), 이 염이 한궐을 만들게 되는데, 이 한궐에 걸려서 사오일이 지나서(寒厥四五日後), 열이 나게 되면(發熱者), 이때는 중증이 되고 만다(重證也). 그 이유는 사오일 동안 과잉 염이 축적되기 때문이다. 그리고 이 과잉 염은 중화될 때까지 계속해서 열을 만들어내서 인체를 계속해서 괴롭히게 된다. 이다음 문장들은 이런 상황을 자세히 묘사하고 있다. 이 증상은(此證), 당연히 열을 만들고(發熱), 이 열은 자동으로 땀구멍을 열어서 땀을 만들고(其汗), 이때 땀은 반드시 발제 부분에서 시작해서(必自髮際而始), 이마 위까지 가게 된다(通於額上). 즉, 이는 이마 전체에서 땀이 난다는 뜻이다. 머리 부분은 통상 피부가 얇고 속이 깊지 않아서 머리에서 나는 열은 그대로 공기 중으로 발산해버린다. 그리고 머리 안에 든 뇌척수액이 자유전자 과잉으로 인해서 산성으로 기울게 되면, 이 과잉 자유전자는 신경을 타고 얼굴 부위로 내려오게 된다. 그리고 그 첫 관문이 이마가 된다. 그래서 이때는 이마에서 땀이 시작된다. 머리는 전신에서 신경을 따라서 올라오는 자유전자의 집결지라는 사실을 상

태음인 위완수한 표한병론

기해보자. 그래서 열도 머리가 있는 이마에서 처음으로 나게 되고, 땀도 이마에서 처음으로 날 수밖에 없다. 그래서 옛날 할머니들은 손주가 아프다고 하면, 맨 처음 이마에 손을 올려서 열을 측정하곤 했다. 즉, 병이 났을 때 이마는 열을 맨 처음 발산하는 곳이기 때문이다. 다시 본문을 보자. 또한(又), 며칠 후에(數日後), 열이 난다면(發熱而), 이때는 눈두덩이 부분까지 땀이 나게 된다(眉稜通汗). 즉, 땀이 나는 부분이 점점 확장된다. 또한(又), 며칠 후에(數日後), 열이 난다면(發熱而), 이때는 땀이 나는 영역이 더 확장되어서 광대뼈 부분까지 내려온다(顴上通汗). 또한(又), 며칠 후에(數日後), 열이 난다면(發熱而), 이때는 땀이 나는 영역이 더욱더 확장되어서 입술과 턱 부분까지 땀이 나게 된다(脣頤通汗). 또한(又), 며칠 후에(數日後), 열이 난다면(發熱而), 땀이 나는 부위가 흉부까지 확장된다(胸臆通汗也而). 즉, 이마 위에서 처음 나던 땀이 결국에는 확장되고 확장되어서 흉부까지 온 것이다(額上之汗 數次而後 達於眉稜. 眉稜之汗 數次而後 達於顴上. 顴上之汗 數次而後 達於脣頤. 脣頤之汗 不過一次而 直達於胸臆矣). 그래서 이 증상은(此證), 처음부터 끝까지 걸리는 시간이(首尾幾近), 20일 정도가 된다(二十日). 일반적으로(凡), 앞에서 살펴본 한궐은 상당한 양의 과잉 염이 간질에 정체한 상태이므로, 6~7차에 이르는 땀이 난 후에야(寒厥六七次而後), 비로소 해결된다(病解也). 이 증상을(此證), 일반 속세 사람들이 말하기를(俗謂之), 오래도록 시간이 걸려서 염이 축적되므로, 장감병이라고 한다(長感病). 일반적으로(凡), 상한에 걸린 태음인이 병에 걸려서(太陰人病), 병이 해결될 때, 먼저 이마와 눈썹 부위에서 땀이 시작되어서(先額上眉稜 有汗而), 이 한 차례 땀으로 이 문제가 해결이 안 되면(一汗病不解), 이때는 많은 땀을 흘린 뒤에야 비로소 병이 해결되는데(屢汗病解者), 이를 이르러서(名曰), 장감병이라고 말한다(長感病).

太陰人病 寒厥六七日而 不發熱 不汗出則 死也. 寒厥二三日而 發熱 汗出則 輕證也. 寒厥四五日而 發熱 得微汗於額上者 此之謂長感病 其病 爲重證也. 此證原委 勞心焦思之餘 胃脘衰弱而 表局虛薄 不勝寒而 外被寒邪所圍. 正邪相爭之

形勢 客勝主弱. 譬如一團孤軍 困在垓心 幾於全軍覆沒之境. 先鋒(軍)一隊 倖而
跳出 決圍一面 僅得開路 後軍全隊 尙在垓心. 將又 屢次力戰然後 方爲出來則
爻象 正是凜凜之勢也. 額上通汗者 卽 先鋒一隊 決圍跳出之象也. 眉稜通汗者 卽
前軍全隊 決圍全面 氣勢勇敢之象也. 顴上通汗者 中軍半隊 緩緩出圍之象也. 此
病 汗出眉稜則 快免危也. 汗出顴上則 必無危也.

　　태음인이 염이 과잉 정체하면서 한궐에 걸려서(太陰人病 寒厥), 6~7일이 지나
서도(六七日而), 이 과잉 염이 중화되지 않아서 열도 나지 않고(不發熱), 이어서
땀도 나지 않는다면(不汗出則), 이는 과잉 염을 중화할 때 요구되는 산소 공급이
없다는 사실을 말하게 되고, 이는 체액의 순환이 막혔다는 사실을 말하므로, 이때
는 딱 하나의 길(死)만이 남게 된다(死也). 그러나 한궐에 걸리고 이삼일 후에(寒
厥二三日而), 한궐을 만든 과잉 염이 중화되면서 열이 나고(發熱), 이어서 땀이
난다면(汗出則), 이때는 정체한 염의 양이 얼마 되지 않으므로, 이는 가벼운 한궐
증상이 된다(輕證也). 그러나 한궐에 걸려서 사오일이 지나서(寒厥四五日而), 열
이 나고(發熱), 이마에서 조금씩 땀이 나면(得微汗於額上者), 이는 사오일 동안
쌓인 염을 중화하기에는 역부족이라는 뜻이 되고, 이는 자동으로 장감병이라고 말
할 수 있게 된다(此之謂長感病). 이때 상한은 많은 시간이 지나야만 해결된다는
뜻이다. 그러면 자동으로 이때 상한은(其病), 자동으로 중증이 되고 만다(爲重證
也). 이 장감병이라는 증상은(此證), 원래(原委), 마음이 안정이 안 되고, 항상 노
심초사하면서 산성인 호르몬의 폭증을 불러일으켜서(勞心焦思之餘), 신경을 과부
하시키고, 이어서 담즙을 통해서 신경을 통제하는 간을 병들게 하면서 발병하게
된다. 그러면 이때는 자동으로 간과 담이 자리하고 있는 위완부를 쇠약하게 만들
고 만다(胃脘衰弱而). 이때 위완부는 횡격막 구멍이 있는 부분을 말한다. 이 구멍
으로 인체의 모든 체액이 지나간다. 그래서 간이 자리하고 있는 위완부 부분은 엄
청나게 중요하다. 간은 인체에서 제일 큰 장기인데, 이 장기가 과부하에 걸려서
비대해지게 되면, 곧바로 횡격막을 수축시켜서 횡격막 구멍을 막아버린다. 그러면,
자동으로 간질에서 폐로 보내는 체액은 여기서 막히고 만다. 그러면 자동으로 간

질인 표는 산성 체액이 쌓이면서 허약해지고 만다(表局虛薄). 이때 만일에 간질에 쌓인 염인 한을 이기지 못하게 되면(不勝寒而) 즉, 간질에서 과잉 염을 중화하지 못하게 되면, 간질(外被)에서 염이 한사가 되어서 간질을 에워싸게 되고(外被寒邪 所圍), 그러면, 이제 간질에서는 산성 체액을 중화하는 정기(正)와 산성 체액인 사기(邪)가 서로 한 판 뜨는 형세가 만들어지게 된다(正邪相爭之形勢). 그러나 현재는 간질에 과잉 염인 사기가 우세한 상태이므로, 이때는 산성 체액으로서 사기인 객(客)이 이기게 되고, 자동으로 간질을 지키는 주인(主)인 알칼리는 허약해지고 만다(客勝主弱). 이를 전쟁에 임하는 군대로 비유해보면(譬), 한 무리의 외로운 군대가(如一團孤軍), 깊숙이 포위당해서(困在垓心), 전군이 몰살당할 지경에 몰린 것이다(幾於全軍覆沒之境). 이때 선봉에 선 선봉대가 요행을 얻어서 뛰쳐나와서(先鋒(軍)一隊 倖而跳出), 포위당한 한 곳을(決圍一面), 겨우겨우 열어서(僅得開路), 군대 일부는 포위망에서 벗어났지만, 뒤에 남은 후군은 여전히 포위망 깊숙이에 잡혀있다(後軍全隊 尙在垓心). 그러면 이런 형세는 장래에(將又), 여러 차례 전심전력을 다해서 싸운 후에야(屢次力戰然後), 비로소 포위망에 잡힌 군대가 탈출할 수 있다는 뜻이 된다(方爲出來則). 이를 주역의 효사로 풀어보자면(爻象), 이는 정확히 적의 기세가 위풍당당하고 늠름한 형세이다(正是凜凜之勢也). 즉, 이때는 과잉 염이 간질에 엄청나게 정체하면서 인체에 위협을 가하고 있는 형세이다. 여기서 이마에서 나는 땀인즉(額上通汗者 卽), 선봉에 선 한 군대가(先鋒一隊), 적의 포위망을 뚫고 탈출하는 상이고(決圍跳出之象也), 눈썹 부근에서 나는 땀인즉(眉稜通汗者 卽), 앞에 탈출한 전군이(前軍全隊), 적과 전면전을 벌이면서(決圍全面), 기세가 용맹한 상이고(氣勢勇敢之象也), 광대뼈 근처에서 나는 땀은(顴上通汗者), 포위망의 가운데 있던 남은 군대가(中軍半隊), 서서히 포위망을 벗어나는 상이다(緩緩出圍之象也). 그리고 이 장감병은(此病), 땀이 눈썹 부위에서 날 때 해결된다면(汗出眉稜則), 위험을 빨리 모면할 것이고(快免危也), 땀이 광대뼈 부근에서까지 나오게 되면(汗出顴上則), 이때는 반드시 위험이 없을 것이다(必無危也). 이는 장감병의 근원인 과잉 염을 더 많이 중화했기 때문이다. 즉, 땀을 많이 흘리면 흘릴수록 장감병의 근원인 과잉 염은 자동으로 제거되기 때문이다.

太陰人汗 無論額上眉稜上顴上 汗出如黍粒 發熱稍久而還入者 正强邪弱 快汗也.
汗出如微粒 或淋漓無粒 乍時而還入者 正弱邪强 非快汗也.

앞에서 살펴본 태음인의 모든 땀은(太陰人汗), 어디에서 나든지 간에(無論額上眉稜上顴上), 땀의 크기가 기장처럼 크면서 줄줄 나오고(汗出如黍粒), 열이 서서히 오래 사그라들다가 없어지게 되면(發熱稍久而還入者), 이는 간질에 정체하면서 장감병을 만든 과잉 염이 산소로 중화되어서 깨끗이 해결되었다는 뜻이 되므로, 이때는 당연히 정기가 강하고, 사기는 약한 형세가 되고(正强邪弱), 이때 난 땀은 병을 쾌유시키는 땀이 된다(快汗也). 그러나 땀방울의 크기가 너무 작거나(汗出如微粒) 또는 작은 크기로 흐르면서(或淋漓無粒) 오락가락하면(乍時而還入者), 이때는 땀을 만드는 알칼리인 정기는 약하고, 장감병을 만든 과잉 염인 사기는 강한 상태가 된다(正弱邪强). 그래서 이때 나는 땀은 병을 쾌유시키는 땀이 아니다(非快汗也).

太陰人 背部後面 自腦以下 有汗而 面部 髮際以下 不汗者 匈證也. 全面 皆有汗而 耳門左右 不汗者 死證也. 凡 太陰人汗 始自耳後高骨 面部髮際 大通於胸臆間而 病解也. 髮際之汗 始免死也 額上之汗 僅免危也. (觀汗法). 眉稜之汗 快免危也. 顴上之汗 生路寬闊也. 脣頤之汗 病已解也 胸臆之汗 病大解也.

태음인이 상한에 걸렸을 때(太陰人), 등 후면(背部後面) 그리고 뒷골 아래에서는 땀이 나는데(自腦以下 有汗而), 얼굴(面部) 그리고 발제 부분 이하에서는(髮際以下), 땀이 나지 않게 되면(不汗者), 이는 흉악한 증세이다(匈證也). 왜? 땀이라는 존재는 상한을 만든 과잉 염이 산소를 통해서 중화된다는 뜻이다. 거꾸로 땀이 나지 않는다는 말은 상한을 만든 과잉 염이 산소가 없어서 중화되지 못하고 있다는 뜻이 된다. 그러면 이는 산소를 공급하는 혈액이 공급되지 않고 있다는 뜻이 되고, 이는 자동으로 엄청나게 흉악한 증상이 된다. 지금 이 상황이 머리에서 만들어지고 있다는 사실을 말하고 있다. 무슨 말이 더 필요하겠는가! 다시 본문을 보

자. 그런데, 얼굴 전체에서 모두 땀이 나고 있을지라도(全面 皆有汗而), 귀 주변에서는 땀이 나지 않고 있다면(耳門左右 不汗者), 이는 죽는 증상이다(死證也). 왜? 이의 해답은 청신경을 담당하는 제8뇌신경의 핵심이 되는 뇌간(brain stem)에 있다. 인간의 뇌에서 뇌간은 중뇌(중간뇌, midbrain), 교뇌(다리뇌, pons), 연수(숨뇌, medulla oblongata)를 포함한다. 그리고 뇌간에는 머리와 목의 운동과 감각을 담당하는 뇌신경핵이 자리하고 있으며, 심혈관 기능과 호흡 기능을 조절하는 중추 역시 뇌간에 자리하고 있다. 뿐만이 아니라, 뇌간은 신체의 상태에 관한 말초의 정보가 모여 중추로 전달되는 중요한 길목이기도 하다. 그래서 귀 주변에서는 땀이 나지 않고 있다면(耳門左右 不汗者), 이는 제8뇌신경에 문제가 있다는 뜻이 된다. 땀을 만드는 자유전자는 신경을 통해서 전달된다는 사실을 상기해보자. 그래서 귀 주변에서 땀을 만들지 못하고 있다는 말은 청신경이 죽었다는 뜻이 되고, 이어서 뇌간도 문제가 심각하다는 사실을 말하게 된다. 이는 자동으로 황천길을 예약하게 된다. 그리고 여기서 주목해야만 하는 한 가지 사실은 태음인을 말하고 있다는 점이다. 태음인은 간이 핵심이 되는데, 간은 담즙을 통제해서 뇌를 통제한다. 그래서 제8뇌신경에 문제가 있다는 말은 간이 기능을 거의 잃었다는 뜻도 된다. 그러면, 담즙으로 처리되지 못한 단백질은 자동으로 뇌에 정체하고 만다. 담즙은 콜레스테롤을 통해서 산성 쓰레기가 된 단백질을 수거하는 도구라는 사실을 상기해보자. 그리고 간은 이 산성 쓰레기 단백질에서 질소를 떼어내서 암모니아로 처리해서 단백질 산성 쓰레기 문제를 해결한다. 그래서 간이 문제가 되면, 자동으로 산성 쓰레기 단백질은 뇌에 쌓이게 되고, 여기에서 자동으로 암모니아가 만들어지게 된다. 이는 자동으로 뇌 기능을 막아버리면서 혼수상태를 유발하고 만다. 이를 간성(肝性) 혼수(昏睡)라고 부른다. 이 상태가 되면, 환자는 대부분 죽는다. 다시 본문을 보자. 일반적으로(凡), 태음인이 상한에 걸리게 되면서 땀을 흘리게 될 때(太陰人汗), 땀의 시작이(始), 귀 뒤에 있는 고골에서 시작해서(自耳後高骨), 안면부와 발제 부분을 거치고(面部髮際), 흉부 사이에서까지 땀이 나게 되면(大通於胸臆間而), 이미 앞에서 살펴본 것처럼, 이때는 자동으로 병이 해결된다(病解也). 그래서 발제 부분에서 땀이 시작된다면(髮際之汗 始), 이는 청신경도 제대로 작동하고 있으므로, 일

단은 죽음은 면하게 된다(免死也). 머리에서 발제 부분은 머리카락이 있는 부분과 머리카락이 없는 부분의 경계선(境界線)이라는 사실을 상기해보자. 그리고 이마 부근에서 땀이 나게 되면(額上之汗), 이때는 겨우 죽음을 면할 수 있다(僅免危也). (참고로 이런 진단 방법을 관한법(觀汗法)이라고 부른다). 그리고 눈썹 근처에서 땀이 나게 되면(眉稜之汗), 이때는 시원하게 위험에서 벗어나게 된다(快免危也). 눈썹 근처에는 혈관이 아주 잘 발달해있다. 그래서 이 부분에서 땀이 난다는 말은 혈액 순환이 잘 되고 있다는 뜻이 된다. 그리고 귀와 연결된 관자놀이 부근에서 땀이 난다면(顴上之汗), 이는 사는 길이 트였다는 사실을 말하게 된다(生路寬闊 也). 그리고 땀이 아래로 훌쩍 내려와서 입술과 턱에서까지 난다면(脣頤之汗), 이때는 이미 병이 해결된 상태가 된다(病已解也). 그리고 땀이 흉부에까지 내려온다 면(胸臆之汗), 이때는 병이 완벽하게 해결되게 된다(病大解也).

嘗見此證 額上汗 欲作眉稜汗者 寒厥之勢 不甚猛也.
顴上汗 欲作脣頤汗者 寒厥之勢 甚猛 至於寒戰叩齒 完若動風而 其汗 直達兩腋.
張仲景所云 厥深者 熱亦深 厥微者 熱亦微 蓋謂此也.
此證 寒厥之勢 多日者 病重之勢也. 寒厥之勢 猛峻者 非病重之勢也.

　일찍이 이 병은 다음과 같은 현상이 나타난다(嘗見). 이 증상에서(此證), 이마 에서 땀이 나면서(額上汗), 눈썹 부위에서도 땀이 나려고 한다면(欲作眉稜汗者), 이때는 한궐의 기세가(寒厥之勢), 그리 심하지 않다는 사실을 말한다(不甚猛也). 그리고 관자놀이 부근에서 땀이 나는데(顴上汗), 입술과 턱 부분에서까지 땀이 나 려고 한다면(欲作脣頤汗者), 이때는 한궐의 기세가(寒厥之勢), 아주 심한 상태가 된다(甚猛). 땀이 나는 부위가 많다는 말을 거꾸로 해석하면, 그만큼 한궐을 만든 염이 많다는 뜻도 된다. 이때 만일에 추워서 벌벌 떨면서 이빨까지 갈고 있다면 (至於寒戰叩齒), 이는 거의(完若) 풍이 발동할 시점이 된다(完若動風而). 이때는 땀이(其汗), 양쪽 겨드랑이에서까지 나게 된다(直達兩腋). 이는 엄청난 양의 과잉 염이 존재한다는 사실을 말하고 있다. 그리고 장중경의 말에 따르면(張仲景所云), 궐증이 깊으면(厥深者), 열도 역시 깊고(熱亦深), 궐증이 미약하면(厥微者), 열도 역시 미약하다고 하는데(熱亦微), 모두 앞에서 본 이를 두고 한 말이다(蓋謂此 也). 이 증상에서(此證), 한궐의 병세가(寒厥之勢), 쉽게 해결되지 않고서 오래 질 질 끌게 되면(多日者), 병은 자동으로 중증의 형세로 변하고(病重之勢也), 한궐의 병세가(寒厥之勢), 단기적으로 강하게 되면(猛峻者), 이때는 중증의 형세로 가지 는 않는다(非病重之勢也). 여기서 병세가 단기적으로 강하다는 말은 열도 많이 난 다는 뜻도 된다. 이는 또한 그만큼 많은 과잉 염을 중화한다는 뜻도 된다.

此證 京畿道人 謂之長感病 咸鏡道人 謂之四十日痛 或謂之無汗乾病. 時俗所用 荊防敗毒散 藿香正氣散 補中益氣湯 個個誤治. 惟熊膽 雖或盲人直門 然 又(連)用 他藥 病勢更變. 古人所云 病不能殺人 藥能殺人者 不亦信乎. 百病加減之勢 以凡 眼目觀之 固難推測而 此證 又有甚焉. 此證之汗 在眉稜顴上時 雖不服藥 亦自愈 矣而. 病人 招醫 妄投誤藥則 顴上之汗 還爲額上之汗而 外證 寒厥之勢則 稍減矣. 於是焉 醫師 自以爲信藥效 病人 亦自以爲得藥效. 又數日 誤藥則 額上之汗 又不 通而 死矣. 此證 當以汗之進退 占病之輕重 不可以寒之寬猛 占病之輕重. 張仲景 曰 其病 當自愈云者 豈非珍重無妄之論乎. 然 長感病 無疫氣者 待其自愈則 好也 而. 瘟病 疫氣重者 若明知證 藥無疑則 不可尋常置之 待其勿藥自愈 恐生奇證.

이 증상을(此證), 경기도 사람들은(京畿道人), 장감병이라고 부르고(謂之長感 病), 함경도 사람들은(咸鏡道人), 사십일통이라고 부르기도 하고(謂之四十日痛), 무한건병이라고 부르기도 한다(或謂之無汗乾病). 이때 세속에서 이용하는 처방은 (時俗所用), 형방패독산(荊防敗毒散), 곽향정기산(藿香正氣散), 보중익기탕이며(補 中益氣湯), 이는 모두 잘못 처방된 것이다(個個誤治). 이때는 곰쓸개만이 효과가 있어서(惟熊膽), 맹인이 우연히 문지방을 잘 넘은 것과 같다(雖或盲人直門). 지금 은 간이 핵심인 태음인을 논하고 있다는 사실을 상기해보자. 이런 이유로 곰쓸개가 등장한다. 여기에는 담즙의 재료가 모두 들어있어서 이를 복용하게 되면, 간이 힘들게 쓸개즙을 만들지 않고서도 쓸개즙 재료를 이용할 수 있게 된다. 즉, 곰쓸개는 간을 도와주게 된다. 다시 본문을 보자. 그러나(然), 다른 약들은(又(連)用他藥), 오히려 병세를 변화시켜버린다(病勢更變). 옛날 사람들은 이런 말을 했다(古人所云). 병은 사람을 죽이지 않지만(病不能殺人), 약은 사람을 죽일 수 있다(藥能殺人者). 이 말은 너무나도 믿을 만하지 않은가 말이다(不亦信乎). 모든 병이 악화하거나 개선될 때(百病加減之勢), 이를 그냥 일반적인 눈으로 보게 되면(以凡眼目觀之), 추측이 상당히 어렵게 된다(固難推測而). 지금 살펴보고 있는 이 증상도(此證), 또한 역시 추측이 심하게 어렵다(又有甚焉). 이 증상이 나타나면서 땀을 흘릴 때(此證之汗), 땀이 관자놀이와 눈썹 부위까지 난다면(在眉稜顴上時), 이때는 비록 약을 쓰지 않더라도(雖不服藥), 역시 자가 치유된다(亦自愈矣而). 그러나 환자가 의사를 초대해서(病人 招醫), 잘못된 약을 잘못 투약하게 되면(妄投誤藥則), 관자놀이에서 나던 땀은(顴上之汗), 잘못된 처방으로 인해서, 다시 이마 위에서만 땀이 나게 만들고 만다(還爲額上之汗而). 이때 보면, 외부로 나타나는 증상은(外證), 한궐의 병세가(寒厥之勢則), 점점 사그라드는 것처럼 보이게 한다(稍減矣). 이는 땀이 줄어드는 현상을 병이 낫는 현상으로 보기 때문이다. 그러나 병을 만든 과잉 염은 반드시 땀으로 해결해야만 한다. 다시 본문을 보자. 이쯤 되면(於是焉), 의사도 자동으로 약효를 믿게 되고(醫師 自以爲信藥效), 환자도 역시 자동으로 약효를 믿게 된다(病人 亦自以爲得藥效). 며칠 후에 또다시(又數日), 잘못된 처방을 하게 되면(誤藥則), 이번에는 아예 이마 위에서 나던 땀조차도 나지 않게 되고(額上之汗 又不通而), 그러면 환자는 자동으로 해소되지 못한 과잉 염으로 인해서 사망하게 된다(死矣). 이는 최첨단 현대의학이 행하는 대증(對症) 치료의 전형적인 예이다. 대증(對症) 치료는 병의 근원은 그대로 놔두고서 오직 겉으로 나타나는 증상만 멈추게 한다. 그러면, 어느 시점에 가면, 결국에 병은 곪아서 터지게 되고, 이때는 더 큰 병을 얻고 만다. 이는 자동으로 병원의 고소득으로 나타나게 된다. 이것이 대증 치료를 실행하는 이유가 된다. 즉, 대증(對症) 치료 철학에서 환자는 그냥 수익 모델에 불과한 존재이다. 이것이 의학이 최첨단으로 발전했다고 지껄여대는 현실에서 우리가 겪는 현실이다. 이 결과로 당뇨, 고혈압, 고지혈증, 암은 자동으로 유행병이 되고 만다. 그리고 우리는 지금 이런 현실 속에서 아무것도 모른 채 병원을 맹신하고 있다. 이는 의학 독점의 전형적인 폐해이다. 그러나 한의학은 근원(根源) 치료에 해당한다. 그래서 앞에 나온 처방을 비판하고 있다. 이는 전형적인 대증 치료의 표본이기 때문이다. 이때 분명히 겉 증상은 사라졌다. 다시 본문을 보자. 이 증상을 파악할 때는(此證), 당연히 이 증상을 만든 과잉 염이 중화되면서 땀이 나느냐 아니냐로(當以汗之進退), 병의 경중을 판단해야만 한다(占病之輕重). 즉, 이 증상을 판단할 때는 과잉 염이 얼마나 맹위를 떨치는가로(不可以寒之寬猛), 병의 경중을 판단해서는 안 된다(占病之輕重). 즉, 땀이 나서 병이 해소되는 사실로 병을 판단하라는 뜻이다. 장중경의 말처럼(張仲景 曰). 이 병이(其病), 당연히 자가 치유된다는 말은(當自愈云者), 어찌 갑자기 일이 생기는 경우(無妄)를 대비(珍重)하라는 뜻이 아니리요(豈非珍重無妄之論乎)! 이런 연유로(然), 장감병은(長感病), 돌림병 기운만 없게 되면(無疫氣者), 자가 치유될 때까지 기다리는 것도(待其自愈則), 나쁘지는 않게 된다(好也而). 그러나 이때 돌림병 기운이 크게 나타나면(瘟病 疫氣重者), 이때는 증상을 명확히 판단해서(若明知證), 의심 없이 무조건 약을 처방해야지(藥無疑則), 돌림병은 보통 문제가 아니므로, 보통 때처럼 그냥 처리해서는 안 된다(不可尋常置之). 이때 만일에 약을 처방하지 않고 자가 치유를 기다리게 되면(待其勿藥自愈), 이때는 자동으로 기이한 증상이 발병하면서 공포에 휩싸이게 된다(恐生奇證).

論曰 太陰人病 寒厥四日而 無汗者 重證也. 寒厥五日而 無汗者 險證也. 當用 熊膽散 或 寒多熱少湯 加蠐螬五七九個. 大便滑者 必用 乾栗 薏苡仁 等屬. 大便燥者 必用 葛根 大黃 等屬. 若 額上眉稜上 有汗則 待其自愈而 病解後 用藥調理 否則 恐生後病.

이제마는 다음과 같이 주장한다(論曰). 태음인이 과잉 염으로 인해서 한궐에 걸려서 4일이 되었는데도 불구하고(太陰人病 寒厥四日而), 과잉 염을 중화하면서 나오는 땀이 나오지 않고 있다면(無汗者), 4일간 쌓인 과잉 염은 자동으로 중증을 만들고 만다(重證也). 만일에 이 상태가 5일까지 이어진다면(寒厥五日而 無汗者), 이때 이 병은 험증으로 한 단계 더 발전하고 만다(險證也). 이때는 당연히 웅담산을 처방하거나(當用 熊膽散), 또한(或), 이때는 한다열소탕에(寒多熱少湯), 굼벵이를 5~9마리를 넣어서 처방한다(加螬蠐五七九個). 이때 만약에 대변이 너무 묽게 나오면(大便滑者), 이때는 반드시(必用), 말린 밤이나(乾栗), 율무 등등을 추가해서 처방한다(薏苡仁 等屬). 그러나 이때 대변이 굳어져서 나오게 되면(大便燥者), 이때는 반드시(必用), 갈근(葛根), 대황(大黃) 등등(等屬)을 넣어서 처방한다. 그리고 이때 만약에(若), 이마와 눈썹 부위에서 땀이 난다면(額上眉稜上 有汗則), 이때는 자가 치유가 될 때까지 기다리면 되는데(待其自愈而), 이렇게 자가 치유가 된 후에는(病解後), 약을 써서 몸을 조리해줘야 한다(用藥調理). 아니면(否則), 혹시라도 남아있던 과잉 염이 사고를 치게 되면서, 후유증이 더 큰 병을 만들어서 환자를 공포로 몰아넣을 수도 있다(恐生後病).

嘗治 太陰人 胃脘寒證 瘟病 有一太陰人 素有怔忡 無汗 氣短 結咳矣. 忽焉 又添出一證 泄瀉 數十日不止 卽 表病之重證者也. 用 太陰調胃湯 加樗根皮一錢 日再服十日 泄瀉方止 連用三十日 每日 流汗滿面 素證 亦減而 忽 其家五六人 一時瘟疫 此人 緣於救病 數日不服藥矣. 此人 又染瘟病瘟證 粥食無味 全不入口 仍以太陰調胃湯 加升麻 黃芩 各一錢 連用十日 汗流滿面 疫氣少減而 有二日 大便不通之證. 仍用 葛根承氣湯 五日而 五日內 粥食大倍 疫氣大減而 病解. 又用 太陰調胃湯 加升麻 黃芩 四十日調理 疫氣旣減 素病亦完.

　일찍이 다음과 같은 질병을 치료한 적이 있다(嘗治). 간이 핵심인 태음인으로서(太陰人), 간이 자리한 위완부에 한인 염이 과잉 정체하면서 한증이 있어서(胃脘寒證), 급성 열병에 걸린(瘟病), 어떤 태음인이 있었다(有一太陰人). 이 환자의 원래 질환은 가슴이 두근거리는 정충에(素有怔忡), 땀이 없고(無汗), 호흡이 짧고

(氣短), 결해도 있었다(結咳矣). 그런데 어느 날 갑자기(忽焉), 추가로(又添), 설사가 나타났다(出一證 泄瀉). 그리고 이는 수십 일간 멈추지 않으면서(數十日不止), 즉시(卽), 중증 표증이 되고 말았다(表病之重證者也). 그래서 이때 태음조위탕에(用 太陰調胃湯), 저근피 1전을 추가해서(加樗根皮一錢), 하루에 2번씩 10일간 복용시켰고(日再服十日), 이에 따라서 설사가 방지되었고(泄瀉方止), 연이어 30일간 매일 처방하니까(連用三十日 每日), 얼굴에서 땀이 줄줄 흘러내렸고(流汗滿面), 원래 병증도(素證), 역시 감소했다(亦減而). 그런데 이때 갑자기(忽). 이 환자의 집 안 사람들 5~6명이(其家五六人), 동시에 급성 열병인 온역에 걸렸고(一時瘟疫), 이때 이 환자는(此人), 집 안 사람들의 치료에 치여서(緣於救病), 수십 일간 탕약을 복용할 겨를이 없었다(數日不服藥矣). 그래서 이 환자는(此人), 온병에 감염되어서 온증이 생기고 말았다(又染瘟病瘟證). 결국에 밥 입맛도 없어서 죽도 먹지 않았다(粥食無味 全不入口). 그래서 이때 태음조위탕에(仍以太陰調胃湯), 승마와 황금을 각각 1전씩 추가해서(加升麻 黃芩 各一錢), 연이어 10일간 복용시켰더니(連用十日), 얼굴에서 땀이 줄줄 흘러내렸고(汗流滿面), 이어서 역병의 기운이 조금은 약해졌다(疫氣少減而). 이렇게 이틀이 지나고서는(有二日), 이번에는 대변이 굳어져서 불통되었다(大便不通之證). 그래서 이때 갈근승기탕을(仍用 葛根承氣湯), 5일간 처방해서(五日而), 5일 안에 죽을 아주 많이 먹게 되었고(五日內 粥食大倍), 역병의 기운도 아주 많이 사그라들었고(疫氣大減而), 병은 마침내 해결되었다(病解). 추가로(又), 태음조위탕에(用 太陰調胃湯), 승마와 황금을 추가해서(加升麻 黃芩), 40일간 몸을 조리해줬더니(四十日調理), 역병 기운은 이미 감소하고 있었고(疫氣既減), 본래 병도 역시 완치되고 있었다(素病亦完).

結咳者 勉强發咳 痰欲出 不出而 或出 曰 結咳 少陰人結咳 謂之 胸結咳. 太陰人結咳 謂之 頷結咳. 大凡瘟疫 先察其人素病如何則 表裏虛實 可知已. 素病寒者 得瘟病則 亦寒證也. 素病熱者 得瘟病則 亦熱證也. 素病輕者 得瘟病則 重證也. 素病重者 得瘟病則 險證也.

　가래의 점도가 높아서 기침해도 가래가 시원스럽게 나오지 않는 결해에 걸리게 되면(結咳者), 점도가 높은 가래를 뱉어내려고 아무리 기침을 강하게 해도(勉强發咳 痰欲出), 가래가 나오지 않으며(不出而), 설사 가래가 나온다고 해도 아주 조금만 나오게 된다(或出). 그리고 결해를 말할 때(曰 結咳), 소음인 결해는(少陰人 結咳), 가슴에서 문제가 되는 흉결해를 말하고(謂之 胸結咳), 태음인 결해는(太陰人 結咳), 함결해를 말한다(謂之 頷結咳). 큰 틀에서 일반적으로(大凡), 본래 병 이외에 전염되어서 생기는 온역을 볼 때는(瘟疫), 먼저 그 환자의 본래 병이 어떠한 가를 살펴보고(先察其人素病如何則), 표리의 허실을 따져보고(表裏虛實), 이를 가지고 환자의 병세를 판단하게 되면, 병증들을 확실히 알게 된다(可知已). 그리고 본래 병이 한인 염의 과잉으로 인해서 한기(寒) 때문에 생겼다면(素病寒者), 이때 전염되어서 얻은 온병도(得瘟病則), 역시 한기로 나타나게 된다(亦寒證也). 이는 너무나 당연한 일이다. 거꾸로 본래 병이 한인 염의 과잉으로 인해서 열기(熱) 때문에 생겼다면(素病熱者), 이때 전염되어서 얻은 온병도(得瘟病則), 역시 열기로 나타나게 된다(亦熱證也). 또한 원래 병이 경증이었다고 해도(素病輕者), 이때 전염되어서 얻은 온병은(得瘟病則), 기존에 본래 있던 병에 추가로 증상이 더해지면서, 결국에 중병으로 발전하고 만다(重證也). 또한 원래 병이 중증이었다고 해도(素病重者), 이때 전염되어서 얻은 온병은(得瘟病則), 기존에 본래 있던 병에 추가로 증상이 더해지면서, 결국에 험증으로 발전하고 만다(險證也).

有一太陰人 素病 咽嗌乾燥而 面色靑白 表寒或泄. 蓋 咽嗌乾燥者 肝熱也. 面色靑白 表寒或泄者 胃脘寒也. 此病 表裏俱病 素病之太重者也. 此人 得瘟病 其證自始發日 至于病解 二十日 大便 初滑或泄 中滑 末乾 每日二三四次 無日不通 初用 寒多熱少湯. 病解後 用 調理肺元湯 四十日調理 僅僅獲生. 此病 始發 大便或滑或泄而 六日內 有額汗 眉稜汗 顴汗 飮食起居 有時如常 六日後 始用藥 七日 全體面部 髮際以下 至于脣頤 汗流滿面 淋漓洽足而 汗後 面色帶靑 有語訥證. 八日 九日 語訥 耳聾而 脣汗 還爲顴汗 顴汗 還爲眉稜汗 汗出微粒. 乍出乍

入而 只有額汗 呼吸短喘矣. 至于十日夜 額汗 還入而 語訥耳聾 尤甚. 痰涎壅喉
口不能喀 病人 自以手指 探口拭之而出 十一日 呼吸短喘 尤甚. 至于十二日 忽
然 食粥二碗. 斯時 若論其藥則 熊膽散 或者可也而 熊膽 闕材 自念此人 今夜必
死矣. 當日初昏 呼吸 暫時少定. 十三日 鷄鳴時 髮際有汗 十四日 十五日 連三日
食粥二(三)碗 額汗 眉稜汗 顴汗 次次發出 面色脫靑. 十六日 臆汗 始通 稍能喀
痰 語訥亦愈 至于二十日 臆汗 數次大通 遂能起立房中. 諸證 皆安而 耳聾證則
自如也. 病解後 用藥調理 四十日 耳聾 目迷 自祛.

어떤 태음인이든 병에 걸리게 되면(有一太陰人), 이들의 본래 병은(素病), 목구
멍이 마르고 건조하고(咽嗌乾燥而), 안색이 청색과 백색이 나오고(面色靑白), 표
한이 있고 때로는 설사도 하는 경우가 있게 된다(表寒或泄). 이 원인을 보자면,
대개(蓋), 목구멍이 마르고 건조한 증상은(咽嗌乾燥者), 간이 열을 만들고 있기
때문이다(肝熱也). 이는 간이 통제하는 식도 정맥총을 보면 된다. 식도에는 식도
정맥총이 있는데, 이는 간이 과부하에 걸려서 열을 내면서 산성 정맥혈을 기정맥
을 통해서 폐로 직접 보낼 때 여기서 열이 나게 된다. 즉, 식도 정맥총에 도달한
이 산성 정맥혈은 열의 원천인 자유전자를 많이 보유하게 되고, 이때 자유전자가
중화되면서 열을 만들게 되고, 이어서 식도가 있는 인후부는 자동으로 건조해지게
된다. 그래서 간에서 너무나 많은 산성 정맥혈을 중화하면서 열을 과하게 만들게
되면, 자동으로 목구멍에서도 열이 과하게 만들어지게 된다. 그래서 간과 폐가 핵
심인 태음인이 병에 걸리게 되면, 자동으로 목구멍이 마르고 건조한 병에 걸리게
된다(咽嗌乾燥而). 다시 본문을 보자. 그리고 안색이 청색과 백색으로 나오는 이
유나(面色靑白), 간질인 표에 한기가 있거나 설사하게 되면(表寒或泄者), 이는 위
완부에 염인 한이 정체하고 있기 때문이다(胃脘寒也). 먼저 황제내경에 따르면,
안색이 청색이 나오는 이유는 간의 과부하 때문이고, 백색이 나오는 이유는 폐의
과부하 때문이다. 이는 본 연구소가 발행한 황제내경 소문을 참고하면 된다. 이는
체액으로 보면 완벽한 과학이다. 지금은 간이 과부하에 걸려서 산성 정맥혈을 기
정맥을 통해서 폐로 직송하면서, 간과 폐가 동시에 과부하에 시달리고 있는 상황

이 되고 있다. 그러면 안색은 자동으로 청백으로 나올 것이다. 그러면 간과 폐가 핵심인 태음인이 병에 걸리게 되면, 안색은 자동으로 청백이 될 것(面色靑白)이다. 그리고 간은 정맥혈을 통제하므로, 자동으로 간질인 표(表) 문제에 개입하게 된다. 그리고 폐는 이산화탄소를 통제해서 피부 호흡을 통제하므로, 자동으로 피부에 접한 간질을 통제한다. 이 문제도 본 연구소가 발행한 황제내경 소문을 참고하면 된다. 그러면, 태음인의 핵심인 간과 폐는 자동으로 간질인 표를 간섭하게 된다. 그래서 폐와 간이 문제가 되면, 자동으로 체액의 흐름이 막히면서 간질인 표(表)에 한(寒)인 염이 자동으로 정체한다. 그리고 간은 소화관의 산성 정맥혈을 간문맥을 통해서 받으므로, 간이 문제가 되면, 자동으로 소화관에서 설사가 발생한다. 또한 폐는 이산화탄소를 처리하면서 과부하에 걸리게 되면, 이산화탄소를 중조로 만들어서 혈류로 내보내면, 이는 대장에서 단쇄지방산과 교환되어서 대장 공간으로 배출된다. 그래서 폐가 문제가 되면, 이 중조가 대장에서 많이 배출되면서 설사를 유발한다. 설사 문제는 염과 같은 삼투압 기질의 문제라는 사실을 상가해보자. 결국에 간과 폐가 주요 장기인 태음인이 병에 걸렸을 때 간질인 표에 염인 한이 정체하고, 또한 설사하는 일은 당연한 일이 된다(表寒或泄者). 그리고 이 문제는 간이 자리하고 있는 위완부 부분에 한인 염이 정체하고 있기 때문이다. 즉, 간이 과잉 염 때문에, 과부하에 걸린 것이다. 이를 이제마는 위완부에 있는 한(寒) 때문이라고(胃脘寒也) 표현하고 있다. 이렇게 하면, 위의 6개 문장이 깨끗하게 해석된다. 이는 체액 이론의 정수를 요구하고 있다. 이제마는 체액 이론의 대가(大家)라는 사실을 다시 한번 상기해보자. 다시 본문을 보자. 그리고 만일에 이 병이(此病), 간질(表)과 폐와 간이라는 오장(裏)에서 모두 진행되게 되면(表裏俱病), 본래의 병은 아주아주 큰 중병이 되고 만다(素病之太重者也). 이는 너무나 당연한 말이다. 이런 환자가(此人), 온병까지 얻게 되면(得瘟病), 이 증상은(其證), 처음 시작한 날부터(自始發日), 병이 해결될 때까지는 꼬박 20일이 걸리게 된다(至于病解 二十日). 이때 대변은(大便), 초기에는 묽게 나오다가 때로는 설사하기도 하고(初滑或泄), 중간에 묽게 나오다가(中滑), 끝에 건조하게 나오기도 하며(末乾), 이렇게 매일 두서너 차례 나오기도 하고(每日二三四次), 그래서 대변이 불통되는 날은 없게 된다(無日不通), 이때 초기에는 한다소열탕을 처방한다(初用 寒多熱少湯). 그리고 병이 해결된 후에는(病解後), 조리폐원탕을 처방해서(用 調理肺元湯), 40일간 몸을 조리하게 되면(四十日調理), 가까스로 목숨은 건지게 된다(僅僅獲生). 이 병이 시작될 때는(此病 始發), 대변이 때로는 묽게 나오다가 때로는 설사로 나오다가 하며(大便 或滑或泄而), 추가로 6일 안에(六日內), 이마에서 땀이 나다가(有額汗), 눈썹 부위로 옮겨가고(眉稜汗), 다시 관자놀이 부근으로 옮겨가고(顴汗), 기거와 식생활이 예전과 같으면(飮食起居 有時如常), 6일 후에 약을 쓰기 시작하는데(六日後 始用藥), 7일째 날(七日), 얼굴 전체(全體面部), 발제 부분 이하(髮際以下), 입술과 턱까지 땀이 나면서(至于脣頣), 얼굴에서 땀이 줄줄 흘러내리게 되고(汗流滿面 淋漓洽足而), 만일에 이렇게 땀을 흘린 후에(汗後), 안색이 파랗게 변하면(面色帶靑), 이는 간(靑)에 심각한 문제가 있다는 사실을 말하게 되므로, 이는 자동으로 간이 통제하는 신경에서 문제가 되고, 이어서 뇌가 문제가 되면서 말이 어눌해지기 시작한다(有語訥證). 이런 상태에서 팔구일이 지나게 되면(八日 九日), 말이 어눌할 뿐만이 아니라(語訥), 뇌척수액이 통제하는 귀도 문제가 되면서 이롱이 발생하게 되고(耳聾而), 땀이 거꾸로 순환해서 입술에서 나던 땀은 멈추고(脣汗), 관자놀이 땀으로 옮겨가더니(還爲顴汗), 이 땀은 다시 멈추고(顴汗), 눈썹 부위로 옮겨가더니(還爲眉稜汗), 이내 땀이 서서히 사라지더니(汗出微粒), 이제는 땀이 오락가락하게 되고(乍出乍入而), 단지 이마에서만 나다가(只有額汗), 호흡이 짧아지고 숨이 가빠진다(呼吸短喘矣). 이러다가 10일 밤이 되면(至于十日夜), 이마에서 나던 땀조차도 멈추게 되고(額汗 還入而), 어눌한 말투와 이롱은 더욱더 심해진다(語訥耳聾 尤甚). 이쯤 되면 문제는 더 심각해진다. 이제 점성이 높아진 가래가 목구멍을 막게 되고(痰涎壅喉), 자동으로 뱉어내지지 않게 되고(口不能喀), 이제 환자는(病人), 자기 손가락을 직접 입에 집어넣어서(自以手指), 목구멍 깊숙이에 있는 가래를 꺼낸다(探口拭之而出). 이렇게 11일 차가 되면(十一日), 호흡은 가빠져서 숨이 차게 되고(呼吸短喘), 이 상태는 더욱더 심해진다(尤甚). 이런 상태에서 12일 차가 되면(至于十二日), 갑자기(忽然), 죽을 두 사발이나 비우게 되고(食粥二碗), 이때(斯時), 만약에(若), 써야 할 약을 논한다면(論其藥則), 웅담산 정도가(熊膽散), 아닌가 싶다(或者可也而). 그런데 웅담은 귀한 약재라서 쉽게 구할 수 있는 약재가 아니다(熊膽 闕材). 이때 문득 드는 생각이(自念), 이 환자는(此人), 금일 밤에 죽지 않을까 싶다(今夜必死矣). 그러나 당일 초저녁에는(當日初昏), 호흡이(呼吸), 잠시 조금 안정되어서 좋아졌다(暫時少定). 이제 병은 13일 차가 되었고(十三日), 닭이 우는 꼭두새벽 정도에(鷄鳴時), 발제 부분에서 땀이 났다(髮際有汗). 그리고서는 13일 차까지 합해서, 14일 차에서 15일 차까지(十四日 十五日), 연달아 3일간(連三日), 죽을 두세 사발을 먹었고(食粥二(三)碗), 이마, 눈썹 부위, 관자놀이 부근에서(額汗 眉稜汗 顴汗), 차례로 차곡차곡 땀이 나더니(次次發出), 안색이 청색을 벗어났다(面色脫靑). 그리고 16일 차가 되더니(十六日), 비로소 가슴 부위에서 땀이 나기 시작했고(臆汗 始通), 가래도 점점 점도가 낮아지면서 뱉어내기 시작했고(稍能喀痰), 어눌한 말투도 역시 치유되기 시작했다(語訥亦愈). 그리고 20일 차가 되자(至于二十日), 가슴 부위의 땀이 시원하게 여러 차례 나더니(臆汗 數次大通), 방안에서 일어나 앉을 수 있었다(遂能起立房中). 그리고 나서 여러 증상은(諸證), 모두 안정되었다(皆安而). 귀가 잘 안 들리는 이롱증도 마찬가지로 자동으로 안정되었다(耳聾證則自如也). 그리고 병이 해결된 후에(病解後), 약을 써서 몸을 조리해줬다(用藥調理). 그리고 나서 40일 후에 보니까(四十日), 이롱과 눈 어지럼증도 자동으로 사라졌다(耳聾 目迷 自袪).

태음인 간수열 이열병론

(太陰人 肝受熱 裡熱病論)

태음인 간수열 이열병론(太陰人 肝受熱 裡熱病論)

朱肱 曰 陽毒 面赤斑 斑如錦紋 咽喉痛 唾膿血 宜葛根解肌湯 黑奴丸. 陽毒 及 壞傷寒 醫所不治 精魄已竭 心下尙煖 斡(斡)開其口 灌黑奴丸 藥下咽 卽活. 李梴 曰 微惡寒 發熱 宜葛根解肌湯. 目疼 鼻乾 潮汗 閉澁 滿渴 狂譫 宜調胃承氣湯. 熱在表則 目疼 不眠 宜解肌湯. 熱入裏則 狂譫 宜調胃承氣湯. 龔信 曰 陽明病 目疼 鼻乾 不得臥 宜葛根 解肌湯. 三陽病深 變爲陽毒 面赤眼紅 身發斑黃 或下利黃赤 六脈洪大 宜黑奴丸.

주굉은 다음과 같이 주장한다(朱肱 曰). 양(陽)인 간질에 과잉 염이 쌓이면서 만들어지는 양독에 걸리게 되면(陽毒), 얼굴에 비단 무늬처럼 붉은 반점이 생기며(面赤斑 斑如錦紋), 인후통이 따라붙고(咽喉痛), 피고름을 뱉어낸다(唾膿血). 이때는 마땅히 갈근해기탕이나 흑노환을 처방한다(宜葛根解肌湯 黑奴丸). 그리고 양독이 있을 때(陽毒) 그리고 의사가 병을 잘못 치료해서 생긴 괴병이 있을 때는(及 壞傷寒), 어떤 의사도 고치지 못한다(醫所不治). 이때는 몸을 아예 망친 상태가 되기 때문이다. 그러나 사기를 제거하는 정기(精魄)가 이미 고갈되었을지라도(精魄已竭), 명치 밑이 아직 따뜻하다면(心下尙煖), 이는 해독 기관인 간이 아직은 어느 정도 기능하고 있으므로, 환자의 입을 벌려서(斡(斡)開其口), 흑노환을 대롱을 통해서 집어넣으면(灌黑奴丸), 약이 아래로 내려가자마자(藥下咽), 환자는 즉시 소생한다(卽活). 그리고 의학입문의 저자 이천은 다음과 같이 주장한다(李梴 曰). 약한 오한이 있으면서(微惡寒), 열이 나면(發熱), 이때는 당연히 갈근해기탕을 처방한다(宜葛根解肌湯). 그리고 눈이 아프고(目疼), 코가 건조하고(鼻乾), 일정한 시간대만 되면 열이 나는 조열이 있고(潮汗), 대변이 막히고(閉澁), 배가 그득하면서 갈증이 나고(滿渴), 광기를 부리고 섬어를 하면(狂譫), 이때는 마땅히 조위승기탕을 처방한다(宜調胃承氣湯). 그리고 간질인 표에 열이 있으면서(熱在表則), 눈이 아프고(目疼), 잠을 잘 수가 없으면(不眠), 이때는 마땅히 해기탕을 처방한다(宜解肌湯). 그리고 열이 오장으로 침입하게 되면(熱入裏則) 즉, 열의 원천인 자유전자를 보유한 과잉 염이 오장까지 흘러 들어가게 되면, 이때는 간질인 표에 뿌리를 둔 신경은 이미 과부하에 걸려있을 것이고, 그러면 당연히 뇌도 과부하에 걸리게 되면서, 자동으로 이때는 광기가 발동하고 섬어까지 하게 되는데(狂譫), 그러면 이때는 당연히 조위승기탕을 처방한다(宜調胃承氣湯). 그리고 공신은 다음과 같이 주장한다(龔信曰). 양명병에 걸려서(陽明病), 눈이 아프고(目疼), 코가 건조하게 되면서(鼻乾), 잠을 제대로 잘 수가 없으면(不得臥), 이때는 마땅히 갈근해기탕을 처방한다(宜葛根解肌湯). 그리고 삼양에서 모두 병이 깊다면(三陽病深), 이는 자동으로 병증이 변형을 일으켜서 양독을 만들고 만다(變爲陽毒). 이때 양독이 생기는 일은 그냥 상식이다. 양독은 양을 통제하는 삼양이 만들기 때문이다. 그리고 얼굴이 붉어지고, 눈도 붉게 충혈되어있고(面赤眼紅), 몸에 노란 반점이 있고(身發斑黃), 때로는 설사 때 황색과 적색이 보이면서(或下利黃赤), 삼양삼음의 6개의 맥상이 홍대해서 힘이 없다면(六脈洪大), 이때는 마땅히 흑노환을 처방한다(宜黑奴丸).

論曰 右諸證 當用 葛根解肌湯 黑奴丸.

　이제마는 다음과 같이 주장한다(論曰). 앞에 예시된 여러 증상에는(右諸證), 당연히 갈근해기탕이나 흑노환을 처방한다(當用 葛根解肌湯 黑奴丸).

靈樞 曰 尺膚熱深 脈盛燥者 病瘟也. 王叔和 曰 瘟病脈 陰陽俱盛 病熱之極 浮之而滑 沈之散澁. 脈法 曰 瘟病二三日 體熱 腹滿 頭痛 食飮如故 脈直而疾 八日死. 瘟病四五日 頭痛 腹滿而吐 脈來細而强 十二日死. 八九日 頭身不痛 目不赤 色不變而 反利 脈來澁 按之不足 擧時大 心下堅 十七日死. 龔信 曰 瘟病 穰穰大熱 脈細小者 死 瘟病 下利 痛甚者 死. 萬歷丙戌 余寓大梁 瘟疫大作 士民多斃. 其證 增寒壯熱 頭面項頰赤腫 咽喉腫痛 昏憒. 余發一秘方 名 二聖救苦丸 大黃四兩 豬牙皂角二兩 麵糊和丸 綠豆大 五(六)七十丸. 一服卽 汗 一汗卽 愈 稟壯者 百發百中. 皂角 開關竅 發其表 大黃 瀉諸火 通其裏. 感四時不正之氣 使

人 痰涎壅盛 煩熱 頭疼 身痛 增寒壯熱 項强 睛疼. 或飮食如常 起居依舊 甚至
聲啞 或眼赤口瘡 大小腮腫 喉痺 咳嗽稠粘 噴嚔.

　　황제내경 영추에서는 다음과 같이 말하고 있다(靈樞 曰). 신장의 맥상을 측정하
는 척부의 피부에서 열이 심하게 나면서(尺膚熱深), 맥상이 아주 강한 조맥으로
나오게 되면(脈盛燥者), 이는 온병이다(病瘟也). 온병은 열이 나는 증상인데, 열은
염이 보유한 자유전자가 만들어낸다. 그리고 이때 이런 염을 처리하는 기관이 신
장이다. 그러면 신장의 맥상은 열(燥)이 있는 상태로 나올 수밖에 없다. 다시 본문
을 보자. 왕숙화는 다음과 같이 주장한다(王叔和 曰). 온병에 걸렸을 때 맥상은
(瘟病脈), 음양에서 모두 강하게 나온다(陰陽俱盛). 온병은 맥상의 에너지인 자유
전자를 보유한 염의 과잉 정체에서 시작된다. 그래서 온병에 걸리게 되면, 자동으
로 맥상의 에너지는 과잉 공급되고, 이어서 이때는 음맥이 되었건 양맥이 되었건
간에 맥상은 강하게 나올 수밖에 없다(陰陽俱盛). 다시 본문을 보자. 그리고 이때
열병의 상태가 극단으로 치닫게 되면(病熱之極), 이때 맥상은 부맥과 활맥이 나오
게 되고(浮之而滑), 이때는 자동으로 맥상이 침체되어서 잘 흘러가지 못하게 된다
(沈之散澁). 이 문제를 자세히 알려면, 본 연구소가 발행한 맥경을 참고하면 된다.
먼저 열병은 열의 근원인 자유전자를 보유한 염의 과잉에서 시작된다. 그래서 열
병이 있다는 말은 염의 과잉이 존재한다는 뜻이 된다. 그리고 이 염은 삼투압 기
질이므로, 이는 자동으로 부종(浮)을 만들어내게 되고, 이때 맥상을 측정하게 되
면, 자동으로 부맥(浮)이 잡히게 된다. 그리고 이 염은 체액과 같은 액체에 섞이게
되면, 이 액체를 미끄럽게(滑) 만든다. 그래서 이때 맥상을 측정하게 되면, 자동으
로 미끄러운(滑) 맥상인 활맥(滑)이 나오게 된다. 이 부분은 맥상의 원리를 모르
게 되면, 상당히 헷갈리는 곳이다. 그 이유는 보통 맥상을 측정할 때 한 곳에서
한 가지 맥상만 측정할 수 있다고 생각하기 때문이다. 그러나 맥상은 한 곳에서
동시에 3가지 맥상을 측정할 수가 있다. 그 이유는 맥상을 측정하는 방법 때문이
다. 즉, 손목에서 맥상을 측정할 때는 맥박을 통한 맥상, 근육을 통한 맥상, 체액
을 통한 맥상을 측정할 수 있기 때문이다. 그러면 맥상은 한 곳에서 동시에 3가지

맥상을 따로따로 측정할 수가 있게 된다. 이 문제를 자세히 알려면, 본 연구소가 발행한 맥경을 참고하면 된다. 이때는 막힌 체액으로 인해서 자동으로 맥상이 침체되어서 잘 흘러가지 못하게 된다(沈之散澁). 다시 본문을 보자. 맥법에서는 다음과 같이 말하고 있다(脈法 曰). 과잉 염 때문에, 온병에 걸려서 이삼일이 되었을 때(瘟病二三日), 자동으로 체열이 있고(體熱), 삼투압 기질로 인해서 복부가 그득하고(腹滿), 이는 자동으로 신경을 과부하시키므로, 두통이 찾아오고(頭痛), 음식은 예전처럼 먹는데(食飮如故), 맥상이 강하게 굳어있고 빠르게 되면(脈直而疾), 8일 만에 죽게 된다(八日死). 여기서 맥상이 강하게 굳어있다(直)는 말은 손목의 근육이 강하게 굳어있다는 뜻이 되고, 그러면 이는 심장 근육도 강하게 굳어있다는 뜻이 되고, 맥상이 빠르다(疾)는 말은 맥박이 빠르다는 뜻이 된다. 이 두 가지 요인을 합치면, 다른 오장은 제외하더라도, 심장에서 이런 상태가 나타나게 되면, 환자는 자동으로 죽을 수밖에 없다. 이때는 다른 요인은 볼 것도 없고 맥상 하나만 봐도 쉽게 답이 나오게 된다. 다시 본문을 보자. 그리고 온병에 걸리고 사오일이 지나서(瘟病四五日), 두통이 있고(頭痛), 속이 그득하면서 구토하고(腹滿而吐), 맥상이 강약으로 오락가락하게 되면(脈來細而强), 12일 만에 죽게 된다(十二日死). 이는 심장의 기능이 오락가락한다는 뜻이 된다. 그리고 온병에 걸려서 팔구일이 되었을 때(八九日), 신체에 통증도 없고(頭身不痛), 눈도 충혈되지 않아서 붉지 않고(目不赤), 안색도 변함이 없는데(色不變而), 반복해서 설사하면서(反利), 맥상이 막혀서 삽맥이 오고(脈來澁), 이때 맥상 측정 부위를 손으로 누르게 되면 맥상이 힘이 없어지고(按之不足), 손을 떼면 맥상의 파동이 커지면서 힘이 없게 되면서(擧時大), 모든 체액이 통과하는 횡격막 구멍이 있는 명치 부근이 굳어있게 되면(心下堅), 17일 만에 죽게 된다(十七日死). 설사(下)와 삽맥(澁)은 자동으로 연결된다. 그 이유는 체액이 막히면서(澁) 나오는 삽맥(澁)은 삼투압 기질인 염의 과잉 정체에서 나오기 때문이고, 설사 역시 과잉 염을 배출하면서 생기기 때문이다. 즉, 설사와 삽맥의 공통인자가 과잉 염이라는 뜻이다. 그러면 이때는 자동으로 맥상은 힘이 없어지고 만다. 이는 자동으로 체액 소통의 장애를 말하게 되고, 이는 자동으로 죽음을 재촉하게 된다. 그리고 모든 체액이 통과하는 횡격막 구멍이 있는 명치 부근이 굳어있는 상태라면(心下堅), 체액 순환이 거의 끝난 상태로 봐야만 할 것이다. 다시 본문을 보자. 공신은 다음과 같이 주장한다(龔信曰). 열의 원천인 자유전자를 보유한 과잉 염이 정체하면서 생기는 온병에 걸려서(瘟病), 엄청난 열이 나고 있을 때(穰穰大熱), 맥상이 아주 힘이 없이 나온다면(脈細小者), 죽는다(死). 맥상이 힘이 없다는 말은 인체의 에너지도 부족하고, 이어서 혈액 순환도 시키지 못하고 있다는 뜻이 된다. 이때 환자는 당연히 죽는다. 그리고 이런 온병에 걸려서(瘟病), 설사하면서도(下利), 통증이 심하게 되면(痛甚者), 죽게 된다(死). 설사는 통증의 근원인 염을 체외로 버려서 통증을 감소시킨다. 그런데 지금은 설사하고 있음에도 불구하고 통증이 심하다. 이는 인체 안에 엄청나게 많은 염이 쌓여있는데, 이를 산소로 중화하지 못하고 있다는 뜻이 된다. 그러면, 이는 자동으로 산소를 운반하는 혈액 순환의 장애를 말하게 된다. 그러면, 이 환자는 당연히 죽게 된다. 다시 본문을 보자. 병술년에(萬歷丙戌), 나는 대량에 있었는데(余寓大梁), 이곳에서 온역이 크게 퍼져서(瘟疫大作), 많은 사람이 죽었다(土民多斃). 이때 증상을 보게 되면(其證), 염인 한이 증가하게 되자 이에 따라서 이를 중화하면서 열도 증가하게 되었다(增寒壯熱). 그리고 이때 과잉 염이 종기의 근원인 자유전자를 과잉으로 공급함으로 인해서 머리 부분 전체에서 붉은색의 종기가 생겨났고(頭面項頰赤腫), 인후부에서도 종기가 생겨나면서 통증을 유발했고(咽喉腫痛), 이어서 혼수상태에 빠졌다(昏憒). 나는 이때 하나의 비방을 만들어내게 되는데(余發一秘方), 이는(名), 이성구고환이었다(二聖救苦丸). 이는 대황 4냥(大黃四兩), 저아조각 2냥을(猪牙皂角二兩), 밀가루 풀에 섞어서 환을 만들었는데(麵糊和丸), 이 크기는 녹두 정도 크기였다(綠豆大). 그리고 이를 5~10개 정도(五(六)七十丸), 단번에 복용시키자마자(一服卽), 땀이 났고(汗), 그리고 한번 땀이 나자마자(一汗卽), 병은 치유되었다(愈). 이때 원래 건장한 사람은(稟壯者), 이 약의 효과가 100%였다(百發百中). 이때 조각자는(皂角), 막혀있던 땀구멍을 열어서(開關竅), 땀이 나게 했다(發其表). 그리고 대황은(大黃), 모든 화의 원천인 자유전자를 보유한 염을 체외로 배출하게 하는 설사를 만들어서(瀉諸火), 인체 안쪽에 자리한 오장을 통하게 해줬다(通其裏). 그리고 사계절의 과잉 에너지가 만들어내는 사기에 감응하게 되면(感四時不正之氣), 이때 환자는(使人), 가래가 너무 많이 생겨서 막히게 되고(痰涎壅盛), 자동으로 번열이 발생하고(煩熱), 머리에서 동통이 오고(頭疼), 전신에서도 통증이 발생하고(身痛), 염인 한인 증가하면, 이에 비례해서 열도 증가하게 되고(增寒壯熱), 목이 뻣뻣해지고(項强), 눈알이 아프고(睛疼), 때로는 식사도 평상시처럼 하고(或飮食如常), 일상 생활도 여전하고(起居依舊), 이런 증상이 심해지면, 자동으로 말을 하지 못하게 되고(甚至聲啞), 때로는 눈알이 붉어지고, 입안에서 창이 생기고(或眼赤口瘡), 크고 작은 볼거리가 발병하고(大小腮腫), 목구멍에서는 부기가 생기면서 막히고(喉痺), 기침하면 농도가 짙은 가래가 나오고(咳嗽稠粘), 재채기도 한다(噴嚏).

論曰 右諸證 增寒壯熱 燥澀者 當用 皂角大黃湯 葛根承氣湯. 頭面項頰 赤腫者 當用 皂角大黃湯 葛根承氣湯. 體熱 腹滿 自利者 熱勝則 裏證也 當用 葛根解肌 湯. 寒勝則 表證而 太重證也 當用 (太陰)調胃湯 加升麻 黃芩.

　이제마는 다음과 같이 주장한다(論曰). 앞에서 살펴본 여러 증상에서 보면(右諸 證), 한인 염이 증가하게 되면, 이에 비례해서 당연히 열도 증가하게 되고(增寒壯 熱), 그로 인해서 맥이 막힐 때는(燥澀者), 당연히 조각대황탕(當用 皂角大黃湯) 또는 갈근승기탕을 처방한다(葛根承氣湯). 그리고 머리 부분 전체에서 붉은 뾰루 지가 날 때는(頭面項頰 赤腫者), 당연히 조각대황탕(當用 皂角大黃湯), 또는 갈 근승기탕을 처방한다(葛根承氣湯). 그리고 체열이 있고(體熱), 복부가 그득하고 (腹滿), 스스로 설사하고(自利者), 열이 기승을 부리게 되면(熱勝則), 이는 당연히 이증을 말하게 된다(裏證也). 스스로 하는 설사(自利)는 이증(裏證)을 말한다는 사실을 상기해보자. 이때는 당연히 갈근해기탕을 처방한다(當用 葛根解肌湯). 거 꾸로 한이 기승을 부릴 때는(寒勝則), 이는 표증을 말하는데(表證而), 이는 자동 으로 엄청나게 중증을 말하게 된다(太重證也). 이때는 당연히 조위탕 계열 중에서 하나인 태음조위탕에 승마와 황금을 추가해서 처방한다(當用 太陰)調胃湯 加升麻

　　　　　태음인 간수열 이열병론

黃芩). 여기서 한이 기승을 부려서(寒勝則), 표증이 만들어질 때(表證而), 왜 엄청나게 중증을 만들까(太重證也)? 원래 간질인 표에 염인 한이 정체하게 되면, 이는 자동으로 간질로 공급되는 산소를 통해서 염이 보유한 자유전자를 중화하게 되고, 이어서 자동으로 열(熱)이 나게 되어있다. 그런데, 이 조건에서 열이 나지 않고 한기(寒)가 기승(勝)을 부리게 되면(寒勝則), 이때는 간질로 산소 공급이 전혀 안된다는 사실을 말하게 되고, 이는 자동으로 혈액 순환이 막혔다는 뜻이 되고, 이는 자동으로 엄청나게 중증을 말하게 된다. 혈액은 만병통치약이다.

嘗治 太陰人 肝熱 熱證 瘟病. 有一太陰人 素病 數年來 眼病 時作時止矣 此人 得瘟病. 自始發日 用 熱多寒少湯. 三四五日 大便 或滑 或泄 至六日 有大便 一日不通之證 仍用 葛根承氣湯 連三日 粥食大倍. 又用三日 疫氣大減. 病解後 復用 熱多寒少湯 大便燥澁則 加大黃一錢 滑泄太多則 去大黃 如此調理二十日 其人完健. 此病 始發 嘔逆口(嘔)吐 昏憒不省 重痛矣 末境 反爲輕證 十二日而 病解. 一太陰人 十歲兒 得裏熱瘟病 粥食全不入口 藥亦不入口 壯熱穰穰 有時飮冷水 至于十一(二)日則 大便不通 已四日矣. 怔(遑)怯譫語曰 有百蟲滿室 又有鼠入懷云 奔遑(怔)匍匐 驚呼啼泣 有時熱極生風 兩手厥冷 兩膝伸而不屈 急用 葛根承氣湯 不憚啼泣 强灌口中 卽日 粥食大倍 疫氣大解 倖而得生. 此病 始發四五日 飮食起居如常 無異平人矣. 末境 反爲重證 十七日而 病解.

　일찍이 다음과 같은 질환을 치료한 적이 있다(嘗治). 간이 핵심인 태음인이(太陰人), 간에서 열이 나게 되면(肝熱), 열증이 뒤따르게 되고(熱證), 이는 추가로 열이 나는 온병까지 쉽게 얻게 된다(瘟病). 어떤 태음인이 한 사람 있었는데(有一太陰人), 이 태음인의 원래 병은(素病), 수년에 걸쳐서 앓아온(數年來), 눈병이었고(眼病), 이는 때로는 발병하기도 하고, 때로는 멈추기도 했다(時作時止矣). 이런 상태에서 이 태음인은(此人), 어느 날 온병을 얻게 되었다(得瘟病). 그래서 온병이 시작된 날부터(自始發日), 열다한소탕을 처방했다(用 熱多寒少湯). 그러자 삼사오일간은(三四五日), 대변이(大便), 때로는 묽게 나오기도 했고(或滑), 때로는 설사로 나오기도 했다(或泄). 그리고 6일째가 되자(至六日), 대변이 하루 동안 불통되었다(有大便 一日不通之證). 이때 갈근승기탕을 처방해서(仍用 葛根承氣湯), 연이어 3일간 복용시켰고(連三日), 그러자 죽도 많이 먹었다(粥食大倍). 또 계속해서 3일간 이를 처방했더니(又用三日), 역병의 기운은 많이 사그라들었다(疫氣大減). 이렇게 해서 병이 해결되고 난 뒤에(病解後), 다시 열다한소탕을 처방했다(復用 熱多寒少湯). 이때 대변이 건조해서 통하지 않게 되면(大便燥澁則), 이때는 대황을 1전 추가해서 처방했고(加大黃一錢), 묽은 대변과 설사가 너무 과하면(滑泄太多則), 대황을 뺐다(去大黃), 이처럼 몸을 조리해서 20일이 되자(如此調理二十日), 이 태음인 환자는 완전히 건강해졌다(其人完健). 이 병은 원래(此病), 처음에는(始發), 구토하고(嘔逆口(嘔)吐), 인사불성이 되기도 하고(昏憒不省), 통증이 아주 심한데(重痛矣), 그러나 이 병이 말경에 이르면(末境), 반전이 일어나서 경증으로 변하게 되고(反爲輕證), 20일이 되면(十二日而), 드디어 병이 해결된다(病解). 이번에는 태음인으로서(一太陰人), 10살이 된 아이가 있었는데(十歲兒), 이열온병을 얻어서 병이 심해지는 바람에(得裏熱瘟病), 죽이든(粥食全不入口), 약이든지 간에 어떤 것도 입에 넣을 수가 없었다(藥亦不入口). 이때 열은 너무나 강렬했고(壯熱穰穰), 이때는 때때로 겨우 냉수를 조금 먹을 뿐이었다(有時飮冷水). 이렇게 11일 정도가 지나니까(至于十一(二)日則), 당연히 대변은 말라서 불통되었고(大便不通), 이 상태가 이미 4일이 되었다(已四日矣). 그러자 아이는 무서워서 벌벌 떨면서 헛소리를 했는데(恇(遑)怯譫語曰), 방안에 온갖 벌레가 득실거린다고 말하기도 하고(有百蟲滿室), 또는(又), 쥐가 자기 속으로 파고든다고 말하기도 하고(有鼠入懷云), 허둥지둥 달아나면서 엉금엉금 기기도 하고(奔遑(恇)匍匐), 놀라서 소리를 지르고, 서럽게 울기도 했는데(驚呼啼泣), 이때는 때때로 열이 극단에 달하기도 했고, 풍이 발생하기도 했으며(有時熱極生風), 양손은 궐증에 걸려서 혈액 순환이 안 되는 바람에 냉기가 돌았고(兩手厥冷), 양쪽 무릎은 펴지기는 했으나 근육이 경직되어서 오므려지지 않았고(兩膝伸而不屈), 그래서 이때 급하게(急), 갈근승기탕을 처방했다(用 葛根承氣湯). 이때 아이가 울든 말든 상관하지

태음인 간수열 이열병론

않고(不憚啼泣), 강제로 입안으로 약을 흘려서 넣었다(强灌口中). 그러자 당일 즉시(卽日), 죽을 많이 먹었고(粥食大倍), 역병의 기운은 엄청나게 많이 해결되었고(疫氣大解), 다행히도 생명을 건질 수 있었다(倖而得生). 이 병은(此病), 처음에 발병하고 나서 사오일이 되어도(始發四五日), 음식이나 기거는 평상시와 다를 바가 없이(飮食起居如常), 보통 사람과 똑같다(無異平人矣). 그러나 이병은 말경에 가면(末境), 갑자기 병세가 반전되어서 중병이 되고 만다(反爲重證). 그리고 이 병이 해결되기까지는 17일 정도가 소요된다(十七日而 病解).

內經 曰 諸澁 枯涸皴揭 皆屬於燥.

내경에서는 다음과 같이 말하고 있다(內經 曰), 여러 가지 막힌 것(諸澁), 말라서 굳어진 것(枯涸), 거칠어지거나 튼 것은(皴揭), 모두 건조에 속한다(皆屬於燥).

論曰 太陰人 面色靑白者 多無燥證. 面色黃赤黑者 多有燥證 蓋 肝熱肺燥而 然也

이제마는 다음과 같이 주장한다(論曰). 간과 폐가 중요한 태음인에서(太陰人), 안색이 간에 문제가 있으면서 파랗고, 폐에 문제가 있으면서 하얗게 되어있으면(面色靑白者), 모두 건조증이 없다(多無燥證). 그러나 안색이 비장이 문제가 되면서 황색으로 나오고, 심장이 문제가 되면서 적색으로 나오고, 신장이 문제가 되면서 흑색으로 나오게 되면(面色黃赤黑者), 이때는 모두 건조증이 생긴다(多有燥證). 이는 대개(蓋), 간에서 열이 나고 폐가 건조해지기 때문이다(肝熱肺燥而 然也). 안색 문제의 자세한 기전은 본 연구소가 발행한 황제내경 소문을 참고하면 된다. 이 부분은 오장 전체를 관통하는 체액 관계를 알아야만 한다. 태음인의 주요 장기인 간과 폐를 중심으로 다른 오장을 바라보게 되면, 심장, 비장, 신장은 폐와 간을 완충해주는 오장이 된다. 즉, 간에 산성 체액이 과잉 정체해서 열을 만들고 있을지라도, 이때 간이 과잉 산성 체액을 다른 하수구로 보낼 수만 있다면, 간은 열을 엄청나게 많이 만들지는 않게 된다. 열은 산성 체액에 든 과잉 자유전자가 만든다는 사실을 상기해보자. 그러면 간은 이 산성 체액만 다른 오장으로 보내 버리게 되면, 간이 만드는 열의 양은 적어지게 되고, 그러면 자동으로 건조증(燥證)은 발생하지 않을 것이다. 참고로 이때 간(肝)은 산성 체액을 간의 하수구인 신장으로는 암모니아로 만들어서 버리게 되고, 비장이라는 하수구로는 산성 림프액으로 만들어서 버리게 되고, 우 심장이라는 하수구로는 산성 정맥혈로 만들어서 버리게 된다. 그러면, 이때 간과 폐가 안 좋아서 안색이 청백으로 나온다고 해도, 이 둘은 산성 체액을 완충해주는 세 개의 오장이 멀쩡하게 버티고 있으므로, 이때 간은 열을 많이 만들어서 건조증을 만들지 않게 된다. 그러나 이 세 개의 하수구가 막혀서 안색이 황적흑으로 나오게 되면, 이제 간은 모든 하수구가 막히게 되고, 그러면 이때 간은 산성 체액을 오직 혼자서 중화하게 될 수밖에 없게 되고, 자동으로 엄청난 열을 만들면서 자동으로 건조증(燥證)은 발생시키고 만다. 그래서 간이 핵심인 태음인의 안색이(太陰人), 청백으로 나오게 되면(面色靑白者), 이때는 모두 건조증이 없게 되고(多無燥證), 황적흑으로 나오게 되면(面色黃赤黑者), 이때는 모두 건조증이 있게 된다(多有燥證). 이는 체액 생리의 정수를 요구하고 있다. 체액 생리를 모르게 되면, 이 문장은 자동으로 미신을 예약하게 된다.

嘗治 太陰人 燥熱證 手指焦黑癍瘡病 自左手中指 焦黑無力 二年內 一指黑血焦凝 過掌心而 掌背浮腫 以刀斷指矣. 又一年內 癍瘡 遍滿全體 大者 如大錢 小者 如小錢. 得病 已爲三年而 以壯年人 手力 不能役勞一半刻 足力 不能日行步三十里. 以熱多寒少湯 用藁本二錢 加大黃一錢 二十八貼用之. 大便 始滑 不過一二日 又秘燥. 又用二十貼 大便 不甚滑泄而 面部癍瘡 少差 手力足力 稍快有效矣. 又用二十貼 其病 快差.

일찍이 다음과 같은 증상을 치료한 적이 있다(嘗治). 앞에서 본 태음인에서 살펴본 것처럼, 태음인의 간이 문제가 되면서(太陰人), 조열증이 생기게 되면(燥熱

證), 이때는 자동으로 체액의 순환이 막히면서 체액 순환이 잘 안되는 손가락 끝이 썩어서 검게 변하게 되고(手指焦黑), 온몸에서도 체액 순환이 막히면서 각종 부스럼이 발병한다(癩瘡病). 이 병의 시작은 왼쪽 손 중지가 검게 변하고(自左手中指 焦黑), 이내 이 손가락은 무력해지게 되고(無力), 이 상태가 2년 정도가 되면, 그 안에(二年內), 이 손가락 한 개는 썩은 피가 뭉쳐서 검게 변하게 되고(一指黑血焦凝), 이 상태가 손바닥 가운데까지 침범하게 되면(過掌心而), 자동으로 손바닥은 체액 순환이 막히면서, 손 등에서는 자동으로 부종이 발생하게 되고(掌背浮腫), 이 정도가 되면, 병의 근원을 제공한 손가락을 잘라낼 수밖에 없게 된다(以刀斷指矣). 이때 이 상태로 또 1년 정도가 되면, 그 안에(又一年內), 온몸에서 각종 부스럼이 만들어져서 퍼지게 되고(癩瘡 遍滿全體), 이 부스럼이 클 때는 큰 동전만 하고(大者 如大錢), 작을 때는 작은 동전만 하다(小者 如小錢). 그리고 이 병을 얻은 지가(得病), 이미 3년이 되면(已爲三年而), 아무리 건장한 나이의 사람이라도(以壯年人), 손의 힘은(手力), 단 한 시간의 일도 하지 못하게 만들어버린다(不能役勞一半刻). 그리고 체액 순환에 아주 취약한 발의 힘도 손과 똑같이 되면서(足力), 하루에 30리도 못 걸어 가게 만들고 만다(不能日行步三十里). 이때는 열다한소탕을 쓰는데(以熱多寒少湯), 여기에서 고본은 2전을 사용하고(用藁本二錢) 그리고 대황 1전을 추가해서(加大黃一錢), 28첩을 쓰면 된다(二十八貼用之). 그러면 대변은 시작부터 묽어진다(大便 始滑). 그리고 이 상태가 불과 하루나 이틀에 지나지 않게 되고(不過一二日), 다시 대변이 변비로 변하게 되면(又秘燥), 이때 또 이 처방을 20첩을 쓴다(又用二十貼). 이때 대변이 심하게 묽거나 설사가 아니면(大便 不甚滑泄而), 이때는 상당량의 과잉 염이 중화되었다는 사실을 말하게 되고, 그러면 자동으로 얼굴에 난 부스럼도(面部癩瘡), 서서히 차도를 보이게 되고(少差), 수족의 힘도(手力足力), 서서히 좋아지면서 약의 효력이 발생할 것이다(稍快有效矣). 이때 추가로 이 처방을 20첩을 하게 되면(又用二十貼), 병은 쾌차한다(其病 快差).

靈樞 曰 二陽結 謂之消 飮一溲二 死不治. 註曰 二陽結 謂胃及大腸 熱結也. 扁鵲 難經 曰 消渴脈 當得緊實而數 反得沈濇而微者 死. 張仲景 曰 消渴病 小便反多 如飮水一斗 小便亦一斗 腎氣丸主之.

황제내경 영추에서는 다음과 같이 기술하고 있다(靈樞 曰), 이양이 막혀서 뭉치게 되면(二陽結), 이를 소라고 말하는데(謂之消), 이때 물은 하나를 마시고, 소변은 2개를 보게 되면(飮一溲二), 이는 자동으로 체액의 고갈을 유도하게 되고, 당연히 죽을병이 되고 만다(死不治). 이 주해에서는 다음과 같이 말하고 있다(註曰). 여기서 이양이 맺혔다는 말은(二陽結), 위와 대장이 열결로 맺혔다는 뜻이다(謂胃及大腸 熱結也). 여기서 열결(熱結)은 열의 근원인 자유전자를 보유한 염이 과잉 정체하고 있다는 뜻이다. 그래서 위와 대장이 열결로 맺혔다(謂胃及大腸 熱結也)는 말은 위와 대장에 염이 정체하고 있다는 뜻이 된다. 위장은 염을 위산 형식으로 체외로 배출하고, 대장은 수분을 흡수하면서 자동으로 중조염을 전문으로 배출하는 기관이다. 그래서 이 문장의 의미는 위장이 위산을 통해서 과잉 염을 제대로 체외로 배출하지 못하고 있다는 뜻이 되고, 대장도 중조염을 배출하지 못하고 있다는 뜻이 된다. 그러면 이는 물을 당기는 삼투압 기질인 염이 많이 정체하고, 적게 배출되므로, 인체는 과잉 염을 체외로 배출하기 위해서 자동으로 소변을 더 많이 보게 만든다(飮一溲二). 그리고 이때 과잉 염에 든 자유전자는 산소라는 알칼리를 과도하게 소모(消)해서 고갈(渴)시켜버린다. 그래서 이를 소갈(消渴)이라고 한다(謂之消). 다시 본문을 보자. 편작은 난경에서 다음과 같이 말하고 있다(扁鵲 難經 曰). 소갈병이 있을 때 맥상은(消渴脈), 소갈을 만든 근원이 과잉 자유전자인데, 이 과잉 자유전자는 맥상의 에너지이기도 하므로, 자동으로 풍부한 에너지의 영향을 받게 된다. 그래서 이때 맥상은 당연히 힘이 있는 긴맥, 실맥, 삭맥이 나오게 된다(當得緊實而數). 이 문제는 본 연구소가 발행한 맥경이나 상한잡병론을 참고하면 된다. 그런데, 이런 맥상의 에너지를 보유한 염은 삼투압 기질이기도 하므로, 이들은 자동으로 체액의 순환을 막을 수도 있다. 그래서 이들이 체액의 순환을 막으면서 이번에는 맥상이 반대로 체액이 막힐 때 나오는 침맥과 색맥과 미맥이 나오

태음인 간수열 이열병론

게 되면(反得沈濇而微者), 이때 환자는 혈액 순환 장애로 인해서 자동으로 죽게 된다(死). 장중경은 다음과 같이 말한다(張仲景 曰). 삼투압 기질인 과잉 염 때문에, 소갈병에 걸리게 되면(消渴病), 이때 인체는 과잉 염을 체외로 버리려고 하면서 자동으로 소변을 반복해서 많이 누게 만든다(小便反多). 예를 들면, 물 한 말을 마시면(如飮水一斗), 소변도 한 말이 나오는 식이다(小便亦一斗). 이때는 소변을 만드는 신장을 돕기 위해서 신기환을 처방한다(腎氣丸主之).

論曰 此病 非少陽人消渴也 卽 太陰人燥熱也.
此證 不當用 腎氣丸 當用 熱多寒少湯 加 藁本 大黃.

　이제마는 다음과 같이 주장한다(論曰). 이 병은(此病), 소양인의 소갈이 아니다 (非少陽人消渴也). 즉(卽), 이는 태음인의 조열이다(太陰人燥熱也). 이는 병증을 바라보는 시각 차이 때문이다. 이제마는 소갈(消渴)을 간(肝)의 문제로 본다. 이제마는 갈병을 간이 문제인 소갈, 비장이 문제인 소중, 신장이 문제인 소신으로 나눈다는 사실을 상기해보자. 이는 정확히 상한론에서 말하는 삼음(三陰)을 기준으로 하고 있다. 그리고 삼음은 소갈의 원인 되는 염을 체외로 버리게 해주는 기관이다. 이는 이제마가 처방을 다르게 하는 이유로 작용하게 된다. 그래서 이제마는 소갈을 간이 핵심인 태음인의 병으로 보고 있다. 그리고 소갈도 병의 근원은 열을 만들어내는 과잉 염이므로, 이를 조열증으로 보고 있다. 참고로 최첨단 현대의학도 소갈을 당뇨로 보고서, 이를 간 문제로 다룬다. 간은 글리코겐을 저장해서 당뇨의 핵심인 포도당을 생성하기 때문이다. 다시 본문을 보자. 이 증상에는(此證), 당연히 신기환을 처방해서는 안 되고(不當用 腎氣丸), 당연히 열다한소탕에(當用 熱多寒少湯), 고본과 대황을 추가해서 처방해야만 한다(加 藁本 大黃). 이는 처방에서도 다른 시각을 보이게 된다. 즉, 신기환은 소갈의 원인인 과잉 염을 이를 전문으로 처리하는 신장을 통해서 체외로 버리자는 전략이고, 열다한소탕은 소갈의 원인이고 동시에 조열증의 원인이 되는 과잉 염을 간질에서 산소로 중화해버리자는 전략이다. 그러면, 이 두 처방 중에서 어느 처방이 더 좋은 처방일까? 판단은 독자 여러분의 몫이다. 단, 둘 다 옳은 처방임에는 틀림이 없다. 그리고 이를 이제마가 모를 리가 없었을 것이다. 그래도 이렇게 한 이유는 단지, 자기의 이론을 강화하려는 욕심이 아마도 앞섰기 때문일 것이다. 이런 문제는 이미 앞에서도 나왔었다. 이는 또한 이제마가 갈병을 기존의 개념과 다르게 기술하면서 이미 예고된 차별화이다. 아무튼 어떤 처방으로 하든지 간에 이 병은 치료되므로, 두 처방 모두 문제는 없다. 단지, 목적지에 도달하는 경로가 서로 다를 뿐이다.

嘗治 太陰人 年五十近衰者 燥熱病 引飮 小便多 大便秘者. 用 熱多寒少湯 用藁本二錢 加大黃一錢 二十貼 得效矣. 後一月餘 用他醫藥五貼 此人 更病 復用 熱多寒少湯 加 藁本 大黃 五六十貼. 用藥時間 其病 僅僅支撐 後終不免死. 又嘗治 太陰人 年少者 燥熱病. 用此方 三百貼 得支撐一周年 此病 亦不免死. 此人 得病一周年 或間 用他醫方 未知緣何故也. 蓋 燥熱 至於飮一溲二而 病劇則 難治. 凡太陰人 大便秘燥 小便覺多而 引飮者 不可不早治豫防. 此病 非必不治之病也 此少年 得病 用藥一周年後 方死. 蓋 此病 原委 侈樂無厭 慾火外馳 肝熱大盛 肺燥太枯之故也. 若 此少年 安心滌慾一百日而 用藥則 焉有不治之理乎. 蓋 自始病日 至于終死日 慾火 無日不馳故也. 諺曰 先祖德澤 雖或不得一一個報而 恭敬德澤 必無一一不受報. 凡 無論某病人 恭敬其心 蕩滌慾火 安靜善心 一百日則 其病 無不愈. 二百日則 其人 無不完. 恭敬德澤之箇箇受報 百事 皆然而 疾病尤甚.

일찍이 다음과 같은 증상을 치료해 본 적이 있다(嘗治). 태음인으로서(太陰人), 50살이 되었는데, 많이 노쇠해져 있었고(年五十近衰者), 조열병까지 있어서(燥熱病), 물이 당기고(引飮), 그로 인해서 당연히 소변이 많고(小便多), 조열로 인해서 대변은 변비가 되었다(大便秘者). 이때 처방은 열다한소탕이었는데(用 熱多寒少湯), 여기에서 고본은 2전을 사용했고(用藁本二錢) 그리고 대황 1전을 추가했다(加大黃一錢). 이를 20첩을 처방했더니(二十貼), 효과가 있었다(得效矣). 그리고 뒤에 약 1개월 정도에 걸쳐서(後一月餘), 다른 의사가 약을 5첩을 처방했다(用他醫藥五貼). 이 결과로 이 환자는(此人), 다시 병이 들어서(更病), 다시 열다한소탕을 처방했는데(復用 熱多寒少湯), 이때 고본은 양을 늘리고, 대황은 추가했다(加藁本 大黃). 그리고 이를 오륙십 첩을 복용시켰다(五六十貼). 그러나 탕약을 복용할 때는(用藥時間), 이 병이 든 상태에서도(其病), 근근이 버티다가(僅僅支撑), 결국에는 끝내 죽음을 면하지 못하고 종말을 맞았다(後終不免死). 또 다른 치료 경험도 있다(又嘗治). 태음인으로서(太陰人), 청소년이었는데(年少者), 간이 문제인 조열병이 있었고(燥熱病), 그래서 앞에서 쓴 처방을(用此方), 300첩을 썼다(三百貼). 그러나 1년 정도는 목숨을 지탱하더니만(得支撑一周年), 끝내 이 병 때문에(此病), 역시 죽을 면하지 못하고 죽었다(亦不免死). 이 환자가(此人), 병을 얻고 나서 1년 동안에(得病 一周年), 간혹(或間), 다른 의사의 처방을 받아서(用他醫方), 이렇게 되었는지는 확실히 모르겠다(未知緣何故也). 대개(蓋), 간이 문제인 조열에 걸렸을 때(燥熱), 물은 하나를 마시고, 소변은 둘을 보게 되면(至於飮一溲二而), 이때는 자동으로 체액의 고갈이 발생하면서, 병은 극단으로 치닫게 되고(病劇則), 자동으로 이 병은 난치병이 되고 만다(難治). 일반적으로(凡), 태음인으로서(太陰人), 대변이 말라서 변비가 되고(大便秘燥), 소변을 많이 눈다고 생각하게 되면(小便覺多而), 이때는 자동으로 물을 들이켜게 되는데(引飮者), 이때는 빨리 조기에 예방 조치를 취하지 않으면, 안 된다(不可不早治豫防). 이 병은(此病), 반드시 불치병은 아니기 때문이다(非必不治之病也). 이 청소년은(此少年), 병을 얻어서(得病), 탕약을 복용한 지 1년 후에(用藥一周年後), 결국 사망했다(方死). 대개(蓋), 이 병은(此病), 원래(原委), 생활의 무절제가 판을 치고(侈樂無厭), 성적 흥분(慾火)을 마음껏 발산할 때(慾火外馳), 간열이 극에 달하고(肝熱大盛), 폐열도 극에 달하면서 생기게 된다(肺燥太枯之故也). 먼저 생활의 무절제는 산성인 호르몬의 폭증을 만들어내서 순식간에 인체를 산성(酸性)으로 만들어버린다. 인체의 산성화(酸性化)는 만병의 근원이라는 사실을 상기해보자. 그리고 과도한 성적 흥분은 사정하면서 인체의 알칼리를 극도로 고갈시켜버리게 되고, 이는 자동으로 인체를 산성화(酸性化)시키고 만다. 그리고 성적 흥분 때는 인체 산성 쓰레기 청소부인 스테로이드 호르몬도 동시에 분비된다. 그래서 성적 문란은 자동으로 인체 산성 쓰레기 청소부를 고갈시켜버린다. 그러면 이도 인체의 알칼리를 극도로 고갈 시켜버리게 되고, 이는 자동으로 인체를 산성화(酸性化)시키고 만다. 그리고 간은 인체가 분비하는 산성인 호르몬 대부분을 처리하는 인체 최대 해독 기관이다. 그래서 앞에서 본 무절제는 간에 직격탄을 날리게 된다. 그러면 간은 이들을 중화하면서 열을 과도하게 만들게 되고, 그러면 간은 자동으로 과부하에 걸리게 되고, 그러면 간은 산성 정맥혈은 기정맥이라는 우회로를 통해서 폐로 직송해버린다. 그러면 폐에서도 산성 정맥혈을 중화하면서 자동으로 열(燥)이 나게 된다. 이런 상태로 인체를 혹사하게 되면, 죽음은 예약이 된다. 다시 본문을 보자. 만약에(若), 이 청소년이(此少年), 100일 만이라도 절제된 생활을 했다면(安心滌慾一百日而), 이때 약을 쓰면 되는데(用藥則), 어찌 불치병이 되었을까요(焉有不治之理乎)! 대개(蓋), 이런 환자는 병이 시작한 날부터(自始病日), 죽는 그 순간까지(至于終死日), 성적 흥분(慾火)을 과하게 풀지 않은 날이 없었을 것이다(慾火 無日不馳故也). 여기서 속담을 하나 보자(諺曰). 조상이 뿌려 논 덕을(先祖德澤), 그 후손이 비록 그 하나하나를 모두 보은으로 받지는 못할지라도(雖或不得一一個報而) 즉, 조상들이 후손에게 남겨준 지혜가 모두 후손에게 보은으로 돌아오지는 않더라도, 조상들의 이런 덕을 후손들이 공경하게 되면(恭敬德澤) 즉, 조상이 준 지혜를 지키는 후손은, 반드시 최소한 하나의 보은이라도 받게 될 것이다(必無一一不受報). 무릇(凡), 어떤 병자를 막론하고(無論某病人), 이런 조상들의 마음을 공경하면서(恭敬其心), 성적 흥분(慾火)을 깨끗이 제거(蕩滌)해버리고(蕩滌慾火), 안정되고 조용한 마음을 유지하면서(安靜善心), 100일만 절제하면서 생활하게 되면(一百日則), 이 병이(其病), 치유되지 않을 수 없을 것이다(無不愈). 이때 조금만 더 힘을 써서, 이를 200일까지 늘린다면(二百日則), 그 환자는(其人), 건강이 완벽하게 회복되지 않을 수 없을 것이다(無不完). 그래서 조상들의 지혜를 공경해서 그 하나하나에서 모두 보은을 받게 되면(恭敬德澤之箇箇受報), 다른 모든 일에서도(百事), 모두 보은을 받을 것이다(皆然而). 그리고 이 관계는 질병에서는 더욱더 큰(甚) 보은으로 돌아온다(疾病尤甚). 이는 성적 문란에서 AIDS가 나온다는 사실을 말하고 있다. 또한, 쾌락을 위해서 성적 문란에 빠지게 되면, 자동으로 쾌락을 위해서 알콜과 마약에 빠지게 되는데, 알콜과 마약도 과하면 자동으로 몸을 산성화시킨다. 지금 이 문장은 이를 말하고 있다. 즉, 옛날 판 AIDS를 말하고 있다.

危亦林 曰 陰血耗竭 耳聾 目暗 脚弱 腰痛 宜用 黑元丹. 凡 男子 方當壯年而 眞氣猶怯 此乃禀賦素弱 非虛而然. 滋益之方 群品稍衆 藥力細微 難見功效. 但 固天元一氣 使水升火降則 五臟自和 百病不生 宜用 拱辰丹.

위역림은 다음과 같이 주장하고 있다(危亦林 曰). 산소라는 알칼리인 음(陰)을 싣고 있는 혈액이 소모되어서 고갈되어버리게 되면(陰血耗竭), 혈액은 만병통치약(萬病通治藥)이므로, 별의별 온갖 질환들이 발병하게 된다. 그래서 이때는 귀가 잘 안 들리는 이롱(耳聾), 눈이 어두워지는 목암(目暗), 다리가 약해지는 각약(脚弱), 허리에 통증이 있는 요통(腰痛) 등등이 발병한다. 이때는 당연히 흑원단을 처방한다(宜用 黑元丹). 일반적으로(凡), 남자가(男子), 드디어 힘을 쓸 수 있는 장년이 되었는데도 불구하고(方當壯年而), 진기가 고갈되어서 힘을 쓰지 못하고 있다면(眞氣猶怯), 이는 원래 태어날 때부터 약했기 때문이며(此乃禀賦素弱), 이는 어느 날 갑자기 몸이 허약해져서 그런 것이 아니다(非虛而然). 물론 이때 힘을 증강시키는 약 처방은(滋益之方), 상당히 많기는 하지만(群品稍衆), 약의 힘으로 이를 근본적으로 개선하기는 어려우므로, 이때 약의 효과는 아주 약하며(藥力細微), 따라서 약의 힘만으로 이를 극복하기가 어렵다(難見功效). 단(但), 이때 건강을 지키는 방법이 있기는 한데, 먼저 하늘이 자기에게 부여한 원기 하나를 굳건히 지키고(固天元一氣), 체액(水)은 체액 순환이 어려운 사지에서 폐와 심장으로 올라오게(升) 만들고, 자유전자라는 화기(火)를 안고 있는 염은 간, 신장, 비장이라는 삼음으로 내려오게(降) 해서 체외로 배출되게끔 해야만 한다(使水升火降則). 그러면, 폐와 심장 그리고 간, 비장, 신장이라는 오장은 각자 맡은 임무를 잘 수행하면서 자동으로 조화를 이루게 되고(五臟自和), 그러면 이때는 자동으로 어떤 병도 발병하지 않을 것이다(百病不生), 이때는 당연히 이를 돕기 위해서 공진단을 처방하면 된다(宜用 拱辰丹). 여기서 그 유명한 수승화강(水升火降)이라는 문구가 나온다. 그러나 이의 해석은 자기들 맘대로이다. 원래 수승화강은, 이 문장에서 보듯이, 오장의 조화(五臟自和)를 말한다. 즉, 이는 폐와 우 심장은 올라오는(升) 체액(水)을 잘 받아서 처리하고, 간, 비장, 신장은 내려오는(降) 염(火)을 잘 받아서 처리하는 것이다. 염은 화의 근본인 자유전자를 품고 있다는 사실을 상기해보자.

論曰 此證 當用 黑元與拱辰丹.
當歸 山茱萸 皆爲蠹材 藥力未全. 欲收全力 宜用 拱辰黑元丹 鹿茸大補湯.

이제마는 다음과 같이 주장한다(論曰). 이 증상에는(此證), 당연히 흑원여공진단을 처방해야 한다(當用 黑元與拱辰丹). 그리고 당귀(當歸), 산수유는(山茱萸), 이 증상에 모두 안 좋은 약재이다(皆爲蠹材). 이는 약효를 완전하게 내지 못하게 한다(藥力未全). 그래서 여기서 약효를 완전하게 거두고 싶으면(欲收全力), 당연히 공진흑원단이나(宜用 拱辰黑元丹), 녹용대보탕을 처방하면 된다(鹿茸大補湯).

(태음인) 범론((太陰人) 泛論)

(태음인) 범론((太陰人) 泛論)

太陰人證 有食後痞滿 腿脚無力病 宜用 拱辰黑元丹 鹿茸大補湯 太陰調胃湯 調胃升淸湯. 太陰人證 有泄瀉病 表寒證泄瀉 當用 太陰調胃湯. 表熱證泄瀉 當用 葛根蘿葍子湯. 太陰人證 有咳嗽病 宜用 太陰調胃湯 鹿茸大補湯 拱辰黑元丹. 太陰人證 有哮喘病 重證也 當用 麻黃定喘湯. 太陰人證 有胸腹痛病 危險證也 當用 麻黃定痛湯.

태음인의 증상에서(太陰人證), 식후에 비만이 있거나(有食後痞滿), 다리에 힘이 없는 병에는(腿脚無力病), 당연히 공진흑원단이나(宜用 拱辰黑元丹), 녹용대보탕이나(鹿茸大補湯), 태음조위탕이나(太陰調胃湯), 조위승청탕을 처방한다(調胃升淸湯). 태음인의 증상에서(太陰人證), 설사하는 병이 있으면서(有泄瀉病), 표한증으로 설사하게 되면(表寒證泄瀉), 이때는 당연히 태음조위탕을 처방한다(當用 太陰調胃湯). 그리고 표열증에서 설사하면(表熱證泄瀉), 이때는 당연히 갈근라복자탕을 처방한다(當用 葛根蘿葍子湯). 태음인의 증상에서(太陰人證), 해수병이 있으면(有咳嗽病), 이때는 당연히 태음조위탕이나(宜用 太陰調胃湯), 녹용대보탕이나(鹿茸大補湯), 공진흑원단을 처방한다(拱辰黑元丹). 태음인의 증상에서(太陰人證), 효천병이 있으면(有哮喘病), 이는 증중이 된다(重證也). 태음인은 간과 폐가 핵심인데, 이때 간이 과부하에 걸리면, 산성 정맥혈을 폐로 직송하게 되는데, 이때 폐가 이를 받아서 처리하지 못하게 되면, 효천에 걸리게 된다. 이는 간과 폐가 핵심인 태음인에서 두 개의 장기가 모두 과부하에 걸렸으므로, 이는 자동으로 중증이 될 수밖에 없다. 다시 본문을 보자. 그래서 이때는 당연히 마황정천탕을 처방한다(當用 麻黃定喘湯). 태음인의 증상에서(太陰人證), 폐가 있는 흉부와 간이 있는 복부에 동시에 통증이 있게 되면(有胸腹痛病), 이때는 태음인의 주요 장기인 간과 폐가 모두 문제가 있다는 사실을 말하게 되면서, 자동으로 이 병은 위험증이 된다(危險證也). 이때는 당연히 마황정통탕을 처방한다(當用 麻黃定痛湯).

太陰人小兒 有泄瀉十餘次無度者 必發慢驚風 宜用 補肺元湯 豫備慢風. 太陰人 有腹
脹浮腫病 當用 乾栗蠐螬湯. 此病 極危險證而 十生(病)九死之病也. 雖用藥病愈 三年內
不再發然後 方可論生. 戒侈樂 禁嗜慾 三年內 宜恭敬心身 調養愼攝 必在其人矣.

　태음인으로서 소아가(太陰人小兒), 설사를 10여 차례 이상 수도 없이 하게 되
면(有泄瀉十餘次無度者), 이때는 반드시 느리게 진행되는 경풍이 발병한다(必發
慢驚風). 이때는 당연히 보폐원탕을 처방해서(宜用 補肺元湯), 느린 경풍을 예방
해야만 한다(豫備慢風). 이때 나타나는 경풍은 그 원인이 뇌척수액이라는 체액이
문제인데, 지금은 설사를 10여 차례 이상 수도 없이 하면서 체액이 고갈된 상태라
는 사실을 상기해보자. 그래서 자가 설사의 제일 큰 문제는 체액 문제가 된다. 다
시 본문을 보자. 태음인이(太陰人), 배가 부풀어 오르고 부종이 있을 때는(有腹脹
浮腫病), 당연히 건률제조탕을 처방한다(當用 乾栗蠐螬湯). 이 병이(此病), 극도
로 위험한 증상이 되면(極危險證而), 90%는 사망하게 된다(十生(病)九死之病也).
이때 비록 약을 써서, 이 병이 치유된다고 하더라도(雖用藥病愈), 3년 안에(三年
內), 이 병이 재발하지 않은 사실을 확인한 후라야(不再發然後), 그제야 제대로
살아났다고 볼 수 있다(方可論生). 이때 이 생명을 제대로 보존하려면, 절제된 생
활을 하면서(戒侈樂), 주색잡기를 그만두고(禁嗜慾), 3년 안에(三年內), 당연히 심
신을 단련시키고(宜恭敬心身), 양생을 아주 잘해야만 하는데(調養愼攝), 이 문제
는 반드시 환자의 마음 안에 존재하게 된다(必在其人矣).

凡 太陰人病 若待浮腫已發而治之則 十病九死也. 此病 不可 以病論之而 以死論
之 可也. 然則 如之何其可也. 凡 太陰人 勞心焦思 屢謀不成者 或有久泄久痢 或
淋病小便不利 食後痞滿腿脚無力病 皆浮腫之漸 已爲重險病而. 此時 已浮腫論而
蕩滌慾火 恭敬其心 用藥治之 可也. 太陰人證 有夢泄病 一月內 三四發者 虛勞
重證也. 大便秘一日則 宜用 熱多寒少湯 加 大黃一錢. 大便每日 不秘則 加 龍骨
減 大黃 或用 拱辰黑元丹 鹿茸大補湯. 此病 出於謀慮太多 思想無窮.

일반적으로(凡), 태음인이 병에 걸렸을 때(太陰人病), 만약에 부종이 발생하기를 기다려서 부종을 치료하려고 한다면(若待浮腫已發而治之則), 이때는 환자의 90%가 사망한다(十病九死也). 간과 폐가 핵심인 태음인의 부종 문제는 이미 앞에서 설명했다. 그래서 이 병은(此病), 병으로서 논할 것은 못 되고(不可 以病論之而), 죽음으로서 논해야만 옳다(以死論之 可也). 그렇다면(然則), 이를 어떻게 취급해야만 옳겠는가 말이다(如之何其可也). 즉, 이는 위급한 병으로 취급해야만 한다는 뜻이다. 일반적으로(凡), 태음인이(太陰人), 노심초사하면서 많은 스트레스를 받거나(勞心焦思), 오래도록 숙원 했던 일이 이루어지지 않게 되거나(屢謀不成者), 때로는 오랜 설사나 오랜 이질이 있거나(或有久泄久痢), 때로는 임병이 있어서 소변을 볼 때 문제가 있거나(或淋病小便不利), 식후에 비만이 있거나(食後痞滿), 퇴각이 무력해지는 병이 있거나 하면(腿脚無力病), 이들 모두는 부종으로 발전하는 근원이 된다(皆浮腫之漸). 그리고 이때 부종이 발병하게 되면, 중한 험병이 되고 만다(已爲重險病而). 그래서 태음인에서 부종은 병으로서 논할 것은 못 되고(不可 以病論之而), 죽음으로서 논해야만 옳다(以死論之 可也)고 한 것이다. 그러나 이때조차도(此時), 이미 발생된 부종을 가지고 치유를 논하자면(已浮腫論而), 성적 흥분(慾火)을 깨끗이 제거(蕩滌)해버리고(蕩滌慾火), 자기의 마음을 안정시켜서 경계(敬)하고(恭敬其心), 추가로 약을 쓰게 되면 치료가 가능해진다(用藥治之 可也). 태음인이 병에 걸렸을 때(太陰人證), 몽설이 있어서(有夢泄病), 한 달에(一月內), 서너 번 몽설이 발생한다면(三四發者), 이는 허로로서 중증이 된다(虛勞重證也). 몽설은 인체 안에 과잉 염이 극도로 정체할 때 생긴다. 즉, 몽설은 인체가 극도로 산성화(酸性化)될 때 생긴다. 이때는 인체가 거의 기진맥진(氣盡脈盡)한 상태가 된다. 이를 허로(虛勞)라고 표현한다. 다시 본문을 보자. 그리고 태음인에서 대변이 변비가 되어서 하루 정도가 되었을 때는(大便秘一日則), 당연히 열다한소탕에(宜用 熱多寒少湯), 대황 1전을 추가해서 처방한다(加 大黃一錢). 그리고 대변이 매일 막히지만 않는다면(大便每日 不秘則), 이때는 열다한소탕에 용골은 더하고(加 龍骨), 대황은 줄여서 처방하거나(減 大黃), 때로는(或), 공진흑원단이나(用 拱辰黑元丹), 녹용대보탕을 처방한다(鹿茸大補湯). 이 병은(此病), 꾀

하는 일이 너무나 많아서 스트레스가 극단에 이르고(出於謀慮太多), 생각하는 것이 너무나 많아서 스트레스가 극단에 이르렀을 때 발병한다(思想無窮). 최첨단 현대의학은 이를 번아웃증후군(Burnout Syndrome)이라고 부르고, 한글로는 탈진증후군(脫盡症候群)이라고 부른다. 그리고 이를 한의학에서는 백합병(百合病)이라고 부르고, 이보다 더 심해지게 되면 호혹병(狐惑病)이라고 부른다. 호혹병은 한마디로 인체의 완벽한 산성화(酸性化)를 말한다. 그리고 최첨단 현대의학은 이를 베체트병(Behcet′s disease)이라고 부른다. 당연히 온몸이 썩게 된다.

太陰人證 有卒中風病 胸臆格格 有窒塞聲而 目瞪者 必用 瓜蔕散. 手足拘攣 眼合者 當用 牛黃淸心丸. 素面色 黃赤黑者 多有目瞪者 素面色 靑白者 多有眼合者 面色靑白而 眼合者 手足拘攣則 其病 危急也. 不必待拘攣 但見眼合而 素面色靑白者 必急用 淸心丸. 古方淸心丸 每每神效. 目瞪者 亦急發而 稍緩死. 眼合者 急發急死. 然 目瞪者 亦不可以緩論而 急治之. 牛黃淸心丸 非家家必有之物 宜用 遠志 石菖蒲末 各一錢 灌口. 因以皂角末 三分 吹鼻. 此證 手足拘攣而項直則 危也. 傍人 以兩手 執病人兩手腕 左右撓動兩肩 或 執病人足腕 屈伸兩脚.

태음인이 병에 걸렸을 때(太陰人證), 갑자기 쓰러지는 졸중풍이 오면(有卒中風病), 이때는 가슴이 막혀서 답답해지고 숨이 막히는 소리가 나고(胸臆格格 有窒塞聲而), 눈을 부릅뜨는데(目瞪者), 이때는 반드시 과체산을 쓴다(必用 瓜蔕散). 그리고 수족이 강직되면서 오그라들고(手足拘攣), 눈을 뜨지 못하면(眼合者), 이때는 당연히 우황청심환을 쓴다(當用 牛黃淸心丸). 그리고 이때 환자의 본래 안색이(素面色), 비장, 심장, 신장이 모두 좋지 않아서 황적흑으로 나오면(黃赤黑者), 이때 환자는 모두 눈까풀의 근육이 강하게 수축하면서 땅기게 되고, 이어서 눈을 부릅뜬다(多有目瞪者). 이는 뇌척수액을 통제하는 신장이 자기 기능을 제대로 하지 못하면서 뇌척수액이 산성으로 기울면서, 산성으로 변한 뇌척수액이 근육을 통제하는 신경에 자유전자를 과잉 공급하기 때문이다. 다시 본문을 보자. 그리고 이때 환자의 본래 안색이(素面色), 간과 폐가 좋지 않아서 청백으로 나오게 되면(靑白者), 이때 환자는 모두 눈까풀의 근육이 힘이 없이 쳐져서 내려가면서 눈을 감는다(多有眼合者). 간은 신경을 통제해서 근육을 통제하는데, 지금은 간이 문제이므로, 이때는 간이 자기 기능을 제대로 하지 못하면서 근육의 통제를 잃었기 때문이다. 이는 추가로 수족의 기능을 잃어버리는 수족의 강직도 유도된다. 다시 본문을 보자. 그리고 안색이 청백으로 나오면서(面色靑白而), 동시에 눈을 감고 있는데(眼合者), 추가로 손발이 강직되면서 오그라들면(手足拘攣則), 이때 이 병은(其病), 위급증이 된다(危急也). 이때는 간의 기능이 극단적으로 저하된 상태를 말하기 때문이다. 그래서 이때는 반드시 수족이 강직되면서 오그라들 때까지 기다리지 말고(不必待拘攣), 단지 눈까풀이 쳐져서 눈이 감기고(但見眼合而), 본래 안색이 청백으로 바뀌면(素面色靑白者), 이때는 반드시 청심환을 급하게 처방해야만 한다(必急用 淸心丸). 옛날 조상 때부터 써온 청심환은(古方淸心丸), 쓸 때마다 매번 귀신과 같은 효과를 낸다(每每神效). 그리고 비장, 심장, 신장이 안 좋아서 눈을 부릅뜨면서(目瞪者), 또한 급하게 발작하면(亦急發而), 환자는 서서히 죽어간다(稍緩死). 그리고 눈을 감는 증상이 있으면서(眼合者), 급하게 발작하게 되면(急發), 이때 환자는 급하게 죽는다(急死). 이런 연유로(然), 눈을 부릅뜨는 경우도(目瞪者), 역시 느리게 대처해서는 안 되고(亦不可以緩論而), 될 수 있는 대로 급하게 서둘러서 치료해야만 한다(急治之). 그리고 우황청심환은(牛黃淸心丸), 항상 모든 집에 비치되어있는 약은 아니다(非家家必有之物). 그래서 우황청심환이 없는 경우에는 당연히 원지와 석창포 분말 각각 1전씩을(宜用 遠志 石菖蒲末 各一錢), 입으로 흘려보낸다(灌口). 그다음에 조각 분말 3푼도(因以皂角末 三分), 코로 흡입시킨다(吹鼻). 이 증상은(此證), 수족이 강직하고 목도 강직할 때(手足拘攣而項直則), 위험 증상이 된다(危也). 이때는 환자의 강직을 풀어줘서 체액의 순환을 촉진시켜야 하므로, 환자 옆에 있는 사람들이(傍人), 양손으로(以兩手), 환자의 양쪽 손목을 잡고(執病人兩手腕), 환자의 양쪽 어깨를 좌우로 흔들어주거나(左右撓動兩肩) 혹은(或), 환자의 양쪽 발목을 잡고(執病人足腕), 발을 상하로 굴신시켜줘야 한다(屈伸兩脚).

太陰人中風 撓動病人肩脚 好也. 少陽人中風 大忌撓動病人手足 又不可抱人起坐.
少陰人中風 傍人抱病人 起坐則 可也而 不可撓動兩肩 可以徐徐按摩手足.

　간이 핵심인 태음인이 중풍에 걸리면(太陰人中風), 이때는 환자의 다리와 어깨를
흔들어줘서(撓動病人肩脚), 혈액 순환이 잘 되게 해주면 아주 좋다(好也). 간은 산
성 정맥혈을 통제해서 혈액 순환을 주도하기 때문이다. 비장이 핵심인 소양인이 중
풍에 걸리면(少陽人中風), 반대로 이런 행동은 금물이 된다(大忌撓動病人手足). 또
한 이때는 환자를 끌어안아서 일으켜 앉히는 것도 나쁘다(又不可抱人起坐). 이는
림프액을 통제하는 비장의 문제이기 때문이다. 림프액은 평소에도 소통이 잘 안 되
는데, 앉아있게 되면 더욱더 소통이 안 된다. 그리고 환자의 수족을 강제로 흔드는
일도 똑같은 일을 만든다. 신장이 핵심인 소음인이 중풍에 걸렸을 때(少陰人中風),
옆에 있는 사람이 환자를 끌어안고 세워서 앉히는 일은 나쁘지 않다(傍人抱病人 起
坐則 可也而). 그러나 양쪽 어깨를 흔드는 일은 안 된다(不可撓動兩肩). 그러나 손
발을 서서히 주물러 주는 것은 가능하다(可以徐徐按摩手足). 이는 결국에 신장의
문제로 간다. 신장은 뇌척수액을 통제해서 뼈를 통제한다. 그래서 양쪽 어깨를 흔들
게 되면, 신장이 통제하는 뼈와 관절 활액인 뇌척수액에 자극을 가하기 때문이다.

中毒 吐瀉 宜用 麝香.

　독에 중독되어서(中毒), 토하고 설사할 때는(吐瀉), 당연히 사향을 쓴다(宜用
麝香). 토하는 것은 위산으로 과잉 염에 든 자유전자를 체외로 버리는 일이고, 설
사도 자유전자를 보유한 과잉 염을 체외로 버리는 일이다. 결국에 여기서 독 문제
는 과잉 자유전자의 문제가 된다. 그러면, 이를 해결하기 위해서는 과잉 자유전자
를 잡아 족치면 된다. 이 방법은 과잉 자유전자를 수거해서 산소로 중화해버리든
지, 아니면, 과잉 자유전자를 영원히 붙잡아서 이를 체외로 버리면 된다. 이때 필
요한 약성은 과잉 자유전자를 산소로 중화하면서 열로 몸을 따뜻하게 하거나, 또

는 쓴맛이 나는 장쇄지방산으로 과잉 자유전자를 수거해서 체외로 버리거나. 또는 쓴맛이 나는 장쇄지방산으로 과잉 자유전자를 수거해서 심장에서 이를 산소로 중화하는 것이다. 그리고 이 두 가지 조건을 갖춘 약재가 사향(麝香)이다. 그래서 사향의 성질을 보면, 사향의 성질은 따뜻하고 맛이 매우면서 쓰고 독이 없다고 나온다. 이 성분은 사향에 든 L-무스콘(C$_{16}$H$_{30}$O ： 2-Hexadecenal)이다.

L-무스콘(C$_{16}$H$_{30}$O ： 2-Hexadecenal)

이 성분은 왼쪽에 보면, 산소가 하나 붙어있는 케톤을 보유하고 있다. 그리고 이 성분은 옆에 전자가 부족한 이중결합을 두 개 보유하고 있다. 그리고 이 이중결합은 자기가 부족한 전자를 채우려고 자유전자가 많은 산성 환경에 존재하는 자유전자만 보면 환장하고 달려들어서 자유전자를 낚아서 채간다. 그러고서는 산소가 많은 알칼리 환경에 오면, 이들은 자기가 애써서 환장하고 수거한 자유전자를 지키지 못하고 허무하게 산소에게 뺏기고 만다. 그러면, 이때 뺏긴 자유전자는 산소로 중화되면서 열을 만들고, 드디어 사향(麝香)의 따뜻한 성질을 발휘한다. 그리고 이 장쇄지방산은 자동으로 자유전자를 전문으로 중화하는 심장에 자유전자를 공급해서 산소로 중화시킨다. 이때 심장에 자유전자를 전달한 이 장쇄지방산의 맛이 쓴맛을 지니게 된다. 그래서 사향(麝香)은 쓴맛이 난다고 한 것이다. 이것이 사향(麝香)의 정확한 본초 분석이다. 이는 자동으로 전자생리학을 요구한다. 그리고 이는 매운맛을 낸다고 하는데, 여기서 매운맛은 휘발성을 말하는데, 이는 이 성분이 휘발성이기 때문이다.

장중경 상한론중 태음인병 경험설방약 사방

(張仲景 傷寒論中 太陰人病 經驗設方藥 四方)

장중경 상한론중 태음인병 경험설방약 사방
(張仲景 傷寒論中 太陰人病 經驗設方藥 四方)

麻 黃 湯 : 麻黃 3錢 桂枝 2錢 甘草 6分 杏仁 10枚生薑3片大棗 2枚

① 마황(麻黃) 12g, 계지(桂枝) 8g, 감초(甘草) 2.4g, 행인(杏仁) 10알, 생강(生薑) 3쪽, 총백(葱白) 2대. [《동의보감(東醫寶鑑)》] 한사(寒邪)가 태양경(太陽經)에 침입하여 오슬오슬 춥고 열이 나고 땀은 나지 않으면서 머리와 온몸의 관절이 아프고 기침하며 숨이 찬 데 쓴다. 감기, 급성 기관지염, 류머티스성 관절염 때 쓸 수 있다. 물에 달일 때 먼저 마황을 달이다가 거품을 걷어버리고 나머지 약을 넣고 달여서 따뜻하게 하여 먹고 땀을 낸다. ② 마황(麻黃: 마디를 없앤 것) · 승마(升麻) · 우방자(牛蒡子: 덖어서 가루 낸 것) · 선태(蟬蛻: 머리 · 날개 · 발을 없앤 것) · 감초(甘草) 각 4g, 납다엽(臘茶葉) 4g, 생강(生薑) 3쪽, 총백(葱白) 2대. [《급유방(及幼方)》] 어린아이가 마진(麻疹) 때 바람을 맞았거나 토하고 설사하며 열이 나기 시작하여 여러 날이 지나도 구슬이 돋지 않는 데 쓴다. 위의 약을 1첩으로 하여 물에 달여서 먹인다. 가슴이 답답해하고 갈증이 날 때는 석고(石膏) 16g을 더 넣어 쓴다.

[네이버 지식백과] 마황탕 [麻黃湯] (한의학대사전, 2001. 6. 15., 한의학대사전 편찬위원회)

桂麻各半湯 : 麻黃 1錢 5分 白芍藥 桂枝 杏仁 各 1錢 甘草 7分 生薑3片大棗 2枚

달리 계지마황각반탕(桂枝麻黃各半湯)이라고도 함. 마황(麻黃) 6g, 계지(桂枝), 백작약(白芍藥), 행인(杏仁) 각 4g, 감초(甘草) 2.8g, 생강(生薑) 3쪽, 대조(大棗) 2개. [《동의보감(東醫寶鑑)》] 태양병(太陽病) 때 오한과 발열이 나며 머리가 아프고 목덜미가 뻣뻣하며 맥이 약하고 몸이 가려운 데 쓴다. 위의 약을 1첩을 물에 달여서 먹는다.

[네이버 지식백과] 계마각반탕 [桂麻各半湯] (한의학대사전, 2001. 6. 15., 한의학대사전 편찬위원회)

調胃承氣湯 : 大黃 4錢 芒硝 2錢 甘草 1錢

대황(大黃) 16g, 망초(芒硝) 8g, 감초(甘草) 4g. [《동의보감(東醫寶鑑)》] 대승기탕(大承氣湯)에서 지실(枳實)·후박(厚朴)을 빼고 감초를 넣은 것이다. 위(胃)에 조열사(燥熱邪)가 성하여 갈증이 나고 대변이 굳으며 배가 단단하나 트적지근한 감은 없으면서 소화가 잘 안되는 데 쓴다. 두통, 고혈압증, 습관성 변비, 위장 중독에 의한 두드러기 등 때에 쓸 수 있다. 위의 약을 1첩으로 하여 먼저 대황·감초를 달인 다음 찌끼를 버리고 망초를 넣어 녹여 따뜻하게 해서 먹는다.

[네이버 지식백과] 조위승기탕 [調胃承氣湯] (한의학대사전, 2001. 6. 15., 한의학대사전 편찬위원회)

大柴胡湯 : 柴胡 4錢 黃芩 白芍藥 各 2錢 5分 大黃 2錢 枳實 1錢 5分

　　　　　　治少陽轉屬陽明 身熱 不惡寒 反惡熱 大便堅 小便赤 譫語 腹脹 潮熱

시호(柴胡) 16g, 황금(黃芩)·백작약(白芍藥) 각 10g, 대황(大黃) 8g, 지실(枳實) 6g, 반하(半夏) 4g, 생강(生薑) 3쪽, 대조(大棗) 2개. [《동의보감(東醫寶鑑)》] 병이 소양에서 양병으로 전이해서 추웠다 열이 났다 하면서 가슴과 옆구리가 답답하고 단단하며 구역질이 계속 나고 명치 밑이 트적지근하면서 아프고 대변이 굳은 데 쓴다. 급성 열성 질병, 급성 폐렴, 담낭염, 담석증, 급성 췌장염, 심낭염, 만성 위염의 실증(實證) 때, 습관성 변비 등 때 쓸 수 있다. 위의 약을 1첩으로 하여 물에 달여서 먹는다.

[네이버 지식백과] 대시호탕 [大柴胡湯] (한의학대사전, 2001. 6. 15., 한의학대사전 편찬위원회)

당송명 삼대의가 저술중 태음인병 경험행용요약 구방

(唐宋明 三代醫家 著述中 太陰人病 經驗行用要藥 九方)

당송명 삼대의가 저술중 태음인병 경험행용요약 구방

(唐宋明 三代醫家 著述中 太陰人病 經驗行用要藥 九方)

石菖蒲遠志散 : 石菖蒲 遠志 爲細末 每服一錢 酒飮任下 日三 令人 耳目聰明

　　　　　　　此方 出於孫思邈千金方書中

원지(遠志)·석창포(石菖蒲) 각 40g, 조협(皂莢: 가루 낸 것) 12g. [《동의수세보원(東醫壽世保元)》] 태음인(太陰人)이 잘 안 들리고 안 보이는 데 쓴다. 위의 약을 가루 내어 한 번에 4g씩 하루 3번 더운물이나 술에 타서 먹는다. 동의수세보원에서 이 처방의 출처는 손사막의 천금방이다.

[네이버 지식백과] 석창포원지산 [石菖蒲遠志散] (한의학대사전, 2001. 6. 15.)

調中湯 : 大黃 1錢 5分 黃芩 桔梗 葛根 白朮 白芍藥 赤茯苓 藁本 甘草 各 1錢

　　　　此方 出於朱肱活人書中 治夏發燥疫 口乾咽塞

　　　　今考更定 此方 當去 白朮 芍藥 茯苓 甘草

① 창출(蒼朮) 6g, 진피(陳皮) 4g, 사인(砂仁)·곽향(藿香)·백작약(白芍藥)·길경(桔梗)·반하(半夏: 법제한 것)·백지(白芷)·강활(羌活)·지각(枳殼)·감초(甘草) 각 2.8g, 천궁(川芎) 2g, 마황(麻黃)·계지(桂枝) 각 1.2g, 생강(生薑) 3쪽. [《동의보감(東醫寶鑑)》] 내상(內傷)과 외감(外感)으로 음반(陰斑)이 생긴 데 쓴다. 위의 약을 1첩으로 하여 물에 달여서 먹는다. ② 대황(大黃) 6g, 황금(黃芩)·백작약(白芍藥)·갈근(葛根)·길경(桔梗)·적복령(赤茯苓)·고본(藁本)·백출(白朮)·감초(甘草) 각 4g. [《동의보감(東醫寶鑑)》] 여름철에 열이 나면서 입이 마르고 목이 막히는 데 쓴다. 위의 약을 1첩으로 하여 물에 달여서 먹는다. ③ 고량강(高良薑)·당귀(當歸)·계심(桂心)·백작약(白芍藥)·포부

자(炮附子) · 천궁(川芎) 각 4g, 자감초(炙甘草) 2g, 생강(生薑) 5쪽. [《의림촬요
(醫林撮要)》] 산후에 설사하면서 배꼽 주위가 몹시 아픈 데 쓴다. 위의 약을 1첩
으로 하여 물에 달여서 따뜻하게 하여 먹는다.

[네이버 지식백과] 조중탕 [調中湯] (한의학대사전, 2001. 6. 15., 한의학대사전 편찬위원회)

이 처방은(此方), 주굉의 활인서가 출처이다(出於朱肱活人書中). 이 처방은 여
름에 조역과(治夏發燥疫), 그로 인한 구건, 인색을 치료한다(口乾咽塞). 그리고 이
처방은 다른 문헌을 참고하면 수정한다(今考更定), 이 처방에서(此方), 당연히 백
출, 작약, 복령, 감초는 뺀다(當去 白朮 芍藥 茯苓 甘草).

黑奴丸 : 麻黃 大黃 各 2兩 黃芩 釜底煤 芒硝 竈突墨 樑上塵 小麥奴 各 1兩
　　　　右爲末 蜜丸 彈子大 每 1丸 新汲水和服 須臾振寒 汗出而解.
此方 出於朱肱活人書中. 陽毒及壞傷寒 醫所不治 精魄已竭 心下尙煖 斡開其口
灌藥下咽 卽活. 今考更定 此方 當去 芒硝.

태음인의 열성병이 악화되어 위험 상태에 있을 때 사용하는 구급 처방이다. 상
한(傷寒)·열병(熱病)에 땀을 내지 않을 때 강력한 발한제를 쓰거나 토하는 약을
쓰며, 또는 하리제(下利劑)를 써서 약이 병에 맞지 않아 급작스럽게 변증되는 경
우가 있다고 말한다. 그래서 열독이 온몸에 퍼져 얼굴에 붉은 반점이 생기고 고열
이 오르며 인후(咽喉)가 붓고 피가래가 나오거나 정신이 혼미하여져서 혼수상태에
이른다. 이런 경우 이 처방이 구급약이다. 손을 환자의 가슴에 넣어보아 명치 밑
이 따뜻한 기운이 있으면 흑노환을 먹인다. 약의 효과가 있게 되면 온몸이 떨리고
이마에서 땀이 난다. 그렇게 되면 병이 풀리는 징조이다. 이 처방은 송나라 주굉
(朱肱)이 저술한 『남양활인서(南陽活人書)』에 수록되어있는 것으로, 마황(麻黃)·
대황(大黃)이 각 8g, 황금(黃芩)·부저매(釜底煤)·조돌묵(竈突墨)·양상진(樑上塵)·
소맥노(小麥奴) 각 3.75g으로 구성되었다. 부저매는 솥 밑에 붙은 검정이인데 지

혈제로 쓰며 열성병에 해열·해독 작용을 한다. 조돌묵은 일명 백초상(百草霜)이라고도 하며 아궁이에 있는 재인데 지혈에 특효가 있다. 양상진은 대들보 위에 있는 먼지인데 토사·곽란·지혈·소변불통에 쓴다. 소맥노는 밀밭에 있는 깜부기이다. 열성병으로 얼굴에 열독(熱毒)이 있어 발반(發斑)이 되었을 때 쓴다. 이제마는 이 처방을 수정해서 망초를 빼버린다.

[네이버 지식백과] 흑노환 [黑奴丸] (한국민족문화대백과, 한국학중앙연구원)

生脈散 : 麥門冬 2錢 人蔘 五味子 各 1錢　夏月 代熟水飮之 令人 氣力湧出

此方 出於李梴醫學入門書中. 今考更定 此方 當去 人蔘.

　여름철의 더위와 갈증, 많은 땀을 흘리는 증상, 해수 등을 치료하는 데 사용하는 처방이다. 생맥산은 『동원십서(東垣十書)』·『의학입문(醫學入門)』에 실려있다. 우리나라에서는 『동의보감』·『제중신편』을 비롯하여 거의 모든 의학서에 인용되어 있다. 이 처방은 세 가지 생약으로 이루어져 있으며, 매우 간단한 방(方)이라 할 수 있을 것이다. 즉, 맥문동 7.5~8.0g, 인삼·오미자 각 4.0g을 적당량의 물을 붓고 끓여서 여름철에 끓인 물 대신 마시면 건강에도 좋고 가벼운 갈증은 없어진다. 생맥산에 황기(黃芪)·감초(甘草) 각 4.0g을 가하든지 혹은 황백(黃柏) 1.0g을 배합하여 마시면 사람으로 하여금 기력이 용출하고 생기가 돋는다고 하였다. 또, 향유·백편두를 가하면 여름철 더위 [暑病] 를 방지할 수 있다고 한다. 『사상체질의학론(四象體質醫學論)』의 서증문(暑證門)에서도 생맥산을 소개하였는데, 번갈(煩渴)·중서(中暑)에 쓰며 여름철에 끓인 물 대신 생맥산을 복용하면 기가 솟는다고 하였다. 생맥산은 예로부터 여름을 슬기롭게 넘기기 위하여 누구나 상복하는 방의 하나이다. 『동원십서』에도 생맥산은 원기(元氣)를 생(生)하게 하는 묘방이라 하였다. 이제마는 이 처방에서 인삼을 뺀다.

[네이버 지식백과] 생맥산 [生脈散] (한국민족문화대백과, 한국학중앙연구원)

樗根皮丸 : 樗根白皮 爲末 酒糊和丸.

此方 出於李梴醫學入門書中 治夢遺 此藥性 凉而燥 不可單服.

(治房勞過傷, 精滑夢遺. 樗根白皮. 炒爲末, 酒糊和丸, 梧子大. 然性凉而燥, 不可單服, 須以八物湯煎水呑下爲佳). 지나친 성생활로 몸이 상하여 정활하고 몽유하는 것을 치료한다. 저근백피를 볶아서 가루 내어 술로 쑨 풀로 오자대의 알약을 만든다. 그러나 저근백피의 성질은 차면서 조(燥)하므로 이것만 복용하여서는 안 되고, 반드시 팔물탕 달인 물로 먹어야만 좋다(『의학입문』).

[네이버 지식백과] 저근피환 [樗根皮丸] (동의보감 제1권 : 내경편, 2002. 8. 19., 허준, 동의과학연구소)

二聖救苦丸 : 大黃 4兩 猪牙皂角 2兩 麵糊和丸 綠豆大 50~70丸.

一服卽汗 一汗卽愈. 此方 出於龔信萬病回春書中 治天行瘟疫.

태음인의 오한과 발열에 쓰이는 처방이다. 원래는 중국의 『만병회춘(萬病回春)』에 소개되어 있는데, 이제마(李濟馬)가 우리나라에 소개한 것이다. 처방 구성은 대황(大黃) 150g, 저아조각(猪牙皂角) 75g을 곱게 가루를 내어 풀로 환약을 녹두 알 크기로 만든다. 50~70알을 한 번에 먹는다. 조각은 땀구멍을 열어 주어 피부 근육에 있는 독소를 발산시키고, 대황은 속열 [裡熱] 을 내리게 해준다. 이 처방은 단지 두 가지 약재로 되었기 때문에 꼭 좋은 약재를 골라서 써야 한다. 대황은 속열을 내리게 하는 약이지만, 품질이 좋지 않으면 효과가 없다. 또, 조각은 여러 가지 품종 중에서 반드시 저아조각(당조각)을 골라 써야 한다. 온역을 치료한다.

[네이버 지식백과] 이성구고환 [二聖救苦丸] (한국민족문화대백과, 한국학중앙연구원)

葛根解肌湯 : 葛根 升麻 黃芩 桔梗 白芷 柴胡 白芍藥 羌活 石膏 各 1錢 甘草 5分

　　　　　　此方 出於龔信醫鑑書中 治陽明病 目疼 鼻乾 不得臥.

　　　　　　今考更定. 此方 當去 柴胡 芍藥 羌活 石膏 甘草

　　① 갈근(葛根)·시호(柴胡)·황금(黃芩)·백작약(白芍藥)·강활(羌活)·석고(石膏)·승마(升麻)·백지(白芷)·길경(桔梗) 각 4g, 감초(甘草) 2g, 생강(生薑) 3쪽, 대조(大棗) 2개. [《동의보감(東醫寶鑑)》] 양명경병(陽明經病)으로 몸에 열이 있고 갈증이 나며 땀은 나지 않으면서 눈두덩이 아프고 코가 마르며 온 몸이 아프고 잠을 이루지 못하는 데 쓴다. 유행성 감기, 급성 폐렴 등 때 쓸 수 있다. 위의 약을 1첩으로 하여 물에 달여서 먹는다. 시갈해기탕(柴葛解肌湯)이라고도 한다. ② 갈근(葛根) 12g, 마황(麻黃)·황금(黃芩) 각 8g, 적작약(赤芍藥) 6g, 계지(桂枝) 4g, 감초(甘草) 3.2g, 생강(生薑) 3쪽, 대조(大棗) 2개. [《동의보감(東醫寶鑑)》] 온역(瘟疫)으로 열이 나며 가슴이 답답하고 안타까우며 갈증이 나는 데 쓴다. 감기, 편도선염, 급성 중이염, 견관절주위염 등 때 쓸 수 있다. 위의 약을 1첩으로 하여 물에 달여서 식간에 먹는다. ③ 갈근(葛根) 12g, 승마(升麻) 8g, 황금(黃芩)·행인(杏仁) 각 6g, 산조인(酸棗仁)·길경(桔梗)·대황(大黃)·백지(白芷) 각 4g. [《사상진료의전(四象診療醫典)》] 태음인(太陰人)이 양독증(陽毒證)으로 얼굴에 벌건 발진이 생기면서 목이 아프고 피고름이 섞인 가래를 뱉으며 오슬오슬 춥다가 열이 나는데, 눈이 아프고 코가 마르며 땀이 몹시 나는데, 몸에 열이 나고 배가 아프면서 설사를 하는 데 쓴다. 위의 약을 1첩으로 하여 물에 달여서 식간에 먹는다. 이제마는 이 처방에서 시호, 작약, 강활, 석고, 감초를 뺀다.

[네이버 지식백과] 갈근해기탕 [葛根解肌湯] (한의학대사전, 2001. 6. 15., 한의학대사전 편찬위원회)

牛黃淸心丸 : 山藥 7錢 甘草炒 5錢 人蔘 蒲黃炒 神麴炒 各 2錢5分 犀角 2錢

　　　　　　　大豆黃卷炒 肉桂 阿膠炒 各 1錢7分 白芍藥 麥門冬 黃芩 當歸 白朮

防風 朱砂水飛 各 1錢5分 柴胡 桔梗 杏仁 白茯苓 川芎 各 1錢3分 牛黃 1錢 2分

羚羊角 龍腦 麝香 各 1錢 雄黃 8分 白薟 乾薑炮 各 7分 金箔 140箔內 40箔爲衣 大棗 20枚 蒸取肉 硏爲膏 右爲末 棗膏入煉蜜和勻 每一兩 作 10丸 金箔爲衣 每取 1丸 溫水和下. 此方 出於龔信醫鑑書中 治 卒中風 不省人事 痰涎壅塞 精神昏慣 言語蹇 澁 口眼喎斜 手足不遂 等證. 今考更定 此方 當去 白朮 人蔘 甘草 神麴 肉桂 阿膠 白芍藥 當歸 川芎 乾薑 大棗 淸蜜 柴胡 白茯苓 雄黃 朱砂.

① 산약(山藥) 28g, 자감초(炙甘草) 20g, 인삼(人蔘) · 포황(蒲黃: 덖은 것) · 신국(神麴: 덖은 것) 각 10g, 서각(犀角) 8g, 대두황권(大豆黃卷: 덖은 것) · 육계(肉桂) · 아교(阿膠: 덖은 것) 각 7g, 백작약(白芍藥) · 맥문동(麥門冬) · 황금(黃芩) · 당귀(當歸) · 방풍(防風) · 주사[朱砂: 수비(水飛)한 것] · 백출(白朮) 각 6g, 시호(柴胡) · 길경(桔梗) · 행인(杏仁) · 백복령(白茯苓) · 천궁(川芎) 각 5g, 우황(牛黃) 4.8g, 영양각(羚羊角) · 사향(麝香) · 빙편(冰片) 각 4g, 웅황(雄黃) 3.2g, 백렴(白薟) · 포건강(炮乾薑) 각 3g, 금박(金箔) 120장, 대조(大棗) 20개. [《동의보감(東醫寶鑑)》] 중풍으로 갑자기 정신을 잃고 넘어지며 팔다리가 뻣뻣해지고 두 주먹을 부르쥐며 이를 악물고 얼굴은 벌게지며 숨결이 거칠고 눈과 입이 틀어지는 데, 심신이 허약하여 잘 잊어버리고 정신이 뚜렷하지 못하며 가슴이 답답하고 자주 놀라며 잠을 잘 이루지 못하는 간질, 소아 경풍(驚風) 등에 쓴다. 뇌출혈이나 뇌졸중의 후유증, 뇌혈전증, 히스테리 등에 쓸 수 있다. 위의 약을 가루 내어 찐 대조육(大棗肉)을 짓찧고 바짝 끓여서 정제한 벌꿀을 섞어 4g 되게 환약을 만들고 겉에 금박을 입힌다. 한 번에 1환씩 더운물에 타서 먹는다. 우황청심환(牛黃淸心丸)이라고도 한다. ② 산약(山藥) 28g, 포황(蒲黃: 덖은 것) 10g, 서각(犀角) 8g, 대두황권(大豆黃卷: 덖은 것) 7g, 맥문동(麥門冬) · 황금(黃芩) 각 6g, 길경(桔梗) · 행인(杏仁) 각 5.2g, 우황(牛黃) 4.8g, 영양각(羚羊角) · 빙편(冰片) · 사향(麝香) 각 4g, 백렴(白薟) 2.8g, 금박(金箔) 70편, 오매(烏梅) 적량. [《사상진료의전(四象診療醫典)》] 태음인(太陰人)이 졸중풍(卒中風)으로 정신을 잃고 말을 하지 못하며 목에서 가래 끓는 소리가 나고 손발을 제대로 쓰지 못하는 데 쓴다. 위의 약을 가루 내어 고약처럼 만든 오매육(烏梅肉)으로 2g 되게

환약을 만들어 금박을 입힌다. 한 번에 1환씩 더운물로 먹는다. 이제마는 원래 이 처방에서 백출, 인삼, 감초, 신국, 육계, 아교, 백작약, 당귀, 천궁, 건강, 대추, 청밀, 시호, 백복령, 웅황, 주사를 빼버린다.

[네이버 지식백과] 우황청심원 [牛黃淸心元] (한의학대사전, 2001. 6. 15., 한의학대사전 편찬위원회)

麻黃定喘湯 : 麻黃 3錢 杏仁 1錢5分 黃芩 半夏 桑白皮 蘇子 款冬花 甘草
各1錢 白果21箇去殼碎炒黃色. 歌曰 諸病 原來有藥方 惟愁齁喘
最難當 病人 遇此仙丹藥服後 方知定喘湯. 此方 出於龔信萬病回春書中 治哮喘
神方. 今考更定 此方 當去 半夏 蘇子 甘草.

천식(喘息)을 치료하는 데 사용하는 처방이다. 위완(胃脘: 위속)이 한기(寒氣)를 받아 그 사기(邪氣)로 인하여 발생한 담열(痰熱)의 발산을 밖에서 막으므로, 청기(淸氣)가 상승하지 못하고 탁기(濁氣)가 하강하지 못하여 일어나는 태음인(太陰人)의 천식에 적합한 처방이다. 이 처방은 중국의 『만병회춘(萬病回春)』에 처음 나타나며, 우리나라의 기록으로는 『동의수세보원(東醫壽世保元)』에 수록되어있다. 처방은 마황(麻黃) 11.25g, 행인(杏仁) 5.625g, 황금(黃芩)·나복자(蘿蔔子)·상백피(桑白皮)·길경(桔梗)·맥문동(麥門冬)·관동화(款冬花) 각각 3.75g, 백과(白果) 21개로 구성된 『동의수세보원』의 처방과, 마황 11.25g, 행인 5.625g, 황금·반하(半夏)·상백피·소자(蘇子)·관동화·감초(甘草) 각각 3.75g, 백과 21개로 구성된 『만병회춘』의 처방이 있다. 『동의수세보원』의 처방은 『만병회춘』의 처방 내용을 바꾼 것으로, 여기서 반하·소자·감초를 빼고 태음인에게 적합한 나복자·길경·맥문동을 보태었다. 이 처방은 사용 목적이 마황발표탕(麻黃發表湯)과 비슷한데, 천식을 치료할 목적으로 관동화·길경·상백피 등을 추가하고 마황을 군약(君藥)으로 삼은 것이다.

[네이버 지식백과] 마황정천탕 [麻黃定喘湯] (한국민족문화대백과, 한국학중앙연구원)

신정 태음인병 응용요약 이십사방

(新定 太陰人病 應用要藥 二十四方)

신정 태음인병 응용요약 이십사방
(新定 太陰人病 應用要藥 二十四方)

太陰調胃湯 : 薏苡仁 乾栗 各3錢 蘿葍子 2錢 五味子 麥門冬 石菖蒲 桔梗 麻黃 各1錢

의이인(薏苡仁) · 율자(栗子) 각 12g, 내복자(萊葍子) 8g, 오미자 · 맥문동(麥門冬) · 석창포(石菖蒲) · 길경(桔梗) · 마황(麻黃) 각 4g. [《사상진료의전(四象診療醫典)》] 태음인의 황달, 상한(傷寒)으로 머리와 몸이 아프고 땀은 나지 않는데, 식체(食滯)로 명치 밑이 그득하고 트적지근하며 다리에 힘이 없는데 쓴다. 위의 약을 1첩으로 하여 물에 달여서 먹는다.

[네이버 지식백과] 태음조위탕 [太陰調胃湯] (한의학대사전, 2001. 6. 15., 한의학대사전 편찬위원회)

葛根解肌湯 : 葛根 3錢 黃芩 藁本 各1錢5分 桔梗 升麻 白芷 各1錢

① 갈근(葛根) · 시호(柴胡) · 황금(黃芩) · 백작약(白芍藥) · 강활(羌活) · 석고(石膏) · 승마(升麻) · 백지(白芷) · 길경(桔梗) 각 4g, 감초(甘草) 2g, 생강(生薑) 3쪽, 대조(大棗) 2개. [《동의보감(東醫寶鑑)》] 양명경병(陽明經病)으로 몸에 열이 있고 갈증이 나며 땀은 나지 않으면서 눈두덩이 아프고 코가 마르며 온 몸이 아프고 잠을 이루지 못하는 데 쓴다. 유행성 감기, 급성 폐렴 등 때 쓸 수 있다. 위의 약을 1첩으로 하여 물에 달여서 먹는다. 시갈해기탕(柴葛解肌湯)이라고도 한다. ② 갈근(葛根) 12g, 마황(麻黃) · 황금(黃芩) 각 8g, 적작약(赤芍藥) 6g, 계지(桂枝) 4g, 감초(甘草) 3.2g, 생강(生薑) 3쪽, 대조(大棗) 2개. [《동의보감(東醫寶鑑)》] 온역(瘟疫)으로 열이 나며 가슴이 답답하고 안타까우며 갈증이 나는 데 쓴다. 감기, 편도선염, 급성 중이염, 견관절주위염 등 때 쓸 수 있다. 위의 약을 1첩으로 하여 물에 달여서 식간에 먹는다. ③ 갈근(葛根) 12g, 승마(升麻) 8g, 황금(黃芩) ·

행인(杏仁) 각 6g, 산조인(酸棗仁)·길경(桔梗)·대황(大黃)·백지(白芷) 각 4g. [《사상진료의전(四象診療醫典)》] 태음인(太陰人)이 양독증(陽毒證)으로 얼굴에 벌건 발진이 생기면서 목이 아프고 피고름이 섞인 가래를 뱉으며 오슬오슬 춥다가 열이 나는데, 눈이 아프고 코가 마르며 땀이 몹시 나는데, 몸에 열이 나고 배가 아프면서 설사를 하는 데 쓴다. 위의 약을 1첩으로 하여 물에 달여서 식간에 먹는다.

[네이버 지식백과] 갈근해기탕 [葛根解肌湯] (한의학대사전, 2001. 6. 15., 한의학대사전 편찬위원회)

調胃升淸湯 : 薏苡仁 乾栗 各3錢 蘿葍子 1錢5分 麻黃 桔梗 麥門冬 五味子
石菖蒲 遠志 天門冬 酸棗仁 龍眼肉 各1錢.

태음인의 식후 복부팽만과 다리에 힘이 빠지는 증세를 치료하는 데 쓰는 처방이다. 『동의수세보원(東醫壽世保元)』에 수재되어 있다. 태음인의 병증은 크게 소병(素病: 평소에 잘 나타나는 병증)에 따라 한(寒)한 사람과 열(熱)한 사람으로 구분된다. 주로 한한 사람의 경우에 나타나는 병증은 안색이 창백하고, 정충(怔忡: 가슴이 뛰는 증상)·무한(無汗)·기단(氣斷)·결해(結咳: 목이 답답하여 습관적으로 하게 되는 기침)·설사 등이며, 열한 사람의 경우에 나타나는 증상은 안색이 누렇거나 붉거나 검고, 목동(目疼)·인건(咽乾)·불면·변비·발반(發斑) 등이 있다. 조위승청탕이나 태음조위탕은 이 중 추위를 잘 타는 사람에게 쓰는 처방이다. 이 처방의 구성은 의이인(薏苡仁)·건율(乾栗) 각 11.25g, 나복자(蘿葍子) 5.625g, 마황(麻黃)·길경(桔梗)·맥문동(麥門冬)·석창포(石菖蒲)·오미자(五味子)·원지(遠志)·천문동(天門冬)·산조인(酸棗仁)·용안육(龍眼肉) 각 3.75g으로 되어 있다. 의이인은 폐의 기운을 열어 위기(胃氣)로의 음식 소화를 돕고, 건율은 위장을 튼튼하게 하고 신(腎)의 기운을 보하는 작용이 있다. 여기에 나복자와 석창포가 합하여 비위(脾胃)의 기능을 끌어올리고, 길경으로 피부 표면의 한사(寒邪)를 발산시킴으로써 태음인의 표한병(表寒病)을 치료할 수 있는 조건을 갖추게 된다. 이 처방의 적응증으로는 중풍허증(中風虛證)·탄탄(癱瘓: 중풍 등으로 인한 손발의 편마비증상)·

신정 태음인병 응용요약 이십사방

도포(倒飽)·식후비만(食後痞滿)·식욕부진·폐결핵·중소선기(中消善肌)·건망증·자한(自汗)·도한(盜汗)·소변불금(小便不禁) 등이 있다.

[네이버 지식백과] 조위승청탕 [調胃升淸湯] (한국민족문화대백과, 한국학중앙연구원)

淸心蓮子湯 : 蓮子肉 山藥 各2錢 天門冬 麥門冬 遠志 石菖蒲 酸棗仁 龍眼肉
栢子仁 黃芩 蘿葍子 各1錢 甘菊花 3分.

태음인의 간과 폐에 열이 있는 증후들을 치료하는 처방이다. 1894년 이제마(李濟馬)가 지은 『동의수세보원(東醫壽世保元)』에 기록되어 있다. 이 처방은 태음인이 지니고 있는 간대폐소(肝大肺小)한 장국(臟局)의 특성에서 유래하는 간수열이열병증(肝受熱裡熱病症)으로 인하여 생기는 목동(目疼: 눈이 아픔.)·비건(鼻乾)·두통·체통(體痛)·정충(怔忡 : 심장이 심하게 불규칙하게 박동하는 증상)·불면·식욕부진·천식·해수(咳嗽)·변비·소변황적(小便黃赤)·구갈(口渴)·흉복통(胸腹痛)·협심증(狹心症) 등 여러 병증에 다양하게 응용되는 명방(名方)이다. 이 처방이 『화제국방(和劑局方)』의 청심연자음(淸心蓮子飮)이나 귀비탕(歸脾湯)에서 유래되었다고 보는 견해도 있다. 그러나 대상으로 하는 증후에 있어서는 일맥상통한다고 볼 수 있되, 이 처방은 구성의 의도가 체질적인 특성을 감안하여 이루어진 것이 다르다. 조위승청탕(調胃升淸湯)과 비교해볼 때 조위승청탕은 추위를 잘 타는 사람에게서 나타나는 정충·무한(無寒)·기단(氣斷)·결해(結咳)·설사 등의 증후를 대상으로 쓰는 것이고, 청심연자탕은 더위를 잘 타는 사람(素病熱者)에게서 나타나는 목동·인건(咽乾)·불면·변비(便秘)·발반(發斑) 등의 간열(肝熱)한 증후를 대상으로 투여하는 처방이라는 점에서 차이가 있다. 처방은 연자육(蓮子肉)·산약(山藥) 각 7.5g, 천문동(天門冬)·맥문동(麥門冬)·원지(遠志)·석창포(石菖蒲)·산조인(酸棗仁)·용안육(龍眼肉)·백자인(栢子仁)·황금(黃芩)·나복자(蘿葍子) 각 3.75g, 감국(甘菊) 1.125g으로 되어 있다. 군약(君藥)으로 쓰는 연자육은 그 성(性)이 평무독(平無毒)하고 맛이 감삽(甘澁)하며, 정신을 양(養)하고 중기(中氣)를 보(補)하여 비허설사(脾虛泄

瀉)·몽설(夢泄)·유정(遺精)·요통(腰痛)·불면·심계·항진(亢進)·붕루(崩漏)·대하(帶下) 등을 없애주는 효과가 있다. 산약은 성이 온무독(溫無毒)하고 맛은 달고 보폐안신(補肺安神)시키는 작용이 있다. 이 처방을 쓸 때 불면증이 심할 경우에는 석창포를 빼고, 하혈이 있으면 아교주(阿膠珠)를 첨가한다. 또 이 처방은 정충증·건망증·폐결핵〔虛勞〕·몽설·유정·중풍 등에 쓰는 처방이므로 심장질환, 각종 신경성질환, 고혈압·뇌혈관질환 등의 실제 임상에 많이 응용되고 있다.

[네이버 지식백과] 청심연자탕 [清心蓮子湯] (한국민족문화대백과, 한국학중앙연구원)

麻黃定喘湯 : 麻黃 3錢 杏仁 1錢5分 黃芩 蘿葍子 桑白皮 桔梗 麥門冬
款冬花 各1錢 白果21箇炒黃色.

천식(喘息)을 치료하는 데 사용하는 처방이다. 위완(胃脘: 위속)이 한기(寒氣)를 받아 그 사기(邪氣)로 인하여 발생된 담열(痰熱)의 발산을 밖에서 막으므로, 청기(清氣)가 상승하지 못하고 탁기(濁氣)가 하강하지 못하여 일어나는 태음인(太陰人)의 천식에 적합한 처방이다. 이 처방은 중국의 『만병회춘(萬病回春)』에 처음 나타나며, 우리나라의 기록으로는 『동의수세보원(東醫壽世保元)』에 수록되어있다. 처방은 마황(麻黃) 11.25g, 행인(杏仁) 5.625g, 황금(黃芩)·나복자(蘿葍子)·상백피(桑白皮)·길경(桔梗)·맥문동(麥門冬)·관동화(款冬花) 각각 3.75g, 백과(白果) 21개로 구성된 『동의수세보원』의 처방과, 마황 11.25g, 행인 5.625g, 황금·반하(半夏)·상백피·소자(蘇子)·관동화·감초(甘草) 각각 3.75g, 백과 21개로 구성된 『만병회춘』의 처방이 있다. 『동의수세보원』의 처방은 『만병회춘』의 처방 내용을 바꾼 것으로, 여기서 반하·소자·감초를 빼고 태음인에게 적합한 나복자·길경·맥문동을 보태었다. 이 처방은 사용목적이 마황발표탕(麻黃發表湯)과 비슷한데, 천식을 치료할 목적으로 관동화·길경·상백피 등을 추가하고 마황을 군약(君藥)으로 삼은 것이다.

[네이버 지식백과] 마황정천탕 [麻黃定喘湯] (한국민족문화대백과, 한국학중앙연구원)

麻黃定痛湯 : 薏苡仁3錢 麻黃 蘿葍子各2錢 杏仁 石菖蒲 桔梗 麥門冬 五味子 使君子 龍眼肉 栢子仁各1錢 乾栗7箇.

의이인(薏苡仁) 12g, 마황(麻黃) · 내복자(萊葍子) 각 8g, 행인(杏仁) · 석창포(石菖蒲) · 길경(桔梗) · 맥문동(麥門冬) · 오미자(五味子) · 사군자(使君子) · 용안육(龍眼肉) · 백자인(柏子仁) 각 4g, 율자(栗子) 7알. [《동의수세보원(東醫壽世保元)》] 태음인(太陰人)이 가슴과 배가 아픈 데, 복부의 팽만에 쓴다. 위의 약을 1첩으로 하여 물에 달여서 먹는다.

[네이버 지식백과] 마황정통탕 [麻黃定痛湯] (한의학대사전, 2001. 6. 15., 한의학대사전 편찬위원회)

熱多寒少湯 : 葛根 4錢 黃芩 藁本 各2錢 蘿葍子 桔梗 升麻 白芷 各1錢

태음인 체질을 가진 사람의 간조열증을 치료하는 데 사용하는 처방이다. 간열열증온병(肝熱熱症溫病: 간에 열이 많아 생기는 증상)·수지초흑반창병(手指焦黑瘢瘡病)·소갈병(消渴病)·허로몽설병(虛勞夢泄病) 등에 응용한다. 평소 낯빛이 청백의 색깔을 띠면 조증(燥症)이 없는 상태이고, 안면의 색이 황적흑색을 띠면 조증이 많다고 하였다. 이 처방은 이제마(李濟馬)의 『동의수세보원(東醫壽世保元)』에 첫 기록을 보이며, 처방은 갈근(葛根) 15g, 황금(黃芩)·고본(藁本) 각각 7.5g, 나복자(蘿葍子)·길경(桔梗)·승마(升麻)·백지(白芷) 각각 3.75g으로 구성되었다. 이 처방의 주약(主藥)은 갈근이며 혹시 변비증세가 심할 때는 대황(大黃) 3.75g을 보태어 쓰는데, 이를 청폐사간탕(淸肺瀉肝湯)이라 한다. 또한, 이 처방에서 나복자를 빼고 갈근의 분량을 줄이면 갈근해기탕(葛根解肌湯)이 되는데, 이는 시갈해기탕(柴葛解肌湯)을 개조한 처방으로 갈근 11.25g, 승마 7.5g, 황금·행인(杏仁) 각각 5.625g, 길경·대황·산조인(山棗仁)·백지 각각 3.75g으로 구성되어 기육지간(肌肉之間)의 사(邪)를 제거하는 효력이 있고 열다한소탕은 간조열증에 우수한 약효가 있지만, 복약할 때의 안정된 마음가짐을 특별히 강조하고 있다.

[네이버 지식백과] 열다한소탕 [熱多寒少湯] (한국민족문화대백과, 한국학중앙연구원)

寒多熱少湯 : 薏苡仁 3錢 蘿葍子 2錢 麥門冬 桔梗 黃芩 杏仁 麻黃 各1錢 乾栗 7箇

의이인(薏苡仁) 12g, 내복자(萊葍子) 8g, 맥문동(麥門冬) · 길경(桔梗) · 황금(黃芩) · 행인(杏仁) · 마황(麻黃) 각 4g, 율자(栗子) 7알. [《사상진료의전(四象診療醫典)》] 태음인(太陰人)이 한궐(寒厥)로 땀이 나지 않는 데 쓴다. 위의 약을 1첩으로 하여 물에 달여서 먹는다.

[네이버 지식백과] 한다열소탕 [寒多熱少湯] (한의학대사전, 2001. 6. 15., 한의학대사전 편찬위원회)

葛根承氣湯 : 葛根 4錢 黃芩 大黃 各2錢 升麻 桔梗 白芷 各1錢. 本方 加大黃 2錢則 名曰 葛根大承氣湯 減大黃 1錢則 名曰 葛根小承氣湯.

갈근(葛根) 16g, 황금(黃芩) · 대황(大黃) 각 8g, 승마(升麻) · 길경(桔梗) · 백지(白芷) 각 4g. [《동의수세보원(東醫壽世保元)》] 태음인(太陰人)이 온병(溫病)으로 오싹오싹 춥다가 열이 몹시 나는데, 얼굴과 뒷덜미가 벌게지면서 아프고 속에 열이 있어 음식을 먹지 못하며 헛소리하고 열이 몹시 나다가 오그라들고 양손이 싸늘해지며 양다리를 굽히지 못하는데, 대변이 몹시 굳어서 누지 못하는 데 쓴다. 위의 약을 1첩으로 하여 물에 달여서 한 번에 먹는다.

[네이버 지식백과] 갈근승기탕 [葛根承氣湯] (한의학대사전, 2001. 6. 15., 한의학대사전 편찬위원회)

調理肺元湯 : 麥門冬 桔梗 薏苡仁 各2錢 黃芩 麻黃 蘿葍子 各1錢

맥문동(麥門冬) · 길경(桔梗) · 의이인(薏苡仁) 각 8g, 마황(麻黃) · 황금(黃芩) · 내복자(萊葍子) 각 4g. [《사상진료의전(四象診療醫典)》] 태음인(太陰人)이 중병을 앓고 난 뒤 몸을 조리하는 데 쓴다. 위의 약을 1첩으로 하여 물에 달여서 먹는다.

[네이버 지식백과] 조리폐원탕 [調理肺元湯] (한의학대사전, 2001. 6. 15., 한의학대사전 편찬위원회)

麻黃發表湯 : 桔梗 3錢 麻黃 1錢5分 麥門冬 黃芩 杏仁 各1錢

길경(桔梗) 12g, 마황(麻黃) 6g, 맥문동(麥門冬)·황금(黃芩)·행인(杏仁) 각 4g. [《사상진료의전(四象診療醫典)》] 승마(升麻) 4g, 백과(白果) 3알을 더 넣은 마황발표탕도 있다. 태음인(太陰人)이 태양병(太陽病)으로 땀은 나지 않고 숨이 찬 데 쓴다. 위의 약을 1첩으로 하여 물에 달여서 먹는다.

[네이버 지식백과] 마황발표탕 [麻黃發表湯] (한의학대사전, 2001. 6. 15., 한의학대사전 편찬위원회)

補肺元湯 : 麥門冬 3錢 桔梗 2錢 五味子 1錢 加 山藥 薏苡仁 蘿葍子各1錢則尤妙

태음인(太陰人) 체질을 가진 소아(小兒)가 설사를 많이 함으로써 발생된 만경풍(慢驚風)을 치료하는 데 사용하는 처방이다. 만경풍은 비기가 허하고 간기가 성해지거나 음허, 양허 등으로 생기며, 천천히 발병하고 열이 없으며 경련이 일었다 멎었다 하고 완만하게 진행된다. 이 처방은 『동의수세보원(東醫壽世保元)』에 첫 기록을 보이며, 처방은 맥문동(麥門冬) 11.25g, 길경(桔梗) 7.5g, 오미자(五味子) 3.75g으로 구성되었다. 그런데 이 처방은 중국의 『의학입문(醫學入門)』에 수록되어 있는 처방 가운데 생맥산(生脈散)의 변방(變方)으로, 원래 인삼·맥문동·오미자의 세 가지 약물로 구성되어있는 것을 소음인(少陰人)의 약에 해당하는 인삼을 빼고 길경으로 대체한 것이다. 소아의 내상병(內傷病)은 대개 간기(肝氣)가 태과(太過)하거나 비위기(脾胃氣)가 부족한 데 있다. 간기가 태과하면 풍(風)이 동하여 급경풍(急驚風)이 되고 비위기가 부족하게 되면 기운이 상승하지 못하고 하강하게 되므로 폐(肺)와 위완(胃脘)의 목(木)기운이 망동(妄動)하여 만경풍이 된다. 경풍(驚風)은 밖에서 들어온 풍이 아니고 생리의 변화로 인하여 발생된 증상이고, 이 처방은 단지 태음인인 소아의 만경풍에만 사용하는 처방은 아니며 일반적으로 모든 태음인에게 올 수 있는 기의 하함(下陷)된 상태에 광범위하게 응용할 수 있다. 이제마(李濟馬)는 이 처방을 응용할 때 경우에 따라서는 산약(山藥)·의이인

(薏苡仁)·나복자(蘿葍子) 각각 3.75g을 보태어 사용하여 그 효능을 더욱 높였다.

[네이버 지식백과] 보폐원탕 [補肺元湯] (한국민족문화대백과, 한국학중앙연구원)

鹿茸大補湯 : 鹿茸 2,3,4錢 麥門冬 薏苡仁 各1錢5分 山藥 天門冬 五味子 杏仁

麻黃 各1錢. 虛弱人 表症寒證多者 宜用.

① 육종용(肉蓯蓉) · 두중(杜仲) 각 4g, 백작약(白芍藥) · 백출(白朮) · 포부자 (炮附子) · 인삼(人參) · 육계(肉桂) · 반하(半夏) · 석곡(石斛) · 오미자(五味 子) 각 2.8g, 녹용(鹿茸) · 황기(黃耆) · 당귀(當歸) · 백복령(白茯苓) · 숙지황 (熟地黃) 각 2g, 감초(甘草) 1g, 생강(生薑) 3쪽, 대조(大棗) 2개. [《동의보감(東 醫寶鑑)》] 허로(虛勞)로 얼굴에 핏기가 없으며 정신 상태가 우울하고 허리가 시 큰시큰하며 손발이 차고 식은땀이 나며 추위를 타고 유정(遺精)이 있으며 몸이 허약한 데 쓴다. 중년기 이후의 허약한 사람, 병이 나은 뒤, 빈혈, 불임증, 임포텐 스 등 때 쓸 수 있다. 위의 약을 1첩으로 하여 물에 달여서 먹는다. ② 녹용(鹿 茸) 8~16g, 맥문동(麥門冬) · 의이인(薏苡仁) 각 6g, 산약(山藥) · 천문동(天門 冬) · 오미자(五味子) · 행인(杏仁) · 마황(麻黃) 각 4g. [《사상진료의전(四象診 療醫典)》] 태음인(太陰人)이 몸이 허약하여 추위를 타고 손발이 찬 데, 태음인의 표한증(表寒證) 등에 쓴다. 위의 약을 1첩으로 하여 물에 달여서 식간에 먹는다.

[네이버 지식백과] 녹용대보탕 [鹿茸大補湯] (한의학대사전, 2001. 6. 15., 한의학대사전 편찬위원회)

拱辰黑元丹 : 鹿茸 4,5,6兩 山藥 天門冬 各4兩 蠐螬 1,2兩 麝香 5錢

煮烏梅肉 爲膏 和丸 梧子大 溫湯下 50~70丸

或 燒酒下. 虛弱人 裏症多者 宜用.

녹용(鹿茸) 160~240g, 산약(山藥) · 천문동(天門冬) 각 160g, 제조(蠐螬)

40~80g, 사향(麝香) 20g. [《동의수세보원(東醫壽世保元)》] 태음인(太陰人)이 음혈부족(陰血不足)으로 잘 들리지 않고 잘 보이지 않는 데, 하지 무력증, 요통과 기침 등이 있는데, 허약자의 이한증(裏寒證)에 쓴다. 위의 약을 가루 내어 오매육(烏梅肉)을 쪄서 익힌 것으로 0.3g 되게 환약을 만든다. 한 번에 25~50환씩 하루 2~3번 더운물로 식간에 먹는다.

[네이버 지식백과] 공진흑원단 [拱辰黑元丹] (한의학대사전, 2001. 6. 15., 한의학대사전 편찬위원회)

皂角大黃湯 : 升麻 葛根 各3錢 大黃 皂角 各1錢.
　　　　　　用之者 不可過三四貼 升麻三錢 大黃皂角同局 藥力峻猛故也.

　태음인의 감염병으로 인한 고열에 주로 쓰이는 처방이다. 『동의수세보원(東醫壽世保元)』에 수재되어있다. 고열이 있고 추우며 머리·얼굴·목·볼 등이 벌겋게 붓는 데 유효하다. 또, 온병(감염성 열성 질환)에 복용하고 발한시키면 좋은 효과가 나는 것으로 알려져 있다. 처방의 구성은 승마(升麻)·갈근 각 11.25g, 대황·조각 각 3.75g으로 되어 있다. 온병은 기부(肌膚)의 열이 많은 상태이므로 조각이 막히어 체한 것을 트는 힘만 가지고서는 약의 작용이 기육(肌肉) 사이에 옆으로 퍼지게 하는 데는 능하여도 대황의 한랭한 성(性)을 끌어내리는 데는 힘이 모자란다. 따라서 양기를 밀어 올리면서 음기를 하강시키는 승마를 써서 대황이 작용을 제대로 하도록 도와주고 갈근을 써서 대황이나 조각으로 비위지기(脾胃之氣)의 손상을 방지한다. 이 처방은 전체적으로 볼 때 약성(藥性)이 매우 강하므로 3, 4첩 이상은 쓸 수 없으므로 신중하게 써야 한다.

[네이버 지식백과] 조각대황탕 [早角大黃湯] (한국민족문화대백과, 한국학중앙연구원)

葛根浮萍湯 : 葛根 3錢 蘿葍子 黃芩 各2錢 紫背浮萍 大黃 各1錢 蠐螬 10箇
　　　　　　治浮腫 裏症 熱多者 宜用

갈근(葛根) 12g, 내복자(萊菔子), 황금(黃芩) 각 8g, 부평(浮萍), 대황(大黃) 각 4g, 제조(蠐螬) 10마리. [《동의수세보원(東醫壽世保元)》] 태음인(太陰人)의 부종, 이열증(裏熱證)에 쓴다. 위의 약을 1첩으로 하여 물에 달여서 한 번에 먹는다.

[네이버 지식백과] 갈근부평탕 [葛根浮萍湯] (한의학대사전, 2001. 6. 15., 한의학대사전 편찬위원회)

乾栗蠐螬湯 : 乾栗 100箇 蠐螬 10箇. 湯服 或 炙食 黃栗 蠐螬 10箇作末
別用 黃栗湯水 調下. 治浮腫 表症 寒多者 宜用.

태음인 체질을 가진 사람이 심장병·신장병·혈액 순환의 부전 등으로 살이 붓는 증상에 사용하는 처방이다. 1894년(고종 31) 이제마(李濟馬)가 저술한 ≪동의수세보원 東醫壽世保元≫의 태음인간수열이열병론(太陰人肝受熱裏熱病論)에 기록된 처방으로 태음인의 복창부종(腹脹浮腫)한 증상을 치료하는 데 사용된다. 원문에는 "태음인이 배가 팽만하고 부종이 생기는 증세가 나타나면 마땅히 건율 제조탕을 써야 한다. 이 병은 극히 위험한 증세로 열 명 중의 아홉 명은 죽는다. 비록 약을 써서 병이 나았다고 하여도 3년 안에 재발되지 않아야 비로소 살았다고 할 수 있다. 항상 사치와 향락을 경계해야 하고, 하고 싶은 일과 욕심을 버려야 하며, 3년 안에는 반드시 몸과 마음을 공경해야 하니, 섭생하고 조심하는 것은 반드시 그 사람 자신에 달려 있다. 대체로 태음인은 부종이 이미 발한 뒤에 이를 다스리면 열 중 아홉은 죽는 병이므로 이 병은 병으로 논해서는 안 되고 죽음으로 논하는 것이 옳을 것이다. 그러므로 태음인이 노심초사하여 자주 도모한 일이 이루어지지 않거나, 오랜 설사가 이질로 되거나, 임질로 인하여 소변이 불리하게 되거나, 식후 비만증에 다리가 무력해지는 경우가 모두 부종을 가져오는 요인이 되는 것이다. 이런 증세가 나타나면 이때부터 부종으로 논해야 하며 욕심을 버리고 마음을 공경하며 약으로 다스리는 것이 좋을 것이다."라고 하였다. 이 처방의 구성은 건율(乾栗) 1백 개, 제조(蠐螬 : 굼벵이) 10개로 이루어져 있다. 복용 방법은 달여서 먹거나 혹은 구워서 먹는데, 황율(黃栗)과 제조를 가루를 내어 황율을 달인 물에 먹기도 한다. 부종 증세를 치료하는 처방 중에서 건율제조탕은 이증한다자(裡證寒多者)에게 사용하며, 갈근부평탕(葛根浮萍湯)은 이증열다자(裡證熱多者)에게 사용하는 등 적응증에 있어 차이가 있다. 군약(君藥)이 되는 건율은 위장의 기운을 보완하여 양기를 상승하게 함으로써 위완(胃腕)의 한기(寒氣)를 없애는 작용을 하며, 여기에 제조를 사용하여 양기를 화합하도록 하는 능력으로 항양(亢陽)하여 올 수 있는 폐기(肺氣)를 상하게 할 수 있는 부작용을 방지하도록 하였다. 위완의 한기를 없애주고 비위(脾胃)와 기육(肌肉) 사이에 가로 흐르는 수분을 방광을 통하여 내보냄으로써 부종이 점차 풀리게 된다.

[네이버 지식백과] 건율제조탕 [乾栗蠐螬湯] (한국민족문화대백과, 한국학중앙연구원)

乾栗樗根皮湯 : 乾栗 1兩 樗根白皮 3,4,5錢.

治痢疾 或湯服 或丸服而 丸服者 或單用樗根白皮 5錢 .

태음인 체질을 가진 사람의 이질(痢疾)에 사용하는 처방이다. 1894년(고종 31) 이제마(李濟馬)가 저술한 『동의수세보원(東醫壽世保元)』에 기록되어 있다. 이질은 대개 육기(六氣: 한의학에서 말하는 대표적인 風·寒·暑·濕·燥·火를 이름) 중 습(濕)과 열(熱)이 하초(下焦: 배꼽 아래의 배설기능과 생식기능을 주관하는 부위)에 울결(鬱結: 기혈이 한곳에 몰려서 풀리지 못함)하여 기와 혈에 제대로 소통하지 못하여 생기는 병이다. 이질은 열이 중·상초(中·上焦)에 울결하여 생기거나 하초에 울결되어 생기기도 하지만 태음인의 이질은 열이 중·하초에 울결되어 생기는 것이 많다. 그 까닭은 태음인은 간기(肝氣)가 왕성하고 폐기(肺氣)가 부족한 특징이 있으므로, 여기에다 화(火)가 울결하게 되면 소장에 울화가 전달되어 이질이 생긴다. 처방은 건율(乾栗) 37.5g, 저근백피(樗根白皮) 11.25~18.75g으로 구성되어 있으며, 달여서 복용하거나 또는 환을 만들어 복용하기도 하는데, 경우에 따라서는 저근백피 18.75g만 사용하기도 한다. 군약(君藥)으로 사용된 건율은 보신(補腎)하면서 위장의 기능을 보완하여 주므로 소장의 기운을 상승시켜 주고, 여기에 습열(濕熱)을 없애 주면서 폐와 위의 담(痰)을 제거해 주는 저근백피를 사용하여, 위장의 기운이 상승하는 데 장애가 없어지면서 위와 아래에 울체(鬱滯)되어 있는 기운이 풀어지게 된다. 따라서 습열이 풀리면서 양(陽)은 상승하고 음(陰)은 하강히는 작용이 활발해지므로 이질의 증상은 차츰 없어지게 되는 것이다. 일반적으로 사용하는 행기파혈(行氣破血: 기를 잘 돌게 하고 어혈을 없앰)하면서 습열을 제거하는 방법은 폐기를 더욱 조(燥)하게 만들어 태음인의 체질적 결함에 해를 미치므로 후장승양거적(厚腸升陽去積)하면서 습열을 제거하는 방법을 사용한 것이다.

[네이버 지식백과] 건율저근피탕 [乾栗樗根皮湯] (한국민족문화대백과, 한국학중앙연구원)

瓜蔕散 : 瓜蔕 炒黃爲末 3~5分 溫水調下 或 乾瓜蔕 1錢 急煎湯用. 治卒中風 臆膈格格 有窒塞聲 及 目瞪者 必可用. 此藥 此病此證 可用 他病他證 必不可用. 胸腹痛 寒咳喘 尤忌用 雖滯食物不可用此藥而 用他藥. 面色靑白而素有寒證 表虛者 卒中風則 當用 熊膽散 牛黃淸心元 石菖蒲遠志散而 不可用瓜蔕散.

태음인(太陰人) 체질을 가진 사람이 중풍과 구급할 경우 토하도록 할 목적으로 사용하는 처방이다. 과체(瓜蔕: 참외 꼭지) 한 가지 약물을 1~2g 쓰는 것으로, 가루를 내어서 따뜻한 물로 복용하거나, 또는 3.75g의 젖[乳]으로 달여서 복용한다. 이제마(李濟馬)가 1894년『동의수세보원(東醫壽世保元)』에서 "태음인은 갑자기 중풍에 걸리는 일이 있으니, 만약 가슴이 막힌 듯한 소리가 나면서 눈을 부릅뜨는 자는 마땅히 과체산을 써야 한다."라고 하였다. 태음인은 그 장국(臟局)이 간대폐소(肝大肺小)한 특성을 지니고 있으므로, 간의 열[肝火]이 매우 성(盛)해지면 폐금(肺金: 폐를 오행의 금에 소속시켜 부른 이름)보다 성하게 되므로, 가슴속[胞臆]에 조열(燥熱)이 생겨서 얼굴이 황적색을 띠면서 가슴이 답답해지는 증상을 느끼게 된다. 또, 폐음(肺陰)이 부복해져서 화기가 위로 올라 목증(目瞪: 눈을 부릅뜨는 증상)이 생긴다. 이러할 경우 당연히 열과 갈증을 푸는(淸熱解渴潤燥) 치료법을 써야 한다. 그런데 과체에는 열과 갈증을 풀고 토하게(淸熱潤燥涌吐) 하는 효능이 있으므로 이것을 쓰면 흉격(胸膈) 중의 적어(積瘀)를 토해내면서 열을 다스리므로, 조기(燥氣)가 윤택해지면서 중풍증이 스스로 진정되어 목증증이 없어지면서 병이 점차로 낫는다.

[네이버 지식백과] 과체산 [瓜蔕散] (한국민족문화대백과, 한국학중앙연구원)

① 과체(瓜蔕: 덖은 것) · 적소두(赤小豆) 각 같은 양. [《동의보감(東醫寶鑑)》] 오랜 담(痰)과 식적(食積)으로 정신이 흐리고 어지러우며 가슴이 답답한 데 쓴다. 위의 약을 가루 내어 한 번에 8g씩 따뜻한 좁쌀죽 윗물에 타서 먹는다. 토할 때까지 먹는다. ② 과체(瓜蔕: 노르스름하게 덖아서 가루 낸 것) 1.2~2g. [《동의수세보원(東醫壽世保元)》] 태음인(太陰人)의 졸중풍(卒中風) 초기에 쓴다. 위의 약을 더운물에 타서 먹거나 젖에 달여서 먹는다.

[네이버 지식백과] 과체산 [瓜蔕散] (한의학대사전, 2001. 6. 15., 한의학대사전 편찬위원회)

이 처방은 갑자기 일어나는 졸중풍에 쓴다(治卒中風). 이 처방은 졸중풍에 걸려서 가슴이 막혀서 숨이 막히는 소리를 내고(臆膈格格 有窒塞聲), 눈을 부릅뜨면(及 目瞪者), 반드시 써야만 한다(必可用). 그리고 이 처방은(此藥), 지금과 같은 증상에 써야지(此病此證 可用), 다른 증상에 써서는 안 된다(他病他證 必不可用). 그리고 이 처방은 흉복통(胸腹痛), 상한으로 숨이 찰 때는(寒咳喘) 더욱더 금기시한다(尤忌用). 비록 먹은 음식이 체해서 문제를 만들더라도(雖滯食物), 이 처방은 써서는 안 되고(不可用此藥而), 다른 처방을 써야만 한다(用他藥). 그리고 안색이 창백하고(面色靑白而), 본래 한증이 있어서(素有寒證), 표가 허약하면서(表虛者), 졸중풍이 왔을 때는(卒中風則), 당연히 웅담산이나(當用 熊膽散), 우황청심환이나(牛黃淸心元), 석창포원지산을 써야지(石菖蒲遠志散而), 과체산을 써서는 안 된다(不可用瓜蔕散).

熊膽散 : 熊膽 3~5分 溫水調下

① 웅담(熊膽) 4g, 웅황(雄黃)·경분(輕粉) 각 2g, 사향(麝香) 1g. [《의림촬요(醫林撮要)》] 치루가 생겨 아물지 않고 멀건 고름이 계속되는 데 쓴다. 위의 약을 가루 내어 헌데에 바르거나 약꼬치를 만들어 누공(瘻孔)에 넣어 준다. ② 웅담(熊膽) 1.2~2g. [《동의수세보원(東醫壽世保元)》] 태음인(太陰人)이 한궐증(寒厥證)으로 6~7일 지나도 얼굴에 땀이 나지 않는 데, 졸중풍으로 수족경련이 있는데 쓴다. 위의 약을 더운물에 타서 하루 한 번 먹는다.

[네이버 지식백과] 웅담산 [熊膽散] (한의학대사전, 2001. 6. 15., 한의학대사전 편찬위원회)

麝香散 : 麝香 3~5分 溫水調下 或溫酒調下(只擧三五分則四分在其中)

① 고백반(枯白礬)·백룡골(白龍骨) 각 12g, 사향(麝香) 0.6g. [《동의보감(東醫寶鑑)》] 코피가 멎지 않는 데 쓴다. 위의 약을 가루 내어 약솜에 묻혀 콧속에 밀어 넣는다. ② 고백반(枯白礬)·청대(靑黛)·호황련(胡黃連)·노회(蘆薈) 각 10g, 하마(蝦蟆: 태운 것) 2g, 사향(麝香) 1g. [《동의보감(東醫寶鑑)》] 감닉창(疳imagefont瘡)으로 잇몸이 썩어서 냄새가 나고 고름이 나오는 데 쓴다. 위의 약을 가루 내어 헌데에 뿌린다. 호동루(胡桐淚) 10g을 더 넣어 쓰면 좋다. ③ 백정향(白丁香: 간 것) 4g, 반모(斑蝥: 머리·발·날개를 떼버린 것) 6g, 빙편(冰片)·사향(麝香) 각 약간. [《동의보감(東醫寶鑑)》] 옹저(癰疽)가 이미 곪았으나 터지지 않는 데 쓴다. 위의 약을 가루 내어 식초에 개어 옹저에 바른다.

[네이버 지식백과] 사향산 [麝香散] (한의학대사전, 2001. 6. 15., 한의학대사전 편찬위원회)

태음인(太陰人) 체질을 가진 사람의 중풍과 복통·토사, 소아의 경풍(驚風) 등에 사용하는 처방이다. 조선 후기의 한의학자 이제마(李濟馬)가 쓴 『동의수세보원(東醫壽世保元)』에 첫 기록이 보이고있다. 이 처방은 사향 0.1~0.2g의 한 가지 약물로 구성되었고, 따뜻한 물이나 술로 복용한다. 태음인에게 발병되는 중풍과 소아경풍의 체질적인 원인은 폐와 위완(胃脘)이 허한(虛寒)하여 비(脾)와 폐의 양기(陽氣)가 제 기능을 발휘하지 못해서 일어나며, 이러한 병증은 경락(經絡)을 열어주고 제규(諸竅)를 소통시켜주는 사향을 이용하여, 행비(行脾)시키고 양폐(養肺)하도록 함으로써 치료되는 것이다.

[네이버 지식백과] 사향산 [麝香散] (한국민족문화대백과, 한국학중앙연구원)

石菖蒲遠志散 : 遠志末 1錢 石菖蒲末 1錢 猪牙皂角末 3分 溫水調下
　　　　　　　或 遠志 菖蒲末 溫水調下 皂角末 吹鼻 麥門冬遠志散
　　　　　　　麥門冬 3錢 遠志 石菖蒲 各1錢 五味子 5分

원지(遠志) · 석창포(石菖蒲) 각 40g, 조협(皂莢: 가루 낸 것) 12g. [《동의수세보원(東醫壽世保元)》] 태음인(太陰人)이 잘 안 들리고 안 보이는 데 쓴다. 위의 약을 가루 내어 한 번에 4g씩 하루 3번 더운물이나 술에 타서 먹는다.

[네이버 지식백과] 석창포원지산 [石菖蒲遠志散] (한의학대사전, 2001. 6. 15.)

태음인(太陰人) 체질을 가진 사람 중 평소 안색이 창백한 사람이 아관긴급(牙關緊急: 입을 열지 않는 증상)·수족경련(手足痙攣)·안합(眼合) 등의 증상이 있는 중풍에 걸렸을 때 사용하는 처방이다. 『동의수세보원』에 첫 기록이 보인다. 처방은 원지(遠志)·석창포(石菖蒲)·조각(皂角) 각각 3.75g으로 구성되었고 복용 방법은 세 가지 약물을 곱게 가루를 내어 따뜻한 물에 1g씩 복용하기도 하고, 또는 원지와 석창포 분말을 따뜻한 물에 복용하고 조각말(皂角末)을 코 안에 불어 넣기도 한다. 이 처방은 중국의 손사막(孫思邈)의 『천금방(千金方)』에 수록된 같은 이름의 처방을 변형시킨 것으로, 그 처방에 조각을 보탠 처방이다.

[네이버 지식백과] 석창포원지산 [石菖蒲遠志散] (한국민족문화대백과, 한국학중앙연구원)

牛黃淸心元 : 山藥 7錢 蒲黃炒 2錢半 犀角 2錢 大豆黃卷炒 1錢7分 麥門冬

黃芩 各1錢半 桔梗 杏仁 各1錢3分 牛黃 1錢2分 羚羊角 龍腦

麝香 各1錢 白薟 7分 金箔70箔內 20箔爲衣 烏梅20枚 蒸取肉 硏爲膏. 右爲末

烏梅膏 和勻每一兩 作20丸 金箔爲衣 每取1丸 溫水和下.

① 산약(山藥) 28g, 자감초(炙甘草) 20g, 인삼(人參) · 포황(蒲黃: 덖은 것) · 신국(神麴: 덖은 것) 각 10g, 서각(犀角) 8g, 대두황권(大豆黃卷: 덖은 것) · 육계(肉桂) · 아교(阿膠: 덖은 것) 각 7g, 백작약(白芍藥) · 맥문동(麥門冬) · 황금(黃芩) · 당귀(當歸) · 방풍(防風) · 주사[朱砂: 수비(水飛)한 것] · 백출(白朮) 각 6g, 시호(柴胡) · 길경(桔梗) · 행인(杏仁) · 백복령(白茯苓) · 천궁(川芎) 각 5g, 우황(牛黃) 4.8g, 영양각(羚羊角) · 사향(麝香) · 빙편(冰片) 각 4g, 웅황(雄黃) 3.2g, 백렴(白薟) · 포건강(炮乾薑) 각 3g, 금박(金箔) 120장, 대조(大棗) 20개. [《동의보감(東醫寶鑑)》] 중풍으로 갑자기 정신을 잃고 넘어지며 팔다리가 뻣뻣해지고 두 주먹을 부르쥐며 이를 악물고 얼굴은 벌게지며 숨결이 거칠고 눈과 입이 틀어지는 데, 심신이 허약하여 잘 잊어버리고 정신이 뚜렷하지 못하며 가슴이 답답하고 자주 놀라며 잠을 잘 이루지 못하는 간질, 소아 경풍(驚風) 등에 쓴다. 뇌출혈이나 뇌졸중의 후유증, 뇌혈전증, 히스테리 등에 쓸 수 있다. 위의 약을 가루 내어 찐 대조육(大棗肉)을 짓찧고 바짝 끓여서 정제한 벌꿀을 섞어 4g 되게 환약을 만들고 겉에 금박을 입힌다. 한 번에 1환씩 더운물에 타서 먹는다. 우황청심환(牛黃淸心丸)이라고도 한다. ② 산약(山藥) 28g, 포황(蒲黃: 덖은 것) 10g, 서각(犀角) 8g, 대두황권(大豆黃卷: 덖은 것) 7g, 맥문동(麥門冬) · 황금(黃芩) 각 6g, 길경(桔梗) · 행인(杏仁) 각 5.2g, 우황(牛黃) 4.8g, 영양각(羚羊角) · 빙편(冰片) · 사향(麝香) 각 4g, 백렴(白薟) 2.8g, 금박(金箔) 70편, 오매(烏梅) 적량. [《사상진료의전(四象診療醫典)》] 태음인(太陰人)이 졸중풍(卒中風)으로 정신을 잃고 말을 하지 못하며 목에서 가래 끓는 소리가 나고 손발을 제대로 쓰지 못하는 데 쓴다. 위의 약을 가루 내어 고약처럼 만든 오매육(烏梅肉)으로 2g 되게 환약을 만들어 금박을 입힌다. 한 번에 1환씩 더운물로 먹는다.

[네이버 지식백과] 우황청심원 [牛黃淸心元] (한의학대사전, 2001. 6. 15., 한의학대사전 편찬위원회)

신정 태음인병 응용요약 이십사방

右太陰人藥 諸種 杏仁 去雙仁 去皮尖 麥門冬 遠志 去心 白果 黃栗 去殼 大黃 或酒蒸 或生用 鹿茸 皂角 酥炙 酸棗仁 杏仁 白果 炒用.

이상에서 기술한 태음인의 여러 약재 중에서(右太陰人藥 諸種), 행인은 두 알씩 든 것과 껍질이 뾰쪽한 것은 버린다(杏仁 去雙仁 去皮尖). 그리고 맥문동과 원지는 속을 버린다(麥門冬 遠志 去心). 그리고 백과와 황률은 껍질을 버린다(白果 黃栗 去殼). 그리고 대황은 술로 찌거나 생것을 쓴다(大黃 或酒蒸 或生用). 그리고 녹용과 조각은 졸인 젖을 발라서 볶는다(鹿茸 皂角 酥炙). 그리고 산조인과 행인 그리고 백과는 볶아서 쓴다(酸棗仁 杏仁 白果 炒用).

舊本에 依據한 補遺方

동의수세보원 구판에는 있었으나 신판에서 삭제된 처방

葛根蘿蔔子湯 : 葛根 薏苡仁 各3錢 麥門冬 1錢5分 蘿葍子 桔梗 五味子
　　　　　　　黃芩 麻黃 石菖蒲 各 1錢

　갈근나복자탕은 갈근, 의이인, 각각 3전, 맥문동 1전 5푼, 나복자, 길경, 오미자. 황금, 마황, 석창포 각각 1전으로 구성된다.

태양인 외감 요척병론

(太陽人 外感 腰脊病論)

태양인 외감 요척병론(太陽人 外感 腰脊病論)

內經 曰 尺脈緩澁 謂之解㑊. 釋曰 尺爲陰部 肝腎主之 緩爲熱中 澁爲亡血 故 謂之解㑊. 解㑊者 寒不寒 熱不熱 弱不弱 壯不壯 獰不可名 謂之解㑊也.

내경에서는 다음과 같이 말하고 있다(內經 曰). 척부의 맥상이 느리고 막힌 상태로 나오게 되면(尺脈緩澁), 이를 해역이라고 부른다(謂之解㑊). 이의 해석을 보자(釋曰). 척부는 음부를 만들고(尺爲陰部), 이는 간과 신장을 주관한다(肝腎主之). 이때 맥상이 느리면 열중이고(緩爲熱中), 막히면 망혈이다(澁爲亡血). 그래서(故), 이를 해역이라고 부른다(謂之解㑊). 해역은(解㑊者), 한기도 있는 듯 없는 듯하고(寒不寒), 열기도 있는 듯 없는 듯하고(熱不熱), 약한지 아닌지도 모르겠고(弱不弱), 힘이 있는지 없는지도 모르게 만들므로(壯不壯), 이처럼 명확히 기술하기가 어려워서(獰不可名), 이를 해역이라고 부른다(謂之解㑊也). 설명이 조금 필요하다. 일단 해역(解㑊)은 여러 해석이 가능하지만, 핵심은 피로이다. 결국에 해역(解㑊)은 만성 피로로 생각하면 된다. 그리고 만성 피로의 핵심은 항상 나른하다. 그런데 한자 사전에서 산(酸)을 찾아보면, 나른하다로 나온다. 결국에 피로는 간질에 과잉 산(酸)이 정체한 것이다. 그리고 이 산에는 자유전자가 붙어있다. 이들 자유전자는 효소를 불러서 인체를 괴롭게 된다. 이 문제는 상당히 복잡한 문제이다. 이는 본 연구소가 발행한 전자생리학을 참고하면 된다. 결국에 해역도 과잉 자유전자 문제로 회귀한다. 과잉 자유전자는 만병의 근원이 되므로, 별수가 없다. 그리고 이 과잉 자유전자는 항상 염(塩)의 형식으로 보관된다. 그리고 이 염을 전문으로 처리하는 오장이 바로 신장이다. 그리고 신장의 맥상을 측정하는 자리가 척부(尺)이다. 그리고 이 척부는 간의 맥상을 측정하는 관부로 들어가는 입구이다. 그래서 척부는 자동으로 관부에 영향을 줄 수밖에 없다. 이런 이유로 이 구문에서는 척부(尺)가 간과 신장을 주관한다고 말하고 있다. 그런데, 신장의 상태를 주관하는 척부에서 측정하는 맥상은 체액(體液)을 측정하게 된다. 이 문제는 본 연구소가 발행한 맥경을 참고하면 된다. 그리고 신장은 삼투압 기질인 염을 통제한다.

그래서 신장이 문제가 되면, 삼투압 기질인 염이 정체하면서 체액(體液)의 흐름에 변화를 주게 된다. 이는 신장이 처리하는 염이 삼투압 기질로서 수분을 잔뜩 끌어 안고 있기 때문이다. 그러면 자동으로 이때는 체액의 흐름이 느리거나(緩) 막히게 (澁) 된다. 그래서 신장이 문제가 되고 있을 때는 자동으로 완맥(緩)과 삽맥(澁) 이 나오게 된다. 이렇게 되면 자동으로 간질에 염이 과잉으로 정체하고 만다. 그리고 이 과잉 염은 자유전자를 과잉 공급한다. 그러면 자동으로 이 과잉 자유전자를 중화하기 위해서는 산소 등등의 알칼리가 필요해진다. 그래서 과잉 자유전자를 산소라는 알칼리로 중화하게 되면, 이때 자동으로 열이 난다. 이를 열중(熱中)이라고 부른다. 그리고 이때 필요한 산소는 혈액이 공급한다. 그러나 열중은 너무나 많은 산소를 요구한다. 즉, 열중이 생길 정도의 과잉 자유전자가 존재하게 되면, 열을 만드는 간질에서 산소의 부족이 유발된다. 그러면, 이때 산소로 중화되지 못 한 자유전자는 자동으로 알칼리인 적혈구를 환원시켜서 분해해버린다. 이를 망혈(亡血)이라고 부른다. 그래서 열중이 있게 되면, 망혈은 자동으로 따라오게 된다. 그리고 완맥과 삽맥이 있게 되면, 열중은 자동으로 따라온다. 그러면, 지금은 간질에 과잉 산(酸)이 정체하고 있는 상황이므로, 인체는 자동으로 나른(酸)해진다. 산(酸)의 정의에서 나른하다(酸)는 뜻을 상기해보자. 그리고 이 상태가 거의 최악으로 간 경우가 해역(解㑊)이 된다. 이때 인체의 생리는 자동으로 엉망이 되고 만다. 그래서 이때 인체를 살펴보면, 한기가 있다가도 없어지기도 하고(寒不寒), 열이 있다가 없어지기도 하고(熱不熱), 약해지다가 강해지기도 하고(弱不弱), 힘이 없나 싶다가도 있기도 하면서(壯不壯), 몸의 생리가 오락가락하게 된다. 그 이유는 간질에 정체한 과잉 산에 붙은 자유전자가 어느 정도 중화되면, 이때는 몸의 상태가 조금 좋아지기도 하지만, 다시 과잉 자유전자가 쌓이게 되면, 몸은 다시 나빠지게 되기 때문이다. 결국에 인체는 이 과잉 자유전자의 춤(舞)에 놀아나게 된다. 그래서 이 병을 종잡을 수가 없다고 해서 해역(解㑊)이라고 부른다. 이 구문 해석에서 핵심은 신장의 맥상을 어떻게 해석하느냐에 달려 있다. 이는 신장이 삼투압 기질인 염(塩)을 처리한다는 사실에서 시작해야만 된다. 그러면 자동으로 완맥과 삽맥이 나오게 된다. 그러면 자동으로 해역의 문제가 끌여서 나오게 된다.

태양인 외감 요척병론

靈樞 曰 髓傷則 消爍 䯒痠 體解㑊然 不去矣 不去 謂不能行去也.

영추에서는 다음과 같이 말하고 있다(靈樞 曰). 골수가 상하게 되면(髓傷則), 뼈는 녹아서 사그라진다(消爍). 그러면 자동으로 정강이가 저리고(䯒痠), 몸에서 해역이 발생하면서(體解㑊), 이런 이유로(然), 걷지를 못하게 된다(不去矣). 여기서 걷지를 못한다는 말은(不去), 돌아다니지를 못한다는 뜻이다(謂不能行去也). 설명이 조금 필요하다. 지금 논하고 있는 구문도 해역을 설명하고 있다. 그런데, 황제내경 영추는 황제내경 소문과는 다른 방식으로 해역을 설명하고 있다. 그러나 신장 문제를 벗어나지는 못하고 있다. 즉, 소문은 신장이 통제하는 염을 중심으로 해서 해역의 문제를 기술하고 있고, 영추는 신장이 통제하는 뇌척수액을 중심으로 해서 해역 문제를 기술하고 있다. 그래서 뼈를 적시고 있는 뇌척수액을 통제하는 신장이 문제가 되어서, 뇌척수액이 산성으로 기울면서 문제가 되면(髓傷則), 이때는 자동으로 산성 뇌척수액이 적시고 있는 뼈는 분해되고 녹아서 사그라지게 된다(消爍). 산성 체액에는 환원력이 있는 자유전자가 들어있다는 사실을 상기해보자. 그러면, 뼈로 지탱되는 정강이는 자동으로 문제가 되고(䯒痠), 이때는 뼈도 문제가 되므로, 자동으로 제대로 걷지도 못하게 된다(不去矣). 이도 결국에는 산성 뇌척수액에 든 과잉 산 문제이다. 즉, 소문이나 영추나 모두 과잉 산(酸)을 문제로 보고 있다는 뜻이다. 그리고 영추는 이를 해역(解㑊)의 근원으로 보고 있다.

論曰 此證 卽 太陽人 腰脊病 太重證也.
必戒深哀 遠嗔怒 修淸定 然後 其病可愈. 此證 當用 五加皮壯脊湯.

이제마는 다음과 같이 주장한다(論曰). 이 증상인즉슨(此證 卽), 태양인의 허리병으로서 엄청난 중증이다(太陽人 腰脊病 太重證也). 이때는 반드시 감정 조절을 잘해서(必戒深哀), 분노를 멀리하고(遠嗔怒), 마음을 안정되게 수양하면(修淸定), 그런 연후에야(然後), 폭증하던 산성인 호르몬의 분비가 대폭 줄면서, 이 병은 비

로소 치유가 가능하게 된다(其病可愈). 이 병증에는(此證), 당연히 오가피장척탕
을 쓴다(當用 五加皮壯脊湯). 조금만 설명을 더 해보자. 해역(解㑊)이라는 이 병
증은 만성 피로인데, 이를 이제마는 다시 해석하고 있다. 이도 소문이나 영추에서
말한 바와 근원은 똑같다. 즉, 이제마가 이 병을 요척의 병으로 본 이유는 염을
처리하고 뇌척수액을 통제하는 신장(腎)에 그 원인이 있다는 뜻이다. 그러면 산성
뇌척수액에 잠긴 허리는 당연히 아프게 된다. 이를 태양인 요척병(太陽人 腰脊病)
으로 취급하고 있다. 그리고 이는 자동으로 방광인 태양(太陽)으로 간다. 이 원리
는 소양인에서 소양(少陽)인 담을 강조했고, 소음인에서 신장인 소음(少陰)을 강
조한 맥락과 일맥상통한다. 태양인은 원래 폐와 간이 중심이 된다. 그런데, 폐도
중조라는 염(塩)을 신장을 통해서 방광(太陽)으로 버리고, 간도 암모니아라는 염
(塩)을 신장을 통해서 방광(太陽)으로 버린다. 그래서 이때 방광이 문제가 되면,
이는 거슬러서 폐와 간을 괴롭히게 된다. 그래서 지금 방광이 뇌척수액의 통제를
통해서 통제하는 요척 문제를 태양인의 병으로 본 것이다. 이는 인체 체액 생리의
흐름을 어떤 측면에서 바라보느냐의 문제로 귀결한다. 물론 이때도 소문, 영추와
치료 효과는 똑같게 된다. 그래서 결국에 이제마는 상한론에서 나온 삼양삼음의
논리와 장기를 교묘히 이용해서 자기만의 독특한 이론을 만들어내고 있다. 이는
양자역학의 개념과 인체 체액 이론을 완벽하게 알아야만 가능한 일이다. 아무튼
이제마는 다시 한번 더 말하지만 참으로 대단한 사람이다.

解㑊者 上體完健而 下體解㑊然 脚力 不能行去也而 其脚 自無麻痺腫痛之證 脚
力 亦不甚弱. 此 所以弱不弱 壯不壯 寒不寒 熱不熱而 其病 爲腰脊病也. 有解㑊
證者 必無大惡寒發熱 身體疼痛之證也. 太陽人 若有大惡寒發熱 身體疼痛之證則
腰脊表氣 充實也 其病易治 其人亦完健.

　해역에 걸리게 되면(解㑊者), 삼투압 기질인 염이 정체하면서, 체액의 순환을
막게 되고, 그러면 체액 순환에 덜 취약한 상체는 문제가 없는데(上體完健而), 체

액 순환에 아주 취약한 하체는 자동으로 큰 문제를 만들면서 해역에 걸리게 되고 (下體解㑊然), 이때는 자동으로 다리에 힘이 없어지면서(脚力), 자동으로 제대로 걸을 수가 없게 된다(不能行去也而). 그러나 이때 다리는(其脚), 다리 자체가 마비된다거나 부종이 생긴다거나 통증이 발생하지는 않는다(自無麻痺腫痛之證). 그리고 다리의 힘도(脚力), 역시 심하게 약해지지는 않는다(亦不甚弱). 지금의 증세는 만성 피로이지 중병은 아니라는 사실을 상기해보자. 그래서 이때는(此), 약한 것 같으면서도 약하지 않고(所以弱不弱), 힘이 있으면서도 없는 것 같기도 하고 (壯不壯), 한기가 있는 듯하면서도 없는 듯하기도 하고(寒不寒), 열도 있는 듯하다가 없기도 한다(熱不熱而). 이렇게 하는 과정에서 이병은(其病), 심해지면 요척병으로 이어진다(爲腰脊病也). 그래서 만성 피로인 해역 때는(有解㑊證者), 반드시 큰 오한이나 큰 발열이 없고(必無大惡寒發熱), 신체에서 동통만 발병하는 증세가 나타난다(身體疼痛之證也). 그래서 폐와 간으로 구성된 태양인은(太陽人), 만약에(若), 큰 오한이나 발열이 있으면서(有大惡寒發熱), 신체 전반에서 동통이라는 증세까지 동반되면(身體疼痛之證則), 이는 척추에 존재하는 뇌척수액이라는 표기가(腰脊表氣), 통증의 근원인 과잉 산으로 가득 찬 것이다(充實也). 그러나 이 병은 편히 쉬면서 피로 문제만 해결하면 되므로, 쉽게 치료가 가능하며(其病易治), 그러면 이 환자는 역시 완전한 건강을 되찾을 수 있게 된다(其人亦完健).

태양인 내촉 소장병론

(太陽人 內觸 小腸病論)

태양인 내촉 소장병론(太陽人 內觸 小腸病論)

朱震亨 曰 噎膈反胃之病 血液俱耗 胃脘乾槁. 其槁(枯) 在上近咽則 水飮可行 食物難入 入亦不多 名之曰 噎. 其槁 在下近胃則 食雖可入 難盡入胃 良久復出 名之曰 膈 亦曰 反胃. 大便秘少 若羊屎然 名雖不同 病出一體. 又曰 上焦噎膈 食下則 胃脘當心而痛 須臾吐出 食出 痛乃止. 中焦噎膈 食物可下 難盡入胃 良 久復出. 下焦噎膈 朝食暮吐 暮食朝吐. 氣血俱虛者 口中 多出沫 但 見沫多出者 必死. 大便 如羊屎者 難治. 不淡飮食者 難治. 張鷄峯 曰 噎 當是神思間病 惟內 觀自養 可以治之. 龔信 醫鑑 曰 反胃也 膈也 噎也 受病皆同. 噎膈之證 不屬虛 不屬實 不屬冷 不屬熱 乃神氣中 一點病耳.

　　주진형은 다음과 같이 주장한다(朱震亨 曰). 열격과 반위라는 병은(噎膈反胃之 病), 혈액이 모두 소모된 상태에서(血液俱耗), 위완부가 건조해서 말라버린 것이 다(胃脘乾槁). 여기서 열격(噎膈)은 음식이 목구멍으로 제대로 넘어가지 못하거나 넘어갔다 해도 위장까지 내려가지 못하고 이내 토하는 병증이고, 반위(反胃)는 음 식이 내려간 지 한참 만에 거꾸로 넘어오거나 속에서 한동안 묵었다가 도로 나오 는 병증이다. 그리고 인체의 모든 병은 혈액이 치유를 담당하므로, 사실상 모든 병은 혈액 순환의 부족으로 발병한다. 그리고 지금은 간과 폐로 구성된 태양인을 논하고 있다. 그리고 폐는 혈액의 핵심인 산소를 공급하고, 간은 인체에서 최고의 해독 기관이므로, 인체의 모든 장기 중에서 혈액을 최고로 많이 소비한다. 그래서 간에는 엄청난 양의 혈액이 항상 체류하고 있다. 그래서 일부는 말하기를 간은 최 고로 많은 혈액을 보관하고 있다고 말하기도 한다. 그리고 열격과 반위의 핵심은 먹은 음식이 식도를 통과해서 위장으로 제대로 넘어가느냐의 문제이다. 그리고 식 도는 반드시 횡격막 구멍을 통과해야만 위장으로 진입할 수 있다. 그리고 위완부 부근에는 거대한 크기를 자랑하는 위장과 역시 거대한 크기를 자랑하는 간이 횡 격막에 붙어있다. 그래서 이때 알칼리 동맥 혈액이 소모(耗)되어서 엄청난 양의 알칼리 동맥혈을 요구하는 간에 제대로 공급되지 못하게 되면, 자동으로 간은 과부하에 걸리게 되고, 이어서 간은 비대해지면서 횡격막을 자극해서 강하게 수축시키게 되고, 그러면 자동으로 횡격막 구멍을 지나는 식도는 막히면서 먹은 음식은 넘어가지 못하게 된다. 게다가 간은 소화관의 산성 정맥혈을 간문맥을 통해서 받게 된나. 그래서 긴이 문제가 되면, 자동으로 소화관 전체 체액은 정체하고 만다. 그러면, 이제 위장도 난리가 난다. 그러면, 이때는 자동으로 위장도 비대해지면서 횡격막을 자극하게 되고, 이어서 횡격막 구멍은 막히게 되고, 식도는 기능을 잃고 만다. 이쯤 되면, 먹은 음식물이 위장으로 제대로 들어갈 리도 없거니와 들어갔다고 해도 소화관의 체액이 막혀있으므로, 흡수되지 못하고 자연스럽게 거꾸로 역류해서 구토로 이어질 수밖에 없게 된다. 이때 그러면 간과 위장 그리고 소화관에 엄청난 양의 과잉 산이 정체하게 되고, 이때 열은 자동으로 나게 되고, 그 결과로 간과 위장이 자리하고 있는 위완부 근처는 건조해져서 말라비틀어지게 된다(胃脘乾槁). 이 문제는 여기서 끝나지 않는다. 그 이유는 횡격막 구멍은 인체의 모든 체액을 소통시키는 관문이기 때문이다. 그래서 횡격막 구멍이 막히게 되면, 인체 전체는 한마디로 난리가 난다. 그래서 황제내경 소문은 횡격막을 작은 심장이라는 의미에서 소심(小心)이라고 부른다. 그리고 이 횡격막은 근육을 통해서 하복부에서 머리 꼭대기인 정수리까지 영향을 미치게 된다. 그러면 열격과 반위의 효과가 어떻게 전개될지는 충분히 상상이 갈 것이다. 이를 기반으로 아래 문장들을 풀면 된다. 다시 본문을 보자. 이렇게 위완부 부근이 말라서 비틀어지게 되면(其槁(枯)), 자동으로 식도가 막히게 되고, 그러면 식도 위쪽에 자리(存)하고 있는 인후부로(在上近咽則), 물은 들어갈 수 있으나(水飮可行), 당연히 음식물은 들어가기가 어렵게 된다(食物難入). 그리고 이때 물이 되었건 음식물이 되었건 간에 이들이 들어간다고 해도 역시 많이는 못 들어간다(入亦不多). 그래서 이를 막혔다는 의미로 열(噎)이라고 부른다(名之曰 噎). 그리고 이때는 위완부가 말라비틀어져 있으면서 식도가 막힌 상태이므로(其槁), 먹은 음식물이나 물이 위장 근처까지 내려가서(在下近胃則), 물이나 음식물이 위장으로 들어간다고 해도(食雖可入), 먹은 모든 음식물이 위장으로 모두 들어갈 수는 없다(難盡入胃). 그러면 상당량의 음식물은 자동으로 다시 역류해서 나오게 된다(良久復出). 그래서 이때 식도가 막혔다

(膈)는 의미로 이를 격(膈)이라고 부른다(名之曰 膈). 그리고 이 격(膈)은 횡격막 (膈)이라는 원래 뜻도 있다. 그래서 이때 격(膈)은 이중적인 의미를 보유하고 있다. 그리고 이와 비슷한 경우인 반위도 있다(亦曰 反胃). 그래서 사실상 열격이나 반위의 차이는 도토리 키재기이다. 즉, 이를 비유로 설명하자면, 대변이 약간 굳어서 변비가 된 상태나(大便秘少), 변이 약간 굳어서 나오는 염소 똥 상태나(若羊屎然), 표현(名)은 다르게 되지만(名雖不同), 이때 병이 발병한다면, 그냥 변비로 똑같게 된다(病出一體). 즉, 열격과 반위가 똑같다는 뜻이다. 또 다른 주장도 있다(又曰). 식도가 자리하고 있는 상초에서 막히는 상초의 열격이 있다면(上焦噎膈), 음식물이 식도를 타고 넘어갈 때(食下則), 자동으로 위완부 근처에 자리한 횡격막을 자극하게 되고, 이는 당연히 횡격막에 붙은 심장을 자극해서 통증을 만든다(胃脘當心而痛). 그러면 인체는 자동으로 이 통증을 없애려고 먹은 음식물을 곧바로 토하게 만든다(須臾吐出). 그러면 자동으로 식도를 통해서 횡격막을 자극했던 음식물이 구토를 통해서 제거되고(食出), 이는 자동으로 통증을 중지시킨다(痛乃止). 이번에는 횡격막 아래에 자리하고 있는 간과 위장이 있는 중초에서 간과 위장 그리고 소화관의 문제로 인해서 열격이 생기게 되면(中焦噎膈), 이때 음식물은 식도 자체 문제 때문에, 막히지는 않아서 내려가기는 하지만(食物可下), 문제는 간과 위장이 문제가 되고 있으므로, 이도 자동으로 식도를 막히게 하면서, 먹은 모든 음식물이 모두 위장으로 진입하지는 못하게 된다(難盡入胃). 그러면 이때는 자동으로 남은 음식물은 다시 역류해서 구토를 유발한다(良久復出). 이번에는 하초에서 열격이 발생하면(下焦噎膈), 아침에 먹은 밥은 저녁에 토하고(朝食暮吐), 저녁에 먹은 밥은 아침에 토하게 된다(暮食朝吐). 이 부분은 하초에서 어떻게 열격이 만들어지냐의 문제로 다가온다. 지금 문제의 핵심은 체액이다. 즉, 간은 하초에 넓게 분포하고 있는 하초 정맥총 또는 하복부 정맥총을 간문맥을 통해서 통제한다. 그래서 지금처럼 간이 문제가 되고 있게 되면, 이때 음식물은 위장까지는 잘 넘어간다. 그리고 음식물이 제공한 영양소가 소장이나 대장에서 흡수되고, 이어서 소화관 정맥혈로 만들어지고, 이어서 이들이 간으로 들어갈 때까지는 거의 12시간 정도가 소요된다. 그리고 지금은 이 산성 정맥혈을 받는 간이 엉망이 된 지가 오래

되었다. 그러면 소화관의 체액은 그대로 정체하게 되고, 이제부터는 역류를 시작해서 구토로 이어진다. 그래서 이때 구토는 식사하고 나서 12시간이라는 간격이 있게 된다. 다시 본문을 보자. 이때 맥박을 만들어서 혈액을 순환시키는 인체의 에너지(氣)와 혈액(血)이 모두 고갈되어서 허약한 상태가 되면(氣血俱虛者), 이때는 삼투압 기질인 과잉 염이 타액 형식으로 입안으로 분비되면서(口中), 이들은 포말이 되고, 이때는 이런 포말이 입안으로 많이 배출되며(多出沫), 이때 만일에(但), 포말이 너무나 많이 배출되게 되면(見沫多出者), 이는 인체를 돌리는 에너지와 만병통치약인 혈액이 거의 바닥난 상태를 말하게 되므로, 이때 환자는 반드시 죽을 수밖에 없다(必死). 그리고 이때 포말까지는 안 나오더라도, 변비가 있어서 대변이 염소 똥처럼 나오게 되면(大便 如羊屎者), 이는 과잉 염을 중화하는 오장에 문제가 있다는 뜻이 되므로, 이는 자동으로 난치병이 되고 만다(難治). 그리고 이때는 음식을 담백하게 먹지 않고 짜게 먹어도(不淡飮食者), 이때는 소금에 든 염소가 자유전자를 과잉 공급해서 병을 더 조장하게 되므로, 이때 역시 병은 난치병이 되고 만다(難治). 그리고 장계봉은 다음과 같이 주장한다(張鷄峯 曰). 열이라는 병은(噎), 당연히 정신과 생각 사이에서 나온 병이다(當是神思間病). 그래서 오직 자기의 내면을 들여다보고 스스로 수양하게 되면(惟內觀自養), 이 병은 치료가 가능해진다(可以治之). 만병의 근원인 스트레스 문제를 말하고 있다. 스트레스는 산성인 호르몬을 폭증시켜서 만병을 조장한다. 그리고 공신은 의감에서 다음과 같이 말한다(龔信 醫鑑 曰). 반위나(反胃也), 격이나(膈也), 열이나(噎也), 모두 병을 받는 근원은 똑같다(受病皆同). 즉, 이들의 공통 근원은 산성 노폐물이 쌓이면서 만들어진 과잉 산이다. 이는 만병의 근원이 되기 때문이다. 그래서 열격이라는 증상은(噎膈之證), 허실 냉열 어디에도 속하지 않고(不屬虛 不屬實 不屬冷 不屬熱), 이들을 만들어내는 근원인 자유전자로서 에너지인 신기(神氣)가 만들어낸 하나의 병일 뿐이다(乃神氣中 一點病耳). 여기서 신(神)은 자유전자로서 에너지(氣)를 말한다. 이 문제는 본 연구소가 발행한 "생명이란 무엇인가?"를 참고하면 된다.

태양인 내촉 소장병론

論曰 此證 卽 太陽人 小腸病 太重證也. 必 遠嗔怒 斷厚味 然後 其病可愈. 此證 當用
獼猴藤植腸湯. 食物 自外入而 有所妨碍 曰 噎. 自內受而 有所拒格 曰 膈. 朝食暮吐
暮食朝吐 曰 反胃. 然 朝食而暮吐 暮食而朝吐者 非全食皆吐也. 有所妨碍而拒格於
胃之上口者 經宿而自吐也則 反胃 亦 噎膈也. 盖 噎膈者 胃脘之噎膈也. 反胃者 胃口
之噎膈也 同是一證也. 有噎膈證者 必無腹痛 腸鳴 泄瀉 痢疾之證也. 太陽人 若有腹
痛 腸鳴 泄瀉 痢疾之證則 小腸裡氣 充實也. 其病易治 其人 亦完健.

이제마는 다음과 같이 주장한다(論曰). 이 증상인즉슨(此證 卽), 태양인의 소장
의 병으로서(太陽人 小腸病), 굉장히 중증이다(太重證也). 이 말은 간과 연계된
다. 즉, 소장이 흡수한 영양소는 산성 정맥혈이 되어서 간 문맥으로 들어간다. 그
래서 간 문제는 소장의 문제로 변질될 수 있다. 그래서 이때는 반드시(必), 간을
보호하기 위해서 분노를 멀리하고(遠嗔怒), 음식도 고기처럼 너무나 무거운 음식
은 끊어야 하며(斷厚味), 그런 연후에나(然後), 이 병의 치유를 기대할 수 있게
된다(其病可愈). 이 병에 걸렸을 때는(此證), 당연히 미후등식장탕을 처방한다(當
用 獼猴藤植腸湯). 그리고 먹은 음식물이(食物), 스스로 외부에서 안쪽으로 들어
갈 때(自外入而), 이 경로상에 방해 경로(所)가 있게 되면(有所妨碍), 이를 열이
라고 부른다(曰 噎). 그리고 스스로 인체 안쪽에서 음식물을 받았는데(自內受而),
이때 막히는 장소(所)가 있게 되면(有所拒格), 이를 격이라고 부른다(曰 膈). 그리
고 아침에 먹은 음식은 저녁에 토하고(朝食暮吐), 저녁에 먹은 음식은 아침에 토
하면(暮食朝吐), 이를 반위라고 부른다(曰 反胃). 그러나(然), 이때도 아침에 먹은
음식을 저녁에 토하고(朝食而暮吐), 저녁에 먹은 음식을 아침에 토할지라도(暮食
而朝吐者), 이때 먹은 전체 음식을 모두 토해내는 것은 아니다(非全食皆吐也). 그
리고 이때 위장의 위쪽 입구에서 막히거나 장애물이 있게 되면(有所妨碍而拒格於
胃之上口者), 이때는 시간이 경과한 다음에 스스로 구토가 나오게 되는데(經宿而
自吐也則), 이는 반위이면서 동시(亦)에 열격이 된다(反胃 亦 噎膈也). 대개(盖),
열격은(噎膈者), 위완부의 열격이 일반적이다(胃脘之噎膈也). 그리고 반위는(反胃
者), 위장 입구의 열격이 일반적이다(胃口之噎膈也). 그래서 어느 열격이든 지 간

에 열격은 똑같은 하나의 증상이다(同是一證也). 그래서 어느 열격이건 간에 열격을 앓게 되면(有噎膈證者), 이때는 병의 근원이 되는 음식물을 구토로 모두 체외로 버리게 되므로, 자동으로 반드시 복통도(必無腹痛), 장명도(腸鳴), 설사도(泄瀉), 이질 증상도 있을 수가 없게(無) 된다(痢疾之證也). 그래서 태양인이(太陽人), 만약에(若), 복통이 있고(有腹痛), 장명이 있고(腸鳴), 설사가 있고(泄瀉), 이질 증세가 있다면(痢疾之證則), 이때는 구토를 통해서 체외로 버려지지 않은 영양소가 소장에서 흡수되고, 이어서 소장의 기운이 되어서(小腸裡氣), 소장의 산성 정맥혈 기운을 꽉 채우고 있기 때문이다(充實也). 그리고 만일에 이 병이 쉽게 치유된다면(其病易治), 이 환자는(其人), 역시 완벽한 건강을 되찾게 된다(亦完健).

解㑊 噎膈 俱是重證而 重證之中 有輕重之等級焉. 解㑊而 無噎膈則 解㑊之輕證也. 噎膈而 無解㑊則 噎膈之輕證也. 若 解㑊 兼噎膈 噎膈 兼解㑊則 其爲重險之證 不可勝言而 重險中 又有輕重也. 太陽人 解㑊 噎膈 不至死境之前 起居飮食如常 人必易之 視以例病. 故 入於危境而 莫可挽回也. 余 稟臟太陽人 嘗得此病 六七年 嘔吐涎沫 數十年 攝身 倖而免夭. 錄此 以爲太陽人 有病者 戒. 若 論治法 一言弊曰 遠嗔怒而已矣.

　해역이나(解㑊), 열격이나(噎膈), 이들은 모두 중증이다(俱是重證而). 그러나 중증 중에서도(重證之中), 상대적으로 경증이 있고, 상대적으로 중증이 있어서 등급이 서로 다르게 된다(有輕重之等級焉). 그래서 해역이 있으면서(解㑊而), 열격이 없게 되면(無噎膈則), 이때 해역은 경증이 되고(解㑊之輕證也), 열격이 있으면서(噎膈而), 해역이 없게 되면(無解㑊則), 이때 열격도 경증이 된다(噎膈之輕證也). 만약에(若), 해역과 열격이 겹치게 되거나(解㑊 兼噎膈), 열격과 해역이 겹치게 되면(噎膈 兼解㑊則), 이는 당연히 중험증이 된다(其爲重險之證). 이는 두 증상이 겹치므로, 말할 필요도 없다(不可勝言而). 그리고 중험증 중에서도(重險中), 또한 경중이 있다(又有輕重也). 그리고 태양인에서(太陽人), 해역과 열격은(解㑊 噎膈), 환자가 사경을 헤매는 지경에 이르기 전까지는(不至死境之前), 밥도 잘 먹고 일상

　　　태양인 내촉 소장병론

생활도 예전과 다르지 않아서(起居飮食如常), 이때 사람들은 이를 그냥 대충 쉽게 넘기곤 한다(人必易之 視以例病). 그래서(故), 이 병이 드디어 위험한 지경에 이르게 되면(入於危境而), 이때는 다시 되돌릴 수 없는 지경으로 가버린다(莫可挽回也). 나는(余), 원래 태양인의 장부를 타고나서(稟臟太陽人), 일찍이 이 병을 얻은 적이 있다(嘗得此病). 그로 인해서 육칠 년간(六七年), 구토하고 포말을 내뱉으면서 고생했지만(嘔吐涎沫), 나는 수십 년에 걸쳐서(數十年), 섭생을 잘해서(攝身), 다행히도 요절은 면했다(倖而免夭). 그래서 나는 이런 기록을 남겨서(錄此), 태양인으로서(以爲太陽人), 이런 병을 얻은 사람들에게(有病者), 경계심을 심어주고자 한다(戒). 만약에(若), 이 병의 치료 방법을 논한다면(論治法), 나는 한 마디로 줄여서 말하겠는데(一言弊曰), 분노를 버리고 살라는 것이다(遠嗔怒而已矣).

太陽人 意强而 操(柔)弱. 意强則 胃脘之氣 上達而 呼散者 太過而越也. 操(柔)弱則 小腸之氣 中執而. 吸聚者 不支而餒也. 所以 其病 爲噎膈反胃也.

폐가 크고, 간이 작은 태양인은(太陽人). 큰 폐가 산소를 충분히 공급해서 뇌를 보호하므로, 의지는 아주 강하나(意强而), 근육을 통제하는 간이 작은 관계로 인해서 뭘 잡는(操) 능력은 약하다(操(柔)弱). 그래서 태양인의 큰 폐로 인해서(意强則), 간이 자리하고 있는 위완부 부근에서 생긴 기운인 간이 만든 산성 정맥혈은(胃脘之氣), 우 심장과 폐를 향해서 위쪽으로 잘 전달되게 되고(上達而), 그러면, 이때 나온 자유전자를 폐는 내쉬는(呼) 숨을 통해서 인체 외부로 잘 발산(散)시키게 되고(呼散者), 이는 아주 멀리 공기 중으로 날아가 버린다(太過而越也). 지금은 태양인의 월등한 폐 기능을 묘사하고 있다. 그리고 수분을 배출하는 폐는 불감증설(Insensible perspiration:不感蒸泄)을 통해서 많은 과잉 자유전자를 체외로 날려 보낸다는 사실을 상기해보자. 그러나 크기가 작은 간은 허약해 빠져서(操(柔)弱則), 소장이 영양분을 흡수해서 만든 산성 정맥혈이라는 소장의 기운을(小腸之氣), 간이 제대로 받아주지 못하게 되면서, 이는 소장 안에 정체하게 되고(中

執而), 간이 이 영양분들을 흡수(吸)해서 취(聚)하지 못하게 되면서, 간은 인체를 지탱하지 못하게 되고, 이어서 인체는 굶주리게(餒:뇌) 된다(吸聚者 不支而餒也). 이런 이유로(所以), 작은 간으로 인해서, 이때 병이 나면(其病), 열격과 반위로 발전된다(爲噎膈反胃也). 체액 생리를 통달하지 못하게 되면, 해석이 어려운 곳이다.

問 朱震亨論 噎膈反胃 曰 血液俱耗 胃脘乾槁 食物難入 其說如何? 曰 水穀 納於胃而 脾衛之 出於大腸而 腎衛之. 脾腎者 出納水穀之府庫而 迭爲補瀉者也. 氣液 呼於胃脘而 肺衛之 吸於小腸而 肝衛之. 肺肝者 呼吸氣液之門戶而 迭爲進退者也. 是故 少陽人 大腸 出水穀 陰寒之氣 不足則 胃中 納水穀 陽熱之氣 必盛也. 太陽人 小腸 吸氣液 陰涼之氣 不足則 胃脘 呼氣液 陽溫之氣 必盛也. 胃脘陽溫之氣 太盛則 胃脘血液 乾槁 其勢 固然也 然 非但乾槁而然也. 上呼之氣 太過而 中吸之氣 太不支故 食物 不吸入而 還呼出也. 或曰 朱震亨所論 噎膈反胃者 安知非少陰少陽太陰人病而 吾子必名目曰 太陽人病. 內經所論 解㑊者 安知非少陰少陽太陰人病而 吾子必名目曰 太陽人病 莫非牽强附會耶 願聞其說? 曰 少陽人 有嘔吐則 必有大熱也. 少陰人 有嘔吐則 必有大寒也. 太陰人 有嘔吐則 必病愈也. 今 此 噎膈反胃 不寒 不熱 非實 非虛則 此 非太陽人病而 何也?

주진형에게 다음을 묻고 싶다(問). 주진형이 말하기를(朱震亨論), 열격과 반위는(噎膈反胃), 혈액이 모두 소모되어서(曰 血液俱耗), 위완부 부분이 건조해서 말라비틀어지고(胃脘乾槁), 그로 인해서 음식물을 넘기기가 어렵다고 말하는데(食物難入), 과연 이 주장을 어떻게 평가해야만 할까요(其說如何)? 나는 이렇게 생각한다(曰). 음식물이 위장으로 들어가게 되면(水穀 納於胃而), 이를 비장이 보호해주고(脾衛之), 대장에서 나갈 때는(出於大腸而), 신장이 보호해준다(腎衛之). 이는 체액 생리의 정수를 요구하고 있다. 비장은 폐기 적혈구를 분해해서 처리하는 오장이다. 이때 비장은 자동으로 폐기 적혈구에 든 이산화탄소를 취급하게 되는데, 이 이산화탄소는 물과 반응해서 중조를 만든다. 그리고 음이온인 이 중조라는 염

태양인 내촉 소장병론

은 이를 전문으로 처리하는 신장으로 가서 처리되거나 아니면 세포 안으로 들어가게 되는데, 이때는 음이온인 염소(Cl⁻)와 교환된다. 그리고 이 염소는 위산(HCl)이 되어서 위장 공간으로 배출된다. 그리고 이 위산에 든 염소는 자유전자를 공급해서 먹은 음식물을 환원해서 분해하고 소화시키게 된다. 그래서 소화 과정에서 비장의 역할이 크게 된다. 이제마는 이를 비장이 위장을 보호해주고 있다(脾衛之)고 표현하고 있다. 이번에는 대장과 신장의 관계를 보자. 신장은 중조라는 염을 전문으로 처리하는 오장이다. 그리고 음이온인 이 중조는 대장에서 음이온인 단쇄지방산과 교환되어서 대장 공간으로 배출된다. 이 덕분에 변비가 없게 된다. 중조라는 염은 삼투압 기질이어서 수분을 동반한다는 사실을 상기해보자. 그래서 음식물의 찌꺼기인 대변이 대장에서 배출(出)될 때는 중조를 처리하는 신장의 역할이 크다. 이제마는 이를 신장이 대장을 보호해준다(腎衛之)고 말하고 있다. 그래서 비장과 신장은(脾腎者), 각각 음식물이 위장으로 들어가서 소화되고 나머지는 대변으로 체외로 배출될 때, 위산과 중조를 조절하는 창고 역할을 하게 된다(出納水穀之府庫而). 즉, 비장과 신장은 번갈아(迭) 가면서 위산을 보충(補)해주고, 중조를 배출(瀉)해주게 된다(迭爲補瀉者也). 그리고 산성 정맥혈이라는 산성 체액이(氣液), 위완부에 자리하고 있는 간에서 우 심장과 폐로 배출(呼)되게 되면(呼於胃脘而), 폐는 이들을 최종적으로 중화 처리하므로, 이때는 폐가 이들을 돕게 된다(肺衛之). 즉, 이때는 폐가 간을 돕게 된다. 지금은 폐가 크고, 간은 작은 태양인을 논하고 있다는 사실을 상기해보자. 그리고 소장에서 흡수된 영양소는(吸於小腸而), 산성 정맥혈이 되어서 간문맥으로 들어가므로, 이때는 간이 소장을 보호해준다(肝衛之). 그래서 폐와 간은(肺肝者), 산성 체액(氣液)을 받아들여서(呼吸) 중화해주는 관문(門戶) 역할을 하게 된다(呼吸氣液之門戶而). 그래서 간과 폐는 번갈아 가면서 산성 체액의 진퇴를 결정하게 된다(迭爲進退者也). 그래서(是故), 비장이 크고 신장이 작은 소양인에서(少陽人), 대장이 음식물의 찌꺼기인 대변을 체외로 배출(出)할 때(大腸 出水穀), 음으로서 한인 중조염의 기운이 부족하게 되면(陰寒之氣 不足則), 위장 안으로 음식물이 들어갈 때 도움을 주는(胃中 納水穀), 양으로서 열을 만드는 위산의 기운은 반드시 왕성하게 된다(陽熱之氣 必盛也).

이 부분도 체액 생리의 정수를 요구하고 있다. 먼저 음한지기(陰寒之氣)는 염(塩)을 말한다. 여기서는 대장에서 대장 공간으로 분비되는 중조 염을 말하는데, 염은 양인 자유전자를 수거할 수 있으므로, 음(陰)이고, 또한 한(寒)이다. 그래서 음한지기(陰寒之氣)는 대장에서 대장 공간으로 분비되는 중조염을 말한다. 그리고 양열지기(陽熱之氣)는 위산(HCl)을 말한다. 위산(HCl)에는 양(陽)인 열(熱)을 만드는 자유전자가 염소(Cl⁻) 안에 들어있다. 그래서 양열지기(陽熱之氣)는 위장에서 위장 공간으로 분비되는 위산을 말한다. 그런데, 이 구문에서는 대장에서 분비되는 중조가 부족해지면(陰寒之氣 不足則), 거꾸로 반드시 위산이 더 많이 분비된다(陽熱之氣 必盛也)고 말하고 있다. 그러면 이는 위산과 중조의 관계를 보면 된다. 이는 위산이 만들어지는 과정을 보면 된다. 위산(HCl)은 핵심이 자유전자를 보유한 염소(Cl⁻)이다. 그런데 위산으로 분비되는 염소는 비장이 폐기 적혈구를 파괴할 때 나오는 이산화탄소가 근원이다. 즉, 이산화탄소가 물과 반응해서 중조가 되면, 음이온인 이 중조는 세포 안으로 들어가면서, 동시에 음이온인 염소와 교환되게 되고, 그러면 자동으로 염소는 세포 밖으로 쫓겨난다. 그리고 이 염소가 위산이 된다. 그러면 세포 안으로 들어가는 중조가 많아지면, 자동으로 세포 안에 있다가 세포 밖으로 쫓겨나는 염소도 많아질 것이다. 이는 자동으로 중조를 대장 공간으로 배출하는 대장과 연관된다. 즉, 대장이 음한지기(陰寒之氣)라는 중조염을 체외로 많이 배출하게 되면, 자동으로 위산을 만들 중조염은 부족해지게 되고, 이어서 위산은 적게 분비된다. 거꾸로 대장이 음한지기(陰寒之氣)라는 중조염을 체외로 많이 배출하지 못하게 되면, 이 중조염은 자동으로 양열지기(陽熱之氣)라는 위산 속에 든 염소를 더 많이 만들어내게 된다. 이는 결국에 대장에서 분비되는 중조염과 위장에서 분비되는 위산의 관계를 말하고 있다. 그런데, 1900년에 세상을 떠난 이제마는 이런 관계를 어떻게 알았을까 하는 의문이 든다. 참으로 이제마는 대단한 사람이다. 이 문제는 최첨단 현대의학을 전공해서 유능하다고 정평이 나 있는 사람도 감히 쉽게 접근이 안 되는 문제이다. 이제마는 참으로 대단한 사람이다. 이 덕분에 이 부분은 자동으로 미신(迷信)으로 전락하게 된다. 그래서 추가로 이 부분의 해석은 무주공산이 되면서, 엉망진창이 되고 만다. 그리고 이 현상은 지금도 여전히 진행 중이다. 다시 본문을 보자. 폐가 크고 간이 작은 태양인에서(太陽人), 소장에서 영양소가 든 산성 정맥혈을(小腸 吸氣液), 중화하는 음량지기가 부족하게 되면(陰凉之氣 不足則), 위완부에 자리한 간이 이 산성 정맥혈을 간 문맥을 통해서 받게 되고(胃脘 呼氣液), 그러면, 이 산성 정맥혈에 든 자유전자 때문에, 양온지기는 반드시 왕성해진다(陽溫之氣 必盛也). 조금만 설명을 보태보자. 소장에는 산성 체액을 중화하는 파네스(Paneth:파네드) 세포 등등이 존재하므로, 소장은 엄청난 양의 산성 체액을 중화하게 된다. 이제마는 이를 음량지기(陰凉之氣)라고 표현하고 있다. 그리고 간이 소장에서 흡수된 산성 정맥혈을 간문맥을 통해서 받게 되면, 이는 자동으로 간에서 산소로 중화되면서 열을 만들게 된다. 이제마는 이를 양온지기(陽溫之氣)라고 표현하고 있다. 그러면, 자동으로 소장이 음량지기(陰凉之氣)를 통해서 산성 정맥혈을 중화하지 못하게 되면, 이 산성 정맥혈은 간문맥으로 흡수되고, 이어서 간에서 산소로 중화되면서 양온지기(陽溫之氣)를 만들어낸다. 그러면 자동으로 소장에서 음량지기가 부족하게 되면(陰凉之氣 不足則), 위완부에 자리한 간에서 만들어지는 양온지기는 반드시 많아지게 된다(陽溫之氣 必盛也). 즉, 이는 소장이 중화하지 못한 산성 정맥혈을 간이 대신 중화한다는 뜻이다. 이는 체액 이론의 정수를 요구하고 있다. 다시 본문을 보자. 그러면 위완부에 자리하고 있는 간이 소장이 보내준 산성 정맥혈을 혈액에 든 산소로 중화하면서 양온지기를 너무 많이 만들게 되면(胃脘 陽溫之氣 太盛則), 이때는 자동으로 위완부에 자리한 간에 든 알칼리 동맥 혈액(血液)은 자동으로 고갈(乾槁)되고 만다(胃脘血液 乾槁). 이때는 산성 정맥혈이라는 세력이(其勢), 아주 강하기 때문에, 그렇게 된 것이다(固然也). 그래서(然), 이때는 알칼리 동맥혈이 고갈되어서 그런 것이 아니다(非但乾槁而然也). 이는 이제마가 주진형의 논리를 반박하고 있는데, 여기서 핵심은 건고(乾槁)이다. 즉, 이제마는 간에 알칼리 동맥혈이 부족(乾槁)해서 문제를 만드는 것이 아니라(非但乾槁而然也), 소장에서 들어오는 산성 정맥혈의 세력이 워낙 강해서(其勢 固然也) 그렇게 되었다는 것이다. 이는 간에서 일어나는 생리 과정에서 어떤 생리를 강조하면서 바라보느냐의 시각의 차이다. 결국에 이 문제는 둘 다 옳다. 이를 이제마가 몰랐을 리는 없다. 그러나 이제마는 자기가 만든 이론을 강조하기 위해서 주진형을 물고 늘어지고 있다. 이는 또한 이제마가 체액 생리를 얼마나 정확히 알고 있었는지도 말하고 있다. 이제마는 역시 체액 생리의 대가(大家)이다. 다시 본문을 보자. 그리고 폐가 크고 간이 작은 태양인에서, 위쪽에 지리한 폐가 체외로 내보내는(呼) 기운이 너무 과하게 되면(上呼之氣 太過而) 즉, 폐가 과부하에 걸리게 되면, 중초(中)에 자리하고 있으면서 소장이 준 산성 정맥혈을 흡수(吸)해서 받는 간의 기운은(中吸之氣), 자동으로 도저히 견딜 수가 없게 된다(太不支故). 이는 간이 산성 정맥혈을 우 심장을 거쳐서 폐로 보낸다는 사실을 알면 쉽게 이해가 갈 것이다. 그래서 이는 폐가 과부하에 걸리게 되면(上呼之氣 太過而), 간은 그만큼 힘들어지게 된다(中吸之氣 太不支故)는 뜻이다. 그러면, 자동으로 소장이 보낸 산성 정맥혈을 받는 간도 과부하에 걸리게 되고, 이어서 간으로 산성 정맥혈을 보내는 소장도 과부하에 걸리게 되고, 그러면 자동으로 먹은 음식물은(食物), 소장에서 흡수(吸)되어서 간문맥으로 들어가지(入) 못하게 되고(不吸入而), 이는 자동으로 환류되어서 구토로 배출하게 된다(還呼出也). 또 다른 질문도 있다(或曰). 주진형에 따르면(朱震亨所論), 열격과 반위는(噎膈反胃者), 소음인, 소양인, 태음인의 병이 아님을 쉽게 알 수 있는데(安知非少陰少陽太陰人病而), 그대는 어찌 이를 분명하게 태양인의 병이라고 말하는가(吾子必名目曰 太陽人病)? 그리고 내경에 따르면(內經所論), 해역은(解㑊者), 소음인, 소양인, 태음인의 병이 아님을 쉽게 알 수 있는데(安知非少陰少陽太陰人病而), 그대는 어찌 이를 분명하게 태양인의 병이라고 말하는가(吾子必名目曰 太陽人病)? 이는 분명히 억지로 비틀어서 꿰맞추는 견강부회와 다를 바가 없는데(莫非牽强附會耶), 이에 대한 답변을 듣고 싶네(願聞其說)! 그럼 다음처럼 답변하지요(曰). 소양인이 구토하게 되면(少陽人 有嘔吐則), 반드시 큰 열이 나고(必有大熱也), 소음이 구토하면(少陰人 有嘔吐則), 반드시 큰 한이 있고(必有大寒也), 태음인이 구토하면 반드시 병이 치유된다(太陰人 有嘔吐則 必病愈也). 그런데 지금 보면(今 此), 열격과 반위가 발병하게 되면(噎膈反胃), 한열과 허실이 없으므로(不寒 不熱 非實 非虛則), 이는 분명히 태양인의 병이 아니고 뭐겠는가(此 非太陽人病而 何也)? 이 부분은 상당히 재미있는 이제마의 자문자답이다. 설명을

태양인 내촉 소장병론

조금만 붙여보자. 소양인이 구토하면 큰 열이 있다고 한 것은 소양인에서 소양인 담이 문제가 되어서 구토하게 되면, 이는 담이 간과 연계되므로, 간이 과부하에 걸리면서 간이 큰 열을 만든다는 뜻이다. 간은 원래도 열을 많이 만드는데, 담으로 인해서 과부하에 걸리게 되면, 당연히 큰 열을 만든다. 그리고 소음인 구토하면 큰 한을 만든다고 하는데, 이는 소음인에서 소음인 신장이 문제가 되면, 이때는 염을 전문으로 처리하는 신장의 문제이므로, 이때는 당연히 큰 염인 한이 존재하게 된다는 뜻이다. 그리고 간이 핵심인 태음인이 구토하게 되면, 병이 치유되는 원리는 간이 병의 근원인 산성 정맥혈을 소화관을 통해서 받아서 문제가 되기 때문이다. 그래서 구토로 소화관을 비우게 되면, 간으로 인해서 발생한 병은 자동으로 치유된다. 이는 병의 근원인 산성 정맥혈이 더는 만들어지지 않기 때문이다. 그리고 열격과 반위는 잘 알다시피 구토(嘔吐)의 문제가 핵심이다. 그런데, 앞에서 보면, 태양인 외에 세 가지 체질을 가진 사람들이 구토할 때는 한열과 허실(寒 熱 實 虛)의 문제가 뒤따르게 된다. 그래서 한열과 허실의 문제가 없다면(不寒 不熱 非實 非虛則), 이는 자동으로 태양인의 문제가 될 수밖에 없다는 것이다. 이제마는 이렇게 주진형을 통해서 자기의 이론을 증명하게 된다.

解㑊者 上體完健而 下體解㑊然 胕瘦 不能行去之謂也. 少陰少陽太陰人 有此證 則 他證疊出而 亦必無寒不寒 熱不熱 弱不弱 壯不壯之理矣. 或曰 吾子論 太陽 人 解㑊病治法 曰 戒深哀 遠嗔怒 修淸定 論 噎膈病治法 曰 遠嗔怒 斷厚味 意 者. 太陽人 解㑊病 重於噎膈病而 哀心所傷者 重於怒心所傷乎? 曰 否 太陽人 噎膈病 太重於解㑊病而 怒心所傷者 太重於哀心所傷也. 太陽人 哀心深着則 傷 表氣 怒心暴發則 傷裡氣. 故 解㑊表證 以戒哀遠怒 兼言之也. 曰 然則 少陽人 怒性 傷口膀胱氣 哀情 傷腎大腸氣 少陰人 樂性 傷目膂氣 喜情 傷脾胃氣 太陰 人 喜性 傷耳腦䪻氣 樂情 傷肺胃脘氣乎? 曰 然. 太陽人 大便 一則 宜滑也 二 則 宜體大而多也. 小便 一則 宜多也 二則 宜數也. 面色 宜白 不宜黑 肌肉 宜瘦 不宜肥. 鳩尾下 不宜有塊 塊小則 病輕而 其塊易消. 塊大則 病重而 其塊難消.

이번에는 해역에 관한 이제마의 주장을 살펴보자. 해역은(解㑊者), 상대적으로 체액 순환이 잘 되는 환자의 상체는 온전한데(上體完健而), 상대적으로 체액 순환이 취약한 하체에서는 그로 인해서 해역이 발생하면(下體解㑊然), 정강이가 저려서 문세가 되고(腁痠), 이어서 보행이 어려워지는 증상을 말한다(不能行去之謂也). 그리고, 소음인, 소양인, 태음인에서(少陰少陽太陰人), 이 증상이 나타나게 되면(有此證則), 이때는 다른 증상도 겹쳐서 나타나게 되면서(他證疊出而), 이때 역시 반드시 한이 있는 것 같기도 하고 없는 것 같기도 하며(亦必無寒不寒), 열이 있는 것 같기도 하고 없는 것 같기도 하며(熱不熱), 약한 것 같기도 하며 아닌 것 같기도 하고(弱不弱), 힘이 있는 것 같기도 하고 없는 것 같기도 하지만(壯不壯之理矣), 태양인에게서는 이런 증상이 없는(無) 것으로 나타난다. 그래서 이제마의 논리는 해역도 태양인의 증상이라는 뜻이다. 여기서 핵심은 태양인 외에 다른 체질에서는 다른 증상이 겹쳐서 나타난다는 사실에 있다. 또 다른 질문도 있다(或曰). 그대는(吾子論), 태양인이 해역에 걸렸을 때 치료법을 말하면서(太陽人 解㑊病治法), 마음 깊숙한 곳에 숨어있는 슬픔을 경계하고(曰 戒深哀), 분노를 멀리하고(遠嗔怒), 마음을 수양해서 깨끗이 정리하라고 했다(修淸定). 그리고 열격의 치료를 논하면서는(論 噎膈病治法), 분노를 멀리하고(曰 遠嗔怒), 고기와 같은 기름진 음식은 끊으라고 했다(斷厚味). 그러면 생각해보건대(意者), 태양인의 해역병은(太陽人 解㑊病), 태양인의 열격병보다 중하다는 말이 되고(重於噎膈病而), 슬픔으로 상처를 입은 것은(哀心所傷者), 분노로 인해서 상처를 입은 것보다 중하다는 말인가(重於怒心所傷乎)? 이는 이제마가 해역의 치료법을 말하면서는 슬픔과 분노라는 2가지를 말했지만, 열격을 말하면서는 분노 하나만 말했기 때문이다. 이도 역시 이제마의 자문자답이다. 그러면, 자동으로 해역이 열격보다 더 중한 병이 된다. 이에 대한 답을 드리지요(曰). 거두절미하고 답은 "아니요" 이다(否). 태양인의 열격병은(太陽人 噎膈病), 해역병보다 훨씬 더 중한 병이고(太重於解㑊病而), 분노로 인해서 입은 상처는(怒心所傷者), 슬픔으로 인해서 받는 상처보다 훨씬 더 크다(太重於哀心所傷也). 이 두 가지는 너무나 당연한 사실이다. 태양인의(太陽人), 마음속 깊숙이에 숨어있는 슬픈 감정은(哀心深着則), 호르몬의 분비를 자극

　　　태양인 내촉 소장병론

해서 호르몬을 처리하는 간질인 표의 기운을 상하게 하지만(傷表氣), 이때 분비되는 호르몬의 양은 얼마 되지 않는다. 그러나 태양인의 분노 폭발은(怒心暴發則), 분노가 폭발한 만큼이나 산성인 호르몬의 분비도 폭발하게 만들고, 이는 순식간에 인체를 산성화시켜버린다. 그러면, 이때 폭발적으로 분비된 산성인 호르몬은 간질에서 중화되지 못하고 그대로 오장으로 흘러들어서 오장의 기운(裡氣)을 상하게 만든다(傷裡氣). 그래서(故), 해역에서 나타나는 표증 때는(解㑊表證), 슬픈 감정과 분노를(以戒哀遠怒), 함께(兼) 말한 것이다(兼言之也). 즉, 큰 문제를 일으키는 분노라는 상처 안에 작은 문제를 일으키는 슬픈 감정은 이미 포함되므로, 슬픈 감정과 분노를 함께 기술하지 않아도 큰 문제가 아니라는 뜻이다. 그러면 다시 묻는다(曰 然則). 비장이 크고 신장은 작은 소양인에서(少陽人), 비장(怒)의 원래(性) 특성으로 인해서(怒性), 입과 방광의 기능이 상한다(傷口膀胱氣). 그리고 이에 영향을 받은(情) 폐(哀)의 문제로 인해서(哀情), 신장과 대장의 기운이 상처를 입는다(傷腎大腸氣). 여기서 성(性)은 원래(性) 문제의 근원을 말하고, 정(情)은 근원에서 파생(情)된 문제를 말한다. 그리고 소양인은 큰 비장이 중심이 된다. 그래서 소양인에서 비장은 문제의 근원(性)이 된다. 그리고 비장은 림프를 통제한다. 그리고 입 안에는 림프가 아주 잘 발달해있다. 그리고 비장은 산성 림프액을 신장으로 보내서 신장을 과부하로 몰면, 이는 자동으로 방광을 상하게 만든다. 그래서 소양인에서(少陽人), 비장이 문제가 되면(怒性), 자동으로 입과 방광의 기능을 상하게 만든다(傷口膀胱氣). 그리고 이 문제는 파생(情)되어서 신장과 대장으로 가서 이 둘을 상하게 만든다(傷腎大腸氣). 그리고 이 가운데에 폐(哀)가 있다. 폐는 산성 림프액을 최종 중화 처리한다. 그래서 비장이 문제가 되어서 산성 림프액을 제대로 중화해주지 않게 되면, 이를 처리하는 폐는 직격탄을 맞게 된다. 그러면, 폐는 자동으로 자기가 처리하는 이산화탄소를 제대로 처리하지 못하게 되고, 그러면 이 이산화탄소는 자동으로 중조를 만들게 되고, 이는 자동으로 중조라는 염을 처리하는 신장으로 가서 신장을 공격하게 되고, 이어서 이는 중조를 대장 공간으로 배출하는 대장도 공격하게 된다. 그리고 폐와 대장은 이 중조를 통해서도 서로 음양 관계를 맺는다. 이는 모두 비장(怒)에서 파생(情)된 것이다. 지금 이 구문은 이 상황을 말하고 있다. 다시 본문을 보자. 이번에는 소음인을 보자. 신장이 크고, 비장은 작은 소음인에서(少陰人), 신장(樂)의 원래(性) 기운이 문제가 되면(樂性), 이때는 자동으로 신장이 통제하는 뇌척수액이 산성으로 기울면서 문제가 되고, 그러면 뇌척수액이 통제하는 눈과 척추가 문제가 된다(傷目膂氣). 그러면 이 문제는 파생(情)되어서 또 다른 문제를 만들고 만다. 즉, 이 여파가 파생(情)되면, 신장으로 암모니아라는 염을 보내는 간(喜)이 직격탄을 막게 된다(喜情). 그러면 간은 자동으로 과부하에 걸리게 되고, 그러면 간도 살아야만 하니까 산성 림프액을 몽땅 만들어서 비장으로 보내버린다. 그러면, 비장은 이를 받아서 자동으로 과부하에 걸리게 되고, 이는 자동으로 위산의 폭증을 만들어낸다. 그래서 이때는 비장과 위장의 기운이 상하게 된다(傷脾胃氣). 이번에는 태음인을 보자. 간이 크고 폐는 작은 태음인은(太陰人), 간(喜)의 원래(性) 기운이 문제가 되면(喜性), 간은 신경을 통제하므로, 신경이 잘 발달한 머리 부분이 상처를 입게 된다(傷耳腦顀氣). 그리고 이는 파생(情)되어서 또 다른 문제를 만든다. 즉, 간의 문제가 파생(情)되면, 이는 자동으로 신장(樂)으로 간다(樂情). 그러면 신장은 폐가 보내는 중조염을 받지 못하게 되고, 이어서 폐를 상하게 만들고, 위완부에 자리하고 있는 간도 상하게 만든다는데, 맞는가요(傷肺胃脘氣乎)? 답하리다(曰). 맞소이다(然). 자문자답의 논쟁은 여기서 끝낸다. 이제 태양인의 전체적인 특징을 말하고 태양인에 관한 이 장을 끝낸다. 폐가 크고 간은 작은 태양인의 대변은(太陽人 大便), 첫째는 묽어야만 하고(一則 宜滑也), 둘째는 대변의 크기가 크고 양도 많아야만 한다(二則 宜體大而多也). 그래야 태양인은 건강하게 된다. 이는 폐가 만들어내는 중조에 그 답이 있다. 폐가 만든 삼투압 기질인 중조는 대장에서 대장 공간으로 분비되면서, 자동으로 수분을 동반하므로, 이때 대변은 자동으로 묽게(滑) 된다. 그래야 폐가 중조를 마음대로 처리하면서 폐가 건강하게 되고, 이어서 폐가 핵심인 태양인은 건강하게 된다. 그러면 자동으로 수분의 양만큼 대변의 양도 많아지게(多) 되고, 당연히 대변의 크기도 수분의 양만큼 커지게(大) 된다. 이번에는 태양인의 소변을 보자. 폐가 크고 간은 작은 태양인의 소변을 보게 되면(小便), 첫째는 큰 폐가 보내는 많은 중조를 신장이 받으므로 인해서, 신장은 삼투압 기질인 중조염을 소변을 통해서 내보내야만 하므로, 소변의 양도 자동으로 많아지게 된다(一則 宜多也). 둘째는 이는 자동으로 소변을 보는 횟수도 많게 만든다(二則 宜數也). 태양인은 폐가 핵심이므로, 안색은 당연히 폐를 대표하는 백색이 되어야 되고(面色 宜白), 폐가 보내는 중조를 체외로 버리는 신장을 대표하는 흑색의 안색이 나와서는 안 된다(不宜黑). 그리고 살집은 당연히 말라야 되고(肌肉 宜瘦), 당연히 살이 쪄서는 안 된다(不宜肥). 이는 폐는 산소를 공급해서 과잉 산을 중화하고, 간은 인체의 최대 해독 기관이라서, 폐와 간으로 구성된 오장을 보유한 태양인은 과잉 산의 정체가 심하지 않기 때문이다. 이는 과잉 산이 살의 정체이기 때문이다. 이 문제는 본 연구소가 발행한 황제내경 소문이나 전자생리학을 참고하면 된다. 태양인은 구미 아래에(鳩尾下), 당연히 뭐가 뭉친 덩어리가 있어서는 안 되는데(不宜有塊), 이 덩어리가 작다면(塊小則), 이때 병증은 경증이 되며(病輕而), 이 덩어리는 쉽게 없앨 수 있다(其塊易消). 이때 만약에 이 덩어리가 크다면(塊大則), 이때는 당연히 중증이 되며(病重而), 이 덩어리는 쉽게 없앨 수 없는 난치병이 된다(其塊難消). 구미(鳩尾)는 검상돌기가 있는 명치 부근을 말한다. 이곳에는 산성 정맥혈, 알칼리 동맥혈, 산성 림프액이 통과하는 횡격막 구멍이 있다. 그리고 태양인의 큰 폐는 이 세 가지 문제에 모두 관여한다. 그래서 태양인의 중추로 작용하는 폐가 문제가 되면, 횡격막에 붙은 폐는 횡격막을 강하게 자극하게 되고, 게다가 특히 점성이 아주 높은 산성 림프액이 폐로 인해서 제대로 소통하지 못하고 정체하게 되면, 자동으로 횡격막 구멍은 막히게 되고, 점성이 높은 산성 림프액이 횡격막 구멍이 있는 명치 부근에 맺히게 되고, 이것이 시간이 지나면, 자동으로 덩어리(塊)로 변하게 된다. 이는 태양인의 숙명이다. 이는 결국에 인체 산성화의 문제이다. 산성 체액은 점성이 아주 높다. 그러면 점성이 높은 산성 체액은 체액의 병목 지점인 횡격막 구멍 근처에서 자동으로 뭉쳐서 괴(塊)를 만들 수밖에 없다. 그리고 이 덩어리가 작으면 문제가 덜 하지만, 크면 체액의 흐름을 막아버리면서 큰 문제를 만든다.

본초소재 태양인병 경험요약 단방십종급

이천 공신 경험요약 단방이종

(本草所載　太陽人病　經驗要藥

單方十種　及

李梃　龔信　經驗要藥　單方二種)

본초소재 태양인병 경험요약 단방십종급

이천 공신 경험요약 단방이종

(本草所載 太陽人病 經驗要藥 單方十種 及

李梴 龔信 經驗要藥 單方二種)

本草 曰 五加皮 治兩脚疼痺 骨節攣急 痿躄 小兒三歲 不能行 服此 便行走 松節 療脚軟弱. 木瓜 止嘔逆 煮汁飮之 最佳. 葡萄根 止嘔噦 濃煎取汁 細細飮之 佳. 獼猴 桃 治熱壅 反胃 取汁服之 藤汁 至滑 主胃閉吐逆 煎取汁服之 甚佳. 蘆根 治乾嘔噦 及 五噎 煩悶 蘆根 5 兩 水煎 頓服 1 升 不過3升 卽差. 蚌蛤 治反胃吐食. 鯽魚 治反胃. 蓴 和鯽魚 作羹食之 主反胃 食不下 止嘔. 蕎麥 實腸胃 益氣力. 李梴 曰 杵頭糠 主噎 食不下 咽喉塞 細糠 1 兩 白粥淸調服. 龔信 曰 螃蛤 治反胃.

  본초에서는 다음과 같이 말하고 있다(本草 曰). 오가피는(五加皮), 두 다리가 쑤시고 저리고(治兩脚疼痺), 뼈마디 마디가 굳어지고 오그라들어서(骨節攣急), 마음대로 움직이지 못할 때 쓴다(痿躄). 그리고 오가피는 세 살 먹은 어린애가(小兒 三歲), 걷지 못할 때(不能行), 이를 복용하면(服此), 잘 걸어 다니게 된다(便行 走). 그리고 송진이 붙어있는 소나무 마디는(松節), 다리가 연약할 때 쓴다(療脚 軟弱). 그리고 목과인 모과는(木瓜), 구역질을 멈추게 하는데(止嘔逆), 이를 달여서 즙으로 마시면(煮汁飮之), 최고로 좋다(最佳). 그리고 포도나무 뿌리는(葡萄 根), 구역질과 딸꾹질을 멈추게 하는데(止嘔噦), 이는 진하게 달여서 즙으로 만들고(濃煎取汁), 이를 아주 조금씩 마시면 좋다(細細飮之 佳). 그리고 미후도인 다래는(獼猴桃), 열로 막혀서 생긴 반위를 치료하는데(治熱壅 反胃), 즙으로 만들어서 복용하면 된다(取汁服之). 그리고 등나무 즙은(藤汁), 미끌미끌해서(至滑), 위장이 막혀서 구토할 때(主胃閉吐逆), 달여서 즙으로 복용하면(煎取汁服之), 아주 좋다(甚佳). 그리고 갈대 뿌리인 노근은(蘆根), 건구역과 열격(治乾嘔噦) 및(及) 5가지 열격(五噎) 그리고 번민을 치료할 때 쓴다(煩悶). 이때는 노근 5냥을(蘆根

5 兩), 물에 달여서(水煎), 단번에 1되를 마시는데(頓服 1 升), 이때 불과 3되만 마시게 되면(不過3升), 즉효를 볼 수가 있다(卽差). 그리고 방합 조개는(蚌蛤), 반위와 구토 때 쓴다(治反胃吐食). 그리고 즉어인 붕어는(鯽魚), 반위를 치료할 때 쓴다(治反胃). 그리고 수련괴 식물인 순채는(蓴), 붕어인 즉어와 함께 국을 끓여서 먹게 되면(和鯽魚 作羹食之), 반위 때문에(主反胃), 밥이 아래로 내려가지 못하는 증상을 치료하고(食不下), 구토를 멈추게 한다(止嘔). 그리고 메밀인 교맥은(蕎麥), 장위에 과잉 산이 정체해서 실할 때 쓰면(實腸胃), 장위의 기력을 증진해준다(益氣力). 이천은 다음과 같이 말한다(李梴 曰). 절굿공이에 붙은 겨는(杵頭糠), 열격 때문에(主噎), 밥이 내려가지 않는 증상과(食不下), 목구멍이 막힌 증상을 치료하는데(咽喉塞), 이때는 잘 갈린 겨 1냥을(細糠 1 兩), 흰죽 물에 타서 먹으면 된다(白粥淸調服). 그리고 공신은 다음과 같이 말한다(龔信 曰). 방합 조개는(螃蛤), 반위를 치료한다(治反胃).

본초소재 태양인병 ~ 경험요약 단방이종

신정 태양인병 응용설방약 이방

(新定 太陽人病 應用設方藥 二方)

신정 태양인병 응용설방약 이방
(新定 太陽人病 應用設方藥 二方)

五加皮壯脊湯 : 五加皮 4錢 木瓜 靑松節 各2錢 葡萄根 蘆根 櫻桃肉 各1錢
蕎麥米 半匙. 此方治表證. 靑松節 闕材則 以好松葉代之.

태양인(太陽人)의 표증(表證)을 치료하는 데 쓰는 한의학 처방이다. 오가피는 거풍습약(祛風濕藥)으로 간신경에 들어가고 거풍습 강근골(强筋骨) 작용이 있어 풍습비통(風濕痺痛)이나 사지구련(四肢拘攣), 허리와 무릎이 약하고 간 ·신부족으로 걸음걸이에 지장이 있는 사람을 치료한다. 모과 역시 서근활락(舒筋活絡), 화습화위(化濕和胃) 효용이 있어 풍습비통이나 각기종통(脚氣腫痛)을 치료하고 송절(松節)도 거풍조습지통(祛風燥濕止痛) 효용이 있어 풍습비통을 치료하고 노근은 청열사화약(淸熱瀉火藥)으로 열을 내리고 진액을 만들고 구토를 멈추게 하고, 제번(除煩) 효용이 있어 제반 표증의 풍습비통이나 동통(疼痛)을 치료한다. 처방내용은 오가피 16g, 모과, 송절 각 8g, 포도근(葡萄根), 노근(蘆根), 앵도육(櫻桃肉) 각 4g, 메밀 반 스푼을 물에 끓여 복용한다. 청송절을 구하기 힘들면, 좋은 솔잎으로 대신해도 좋다.

[네이버 지식백과] 오가피장척탕 [五加皮壯脊湯] (두산백과 두피디아, 두산백과)

獼猴藤植腸湯 : 獼猴桃 4錢 木瓜 葡萄根 各2錢 蘆根 櫻桃肉 五加皮 松花
各1錢 杵頭糖 半匙. 此方治裏證. 獼猴桃 闕材則 以藤代之.

태양인 체질을 가진 사람의 식도협착 또는 식도경련 등을 치료하는 데 사용하는 처방이다. 이제마(李濟馬)는 병의 원인을 중국의 금(金) · 원(元) 때 명의인 이동원(李東垣)의 『동원십서(東垣十書)』와 명나라 때 공신(龔信)의 『고금의감(古今醫鑑)』에서 열격(噎膈) 반위증(反胃症)을 알게 되었고, 이 병의 원인이 정신 신경에서 오며 혈액이 감소되어 식도인후가 건조해져서 발생됨을 알았다. 음식이 식도에서 걸려 토하는 것을 열격이라 하고, 음식이 위에 들어갔지만, 아침에 먹은 것을 저녁에 토하고 저녁에 먹은 것을 아침에 토하는 것을 반위증이라 하였다. 이는 위하수(胃下垂)나 위확장이 되었을 때의 증세와도 비슷하다. 이제마는 열격 반위증은 오직 태양인에 있는 특유의 병증이라 하여 다음과 같이 설명하였다. "소양인이 구토하면 반드시 열기를 수반할 것이요, 소음인이 구토하면 반드시 한기를 느낄 것이며, 태음인이 구토가 있으면 병이 풀릴 것인데, 열격 반위증에는 한기가 있거나 열기가 있지 않고 아무 증상도 없이, 실하지도 않고 허하지도 않으므로 태양인의 병이 아니겠느냐?"고 말하고 자신이 오래 이 병을 앓은 경험이 있으므로 더욱 태양인의 병임을 강조하였다. 소양인은 대장에서 한기를 내보내는 힘이 약하여 위에서 열기가 항상 축적되어 있고, 태양인은 소장에서 기액(氣液)의 음기(陰氣)를 받아들이지 못하기 때문에 폐에서 발산하는 온기가 왕성하여 혈액이 줄어든다고 설명하였다. 이 약은 반위(反胃)에 특효가 있으나 반드시 다려서 먹어야 한다. 송화(松花)는 지혈을 하고 강심작용을 하며 폐를 윤택하게 한다. 저두강(杵頭糠)은 방아공에 묻은 겨로, 목구멍이 막힌 것을 열어준다. 이 처방은 우리나라의 『동의수세보원(東醫壽世保元)』에서 첫 기록이 보이며, 처방은 다래 덩굴인 미후등 15g, 목과(木果)·포도근(葡萄根) 각 8g, 노근(蘆根)·앵도·오가피·송화 각 3.75g, 저두강 반 수저의 양으로 구성된다. 원래는 다래를 사용하여야 하는데, 구하기 어려우므로 다래 덩굴로 대용하고 있다.

[네이버 지식백과] 미후등식장탕 [獼猴藤植腸湯] (한국민족문화대백과, 한국학중앙연구원)

凡菜果之屬 淸平疏淡之藥 皆爲肝藥 蛤屬 亦補肝.

일반적으로(凡), 과일과 채소 종류는(菜果之屬), 인체를 청소해주고(淸平), 에너지 쓰레기를 체외로 배출하는 차가운 약의 성질을 보유하는 약으로 작용해서(疏淡之藥), 이들 모두는 인체의 에너지 쓰레기를 담즙으로 청소하는 간에 좋은 약이 된다(皆爲肝藥). 조개 종류도 역시 간을 도와준다(蛤屬 亦補肝). 과일과 채소에는 파이토케미칼 성분이 아주 많이 들어있는데, 이들은 인체의 산성 쓰레기인 과잉 산을 흡수해서 체외로 배출된다. 이는 자동으로 인체를 청소(淸平)하게 된다. 그리고 이들이 배출한 과잉 산은 열의 원천인 자유전자를 보유하고 있다. 그래서 과일과 채소에 든 파이토케미칼 성분은 자동으로 찬 약성(疏淡之藥)을 보유한다. 자유전자라는 열의 원천을 체외로 배출했으니 인체가 차가워지는 일은 당연한 순리가 된다. 조개 종류(蛤屬)는 미네랄의 문제와 연결된다. 미네랄은 무거워서 바다에서 바닥으로 가라앉게 되고, 이는 바다의 바닥에 사는 조개류가 흡수하는 영양분이 된다. 그래서 조개에는 미네랄이 많다. 그리고 이 미네랄은 간에서 필요한 환원제로서 자유전자를 공급한다. 이 문제는 본 연구소가 발행한 전자생리학을 참고하면 된다. 추가로 조개 종류에는 타우린이 아주 많이 들어있다. 그리고 이 타우린은 간이 필요로 하는 담즙의 주요 구성 성분이다. 그래서 외부에서 타우린을 조개 종류를 통해서 공급해주게 되면, 간은 타우린을 만들면서 개고생할 이유가 없어지게 되고, 간은 다른 일을 할 수 있게 된다. 그래서 조개 종류는 자기들이 보유한 타우린을 통해서도 간을 돕게 된다.

論曰 藥驗 不廣者 病驗 不廣故也. 太陽人數 從古稀少故 古方書中 所載證藥 亦稀少也. 今 此五加皮壯脊湯 獼猴藤植腸湯 立方草草 雖欠不博而. 若使太陽人 有病者 因是二方 詳究其理而 又變通置方則 何患乎無好藥哉.

이제마는 다음과 같이 주장한다(論曰). 태양인에서 경험한 약이 적은 이유는(藥驗 不廣者), 태양인에서 경험한 질병이 적기 때문이다(病驗 不廣故也). 이는 또한 태양인을 치료했던 경험의 횟수도 적어서(太陽人數), 원래부터 처방노 적었기 때문이고(從古稀少故), 그로 인해서 옛 서적에서(古方書中), 자동으로 처방의 등재도 극소수로 나오게 되었다(所載證藥 亦稀少也). 지금 설명한(今), 이 오가피척탕이나(此五加皮壯脊湯), 미후등식장탕도(獼猴藤植腸湯), 허둥지둥 빠르게 만든 처방이라서(立方草草), 부족한 점이 아주 많다(雖欠不博而). 그러나 만약에(若), 병이 든 태양인이 있을 때(使太陽人 有病者), 이 두 처방을 가지고(因是二方), 이 원리를 상세히 연구해서(詳究其理而), 다시(又), 이를 변통해서 치료에 임하게 되면(變通置方則), 어찌 근심하고 어찌 좋은 약이 없겠는가 말이다(何患乎無好藥哉).

광제설(廣濟說)

광제설(廣濟說)

初一歲 至十六歲 曰 幼. 十七歲 至三十二歲 曰 少. 三十三歲 至四十八歲 曰 壯. 四十九歲 至六十四歲 曰 老.

태어나서 1살부터 16세까지는 유년기라고 하고(初一歲 至十六歲 曰 幼), 17세부터 32세까지는 소년기라고 하고(十七歲 至三十二歲 曰 少), 33세부터 48세까지는 장년기라고 하고(三十三歲 至四十八歲 曰 壯), 49세부터 64세까지는 노년기라고 한다(四十九歲 至六十四歲 曰 老). 8년을 기준으로 하고 있다.

凡人 幼年 好聞見而能愛敬 如春生之芽. 少年 好勇猛而能騰捷 如夏長之苗. 壯年 好交結而能修飭 如秋斂之實. 老年 好計策而能秘密 如冬藏之根.

일반적으로 사람은(凡人), 유년기에는 세상 물정을 모르므로, 보고 들어서 이를 사랑하고 공경하는데(幼年 好聞見而能愛敬), 이는 마치 봄에 만물이 싹을 틔우는 것과 같고(如春生之芽), 소년기에는 힘이 넘쳐나면서 활동이 왕성하게 되는데(少年 好勇猛而能騰捷), 이는 마치 여름에 싹이 왕성하게 자라는 것과 같고(如夏長之苗), 장년기에는 이제 세상 물정을 점점 알아가면서, 사람들을 사귈 줄 알고, 자기의 처신 방법도 아는데(壯年 好交結而能修飭), 이는 마치 가을에 곡식이 가을의 쌀쌀함을 마주하면서 열매를 맺는 것과 같고(如秋斂之實), 노년기에는 지금까지 쌓아온 연륜을 기반으로 지혜롭게 사는 방법을 알고, 이를 비밀처럼 간직하고 있게 되는데(老年 好計策而能秘密), 이는 마치 겨울에 잎은 다지고 줄기까지도 졌지만, 모든 것을 새로 만들어내는 뿌리를 보유하고 있는 것과 같다(如冬藏之根).

幼年 好文字者 幼年之豪傑也. 少年 敬長老者 少年之豪傑也. 壯年 能汎愛者 壯年之豪傑也. 老年 保可人者 老年之豪傑也. 有好才能而 又有十分快足於好心術者 眞豪傑也. 有好才能而 終不十分快足於好心術者 才能而已.

　유년기에 공부를 좋아하면(幼年 好文字者), 이는 세상 원리를 일찍 배울 수 있으므로, 이는 유년기를 거치는 사람 중에서 최고이다(幼年之豪傑也). 소년기에 어른을 공경하는 방법을 알면(少年 敬長老者), 이는 자기를 도와주고 성장하게 해주는 사람을 많이 확보하게 되므로, 이는 소년기를 거치는 사람 중에서 최고이다(少年之豪傑也). 장년기에 널리 사랑할 줄 알면(壯年 能汎愛者), 이는 자기의 편협한 시각에 좌우되지 않고, 세상의 원리를 잘 꿰뚫고 있다는 뜻이므로, 이는 장년기를 거치는 사람 중에서 최고이다(壯年之豪傑也). 노년기에 사람들을 이해하고 감싸줄 수 있는 능력을 보유한 사람은(老年 保可人者), 이는 세상의 지혜를 터득한 사람이므로, 이는 노년기를 거치는 사람 중에서 최고이다(老年之豪傑也). 추가로 좋은 재능을 가지고 있으면서(有好才能而), 또한(又), 좋은 품성까지 보유하고 있으면(有十分快足於好心術者), 이때는 많은 사람의 지지를 받게 되므로, 이 사람은 진짜 호걸이 된다(眞豪傑也). 그러나 좋은 재능은 가지고 있으나(有好才能而), 좋은 품성을 보유하고 있지 못하면(終不十分快足於好心術者), 주위에서 능력이 있고 품성이 좋은 사람들은 자동으로 떠나게 되고, 자동으로 이익만 취하려는 사람들만 모여들게 되면서, 이때 가진 재능은 그냥 재능으로 끝나버리고(才能而已), 이 재능을 이용해서 세상에서 자기의 재능을 펼쳐보지도 못하고 만다. 이 경우는 더하기 빼기를 잘한 사람들이 공부를 잘해서 권력을 잡을 때, 지혜를 겸하지 못하면 나중에 반드시 자기를 포함해서 다른 죄 없는 사람들에게까지 재앙을 만드는 경우이다. 이는 역사가 잘 기록하고 있는 경우이다. 노자는 이를 잘 날 체하는 사람으로 묘사하고 있다. 이 경우가 지식만 있고 지혜가 없는 경우이다. 그래서 지혜를 겸비하지 못한 지식은 지식 자체가 요리사의 칼이 아닌 살인자의 칼이 되고 만다. 이는 잘 난 체하면서 오만방자하게 구는 스스로 지식인이라고 자부하는 인간들이 얼마나 사회에 해악이 되는지를 말하고 있다.

幼年 七八歲前 聞見未及而 喜怒哀樂膠着則 成病也, 慈母 宜保護之也. 少年 二十四五
歲前 勇猛未及而 喜怒哀樂膠着則 成病也, 智父能兄 宜保護之也. 壯年 三十八九歲前
則 賢弟良朋 可以助之也. 老年 五十六七歲前則 孝子孝孫 可以扶之也.

　　한창 부모의 품에서 사랑을 맘껏 받으면서 자라야 할 유년기에 있는 7~8세 전
후 아이가(幼年 七八歲前), 부모의 사랑과 보호가 부족해지면서, 보고 들어서 세
상을 제대로 배우지 못하게 되면(聞見未及而), 이는 자동으로 정신적인 혼란이 오
면서 모든 일에서 일희일비하게 되고, 이어서 희노애락에 아주 민감하게 반응하면
서(喜怒哀樂膠着則), 이때 아이는 결국에 스트레스로 인해서 병을 얻고 만다(成
病也). 이는 자동으로 따뜻한 사랑을 가진 부모의 보호를 요구한다(慈母 宜保護
之也). 한창 맘껏 성장해서 쑥쑥 자라야 할 소년기에 있는 24~5세 전후 청년이
(少年 二十四五歲前), 육체적으로 제대로 자라지 못하게 되면(勇猛未及而), 이때
는 자동으로 세상에 대한 불안감으로 인해서, 항상 마음이 불안정해지고 자동으로
희노애락이라는 감정에 휘둘리면서(喜怒哀樂膠着則), 결국에는 병을 얻고 만다(成
病也). 이때는 지혜로운 부모가 세상은 힘이 없으면 지혜로도 살 수 있다는 믿음
을 주고, 육체적으로 힘이 있는 형제가 도와준다는 믿음을 주어서(智父能兄), 보
호해주면 된다(宜保護之也). 38~9세 전후 장년이 되면(壯年 三十八九歲前則),
이때는 서서히 세상의 지혜를 깨닫게 되고, 현명하고 아량을 가질 수 있는 나이가
되므로, 이때는 형제를 현명하게 이끌고, 친구와는 아량을 가지고 사귀면서(賢弟
良朋), 세상의 모든 사람을 도울 수 있게 된다(可以助之也). 56~7세 전후 노년
이 되면(老年 五十六七歲前則), 이때는 세상에 대한 지혜를 충분히 축적한 시기
이므로, 이를 기반으로 자손을 효자 효손으로 만들어서(孝子孝孫), 이들이 사회에
서 잘 살 수 있도록 북돋아 줄 수 있다(可以扶之也). 여기서 효(孝)는 자기를 돌
봐주는 사람에 대한 예의를 말한다. 이는 자동으로 세상에서 자기를 도와주는 사
람에 대한 예의로 변화된다. 그래서 효(孝)라는 개념은 억지스러운 고리타분한 개
념이 아니라 서로 상호 공존하는 개념이다. 즉, 자기가 힘이 있을 때 힘이 없는
사람을 도와주면, 자기가 힘이 없게 되었을 때, 자기도 도움을 받는 상호 공존의

개념이 효(孝) 개념이다. 이 관계는 부모와 자식 간에서 전형적으로 형성된다.

善人之家 善人必聚 惡人之家 惡人必聚. 善人多聚則 善人之臟氣 活動 惡人多聚
則 惡人之心氣 强旺. 酒色財權之家 惡人多聚 故 其家孝男孝婦 受病. 好權之家
朋黨比周 敗其家者 朋黨也. 好貨之家 子孫驕愚 敗其家者 子孫也. 人家 凡事不
成 疾病連綿 善惡相持 其家將敗之地. 惟明哲之慈父孝子 處之有術也.

　품성이 좋은 사람의 집에는(善人之家), 유유상종이라서 반드시 좋은 사람들이
모여들고(善人必聚), 품성이 나쁜 사람의 집에는(惡人之家), 유유상종이라서 반드
시 나쁜 사람들이 모여들고(惡人必聚), 이렇게 좋은 사람들이 많이 모이게 되면
(善人多聚則), 이때는 자동으로 자기 강화가 되면서, 좋은 품성은 사람을 더욱더
여유롭게 만들어서, 자동으로 스트레스가 없게 되고, 이어서 스트레스로 인한 호르
몬의 분비도 없게 되고, 이는 자동으로 산성인 호르몬을 최종 중화하는 오장의 기
운을 활기차게 유지시키게 된다(善人之臟氣 活動). 그러나 성격이 뒤틀리고 세상
을 편협한 자기 뜻대로 이끌려고 하고, 자기 이익만을 챙기려고 하는 품성이 나쁜
사람들이 많이 모이게 되면(惡人多聚則), 이는 자동으로 자기 강화가 되면서, 나
쁜 사람들의 품성은 더욱더 나쁘게 변하게 되고, 이어서 이는 엄청난 스트레스를
유발하게 되고, 이어서 산성인 호르몬의 폭증을 불러오게 되면서 나쁜 사람들의
심기는 거의 발광 수준이 되고 만다(惡人之心氣 强旺). 사회적으로 특별히 쓸모
가 없어서 주색잡기나 하고, 밟히고 밟는 권력이나 뺏고 뺏기는 부에 집착해서 살
아가는 집안에는(酒色財權之家), 좋은 품성이라고는 눈을 씻고 찾아봐도 없는 나
쁜 사람들이 자기 이익을 위해서 모여들면서 이 집안은 나쁜 사람들이 바글바글
하게 된다(惡人多聚). 그래서(故), 이런 집안에서 세상을 착하게 살려는 사람들은
(其家孝男孝婦), 이런 환경이 스트레스로 다가와서, 결국에는 병을 얻고 만다(受
病). 그리고 밟고 밟히는 일이 일상이고, 권세를 얻기 위해서는 언제라도 자기편을
배신하는 철학을 가진 권세를 좋아하는 집안은(好權之家), 이런 권세를 얻으려고

아첨하는 패거리들이 몽땅 모여들게 되고(朋黨比周), 결국에 이 권세가의 집안을 망치는 근본도(敗其家者), 언제 밟고 배신할 줄 모르는 이런 패거리가 된다(朋黨 也). 뺏고 뺏기는 부의 원리를 좋아해서 부를 축적한 집안에서는(好貨之家), 오직 재물에만 관심을 가지게 되고, 거꾸로 세상을 현명하게 사는 지혜는 자식들에게 가르치지 못하게 되면서, 이는 자동으로 부모의 재물만 믿고 날뛰게 되면서 자식들을 교만하고 어리석게 만들게 되고(子孫驕愚), 결국에 이 재벌가의 집안을 망치는 근본도(敗其家者), 부모에게 세상사는 지혜를 배우지 못한 자손이 된다(子孫 也). 이 때문에, 부자 3대 못 간다는 말로 속담도 있다. 어떤 집안을 막론하고(人家), 모든 일이 순리에 따라서 이루어지지 않으면(凡事不成), 이어서 삶이 뒤틀리면서, 스트레스가 극단에 이르게 되고, 이는 자동으로 질병이 솜덩어리처럼 얽히고 설키게 되고(疾病連綿), 이는 자동으로 그 집안에서 선과 악이 서로 싸우는 형국을 만들게 되고(善惡相持), 그러면 이는 자동으로 그 집안이 장차 망할 기반을 만들게 된다(其家將敗之地). 이때는 오직 세상의 원리를 잘 아는 철학을 겸비한 지혜를 가진 부모와 이를 이어받은 자손만이(惟明哲之慈父孝子), 이 상황을 해결할 수 있는 기술을 보유하게 된다(處之有術也). 그러나 세 살 버릇이 여든까지 갈 수밖에 없어서, 사람이 바뀌기는 거의 불가능하다. 이는 또한 조물주의 뜻이기도 하다. 그래야 세상은 결국에 평평해지기 때문이다. 그래서 또한 조물주는 한 사람에게 모든 재능을 부여하지 않았다. 핵심은 어릴 때 주입된 철학이고 교육이다.

嬌奢減壽 懶怠減壽 偏急減壽 貪慾減壽. 爲人嬌奢 必耽侈色 爲人懶怠 必嗜酒食 爲人偏急 必爭權勢 爲人貪慾 必殉貨財. 簡約得壽 勤幹得壽 警戒得壽 聞見得壽 爲人簡約 必遠侈色 爲人勤幹 必潔酒食 爲人警戒 必避權勢 爲人聞見 必淸貨財.

사람이 교만하고 사치를 좋아하게 되면, 마음의 부족함을 이들로 채우려고 하면서, 스트레스가 극단에 이르게 되고, 이는 결국에 수명을 단축하게 된다(嬌奢減壽). 자기 할 일을 제대로 하지도 않고 편하게 쉬려고만 하면서 게으르고 나태하게 되면, 몸의 생리가 제대로 활성화되지 않게 되고, 그러면 몸은 자동으로 활력을 잃게 되고, 이는 자동으로 수명을 단축시키게 된다(懶怠減壽). 성격이 너무 급해서 너무 자주 화를 내게 되면, 이때는 자동으로 산성인 호르몬의 폭증을 불러와서 수명을 스스로 단축해버린다(偏急減壽). 자기가 얻을 수 있는 한계를 넘어서서 무엇을 얻으려고 발버둥 치는 탐욕은 이에 비례해서 극심한 스트레스로 보답받게 되고, 이어서 수명의 단축으로 이어진다(貪慾減壽). 사람이 교만과 사치에 빠지게 되면(爲人嬌奢), 이때는 텅 빈 마음이라는 내용물을 치장이라는 화려한 포장지로 가리려고 하면서, 자동으로 반드시 치장과 외모 가꾸기에 빠지고 만다(必耽侈色). 사람이 사회적으로 쓸모있는 일을 제대로 하지 못하고 나태에 빠지게 되면(爲人懶怠), 이는 자동으로 자기 자신을 쓸모없게 여기게 되고, 이는 당연히 스트레스로 다가오게 되고, 그러면 이때는 이런 형편을 스스로 위로하고 형편없는 자기 자신을 잊기 위해서 자동으로 술과 음식에 빠지고 만다(必嗜酒食). 사람이 지혜가 없는 관계로 성질이 너무 급해서 너무 자주 화를 내는 일에 빠지게 되면(爲人偏急), 이 사람은 세상일을 처리할 때 순리를 무시하고, 오직 힘(權勢)으로 세상일을 처리하려고 하면서, 반드시 힘(權勢)의 대결에 빠지고 만다(必爭權勢). 사람이 물질에 대한 탐욕에 빠지게 되면(爲人貪慾), 이때 이 사람은 물불 안 가리고 오직 재화를 얻는데 목숨을 걸게 된다(必殉貨財). 생활을 최대한 간략하고 간소하게 살면, 이만큼 신경 쓸 일도 자동으로 적어지게 되고, 이는 자동으로 스트레스가 없는 삶으로 유도하고, 이는 자동으로 건강한 장수로 이어진다(簡約得壽). 세상 순리에 따라서 욕심부리지 않고 근면하게 살게 되면, 이는 자동으로 스트레스가 없는 삶이 되고, 이는 자동으로 건강한 장수로 이어진다(勤幹得壽). 내가 사는 삶이 혹시라도 세상의 순리를 어기지 않았나 생각하면서 세상의 순리를 경계하면서 살면, 이때 삶은 자동으로 스트레스가 없이 순리적으로 흐르게 되고, 이는 자동으로 건강한 장수로 이어진다(警戒得壽). 자기가 우물 안 개구리라는 생각을 가지고서 세상을 배우려고 견문을 넓히게 되면, 삶은 한껏 풍족해지고 여유로워지면서, 이때는 당연히 건강한 장수로 이어진다(聞見得壽). 그래서 세상의 원리를 알고 간소하게 사는 사람들은(爲人簡約), 자동으로 반드시 불필요한 치장은 멀리하게 된다(必

광제설

遠侈色). 사람이 세상 순리에 따라서 근면하게 살면(爲人勤幹), 반드시 술에 탐닉하고 음식을 가려서 먹는 역리는 삼가게 된다(必潔酒食). 사람이 세상을 사는 순리를 경계하면서 살게 되면(爲人警戒), 오직 힘만이 진리로 통하는 권세는 세상사는 순리에 어긋나므로 반드시 피하게 된다(必避權勢). 사람이 세상을 사는 이치를 아는 견문을 넓히게 되면(爲人聞見), 이때는 반드시 불필요한 재물을 탐하지 않게 된다(必淸貨財). 이 구문도 다른 구문처럼 인문 의학의 표본을 말하고 있다.

居處荒凉 色之故也 行身闒茸 酒之故也. 用心煩亂 權之故也 事務錯亂 貨之故也. 若敬淑女 色得中道 若愛良朋 酒得明德 若尙賢人 權得正術 若保窮民 貨得全功. 酒色財權 自古所戒 謂之四堵墻而比之牢獄. 非但一身壽夭 一家禍福之所繫也 天下治亂亦在於此. 若使一天下酒色財權 無乖戾之氣則 庶幾近於堯舜周召南之世矣.

자기가 사는 집을 황량하고 처량하게 만드는 원인은(居處荒凉), 자기 부인 외에 다른 여자를 밝히는 색정이고(色之故也), 처신으로 인해서 남에게 손가락질당하면서 어리석게 만드는 원인은(行身闒茸), 정확한 판단과 행동을 가로막는 술이고(酒之故也), 정성스러운 마음 씀씀이가 혼란을 일으키는 원인은(用心煩亂) 서로 밟고 밟히는 권력이고(權之故也), 일하면서 욕심으로 인해서 마음이 어지러워지는 원인은(事務錯亂), 사람의 견물생심이라는 본능을 자극하는 재물이다(貨之故也). 그래서 만약에(若), 자기가 공경할 수 있는 정숙한 숙녀를 만나서 살게 되면(敬淑女), 색정에 빠지지 않고 색정의 중도를 얻을 수 있을 것이고(色得中道), 만약에(若), 좋은 친구를 만나서 인생을 사랑하게 되면(愛良朋), 이때는 친구와 가까워지는 도구가 술이 되면서 술에 대한 덕이 뭔지도 잘 알게 될 것이고(酒得明德), 만약에(若), 어진 사람을 따르면서 숭상하게 되면(尙賢人), 그로 인해서 이때는 권력을 얻는 정당한 방법을 알게 될 것이고(權得正術), 만약에(若), 자기가 가진 돈으로 어려운 이웃을 도와주게 되면(保窮民), 이때는 재화의 중요성을 완벽하게 깨달을 수 있게 될 것이다(貨得全功). 앞에서 말한 이런 여러 이유로 주색재권은(酒色財

權), 옛날부터 지금까지 항상 경계하라고 했는데(自古所戒), 이들을 잘못 사용하면, 자기가 사는 세상의 사방을 막히게 만들어서 스스로 자기를 창살이 없는 감옥에 가두는 꼴이 되기 때문이다(謂之四堵墻而比之牢獄). 주색재권이라는 이 문제는 비단(非但), 한 사람의 장수와 요절에만 연계되지 않으며(一身壽夭), 한 가정의 길흉화복에만 연계되지도 않으며(一家禍福之所繫也), 이는 천하를 혼란으로 몰고 갈 수도 있으며(天下治亂), 이 모든 것이 주색재권이라는 여기에 존재한다(亦在於此). 만약에(若), 하나의 천하에서 주색재권이(使一天下酒色財權), 불균형(乖戾:괴려)의 기운을 발휘하지 못하(無)도록 할(使) 수만 있다면(無乖戾之氣則), 이때는 요임금, 순임금, 주공 단, 소공 석이 다스리던 덕이 있는 시대로 돌아갈 것이다(庶幾近於堯舜周召南之世矣). 교과서에나 나오는 이상 세계를 꿈꾸고 있다.

凡人簡約而勤幹 警戒而聞見 四材圓全者 自然上壽. 簡約勤幹而警戒 或聞見警戒而勤幹 三材全者 次壽. 嬌奢而勤幹 警戒而貪慾 或簡約而懶怠 偏急而聞見 二材全者 恭敬則壽 怠慢則夭. 凡人恭敬則必壽 怠慢則必夭 謹勤則必壽 虛貪則必夭. 飢者之腸 急於得食則 腸氣蕩矣 貧者之骨 急於得財則 骨力竭矣. 飢而安飢則 腸氣有守 貧而安貧則 骨力有立. 是故 飮食 以能忍飢而不貪飽 爲恭敬. 衣服 以能耐寒而不貪溫 爲恭敬. 筋力 以能勤勞而不貪安逸 爲恭敬. 財物 以能謹實而不貪苟得 爲恭敬.

일반적으로(凡), 사람이 생활은 간소하고 근검하게 하며(人簡約而勤幹), 지혜는 항상 경계하고 배우려고 하는(警戒而聞見), 이 4가지를 원만하게 지켜내면(四材圓全者), 자연스럽게 건강하게 가장 오래 살 수 있게 된다(自然上壽). 이 중에서 간약, 근간, 경계라는 3가지나(簡約勤幹而警戒), 때로는 문견, 경계, 근간이라는 3가지를 원만하게 지켜내면(或聞見, 警戒而勤幹 三材全者), 이때는 자연스럽게 차선으로 오래 살 수 있게 된다(次壽). 그러나 교만과 사치 그리고 근간이 서로 섞이거나(嬌奢而勤幹), 경계와 탐욕이 서로 섞이거나(警戒而貪慾), 때로는(或), 간약과 나태가 서로 섞이거나(簡約而懶怠), 편급과 문경이 서로 섞일 때(偏急而聞見),

광제설

이처럼 서로 대비되는 두 가지를 온전히 지키게 되면(二材全者), 이때는 지혜를 공경하면, 나쁜 습성을 고칠 수 있으므로, 장수할 수 있으나(恭敬則壽), 지혜를 태만이 하게 되면, 나쁜 습성을 고칠 수 없어서, 결국에는 요절하게 된다(怠慢則夭). 여기서 지혜란 근간, 경계, 간약, 문견을 말한다. 그리고 나쁜 습성이란 교치, 탐욕, 나태, 편급을 말한다. 그래서 일반적으로(凡), 사람이 이렇게 상반되는 상황을 공유하면서 살 때, 지혜를 공경하면, 나쁜 습성을 고칠 수 있으므로, 반드시 오래 살고(人恭敬則必壽), 지혜를 공경하는 일에 나태해지면, 반드시 요절한다(怠慢則必夭). 그리고 삼가 세상의 순리를 따르면서 부지런하면 스트레스를 최소로 받게 되므로, 반드시 장수하게 되고(謹勤則必壽), 허황된 탐욕을 부리면, 엄청난 스트레스에 시달리면서 반드시 요절한다(虛貪則必夭). 굶어서 빈 내장에(飢者之腸), 너무나 급하게 음식을 채워 넣게 되면(急於得食則), 내장은 갑자기 들이닥친 대량의 음식물을 제대로 소화시키지 못하게 되면서, 자동으로 내장의 기운은 망쳐지고 만다(腸氣蕩矣). 즉, 욕심을 부리지 말라는 뜻이다. 텅 비어서 약한 뼈에(貧者之骨), 너무나 급하게 많은 부하(財)를 걸게 되면(急於得財則), 뼈의 힘은 곧바로 고갈되면서(骨力竭矣), 재앙을 불러오게 된다. 즉, 욕심을 부리지 말라는 뜻이다. 음식물이 없이 텅 빈(飢) 내장은, 조금씩(飢) 서서히 편안(安)하게 채워서 나가야만(飢而安飢則), 내장의 기운을 온전히 지킬 수 있게 된다(腸氣有守). 텅 비어서 약한(貧) 뼈는 서서히 조금씩 약하게(貧) 편안(安)하게 부하를 걸어줘야지(貧而安貧則), 뼈의 힘이 지탱된다(骨力有立). 이런 이유로(是故), 음식도(飮食), 굶주림(飢)을 견뎌낼(忍) 수 있을 만큼만 먹어야 하며, 탐욕(貪)스럽게 너무 많이 채워서는(飽) 안 된다(以能忍飢而不貪飽). 이런 행동이 음식에 대한 지혜의 공경을 만들게 된다(爲恭敬). 마찬가지로 의복도(衣服), 추위를 견뎌낼 수 있을 만큼만 입으면 되지, 너무 덥게 입어도 안 된다(以能耐寒而不貪溫). 이런 행동이 의복에 대한 지혜의 공경을 만들게 된다(爲恭敬). 마찬가지로 근력도(筋力), 계속해서 단련시킬 정도는 써야지, 너무 안일하게 놔두면(以能勤勞而不貪安逸), 근력을 잃고 만다. 근력은 계속해서 단련시킬 때만 근력이 유지된다는 사실을 상기해보자. 이런 행동이 근력에 대한 지혜의 공경을 만들게 된다(爲恭敬). 마찬가지로 재물도(財物),

재물을 얻을 때는 순리에 따라서 건실하게 얻어야지, 억지로 구차하게 얻어서는 안 된다(以能謹實而不貪苟得). 이런 행동이 재물에 대한 지혜의 공경을 만들게 된다(爲恭敬). 세상사는 욕심부리지 말고 순리에 따라서 살아야만 옳다는 뜻이다.

山谷之人 沒聞見而 禍夭 市井之人 沒簡約而 禍夭. 農畝之人 沒勤幹而 禍夭 讀書之人 沒警戒而 禍夭. 山谷之人 宜有聞見 有聞見則 福壽. 市井之人 宜有簡約 有簡約則 福壽. 鄕野之人 宜有勤幹 有勤幹則 福壽. 士林之人 宜有警戒 有警戒則 福壽. 山谷之人 若有聞見 非但福壽也 此人卽 山谷之傑也. 市井之人 若有簡約 非但福壽也 此人卽 市井之傑也. 鄕野之人 若有勤幹 非但福壽也 此人卽 鄕野之傑也. 士林之人 若有警戒 非但福壽也 此人卽 士林之傑也.

문명의 이기를 이용할 수 없는 먼 산골에 사는 사람은(山谷之人), 문명의 이기가 없이도 살 수 있는 지혜를 가지고 있지 않으면(沒聞見而), 많은 화가 닥치면서 요절하고 만다(禍夭). 사람의 눈과 마음을 사로잡는 화려한 물건이 많은 시장통에서 사는 사람은(市井之人), 이런 물건을 보고 절제를 잃게 되면(沒簡約而), 재산을 탕진하는 화를 불러오게 되고, 결국에는 요절하고 만다(禍夭). 갖가지 작물을 키우느라 밭이랑을 일구면서 사는 농민은(農畝之人), 사시사철 매시간 농작물을 돌봐야만 하므로, 근면함이 없게 되면(沒勤幹而), 농작물을 키우지 못하는 화근을 불러오게 되고, 이 사람은 반드시 요절하게 된다(禍夭). 지혜를 길러서 먹고사는 글쟁이는(讀書之人), 세상의 지혜를 경계하지 않게 되면(沒警戒而), 글이 쓸모가 없게 되는 화근을 불러오게 되고, 이 사람은 반드시 요절하게 된다(禍夭). 이런 이유로, 산골에 사는 사람은(山谷之人), 당연히 문견을 가져야만 하고(宜有聞見), 이 사람이 문견을 갖게 되면(有聞見則), 이 사람은 당연히 복을 받으면서 장수할 수 있게 된다(福壽). 시장통에 사는 사람은(市井之人), 당연히 절제하는 습관을 지켜야만 하는데(宜有簡約), 이 사람이 절제하는 습관을 지키게 되면(有簡約則), 이 사람은 당연히 복을 받으면서 장수할 수 있게 된다(福壽). 논밭을 일구면서 사는 농민은(鄕野之人), 당연히 근면해야만 하는데(宜有勤幹), 이 사람이 근면하게 되면(有勤幹則), 이 사람은 당연히 복을 받으면서 장수할 수 있게 된다(福壽). 지혜를 팔아서 먹고사는 글쟁이는(士林之人), 당연히 지혜를 경계해야만 하는데(宜有警戒), 이 사람이 지혜를 경계하면서 살게 되면(有警戒則), 이 사람은 당연히 복을 받으면서 장수할 수 있게 된다(福壽). 이런 이유로, 산골짜기 사람이(山谷之人), 만약에 문경을 가지게 되면(若有聞見), 이때는 비단 복을 받고 장수할 뿐만이 아니라(非但福壽也), 이 사람인즉슨(此人卽), 그 산골짜기의 호걸이 될 것이다(山谷之傑也). 시장통에 사는 사람이(市井之人), 만약에 절제하면서 산다면(若有簡約), 이때는 비단 복을 받고 장수할 뿐만이 아니라(非但福壽也), 이 사람인즉슨(此人卽), 그 시장통의 호걸이 될 것이다(市井之傑也). 농사꾼이(鄕野之人), 만약에 근면하면(若有勤幹), 이때는 비단 복을 받고 장수할 뿐만이 아니라(非但福壽也), 이 사람인즉슨(此人卽), 그 농촌의 호걸이 될 것이다(鄕野之傑也). 지혜를 팔아서 먹고사는 글쟁이가(士林之人), 만약에 지혜를 잘 경계하고 산다면(若有警戒), 이때는 비단 복을 받고 장수할 뿐만이 아니라(非但福壽也), 이 사람인즉슨(此人卽), 그 지역의 호걸이 될 것이다(士林之傑也).

或曰 農夫 元來力作 最是勤幹者也而 何謂沒勤幹. 士人 元來讀書 最是警戒者也而 何謂沒警戒耶? 曰 以百畝之不治 爲己憂者 農夫之任也 農夫而比之士人則 眞是懶怠者也. 士人 頗讀書故 心恒妄矜 農夫 目不識字故 心恒佩銘. 士人而擬之農夫則 眞不警戒者也. 若 農夫勤於識字 士人習於力作則 才性調密 臟氣堅固.

　또 다른 말도 있다(或曰). 농부란(農夫), 원래 작물을 재배하는 능력을 보유해야만 하므로(元來力作), 이는 근면을 최고로 요구하게 되고(最是勤幹者也而), 그러면 어찌 농민이 근면하지 않을 수 있단 말인가(何謂沒勤幹)? 그리고 글쟁이 선비는(士人), 원래 책을 통해서 지혜를 습득해야만 하므로(元來讀書), 이는 지혜에 대한 경계를 최고로 요구하게 되고(最是警戒者也而), 그러면 어찌 글쟁이 선비가 지혜를 경계하지 않을 수 있단 말인가(何謂沒警戒耶)? 답변은 이렇다(曰). 농부가 백 개의 밭이랑을 제대로 일구지 못하게 되면(以百畝之不治), 이때 농부는 이미 근심이 생기게 되는데(爲己憂者), 이는 밭이랑을 일구는 일이 농부의 임무(任)이기 때문이다(農夫之任也). 그래서 이때 백 개의 밭이랑을 모두 일구지 못한 농부를 선비와 서로 비교해보게 되면(農夫而比之士人則), 이때 농부는 선비가 보기에는 진짜로 게으르고 나태한 것이다(眞是懶怠者也). 왜? 농사를 모르는 선비는 농사가 얼마나 어려운지를 모르기 때문이다. 그리고 선비는(士人), 지혜를 얻기 위해서 항상 독서하는 관계로 인해서(頗讀書故), 마음속에서 항상 웬만한 지혜는 잊어버리게 되나(心恒妄矜), 독서를 하지 않는 농부는(農夫), 글자는 모를지라도(目不識字故), 마음속에서 항상 단 하나의 지혜 문구조차도 명심하려고 애쓴다(心恒佩銘). 그래서 이때 선비를 농부와 서로 비교해보게 되면(士人而擬之農夫則), 이는 진짜로 선비를 지혜를 경계하지 않는 사람으로 만들어버린다(眞不警戒者也). 즉, 글을 모르는 농부는 글을 읽지는 않을지라도 하나의 지혜 문구조차도 항상 명심하려고 애쓰는데(心恒佩銘), 항상 글을 읽어서 지혜를 쓸어 담고 있는 선비는 대부분의 지혜를 잊어버리고 말기(心恒妄矜) 때문이다. 이는 자동으로 선비가 마치 지혜를 경계하지 않는 모습으로 보이게 하고 만다(眞不警戒者也). 왜? 글을 모르는 농부는 책을 통해서 지혜를 터득하는 일이 얼마나 어려운지를 모르기 때문이다. 이는 자동으로 자기와 다른 세계를 이해하지 못하면서 생기는 현상이 된다. 이는 앞에서 물어본 대답이기도 하다. 즉, 선비와 농민은 서로 다른 상대방의 특성을 모르게 되면서, 선비는 농민의 근면함이 안 보이게 되고, 농부는 선비의 지혜를 경계하는 모습이 안 보이게 된다는 뜻이다. 이 구문은 해석이 만만하지 않다. 그러면 결론은 자동으로 서로를 이해하면 된다는 쪽으로 정해지게 된다. 그래서 만약에(若), 농부가 공부를 열심히 해서 글을 알게 되고(農夫勤於識字), 선비가 농작물을 재배하는 방법을 연습해서 알게 되면(士人習於力作則), 이때는 농부나 선비나 상대방의 재능 특성을 자동으로 자세히(調密) 알게 되고(才性調密), 그러면, 서로에 대해서 태만하다느니 지혜를 경계하지 않는다느니 서로 씹어대면서 감정이 상할 일이 없게 되고, 이는 자동으로 화를 가라앉히게 되고, 이는 자동으

광제설

로 스트레스도 없게 되고, 이는 자동으로 스트레스로 인한 산성인 호르몬의 폭증도 없게 되고, 이는 자동으로 산성인 호르몬을 최종 중화하는 오장의 생리를 건드리지 않게 되고, 이는 자동으로 오장의 기능을 견고하게 만든다(臟氣堅固). 이 구문은 서로를 이해하게 되면, 건강에 얼마나 도움이 되는지를 말하려고 하고 있다.

嬌奢者之心 藐視閭閻生活 輕易天下室家 眼界驕豪 全昧産業之艱難. 甚劣財力之方略 每爲女色所陷 終身不悔. 懶怠者之心 極其麤猛 不欲積功之寸累 每有虛大之甕算. 蓋其心 甚憚勤幹故 欲逃其身於酒國 以姑避勤幹之計也. 凡懶怠者 無不縱酒 但見縱酒者則 必知其爲懶怠人心 麤猛也.

텅 빈 머리의 내용물을 감추기 위해서 화려한 포장지로 외모를 치장하고 교만을 떠는 마음은(嬌奢者之心), 이러한 자기의 천박함을 감추기 위해서, 화려한 포장지로 치장하지 않고 순리대로 살아가는 일반 사람들의 생활을 비웃고(藐視閭閻生活), 성실하게 사는 대부분 가족을 깔보고 경멸하게 된다(輕易天下室家). 이렇게 머리가 텅 빈 사람들은 세상을 보는 시야가 제멋대로이고 너무나 편협해서(眼界驕豪), 자기의 직업을 가지고 하루하루를 살아가는 일이 얼마나 어려운지도 까맣게 모르게 되고(全昧産業之艱難), 이는 자동으로 세상에서 생존을 위해서 재물을 얻는 전략도 아주 심하게 열등하게 된다(甚劣財力之方略). 이런 사람들은 자기의 이런 처지를 스스로 너무나도 잘 알고 있으므로, 이를 잊기 위해서 매번 주색잡기에 빠져서 시간을 보내게 되는데(每爲女色所陷), 이런 사람은 몸이 망쳐져 있을 때조차도 뉘우치지 못하고 만다(終身不悔). 그리고 노력하지 않고 요행을 따라서 한몫 잡아보려는 나태한 마음을 가진 사람은(懶怠者之心), 요행을 얻으려고 사람들을 제압하기 위해서 아주 거칠고 사납게 군다(極其麤猛). 또한 이런 사람은 한푼 한푼 모아서 공적을 쌓아서 만들려고 하지 않고(不欲積功之寸累), 매번 허황되고 일확천금을 노리는 이상한 셈법에 빠진다(每有虛大之甕算). 대개(蓋), 이런 사람들의 마음은(其心), 근면하고 성실한 자세는 지독하게 싫어하게 되므로(甚

憚勤幹故), 이를 회피하기 위해서 자기 몸을 술의 세계로 도피시키게 되고(欲逃 其身於酒國), 이렇게 근면을 잠시(姑) 회피하는 전략(計)으로 술을 이용하게 된다 (以姑避勤幹之計也). 그래서 일반적으로(凡), 나태한 사람은(懶怠者), 술을 의지하 지 않으면 인 되고(無不縱酒), 또한(但), 이런 모습을 보게 되면(見縱酒者則), 이 때는 반드시 이 나태한 사람이 얼마나 나태한지 그리고 얼마나 거친 사람인지도 알게 된다(必知其爲懶怠人心 麤猛也).

酒色之殺人者 人皆曰 酒毒枯腸 色勞竭精云 此 知其一 未知其二也. 縱酒者 厭勤其 身 憂患如山. 惑色者 深愛其女 憂患如刀 萬端心曲 與酒毒色勞幷力攻之而 殺人也. 狂童 必愛淫女 淫女 亦愛狂童 愚夫 必愛妬婦 妬婦 必愛愚夫 以物理觀之則 淫女 斷合狂童之配也 愚夫 亦宜妬婦之匹也. 蓋 淫女妬婦 可以爲惡人賤人之配匹也 不可 以爲君子貴人之配匹也. 七去惡中 淫去妬去爲首惡而 世俗 不知妬字之義 但以憎疾 衆妾爲言. 貴人之繼嗣 最重則 婦人 必不可憎疾(嫉)貴人之有妾而 亂家之本 未嘗不 在於衆妾則. 婦人之憎疾衆妾之邪媚者 猶爲婦人之賢德也. 何所當於妬字之義乎.

　주색잡기는 살인자이다(酒色之殺人者). 이와 연관된 모든 사람은(人皆曰), 술독 이 내장을 말라비틀어지게 하고(酒毒枯腸), 색정은 정기를 고갈시켜버린다고 말한 다(色勞竭精云). 그러나 이는(此), 하나만 알고(知其一), 둘은 모르는 말이다(未知 其二也). 알코올 중독자들은(縱酒者), 자기 몸이 근면하는 것을 싫어하고(厭勤其 身), 그로 인해서 해야 할 일들이 산더미처럼 쌓이게 되고, 그래서 실제로는 우환 이 산처럼 쌓이게 된다(憂患如山). 색정에 빠진 사람도 마찬가지로(惑色者), 음탕 한 여자를 너무 사모한 나머지(深愛其女), 자기가 해야 할 일은 팽개쳐버리므로, 우환이 비수처럼 다가온다(憂患如刀). 이렇게 술과 색정으로 인한 수많은 문제가 함께 이들을 공격하게 되면(萬端心曲 與酒毒色勞幷力攻之而), 결국에 술과 색정 은 그 사람들을 죽이고 만다(殺人也). 이렇게 방탕한 남자들은(狂童), 유유상종이 라서, 반드시 음탕한 여자를 사랑하고(必愛淫女), 또한 역시, 음탕한 여자는(淫

女), 유유상종이라서, 역시 방탕한 남자를 사랑하게 된다(亦愛狂童). 마찬가지로 어리석은 남자는(愚夫), 유유상종이라서, 반드시 질투하는 여자를 사랑하고(必愛妬婦), 질투하는 여자는(妬婦), 유유상종이라서, 반드시 어리석은 남자를 사랑하게 된다(必愛愚夫). 이는 세상의 철칙이다. 그래서 유유상종이라는 세상의 원리로 세상을 바라보게 되면(以物理觀之則), 음탕한 여자는 당연히(淫女), 방탕한 남자를 만나서 배필이 되고(斷合狂童之配也), 어리석은 남자는 당연히(愚夫), 역시 질투하는 여자를 만나서 배필이 된다(亦宜妬婦之匹也). 이런 이유로 대개(蓋), 음탕한 여자와 질투하는 여자는(淫女妬婦), 나쁜 남자나 천박한 남자의 배필은 될 수는 있어도(可以爲惡人賤人之配匹也), 군자나 귀인의 배필은 절대로 될 수가 없다(不可以爲君子貴人之配匹也). 여자의 칠거지악 중에서(七去惡中), 음탕함과 투기는 최고의 악이다(淫去妬去爲首惡而). 그러나 세속에서는(世俗), 투기라는 글자의 의미를 정확히 잘 몰라서(不知妬字之義), 투기가 단지 첩이나 질투하는 것으로 말하고 있다(但以憎疾衆妾爲言). 한 집안에서 귀인의 대를 잇는 일은(貴人之繼嗣), 가장 귀중한 일이므로(最重則), 대를 잇지 못하게 한 부인은(婦人), 반드시 이때 귀인이 첩을 얻었다고 해서 질투해서는 안 된다(必不可憎疾(嫉)貴人之有妾而). 그러나 한 집안에서 분란이 일어난 근본을 살펴보게 되면(亂家之本), 일찍이 많은 첩 문제로 인해서 분란이 일어났다(未嘗不在於衆妾則). 이때 정실부인이 많은 첩실이 남편의 호의를 얻기 위해서 아양을 떠는 일에 대해서 질투하는 일을 가지고(婦人之憎疾衆妾之邪媚者), 어찌 정실부인의 현덕을 말할 수 있으리오(猶爲婦人之賢德也)! 여기에 투기라는 글자를 넣는 것이 가당하기나 한가요(何所當於妬字之義乎)? 1800년대 유교적 가치관이 그대로 배어있다.

詩云 桃之夭夭 其葉蓁蓁 之子于歸 宜其家人. 宜其家人者 好賢樂善而宜於家人之謂也. 不宜其家人者 妬賢嫉能而不宜於家人之謂也. 凡人家 疾病連綿 死亡相隨 子孫愚蚩 資產零落者 莫非愚夫妬婦 妬賢嫉能之所做出也. 天下之惡 莫多於妬賢嫉能. 天下之善 莫大於好賢樂善. 不妬賢嫉能而爲惡則 惡必不多也. 不好賢樂善

而爲善則 善必不大也. 歷稽往牒 天下之受病 都出於妬賢嫉能. 天下之救病 都出於好賢樂善. (故 曰) 妬賢嫉能 天下之多病也. 好賢樂善 天下之大藥也.

　　시경 주남(周南) 도요(桃夭)에서는 다음과 같이 말하고 있다(詩云). 어리고 어린 복숭아나무에 달린(桃之夭夭), 그 잎은 한창 자라서 무성해질 때(其葉蓁蓁), 어떤 남자의 집안으로 가게 되면(之子于歸), 이때는 마땅히 그 집안사람이 된다(宜其家人). 이는 어린 첩을 묘사하고 있다. 여기서 마땅히 그 집안사람이 되는 자격은(宜其家人者), 첩이나 정실부인의 자격이 아니라, 선을 즐기고 현명함을 좋아하면, 첩이든 정실부인이든 마땅히 그 집안사람의 자격이 되는 것이다(好賢樂善而宜於家人之謂也). 거꾸로 마땅히 그 집안사람이 되지 못하는 자격은(不宜其家人者), 첩이든 정실부인이든지 간에, 능력을 질투하고 현명함을 투기하면, 이때는 누구든지 간에 그 집안사람이 될 자격이 없다(妬賢嫉能而不宜於家人之謂也). 일반적으로(凡), 한 사람의 가정에서(人家), 질병이 연이어 발생하고(疾病連綿), 사망 사고가 연이어 발생하고(死亡相隨), 자손에게서 어리석음이 발생하고(子孫愚蚩), 재산이 안개처럼 사라져 버리는 일은(資産零落者), 어리석은 남편과 투기를 잘하는 부인이(莫非愚夫妬婦), 현명함을 투기하고, 능력을 투기하면서 나오지 않는 경우는 없다(妬賢嫉能之所做出也). 이런 어리석은 부부가 집안을 망치지 않는다면 그게 더 이상할 것이다. 그래서 천하의 악은(天下之惡), 어떤 경우를 막론하고(莫), 모두 현명함을 투기하고 능력을 투기하는 데서 나오게 되며(多於妬賢嫉能), 천하의 모든 선은(天下之善), 어떤 경우를 막론하고(莫), 선을 즐기고 현명함을 좋아할 때 더욱더 커지게 된다(大於好賢樂善). 그래서 현명함을 투기하지 않고, 능력을 투기하지 않고 만들어지는 악은(不妬賢嫉能而爲惡則), 반드시 악의가 그렇게 많지 않다(惡必不多也). 그리고 마찬가지로 선을 즐기지 않고 현명함을 좋아하지 않고 만들어지는 선은(不好賢樂善而爲善則), 반드시 선의가 그렇게 크지 않게 된다(善必不大也). 지나간 역사를 반복해서 되돌아봐도(歷稽往牒), 천하가 병이 드는 이유는(天下之受病). 예외 없이 모두 현명함을 투기하고, 능력을 투기하는 데서 나왔다(都出於妬賢嫉能). 이는 지금이나 옛날이나 간신배들이 나라를 망치는 기본이다. 이는 지금도 진행 중이다. 그리고 천하가 병을 치료하는 시기는 (天下之救病), 예외 없이 모두 선을 즐기고 현명함을 좋아할 때 나왔다(都出於好 賢樂善). 그래서 자동으로(故 曰), 현명함을 질투하고, 능력을 질투하게 되면(妬賢 嫉能), 천하는 수많은 병에 시달리게 되고(天下之多病也), 선을 즐기고, 현명함을 좋아하게 되면(好賢樂善), 천하는 더욱더 즐거운 곳이 되었다(天下之大藥也).

사상인 변증론(四象人 辨證論)

사상인 변증론(四象人 辨證論)

太少陰陽人 以今時目見 一縣(一)萬人數 大略論之則 太陰人五千人也. 少陽人三千人也. 少陰人二千人也. 太陽人數 絶少 一縣中 或三四人 十餘人而已.

　사상인을(太少陰陽人), 현재 시점에서(以今時目見), 한 고을의 인구를 만 명으로 가정하고(一縣(一)萬人數), 대략 논의해보자면(大略論之則), 태음인은 약 5,000명이고(太陰人五千人也), 소양인은 약 3,000명이고(少陽人三千人也), 소음인은 약 2,000명이고(少陰人二千人也), 태양인의 숫자는 아주 적어서(太陽人數 絶少), 한 개의 현에서(一縣中), 약 3~4명이거나(或三四人), 10여 명에 불과하다(十餘人而已).

太陽人 體形氣像 腦顀之起勢 盛壯而 腰圍之立勢 孤弱. 少陽人 體形氣像 胸襟之包勢 盛壯而 膀胱之坐勢 孤弱. 太陰人 體形氣像 腰圍之立勢 盛壯而 腦顀之起勢 孤弱. 少陰人 體形氣像 膀胱之坐勢 盛壯而 胸襟之包勢 孤弱.

　태양인의 겉으로 드러난 기상을 보면(太陽人 體形氣像), 뇌와 이마가 있는 머리 쪽의 기세가 강하게 잘 발달해있으며(腦顀之起勢 盛壯而), 허리 주위의 기세는 약하다(腰圍之立勢 孤弱). 이는 태양인의 장기 구성 때문이다. 태양인은 큰 폐와 작은 간으로 이루어져 있다. 그리고 산소를 공급하는 폐는 인체에서 산소를 제일 많이 소비하는 뇌에 산소를 제공한다. 뇌의 크기는 보통 체중 60Kg 기준으로 1.5Kg 정도인데, 인체 전체가 소비하는 산소의 20~30%를 뇌가 소비한다는 사실을 상기해보자. 즉, 2.5% 정도의 무게를 가진 뇌가 폐가 공급하는 전체 산소량 중에서 20~30%를 소비하는 것이다. 이는 다른 신체의 10배에 달하는 산소 소비를 자랑하고 있다. 그러면 자동으로 뇌에서 산소를 공급하는 폐의 역할은 엄청나게 클 수밖에 없다. 그러면 자동으로 태양인의 큰 폐는 뇌에 산소를 아주 많이 공급하게 되면서 뇌가 아주 잘 발달하게 되고, 이어서 뇌를 감싸고 있는 머리 부분도 자동으로 아주 잘 발달할 수밖에 없게 된다. 그런데, 반대로 태양인은 간이 작다. 그리고 간은 허리를 둘러서 존재하는 하복부 정맥총을 통제한다. 이를 한의학에서는 대맥(帶脈)으로 표현하고 있다. 그러면 자동으로 태양인의 작은 간은 허리 부분의 산성 체액을 제대로 관리하지 못하게 되면서 허리 주위가 제대로 발달하지 못하게 된다. 다시 본문을 보자. 소양인의 겉으로 드러난 기상을 보면(少陽人 體形氣像), 흉금을 끌어안고 있는 형세는 아주 좋으나(胸襟之包勢 盛壯而), 방광의 앉은 자세는 약하다(膀胱之坐勢 孤弱). 이도 역시 체액 생리로 풀어 보자. 소양인은 비장이 크고 신장은 작다. 그리고 비장은 산성 림프액을 처리한다. 그리고 가슴 부분(胸襟)에는 산성 림프액을 처리하는 흉선이 자리하고 있고, 추가로 산성 림프액 일부를 중화 처리하고 일부는 폐로 전달하는 우 심장이 자리하고 있고, 이를 최종 중화 처리하는 폐도 자리하고 있다. 그리고 추가로 신장도 뇌척수액이라는 림프액을 처리해준다. 그러면 자동으로 소양인은 산성 림프액을 잘 처리하게 되면서, 산성 림프액을 최종 중화 처리하는 흉선, 우 심장, 폐는 과부하에 덜 시달리게 되고, 이는 자동으로 흉부를 잘 발달하게 만들어준다. 그러나 소양인은 작은 신장을 보유하고 있는 관계로 신장이 주는 노폐물을 받는 방광은 과부하로 인해서 잘 발달하지 못하게 된다. 다시 본문을 보자. 태음인의 겉으로 드러난 기상을 보면(太陰人 體形氣像), 허리 주위의 형세를 보면 아주 좋고(腰圍之立勢 盛壯而), 머리 부분의 형세는 아주 약하다(腦頏之起勢 孤弱). 이는 태양인을 반대로 해석하면 되므로, 추가 설명이 필요 없다. 소음인의 겉으로 드러난 기상을 보면(少陰人 體形氣像), 방광의 자세가 아주 좋고(膀胱之坐勢 盛壯而), 흉부의 자세는 아주 약하다(胸襟之包勢 孤弱). 이도 역시 소양인을 반대로 해석하면 되므로, 추가 설명이 필요 없다. 이 부분은 체액으로 풀지 않으면, 엉망진창이 되고 만다. 역시 이제마는 체액 생리의 대가(大家)임을 다시 한번 증명해주고 있다.

太陽人 性質 長於疏通而 材幹 能於交遇. 少陽人 性質 長於剛武而 材幹 能於事務. 太陰人 性質 長於成就而 材幹 能於居處. 少陰人 性質 長於端重而 材幹 能於黨與.

사상인 변증론

　태양인의 성품을 보면(太陽人 性質), 태양인은 사람끼리 소통할 때 장점이 있어서(長於疏通而), 사람을 사귈 때 재간이 있다(材幹 能於交遇). 사람을 사귀면서 소통하려면, 온갖 신경을 집중해서 상대를 잘 파악해야만 한다. 이는 극도의 신경 활동을 요구한다. 이는 곧 뇌의 용량을 말한다. 그리고 태양인은 큰 폐의 덕분에 뇌의 대용량을 자랑하고 있다. 이런 이유로 태양인은 사람을 사귀는 교우 관계를 아주 잘한다. 다시 본문을 보자. 소양인의 성품을 보면(少陽人 性質), 소양인은 스트레스에 강한 장점이 있어서(長於剛武而), 사업을 잘하는 재간이 있다(材幹 能於事務). 사업은 스트레스의 연속이다. 그리고 스트레스는 산성인 호르몬의 폭증을 만들어낸다. 그리고 이 산성인 호르몬은 곧바로 림프로 흘러들어서 비장이 처리하게 된다. 그래서 이때는 비장이 좋지 않게 되면, 간질에 산성(酸) 체액이 정체하면서, 신체는 자동으로 나른해지게(酸) 되고, 피로가 쌓이게 되면서 사업은 진행되지 못하게 된다. 그런데 소양인은 이런 기능을 하는 비장이 크다. 이는 자동으로 소양인의 사업에 대한 장점을 작용하게 된다. 다시 본문을 보자. 태음인의 성품을 보면(太陰人 性質), 태음인은 성취 능력이 뛰어난 장점이 있어서(長於成就而), 태음인은 거처에 대한 재간이 있다(材幹 能於居處). 태음인의 핵심은 간이다. 그리고 간은 산성 담즙을 통제해서 신경과 두뇌를 통제한다. 그리고 간문맥을 통해서 산성 정맥혈을 통제하므로, 혈액 순환과 체액 순환도 챙긴다. 추가로 하복부 정맥총을 통제해서 강알칼리로서 엄청나게 중요한 스테로이드 공장인 음부를 통제한다. 그래서 간이 크다는 사실은 엄청난 장점으로 작용한다. 이 세 가지는 한 사람이 일을 정력적(精力的)으로 처리하게 해준다. 그리고 여기서 정(精)은 스테로이드 호르몬을 말하며, 이는 회음부의 능력을 말해준다. 그리고 이의 정상 작동은 회음부의 산성 정맥혈을 통제하는 간이 핵심이 된다. 이는 자동으로 엄청난 양의 스테로이드를 요구한 뇌로 가게 된다. 간은 담즙이라는 스테로이드 쓰레기를 수거한다는 사실도 더불어 상기해보자. 이는 자동으로 뇌척수액의 산성도를 조절하는 기능으로 이어진다. 그런데, 이런 뇌척수액의 주요 조절자는 신장이다. 그리고 신장은 염을 조절해서 거처 문제에서 발생한 염의 문제를 처리한다. 결국에 간이 큰 태음인은 정력적(精力的)으로 일할 수 있어서 많은 일을 성취(成就)할 수가 있다.

그리고 이는 거처(居處)라는 문제로도 이어진다. 다시 본문을 보자. 소음인의 성품을 보면(少陰人 性質), 소음인은 단정하고 정중한 면에서 장점이 있어서(長於端重而), 당여를 잘하는 재간이 있다(材幹 能於黨與). 당여는 자기편을 만드는 일을 말한다. 그리고 단정하고 정중한 시람에게 사람들이 많이 모여들어서 자기편을 만드는 일은 인간 세계에서 그냥 상식이다. 그리고 이런 자기편을 만들려면, 추가로 머리가 항상 잘 돌아가야만 한다. 그리고 이런 뇌는 뇌척수액을 통제한 신장의 몫이다. 그리고 소음인은 신장이 크고, 이런 신장이 핵심이 된다.

太陽人 體形 元不難辨而 人數 稀罕故 最爲難辨也. 其體形 腦顀之起勢 强旺 性質 疏通 又有果斷. 其病 噎膈反胃 解㑊證 亦自易辨而 病未至重險之前 別無大證 完若無病壯健人也. 少陰人老人 亦有噎證 不可誤作 太陽人治. 太陽女 體形壯實而 肝小脇窄 子宮不足 故 鮮(不)能生産. 以六畜玩理而 太陽牝牛馬 體形壯實而 亦鮮(不)能生産者 其理可推.

태양인의 체형을 구별하는 일은(太陽人 體形), 원래 그렇게 어렵지 않다(元不難辨而). 그러나 이는 또한 태양인의 숫자가 적은 관계로 인해서(人數 稀罕故), 이를 변증할 때 어렵게 만든다(最爲難辨也). 태양인의 체형을 보면(其體形), 이미 앞에서 본 대로, 머리 부분의 기세가 왕성하고(腦顀之起勢 强旺), 성격은 소통을 잘하고(性質 疏通), 또한(又), 두뇌가 잘 발달해있어서 결정을 잘 내릴 수 있고, 이어서 과단성이 있다(有果斷). 이는 한마디로 아주 건강한 사람이다. 그래서 태양인의 병증 중에서(其病), 열격이나 반위(噎膈反胃) 그리고 해역과 같이(解㑊證), 눈에 잘 띄는 병증은 쉽게 분별이 가능해진다(亦自易辨而). 그러나 이런 체질의 단점도 있다. 이 체질은 워낙 건강해서 원만한 자질구레한 병은 잘 이겨낸다. 그래서 태양인은 병이 중험증에 가서야 비로소 뚜렷하게 나타나게 된다(病未至重險之前). 그래서 태양인은 증험증에 도달해야만 병이 있는 줄 알게 되므로, 평소에는 별다른 큰 증상이 나타나지 않으므로(別無大證), 건장한 건강한 사람으로서 별다른 병(病)이 없는(無) 것처럼(若) 완벽하게 보인다(完若無病壯健人也).

그리고 소음인 노인에서(少陰人老人), 또한(亦), 열격이 있을 때(有噎證), 판단을 잘못해서(不可誤作), 태양인의 치료법을 적용하면 안 된다(太陽人治). 열격 문제는 횡격막의 문제이다. 그리고 태양인의 핵심인 폐는 횡격막과 운명을 함께 한다. 그래서 태양인에서 폐가 문제가 되면, 자동으로 열격 문제가 수면 위로 떠 오르게 된다. 이는 곧 열격증을 태양인의 주요 병세로 만든다. 그래서 이는 다른 체질에서 따라올 수 있는 열격증을 태양인의 병으로 오진할 수 있게 만든다는 암시를 준다. 다시 본문을 보자. 태양인의 전형적인 체질을 보유한 여성은(太陽女), 체형이 건장하고 튼실하면서(體形壯實而), 간이 작으므로, 간이 자리하고 있는 갈비뼈 부분이 협소하다(肝小脇窄). 이는 자동으로 자궁의 성장도 부족해지게 되면서(子宮不足 故), 임신을 잘하지 못하게 된다(鮮(不)能生産). 이는 간의 생리를 보면 된다, 간은 하복부 정맥총을 통제한다. 그리고 이 정맥총에는 남성의 정계정맥총(넝쿨상정맥총)이 포함되고, 여성의 난소 정맥총과 자궁 정맥총이 포함된다. 그래서 간이 통제하는 하복부 정맥총이 문제가 되면, 이는 자동으로 이 두 부류의 정맥총에 산성 정맥혈이 정체하면서, 이 산성 체액을 완충하느라 회음부가 만드는 강알칼리인 스테로이드가 고갈되고, 이어서 이때는 남성이 되었건 여성이 되었건 간에 스테로이드라는 성호르몬이 부족해지면서, 즉시 불임으로 이어진다. 이 정맥총은 최첨단 현대의학의 불임 검사에서 이용되기도 하는 정맥총이다. 이는 한의학에서 대맥이 임신 문제에 개입하는 이유가 된다. 이는 또한 한의학에서 불임 치료의 치료법을 말해주기도 한다. 그래서 태양인으로서 간이 작은 여성은 임신 문제가 나타날 수밖에 없는데, 특히 간이 자리하고 있는 갈비뼈 부근을 봐서 이 부분이 작게 되면, 이는 자동으로 간 문제를 말하게 되고, 이는 곧장 불임의 문제로 가게 된다. 다시 본문을 보자. 이 원리는 가축에서도 그대로 나타나게 되는데(以六畜玩理而), 가축이나 사람이나 호르몬 작용을 통해서 임신이 되므로, 앞에서 기술한 사람의 태양인 특성을 보유한 암소나 암말은(太陽牝牛馬), 사람처럼 체형이 건장하면서 튼실하면(體形壯實而), 역시 새끼를 잘 낳지 못하게 되는데(亦鮮(不)能生産者), 이 원리는 사람에게도 추론적 적용이 가능하게 만든다(其理可推).

少陽人 體形 上盛下虛 胸實足輕 剽銳好勇而 人數亦多 四象人中 最爲易辨. 少陽人 或有短小靜雅 外形 恰似少陰人者 觀其病勢寒熱 仔細執證 不可誤作少陰人治.

비장이 핵심이어서 흉부가 잘 발달한 소양인의 체형을 보면(少陽人 體形), 소양인은 큰 비장으로 인해서 당연히 상체는 잘 발달해있고, 뼈를 통제하는 작은 신장으로 인해서 뼈가 잘 발달하지 못해서 뼈로 지탱되는 하체는 부실하게 된다(上盛下虛). 그 결과로 흉부는 무거(實)우나, 다리 부분은 가볍(輕)게 된다(胸實足輕). 그래서 이 모습을 보게 되면, 다리 부분인 끝(剽)은 날카롭게(銳) 보이고(剽銳), 가슴 부분을 보면, 참으로(好) 용맹(勇)스럽게 보이게 된다(好勇而). 그리고 사상인 중에서 소양인의 숫자가 워낙 많다 보니까(人數亦多 四象人中), 역시 변별도 최고로 쉽게 된다(最爲易辨). 그리고 소양인은 하체 문제로 인해서 키가 작으나, 잘 발달한 상체로 인해서 단아하게 보이며(少陽人 或有短小靜雅), 외형이(外形), 때로는 똑같은 장기로 구성된 소음인과 흡사해서(恰似少陰人者), 소양인의 병세나 한열을 관찰할 때는(觀其病勢寒熱), 증상을 세세히 살펴서 증상을 정확히 집어내야 하며(仔細執證), 그렇지 않으면, 이때 잘못해서 소음인의 치료법을 소양인에게 적용할 수도 있게 된다(不可誤作少陰人治).

太陰少陰人 體形 或略相彷彿 難辨疑似而 觀其病證則 必無不辨. 太陰人 虛汗則 完實也. 少陰人 虛汗則 大病也. 太陰人 陽剛堅密則 大病也. 少陰人 陽剛堅密則 完實也. 太陰人 有胸膈怔忡證也. 少陰人 有手足悗亂證也. 太陰人 有目眥上引證 又有目睛內疼證也. 少陰人則 無此證也. 少陰人 平時呼吸 平均而 間有一太息呼吸也 太陰人則 無此太息呼吸也. 太陰人 瘧疾惡寒中 能飮冷水. 少陰人 瘧疾惡寒中 不飮冷水. 太陰人 脈長而緊. 少陰人 脈緩而弱. 太陰人 肌肉 堅實. 少陰人 肌肉 浮軟. 太陰人 容貌詞氣 起居有儀而修整正大. 少陰人 容貌詞氣 體任自然而簡易小巧. 少陰人 體形 矮短而 亦多有長大者 或有八九尺長大者. 太陰人 體形 長大而 亦或有六尺矮短者. 太陰人 恒有怯心 怯心寧靜則 居之安 資之深而 造於道也. 怯心益多則 放心桎梏

而 物化之也. 若 怯心 至於怕心則 大病作而 怔忡也 怔忡者 太陰人病之重證也.

　태음인과 소양인의 체형을 보게 되면(太陰少陰人 體形), 이들의 구성 장기들끼리 생리적 관계가 서로 밀접하게 얽히면서, 이 둘의 체형은 서로 아주 많이 닮아서 구별하기가 어려울 때도 있다(或略相彷彿 難辨疑似而). 그러나 이 둘을 구성하고 있는 오장이 서로 달라서 병증을 보게 되면(觀其病證則), 이때 이 둘은 반드시 구별된다(必無不辨). 그래서 간이 핵심인 태음인은(太陰人), 허약해서 땀을 흘리게 되면(虛汗則), 이는 인체 최대 해독 기관인 간이 완벽하게 과부하(實)에 걸려있다는 뜻이 된다(完實也). 이는 식사할 때 자주 나타나게 된다. 식사하게 되면 간질로 흡수된 일부 영양소는 간질에서 정맥혈로 들어가고, 이어서 간문맥으로 들어가므로, 간이 허약하게 되면 자동으로 밥 먹을 때 땀을 흘리게 된다. 즉, 간으로 들어가서 중화되어야만 하는 과잉 산이 허약한 간으로 들어가지 못하고, 간질에서 중화되면서 자동으로 땀이 나게 된다. 다시 본문을 보자. 신장이 핵심인 소음인이(少陰人), 허약해서 땀을 흘리게 되면(虛汗則), 이때는 큰 병이 되고 만다(大病也). 환자가 죽을 때 마지막으로 나타나는 증상이 대개는 부종이다. 이는 신장이 처리하면서 삼투압 기질인 염(塩)이 정체하고 있기 때문이다. 그리고 이 염은 신장이 전문으로 처리한다. 즉, 신장병은 자동으로 큰 병이 될 수밖에 없다. 이는 자동으로 신장이 핵심인 소음인의 문제로 다가간다. 다시 본문을 보자. 그리고 간이 핵심인 태음인에서(太陰人), 양기가 너무 과하게 되면(陽剛堅密則), 대병에 걸리게 되고(大病也), 신장이 핵심인 소음인에서(少陰人), 양기가 너무 과하게 되면(陽剛堅密則), 완전히 과부하에 걸리게 된다(完實也). 여기서 양기(陽)는 열을 만들어내는 자유전자를 말한다. 그리고 간은 이렇게 열을 만들어내는 자유전자를 직접 중화하면서 열을 만들게 되고, 신장은 이렇게 열을 만들어내는 자유전자를 염에 격리해버린다. 그래서 간과 신장에서 자유전자인 양기가 너무 과하게 되면(陽剛堅密則), 서로 다른 생리 반응을 만들게 되는데, 간은 이를 중화하면서 엄청난 열을 만들어내므로, 이때는 당연히 과한 열 때문에, 큰 병이 되고(大病也), 신장은 이를 염으로 처리하면서 염의 과잉에 걸리게 되면서 신장은 완전히 과부하(實)에 걸리게 된다(完實也). 다시 본문을 보자. 그리고 간이 핵심인 태음인은(太陰人), 간에서 문제가 생기게 되면, 이는 간이 붙어있는 횡격막(膈)의 문제를 만들면서 동시에 횡격막이 지배하는 가슴(胸)에서도 문제를 만들고 만다(有胸膈怔忡證也). 간은 인제에서 제일 큰 장기라는 사실을 상기해보자. 신장이 핵심인 소음인은(少陰人), 신장이 뇌척수액을 통제해서 뼈를 통제하는 바람에, 주로 뼈의 힘에 의지해서 작동하는 수족에서 문제가 발생한다(有手足悗亂證也). 그리고 신경을 통해서 근육을 통제하는 간이 핵심인 태음인은(太陰人), 간이 문제가 되면, 눈꺼풀 근육이 강직되면서 눈꺼풀이 수축하면서 당기게 된다(有目眥上引證). 또한, 간은 신경을 통해서 눈 근육도 통제하므로, 눈알에서도 동통이 발생하게 된다(又有目睛內疼證也). 물론 신장이 핵심인 소음인은 당연히 간에서 나타나는 이런 증상이 나타나지 않게 된다(少陰人則 無此證也). 그리고 부신을 매달고 있는 신장이 핵심인 소음인은(少陰人), 부신이 건강할 때는 호흡이 평시 호흡이 되고(平時呼吸), 이때는(平均而), 인체의 정상적인 현상으로서 간간이 큰 호흡인 태식 호흡을 한 번씩 해준다(間有一太息呼吸也). 이는 호흡에서 부신이 만들어내는 스테로이드가 얼마나 중요한지를 알아야만 풀리는 문제이다. 이는 난경(難經)에서 부신을 호흡의 문이라고 칭한 데서 그 이유를 알 수 있다. 아무튼, 호흡에서 스테로이드는 엄청나게 중요하다. 이 문제는 본 연구소가 발행한 전자생리학을 참고하면 된다. 물론 간이 핵심인 태음인에게는(太陰人則), 호흡과 관련된 이런 증상이 나타날 리가 없다(無此太息呼吸也). 그리고 열을 만드는 간이 핵심인 태음인에서(太陰人), 학질의 원인인 과잉 산을 중화하면서 열을 만들고 오한을 만들 때는(瘧疾惡寒中), 당연히 열로 인해서 몸이 뜨거워지니까 냉수를 마실 수밖에 없게 만드나(能飮冷水), 열의 원천인 자유전자를 염에 격리해서 체외로 버려버리는 신장이 핵심인 소음인에서(少陰人), 학질의 원인인 과잉 산을 중화하면서 열을 만들고 오한을 만들 때는(瘧疾惡寒中), 신장은 이때 열의 원천인 자유전자를 염으로 격리해서 체외로 버리게 되므로, 자동으로 열은 많이 나지 않게 되니까 냉수를 마실 이유가 없게 만든다(不飮冷水). 근육을 통제하는 간이 핵심인 태음인의 맥상을 보게 되면(太陰人), 손목의 가로 근육이 팽팽하게 되면서, 이때 맥상은 자동으로 근육이 긴장(緊

사상인 변증론

長)된 맥상으로 나오게 된다(脈長而緊). 그리고 미끄러운 염을 통제하는 신장이 핵심인 소음인의 맥상을 보게 되면(少陰人), 이 염이 체액을 따라 흐르면서 체액의 흐름을 약(弱)하고 완만(緩)하게 하므로, 맥상도 약맥(弱)과 완맥(緩)이 나오게 된다(脈緩而弱). 이 문제는 본 연구소가 발행한 맥경이나 상한잡병론을 참고하면 된다. 그리고 근육을 통제하는 간이 핵심인 태음인은(太陰人), 근육과 연결된 기육을 강하게 당긴다(肌肉 堅實). 또한, 삼투압 기질인 염을 통제하는 신장이 핵심인 소음인은(少陰人), 간질에 염을 정체시키면서 수분을 붙잡게 되고, 이어서 간질과 접한 기육을 부풀게 만든다(肌肉 浮軟). 그리고 담즙을 통제해서 신경을 통제하고, 이어서 근육을 통제하는 간이 핵심인 태음인은(太陰人), 용모와 기품 그리고 일상에서(容貌詞氣起居), 행동거지가 상당히 절제되어있다(有儀而修整正大). 이는 간이 통제하는 신경의 안정 때문이다. 태음인은 간이 커서 간 기능이 안정되어있고, 이는 자동으로 행동도 품격이 있게 된다는 사실을 상기해보자. 그리고 뇌척수액을 통제해서 뇌를 통제하는 신장이 핵심인 소음인은(少陰人), 용모와 기품 그리고 격식의 수행에서(容貌詞氣體任), 안정된 뇌로 인해서 간결하고 쉽게 일을 처리하며, 잔재주도 많게 된다(自然而簡易小巧). 그리고 뼈를 통제하는 신장이 핵심인 소음인의 체형을 보게 되면(少陰人 體形), 어떤 사람은 뼈에 많이 의지하는 하체의 발달로 인해서 키가 작기도 하고(矮短而), 뼈는 또한 키를 좌지우지하므로, 많은 사람이 키가 큰 장신인데(亦多有長大者), 큰 사람은 8~9척이 되기도 한다(或有八九尺長大者). 그리고 근육을 통제하는 간이 핵심인 태음인의 체형을 보게 되면(太陰人 體形), 근육은 신장(身長) 문제에도 관여하므로, 키가 크기도 하지만(長大而), 근육과 뼈의 성장은 서로서로 상반되므로, 역시 태음인은 6척 단신도 있다(亦或有六尺矮短者). 한 척은 약 30cm이므로, 6척이면 180cm를 넘는데, 이를 단신이라고 말하는 사실을 보면, 옛날에는 키가 엄청나게 컸었나 보다. 담즙을 통해서 신경을 통제하는 간이 핵심인 태음인은(太陰人), 신경의 조절 실패로 인해서 언제라도 겁이 나게 만드는데(恒有怯心), 이때 간의 생리가 안정되어서 겁심도 동시에 안정되면(怯心寧靜則), 이때는 자동으로 생활도 안정되게 되므로(居之安), 이런 상태가 심화되면(資之深而), 겁이 없이 자기의 할 일을 제대로 할 수 있게 된다(造於道也). 그러나 거꾸로 겁나게 하는 마음이 많이 만들어질수록(怯心益多則), 이때는 마음이 안정되지 못하고 생활은 이에 구속(桎梏:질곡)되면서(放心桎梏而), 이때는 자기 자신이 아닌 공포에 이끌려서 자기를 잃고 만다. 이를 심리학 용어로 물화(物化:reification)라고 부른다(物化之也). 이때 자기는 감정이 없는 하나의 물건이 되어버린다. 만약에(若), 겁심이(怯心), 더 나쁘게 발전해서 공포의 마음(怕心:파심)으로 변하는 지경에 이르게 되면(至於怕心則), 이는 자동으로 산성인 호르몬의 폭증을 유도하게 되면서, 자동으로 큰 병이 작동하게 만들어 버린다(大病作而). 그러면, 이제는 아주 작은 일만 닥쳐도 속이 울렁거리는 울렁증으로 나아가게 된다(怔忡也). 이쯤 되면(怔忡者), 태음인의 병증은 중증이 되고 만다(太陰人病之重證也). 즉, 태음인에서 울렁증은 중증이라는 뜻이다. 간이 큰 태음인이라고 할지라도, 간이 산성인 호르몬을 중화하는 데도 한계가 있기 때문이다. 간은 대부분 호르몬을 최종 처리한다는 사실을 상기해보자.

少陽人 恒有懼心 懼心寧靜則 居之安 資之深而 造於道也. 懼心益多則 放心桎梏而 物化之也. 若 懼心 至於恐心則 大病作而 健忘也 健忘者 少陽人病之險證也. 少陰人 恒有不安定之心 不安定之心寧靜則 脾氣 卽活也. 太陽人 恒有急迫之心 急迫之心寧靜則 肝血 卽和也. 少陰人 有咽喉證 其病 太重而爲緩病也 不可等閒任置. 當用 蔘桂八物湯 或用 獐肝 金蛇酒. 太陽人 有八九日大便不通證 其病 非殆證也 不必疑惑而 亦不可無藥. 當用 獼猴藤五加皮湯.

소양(少陽)인 담(膽)이 문제를 많이 일으키는 소양인은(少陽人), 항상 두려운 마음을 가지고 있으며(恒有懼心), 이런 두려운 마음이 안정을 찾게 되면(懼心寧靜則), 이때는 자동으로 생활도 안정되게 되므로(居之安), 이런 상태가 심화되면(資之深而), 두려움이 없이 자기의 할 일을 제대로 할 수 있게 된다(造於道也). 그러나 거꾸로 두렵게 하는 마음이 많이 만들어질수록(懼心益多則), 이때는 마음이 안정되지 못하고 생활은 이에 구속(桎梏:질곡)되면서(放心桎梏而), 사람이 감정이

사상인 변증론

없는 물건처럼 물화(物化:reification)된다(物化之也). 만약에(若), 두려움이(懼心), 더 나쁘게 발전해서 공포의 마음으로 변하는 지경에 이르게 되면(至於恐心則), 이는 자동으로 산성인 호르몬의 폭증을 유도하게 되면서, 이때는 자동으로 큰 병이 작동하게 만들어버린다(大病作而). 그러면, 이제는 담이 담즙을 통해서 통제하는 뇌가 상하면서 건망증으로 나아가게 된다(健忘也). 그리고 건망증은 뇌 문제이므로(健忘者), 소양인에게는 험증이 된다(少陽人病之險證也). 지금까지 이 구문은 간이 핵심인 태음인하고 똑같은데, 단지 겁(怯)에서 구(懼)로 한 글자가 바뀌었을 뿐이다. 그리고 이 한 글자조차도 내용으로 따지고 들면, 거의 같은 뜻이 된다. 즉, 겁(怯)이나 두려움(懼)의 뜻은 거의 대동소이하다. 이는 태음인은 간(肝)이 문제를 많이 일으키고, 소양인은 담(膽)이 문제를 많이 일으키기 때문이다. 그리고 간과 담은 서로 운명 공동체로서 당연히 증상도 같아질 수밖에 없다. 그래서 이 구문은 태음인과 해석이 똑같게 된다. 다시 본문을 보자. 신장이 핵심인 소음인은(少陰人), 신장이 분비하는 아드레날린이라는 공포 호르몬 때문에, 항상 마음이 불안정해질 수 있는 조건을 보유하고 있게 된다(恒有不安定之心). 그러나 소음인의 마음이 안정된 마음으로 계속 유지가 되면(不安定之心寧靜則), 이는 큰 신장의 기능이 제대로 작동하게 되고, 그러면 소음인을 구성하고 있는 크기가 작아서 기능도 제대로 하지 못하는 비장의 기운도(脾氣), 림프액을 서로 교환하는 신장의 도움을 받게 되면서, 즉시 안정되어서 활동적이 된다(卽活也). 이번에는 태양인이다. 호흡을 주도하는 폐가 핵심인 태양인은(太陽人), 폐는 여러 장기와 연결된 횡격막과 항상 운명 공동체이므로, 언제라도 호흡의 급박함을 당할 수 있게 된다(恒有急迫之心). 태양인은 횡격막이 핵심인 열격병을 안고 산다는 사실을 상기해보자. 그리고 폐의 호흡은 횡격막이 주도한다는 사실도 더불어 상기해보자. 참고로 폐는 근육이 없다. 그래서 자동으로 폐는 호흡할 때 횡격막 근육에 의지하게 된다. 그러나 이런 상황이 초래되지 않고 폐가 안정화되면(急迫之心寧靜則), 큰 폐는 자동으로 간으로 산성 담즙을 보내서 간을 상극하지 않게 되고, 이어서 작은 간은 더 적은 산성 체액을 받게 되면서, 간에 든 혈액은 즉시 간의 생리와 조화를 이루게 된다(肝血 卽和也). 그리고 신장이 핵심인 소음인은(少陰人), 인후부에 증상이 있게 되면(有咽喉證), 이 병은(其病), 대단히 큰 중증이 되는데, 이는 아주 느리게 진행되는 병이다(太重而爲緩病也). 그래서 이 병은 대충 넘겨서는 안 된다(不可等閒任置). 이때는 당연히 삼계팔물탕이나(當用 蔘桂八物湯), 때로는(或), 노루 간이나(用 獐肝), 황구렁이로 담근 술을 마시면 된다(金蛇酒). 여기서 신장과 인후부의 연결은 두 가지로 볼 수 있다. 하나는 인후부에 있는 편도선이고, 하나는 식도와 접한 갑상선이다. 편도선은 신장이 처리하는 림프와 연결된다. 그러나 림프의 주도는 비장이 더 강하게 한다. 그리고 인후부 쪽에 있는 갑상선은 소음인의 핵심 장기인 신장이 처리하는 칼슘과 인산을 취급한다. 그래서 소음인의 핵심 장기인 신장은 자동으로 갑상선과 연결된다. 그리고 갑상선은 인체에서 가장 큰 내분비선이다. 그리고 갑상선 병증은 느리게(緩) 진행하기로 유명하다. 그래서 여기서 말하는 인후부 증상은 갑상성 증상이 된다. 그리고 이 갑상성 증상은 암으로 발전하면, 당연히 큰 중병이 된다. 그리고 인간이나 동물의 간은 신장이 염을 만들 때 필요한 미네랄을 아주 많이 취급한다. 그리고 구렁이와 같은 뱀은 강알칼리 체액을 보유하게 되는데, 이는 강알칼리인 염이 완충해준다. 그리고 이런 염은 알코올과 반응성이 아주 좋다. 그래서 구렁이 담금주는 신장이 염을 만들 때 필요로 하는 미네랄로서 알칼리인 염을 제공하게 된다. 다시 본문을 보자. 폐가 큰 태양인이(太陽人), 폐와 음양으로 맺어진 대장 문제로 인해서 8~9일 정도 대변이 막혀서 변을 보지 못하게 될 때(有八九日大便不通證), 이 병은(其病), 설사 처방으로 언제라도 해결이 가능하므로, 당연히 위태로운 증상은 아니다(非殆證也). 그래서 불필요하게 중병으로 의심할 필요도 없고(不必疑惑而), 또한(亦), 치료 약이 없는 것도 아니다(不可無藥). 이때는 당연히 미후등오가피탕을 쓴다(當用 獼猴藤五加皮湯). 이 구문도 체액 생리를 아주 많이 요구하고 있다. 사실, 이제마의 사상의학은 체액 이론이 핵심이 될 수밖에 없다. 이는 체액 이론이 핵심인 장중경의 상한론을 그 기반으로 하고 있기 때문이기도 하다. 상한론에서 제일 많이 나오는 땀법과 설사법을 상기해보면, 상한론이 체액 이론을 기반으로 하고 있다는 사실을 누구라도 금방 알 수 있게 된다. 그리고 이제마는 심장을 태극으로 취급해서 사상의학의 핵심인 나머지 오장 4개를 돌본다. 이는 심장이 공급하는 알칼리 동맥혈을 통해서만 가능하게 된다. 그 이유는 심장을 제외한 나머지 오장들이 과잉 산을 중화할 때 모두 심장이 공급하는 알칼리 동맥혈을 이용하기 때문이다. 그래서 이제마의 사상의학은 자동으로 체액 이론이 기반이 된다. 그리고 그 체액은 신장과 비장은 산성 림프액이고, 폐와 간은 산성 정맥혈이다. 그리고 이 두 산성 체액은 심장이 보내준 알칼리 동맥혈로 중화된다. 이제마가 산성 림프액과 산성 정맥혈에 집착한 이유는 이 두 체액을 소통시키는 림프와 정맥이 하수구 역할을 하기 때문이다. 하수구가 막히게 되면, 체액의 소통은 멈추게 된다는 사실을 상기해보자. 이 문제는 이제마의 사상의학을 풀 때 엄청나게 중요한 인자이다. 지금까지는 체액 이론을 거들떠보지도 않고 말로만 그럴듯하게 포장된 최첨단 현대의학으로 이제마의 사상의학을 풀면서 이제마의 이론은 엉망진창이 되고 말았다. 이는 자동으로 이제마의 사상의학을 미신으로 둔갑시키고 말았다. 그런데, 이제마의 사상이론을 제대로 풀게 되면, 여기서 아주 재미있는 현상이 나타나게 된다. 즉, 이제마의 사상의학은 비과학적(非科學的)이지만, 과학적(科學的)이라는 사실이다. 즉, 이제마의 사상의학은 최첨단 현대의학의 기반인 고전물리학(古典物理學)으로 풀게 되면 안 풀리게 되므로 비과학적(非科學的)이 되지만, 한의학의 기반인 양자역학(量子力學)으로 풀게 되면 제대로 잘 풀리게 되면서 과학적(科學的)이라는 사실이다. 즉, 눈에 보이지 않는 에너지 현상을 전문으로 다루는 양자역학(量子力學)을 겨우 눈에 보이는 현상을 다루는 고전물리학(古典物理學)으로 풀게 되면, 양자역학은 자동으로 비과학적인 미신이 되고 만다는 뜻이다. 즉, 최첨단 현대의학으로 이제마의 사상의학을 풀면 자동으로 사상의학은 비과학적인 미신이 되고 만다는 뜻이다.

太陽人 小便旺多則 完實而無病. 太陰人 汗液通暢則 完實而無病. 少陽人 大便善通則 完實而無病. 少陰人 飮食善化則 完實而無病.

폐와 간으로 구성된 태양인이(太陽人), 소변을 왕성하게 많이 누게 되면(小便旺多則), 이는 신장을 완전히 과부하로 몰고 가기는 하지만 병은 없게 된다(完實而

無病). 염을 전문으로 처리하는 신장이 과부하에 걸린다는 말은 폐가 이산화탄소를 처리하면서 만든 중조염을 신장이 많이 받아서 처리한다는 뜻이 되고, 또한, 간이 담즙을 암모니아로 만들어서 이를 신장으로 많이 보내서 신장이 이를 처리하면서 과부하에 걸렸다는 뜻이 되므로, 이때 태양인은 자동으로 폐와 간이 보호되면서 병이 없게 된다. 다시 본문을 보자. 간이 핵심인 태음인은(太陰人), 땀이 잘 소통해서(汗液通暢則), 땀을 만드는 간질을 림프를 통해서 통제하는 비장이 완전히 과부하에 걸려도, 병은 없게 된다(完實而無病). 간질이 문제가 되는 경우는 간질에 정체한 분자 크기가 큰 산성 물질이 간질에 정체하기 때문이다. 그래서 역설적으로 간질이 소통을 잘하게 되면, 비장은 간질에서 들어오는 산성 물질을 처리하면서 과부하(實)에 걸리게 된다. 그리고 간은 산성 림프액을 만들어서 간질로 보내면, 이를 림프를 통해서 비장이 흡수해서 처리한다. 그러면 자동으로 간은 문제가 없게 된다. 그래서 간이 핵심인 태음인은 이때 병이 없게 된다. 비장과 신장으로 구성된 소양인은(少陽人), 대변이 잘 통하게 되면(大便善通則), 대장이 아무리 과부하(實)에 걸려도, 병이 없게 된다(完實而無病). 신장은 염을 처리하는데, 대장도 염을 취급한다. 대장에서 중조염과 대장이 만든 단쇄지방산이 서로 교환되면서 중조염이 대장 공간을 배출된다는 사실을 상기해보자. 이렇게 소양인의 작은 신장이 도움을 받게 되면, 이는 자동으로 서로 산성 림프액을 교환하는 비장도 도움을 받게 되고, 그러면 소양인은 자동으로 병이 없게 된다. 그리고 비장이 통제하는 위장은 중조를 만들면서 위산을 만든다는 사실도 더불어 상기해보자. 그러면 중조를 대장이 과부하에 걸릴 정도로 잘 처리해준다면, 비장과 신장은 자동으로 병에 걸리지 않게 되고, 이는 자동으로 소양인에서 병이 없게 만든다. 다시 본문을 보자. 신장이 핵심인 소음인은(少陰人), 음식을 잘 소화시켜서(飮食善化則), 위장이 완전히 과부하에 걸려도, 병은 없게 된다(完實而無病). 신장과 음식의 소화는 어떻게 연결될까? 여기서도 역시 중조이다. 이는 아주 재미있는 현상을 만들어낸다. 즉, 소화를 잘 시키게 되면, 자동으로 대장의 건강도 아주 좋게 된다. 그러면 대장은 자동으로 단쇄지방산을 아주 잘 만들어서 이를 중조와 교환하고, 이어서 신장이 처리하는 중조는 대장 공간으로 버려지게 된다. 이는 자동으로 중조라는 염을 처리하는 신장으로 향한다. 그러면 신장이 핵심인 소음인은 병이 없게 된다. 이도 역시 체액 이론은 많이 요구한다. 여기서는 중조가 주인공이 되고 있다.

太陽人 噎膈則 胃脘之上焦 散豁如風. 太陰人 痢病則 小腸之中焦 窒塞如霧. 少陽人 大便不通則 胸膈 必如烈火. 少陰人 泄瀉不止則 臍下 必如氷冷.

폐가 핵심인 태양인이(太陽人), 폐가 의지하는 횡격막이 문제가 되면서 열격에 걸리게 되면(噎膈則), 위완부 부근의 상초에서(胃脘之上焦), 체액의 흐름이 멈추게 되는데, 이는 마치 바람이 이리저리 불면서 혼잡한 상황을 만드는 것처럼 되고 만다(散豁如風). 위완부 부근에 있는 횡격막 구멍은 인체의 모든 체액이 소통하는 구멍이라는 사실을 상기해보자. 다시 본문을 보자. 간이 핵심인 태음인이(太陰人), 간이 문제가 되어서 이질에 걸리게 되면(痢病則), 소장이 자리한 중초는(小腸之中焦), 마치 안개가 막혀서 소통하지 못하는 것처럼 된다(窒塞如霧). 여기서 안개(霧)는 소장에서 흡수되어서 간문맥으로 들어가는 산성 정맥혈을 말한다. 그리고 간이 문제가 되면서 산성 정맥혈을 간문맥이 받아주지 못하게 되면, 이 산성 정맥혈은 소장에서 이질을 만들게 되면서, 동시에 소통하지 못하고 막혀서 소장 근처에 정체하게 된다. 이를 안개가 막혀서 소통하지 못한 상황으로 표현하고 있다. 다시 본문을 보자. 비장과 신장으로 구성된 소양인이(少陽人), 염인 중조 문제로 인해서 대변이 불통하게 되면(大便不通則), 흉격에서 반드시 불이 맹렬히 타는 것처럼 된다(胸膈 必如烈火). 소양인과 대변 그리고 중조의 연관성 문제는 이미 설명했다. 그래서 대변이 굳어서 불통하고 있다는 말은 삼투압 기질인 중조염이 대장 공간으로 배출되지 못하고 있다는 뜻이 된다. 그러면, 이는 염을 전문으로 처리하는 신장을 직격하게 된다. 이는 자동으로 신장과 산성 림프액을 교환하는 비장 문제로도 비화된다. 그러면 자동으로 신장과 비장이 공동으로 처리하는 림프액은 자동으로 과잉되게 되고, 이는 자동으로 횡격막 구멍에서 정체하고 만다. 그리고 이 산성 림프액에 든 과잉 자유전자는 일부가 중화되면서 자동으로 열을 만들게 되고, 이는 자동으로 횡격막과 흉부를 뜨겁게 달구게 된다. 다시 본문을 보자. 비장과 신장으로 구성된 소음인이(少陰人), 설사가 멈추지를 않아서 문제가 되면 (泄瀉不止則), 이때는 배꼽 밑에서 반드시 지독한 냉기가 돌게 만든다(臍下 必如 氷冷). 이는 간 문제이다. 간은 비상으로 산성 림프액을 버리고, 신상으로 암모니 아라는 염을 버린다. 그래서 신장과 비장이 문제가 되면, 간은 자동으로 문제가 된다. 그러면 간이 통제하는 소화관의 산성 정맥혈이 처리되지 못하게 되고, 이는 자동으로 설사를 유발한다. 이 정도가 되면, 간은 자기가 통제하는 배꼽 밑 부근 에 두루 존재하는 하복부 정맥총을 통제하지 못하게 되고, 그러면 자동으로 열을 만들 때 반드시 필요한 산소를 실은 동맥혈은 소통하지 못하게 되고, 이는 자동으 로 배꼽 밑 부근을 얼음장처럼 차갑게 만들고 만다.

明知其人而 又明知其證則 應用之藥 必無可疑. 人物形容 仔細商量 再三推移 如有迷惑則 參互病證 明見無疑 然後 可以用藥. 最不可輕忽而 一貼藥 誤投重病險證 一貼藥 必殺人.

그 사람의 체질을 명확히 알게 되면(明知其人而), 또한(又), 그 병의 증상을 명 확히 알게 되면(明知其證則), 이에 대응되는 약을 쓸 수가 있고(應用之藥), 그러 면 반드시 이에 관한 문제를 의심하지 않게 된다(必無可疑). 그리고 환자를 진단 할 때는 환자의 체형과 용모를 자세히 따져보고서(人物形容 仔細商量), 추가로 두 번 세 번 다시 추정해보고(再三推移), 그래도 의심이 들면(如有迷惑則), 다시 병증을 따져보고(參互病證), 의심을 거두게 되고 나서(明見無疑), 이후에(然後), 마침내 약을 쓰면 된다(可以用藥). 비록 한 첩의 약이라도 함부로 써서는 안 되며 (最不可輕忽而 一貼藥), 특히 중증과 험증에서(誤投重病險證), 잘못 처방(誤投) 된 한 첩의 약은(一貼藥), 반드시 환자를 죽이게 된다(必殺人).

華佗曰 養生之術 每欲小勞 但莫大疲. 有一老人曰 人 可日再食而 不(可)四五食也.

　　　　　　　사상인 변증론

又不可旣食後添食 如此則 必無不壽. 余足之曰 太陰人 察於外而 恒(有)寧靜怯心.
少陽人 察於內而 恒(有)寧靜懼心. 太陽人 退一步而 恒(有)寧靜急迫之心. 少陰人
進一步而 恒(有)寧靜不安定之心. 如此則 必無不壽. 又曰 太陽人 恒戒怒心哀心. 少
陽人 恒戒哀心怒心. 太陰人 恒戒樂心喜心. 少陰人 恒戒喜心樂心. 如此則 必無不壽.

　화타가 말하는(華佗曰), 양생의 기술이란(養生之術), 매번 중노동을 피하고(每
欲小勞), 몸을 지나치게 피곤하지 않도록 하는 데 있다(但莫大疲). 다음과 같이
말하는 노인도 있다(有一老人曰). 어떤 사람이든지 간에(人), 하루에 두 끼를 먹
는 것은 괜찮으나(可日再食而), 네다섯 번 먹는 것은 아주 나쁘다(不(可)四五食
也). 또한(又), 식사를 제대로 한 후에 추가로 더 먹어서도 안 된다(不可旣食後添
食). 이처럼 과식하지 않게 되면(如此則), 반드시 장수하지 않을 수가 없게 된다
(必無不壽). 나도 여기에 사족을 붙이자면(余足之曰), 신경을 통제하는 간이 핵심
인 태음인은(太陰人), 항상 외부 생활 환경을 잘 관찰해서 신경을 조절하고, 이어
서 생활을 안정시켜줘야만 한다(察於外而 恒(有)寧靜怯心). 담인 소양이 문제를
많이 일으키는 소양인은(少陽人), 항상 자기 내부의 마음을 조절해서(察於內而),
신경을 안정시키고, 이어서 신경이 만들어내는 두려움을 떨쳐내야만 한다(恒(有)
寧靜懼心). 그리고 큰 폐로 인해서 의지가 강한 태양인은(太陽人), 항상 모든 일
을 행할 때 너무 성급하게 서두르지 말고, 한 발짝 물러서서 자기를 돌아보고, 급
한 마음을 진정시켜줘야만 한다(退一步而 恒(有)寧靜急迫之心). 그리고 공포 호
르몬인 아드레날린을 분비하는 신장이 핵심인 소음인은(少陰人), 이 공포를 이겨
내기 위해서 항상 먼저 미리 일을 추정해보고서(進一步而), 불안한 마음을 안정시
켜줘야만 한다(恒(有)寧靜不安定之心). 이처럼 행동하게 되면(如此則), 반드시 장
수하지 않을 수가 없게 된다(必無不壽). 추가로 좀 더 덧붙이자면(又曰), 기능이
강한 큰 폐와 상대적으로 기능이 약한 작은 간을 보유한 태양인은(太陽人), 폐와
간이 처리하는 산성 림프액 문제 때문에, 비장(怒)과 폐(哀)의 관계를 고려하고
경계해야만 한다(恒戒怒心哀心). 그리고 소양(少陽)인 담이 문제를 많이 일으키는
소양인은(少陽人), 항상 폐(哀)와 비장(怒)의 문제를 염두에 두고서 경계해야만

한다(恒戒哀心怒心). 이는 간과 담의 연결 고리 때문이다. 담이 문제가 되면, 간은 반드시 담 문제를 끌어안게 된다. 그리고 간은 폐가 주는 산성 담즙을 받고, 또한 간은 산성 림프액을 만들어서 비장으로 보낸다. 그러면 자동으로 간과 운명 공동체인 담은 항상 폐(哀)와 비장(怒)의 문제를 염두에 두고서 경계해야만 한다. 간은 크고, 폐가 작은 태음인은(太陰人), 항상 신장(樂)과 간(喜) 문제를 경계해야만 한다(恒戒樂心喜心). 그 이유는 간(喜)은 암모니아라는 염을 만들어서 신장(樂)으로 보내기 때문이다. 그리고 신장은 크고, 비장이 작은 소음인은(少陰人), 항상 간(喜)과 신장(樂) 문제를 경계해야만 한다(恒戒喜心樂心). 그 이유는 간(喜)은 암모니아라는 염을 만들어서 신장(樂)으로 보내기 때문이다. 이처럼 행동하게 되면(如此則), 반드시 장수하지 않을 수가 없게 된다(必無不壽).

大舜 自耕稼陶漁 無非取諸人以爲善. 夫子曰 三人行 必有我師 以此觀之則 天下 衆人之才能 聖人 必博學審問而兼之故 大而化也. 太少陰陽人 識見才局 各有所 長 文筆射御 歌舞揖讓 以至於博奕小技 細瑣(鎖)動作. 凡百做造 面面不同 皆異 其妙 儘乎 衆人才能之浩多於造化中也.

　위대한 순임금은(大舜), 밭을 경작하고, 곡식을 심고, 도자기를 굽고, 고기를 잡는 방법을(自耕稼陶漁), 스스로 모두 받아들여서, 백성을 구성하는 모든 사람이 좋은 일을 하도록 만들었다(無非取諸人以爲善). 그리고 공자는 다음과 같이 말하고 있다(夫子曰). 세 사람이 걸어가고 있으면(三人行), 여기에는 반드시 나의 스승이 존재하게 된다(必有我師). 이처럼 살펴보건대(以此觀之則), 성인은 천하의 모든 사람의 능력과 재주를(天下衆人之才能 聖人), 반드시 널리 배우고 자세히 탐구해서 이를 체화시키고(必博學審問而兼之故), 이를 집대성해서 자기를 변화시켰다(大而化也). 그리고 사상인들은 모두(太少陰陽人), 식견과 재능에서 각각 장점을 보유하고 있는데(識見才局 各有所長), 여기에는 문필, 활쏘기(文筆射御), 노래하고 춤추고 사양하고(歌舞揖讓), 아주 조그만 기술과 조그만 동작까지 포함된다(以至於博奕小技 細瑣(鎖)動作). 지금까지 말한 온갖 행위나 기술은(凡百做造), 모두 제각각이어서(面面不同), 이들은 모두 자기의 다른 묘미를 발휘한다(皆異其妙). 아 극진하도다(儘乎)! 이런 대중의 재주와 능력이 조화를 만들어내는 와중에 많은 일들이 만들어지는구나(衆人才能之浩多於造化中也)!

靈樞書中 有太少陰陽五行人論而 略得外形 未得臟理. 蓋 太少陰陽人 早有古昔之見而 未盡精究也.

황제내경 영추를 보면(靈樞書中), 영추는 사상인과 오행인을 논하고 있으나(有太少陰陽五行人論而), 간략하게 외형만 논할 뿐이어서(略得外形), 영추에서 이에 따르는 오장의 생리 지식까지 얻을 수는 없다(未得臟理). 대개(蓋), 사상인의 문제는(太少陰陽人), 일찍이 고대부터 보아왔기는 하지만(早有古昔之見而), 이를 깊이 탐구한 적은 없었다(未盡精究也).

此書 自癸巳七月十三日始作 晝思夜度 無頃刻休息 至于翌年甲午四月十三日 少陰少陽人論則 略得詳備 太陰太陽人論則 僅成簡約. 蓋 經驗未遍而 精力已憊故也. 記曰 開而不達則思 若 太陰太陽人 思而得之則 亦何損乎簡約(略)哉. 萬室之邑 一人陶則 器不足也 百家之村 一人醫則 活人不足也. 必廣明醫學 家家知醫 人人知病 然後 可以壽世保元.

이 책은(此書), 계사년(서기 1893년) 7월 13일에 시작해서(自癸巳七月十三日始作), 밤낮을 가리지 않고 생각에 힘써서(晝思夜度), 잠시의 휴식도 없이(無頃刻休息), 다음 해인 갑오년(서기 1894년) 4월 13일에 이르러서야 끝내게 되었다(至于翌年甲午四月十三日). 여기서 소음인과 소양인 이론은 간략하게나마 상세히 준비하고 논했으나(少陰少陽人論則 略得詳備), 태음인과 태양인 이론은(太陰太陽人論則), 겨우 간략하게 기술했다(僅成簡約). 이는 대부분(蓋), 경험이 미숙한 탓이고(經驗未遍而), 또한, 이 책을 쓰면서 이미 심신이 지쳤기 때문이다(精力已憊故也). 예기에서는 다음과 같이 말하고 있다(記曰). 책을 열어보고 읽어서 통달하고 이해하지 못하게 되면, 그다음은 이를 깊이 생각해보아야 한다(開而不達則思). 이런 원리에 따라서, 만약에(若), 지금 기술한 태음인과 태양인에 관한 서술이 부족하다고 할지라도(太陰太陽人), 이를 기반으로 해서 이를 깊이 생각해본다면, 나머지 부족한 부분도 충분히 터득이 가능하므로(思而得之則), 이도 역시 어찌 간략한 기술이 독자들에게 손해만 되리오(亦何損乎簡約(略)哉)! 만 호가 사는 고을에(萬室之邑), 도공이 한 명만 있다면(一人陶則), 이때는 당연히 그릇이 부족할 것이고(器不足也), 백 가구가 사는 촌락에(百家之村), 의사가 한 명만 있다면(一人醫則), 살아남는 환자는 적을 것이다(活人不足也). 이런 현실에서는 반드시 의학의 원리를 명확히 밝혀서(必廣明醫學), 집 집마다 의학을 알게 하고(家家知醫), 사람마다 병을 알게 해야(人人知病), 드디어(然後), 세상 사람들이 원기를 보존하고 장수를 누릴 수가 있게 된다(可以壽世保元).

光緒甲午四月十三日　咸興李濟馬　畢書于漢南山中. 嗚呼　公甲午畢書後　乙未(1895)下鄕　至于庚子　因本改草. 自性明論　至太陰人諸論　各有增刪而　太陽人以下三論　未有增刪. 故　今以甲午舊本開刊. 大韓光武五年辛丑六月　日　咸興郡栗洞契新刊. 門人　金永寬　韓稷淵　宋賢秀　韓昌淵　崔謙鏞　魏俊赫　李燮垣.

　광서제 갑오년(서기 1894년) 4월 13일에(光緒甲午四月十三日), 함흥 사람 이제마가(咸興李濟馬), 한남산 산중에서 글쓰기를 마친다(畢書于漢南山中). 갑오년(서기 1894년)에 글을 마치고(嗚呼　公甲午畢書後), 을미년(서기 1895년)에 고향으로 내려왔고(乙未下鄕), 경자년(서기 1900년)에 와서는(至于庚子), 원고를 토대로 해서 교정작업을 했으며(因本改草), 성명론에서부터(自性明論), 태음인론에 이르기까지 여러 이론에 대해서(至太陰人諸論), 각각 뺄 것은 빼고 추가할 것은 추가했으나(各有增刪而), 태양인 이론 이하 3가지 이론은(太陽人以下三論), 미처 교

사상인 변증론

정작업을 하지 못했다(未有增刪). 이런 이유로(故), 지금, 갑오년(서기 1894년)에 쓴 구본을 개간하게 되었다(今以甲午)舊本開刊). 그리고 광무 5년(大韓光武五年), 신축년(서기 1901년) 6월 자로(辛丑六月 日), 함흥군 율동계에서 신간을 펴냈다 (咸興郡栗洞契新刊). 이때 참여한 문인은(門人), 김영관(金永寬), 한직연(韓稷淵), 송현수(宋賢秀), 한창연(韓昌淵), 최겸용(崔謙鏞), 위준혁(魏俊赫), 이섭항(李燮垣) 등 7인이다.

처방 색인

[ㄱ]

갈근라복자탕[葛根蘿葍子湯]　603　　　갈근부평탕[葛根浮萍湯]　595

갈근승기탕[葛根承氣湯]　592　　　갈근해기탕[葛根解肌湯]　581, 587

감수천일환[甘遂天一丸]　511　　　감초사심탕[甘草瀉心湯]　328

강부탕[薑附湯]　322　　　건율저근피탕[乾栗樗根皮湯]　597

건율제조탕[乾栗蠐螬湯]　596　　　계마각반탕[桂麻各半湯]　573

계부곽진이중탕[桂附藿陳理中湯]　369　　　계비각반탕[桂婢各半湯]　481

계삼고[鷄蔘膏]　363　　　계지반하생강탕[桂枝半夏生薑湯]　360

계지부자탕[桂枝附子湯]　341　　　계지인삼탕[桂枝人蔘湯]　322

계지탕[桂枝湯]　321　　　계지황기탕[桂枝黃耆湯]　357

과체산[瓜蒂散]　598　　　곽향정기산[藿香正氣散]　340, 358

관계부자이중탕[官桂附子理中湯]　365　　　공진흑원단[拱辰黑元丹]　594

궁귀총소이중탕[芎歸蔥蘇理中湯]　369　　　궁귀향소산[芎歸香蘇散]　358

[ㄴ]

녹용대보탕[鹿茸大補湯]　594

[ㄷ]

당귀사역탕[當歸四逆湯]　327　　　대승기탕[大承氣湯]　331

대시호탕[大柴胡湯]　574　　　대청룡탕[大靑龍湯]　480

대함흉탕[大陷胸湯] 482   도인승기탕[桃仁承氣湯] 329

도적산[導赤散] 490   독삼관계이중탕[獨蔘官桂理中湯] 369

독삼탕[獨蔘湯] 369   독활지황탕[獨活地黃湯] 505

[ㅁ]

마인환(麻仁丸) 330   마황발표탕[麻黃發表湯] 593

마황부자감초탕[麻黃附子甘草湯] 326   마황부자세신탕[麻黃附子細辛湯] 326

마황정천탕[麻黃定喘湯] 583, 590   마황정통탕[麻黃定痛湯] 591

마황탕[麻黃湯] 573   목통대안탕[木通大安湯] 510

목향순기산[木香順氣散] 338   미후등식장탕[獼猴藤植腸湯] 639

밀전도법[蜜煎導法] 330

[ㅂ]

반하사심탕[半夏瀉心湯] 327   반하산[半夏散] 324

백하수오이중탕[白何首烏理中湯] 367

백하오부자이중탕[白何烏附子理中湯] 366   백호탕[白虎湯] 479

벽력산[霹靂散] 344   보중익기탕[補中益氣湯] 335, 356

보폐원탕[補肺元湯] 593   부자탕[附子湯] 325

비방화체환[秘方化滯丸] 347   비아환[肥兒丸] 492   비약환[脾約丸] 330

[ㅅ]

사순이중탕[四順理中湯] 322   사역탕[四逆湯] 323   사향산[麝香散] 600

처방 색인

산밀탕 [蒜蜜湯]　363　　삼릉소적환[三稜消積丸]　346

삼물백산[三物白散]　348　　삼미삼유탕[三味參萸湯]　343

생강사심탕[生薑瀉心湯]　328　　생맥산[生脈散]　579

생숙지황환[生熟地黃丸]　489　　석창포원지산[石菖蒲遠志散]　577, 601

소독음[消毒飮]　493　소승기탕 [小承氣湯]　331　소시호탕[小柴胡湯]　480

소함흉탕[小陷胸湯]　481　　소합향원[蘇合香元]　339

수은훈비방[水銀熏鼻方]　494　　숙지황고삼탕[熟地黃苦蔘湯]　509

승양익기부자탕[升陽益氣附子湯]　353　　승양익기탕[升陽益氣湯]　355

신기환[腎氣丸]　482　　십이미지황탕[十二味地黃湯]　507

십전대보탕[十全大補湯]　335　　십조탕[十棗湯]　482

[ㅇ]

양격산[涼膈散]　487　　양격산화탕[涼膈散火湯]　508

양독백호탕[陽毒白虎湯]　508　　여의단[如意丹]　348

열다한소탕[熱多寒少湯]　591　　오가피장척탕[五加皮壯脊湯]　639

오령산 [五苓散]　480　　오수유부자이중탕[吳茱萸附子理中湯]　366

온백원[溫白元]　345　　우황청심원[牛黃淸心元]　602

우황청심환[牛黃淸心丸]　581　　웅담산[熊膽散]　600

육미지황탕[六味地黃湯]　489　　이성구고환[二聖救苦丸]　580

이중탕[理中湯]　321　　인동등지골피탕[忍冬藤地骨皮湯]　508

인삼계지부자탕[人參桂枝附子湯]　353　　인삼계지탕[人蔘桂枝湯]　322

인삼관계부자탕[人蔘官桂附子湯]　354　　인삼오수유탕[人參吳茱萸湯]　365

인삼진피탕[人蔘陳皮湯]　363　　인진귤피탕[茵蔯橘皮湯]　342

인진부자탕[茵蔯附子湯]　342　　　인진사역탕[茵蔯四逆湯]　342

인진호탕[茵陳蒿湯]　328

[ㅈ]

장달환[瘴疸丸]　346　　저근피환[樗根皮丸]　580　　저당탕[抵當湯]　329

저령백호탕[豬苓白虎湯]　515　　　저령차전자탕[豬苓車前子湯]　505

저령탕[豬苓湯]　479　　　적백하오관중탕[赤白何烏寬中湯]　361

적석지우여량탕[赤石脂禹餘粮湯]　325　　　조각대황탕[皂角大黃湯]　595

조리폐원탕[調理肺元湯]　592　　　조위승기탕[調胃承氣湯]　574

조위승청탕[調胃升淸湯]　588　　　조중탕[調中湯]　577

주사익원산[朱砂益元散]　511　　　지황백호탕[地黃白虎湯]　507

[ㅊ]

천궁계지탕[川芎桂枝湯]　357　　　청심연자탕[淸心蓮子湯]　589

[ㅌ]

태음조위탕[太陰調胃湯]　587

[ㅍ]

파두단[巴豆丹]　364　　팔물군자탕[八物君子湯]　359

처방 색인

[ㅎ]

한다열소탕[寒多熱少湯]　592　　향부자팔물탕[香附子八物湯]　359

향사양위탕[香砂養胃湯]　360　　향사육군자탕[香砂六君子湯]　337

향소산[香蘇散]　341　　활석고삼탕[滑石苦參湯]　505

황기계지부자탕[黃耆桂枝附子湯]　353　　황기계지탕[黃芪桂枝湯]　357

황련저두환[黃連豬肚丸]　488　　황련청장탕[黃連淸腸湯]　511

형방도적산[荊防導赤散]　503　　형방사백산[荊防瀉白散]　504

형방지황탕[荊防地黃湯]　506　　형방패독산[荊防敗毒散]　491, 503

후박반하탕[厚朴半夏湯]　323　　흑노환[黑奴丸]　578

동의수세보원(東醫壽世保元), 사상의학(四象醫學), 사상 체액 생리학, 인문의학(人文醫學)
(이제마에게 양자역학 노벨상을 수여하라)

출판일 | 2024년 3월 4일
저 자 | D. J. O 동양의철학 연구소
펴낸이 | 한건희
펴낸곳 | 주식회사 부크크
출판사등록 | 2014.07.15.(제2014-16호)
주 소 | 서울특별시 금천구 가산디지털1로 119 SK트윈타워 A동 305호
전 화 | 1670-8316
이메일 | info@bookk.co.kr

ISBN | 979-11-410-7469-2

www.bookk.co.kr